CB070661

# Princípios AO do tratamento de fraturas

B922p  Buckley, Richard.
          Princípios AO do tratamento de fraturas / Richard Buckley, Christopher Moran, Theerachai Apivatthakakul ; tradução: Jacques Vissoky ; revisão técnica: Kodi Edson Kojima. – 3. ed. – Porto Alegre : Artmed, 2020.
          2 v. : il. color. ; 28 cm.

          ISBN 978-65-81335-00-7 (obra compl.). – 978-65-81335-01-4 (v. 1). – 978-65-81335-02-1 (v. 2)

          1. Medicina. 2. Fratura – Tratamento. I. Moran, Christopher. II. Apivatthakakul, Theerachai. III. Título.

          CDU 616.001.5

Catalogação na publicação: Karin Lorien Menoncin - CRB-10/2147

Richard E. Buckley | Christopher G. Moran | Theerachai Apivatthakakul

# Princípios AO do tratamento de fraturas

3ª Edição

Volume **1**
Princípios

**Tradução:**
Jacques Vissoky

**Revisão técnica:**
Kodi Edson Kojima
Chefe do Grupo de Trauma Ortopédico do Hospital das Clínicas da Faculdade de Medicina da Universidade de São Paulo.
Doutor em Ciências da Saúde pela Faculdade de Ciências Médicas da Santa Casa de São Paulo.
Presidente da AOTrauma Internacional.

artmed

Porto Alegre
2020

Copyright ©2018 of the original English language edition by AO Foundation, Davos Platz, Switzerland.
Original title: "AO Principles of Fracture Management, Vol. 1: Principles, Vol. 2: Specific Fractures", 3rd edition, by Richard E. Buckley, Christopher G. Moran, and Theerachai Apivatthakakul.

Gerente editorial: *Letícia Bispo de Lima*

*Colaboraram nesta edição:*

Coordenador editorial: *Alberto Schwanke*

Editora: *Tiele Patricia Machado*

Preparação de originais: *Jéssica Aguirre da Silva*

Leitura final: *Sandra da Câmara Godoy*

Arte sobre capa original: *Kaéle Finalizando Ideias*

Editoração: *Clic Editoração Eletrônica Ltda.*

---

**Nota**

A medicina é uma ciência em constante evolução. À medida que novas pesquisas e a própria experiência clínica ampliam o nosso conhecimento, são necessárias modificações na terapêutica, onde também se insere o uso de medicamentos. Os autores desta obra consultaram as fontes consideradas confiáveis, num esforço para oferecer informações completas e, geralmente, de acordo com os padrões aceitos à época da publicação. Entretanto, tendo em vista a possibilidade de falha humana ou de alterações nas ciências médicas, os leitores devem confirmar estas informações com outras fontes. Por exemplo, e em particular, os leitores são aconselhados a conferir a bula completa de qualquer medicamento que pretendam administrar, para se certificar de que a informação contida neste livro está correta e de que não houve alteração na dose recomendada nem nas precauções e contraindicações para o seu uso. Essa recomendação é particularmente importante em relação a medicamentos introduzidos recentemente no mercado farmacêutico ou raramente utilizados.

---

Reservados todos os direitos de publicação ao
GRUPO A EDUCAÇÃO S.A.
(Artmed é um selo editorial do GRUPO A EDUCAÇÃO S.A.)
Av. Jerônimo de Ornelas, 670 – Santana
90040-340 – Porto Alegre – RS
Fone: (51) 3027-7000  Fax: (51) 3027-7070

SÃO PAULO
Rua Doutor Cesário Mota Jr., 63 – Vila Buarque
01221-020 – São Paulo – SP
Fone: (11) 3221-9033

SAC 0800 703-3444 – www.grupoa.com.br

É proibida a duplicação ou reprodução deste volume, no todo ou em parte, sob quaisquer formas ou por quaisquer meios (eletrônico, mecânico, gravação, fotocópia, distribuição na Web e outros), sem permissão expressa da Editora.

IMPRESSO NO BRASIL
*PRINTED IN BRAZIL*

# Organizadores

**Richard E. Buckley**, MD, FRCSC
Professor
Foothills Hospital NW
0490 Ground Floor, McCaig Tower
3134 Hospital Drive
Calgary AB T2N 5A1
Canada

**Christopher G. Moran**, MD, FRCS
Professor
Department of Trauma and Orthopaedics
Nottingham University Hospital
Queen's Medical Centre
Derby Road
Nottingham NG7 2UH
UK

**Theerachai Apivatthakakul**, MD
Professor
Department of Orthopaedics
Faculty of Medicine
Chiang Mai University
Chiang Mai, 50200
Thailand

# Organizador dos vídeos e das ilustrações

**Thomas P. Rüedi**, MD, FACS
Founding member, AO Foundation
Consultant, AOTrauma Education
Switzerland

# Autores

**Boyko Gueorguiev-Rüegg**, PhD
Professor, Program Leader, Biomedical Development
AO Research Insititute Davos
Clavadelerstrasse 8
7270 Davos
Switzerland

**Brian Bernstein**, MD
P.O. Box 599
Constantia
Cape Town 7848
South Africa

**Chanakarn Phornphutkul**, MD
Department of Orthopaedics
Faculty of Medicine
Chiang Mai University
Chiang Mai, 50200
Thailand

**Chang-Wug Oh**, MD
Professor & Director
Department of Orthopedic Surgery
Kyungpook National University Hospital
130 Dongdeok-ro, Jung-gu
Daegu 700-721
South Korea

**Ching-Hou Ma**, MD
1, E-Da Road
Jiau-shu Tsuen, Yan Chau Shiang
Taiwan 824
Taiwan

**Christoph Sommer**, Dr Med
Kantonsspital Graubünden
Department Chirurgie
Loëstrasse 170
7000 Chur
Switzerland

**Chunyan Jiang**, MD
Beijing Jishuitan Hospital
31 Xinjiekoudongjie, Xicheng District
Beijing 100035
China

**Cong-Feng Luo**, MD
Orthopaedic Trauma Service III
Dept. Orthopaedic Surgery
Shanghai 6th People's Hospital Jiaotong University
600 Yi Shan Road
Shanghai 200233
China

**Dankward Höntzsch**, MD
Professor, BG Unfallklinik
Schnarrenbergstrasse 95
72076 Tübingen
Germany

**Daren Forward**, MA, FRCS, DM
The East Midlands Major Trauma Centre
Nottingham University Hospital
Nottingham NG7 2UH
UK

**David M. Hahn**, MD, FRCS (Orth)
Consultant, Trauma and Orthopaedic Surgeon
Nottingham University Hospital
Queen's Medical Centre
Nottingham NG72UH
UK

**David Ring**, MD, PhD
Associate Dean for Comprehensive Care
Professor of Surgery and Psychiatry
University of Texas at Austin
Department of Surgery and Perioperative Care
Dell Medical School
1912 Speedway
Austin, TX 78712
USA

**Douglas A. Campell**, ChM, FRCSE, FRCS (Orth)
Spire Leeds Hospital
Jackson Avenue
Leeds LS8 1NT
UK

**Ernest Kwek**, MD
Department of Orthopaedic Surgery
Tan Tock Seng Hospital
11 Jalan Tan Tock Seng
Singapore 308433
Singapore

**Fan Liu**, MD, PhD
Professor, Dept. of Orthopaedic Surgery
The Affiliated Hospital to Nantong University
20 Xi Si Road, Nantong
Jiangsu 226001
China

**Friedrich Baumgaertel**, MD, PhD
Associate Professor
Dept. of Orthopedics and Traumatology
University of Marburg – Private Practice
Neversstr. 7
Koblenz 56068
Germany

**Hans J. Kreder MD**, MPH, FRCS(C)
Sunnybrook Health Sciences Centre
2075 Bayview Ave.
Toronto ON M4N 3M5
Canada

**Hans Peter Dimai**, Prof, Dr Med
Medical University of Graz
Department of Internal Medicine
Division of Endocrinology and Metabolism
Auenbruggerplatz 15
Graz 8036
Austria

**James B. Hunter**, FRCSE (Orth)
Consultant, Trauma and Paediatric Orthopaedic Surgeon
Nottingham University Hospital
Queen's Medical Centre
Nottingham NG72UH
UK

**James F. Kellam**, MD, FRCS, FACS
McGovern Medical School
University of Texas
Health Science Center at Houston
6431 Fannin Street, Suite 6.146
Houston, TX 77030
USA

**James Stannard**, MD
Hansjorg Wyss Distinguished Chair in Orthopedic Surgery
1100 Virginia Ave,
Columbia, MO 65212
USA

**John Arraf**, MD, FRCPC
Department of Anesthesia
Foothills Medical Centre
1403 – 29 St NW
Calgary AB T2N 5A1
Canada

**John R. Williams**, DM, FRCS (Orth)
Upper Limb Trauma Unit
Royal Victoria Infirmary
Queen Victoria Road
Newcastle upon Tyne NE1 4LP
UK

**John T. Capo**, MD
377 Jersey Ave, Suite 280A
Jersey City, NJ 07302
USA

**Jong-Keon Oh**, MD
Department of Orthopaedic Surgery
Guro Hospital
Korea University College of Medicine
80 Guro 2-dong, Guro-gu
Seoul 152-703
South Korea

**Jorge Daniel Barla**, MD
Hospital Italiano de Buenos Aires – Orthopedics
Potosí 4247
Buenos Aires C1181ACH
Argentina

**Keenwai Chong**, MD
Bone Joint Institute of Singapore
08-01 Gleneagles Medical Centre
6 Napier road
Singapore 258499
Singapore

**Les Grujic**, MD
Orthopaedic & Arthritis Specialist Centre
Level 2, 445 Victoria Ave.
Chatswood, NSW 2067
Australia

**Mahmoud M. Odat**, MD, FACS
Senior Consultant, Orthopedic & Trauma Surgeon
Arab Medical Center
P.O. Box 128
Amman 11831
Jordan

**Mandeep S. Dhillon**, MD, MBBS, MS (Ortho), MNA-MS
Professor, Department of Orthopaedic Surgery
Post Graduate Institute of Medical Education and Research
92, Sector 24
P.O. Box 1511
Chandigarh 160012
India

**Mark A. Lee**, MD
Professor, Director, Orthopaedic Trauma Fellowship
Vice Chair for Research
UC Davis, Dept. of Orthopaedic Surgery
4860 Y Street, Suite 3800
Sacramento, CA 95817
USA

**Markku Nousiainen**, MD, MSc, FRCSC
Holland Orthopaedic and Arthritic Centre
Sunnybrook Health Sciences Centre
621-43 Wellesley St. East
Toronto ON M4Y 1H1
Canada

**Markus Gosch**, Prof, Dr Med
Medical Director, Department for Geriatrics
Paracelsus Medical University Salzburg, Austria
Nüremberg Hospital North
Prof.-Ernst-Nathan-Str. 1
Nüremberg 90419
Germany

**Martin H. Hessmann**, Dr Med
Professor, Academic Teaching Hospital Fulda
Dept. of Orthopaedic and Trauma Surgery
Pacelliallee 4
36043 Fulda
Germany

**Martin Stoddart**, PhD, FRSB
Professor
AO Research Institute Davos
Clavadelerstrasse 8
7270 Davos
Switzerland

**Matej Kastelec**, Dr Med
University Medical Centre Ljubljana
Zaloška cesta 7
1525 Ljubljana
Slovenia

**Matthew Porteous**, Dr Med
West Suffolk Hospital
Hardwick Lane
Bury St Edmunds
Suffolk IP33 2QZ
UK

**Mauricio Kfuri**, MD, PhD
Missouri Orthopedic Institute
1100 Virginia Ave
Columbia, MO 65201
USA

**Michael Blauth**, MD
Professor, Direktor der Univ. –Klinik für Unfallchirurgie
Director Department for Trauma Surgery
Anichstrasse 35
Innsbruck 6020
Austria

**Michael McKee**, MD, FRCSC
Professor and Chair
Department of Orthopaedic Surgery
University of Arizona, College of Medicine
Phoenix, Arizona, USA

**Michael S. Sirkin**, MD
140 Bergen St
Suite d1610
Newark NJ 07103
USA

**Michael Schütz**, Dr Med, FRACS
Professor, Geschäftsführender Direktor
Klinik für Unfall- und Wiederherstellungschirurgie
Klinik für Orthopaedie
Universitaetsklinikum Charité (CVK,CCM)
Augustenburger Platz 1
Berlin 13353
Germany

**Olivier Borens**, MD
Professor, Service d'Orthopédie et de Traumatologie
Centre hospitalier universitaire vaudois (CHUV)
Rue Bugnon, 46
1011 Lausanne
Switzerland

Autores

**Paulo Barbosa**, MD
Hospital Quinta D'or
Rua Almirante Baltazar 435
São Cristovão
Rio de Janeiro CEP 209401 -150
Brazil

**Peter Giannoudis**, Dr Med
Professor, Academic Department
Trauma & Orthopedic Surgery
Floor D, Clarendon Wing
Great George Street
Leeds General Infirmary
Leeds LS1 3EX
UK

**Piet de Boer**, FRCS
Oberdorfstrasse 1
8305 Dietlikon
Switzerland

**R. Malcolm Smith**, MD FRCS
Chief, Orthopaedic Trauma Service
Department of Orthopaedic Surgery
Massachussets General Hospital
55 Fruit Street YAW 3600
Boston MA 02114
USA

**R. Geoff Richards**, FBSE, FIOR
Professor, Director
AO Research Insititute Davos
Clavadelerstrasse 8
7270 Davos
Switzerland

**Rami Mosheiff**, Dr Med
Professor, Director of Orthopaedic Trauma Unit
Hadassah University Medical Center
Ein Kerem
P.O.B 12000
Jerusalem 91120
Israel

**Reto Babst**, Dr Med
Professor, Vorsteher Department Chirurgie
Leiter Klinik Orthopädie und Unfallchirurgie
Chefartz Unfallchirurgie
Luzerner Kantonsspital
6000 Luzern 16
Switzerland

**Rodrigo Pesántez**, MD
Professor
Avenida 9# 116-20
Consultorio 820
Bogotá
Colombia

**Rogier K. J. Simmermacher**, MD, Dr Med
Dept. of Surgery
University Medical Center Utrecht
PO Box 85500
GA Utrecht 3508
The Netherlands

**Sherif A. Khaled**, Dr Med
Professor, MB, Bch, MSc orthopedics, MD orthopedics
32 Falaky street, Awkaf building
Bab El Louk square
Cairo 11211
Egypt

**Stefaan Nijs**, MD
Head of the Dept. of Traumatology
UZ Leuven
Herestraat 49
Leuven 3000
Belgium

**Stephen L. Kates**, MD
Professor and Chair of Orthopaedic Surgery
Virginia Commonwealth University
Department of Orthopaedic Surgery
1200 E. Broad St
Richmond, VA 23298
USA

**Susan Snape**
Microbiology Department
Nottingham University Hospital
Queen's Medical Centre
Nottingham NG72UH
UK

**Theddy Slongo**, MD
Senior Consultant for Paediatric Trauma and Orthopedics
University Children's Hospital
Freiburgstrasse 7
3010 Bern
Switzerland

**Thomas J. Luger**, Prof, Dr Med
Department of Anaesthesiology and
General Intensive
Care Medicine
Anichstrasse 35
Innsbruck 6020
Austria

**Wa'el Taha**, MD
Department of Surgery
Prince Mohammed bin Abdulaziz National Guard
Health Affairs
Madina 41466
Saudi Arabia

**Yves Harder**, Dr Med
Professor, Vice-chief, Department of Surgery
Head, Plastic, Reconstructive and Aesthetic Surgery
Ente Ospedaliero Cantonale (EOC)
Ospedal Regionale di Lugano;
Sede Ospedale Italiano
Via Capelli
6962 Viganello – Lugano
Switzerland

**Zsolt J. Balogh**, MD
Professor, Director of Trauma
John Hunter Hospital
Locked Bag 1, Hunter Region
Newcastle NSW 2310
Australia

# Agradecimentos

A produção e publicação desta nova edição de *Princípios AO do tratamento de fraturas* não teria sido possível sem a dedicação e o apoio de uma lista extensa de colaboradores. Aos cirurgiões AO, que doaram seu tempo e conhecimento, e aos colegas que ofereceram relatos de casos e imagens, assim como às equipes de nossas instituições médicas, da AOTrauma e do AO Education Institute: obrigado pela ajuda no desenvolvimento desta obra.

Embora haja muitas pessoas para agradecer, desejamos mencionar especialmente os seguintes colaboradores:

- Os membros da Comissão de Educação da AOTrauma, por reconhecerem a importância desta oportunidade educacional e por aprovarem o desenvolvimento desta publicação.
- Thomas Rüedi, por sua contínua orientação, apoio, mentoria e amizade. Este livro representa um legado dentro da comunidade da AOTrauma. Sua orientação e conexão à filosofia original "AO" foi o que permitiu que este espírito AO estivesse presente ao longo da produção deste manual.
- Urs Rüetschi e Robin Greene, do AO Education Institute, por sua orientação e conhecimento, bem como por disponibilizar extensos recursos e pessoal no preparo desta publicação, tornando-a a melhor possível.
- Os muitos colegas ao redor do mundo que forneceram capítulos, casos e imagens.
- Suthorn Bavonratanavech, por escrever o prefácio deste livro.
- Toda a equipe da AO Publishing, liderada por Carl Lau, por seu apoio profissional no gerenciamento do projeto, ilustrações médicas e projeto gráfico.
- A Equipe de Vídeo AO, liderada por Thommy Rüegg, por seu conhecimento e auxílio na produção do conteúdo de vídeo.
- Os ilustradores médicos do AO Surgery Reference, liderados por Lars Veum, por seu trabalho nas figuras.
- E, por fim, nossas famílias, por seu apoio carinhoso e encorajador ao longo deste projeto. Muito tempo foi passado longe da família para a produção deste livro e, sem a sua compreensão, este projeto não teria sido possível.

*Richard E. Buckley, MD, FRCSC*
*Christopher G. Moran, MD, FRCS*
*Theerachai Apivatthakakul, MD*

# Prefácio

**Suthorn Bavonratanavech**
Ex-presidente 2014-2016 da Fundação AO
Tailândia

Quando um grupo de cirurgiões gerais e ortopedistas suíços fundou a Arbeitsgemeinschaft für Osteosynthesefragen (AO) em 1958, eles enfatizaram que a educação seria de extrema importância para o sucesso nos cuidados do trauma ortopédico. Uma nova revolução teve início em 1960, com o primeiro curso prático em Davos, na Suíça, que foi um modelo altamente bem-sucedido para a educação de adultos. Em 1963, foi publicado em alemão o primeiro relato escrito da AO sobre o tratamento cirúrgico de fraturas por Maurice E. Müller, Martin Allgöwer e Hans Willenegger. Mais tarde, o desenvolvimento técnico de métodos de fixação cirúrgica de fraturas, osteotomias e artrodeses foi aceito e adotado pelo Grupo AO suíço. Eles foram demonstrados detalhadamente em 1969 com a 1ª edição do *Manual de fixação interna*, que foi traduzido para o inglês e muitos outros idiomas, e se tornou um guia fundamental para os cirurgiões de trauma ortopédico ao redor do mundo. Foi um referencial para as técnicas precisas da AO desde 1970 até as duas décadas seguintes, com edições revisadas publicadas em 1977 e 1992. Em 1977, quando era um cirurgião jovem e inexperiente, aprendi muito sobre os princípios e técnicas da AO com o auxílio do livro. Naquela época, o *Manual* era a principal fonte de educação no trauma ortopédico, oferecendo orientações passo a passo sobre a execução do tratamento cirúrgico de fraturas.

Quarenta anos depois da fundação da AO, com a aceitação mundial do tratamento cirúrgico das fraturas, a publicação de *Princípios AO do tratamento de fraturas* foi atribuída a uma equipe internacional de cirurgiões e autores. O livro foi projetado não apenas para ser um manual de osteossíntese, mas principalmente para oferecer recomendações abrangentes e baseadas em evidências, assegurando o uso das técnicas mais avançadas. A 1ª edição de *Princípios AO do tratamento de fraturas* foi publicada em 2000, seguida pela 2ª edição, em 2007, e então, 10 anos mais tarde, por esta 3ª edição revisada e atualizada.

A missão da Fundação AO é "transformando a cirurgia, mudando vidas", e a equipe responsável por este livro deu continuidade a este legado de excelência com a 3ª edição de *Princípios AO do tratamento de fraturas*. É incomum na área médica que um livro-texto seja tão bem-sucedido e perdure por um período tão longo. Considerando os novos conhecimentos e as novas técnicas e tecnologia cirúrgicas, a 3ª edição apresenta códigos QR que conectam os leitores a uma diversidade de conteúdos educacionais AO *online* (em inglês). Esta edição permanece uma fonte primária de educação e, ao longo dos próximos anos, permitirá aos alunos conectarem-se às muitas formas de mídia eletrônica que estão se desenvolvendo rapidamente na internet.

Em nome da Fundação AO e dos cirurgiões da AO em todo o mundo, agradeço aos organizadores, autores e editores. Agradeço especialmente a Richard E. Buckley, Christopher G. Moran e Theerachai Apivatthakakul, assim como a Urs Ruetschi e sua equipe do AO Education Institute, por sua dedicação em produzir um livro excelente. Este livro formará o programa dos cursos AO em todo o mundo, e tenho a convicção de que o conhecimento fornecido por ele será tão benéfico à nova geração de cirurgiões AO como foi o original *Manual de fixação interna* para a minha geração.

# Introdução

Esta é a 3ª edição do livro sobre os princípios AO do tratamento de fraturas, e é possível que seja a última versão impressa conforme adentramos a terceira década do século XXI, já que a maioria dos cirurgiões e alunos usam a internet como fonte fundamental de informação. A 1ª e a 2ª edições deste livro tiveram enorme sucesso, obtendo prêmios com as traduções em oito idiomas. Essas obras formaram currículos de cursos sobre tratamento cirúrgico de fraturas em todo o mundo. A 3ª edição se baseia neste formato bem-sucedido, porém, em vez de estar disponível apenas como um livro impresso ou eletrônico, tem uma plataforma *online* que integra recursos múltiplos de aprendizagem, a fim de permitir o acesso imediato dos alunos a AO Surgery Reference, vídeos de ensino, *webcasts*, palestras, demonstrações de técnicas cirúrgicas e referências bibliográficas.

Desde a publicação da 2ª edição, em 2007, a cirurgia de fraturas segue evoluindo. O papel e a função das placas bloqueadas estão agora mais bem definidos, com disponibilidade de muitas variedades de placas anatomicamente pré-moldadas, além da quantidade e dos tipos de implantes de minifragmentos terem aumentado consideravelmente. O uso difundido da cirurgia minimamente invasiva tem enfatizado a importância das partes moles na cirurgia de fraturas. Conflitos civis e militares ao redor do mundo têm levado a avanços significativos na reanimação de pacientes com politraumatismo, com mudanças no tempo e na abordagem à cirurgia de fraturas. Todas essas mudanças estão refletidas no texto.

Todos os capítulos foram profundamente revisados e reescritos, com novas ilustrações, animações e vídeos. O uso crescente de radiologia e imagens de cortes transversais foi abordado em um novo capítulo, pois o cirurgião deve estar ciente dessas tecnologias e do risco que a exposição à radiação representa a ele e a seus pacientes.

Também foi feita uma atualização e revisão abrangente de todas as referências, já que a cirurgia de fraturas tem desenvolvido uma base sólida de evidências, derivadas do número crescente de grandes ensaios controlados randomizados em nível nacional.

O envelhecimento populacional é um dos maiores desafios enfrentados pelos cirurgiões de fraturas em todo o mundo. As mudanças demográficas resultarão em um aumento exponencial nas fraturas por fragilidade; dessa forma, esta edição inclui um capítulo sobre esse tipo de fratura e cuidados ortogeriátricos. A cada ano, 2,9 milhões de próteses articulares totais são executadas no mundo, o que tem aumentado significativamente o número de fraturas periprotéticas. Esse crescente problema clínico é abordado em outro novo capítulo. O Volume 2, sobre fraturas específicas, também foi expandido, incluindo um novo capítulo sobre luxações de joelho.

Os organizadores desejam fazer um reconhecimento especial à contribuição de Thomas Rüedi, não só para este livro, mas para o ensino de cirurgia ao redor do mundo. Tom é uma inspiração para todos nós.

Os princípios fundamentais de cirurgia de fraturas não mudaram em 60 anos, mas nosso crescente conhecimento biológico e clínico, junto com os avanços na tecnologia, mudou o modo como aplicamos tais princípios. Cirurgias de fraturas bem-sucedidas requerem uma compreensão abrangente desses princípios, com atenção meticulosa a detalhes em cada etapa no cuidado do paciente. Esperamos que este livro seja um guia e forneça a base para uma carreira bem-sucedida na cirurgia de fraturas.

*Richard E. Buckley, MD, FRCSC*
*Christopher G. Moran, MD, FRCS*
*Theerachai Apivatthakakul, MD*

# Siglas

| | |
|---|---|
| **AAS** | ácido acetilsalicílico |
| **ACO** | anticoncepcional oral |
| **ACP** | analgesia controlada pelo paciente |
| **ADM** | amplitude de movimento |
| **AFM** | avaliação da função musculoesquelética |
| **AFN** | haste femoral anterógrada |
| **AIEP** | aço inoxidável eletropolido |
| **AINEs** | anti-inflamatórios não esteroides |
| **AIS** | escala abreviada de lesões |
| **ALARA** | tão baixo quanto razoavelmente possível (o princípio ALARA refere-se à proteção contra radiação) |
| **ALP** | abdutor longo do polegar |
| **ANT** | alumínio-nióbio-titânio |
| **AO** | Arbeitsgemeinschaft für Osteosynthesefragen |
| **AP** | anteroposterior |
| **APG** | ácido poliglicólico |
| **APL** | ácido poliláctico |
| **ARUD** | articulação radioulnar distal |
| **ASIA** | American Spinal Injury Association |
| **ATC** | angiotomografia computadorizada |
| **ATCP** | angiotomografia computadorizada pulmonar |
| **ATLS** | suporte avançado de vida no trauma |
| **AVA** | acidente com veículo automotor |
| **BMP** | proteína morfogenética óssea |
| **β-TCP** | β-fosfato tricálcico |
| **CAC** | cirurgia auxiliada por computador |
| **CAP** | compressão anteroposterior |
| **CaP** | fosfato de cálcio |
| **CARS** | síndrome da resposta compensatória anti-inflamatória |
| **CCD** | cirurgia de controle de danos |
| **CCT** | carga conforme tolerado |
| **CDO** | controle de danos ortopédicos |
| **CE** | Conformité Européene |
| **CFCT** | complexo fibrocartilaginoso triangular |
| **CGI** | cirurgia guiada por imagens |
| **CIA** | cuidado inicial apropriado |
| **CL** | compressão lateral |
| **CMI** | cirurgia minimamente invasiva |
| **CMO** | conteúdo mineral ósseo |
| **COAC** | cirurgia ortopédica auxiliada por computador |
| **CP** | carga parcial |
| **CPPD** | carga parcial com pododáctilos |
| **cpTi** | titânio comercialmente puro |
| **CSSO** | complexo suspensório superior do ombro |
| **CT** | carga total |
| **CTM** | células-tronco mesenquimais |
| **CTMH** | células-tronco mesenquimais humanas |
| **CTP** | cuidado total precoce |
| **DCP** | placa de compressão dinâmica |
| **DCS** | parafuso dinâmico condilar |
| **DDO** | doença distal degenerativa |
| **DEXA** | absorciometria de raios X de dupla energia |
| **DFN** | haste femoral proximal |
| **DFN** | haste femoral distal |
| **DHS** | parafuso dinâmico do quadril |
| **DMO** | densidade mineral óssea |
| **dPA** | pressão arterial diastólica |
| **DSM** | dor simpaticamente mantida |
| **DSR** | distrofia simpaticorreflexa, também chamada de síndrome de dor regional complexa (SDRC) |
| **EAV** | escala analógica visual |
| **ECP** | extensor curto do polegar |
| **ECR** | ensaio controlado randomizado |
| **EGF** | fator de crescimento epidérmico |
| **EIEE** | encavilhamento intramedular estável elástico |
| **ELP** | extensor longo do polegar |
| **EMG** | eletromiografia |
| **EP** | embolia pulmonar |
| **ERC** | enterobactérias resistentes a carbapenêmicos |
| **ESA** | exame sob anestesia |
| **ESC** | equipe da sala de cirurgia |
| **FAI** | fresa com aspiração e irrigação |
| **FAV** | fechamento auxiliado por vácuo |
| **FCB** | fosfato de cálcio bifásico |
| **FDA** | Food and Drug Administration |
| **FDR** | fratura distal do rádio |
| **FGF** | fator de crescimento do fibroblasto |
| **FLP** | flexor longo do polegar |
| **FMO** | falência de múltiplos órgãos |
| **FRC** | flexor radial do carpo |
| **FUC** | flexor ulnar do carpo |
| **GC** | grampo de compressão (para pelve) |
| **GCS** | Escala de Coma de Glasgow |
| **GDF** | fator de crescimento e diferenciação |
| **GOS** | Escala de Desfecho de Glasgow |
| **HA** | hidroxiapatita |
| **HBPM** | heparina de baixo peso molecular |
| **HET** | haste elástica de titânio |
| **HFS** | escala de fraturas de Hanover |
| **hGH** | hormônio do crescimento humano |
| **HIEE** | haste intramedular elástica estável |
| **HNBD** | heparina não fracionada de baixa dosagem |
| **HUS** | haste universal simplificada |
| **IASP** | International Association for the Study of Pain |
| **IDCOM** | imagem digital e comunicações em medicina |
| **IGF** | fator do crescimento insulínico |
| **IGF-BP** | proteínas de ligação do IGF |
| **IM** | intramedular |
| **INR** | razão normalizada internacional |
| **ISS** | escore de gravidade da lesão |

| | | | |
|---|---|---|---|
| ITB | índice tornozelo-braquial | PMDC | proteína morfogenética derivada da cartilagem |
| KTTP | tempo de tromboplastina parcial ativada | PMMA | polimetilmetacrilato |
| LCA | ligamento cruzado anterior | PMN | (neutrófilos) polimorfonucleares |
| LC-DCP | placa de compressão dinâmica de baixo contato | PPMM | pressão de perfusão muscular média |
| LCL | ligamento colateral lateral | PQ | pronador quadrado |
| LCM | ligamento colateral medial | PTH | paratormônio |
| LCP | ligamento cruzado posterior | RAFI | redução aberta e fixação interna |
| LCP | placa de compressão bloqueada | RIA | fresagem, irrigação e aspiração |
| LHS | parafuso de cabeça bloqueada | RM | ressonância magnética |
| LISS | sistema de estabilização menos invasivo | RMN | ressonância magnética nuclear |
| LPT | lateral proximal da tíbia | RMQ | ressonância magnética quantitativa |
| MEFiSTO | (sistema de fixação externa monolateral para traumatologia e ortopedia) | RRA | redução de risco absoluto (ou aumento) |
| MESS | escore de gravidade da extremidade esmagada | RRR | redução de risco relativo |
| MMA | metilmetacrilato | RT | retorno ao trabalho |
| MOD | matriz óssea desmineralizada | SARA | síndrome da angústia respiratória do adulto (ou aguda) |
| MPC | movimento passivo contínuo | SC | sala de cirurgia |
| MRC | Medical Research Council | SCAI | sistema de comunicação e arquivamento de imagens |
| MRSA | *Staphylococcus aureus* resistente à meticilina | SDMO | síndrome da disfunção de múltiplos órgãos |
| MSSA | *Staphylococus aureus* sensível à meticilina | SDRC I | síndrome da dor regional complexa tipo I |
| NAV | necrose avascular | SDRC II | síndrome da dor regional complexa tipo II |
| NNT | número necessário para tratar/número necessário para lesionar | SEG | síndrome da embolia gordurosa |
| NOFSP | nanopartículas de óxido de ferro superparamagnético | SHTE | sistema de haste tibial especial |
| OA | osteoartrite | SIGN | Surgical Implant Generation Network |
| OHT | ossificação heterotópica (ectópica) | SIRS | síndrome da resposta inflamatória sistêmica |
| OMI | osteossíntese minimamente invasiva | SNC | sistema nervoso central |
| OPMI | osteossíntese com placa minimamente invasiva | SRE | sistema reticuloendotelial |
| OTA | Orthopaedic Trauma Association | SXA | absorciometria de raios X de energia simples |
| OTD | Orthopedic Trauma Directions | TC | tomografia computadorizada |
| OTLS | órtese toracolombossacra | TCA | transplante de condrócitos autógenos |
| PART | pedículo de ancôneo refletido pelo tríceps | TCCI | tomografia computadorizada do corpo inteiro (para trauma) |
| PAd | pressão arterial diastólica | TCE | trauma craniencefálico |
| PAS | pressão arterial sistólica | TCQ | tomografia computadorizada quantitativa |
| PCR | proteína C-reativa | TEPT | transtorno de estresse pós-traumático |
| PDGF | fator de crescimento derivado das plaquetas | TEV | tromboembolismo venoso |
| PDLLA | poli-D, L-lactídeo | TFN | haste femoral trocantérica |
| PDS | polidioxanona | TGF | fator transformador do crescimento |
| PEEK | poli-éter-éter-cetona | Ti-15Mo | titânio molibdênio |
| PEG | polietilenoglicol | TNF-α | fator de necrose tumoral alfa |
| PEKK | poli-éter-cetona-cetona | TPN | terapia por pressão negativa, também chamada fechamento auxiliado por vácuo (FAV) |
| PEP | prevenção da embolia pulmonar | | |
| PEPMUA | polietileno de peso molecular ultra alto | TQPA | tratamento químico com plasma anódico |
| PET | tomografia por emissão de pósitrons | TRH | terapia de reposição hormonal |
| PET-TC | tomografia por emissão de pósitrons combinada com tomografia computadorizada | TVP | trombose venosa profunda |
| | | TXA | ácido tranexâmico |
| PFNA | haste femoral proximal antirrotação | USP | United States Pharmacopeia |
| PHILOS | sistema bloqueado interno da região proximal do úmero | USQ | ultrassonografia quantitativa |
| PHN | haste umeral proximal | USS | Universal Spine System |
| PIC | pressão intracraniana | UTI | unidade de terapia intensiva |
| PIM | pressão intramuscular | VCI | veia cava inferior |
| PLGA | poliglicolídeos | VEGF | fator de crescimento endotelial vascular |
| PLLA | polilactídeos | VHS | velocidade de hemossedimentação |

# Conteúdo educacional AO *online*

Diversos conteúdos são disponibilizados *online* pela AO (em inglês) e podem ser acessados a partir dos códigos QR impressos na abertura de cada capítulo. Usando um leitor de código QR em um dispositivo móvel, os leitores são levados a *sites* dedicados que contêm não apenas os Vídeos e Figuras/Animações do capítulo, mas também conteúdos educacionais da AO selecionados pelos organizadores especialmente para aquele tema.

Os conteúdos disponibilizados nos *sites* incluem:
- AO Surgery Reference
- AO Skills Lab
- AOSTaRT
- *Webinars* e *webcasts*
- Palestras
- Vídeos educativos
- Módulos de ensino a distância
- Aplicativos móveis
- Casos da ICUC

Esses conteúdos serão revisados e atualizados pelos organizadores à medida que novos recursos educacionais da AO são desenvolvidos, garantindo que os leitores mantenham-se conectados com as novidades da área.

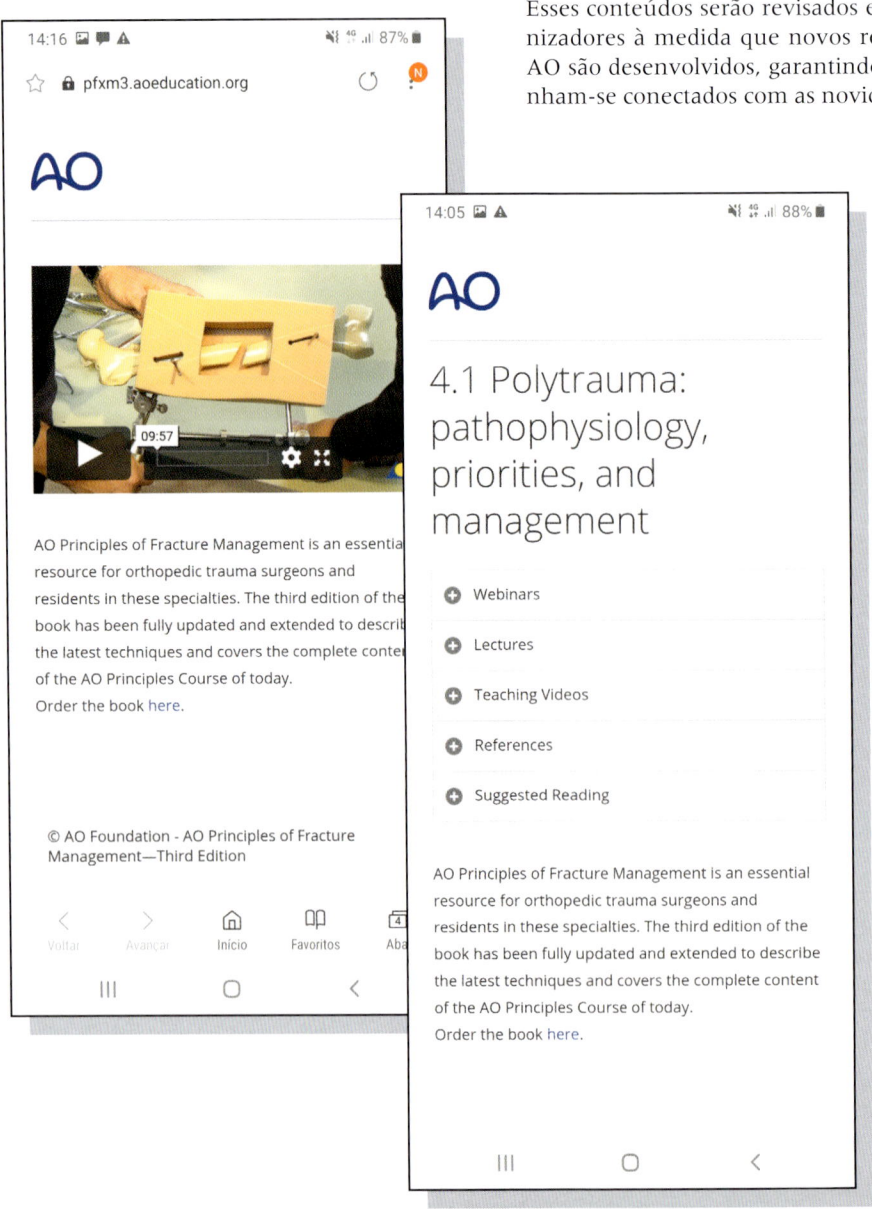

# Sumário

## Volume 1 – Princípios

### Seção 1
### Filosofia da AO e princípios básicos

| | | |
|---|---|---|
| 1.1 | Filosofia e evolução da AO<br>*Richard E. Buckley, Christopher G. Moran, Theerachai Apivatthakakul* | 3 |
| 1.2 | Biologia e biomecânica da consolidação óssea<br>*Boyko Gueorguiev-Rüegg, Martin Stoddart* | 9 |
| 1.3 | Implantes e biotecnologia<br>*Geoff Richards* | 27 |
| 1.4 | Classificação das fraturas<br>*James F. Kellam* | 39 |
| 1.5 | Lesão de partes moles: fisiopatologia, avaliação e classificação<br>*Brian Bernstein* | 51 |

### Seção 2
### Tomada de decisão e planejamento

| | | |
|---|---|---|
| 2.1 | O paciente e a lesão: tomada de decisão na cirurgia do trauma<br>*Christopher G. Moran* | 73 |
| 2.2 | Fraturas diafisárias: princípios<br>*Piet de Boer* | 83 |
| 2.3 | Fraturas articulares: princípios<br>*Chang-Wug Oh* | 93 |
| 2.4 | Planejamento pré-operatório<br>*Matthew Porteous* | 105 |

### Seção 3
### Redução, vias de acesso e técnicas de fixação

**Redução e vias de acesso**

| | | |
|---|---|---|
| 3.1.1 | Redução cirúrgica<br>*Rodrigo Pesantez* | 117 |
| 3.1.2 | Vias de acesso e manuseio intraoperatório de partes moles<br>*Ching-Hou Ma* | 137 |
| 3.1.3 | Osteossíntese minimamente invasiva<br>*Reto Babst* | 149 |

**Técnicas de estabilidade absoluta**

| | | |
|---|---|---|
| 3.2.1 | Parafusos<br>*Wa'el Taha* | 173 |
| 3.2.2 | Placas<br>*Mark A. Lee* | 185 |
| 3.2.3 | Princípio da banda de tensão<br>*Markku Nousiainen* | 209 |

**Técnicas de estabilidade relativa**

| | | |
|---|---|---|
| 3.3.1 | Encavilhamento intramedular<br>*Martin H. Hessmann* | 217 |
| 3.3.2 | Placa em ponte<br>*Friedrich Baumgaertel* | 241 |
| 3.3.3 | Fixador externo<br>*Dankward Höntzsch* | 253 |
| 3.3.4 | Placas bloqueadas<br>*Christoph Sommer* | 269 |

## Seção 4
## Tópicos gerais

| | | |
|---|---|---|
| 4.1 | Politraumatismo: fisiopatologia, prioridades e tratamento<br>*Peter V. Giannoudis* | **311** |
| 4.2 | Fraturas expostas<br>*Rami Mosheiff* | **331** |
| 4.3 | Perda de partes moles: princípios do tratamento<br>*Yves Harder* | **357** |
| 4.4 | Fraturas pediátricas<br>*Theddy Slongo, James Hunter* | **379** |
| 4.5 | Profilaxia com antibióticos<br>*Susan Snape* | **421** |
| 4.6 | Profilaxia do tromboembolismo<br>*Hans J. Kreder* | **429** |
| 4.7 | Cuidados pós-operatórios: considerações gerais<br>*Liu Fan, John Arraf* | **437** |
| 4.8 | Fraturas por fragilidade e cuidados ortogeriátricos<br>*Michael Blauth, Markus Gosch, Thomas J. Luger, Hans Peter Dimai, Stephen L. Kates* | **451** |
| 4.9 | Riscos relacionados aos exames de imagem e à radiação<br>*Chanakarn Phornphutkul* | **481** |

## Seção 5
## Complicações

| | | |
|---|---|---|
| 5.1 | Consolidação viciosa<br>*Mauricio Kfuri* | **493** |
| 5.2 | Não união asséptica<br>*R. Malcolm Smith* | **513** |
| 5.3 | Infecção aguda<br>*Olivier Borens, Michael S. Sirkin* | **529** |
| 5.4 | Infecção crônica e não união infectada<br>*Stephen L. Kates, Olivier Borens* | **547** |

# Volume 2 – Fraturas específicas

## Seção 6

### Escápula e clavícula

| | | |
|---|---|---|
| 6.1.1 | Escápula<br>*Michael McKee* | 565 |
| 6.1.2 | Clavícula<br>*Ernest Kwek* | 573 |

### Úmero

| | | |
|---|---|---|
| 6.2.1 | Úmero, proximal<br>*Chunyan Jiang* | 587 |
| 6.2.2 | Úmero, diáfise<br>*John Williams* | 607 |
| 6.2.3 | Úmero, distal<br>*David Ring* | 623 |

### Antebraço e mão

| | | |
|---|---|---|
| 6.3.1 | Proximal do antebraço e lesões complexas do cotovelo<br>*Stefaan Nijs* | 637 |
| 6.3.2 | Antebraço, diáfise<br>*John T. Capo* | 657 |
| 6.3.3 | Distal do rádio e do punho<br>*Matej Kastelec* | 673 |
| 6.3.4 | Mão<br>*Douglas A. Campbell* | 699 |

### Pelve e acetábulo

| | | |
|---|---|---|
| 6.4 | Anel pélvico<br>*Daren Forward* | 717 |
| 6.5 | Acetábulo<br>*Jorge Barla* | 745 |

### Fêmur e fraturas periprotéticas

| | | |
|---|---|---|
| 6.6.1 | Fêmur, proximal<br>*Rogier K. J. Simmermacher* | 773 |
| 6.6.2 | Fêmur, diáfise (incluindo fraturas subtrocantéricas)<br>*Zsolt J. Balogh* | 789 |
| 6.6.3 | Fêmur, distal<br>*Jong-Keon Oh* | 815 |
| 6.6.4 | Fraturas periprotéticas<br>*Michael Schütz* | 837 |

### Joelho

| | | |
|---|---|---|
| 6.7.1 | Patela<br>*Mahmoud M. Odat* | 853 |
| 6.7.2 | Luxações do joelho<br>*James Stannard* | 865 |

### Tíbia

| | | |
|---|---|---|
| 6.8.1 | Tíbia, proximal<br>*Luo Cong-Feng* | 877 |
| 6.8.2 | Tíbia, diáfise<br>*Paulo Roberto Barbosa de Toledo Lourenço* | 899 |
| 6.8.3 | Tíbia, distal intra-articular (pilão)<br>*Sherif A. Khaled* | 913 |

### Maléolos e pé

| | | |
|---|---|---|
| 6.9 | Maléolos<br>*David M. Hahn, Keenwai Chong* | 933 |
| 6.10.1 | Retropé – calcâneo e tálus<br>*Richard E. Buckley* | 961 |
| 6.10.2 | Mediopé e antepé<br>*Mandeep S. Dhillon* | 983 |

| | | |
|---|---|---|
| Glossário<br>*Christopher L. Colton, Christopher G. Moran* | | G-1 |
| Índice | | I-1 |

# Seção 1

## Filosofia da AO e princípios básicos

# Seção 1
Filosofia da AO e princípios básicos

| | | |
|---|---|---|
| 1.1 | **Filosofia e evolução da AO**<br>*Richard E. Buckley, Christopher G. Moran, Theerachai Apivatthakakul* | 3 |
| 1.2 | **Biologia e biomecânica da consolidação óssea**<br>*Boyko Gueorguiev-Rüegg, Martin Stoddart* | 9 |
| 1.3 | **Implantes e biotecnologia**<br>*Geoff Richards* | 27 |
| 1.4 | **Classificação das fraturas**<br>*James F. Kellam* | 39 |
| 1.5 | **Lesão de partes moles: fisiopatologia, avaliação e classificação**<br>*Brian Bernstein* | 51 |

# 1.1 Filosofia e evolução da AO

*Richard E. Buckley, Christopher G. Moran, Theerachai Apivatthakakul*

## 1 Filosofia da AO

A filosofia da AO (Arbeitsgemeinschaft für Osteosynthesefragen/Associação para o Estudo da Fixação Interna) tem permanecido consistente e clara desde sua concepção, em 1958, por um grupo visionário de 13 colegas e amigos suíços até a sua condição atual como comunidade e fundação cirúrgica e científica mundial. Os avanços na ciência básica e na tecnologia, em conjunto com a crescente experiência clínica, têm resultado em várias mudanças nos implantes, nos instrumentos e nas técnicas usadas na cirurgia de trauma. Entretanto, a filosofia básica do cuidado permanece a mesma hoje, tal como em 1958, quando a AO foi fundada.

> Visão – Excelência no tratamento cirúrgico do trauma e dos distúrbios do sistema musculoesquelético.
>
> Missão[*] – Estimular e expandir uma rede de profissionais da saúde na educação, na pesquisa, no desenvolvimento e na investigação clínica, para atingir um cuidado do paciente mais eficaz em todo o mundo.
>
> Estrutura – Uma organização orientada à medicina e sem fins lucrativos, liderada por um grupo internacional de cirurgiões especialistas no tratamento do trauma.

## 2 Contexto histórico

Na primeira metade do século XX, o tratamento das fraturas era focado principalmente na restauração da união óssea e na prevenção de infecção. Os métodos usados para tratar as fraturas, principalmente por imobilização gessada ou com tração, inibiam em lugar de promover a função durante o período de consolidação (**Fig. 1.1-1**). O conceito base e mais importante da AO foi fornecer redução aberta segura e fixação interna estável das fraturas, protegendo os tecidos moles e permitindo a reabilitação funcional precoce.

Muito antes do estabelecimento da AO, a importância da fixação cirúrgica das fraturas já era conhecida. Os primeiros entusiastas incluíam Elie e Albin Lambotte, (**Fig. 1.1-2**), Robert Danis (**Fig. 1.1-3**), Fritz König, William O'Neill Sherman, William Arbuthnot Lane, Gerhard Küntscher (**Fig. 1.1-4**), Raoul Hoffmann e Roger Anderson. Entretanto, suas ideias e inovações não foram amplamente adotadas porque grandes obstáculos precisavam ser superados. A lista de entraves técnicos, metalúrgicos e biológicos era longa, especialmente o risco de infecção, que frequentemente resultava em amputação. Além disso, o ceticismo de colegas frequentemente chegava a uma hostilidade real. Inovações como a fixação interna estável por Albin Lambotte [1], os avanços nas hastes intramedulares por Gerhard Küntscher e a introdução do movimento

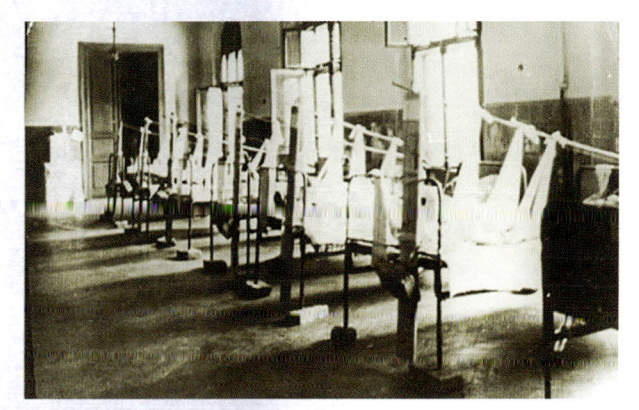

**Fig. 1.1-1** Enfermaria de fraturas de Viena, em 1913, com pacientes em tração.

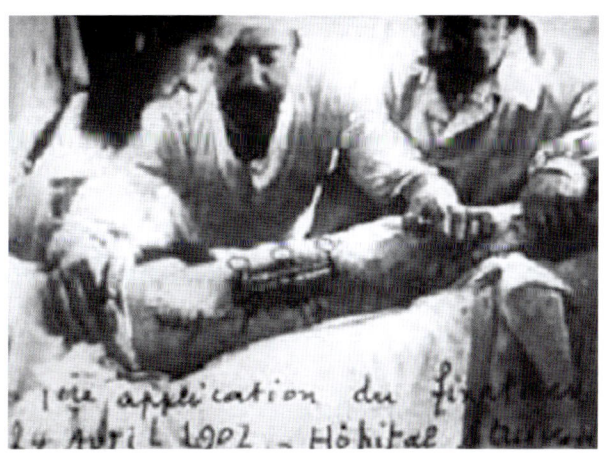

**Fig. 1.1-2** Primeira aplicação do modelo original de fixador externo de Albin Lambotte (à esquerda) (1902).

---

[*]N. de R.T. Em 2018, a AO definiu uma nova missão: "A missão da Fundação AO é promover a excelência nos cuidados e desfechos do paciente no trauma e nos distúrbios musculoesqueléticos."

Filosofia da AO e princípios básicos
1.1 Filosofia e evolução da AO

precoce (embora em tração) por Lorenz Böhler (**Fig. 1.1-5**) ou Jean Lucas Championnière [3] e seu discípulo, George Perkins, eram limitadas pela incapacidade de conciliar dois conceitos fundamentais em um programa de cuidados: a estabilização efetiva da fratura e a mobilização precoce e controlada das articulações.

## 3 O papel da AO

Era necessário – e a AO forneceu – uma abordagem coordenada para identificar esses obstáculos, estudar suas dificuldades e, assim, começar a superá-los. O caminho escolhido foi investigar e entender a biologia, desenvolver tecnologia e técnicas apropriadas, documentar os resultados e responder aos achados, e, então, por meio do ensino e da escrita de publicações, compartilhar quaisquer descobertas.

Esse enorme desafio foi desencadeado por um problema aparentemente pequeno. Nas décadas de 1940 e 1950, dúvidas foram levantadas pela seguradora do fundo de compensação dos trabalhadores suíços, que indagou por que levava de 6-12 semanas para algumas fraturas consolidarem, mas de 6-12 meses para que os pacientes retornassem ao trabalho.

Robert Danis, primeiro por suas publicações e, mais tarde, por uma visita pessoal, inspirou Maurice E. Müller e o grupo AO inicial, incluindo Martin Allgöwer, Robert Schneider e Hans Willenegger. A essência da observação de Danis era que a consolidação sem calo acontecia se um dispositivo de compressão fosse usado para dar estabilidade absoluta a uma fratura diafisária perfeitamente reduzida. Durante a consolidação, as articulações e músculos adjacentes poderiam ser exercitados com segurança e sem dor [4].

Inspirados por esse conceito e motivados por uma determinação para aplicá-lo clinicamente, assim como para demonstrar como e por que funcionava, Müller e o grupo AO colocaram em marcha um processo de inovação cirúrgica, desenvolvimento técnico, pesquisa básica e documentação clínica. Tal processo progrediu como uma campanha para melhorar o resultado funcional e minimizar os problemas e complicações nos cuidados de fraturas. O grupo propagou a sua mensagem por meio de publicações e do ensino, além de desenvolver cursos inovadores para ensinar os seus princípios e técnicas cirúrgicas (**Figs. 1.1-6-7**). Aquele trabalho continua até hoje, envolvendo muitos grupos de especialistas que trabalham no objetivo comum de melhorar mundialmente os cuidados no trauma.

**Fig. 1.1-3** Robert Danis (1880-1962).

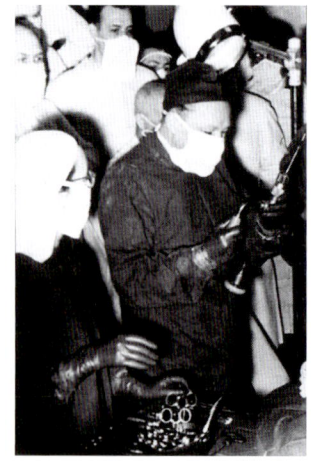

**Fig. 1.1-4** Gerhard Küntscher (1900-1972) instruindo cirurgiões finlandeses em 1954.

**Fig. 1.1-5** Lorenz Böhler recebe o primeiro Manual AO como um presente de Hans Willenegger em Viena, Áustria, na celebração do seu 85º aniversário.

## 4　Princípios originais da AO

Hoje, os conceitos fundamentais, princípios da AO, são notavelmente semelhantes às publicações iniciais da AO de 1962 em diante. A característica essencial, tanto agora como na época, é o tratamento adequado do paciente, das partes moles e da fratura. Isso requer uma compreensão completa dos fatores relacionados ao paciente e à fratura, que influenciam o tratamento e o desfecho.

> Os objetivos originais do tratamento eram:
> 1. Restauração da anatomia
> 2. Fixação estável da fratura
> 3. Preservação do suprimento sanguíneo
> 4. Mobilização precoce do membro e do paciente [5]

Esses princípios foram inicialmente apresentados como os fundamentos de uma boa fixação interna. Contudo, a partir de uma compreensão ampliada sobre a importância dos tecidos moles, da biomecânica de fixação e sobre como as fraturas consolidam, eles sofreram certas alterações conceituais para se tornarem os princípios globais de tratamento de fraturas e não somente de fixação interna [6].

O entendimento de que fraturas articulares e fraturas diafisárias têm necessidades biológicas diferentes e o reconhecimento de que o tipo e o momento da intervenção cirúrgica devem ser guiados pelo grau de lesão no envelope de partes moles, bem como das demandas fisiológicas do paciente, constituem os pontos centrais dos princípios da AO.

## 5　Progresso e desenvolvimento

Os princípios AO relacionados a anatomia, estabilidade, biologia e mobilização ainda permanecem fundamentais. Entretanto, hoje é aceito que a busca da estabilidade absoluta, originalmente proposta para quase todas as fraturas, é obrigatória apenas para as fraturas articulares e outras relacionadas, desde que possa ser obtida sem lesão ao aporte sanguíneo e aos tecidos moles. Dentro da diáfise, o comprimento, o alinhamento e a rotação devem ser restaurados, mas a redução anatômica não é necessária (**Fig. 1.1-8**). Quando a fixação for necessária, hastes e placas em ponte são frequentemente usadas para fornecer uma estabilidade relativa, o que geralmente leva à união com calo ósseo. Mesmo quando a situação clínica favorecer o uso de uma placa, o planejamento adequado e a técnica cirúrgica meticulosa devem minimizar qualquer agressão ao aporte sanguíneo dos fragmentos ósseos e tecidos moles. A cirurgia minimamente invasiva tem levado tais conceitos um passo adiante.

Hoje se entende que as fraturas diafisárias simples reagem de forma diferente ao uso de placa e ao encavilhamento: se uma placa for usada, deve ser alcançada uma estabilidade absoluta. Por outro lado, as fraturas multifragmentadas podem ser tratadas com estabilidade relativa, seja por haste intramedular, fixação externa ou placa em ponte. As fraturas articulares demandam redução anatômica e estabilidade absoluta para melhorar a cicatrização da cartilagem articular e tornar possível o movimento precoce (**Fig. 1.1-9**). O princípio do fixador interno, que foi introduzido por Stephan Perren e Slobodan Tepic com o PC-Fix, em 1985, evoluiu para a placa de compressão bloqueada (LCP), e o uso de parafusos de cabeça bloqueada, provendo estabilidade angular e prevenindo que a placa seja pressionada contra a superfície óssea, mudou o conceito do uso da placa, mas deve ser aplicado utilizando-se os mesmos princípios da AO.

**Fig. 1.1-6**　Curso AO inicial (1960), com instrução de Maurice Müller.

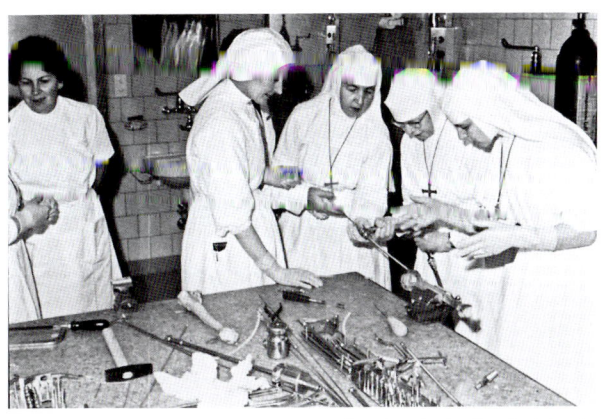

**Fig. 1.1-7**　Primeiro curso AO para a equipe da sala de cirurgia (1960).

Filosofia da AO e princípios básicos
## 1.1 Filosofia e evolução da AO

O cuidado adequado com as partes moles é sempre essencial. Elas preservam o suprimento sanguíneo ao osso e devem ser lembrados em todas as fases do tratamento de fraturas. Uma avaliação completa do padrão da fratura e das lesões associadas de partes moles pode levar à formulação de um plano pré-operatório, incluindo via de acesso cirúrgica, técnica de redução (direta ou indireta), tipo de fixação e escolha do implante compatível com as demandas biológicas e funcionais da fratura e do paciente.

## 6 Filosofia e princípios da AO: hoje e no futuro

No início, os princípios AO figuravam em um formato sucinto, até mesmo dogmático, com o objetivo de melhorar o resultado funcional. O cuidado das fraturas tem se tornado um processo estruturado, com base na boa ciência, na tecnologia avançada, e apoiado pela pesquisa e por estudos clínicos [7]. Com essa estrutura, o futuro dos cuidados do trauma é promissor. As placas bloqueadas e o

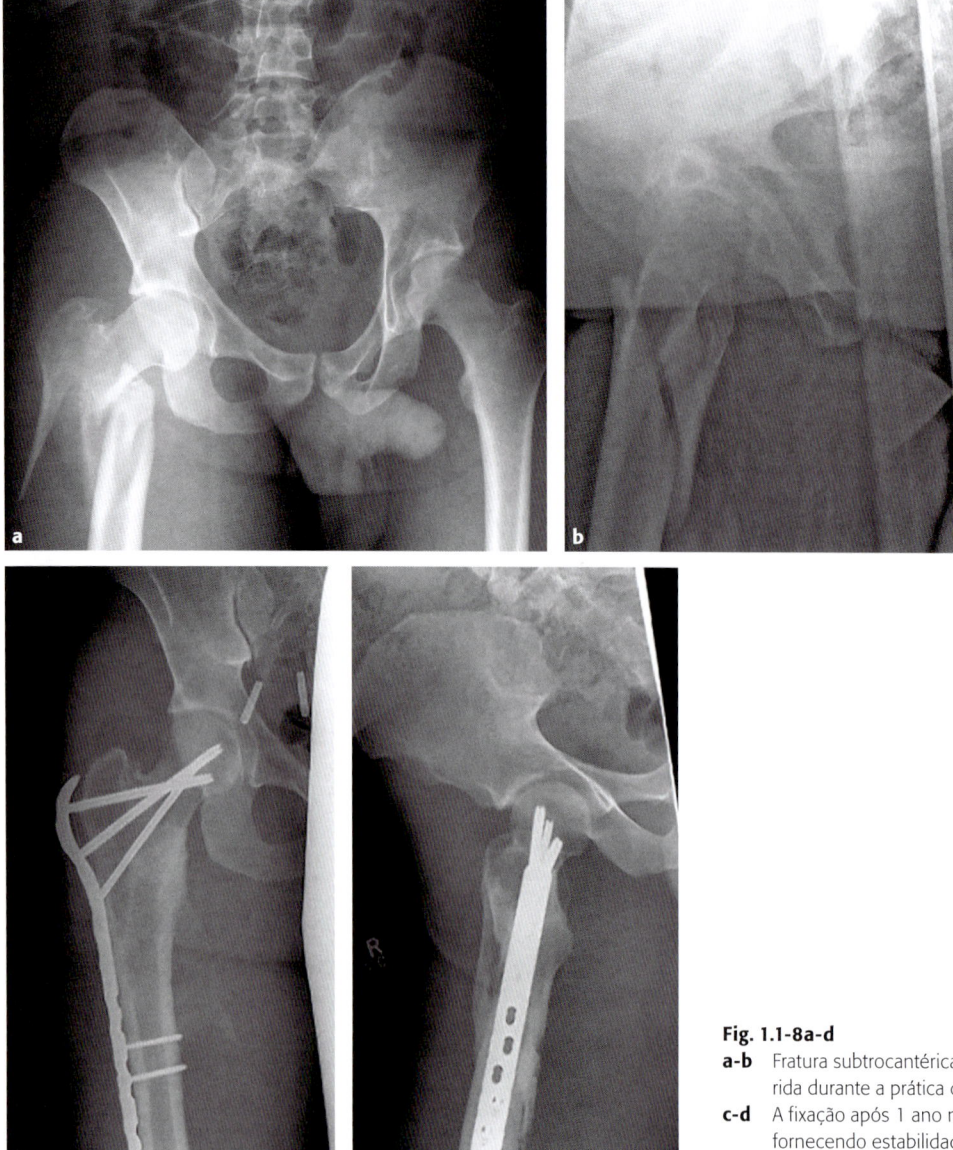

**Fig. 1.1-8a-d**
**a-b** Fratura subtrocantérica complexa de alta energia, ocorrida durante a prática de esqui.
**c-d** A fixação após 1 ano mostra uma placa em ponte fornecendo estabilidade relativa e consolidação com calo. Foram restaurados comprimento, alinhamento e rotação, propiciando retorno à função clínica normal.

princípio do fixador interno têm ajudado a melhorar os cuidados de fraturas. A navegação auxiliada por computador pode revolucionar a cirurgia do trauma, aumentar a acurácia e a segurança, e levar à expansão adicional da cirurgia minimamente invasiva. A biotecnologia permitirá aos cirurgiões influenciar na consolidação das fraturas, talvez reduzindo o tempo para consolidação e prevenindo a não união por "falha biológica". Contudo, mesmo com tais avanços, os princípios AO permanecem tão válidos hoje quanto eram há mais de 60 anos, quando o grupo AO foi criado. Esses princípios formam a base deste livro-texto e permanecerão como os princípios fundamentais dos cuidados de fraturas em todo o mundo, assim como para um futuro próximo.

Os princípios da AO:

- Redução e fixação da fratura para restaurar as relações anatômicas
- Fixação da fratura com estabilidade absoluta ou relativa, conforme a personalidade da fratura, do paciente e da lesão
- Preservação do suprimento sanguíneo para os tecidos moles e osso por meio de técnicas de redução gentil e manipulação cuidadosa
- Mobilização precoce e segura, e reabilitação do membro lesado e do paciente como um todo

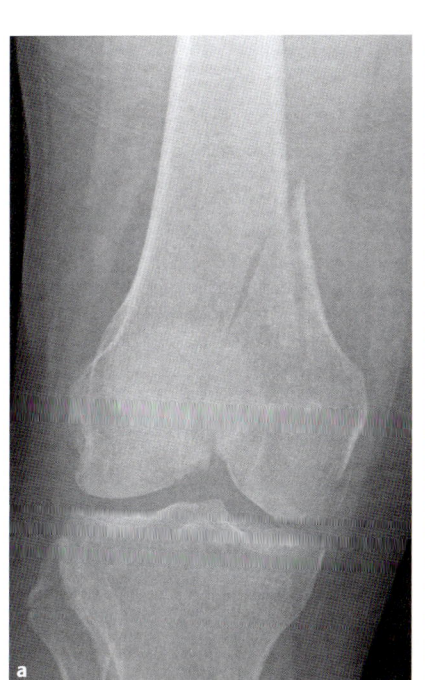

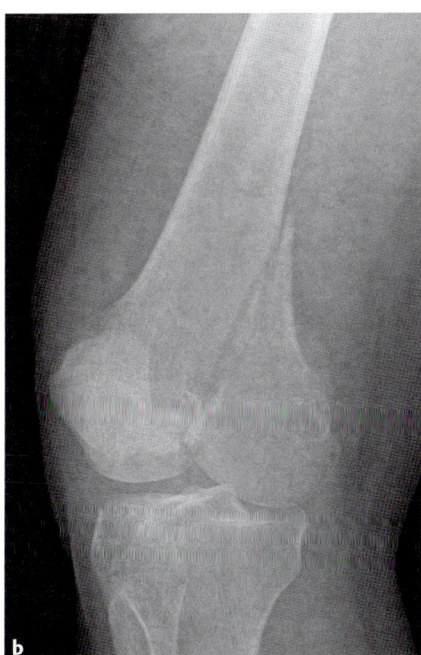

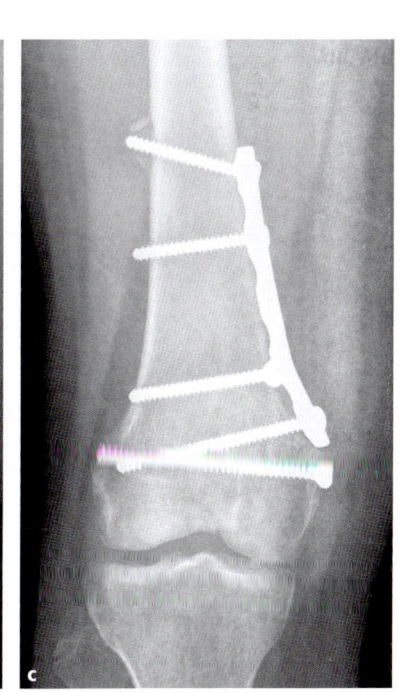

**Fig. 1.1-9a-c**
a   Incidência anteroposterior (AP) de uma fratura distal do fêmur intra-articular desviada.
b   Incidência oblíqua da mesma fratura.
c   Aos 2 meses de seguimento, não há formação de calo ósseo, já que os parafusos de tração fornecem estabilidade absoluta para a articulação e a placa protege a redução articular perfeita.

## 7 Referências

1. **Lambotte A.** *Chirurgie Opératoire des Fractures.* Paris: Masson; 1913. French.
2. **Böhler L.** *Technik der Knochenbruchbehandlung.* Wien: W Maudrich; 1957. German.
3. **Lucas-Championnière J.** Les dangers de l'immobilisation des membres—fragilité des os—altérnation de la nutrition de la membre—conclusions pratiques. *Rev Med Chur Pratique.* 1907;78:81–87. French.
4. **Danis R.** *Théorie et Pratique de L'Ostéosynthèse.* Paris: Masson; 1947. French
5. **Müller ME, Allgöwer M, Willenegger H.** *Technique of Internal Fixation of Fractures.* Berlin Heidelberg New York: Springer-Verlag; 1965.
6. **Müller ME, Allgöwer M, Schneider R, Willenegger H.** *Manual of Internal Fixation, 2nd ed.* Berlin Heidelberg New York: Springer-Verlag; 1979.
7. **Schlich T.** *Surgery, Science and Industry: A Revolution in Fracture Care, 1950s–1990s.* Hampshire New York: Palgrave Macmillan; 2002.

## 8 Agradecimentos

Agradecemos a Joseph Schatzker e Thomas Rüedi por suas contribuições para este capítulo na 1ª e na 2ª edição de *Princípios AO do tratamento de fraturas*.

# 1.2 Biologia e biomecânica da consolidação óssea

*Boyko Gueorguiev-Rüegg, Martin Stoddart*

## 1 Introdução

A base biológica e biomecânica do tratamento das fraturas é discutida neste capítulo. Revisamos como o osso fraturado se comporta em diferentes ambientes biológicos e mecânicos, e a influência desse processo na escolha e no método de tratamento pelo cirurgião. Qualquer procedimento cirúrgico pode alterar o ambiente biológico e qualquer fixação da fratura altera o ambiente mecânico. Essas alterações podem ter um efeito profundo na consolidação da fratura e são determinadas pelo cirurgião, não pelo paciente. Assim, é essencial que todos os cirurgiões de trauma tenham um conhecimento básico da biologia e da biomecânica da consolidação das fraturas, para que possam tomar decisões sábias no tratamento delas. Este capítulo oferece uma revisão para o profissional ativo em vez de uma análise científica pura. Ele se limita a descrever o processo de consolidação em pacientes saudáveis, não abrangendo situações que comprometam a cicatrização, como o diabetes. Apesar das pesquisas ao redor do mundo, muito ainda permanece desconhecido ou controverso neste campo científico em constante mudança.

A nossa compreensão sobre tratamento e consolidação de fraturas tem tido uma mudança importante nas últimas décadas com a evolução dos princípios AO [1, 2]. Durante a fase inicial do desenvolvimento desses princípios, a meta primária do tratamento cirúrgico era fornecer à fratura um ambiente imóvel. Uma grande prioridade era dada à redução precisa e à fixação da fratura com estabilidade absoluta, com ênfase na estabilidade mecânica e à custa da biologia. Entretanto, o tratamento das fraturas evoluiu com o reconhecimento de que tanto a mecânica quanto a biologia são importantes. A redução precisa e a fixação estável absoluta não são necessárias em todos os casos, podendo chegar a ter um custo biológico. A redução indireta tira proveito dos tecidos moles e do suprimento sanguíneo aos fragmentos ósseos, que entrarão em alinhamento quando uma tração for aplicada aos fragmentos principais. Isso reduz o trauma cirúrgico e ajuda a manter o osso vivo. O osso evolui para a consolidação com algum movimento entre os fragmentos e sem que cada fragmento esteja em contato. O conceito de estabilidade relativa permite ao cirurgião controlar o movimento para permitir a consolidação enquanto mantém a redução da fratura, que irá possibilitar a reabilitação inicial e um bom desfecho funcional para o paciente. Uma fixação mais flexível deve estimular a formação do calo, e a redução indireta diminuirá o trauma cirúrgico.

A meta principal da fixação interna é alcançar a função imediata e, se possível, a função completa do membro lesado. Embora uma consolidação de fratura confiável seja apenas um elemento na recuperação funcional, ela é essencial para um bom resultado. A fixação da fratura é sempre um procedimento que equilibra a biologia e a biomecânica. Frequentemente é necessário sacrificar alguma resistência e rigidez da fixação, e o implante ideal não é necessariamente o mais forte ou o mais rígido disponível.

> O propósito da osteossíntese não é substituir permanentemente um osso fraturado, mas oferecer um suporte temporário, permitindo a reabilitação funcional precoce com a consolidação em uma posição anatômica apropriada.

Sob condições extremas, os requisitos mecânicos podem ter prioridade sobre as demandas biológicas, e vice-versa. Similarmente, a escolha do material de implante é uma permuta – por exemplo, a resistência mecânica e a ductilidade do aço contra a inatividade eletroquímica e biológica do titânio. O cirurgião determina qual combinação de tecnologia e procedimento se encaixa melhor na sua experiência, no ambiente e, em particular, nas demandas do paciente.

## 2 Características do paciente

Quando levada em consideração a personalidade de uma fratura, o primeiro elemento crucial deve incluir as características do paciente (ver Cap. 2.1). As decisões clínicas sempre devem considerar a idade do paciente, suas expectativas, comorbidades e fatores psicossociais. Os déficits biológicos inerentes podem demandar superação, ou as expectativas devem ser minimizadas quando o resultado favorável for menos provável. Nenhuma decisão pode ser tomada somente com base na avaliação radiográfica.

Filosofia da AO e princípios básicos
1.2  Biologia e biomecânica da consolidação óssea

## 3 Características do osso

O osso é uma armação que apoia e protege as estruturas moles e permite a locomoção e o funcionamento mecânico dos membros.

> As características mecânicas mais importantes do osso são sua rigidez (o osso deforma apenas um pouco sob carga) e sua resistência (o osso tolera cargas grandes sem falhar).

Ao se considerar a fratura e sua consolidação, a fragilidade óssea é de especial interesse. O osso é um material forte. Entretanto, ele quebra sob pequena deformação. Isso significa que o osso se comporta mais como o vidro do que como a borracha. Por conseguinte, no início da consolidação natural da fratura, o osso não consegue fazer uma ponte de calo numa fratura que esteja repetidamente sujeita a movimento excessivo. Para uma fratura instável ou fixada de modo flexível (estabilidade relativa), uma sequência de eventos biológicos – principalmente a formação primeiro de um calo mole e então um calo duro – ajuda a reduzir o *strain* e a deformação dos tecidos de reparo, aumentando a estabilidade (ver seção 4.3.3 neste capítulo). A reabsorção nas extremidades da fratura inicialmente aumenta o *gap* da fratura, o que reduz o *strain* nesse local. Um ambiente de menor *strain* promove a formação do calo mole, que, então, aumenta a estabilidade mecânica da fratura. Uma vez que a fratura esteja solidamente unida, a função óssea completa é restaurada. A remodelação interna restaura, então, a estrutura óssea original, em um processo que pode levar anos (ver Cap. 5.2).

## 4 Fratura do osso

Uma fratura é sempre o resultado de uma sobrecarga única ou repetitiva. A fratura ocorre dentro de uma fração de milissegundo, e resulta em dano previsível aos tecidos moles, devido à ruptura e a um processo do tipo implosão. A separação rápida das superfícies da fratura cria um espaço (cavitação) e resulta em dano grave de partes moles (**Vídeo 1.2-1**).

### 4.1 Efeitos mecânicos e bioquímicos

A fratura produz uma perda da continuidade óssea que resulta em deformação patológica, perda da função de suporte e dor. A estabilização cirúrgica pode restaurar a função imediatamente e aliviar a dor. Assim, o paciente recupera mobilidade indolor, permitindo a reabilitação precoce e reduzindo o risco de condições como a síndrome da dor regional complexa (ver Cap. 4.7).

A fratura de um osso rompe os vasos sanguíneos dentro desse osso e do periósteo. Fatores bioquímicos espontaneamente liberados ajudam a induzir a consolidação óssea. Em fraturas recentes, esses agentes são efetivos e quase nunca precisam de qualquer reforço. O papel da cirurgia deve ser o de guiar e apoiar esse processo de consolidação.

### 4.2 Fratura e suprimento sanguíneo

Embora a fratura seja um processo puramente mecânico, ela dispara respostas biológicas, como a formação de osso (calo) e a reabsorção óssea. Esses dois processos dependem de um suprimento sanguíneo intacto. Os seguintes fatores influenciam o suprimento sanguíneo no local da fratura e têm um papel imediato no procedimento cirúrgico:

- **Mecanismo de lesão:** A quantidade, a direção e a concentração das forças no local da fratura determinarão o tipo de fratura e as lesões de partes moles associadas. Como resultado do desvio dos fragmentos, os vasos sanguíneos periosteais e endosteais são rompidos e o periósteo é desnudado. A cavitação e a implosão da fratura causam dano adicional às partes moles.
- **Tratamento inicial do paciente:** Se o salvamento e o transporte acontecerem sem a imobilização das fraturas, o movimento no local da fratura se somará ao dano inicial.
- **Reanimação do paciente:** A hipovolemia, a hipoxia e a coagulopatia aumentarão a lesão no osso e nos tecidos lesados, e devem ser corrigidas precocemente no tratamento do paciente.
- **Comorbidades:** Doença vascular periférica e diabetes, por exemplo.

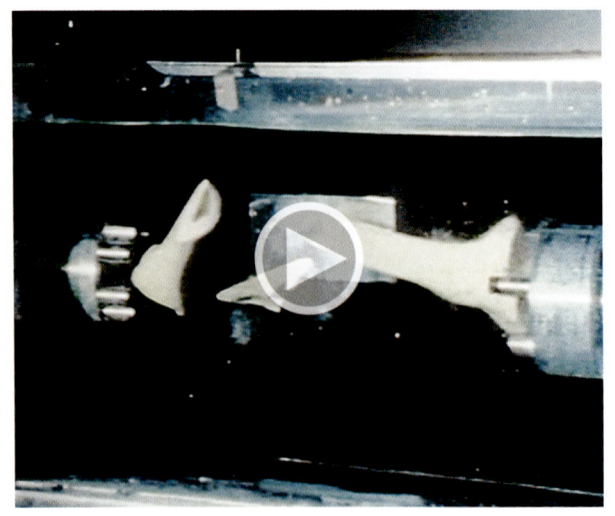

**Vídeo 1.2-1**  Implosão de um osso durante a fratura.

- **Abordagem (via de acesso) cirúrgica:** A exposição cirúrgica da fratura invariavelmente resultará em dano adicional [3]. Isso pode ser minimizado por meio de conhecimento abrangente da anatomia, planejamento pré-operatório cuidadoso e técnica cirúrgica meticulosa.
- **Implante:** Um dano considerável à circulação óssea pode resultar não apenas do trauma cirúrgico, mas também do contato entre implante e osso [4]. As placas com uma superfície inferior plana (p. ex., placa de compressão dinâmica [DCP]) têm uma grande área de contato; a placa de compressão dinâmica de baixo contato (LC-DCP), que tem um entalhe inferior, foi projetada para reduzir essa área de contato [5]. No entanto, a extensão do contato também depende da relação dos raios da curvatura transversal da placa e do osso. Quando o raio da curvatura da superfície inferior da placa for maior que do osso, o contato entre o osso e a placa pode ser em uma linha longitudinal única, o que reduz as vantagens da LC-DCP (e também da placa de compressão bloqueada [LCP] quando usada como uma placa de compressão) em comparação com a superfície inferior plana da DCP (**Fig. 1.2-1a**). Se a situação for invertida e a placa tiver um raio menor de curvatura transversal do que o osso, existirá contato longitudinal em ambas as bordas (contato de duas linhas), e os vazados laterais da LC-DCP e da LCP (quando usada como placa de compressão) reduzirão significativamente a área de contato (**Fig. 1.2-1b-d**).
- **Consequências do trauma:** A pressão intra-articular elevada reduz a circulação óssea epifisária, especialmente em pacientes jovens. Foi demonstrado que o aumento da pressão hidráulica (produzido por um hematoma intracapsular) reduz o suprimento sanguíneo ao osso epifisário quando a placa de crescimento segue aberta.

O osso morto só pode ser revitalizado pela remoção e substituição (substituição progressiva por remodelação osteonal ou lamelar), um processo que leva muito tempo para se completar. É geralmente aceito que o tecido necrótico (especialmente osso) predispõe à infecção, assim como a mantém (ver Cap. 5.3). Outro efeito da necrose é a indução do remodelamento interno (haversiano), que permite a substituição de osteócitos mortos, mas resulta em enfraquecimento temporário do osso devido à porose transitória, a parte integral do processo de remodelação. Com frequência isso é visto imediatamente sob as placas, e pode ser diminuído pela redução da área de contato da placa (p. ex., LC-DCP e LCP), o que maximiza o suprimento sanguíneo periosteal e reduz o volume de osso avascular.

Uma redução imediata do fluxo sanguíneo ósseo tem sido observada depois de uma fratura ou osteotomia, com a circulação cortical nas partes lesionadas do osso apresentando uma redução de quase 50% [6]. Essa redução tem sido atribuída a uma vasoconstrição fisiológica em ambos os vasos periosteais e medulares, como uma resposta ao trauma [7]. Durante o reparo de uma fratura, contudo, existe uma hiperemia crescente na circulação intraóssea e extraóssea adjacente, alcançando um pico depois de duas semanas. Em seguida, o fluxo sanguíneo na área do calo novamente diminui de forma gradual. Existe também uma reversão temporária do fluxo sanguíneo centrípeto normal depois da ruptura do sistema medular.

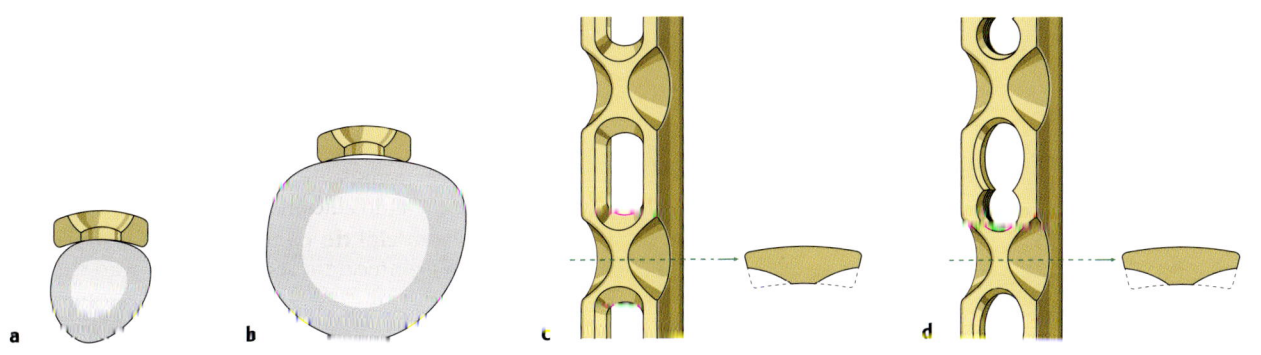

**Fig. 1.2-1a-d** Área de contato sob a placa.
**a** Se o raio de curvatura transversal da superfície inferior da placa for maior que o raio do osso, resultará em uma linha longitudinal única de contato. Nessa situação, a DCP, a LC-DCP e a LCP (usada como placa de compressão) terão áreas semelhantes de contato.
**b** Se o raio de curvatura transversal da superfície inferior da placa for menor que o raio do osso, a placa terá contato longitudinal em ambas as bordas, produzindo uma linha dupla de contato.
**c-d** Com o contato somente na borda da placa, a superfície inferior entalhada da LC-DCP (**c**) e da LCP (**d**) reduz a área de contato.

Filosofia da AO e princípios básicos
## 1.2 Biologia e biomecânica da consolidação óssea

Estudos microangiográficos [8, 9] têm demonstrado que muito do suprimento vascular para a área do calo é derivado dos tecidos moles circundantes (**Fig. 1.2-2**), uma boa razão para não danificá-los.

A perfusão do calo é de extrema importância e pode determinar o desfecho da consolidação. O osso só pode se formar quando apoiado por uma rede vascular e o calo cartilaginoso não persiste na ausência de perfusão suficiente. Contudo, essa resposta angiogênica depende do método de tratamento e das condições mecânicas induzidas:

- A resposta vascular parece ser maior depois de fixação mais flexível, talvez devido a um volume maior do calo.
- O alto *strain* no tecido, causado por instabilidade excessiva, reduz o suprimento sanguíneo, especialmente no *gap* da fratura.
- O procedimento operatório durante a fixação interna de fraturas altera o hematoma e o suprimento sanguíneo de partes moles. Após a fresagem intramedular, o fluxo sanguíneo endosteal é reduzido, mas existe uma resposta hiperêmica rápida se a fresagem não tiver sido excessiva.
- A fresagem para hastes intramedulares resulta em um retardo no retorno da perfusão cortical, dependendo da extensão da fresagem [10]. Ela não afeta a perfusão dentro do calo de fratura, já que o suprimento sanguíneo para o calo é principalmente a partir dos tecidos moles circundantes [11].
- Além da exposição mais ampla do osso, o maior contato osso-implante resultará em uma redução da perfusão óssea, já que o osso recebe seu suprimento sanguíneo pelo revestimento periosteal e endosteal.
- Ao se optar por uma cirurgia minimamente invasiva e pelo uso de fixadores externos ou internos, evita-se a manipulação direta de fragmentos, minimizando, assim, o comprometimento do suprimento sanguíneo.

### 4.3 Biologia da consolidação de fraturas

A consolidação das fraturas pode ser dividida em dois tipos:

- Consolidação primária ou direta por remodelação interna
- Consolidação secundária ou indireta por formação de calo

A consolidação óssea direta (primária) ocorre somente com estabilidade absoluta e é um processo biológico de remodelação óssea osteonal. A consolidação óssea primária não era a meta quando a técnica de estabilidade absoluta foi desenvolvida por Danis: o objetivo era a redução anatômica e a fixação estável para permitir a reabilitação precoce. A consolidação óssea primária era observada como um subproduto desse método de fixação de fraturas. A consolidação óssea indireta (secundária) ocorre com estabilidade relativa (métodos de fixação flexível) e é o modo natural como os ossos quebrados evoluem para a consolidação. Similar ao processo de desenvolvimento ósseo embriológico, ela inclui a formação óssea intramembranosa e endocondral. Em fraturas diafisárias, é caracterizada pela formação de calo.

A consolidação óssea indireta (secundária) pode ser dividida em quatro estágios:

- Inflamação
- Formação de calo mole
- Formação de calo duro
- Remodelação

Embora os estágios tenham características distintas, existe uma transição indistinta de um estágio até outro; eles são arbitrariamente determinados e têm sido descritos com alguma variação.

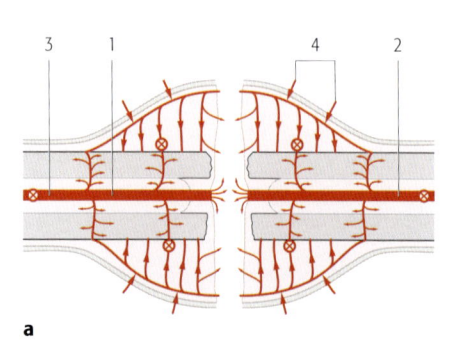

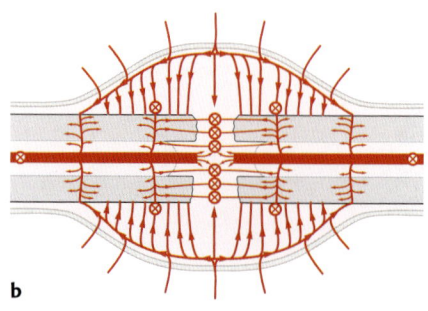

**Fig. 1.2-2a-b**   O suprimento sanguíneo do calo.
a   Antes da ponte óssea.
  1   Artéria nutrícia ascendente
  2   Artéria nutrícia descendente
  3   Artérias metafisárias
  4   Artérias periosteais
b   Após a ponte óssea.

### 4.3.1 Inflamação

Depois da fratura, o processo inflamatório começa de forma imediata e permanece até que se inicie a formação de fibrose, cartilagem ou osso (1-7 dias depois da fratura). A princípio, ocorre a formação de hematoma e exsudação inflamatória a partir do rompimento de vasos sanguíneos (**Fig. 1.2-3a**). A necrose óssea é vista nas extremidades dos fragmentos da fratura. A lesão dos tecidos moles e a degranulação das plaquetas resulta na liberação de citocinas poderosas, que produzem uma resposta inflamatória típica, ou seja, vasodilatação e hiperemia, migração e proliferação de neutrófilos polimorfonucleares, macrófagos, etc. Dentro do hematoma existe uma rede de fibrina e fibrilas de reticulina, além das fibrilas de colágeno, que também estão presentes. O hematoma da fratura é gradualmente substituído por tecido de granulação. Os osteoclastos nesse ambiente removem o osso necrótico nas extremidades do fragmento.

### 4.3.2 Formação do calo mole

Ao final, a dor e o inchaço diminuem, e o calo mole é formado (**Fig. 1.2-3b**). Isso corresponde aproximadamente ao momento em que os fragmentos não estão mais se movendo livremente, por volta de 2-3 semanas após a fratura.

> No final da formação do calo mole, a estabilidade é adequada para prevenir o encurtamento, embora a angulação no local da fratura ainda possa ocorrer.

O estágio de calo mole é caracterizado pelo crescimento do calo. As células progenitoras na camada cambial do periósteo e do endósteo são estimuladas para se tornarem osteoblastos. O crescimento ósseo intramembranoso e aposicional começa nessas superfícies, longe do *gap* de fratura, formando um manguito de osso reticulado periosteal e preenchendo o canal intramedular. O crescimento dos vasos capilares para dentro do calo e a vascularização aumentada seguem. Mais perto do *gap* de fratura, as células progenitoras mesenquimais proliferam e migram através do calo, diferenciando-se em fibroblastos ou condrócitos, cada uma produzindo sua matriz extracelular característica e lentamente substituindo o hematoma [14].

### 4.3.3 Formação do calo duro

O estágio de calo duro começa quando as extremidades da fratura estão unidas por um calo mole (**Fig. 1.2-3c-e**) e dura até que os fragmentos estejam firmemente unidos por um novo osso (3-4 meses). Conforme a formação óssea intramembranosa continua, o tecido mole dentro do *gap* sofre ossificação endocondral e o calo é convertido em tecido calcificado rígido (osso reticulado). O crescimento do calo ósseo começa na periferia do local da fratura, onde o *strain* é mais baixo. A produção desse osso reduz o *strain* de forma mais central, o que, por sua vez, forma o calo ósseo. Assim, a formação de calo duro começa na periferia e progressivamente se desloca para o centro da fratura e para o *gap* da fratura. Conforme o *gap* da fratura se estreita, o *strain* aumenta e o *gap* final é preenchido por osteoblastos que se alinham em uma formação espiral, como uma mola, para reduzir o *strain* e permitir a formação óssea. A ponte óssea inicial é formada onde o *strain* é mais baixo, na periferia do calo ou dentro do canal medular, longe da cortical original. Então, por ossificação endocondral, o tecido mole no *gap* da fratura é substituído por osso reticulado, que, por fim, se une à cortical original.

### 4.3.4 Remodelação

O estágio de remodelação (**Fig. 1.2-3f**) começa quando a fratura estiver solidamente unida ao osso reticulado. O osso reticulado é então lentamente substituído por osso lamelar, por meio de reabsorção da superfície e remodelação osteonal. Esse processo pode levar desde alguns meses até vários anos. Dura até que o osso tenha retornado completamente à sua morfologia original, incluindo a restauração do canal medular.

### 4.3.5 Fatores de crescimento

A sequência de eventos durante a consolidação óssea é firmemente regulada pela expressão espacial e temporal de vários fatores de crescimento e agentes bioquímicos que são liberados pelo tecido lesado. Desde sua descoberta na década de 1960, por Marshall Urist, as proteínas morfogenéticas ósseas (BMPs) têm demonstrado serem potentes indutoras da formação óssea [15]. Elas são membros da superfamília do fator de crescimento transformador β, e existem mais ou menos 20 BMPs de mamíferos conhecidas até o momento. Esses fatores oferecem o potencial para a potencialização do reparo de fraturas ou na reconstrução de defeitos ósseos. Na prática clínica, a BMP-2 é a mais frequentemente usada, embora seja estimado que até 85% do uso não seja contemplado na bula. A BMP-2 é indicada para procedimentos de fusão vertebral em pacientes esqueleticamente maduros com doença discal degenerativa (DDD) no nível de L2-S1, em combinação com um dispositivo de fixação vertebral. Em 2004, a Food and Drug Administration (FDA) aprovou a BMP-2 para o tratamento de fraturas expostas da diáfise tibial e, em 2007, ela foi aprovada pela FDA para elevação sinusal e aumento palatal. A proteína recombinante é frequentemente aplicada em combinação com um arcabouço de colágeno.

Embora as BMPs possam levar à formação óssea sólida, é crucial estar ciente dos diversos efeitos adversos potenciais, como a formação de osso ectópico. Dessa forma, esses fatores devem ser usados com cautela.

Filosofia da AO e princípios básicos
**1.2   Biologia e biomecânica da consolidação óssea**

### 4.3.6   Diferenças na consolidação entre osso cortical e esponjoso

Ao contrário da consolidação indireta no osso cortical, a consolidação no osso esponjoso ocorre sem a formação de calo externo significativo. Depois do estágio inflamatório, a formação óssea é dominada pela ossificação intramembranosa. Esse processo tem sido atribuído ao tremendo potencial angiogênico do osso trabecular, assim como à fixação usada para as fraturas metafisárias, que geralmente é mais estável. Em casos incomuns, com movimento interfragmentar significativo, um tecido mole intermediário pode se formar no *gap* ósseo, mas ele é geralmente um tecido fibroso que logo é substituído por osso.

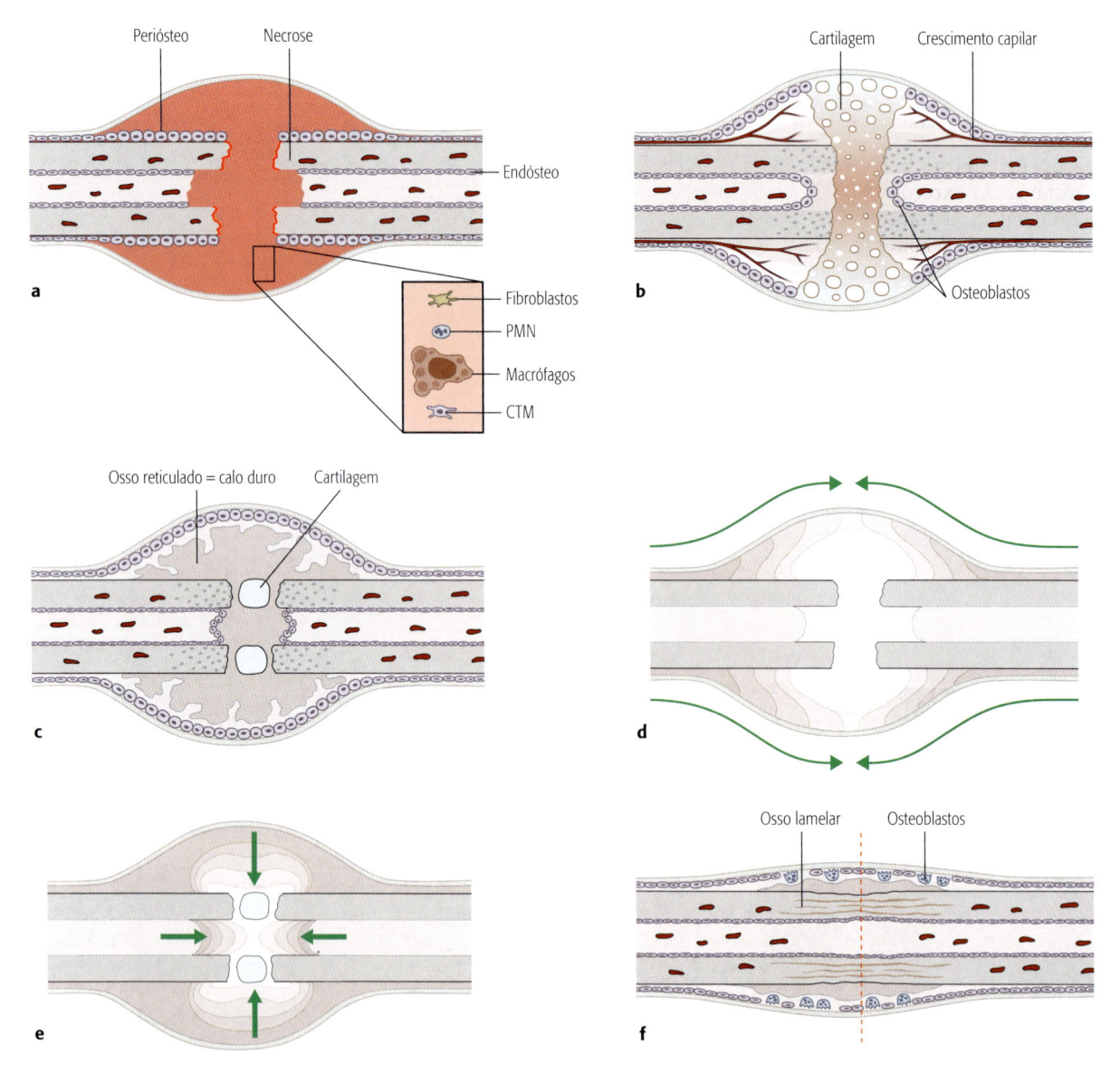

**Fig. 1.2-3a-f**   Estágios da consolidação óssea secundária.
**a**   O estágio da inflamação. A formação do hematoma que se transforma em tecido de granulação, com a cascata inflamatória típica.
**b**   O estágio do calo mole. A ossificação intramembranosa forma manguitos ósseos longe do *gap* da fratura. Substituição do tecido de granulação em outro lugar no calo por tecido fibroso e cartilagem, e crescimento de vasos para dentro do calo calcificado. Esse processo começa na periferia e se move em direção ao centro.
**c-e**   O estágio do calo duro. Conversão completa do calo em tecido calcificado por ossificação intramembranosa e endocondral.
**f**   O estágio de remodelação. Conversão de osso reticulado em osso lamelar por erosão da superfície e remodelação osteonal.

## 5 Biomecânica e consolidação óssea

### 5.1 Métodos de estabilização de fraturas

O termo estabilidade é amplamente usado pelos cirurgiões. Seu significado difere daquele usado na engenharia, pois o cirurgião usa a palavra estabilidade para expressar o grau de desvio induzido pela carga no local de fratura.

> Uma fratura estável é definida como uma fratura que não se desvia visivelmente sob carga fisiológica. A fixação de fratura com estabilidade absoluta significa que não há nenhum movimento no local da fratura sob carga fisiológica. O grau de estabilidade determina o tipo de consolidação da fratura.

A fratura de um osso frequentemente produz uma situação instável. As exceções óbvias são as fraturas impactadas da metáfise, as fraturas não desviadas com periósteo intacto, fraturas em abdução da extremidade proximal do colo femoral e as fraturas em galho-verde. Essas fraturas não requerem redução, e a estabilização só é necessária se a fratura se deformar sob carga fisiológica, ou seja, se ela estiver instável.

O objetivo da estabilização da fratura é:

- Manter a redução alcançada
- Restaurar a rigidez no local de fratura (permitindo, desse modo, a função)
- Minimizar a dor relacionada ao movimento no local de fratura

A fixação com estabilidade absoluta visa fornecer um ambiente mecanicamente neutro para a consolidação da fratura, ou seja, nenhum movimento no local da fratura. Entretanto, isso também reduz o estímulo mecânico para o reparo por formação de calo, então a consolidação ocorre por remodelação (consolidação óssea primária).

A fixação com estabilidade relativa visa manter a redução e também o estímulo mecânico para o reparo da fratura pela formação de calo.

O pré-requisito para uma estabilização relativa bem-sucedida é que o desvio que ocorrer sob carga seja elástico, ou seja, reversível, e não permanente. A consolidação da fratura por formação de calo pode ocorrer dentro de um amplo espectro de ambientes mecânicos. Se as hastes elásticas de titânio são comparadas à placa em ponte usando uma placa bloqueada, existe uma grande diferença no grau de micromovimento no local da fratura. Entretanto, ambas resultarão na formação de calo e na consolidação da fratura, se corretamente aplicadas.

Em qualquer extremidade do espectro da estabilidade relativa, a consolidação da fratura será retardada. O calo não se formará se não existir nenhum movimento, mas, se houver movimento excessivo e a fratura for instável, a consolidação também será retardada.

### 5.2 Tratamento não operatório das fraturas

#### 5.2.1 Consolidação de fraturas sem tratamento

Sem tratamento, a natureza estabiliza os fragmentos móveis por contração dos músculos circundantes, induzida pela dor, que pode levar ao encurtamento e à consolidação viciosa. Ao mesmo tempo, o hematoma e o inchaço aumentam temporariamente o turgor tecidual e têm um leve efeito estabilizador. As observações feitas na consolidação óssea sem qualquer tratamento ajudam a entender os efeitos positivos e negativos da intervenção médica. É surpreendente como a mobilidade inicial é compatível com a consolidação óssea sólida (**Fig. 1.2-4**). Em tais casos, o problema residual será falta de alinhamento e prejuízo será função.

#### 5.2.2 Tratamento não operatório das fraturas

O tratamento não operatório requer a redução fechada para restaurar o alinhamento, o comprimento e a rotação. O tratamento subsequente mantém a redução e diminui a mobilidade dos fragmentos, enquanto a consolidação indireta ocorre por formação de calo. No tratamento não operatório, a estabilização é alcançada pelos seguintes meios:

**Tração:** Ela pode ser suprida via cutânea ou com um fio de metal introduzido no osso, distalmente à fratura (tração esquelética). A tração (**Fig. 1.2-5**) ao longo do eixo longo do osso alinha os fragmentos ósseos por ligamentotaxia e reduz o movimento, fornecendo alguma estabilidade.

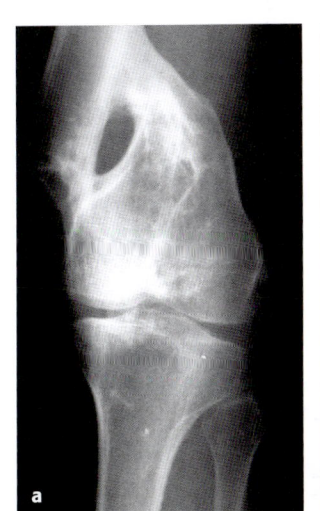

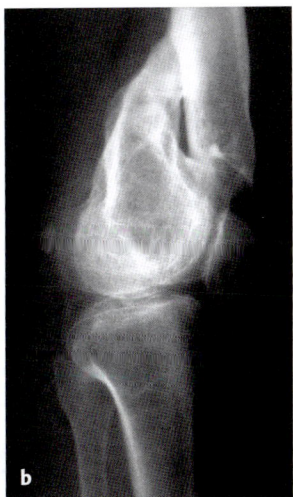

**Fig. 1.2-4a-b** Consolidação espontânea de uma fratura do fêmur em uma vítima da Guerra do Vietnã.
a Raio X em anteroposterior (AP)
b Raio X lateral

Filosofia da AO e princípios básicos
## 1.2 Biologia e biomecânica da consolidação óssea

**Imobilização externa:** A aplicação de talas externamente aplicadas, feitas de madeira, plástico ou gesso, resulta em certa estabilização da fratura. As dimensões da tala são o elemento mecânico mais importante. As imobilizações externas circulares são rígidas e fortes, com base na sua geometria curva. Contudo, a fixação com imobilizações externas é inerentemente instável, por conta do acoplamento deficiente ao osso, causado pelo tecido mole interposto. As talas externamente aplicadas mantêm a redução ao efetuar o contato de três pontos.

> Uma imobilização gessada curva produz um osso reto. Uma imobilização gessada reta produz um osso curvado.

A pressão hidrostática dos tecidos circundantes reduz o movimento dos fragmentos. Nas fraturas diafisárias, o correto alinhamento, comprimento e rotação do fragmento compõe o que é necessário para a função adequada do membro. Nas fraturas intra-articulares, a redução anatômica precisa é importante para evitar a incongruência ou instabilidade articular, que podem levar à artrose secundária (ver Cap. 2.3).

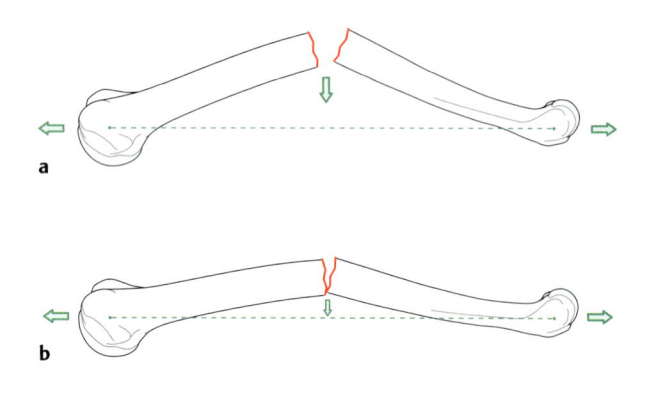

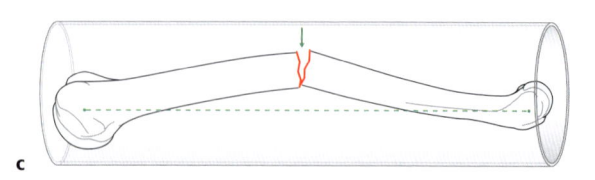

**Fig. 1.2-5a-c** Redução e estabilização da fratura por meio de tração.
**a-b** A força que reduz a fratura perpendicularmente ao eixo longo diminui com o alinhamento. Desse modo, a mobilidade grosseira é reduzida, enquanto o micromovimento persiste.
**c** Estabilização de uma fratura usando uma imobilização gessada. O gesso atua como uma tala, e a pressão dos tecidos moles mantém o alinhamento. Isso reduz a mobilidade, mas não a elimina. O gesso representa uma tala muito rígida. A mobilidade ocorre porque o gesso só pode ser frouxamente acoplado ao osso por causa dos tecidos moles. Se o gesso estiver muito apertado, poderá ocorrer síndrome compartimental.

## 5.3 Osteossíntese com estabilidade relativa
### 5.3.1 Mecânica das técnicas de estabilidade relativa

Com estabilidade relativa, os fragmentos ósseos apresentam movimento entre si quando a carga fisiológica é aplicada através da fratura. O movimento aumenta com a carga aplicada e diminui com a rigidez do dispositivo de fixação. Não existe definição exata da flexibilidade necessária ou tolerada. De modo geral, um método de fixação é considerado flexível se permitir o movimento interfragmentar controlado sob carga fisiológica. Dessa forma, todos os métodos de fixação, com exceção das técnicas de compressão, podem ser vistos como fixações flexíveis que fornecem estabilidade relativa.

### 5.3.2 Implantes

Dispositivos como fixadores externos, hastes intramedulares ou placa em ponte fornecem estabilidade relativa. O grau de flexibilidade pode variar e é determinado pela forma como o cirurgião aplica o dispositivo e como a carga é recebida. Todos esses dispositivos permitem movimento interfragmentar, que pode estimular a formação do calo. Entretanto, a aplicação incorreta do dispositivo pode resultar em movimento excessivo e inibir a união óssea ou ainda ter muito pouco movimento, o que também irá inibir essa união.

#### Fixadores externos

Os fixadores externos geralmente fornecem estabilidade relativa, embora alguns fixadores de anel possam ser usados para aplicar compressão e estabilidade absoluta. Os fixadores externos unilaterais são excentricamente localizados e exibem um comportamento mecânico assimétrico. Eles são mais rígidos quando carregados no plano dos parafusos de Schanz do que no plano perpendicular a eles. Os fixadores de anel exibem um comportamento quase uniforme em todos os planos, de forma que o desvio dos fragmentos ósseos entre si é principalmente axial.

A rigidez da estabilização da fratura por fixação externa depende de vários fatores:

- Tipo de implantes usados, como, por exemplo, parafusos de Schanz e barras
- Arranjos geométricos desses elementos entre si e em relação ao osso, ou seja, se fixadores uniplanares, biplanares ou circulares
- A junção do implante ao osso, como, por exemplo, parafusos de Schanz; fios finos tensionados

Os fatores mais importantes que influenciam a estabilidade de fixação incluem:

- Rigidez das hastes de conexão
- Distância entre as hastes e o eixo ósseo; quanto mais rígida for a haste e mais perto estiver em relação ao eixo ósseo, mais estável a fixação

- Número, espaçamento e diâmetro dos parafusos de Schanz ou dos fios, e seu pré-tensionamento

O movimento interfragmentar de uma fratura com um fixador externo unilateral sob carga é uma combinação de desvio axial, flexão e cisalhamento. Um arranjo de tubo duplo sob carga parcial de 200-400 N resulta em movimento interfragmentar de vários milímetros e estimula a formação de calo. O fixador externo é o único sistema que permite ao cirurgião controlar a flexibilidade da fixação ajustando o implante sem cirurgia adicional. Essa técnica, chamada de dinamização, pode ser usada para modificar a carga da fratura conforme a consolidação progride. Isso pode ser feito aumentando a distância entre as hastes e o osso, ou reduzindo o número de hastes. Além disso, alguns tipos de fixadores externos permitem a telescopagem axial, para estimular o processo curativo.

### Hastes intramedulares

A clássica haste de Küntscher alcança boa estabilidade contra os momentos de encurvamento e forças de cisalhamento perpendiculares ao seu eixo longo, mas é bastante instável quando uma torção é aplicada, além de ser incapaz de prevenir o encurtamento axial. A rigidez de torção das hastes sulcadas é baixa, e o encaixe torsional e axial entre a haste intramedular e o osso é frouxo. Por conseguinte, no passado, a aplicação efetiva desse tipo de haste intramedular era limitada às fraturas simples transversas ou curtas oblíquas, que não encurtam por causa do contato ósseo e que irão se interdigitar para prevenir a rotação. A vantagem da haste de Küntscher é que a sua flexibilidade promove a formação de calo.

A introdução de hastes intramedulares bloqueadas e hastes sólidas ou canuladas superou muitas dessas restrições. As hastes bloqueadas resistem melhor a momentos de torção e carga axial [16]. A estabilidade sob tais cargas depende do diâmetro da haste, da sua geometria e do número de parafusos de bloqueio e seu arranjo espacial. A flexibilidade de encurvamento depende do encaixe da haste dentro do canal medular, da extensão da fratura e da distância entre os parafusos de bloqueio proximal e distal.

A única desvantagem das hastes intramedulares bloqueadas é a rigidez não linear do conjunto osso-haste. Os orifícios de bloqueio são maiores que o diâmetro dos parafusos de bloqueio para facilitar a inserção. Esse processo permite algum movimento na junção, mesmo com cargas baixas, que pode ser diminuído pela inserção de parafusos de bloqueio adicionais ou pelo uso de sistemas de bloqueio angular estável.

### Aproximando fraturas com uma ponte com placa bloqueada – fixador interno

As placas bloqueadas com parafusos de cabeça bloqueada colocadas em ambos os lados de uma fratura multifragmentada fixam a fratura, como um fixador externo, fornecendo estabilização elástica. A rigidez de tal método de fixação interna depende das dimensões do implante, do número e da posição dos parafusos, da qualidade da junção entre o parafuso e a placa, e da junção entre o parafuso e o osso. Essas características serão influenciadas pelo desenho da placa, pelo tipo de osso e pelo grau de osteoporose. A mecânica desse tipo de fixação é discutida em detalhes nos capítulos sobre a placa em ponte (ver Cap. 3.3.2) e placas bloqueadas (ver Cap. 3.3.4).

> O uso de placa com estabilidade relativa só deve ser aplicado em fraturas multifragmentadas, não sendo recomendado para fraturas com padrões simples, já que existe uma alta incidência de retardo de consolidação ou não união, pois um ambiente de alto *strain* é criado no local de fratura. Se as fraturas simples forem tratadas com placas, uma técnica que forneça estabilidade absoluta deve ser usada.

### 5.3.3 Mecanobiologia da consolidação indireta ou secundária das fraturas

O movimento interfragmentar estimula a formação de calo e é parte do processo normal de consolidação [17, 18]. Conforme o calo amadurece, ele fica mais rígido e reduz o movimento interfragmentar a um nível baixo, o que permite a consolidação por calo ósseo firme (**Fig. 1.2-6**). No estágio inicial de consolidação, quando principalmente o tecido mole está presente no *gap* da fratura, a fratura tolera maior deformação ou *strain* tecidual mais alto do que em um estágio mais tardio, quando o calo contém

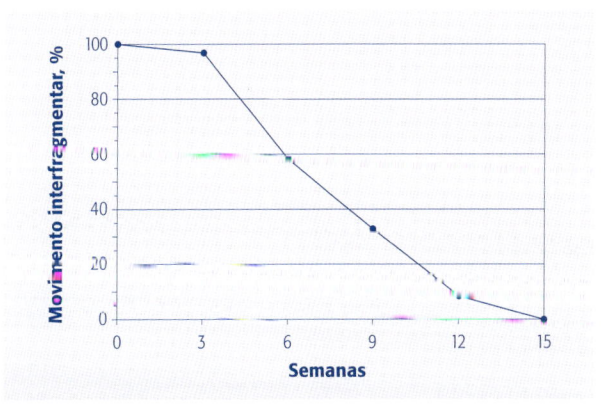

**Fig. 1.2-6** Curso típico do movimento interfragmentar monitorado nas fraturas da diáfise da tíbia humana. Os movimentos interfragmentares pós-operatórios iniciais abaixo de 300 N de carga axial (normalizados para 100% no início) diminuem com a passagem do tempo. Depois de mais ou menos 13 semanas, a consolidação por calo estabilizou a fratura.

Filosofia da AO e princípios básicos
**1.2 Biologia e biomecânica da consolidação óssea**

principalmente tecido calcificado. A forma como os fatores mecânicos influenciam a consolidação da fratura é explicada pela teoria do *strain* de Perren (**Fig./Animação 1.2-7**). O *strain* é a deformação relativa de um material (p. ex., tecido de granulação no *gap* de fratura) quando certa força é aplicada. O *strain* normal é expresso como a relação da mudança do comprimento (Δ l) ao comprimento original (l) quando uma certa carga é aplicada, ou seja, Δ l/l. O *strain* não tem dimensões e é frequentemente expresso como uma porcentagem. A quantidade de deformação que um tecido pode tolerar e ainda funcionar é chamada de tolerância de *strain*, e pode variar muito. O osso intacto tem uma tolerância de *strain* normal de 2% (antes de fraturar), enquanto o tecido de granulação tem uma tolerância de *strain* de 100%. A aproximação óssea entre o calo distal e o proximal só pode ocorrer quando o *strain* local (ou seja, a deformação) for menor do que o osso reticulado em formação é capaz de tolerar. Conforme a fratura consolida o *strain* no *gap* de fratura diminui. O calo duro não se formará se o *strain* no *gap* de fratura for muito alto (ou seja, acima da tolerância de *strain* do osso reticulado) [19], o que prejudica a consolidação da fratura, resultando em não união. A natureza lida com esse problema expandindo o volume do calo mole, que resulta em uma diminuição no *strain* do tecido local, na periferia do calo, até um nível que permita a formação óssea. O osso, então, cria uma ponte através do *gap* de fratura, na periferia do calo, e a consolidação da fratura prossegue da periferia em direção ao centro, conforme o *strain* progressivamente diminui. A natureza tem um modo adicional de diminuir o *strain* no *gap* de fraturas com pequenas distâncias. Em vez de alinhar-se diretamente através do *gap* de fratura, os osteons formam espirais, como uma mola, que crescem e cruzam o *gap* de fratura e produzem um ambiente de *strain* mais baixo, para permitir a formação da ponte óssea [18] (**Fig. 1.2-8**). Uma consequência desse tipo de consolidação é que a sobrecarga de uma fratura com uma distância pequena (e alto *strain*) não é bem tolerada mais adiante no processo de consolidação [20, 21].

No nível celular, onde ocorre o processo fundamental de regeneração e diferenciação do tecido ósseo, a situação é mais complexa. As condições biomecânicas, como o *strain* e a pressão de fluidos, têm uma distribuição não homogênea dentro do calo. A mecanorregulação das células do calo é uma alça de retroalimentação, na qual os sinais são criados pela carga aplicada e modulados pelo tecido do calo. A carga mecânica do tecido do calo produz estímulos biofísicos locais que são sentidos pelas células. Isso pode regular o fenótipo, a proliferação, a apoptose e as atividades metabólicas celulares por indução de produção do fator de crescimento pelas células receptoras dos sinais de carga. Com a alteração da matriz extracelular e as alterações associadas nas propriedades do tecido, os estímulos biofísicos causados pela carga mecânica são modulados, produzindo sinais biofísicos diferentes, inclusive sob a mesma carga. Na consolidação normal da fratura,

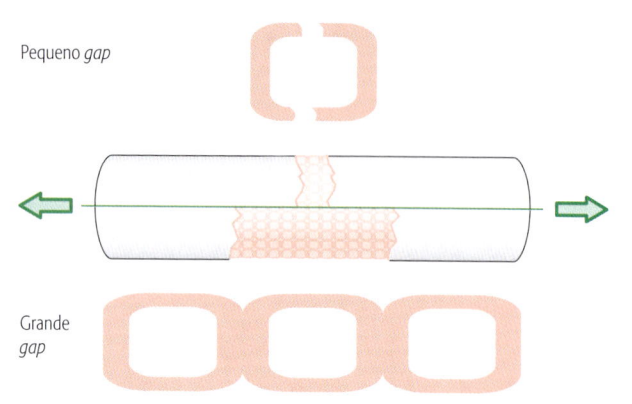

**Fig./Animação 1.2-7** Teoria do *strain* de Perren.

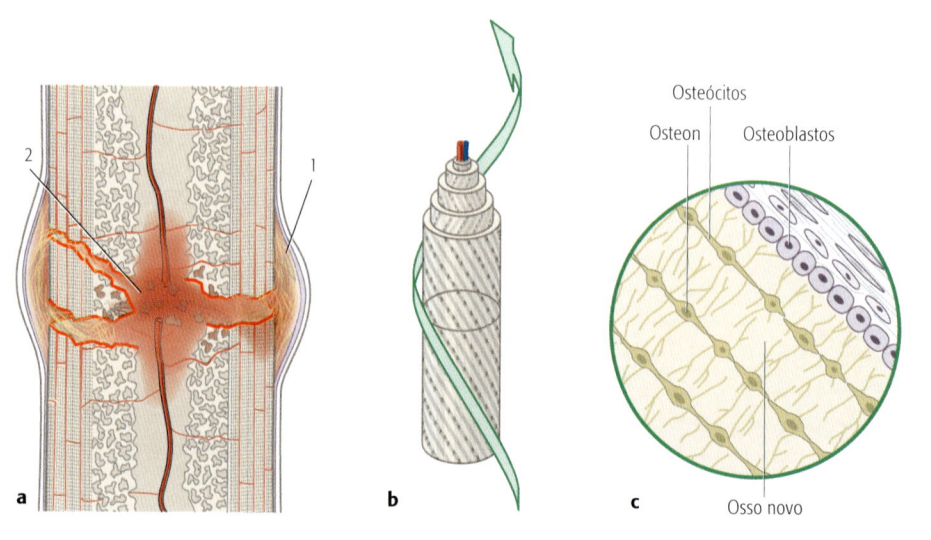

**Fig. 1.2-8a-c** Em vez de alinharem-se diretamente através do *gap* da fratura, os osteons formam uma espiral em torno da periferia do calo e, como uma mola, isso reduz o *strain* e permite a ossificação.
1   Calo duro na periferia com formação óssea intramembranosa
2   Calo mole central com ossificação endocondral

esse processo de retroalimentação alcança um estado de equilíbrio quando o calo é ossificado e a cortical original se regenera, permitindo uma autorregulação e renovação óssea normais. Os sinais biofísicos e o modo como eles interagem para produzir a resposta biológica ainda estão sendo investigados. Vários algoritmos de mecanorregulação têm sido postulados e demonstrado ser consistentes com alguns aspectos da consolidação das fraturas, mas eles requerem confirmação adicional. A transdução desses estímulos em sistemas mensageiros intracelulares e extracelulares está sendo investigada; assim, tanto métodos físicos quanto moleculares de tratamento podem ser desenvolvidos para tratar o retardo de consolidação e a não união.

Quando as fraturas são imobilizadas, o movimento dos fragmentos entre si depende de:

- Quantidade e direção da carga externa
- Rigidez das imobilizações
- Rigidez dos tecidos que transpõem a fratura

As fraturas multifragmentadas toleram mais movimento entre os dois fragmentos principais porque o movimento global é compartilhado por vários planos da fratura e isso reduz o *strain* no tecido ou a deformação relativa no *gap* da fratura (**Vídeo 1.2-2**). Atualmente, existe experiência clínica e prova experimental de que a fixação flexível pode estimular a formação de calo, acelerando a consolidação da fratura [17]. Isso pode ser observado em fraturas diafisárias tratadas por hastes intramedulares, fixadores externos ou placas em ponte.

> Se o *strain* interfragmentar for excessivo (instabilidade), ou a distância entre os fragmentos for muito grande, a formação do calo duro não ocorre, apesar da boa formação de calo, e uma não união hipertrófica se desenvolve [22].

A capacidade para estimular a formação de calo parece ser limitada e pode ser insuficiente quando grandes distâncias precisam ser aproximadas. Em tais casos, a dinamização (desbloqueio da haste intramedular ou do fixador externo) pode possibilitar a formação do calo ósseo, permitindo que o *gap* da fratura diminua e sua rigidez aumente.

> A formação de calo requer alguma estimulação mecânica e não ocorrerá quando o *strain* for muito baixo. Um ambiente de baixo *strain* será produzido se o dispositivo de fixação for muito rígido, ou se o *gap* da fratura for muito amplo [19]. O resultado será o retardo de consolidação e a não união.

Novamente, a dinamização pode ser a solução para o problema. Se o paciente estiver muito imóvel para fazer carga na perna operada, uma carga externa aplicada poderia ser o caminho para estimular a formação de calo.

### 5.4 Osteossíntese com estabilidade absoluta

Se uma fratura for estabilizada com uma fixação rígida, sua mobilidade fica reduzida, ocorrendo pouco deslocamento sob carga funcional. Embora a rigidez dos implantes contribua para reduzir a mobilidade da fratura, a única técnica que conseguirá abolir de maneira eficaz o movimento no local da fratura é a redução anatômica e a compressão interfragmentar.

A estabilidade absoluta elimina a deformação (*strain*) do tecido de reparo no local da fratura durante a carga fisiológica e resulta em consolidação óssea direta. A redução do *strain* para abaixo de um nível crítico diminuirá o estímulo da formação óssea, fazendo com que a fratura consolide sem calo visível.

> Em um ambiente de baixo *strain*, o osso consolida diretamente por remodelação osteonal – o mesmo mecanismo homeostático que existe para a renovação óssea fisiológica normal.

Esse processo também é chamado de consolidação óssea primária. Ele é muito mais lento que a consolidação por formação de calo, logo o implante não deve apenas fornecer e manter a estabilidade absoluta por um período prolongado, mas também ser forte o suficiente para resistir à falha de fadiga durante o prolongado período de consolidação.

A consolidação óssea direta não é a meta primária desse método de fixação de fratura, mas uma consequência inevitável do uso de uma técnica que obtém e mantém uma redução anatômica perfeita. A reconstrução anatômica e a

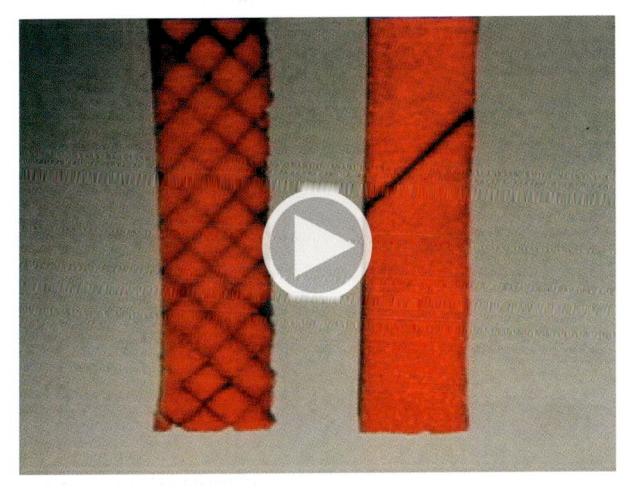

**Vídeo 1.2-2** A mesma força de deformação produz maior *strain* no local de uma fratura simples do que aquela de uma fratura multifragmentada.

Filosofia da AO e princípios básicos
1.2 Biologia e biomecânica da consolidação óssea

mobilização precoce constituem a verdadeira meta da cirurgia nas fraturas intra-articulares e em algumas fraturas diafisárias simples, como no antebraço.

> Alterações da biologia óssea ou da vascularização são muito mais graves e difíceis de tratar do que o retardo de consolidação ou não união resultantes de um ambiente de alto *strain* porque a fixação é muito flexível.

Demanda muito mais experiência e habilidade tratar uma complicação devido à desvitalização do que resolver uma simples não união hipertrófica, que precisa apenas de aumento na estabilidade mecânica (ver Caps. 5.2 e 5.3).

### 5.4.1 Mecânica das técnicas de estabilidade absoluta

> A estabilidade absoluta é alcançada pelo uso de uma pré-tensão compressiva e fricção.

#### Pré-tensão compressiva

A compressão mantém contato entre dois fragmentos, desde que essa compressão no local de fratura exceda as forças de tração que atuam nas extremidades dos fragmentos (**Fig. 1.2-9**). Estudos em ovelhas mostraram que a pré-tensão compressiva (compressão estática) não produz necrose por pressão, nem com parafusos de tração, nem com placas que comprimem em uma direção axial [23]. Mesmo o osso sobrecarregado não sofre necrose por pressão, desde que a estabilidade global seja mantida.

#### Fricção

Quando as superfícies de fratura são pressionadas uma contra a outra, produz-se fricção. A fricção se contrapõe às forças de cisalhamento, então os desvios por deslizamento são evitados (**Fig. 1.2-10**). O cisalhamento se origina, na maioria dos casos, a partir da torção aplicada no membro, e isso é mais importante que forças perpendiculares que atuam no eixo longo do osso.

A quantidade de resistência ao cisalhamento depende da fricção induzida pela compressão e da geometria das superfícies em contato (interdigitação). Para as superfícies ósseas lisas, as forças normais produzem pouco menos que 40% de fricção. As superfícies ásperas permitem uma fixação firme e interdigitação dos fragmentos, o que adicionalmente se contrapõe ao desvio causado pelas forças de cisalhamento.

### 5.4.2 Implantes

#### Parafusos de tração

O parafuso de tração é um implante que estabiliza uma fratura somente pela compressão (ver Cap. 3.2.1). O parafuso de tração é aplicado para ter a pega apenas na cortical oposta, e a aproximação entre a rosca e a cabeça do parafuso resulta em compressão interfragmentar entre as duas corticais. A fratura localizada entre as corticais distal e proximal é, assim, comprimida, e a estabilidade absoluta é obtida por pré-tensão e fricção.

As experiências *in vivo* têm demonstrado que os parafusos de tração podem produzir altas forças de compressão (> 2.500 N) (**Fig. 1.2-11**), que são mantidas em um período que excede o tempo necessário para a consolidação da fratura. A compressão produzida por um parafuso de tração atua idealmente dentro da fratura, em contraste com a compressão produzida pelas placas (ver Cap. 3.2.2).

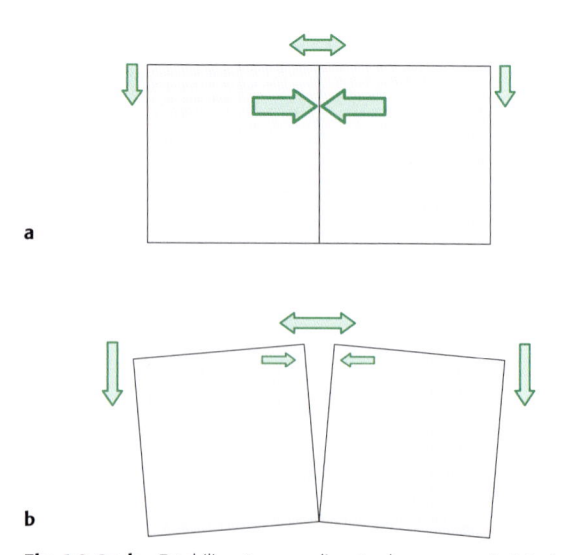

**Fig. 1.2-9a-b** Estabilização por aplicação de compressão interfragmentar. A pré-tensão compressiva previne o desvio dos fragmentos da fratura e resulta em estabilidade absoluta, desde que a compressão produzida seja maior que qualquer tração produzida pela função.

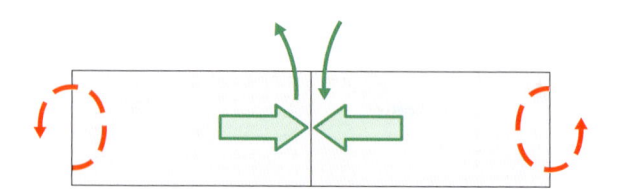

**Fig. 1.2-10** Estabilização pela aplicação de compressão interfragmentar (setas verdes grandes) produzindo fricção. Desde que a quantidade de fricção seja maior do que as forças que tendem a desviar a fratura ao longo do plano da fratura, sejam forças tangenciais resultantes da torção aplicada (setas vermelhas) ou forças que atuam perpendicularmente ao eixo longo do osso (setas verdes pequenas), a estabilidade absoluta será mantida. A fixação do parafuso de uma placa com compressão dinâmica se baseia no mesmo princípio.

Existem duas desvantagens na fixação por compressão apenas com parafusos de tração. Os parafusos de tração fornecem alta força de compressão, mas o braço de alavanca dessa compressão é, na maioria dos casos, muito pequeno para resistir à carga funcional. Isso se aplica tanto ao encurvamento quanto ao cisalhamento, já que a área de compressão é relativamente pequena quando vista a partir do centro do parafuso. Desse modo, nas fraturas diafisárias, os parafusos de tração devem ser sempre combinados com uma placa que os proteja dessas forças (placa de proteção, previamente chamada de placa de neutralização). A outra desvantagem da fixação com parafuso de tração é a sua falta de tolerância a uma sobrecarga única. Quando a rosca do parafuso espana, ela perde sua ação compressiva e é incapaz de recuperar a sua função. Isso contrasta com a fixação com placa, em que a perda de função de um único parafuso pode ser compensada pelo restante dos parafusos.

**Parafusos de tração e parafusos pela placa não devem ser apertados a um nível onde comecem a ceder. Com esse modo de aplicação, as roscas ósseas são parcialmente danificadas e/ou os parafusos são deformados plasticamente, podendo falhar.**

Quanto mais o parafuso é apertado, maior é o risco de falha. Ou a rosca óssea espana, ou o metal se quebra, com perda completa de função. É especialmente importante considerar isso quando parafusos de titânio forem usados, já que o titânio fornece pouco *feedback* tátil ao cirurgião, que pode aplicar muita torção. Parafusos de titânio são apenas levemente mais fracos que parafusos de aço (ver Cap. 1.3), mas sua ductilidade (deformação plástica antes da ruptura) é baixa.

### Placas

Uma fratura fixada com um ou mais parafusos de tração resulta em uma fixação sem movimento (estabilidade absoluta); porém geralmente tal fixação tolera apenas uma carga mínima. Uma fixação que estabilize o local de fratura pode reduzir a carga aplicada nos parafusos.

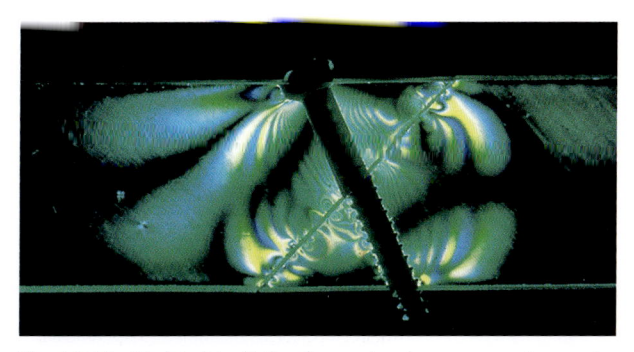

**Fig. 1.2-11** Modelo fotoelástico demonstrando a compressão exercida em uma osteotomia oblíqua. O parafuso de tração produz forças de 2.500-3.000 N.

Dessa forma, os parafusos de tração são geralmente combinados com placas que atuam como uma fixação para proteger o parafuso, reduzindo as forças de cisalhamento ou de encurvamento. O termo placa de proteção (anteriormente chamada de placa de neutralização) refere-se a uma placa funcionando desse modo.

Uma placa pode usada para funcionar de seis modos diferentes (ver Cap. 3.2.2):

- Proteção
- Compressão
- Banda de tensão
- Placa em ponte
- Suporte
- Redução (ferramenta)

Uma placa pode ser aplicada em um dos lados de uma fratura e então tensionada (usando a colocação excêntrica dos parafusos na placa ou usando o dispositivo de compressão articulado) para comprimir o osso (e a fratura) ao longo de seu eixo longo. Isso só é efetivo em fraturas transversas simples ou oblíquas curtas. Entretanto, quando uma placa reta for aplicada a um osso reto, produzirá compressão sob a placa com leve abertura da cortical oposta (**Fig. 1.2-12**). Essa não é uma situação estável. O hipermodelamento da placa no nível da fratura produz um espaço entre ela e o osso. Ao se apertar os parafusos e corrigir a hiperdeformação, se alcançará a compressão de ambas as corticais – cis e trans – e se produzirá estabilidade absoluta (**Fig. 1.2-13**). Uma placa pode ser colocada no lado de *strain* do osso para agir como uma banda de tensão. Quando o osso é carregado, a placa converte *strain* em compressão na cortical oposta e produz estabilidade absoluta. Esse princípio é discutido em detalhes no Capítulo 3.2.3.

A placa de suporte é usada nas áreas metafisárias. O suporte é a construção que resiste à carga axial aplicando-se força em 90° ao eixo de deformidade potencial. Sob tais condições, a placa inicialmente aceita carga funcional completa, podendo ser usada para fornecer estabilidade absoluta, além de ser frequentemente combinada com parafusos de tração. Mecanicamente, o suporte é uma construção forte.

A placa em ponte é usada nas fraturas multifragmentadas. Ela é usada para fixar apenas os dois fragmentos principais e para restaurar comprimento, alinhamento e rotação. Há um dano mínimo ao local de fratura e nenhuma fixação de outros fragmentos. Esta técnica sempre fornece estabilidade relativa, com a consolidação por formação de calo. Uma descrição detalhada da função e da aplicação de placas é dada no Capítulo 3.3.2.

A LCP pode ser usada para funcionar nos cinco modos diferentes descritos acima. Assim, as LCPs podem ser usadas para fornecer estabilidade absoluta ou relativa. Ela se assemelha a uma LC-DCP, mas tem orifícios combinados. A parte lisa da unidade de compressão dinâmica permite a

## Filosofia da AO e princípios básicos
### 1.2 Biologia e biomecânica da consolidação óssea

inserção de parafusos convencionais, de forma que a placa possa ser usada da mesma maneira que a DCP ou a LC-DCP. A parte rosqueada do orifício combinado permite que os parafusos de cabeça bloqueada sejam introduzidos, produzindo uma junção mecânica entre a placa e o parafuso. Para as fraturas multifragmentadas, a LCP pode ser usada como uma placa comum em ponte. Entretanto, se os parafusos de cabeça bloqueada forem usados por toda a fixação, a placa não será comprimida contra a cortical e irá atuar como um fixador externo. Esse é o princípio do fixador interno. Ele fornece estabilidade relativa, com mínima interferência no suprimento sanguíneo à fratura.

> Ao usar a LCP, é essencial que o cirurgião entenda as diferentes funções da placa e saiba como usar esse dispositivo para atingir os objetivos da cirurgia. O planejamento pré-operatório cauteloso é essencial e deve incluir a ordem de inserção dos parafusos, o que pode alterar fundamentalmente a função biomecânica desse dispositivo.

O uso da LCP é explicado em detalhes no Capítulo 3.3.4.

### Fixadores externos

Os fixadores externos circulares, como os desenvolvidos por Ilizarov, permitem o controle completo do comprimento, alinhamento e rotação de uma fratura. Esses dispositivos podem ser usados para fornecer estabilidade absoluta. O mesmo princípio se aplica quando os fixadores circulares são usados para tratar não uniões hipertróficas, onde o fornecimento de estabilidade absoluta permitirá a rápida união da fratura. Os fixadores circulares também podem ser usados para aplicar compressão através das fraturas oblíquas, mas isso requer planejamento cauteloso e um desenho mais complexo do fixador. Os ajustes do fixador que permitem a compressão em planos diferentes são difíceis de calcular, mas há programas de computador disponíveis para ajudar o cirurgião a alcançar tal objetivo.

### 5.4.3 Mecanobiologia da consolidação direta ou primária das fraturas

A consolidação óssea é diferente no osso cortical e no esponjoso. Os elementos básicos correspondem qualitativamente, mas, como a vascularização e a proporção entre o volume e a superfície são diferentes, a velocidade e a confiabilidade da consolidação são geralmente melhores no osso esponjoso.

### Fraturas diafisárias

Na diáfise, a estabilidade absoluta é alcançada por meio de compressão interfragmentar para manter os fragmentos de fratura em aposição permanente (ver Cap. 3.2.2). A dor irá ceder e permitir uma recuperação mais precoce da função dentro de poucos dias após a cirurgia.

Radiograficamente, somente mudanças pequenas podem ser observadas: sob fixação absolutamente estável, existe formação de calo minimamente visível ou nenhuma formação [24]. O fato de que as extremidades do o fragmento estejam aproximadas significa que somente uma linha fina pode ser vista nas radiografias, o que dificulta o julgamento sobre a consolidação da fratura. Um desaparecimento gradual da linha de fratura com trabéculas

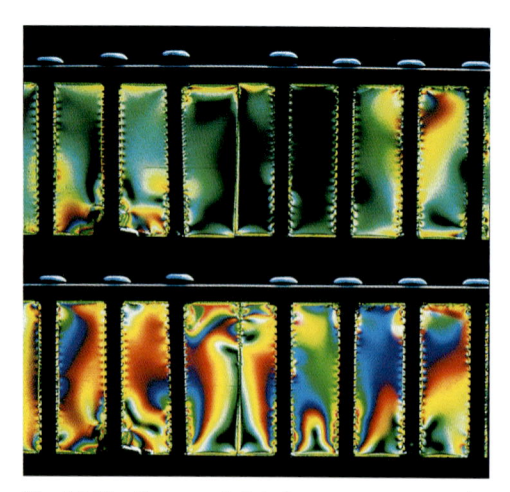

**Fig. 1.2-12** Compressão interfragmentar com uma placa reta. Esta imagem fotoelástica demonstra que, ao aplicar tensão à placa, uma compressão do segmento ósseo que recebeu a placa pode ser produzida. Desse modo, a compressão atua dentro do osso junto ao seu eixo longo. Tal compressão é eficaz apenas em fraturas transversas. Com uma placa reta, existe maior compressão na cortical proximais, por baixo da placa.

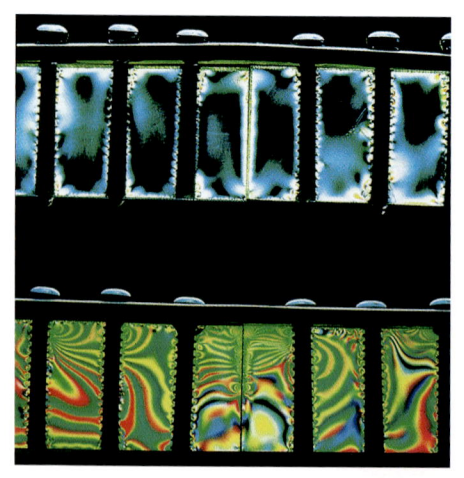

**Fig. 1.2-13** Compressão interfragmentar com uma placa reta pré-tensionada. A compressão simétrica pode ser alcançada pela pré-moldagem da placa. A placa ligeiramente moldada é aplicada à superfície óssea com a parte média elevada. Quando os parafusos são apertados, a cortical trans oposta à placa é comprimida também.

crescendo através dessa linha é um bom sinal, enquanto que um alargamento do *gap* é um sinal de instabilidade. O cirurgião julga o progresso de consolidação pela ausência de sinais radiográficos de irritação, como reabsorção óssea ou formação de um calo de "irritação" nublado, assim como por sintomas clínicos, como presença ou ausência de dor e edema. O cirurgião também deve olhar cuidadosamente para a interface entre parafusos e osso. A osteólise em torno dos parafusos pode ser o sinal mais precoce de que a fratura não está consolidando e que carga excessiva está passando pela placa, resultando em falha na interface implante-osso.

Sequência histológica da consolidação sob condições de estabilidade absoluta:

- Nos primeiros dias depois de cirurgia quase não há atividade dentro do osso próximo ao local da fratura. O hematoma é reabsorvido e/ou transformado em tecido de reparo. O edema se reduz enquanto a ferida cirúrgica cicatriza.
- Depois de algumas semanas, o sistema haversiano começa a remodelar o osso internamente, conforme visualizado por Schenk e Willenegger (**Figs. 1.2-14-15**) [25]. Ao mesmo tempo, *gaps* entre as superfícies dos fragmentos não anatomicamente reduzidos – se houver estabilidade – começam a ser preenchidos com osso lamelar, cuja orientação é transversal ao eixo longo do osso.
- Nas semanas subsequentes, as cabeças dos osteons alcançam a fratura e a cruzam sempre que houver contato ou somente um *gap* mínimo [26]. Os osteons recentemente formados que cruzam o *gap* fornecem um tipo de microssustentação ou interdigitação.

### Fraturas no osso esponjoso

As fraturas ao redor da metáfise têm uma superfície de fratura comparativamente grande, com boa vascularização. Esse aspecto oferece a oportunidade de boa fixação em termos de forças de encurvamento e torção e, assim, maior estabilidade para essas fraturas, além de uma consolidação mais rápida. A avaliação radiográfica é de certa forma prejudicada pela complexa estrutura tridimensional do osso esponjoso trabecular. A principal atividade histológica vista na consolidação da fratura do osso esponjoso ocorre no nível das trabéculas. A consolidação – devido à maior superfície por volume – tende a ocorrer mais rapidamente do que no osso cortical. A necrose é menos provável de ocorrer porque a vascularização do osso esponjoso é melhor que a do osso cortical.

A vantagem da estabilidade absoluta é sua capacidade de manter a redução perfeita da superfície articular e permitir a reabilitação funcional precoce. As desvantagens são que a remodelação haversiana interna começa tardiamente e toma muito tempo, e a ausência de qualquer movimento no *gap* da fratura não estimula a formação de calo. Por conseguinte, o implante sozinho deve fornecer fixação estável inicialmente e por um período mais longo do que as fraturas tratadas sob estabilidade relativa.

### Recuperação do suprimento sanguíneo

A estabilidade absoluta também tem efeitos positivos no suprimento sanguíneo. Sob condições estáveis, os vasos sanguíneos podem cruzar um local de fratura com mais facilidade. Apesar dos efeitos prejudiciais dos procedimentos cirúrgicos usados para alcançar a estabilidade absoluta, uma vez obtida, ela auxilia no reparo dos vasos sanguíneos (**Fig. 1.2-16**).

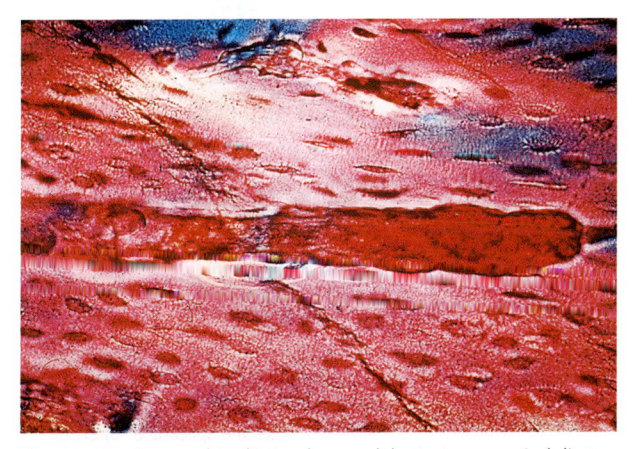

**Fig. 1.2-14** Aspecto histológico da consolidação óssea cortical direta. As áreas do osso morto e danificado são internamente substituídas por remodelação haversiana. A linha de fratura foi graficamente realçada.

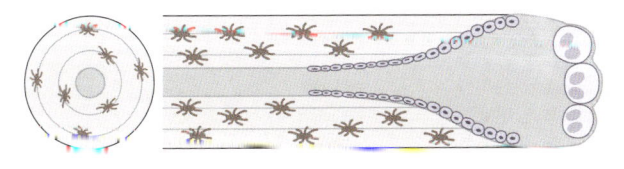

**Fig. 1.2-15** Remodelação haversiana. O osteon carrega em sua ponta um grupo de osteoclastos que perfuram um túnel no osso morto. Atrás da ponta, os osteoblastos formam um novo osso com células vivas e uma conexão para os capilares dentro do canal.

Filosofia da AO e princípios básicos
1.2 Biologia e biomecânica da consolidação óssea

Na fixação com placa, a área de contato comparavelmente maior da superfície inferior das placas convencionais é considerada uma desvantagem. O osso tolera muito bem a carga mecânica e protege seus vasos sanguíneos internos de serem afetados. Os vasos sanguíneos que entram no osso a partir dos lados periosteal e endosteal são, entretanto, sensíveis a qualquer contato externo. Quando as placas são colocadas sobre a superfície óssea, é provável que elas perturbem o suprimento sanguíneo periosteal. No uso de placa convencional, parte da estabilidade é obtida pela fricção entre a placa e o osso, o que requer uma área mínima de contato. O contato extenso e contínuo entre qualquer implante e o osso resulta em áreas circunscritas de necrose óssea na cortical diretamente abaixo da placa. Isso pode levar a uma porose temporária do osso e, excepcionalmente, à sequestração. A redução da interface osso-implante pode melhorar a resistência à infecção local e reforçar a consolidação da fratura (**Fig. 1.2-17**).

## 6 Perspectiva

Avanços consideráveis têm sido feitos na compreensão da interação entre as forças biomecânicas e a consolidação biológica do osso. Cada um tem influência direta sobre o outro e o desfecho da consolidação é o resultado da combinação dos sinais recebidos (**Fig. 1.2-18**). O ambiente biomecânico pode modificar a resposta biológica, e uma compreensão desse processo poderia ser usada para melhorar a tomada de decisão clínica [21]. Cada vez mais, as terapias inovadoras envolverão o uso de componentes biológicos, e é crucial que cirurgiões atuantes se atualizem sobre o modo de ação e os potenciais efeitos adversos. A vontade de adotar novas terapias levará a um aumento nas opções terapêuticas para tratar a consolidação óssea nos casos de déficits biológicos.

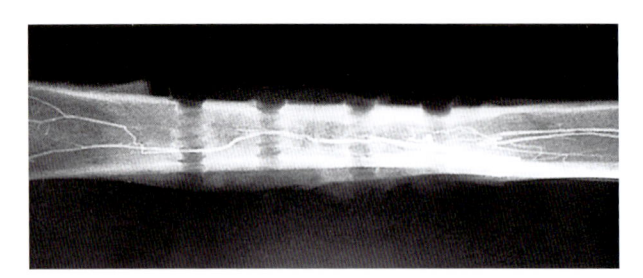

**Fig. 1.2-16** O efeito da estabilidade na revascularização. A osteotomia de uma tíbia de coelho foi reduzida e fixada de forma estável. Até duas semanas após a transecção completa do osso e da cavidade medular, os vasos sanguíneos se reconstituíram e estão em funcionamento, conforme mostra esta angiografia aos 14 dias.

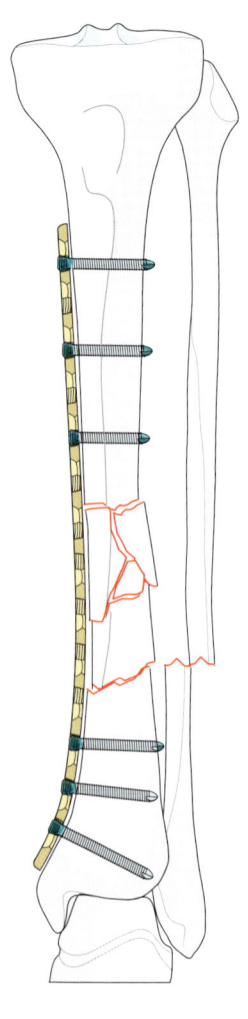

**Fig. 1.2-17** Placa em ponte. A placa sustenta uma área crítica da fratura e está fixada somente perto das suas duas extremidades, evitando, desse modo, o contato periosteal no local da fratura, que poderia impedir a circulação, e possibilitando a colocação de um enxerto ósseo sob a ponte.

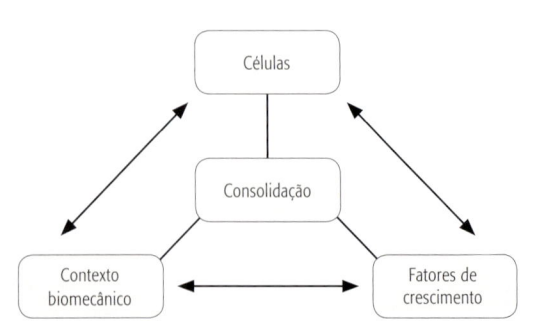

**Fig. 1.2-18** A interação entre o ambiente biomecânico, as células e os fatores de crescimento é combinada para direcionar o desfecho da consolidação.

## 7 Referências

1. **Perren SM.** Minimally invasive internal fixation: history, essence and potential of a new approach. *Injury.* 2001 May;32:Suppl 1:S-A1–3.
2. **Perren SM.** Evolution of the internal fixation of long bone fractures. The scientific basis of biological internal fixation: choosing a new balance between stability and biology. *J Bone Joint Surg Br.* 2002 Nov;84(8):1093–1110.
3. **Farouk O, Krettek C, Miclau T, et al.** The topography of the perforating vessels of the deep femoral artery. *Clin Orthop Relat Res.* 1999 Nov;(368):255–259.
4. **Gautier E, Cordey J, Mathys R, et al.** Porosity and Remodeling of Plated Bone After Internal Fixation: Result of Stress Shielding or Vascular Damage? Amsterdam: Elsevier Science Publishers; 1984:195–200.
5. **Perren SM.** The concept of biological plating using the limited contact-dynamic compression plate (LC-DCP). Scientific background, design and application. *Injury.* 1991;22(Suppl 1):1–41.
6. **Grundnes O, Reikeras O.** Blood flow and mechanical properties of healing bone. Femoral osteotomies studied in rats. *Acta Orthop Scand.* 1992 Oct;63(5):487–491.
7. **Kelly PJ, Montgomery RJ, Bronk JT.** Reaction of the circulatory system to injury and regeneration *Clin Orthop Relat Res.* 1990 May;(254):275–288.
8. **Brookes M, Revell WJ.** Blood Supply of Bone Scientific Aspects. London: Springer-Verlag; 1998.
9. **Rhinelander FW.** Tibial blood supply in relation to fracture healing. *Clin Orthop Relat Res.* 1974 Nov-Dec;(105):34–81.
10. **Klein MP, Rahn BA, Frigg R, et al.** Reaming versus non-reaming in medullary nailing: interference with cortical circulation of the canine tibia. *Arch Orthop Trauma Surg.* 1990;109(6):314–316.
11. **Pfister U.** [Biomechanical and histological studies following intramedullary nailing of the tibia]. *Fortschr Med.* 1983 Oct;101(37):1652–1659. German.
12. **Claes L, Heitemeyer U, Krischak G, et al.** Fixation technique influences osteogenesis of comminuted fractures. *Clin Orthop Relat Res.* 1999 Aug;(365):221–229.
13. **Farouk O, Krettek C, Miclau T, et al.** Minimally invasive plate osteosynthesis: does percutaneous plating disrupt femoral blood supply less than the traditional technique? *J Orthop Trauma.* 1999 Aug;13(6):401–406.
14. **Sarmiento A, Latta LL.** Functional Fracture Bracing. Berlin Heidelberg New York: Springer-Verlag; 1995.
15. **Urist MR.** Bone: formation by autoinduction. *Science.* 1965 Nov 12;150(3698): 893–899.
16. **Schandelmaier P, Krettek C, Tscherne H.** Biomechanical study of nine different tibia locking nails. *J Orthop Trauma.* 1996;10(1):37–44.
17. **Claes LE, Wilke HJ, Augat P, et al.** Effect of dynamization on gap healing of diaphyseal fractures under external fixation. *Clin Biomech.* 1995 Jul;10(5):227–234.
18. **Claes LE, Heigele CA, Neidlinger-Wilke C, et al.** Effects of mechanical factors on the fracture healing process. *Clin Orthop Relat Res.* 1998 Oct;(355 Suppl):S132–147.
19. **Perren SM, Cordey J.** The Concept of Interfragmentary Strain. Berlin Heidelberg New York: Springer-Verlag; 1980.
20. **Claes LE, Heigele CA.** Magnitudes of local stress and strain along bony surfaces predict the course and type of fracture healing. *J Biomech.* 1999 Mar;32(3):255–266.
21. **Elliott DS, Newman KJ, Forward DP, et al.** A unified theory of bone healing and nonunion: BHN theory. *Bone Joint J.* 2016 Jul;98-B(7):884–891
22. **Schenk RK, Müller J, Willenegger H.** [Experimental histological contribution to the development and treatment of pseudarthrosis]. *Hefte Unfallheilkd.* 1968;94:15–24. German.
23. **Perren SM, Huggler A, Russenberger M, et al.** The reaction of cortical bone to compression. *Acta Orthop Scand Suppl.* 1969;125:19–29.
24. **van Frank Haasnoot E, Münch TW, Matter P, et al.** Radiological sequences of healing in internal plates and splints of different contact surface to bone. (DCP, LC-DCP and PC-Fix). *Injury.* 1995;26 (Suppl 2):28–36.
25. **Schenk R, Willenegger H.** [On the histological picture of so-called primary healing of pressure osteosynthesis in experimental osteotomies in the dog.] *Experientia.* 1963 Nov 15;19:593–595. German.
26. **Rahn BA, Gallinaro P, Baltensperger A, et al.** Primary bone healing. An experimental study in the rabbit *J Bone Joint Surg Am.* 1971 Jun;53(4):783–786.

## 8 Agradecimentos

Agradecemos a Stephan Perren e Keita Ito por suas contribuições para este capítulo na 2ª edição de *Princípios AO do tratamento de fraturas.*

# 1.3 Implantes e biotecnologia

*Geoff Richards*

## 1 Requisitos gerais

O uso de metal na fixação de fraturas tem demonstrado sucesso incomparável por décadas, devido à alta rigidez, resistência, boa ductilidade, tolerância biológica (biocompatibilidade), ausência de reações tóxicas e inflamatórias e função confiável do metal.

Um material de implante, correspondente aos padrões internacionais, geralmente manifesta um nível adequado de biocompatibilidade (a habilidade de desempenho do material com uma resposta apropriada no hospedeiro, em uma aplicação e localização específica). É importante notar que os metais que podem se comportar extremamente bem, mecânica e biologicamente, para a fixação de fraturas em uma área anatômica, podem causar problemas biológicos em outra.

Os metais atualmente usados são o aço inoxidável eletropolido (AIEP) (ISO 5832-1) e o titânio comercialmente puro (cpTi) (ISO 5832-2) [1-3], junto com ligas de titânio, como alumínio-nióbio-titânio (ANT) (ISO 5832-11). Apesar das muitas diferenças entre esses metais, eles fornecem um desfecho clínico bastante previsível, oferecendo um sucesso comparável no alcance dos principais requisitos biomecânicos e biológicos de fixação de fraturas, apesar de diferenças claras nas propriedades do implante e nas respostas biológicas [1]. Cerâmica, polímeros, compósitos de carbono e materiais degradáveis também são usados em aplicações especiais [3], mas não em situações onde sejam esperadas cargas intensas, a menos que a fixação com metal também esteja presente.

Os materiais de implante usados para fixação interna devem se adequar a certos requisitos básicos; a função confiável e efeitos colaterais mínimos são igualmente importantes. A seleção do material e o desenho do implante devem responder a vários requisitos conflitantes. Este capítulo introduz os princípios básicos usados na seleção dos materiais para os dispositivos de fixação interna.

## 2 Propriedades mecânicas dos materiais

### 2.1 Rigidez

A rigidez é definida como a capacidade de um material de resistir à deformação. É medida como a associação entre a carga aplicada ao material e a resultante deformação elástica do material.

A rigidez de um material é o seu módulo de elasticidade. A rigidez de um implante resulta do módulo de elasticidade do material e da forma e dimensões do implante em si. Como exemplo, o módulo de elasticidade do cpTi (titânio) (110 GPa) é muito menor que o do AIEP (aço inoxidável) (186 GPa) e, assim, sob condições de carga similar, ele tende a se deformar mais. Entretanto, a dimensão do implante real também é importante: o aumento da espessura de uma placa-padrão cpTi em alguns décimos de milímetro aumentará a sua rigidez em flexão. O AIEP é um material muito mais rígido que o titânio, o que pode ser relevante para problemas relacionados à carga normal do osso adjacente. A flexibilidade aumentada do cpTi e de suas ligas significa que as deformações elásticas são mais próximas ao osso (20 GPa) em comparação ao AIEP. Por isso, o cpTi e suas ligas aumentaram a resistência à fadiga em comparação com o AIEP e mostram superioridade sobre o aço sob carga cíclica [3].

> A osteossíntese restaura a rigidez óssea temporariamente até que a consolidação da fratura a restaure permanentemente.

Quando levamos em consideração um implante (parafuso, haste, placa ou fixador externo) fixando uma fratura, a rigidez do implante deve prevenir a deformidade no local da fratura. Para permitir a consolidação adequada, o dispositivo deve reduzir a mobilidade da fratura abaixo do nível crítico no qual o tecido de consolidação se formará. Durante a cascata de diferenciação biológica, o tecido dentro do local de fratura se diferencia de hematoma para tecido de granulação, cartilagem e osso, com um aumento gradual na força, associada a uma diminuição na tolerância ao *strain*. O tecido de granulação tolera 100% de *strain*, a cartilagem, 15%, e se forma sob condições de deformação dinâmica mais alta (*strain*) que o tecido mineralizado final. O osso cortical tolera 2% de deformação. A natureza gradualmente aumenta a rigidez e a resistência, e cada novo tecido se forma sob a proteção de seu predecessor (ver Cap. 1.2).

## 1.3 Implantes e biotecnologia

No passado, foram feitas tentativas de se produzir implantes que tivessem uma rigidez similar à do osso, usando plástico ou compostos reforçados de carbono [4]. Esses implantes foram pensados para reduzir a diferença entre a rigidez da placa e a do osso que se acreditava ocorrer com implantes de metal rígido e que dissipavam a carga para longe do osso. A pesquisa pré-clínica que combinava injeção intravascular de contraste e marcação fluorescente policromática da remodelação óssea demonstrou que a porose óssea precoce no local dos implantes era o resultado da remodelação óssea cortical interna induzida por necrose e não pela descarga do osso produzida pela placa [5]. A teoria da necrose de Perren é reforçada por (1) a porose óssea é temporária na remodelação óssea interna; (2) o padrão da zona de remodelação está muito relacionado ao da circulação diminuída, e não àquele da descarga; (3) as placas de plástico podem produzir uma porose óssea maior que as placas de aço; (4) a melhor circulação sanguínea com o uso de placas modificadas resulta em redução na porose. Os implantes com baixa rigidez material não oferecem, como regra, um equilíbrio aceitável entre a biologia e as propriedades mecânicas.

### 2.2 Resistência

A resistência é a habilidade de um material em resistir à aplicação de forças sem deformação ou falha.

Assim, a resistência determina a quantidade de carga que um implante pode suportar. Antes de um metal quebrar, ele pode se deformar irreversivelmente (deformação plástica). As dimensões do implante são frequentemente mais importantes que a resistência do material. A resistência do cpTi é mais ou menos 10% menor que a do aço (**Tab. 1.3-1**), mas um aumento na seção transversal do implante compensará a diferença na resistência do material. A resistência determina o limite de tensão (força por unidade de área), que resulta na deformação.

Para a fixação interna, a resistência de um implante à carga repetida, que pode resultar em falha por fadiga, é um problema crítico.

Comparado ao aço, o cpTi é de certa forma menos resistente a cargas únicas, mas muito superior quando são aplicadas cargas repetidas de alto ciclo [5].

### 2.3 Ductilidade

A ductilidade de um material é o grau de deformação permanente que ele tolera antes de quebrar (deformação plástica sem fratura do material).

A ductilidade de um material determina o grau no qual um implante, como uma placa, pode ser moldado pelo cirurgião para diferentes necessidades anatômicas. Como regra, os materiais de alta resistência, como as ligas de titânio e cpTi tratado a frio, oferecem menos ductilidade que o aço (embora os dispositivos de fixação de fraturas de AIEP mais comuns, como parafusos, placas e hastes, sejam trabalhados a frio, o que fornece uma condição intermediária de propriedades tênseis e ductilidade). A ductilidade fornece algum aviso prévio da falha iminente como, por exemplo, durante a inserção de um parafuso. De acordo com os padrões internacionais, um parafuso cortical de 4,5 mm (ISO 6475) deve tolerar mais de 180° de deformação angular plástica e elástica antes de quebrar. Entretanto, o cpTi, tendo menor ductilidade, fornece menos *feedback* tátil (aviso prévio); dessa forma, o cirurgião deve primeiro adquirir alguma experiência prática sobre as diferentes técnicas de manuseio antes do uso operatório.

Essa limitação da baixa ductilidade do cpTi é agora parcialmente superada por implantes anatomicamente projetados que não requerem a moldagem (e teoricamente não devem ser moldados) pelo cirurgião. A moldagem pode levar à deformação da parte rosqueada do orifício combinado das placas de compressão bloqueadas (LCPs), tornando-os incapazes de reter parafusos bloqueados, sendo, por conseguinte, desaconselhável.

A cpTi e suas ligas têm duas condições mecânicas principais, o temperado (mais mole) e o trabalhado a frio. A versão temperada é usada para aplicações com menor estresse de carga, como as placas de minifragmentos. O cpTi (e ligas) trabalhado a frio tem resistência aumentada e é usado para placas, parafusos e hastes.

**Tabela 1.3-1** Propriedades mecânicas típicas dos materiais de implante usados para parafusos

| Material do implante | Padrões internacionais | Resistência máxima à tensão | Alongamento |
|---|---|---|---|
| Aço inoxidável (trabalhado a frio) | ISO 5832-1 | 960 MPa | 15% |
| Titânio grau 4B sem liga (comercialmente puro) (trabalhado a frio) | ISO 5832-2 | 860 MPa | 18% |
| Ti-6Al-7Nb | ISO 5832-11 | 1.060 MPa | 15% |

## 2.4 Propriedades de torção

A torção é o girar de um objeto devido à aplicação de um torque (a força para rodar um objeto sobre um eixo, uma força de torneamento). Um benefício clínico observado no AIEP se relaciona às suas propriedades de torção. Quando o torque máximo na inserção de um parafuso de AIEP é alcançado, o parafuso não mantém corretamente o torque, trava e para de avançar. Mesmo com a rotação contínua do parafuso, um torque constante é mantido. A cabeça do parafuso continuará a rodar por aproximadamente 1,5 volta até quebrar. Para os cirurgiões, essa propriedade é uma vantagem, fornecendo reatrolimentação tátil durante a inserção e limitando a possibilidade de espanar o parafuso. Os parafusos de cpTi (e suas ligas) não fornecem tanta resposta tátil. Uma vez que o parafuso trava, ele falha em alcançar o torque máximo e a rotação contínua da cabeça do parafuso persiste em aumentar o torque. A quebra do parafuso ocorre depois de aproximadamente 3 a 4 viradas adicionais. Existem chaves de fenda com limitador de torque para ajudar a prevenir tais problemas. Uma comparação clinicamente relevante do desempenho de torção das hastes intramedulares da tíbia com liga de AIEP e titânio foi feita usando orifícios de parafusos bloqueados distais e parafusos transversais dedicados a fixar cada haste distalmente [6]. A partir da prova mecânica, a rigidez de torção média do sistema de haste de liga de titânio foi de 40,9 N/m2, enquanto a do sistema de haste de AIEP foi de 34,6 N/m2. Os cálculos teóricos da rigidez de torção da parte central da haste foram de 83 N/m2 para a haste de AIEP e 66 N/m2 para a haste de liga de titânio.

> Este estudo mostra que existem propriedades biomecânicas clinicamente relevantes do sistema de implantes como um todo. Não é apenas o material que deve ser considerado.

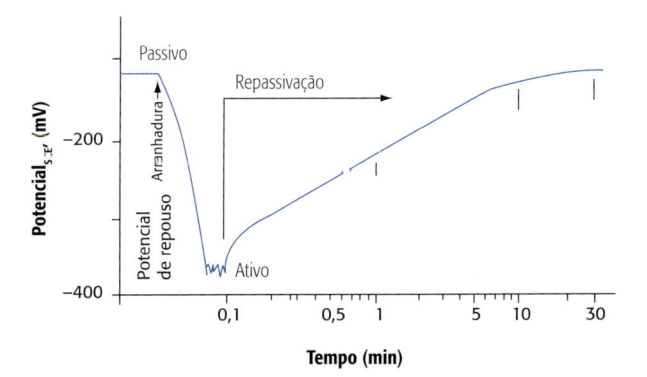

**Fig. 1.3-1** Comportamento de repassivação do titânio em solução de NaCl a 0,9% depois de arranhar a superfície com uma agulha.

## 3 Propriedades de biocompatibilidade do material

### 3.1 Resistência à corrosão e toxicidade

> A corrosão é um processo eletroquímico que resulta na destruição do metal pela liberação de metal ionizado.

A corrosão difere em implantes feitos de um componente único e sistemas de implantes com vários componentes de metal. Aço inoxidável, cpTi e ANT, se testados como um elemento único (ou seja, somente como uma placa ou parafuso e não como uma combinação dos dois), são altamente resistentes à corrosão, mesmo no ambiente de fluidos corporais. Isso se deve a uma camada protetora passiva que se forma em suas superfícies. O titânio e as ligas de titânio têm extrema inércia química. Um filme de óxido passivo se forma no titânio e nas suas ligas, sendo muito mais resistente à corrosão e termodinamicamente estável do que o filme de óxido de cromo que se forma no aço inoxidável. A camada passiva no titânio é formada muito depressa e é eletricamente isolante, além de o implante não demonstrar qualquer corrosão (**Fig. 1.3-1**). O aço inoxidável é suscetível à corrosão por frestas. O cromo-cobalto-molibdênio (CCM) é mais resistente à corrosão, mas pode liberar uma espécie iônica "tóxica" quando depassivado (consideração emitida em fevereiro de 2012 pela Food and Drug Administration [FDA]).

Pesquisas recentes *in vitro* e *in vivo* produziram argumentos técnicos caracterizando muitos componentes dos implantes de aço inoxidável, incluindo o cromo (Cr), o cobalto (Co), o ferro (Fe) e o níquel (Ni), como as causas principais de toxicidade, além dos efeitos indesejáveis que se estendem a uma variedade de sistemas, como o vascular, o imunológico, o excretório, o reprodutivo, o tegumentar e o nervoso [1, 7, 8]. O uso de implantes de titânio e de liga de titânio, que têm função superior sob carga mecânica/cíclica em comparação ao AIEP, é uma alternativa sem essas preocupações. A taxa de regeneração acelerada das superfícies de óxido de titânio ofereceria melhor resistência à liberação substancial de íons de metais comparada com o AIEP.

As ligas de cobalto, que são usadas com sucesso em artroplastias, não são atualmente usadas em implantes de fixação interna devido à sua suscetibilidade para corrosão galvânica quando em contato com o aço. Uma vez que os gráficos de polarização são semelhantes para cpTi e ANT, os materiais poderiam ser usados em aplicações com dispositivos de multicomponentes; a corrosão galvânica não seria esperada. Além dos problemas de corrosão intrínseca, a mistura de materiais diferentes provavelmente adicionaria o problema da junção galvânica, embora estudos pré-clínicos com metais diferentes e usados para parafusos canulados e fios-guia não encontraram efeitos adversos *in vivo* [9].

Filosofia da AO e princípios básicos
1.3 Implantes e biotecnologia

> A erosão é um processo físico que resulta na degradação estrutural da superfície do implante, com a liberação de fragmentos do material que variam em tamanho, reduzindo até alguns nanômetros.

Na ortopedia, a principal forma de erosão é a corrosão por atrito encontrada nos sistemas de implante modular, tal como quando uma cabeça de parafuso se move em relação ao orifício da placa. A corrosão por atrito ocorre com o micromovimento entre duas superfícies de implantes adjacentes. Isso resulta na liberação de partículas de tamanho submicroscópico nos tecidos vizinhos. As partículas da corrosão causam várias complicações clínicas. Os fragmentos experimentalmente produzidos do aço, cpTi, e de uma liga de Ti-15Mo, quando examinados *in vitro*, demonstraram fagocitose de partículas de todos os três materiais por macrófagos, em uma resposta dose-dependente. As partículas de aço também inibiram a proliferação celular, mesmo quando as partículas não estavam em contato direto com as células, e causaram danos na membrana celular. Quando dois implantes feitos de cpTi são movidos contra si sob carga, fragmentos metálicos de abrasão podem ser observados na área circundante (com tamanhos de partícula frequentemente maiores que 10 μm [10]), proporcionando uma descoloração inofensiva dos tecidos. Fragmentos de desgaste do aço têm sido observados em órgãos remotos do local do implante, mostrando que podem se disseminar para todo o corpo [7]. Quando ocorre erosão do aço, as partículas produzidas são de tamanhos menores que 0,5 μm [10] e podem ser facilmente transportadas para longe do local de implante. Se as partículas submicroscópicas de titânio forem transportadas para longe do local do implante, elas não deverão produzir uma reação tecidual por causa de sua alta biocompatibilidade. Contudo, íons de cpTi foram observados em quantidades aumentadas no cabelo de pacientes em um estudo [11] no qual os pacientes receberam implantes na coluna vertebral. Ao que se sabe até agora, nenhuma publicação demonstrou reações teciduais em órgãos remotos a partir de um local de implante de cpTi. Para a fixação interna flexível, onde movimento, assim como corrosão, são esperados, o titânio ou suas ligas são os materiais de escolha.

## 3.2 Propriedades da superfície

> O AIEP, o cpTi e as suas ligas diferem na sua composição de óxido de superfície, que é um importante fator determinante da adsorção de proteínas, adesão celular e, por fim, na integração osteofibrosa ou na osteointegração direta [1].

Ao colocar um implante no corpo, o implante fica imediatamente condicionado pela água, sangue e proteínas, minimizando a extensão do contato real do implante com o tecido adjacente. Isso é seguido por uma integração osteofibrosa ou osteointegração direta. Sem a aderência celular, sob a presença de micromovimento, ocorre a formação de uma cápsula fibrosa [12]. As propriedades da superfície de implante, como a microtopografia e a química, ajudam a definir a resposta tecidual eventual por meio de interações de proteínas e células. A influência da microtopografia da superfície é contínua desde o momento do implante do dispositivo por vários meses seguintes, até que uma resposta final tecidual tenha sido determinada. O leitor é encaminhado a uma revisão nessa área para informação adicional, incluindo a teoria do "espectro de aspereza efetiva", uma hipótese para controle da integração celular na superfície baseada na noção de que, para ocorrer uma resposta mediada por células na superfície, é necessário que as células individuais percebam a microaspereza [13]. O desenvolvimento de uma interface osso-implante estável é considerado fundamental para o sucesso dos implantes de osteossíntese, como os parafusos. A estrutura da superfície de um implante em contato (osteointegração direta) ou contato próximo (integração osteofibrosa) com o osso é importante, porque a transmissão de força ocorre nessa interface. Um estudo *in vivo* em coelhos demonstrou que a simples modificação da aspereza da superfície nas placas de fixação interna de aço dentro do "espectro de aspereza efetiva" induziram uma maior formação óssea em direção à superfície do implante, sem a formação de tecido fibroso circundante (**Fig. 1.3-2**).

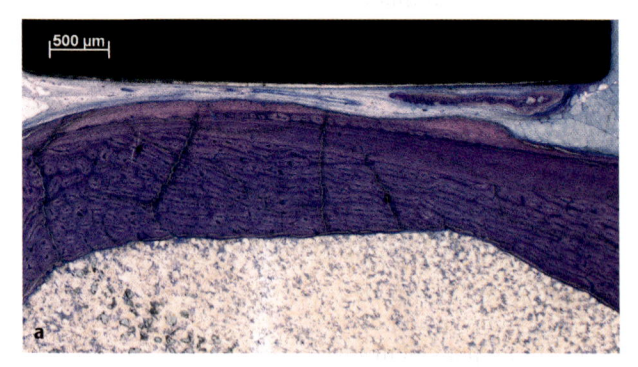

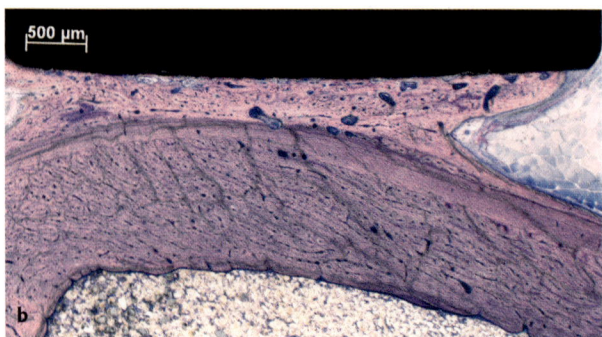

**Fig. 1.3-2a-b** Aspecto histológico da superfície inferior das placas 12 semanas após a implantação em coelhos em um modelo sem fratura.
a    Uma placa de aço inoxidável liso sobre o osso com uma cápsula de partes moles entre a placa e o osso.
b    Uma placa de aço inoxidável áspero sobre o osso, com crescimento ósseo em direção à placa, e adesão do osso na superfície inferior da placa.

Vários estudos [14-16] detectaram uma camada contínua de 1 a 2 células fibrosas de espessura separando os dispositivos de AIEP do osso (onde a topografia de superfície do AIEP é fora/abaixo do "espectro de aspereza efetiva"). O cpTi (não polido) e sua liga de ANT suportam a osteointegração direta (onde a topografia da superfície do cpTi e sua liga ANT ficam dentro do "espectro de aspereza efetiva"), sem uma interface fibrosa. Uma camada de proteoglicano foi relatada [17], contendo feixes de colágeno compactados e ordenados adjacentes aos implantes de cpTi (não polidos), embora, para o AIEP, essa camada não contenha filamentos ordenados de colágeno (onde topografia de superfície do AIEP fique fora/abaixo do "espectro de aspereza efetiva"). Esse fator pode acelerar a osteointegração ao cpTi e suas ligas devido à degradação acelerada da rede de hialuronano, formada na cicatrização da ferida [16]. A micromorfologia de superfície tridimensional com microdescontinuidades do cpTi (não polido) e suas ligas (onde a topografia de superfície está dentro do "espectro de aspereza efetiva") comparada com a superfície lisa do AIEP (fora do "espectro de aspereza efetiva") pode oferecer melhor ancoragem para a matriz de fibrina em implantação [13]. A interface fibrosa distinta formada com os implantes de AIEP não parece causar qualquer comprometimento na estabilidade do implante em estudos pré-clínicos com parafusos [14], LCPs e parafusos bloqueados [16], ou hastes intramedulares [15]. A interface fibrosa formada com implantes de AIEP e implantes de cpTi polido e de liga de titânio demonstrou gerar um torque de remoção de parafuso e forças de extração da haste significativamente mais baixos em comparação com o cpTi microáspero padrão e as contrapartidas de liga de titânio [14-16]. A análise por pesquisa *in vitro* com osteoblastos sugere que o efeito do polimento não é apenas puramente mecânico, mas também tem efeito no nível celular [18]. Dado o sucesso comprovado do AIEP na fixação de fraturas de maneira ampla e sem incidentes relevantes, esses numerosos resultados de pesquisas contestam fortemente o mito não comprovado de que a osteointegração direta é necessária para a estabilidade do implante; acredita-se a que integração osteofibrosa seja suficiente. Os dispositivos modernos para fixação de fratura (placas e hastes bloqueadas) atingem a estabilidade imediata por causa do desenho do implante e, por conseguinte, a osteointegração direta tampouco é essencial para estabilidade em tais implantes. Nesses casos, as superfícies que não estimulam a osteointegração direta são suficientes. Essas superfícies terão vantagens para a remoção do implante, permitindo o deslizamento dos tecidos (p. ex., tendões, músculos, nervos) e evitando a adesão de proteínas, células e bactérias, reduzindo a formação de biofilme nos implantes de osteossíntese.

Enquanto o cpTi (não polido) e suas ligas parecem ter uma vantagem clara sobre o AIEP no apoio à osteointegração direta, tal vantagem fica comprometida em muitos locais anatômicos. Por exemplo, a formação de aderências entre a superfície do implante e os tendões é um problema clínico significativo na cirurgia de mão [19]. As ocorrências de tais aderências geralmente aparecem mais com os implantes de cpTi (não polido) do que com os implantes lisos de AIEP. Em um estudo pré-clínico [20], o efeito de implantes de cpTi (não polido) em fraturas distais do rádio no funcionamento dos tendões extensores demonstrou 100% de deslizamento livre dos tendões sobre os implantes de AIEP, mas somente 43% em relação ao cpTi (não polido). Foi demonstrado que a ocorrência maior de formação de cápsula cheia de fluido adjacente aos implantes de AIEP e cpTi polido é devida às superfícies lisas destituídas de microdescontinuidades [21]. Esse efeito da microtopografia de superfície foi confirmado *in vitro*, onde o crescimento e a dispersão aumentada de fibroblastos são observados em implantes "alisados/polidos" em comparação a um padrão microáspero (não polido) da liga de titânio [20]. Clinicamente, essa alta atração do osso à superfície microáspera tridimensional do cpTi e suas ligas pode causar um número de complicações na hora da remoção do implante, como espanamento do parafuso, quebra do parafuso/placa, crescimento do osso na interface placa-parafuso, em parafusos bloqueados, causando grande dificuldade para remover os implantes e problemas na separação entre o implante e o osso, o que pode resultar em fraturas. A integração óssea é minimizada pelo uso de superfícies com microestrutura mínima, reduzindo as forças necessárias para remover os parafusos.

> Na prática clínica, a formação de cápsula fibrosa tem sido observada como mais prevalente com as placas de AIEP do que com as placas de cpTi (não polidas) (**Fig. 1.3-3**). Isso justifica a razão pela qual o AIEP permite o deslizamento livre de tecidos, como o movimento facilitado de tendões sobre a superfície do implante sem complicações clínicas.

### 3.3 Suscetibilidade do implante à infecção

Foi demonstrado, em estudos pré-clínicos [22] com coelhos, que, para implantes bloqueados (p. ex., LCPs), onde um dano periosteal mínimo ocorre na inserção da placa, nenhuma diferença na suscetibilidade à infecção foi detectada entre o AIEP e o titânio. O estudo indica que a extensão de dano periosteal tem um papel direto ao determinar a suscetibilidade à infecção. A gravidade de trauma infligido durante um modelo de infecção pode também influenciar o resultado global, conforme é indicado pela falta de diferença quando o periósteo for protegido. Entretanto, para a fixação externa, o AIEP parece suportar taxas mais altas de infecção no trajeto do fio em comparação com os dispositivos de cpTi e liga de titânio ou dispositivos revestidos [23]. Para os implantes internos metálicos de fixação de fraturas, estudos pré-clínicos [22, 24, 25] atuais indicam que a microtopografia de superfície clinicamente usada não parece influenciar a suscetibilidade à infecção de implantes.

Filosofia da AO e princípios básicos
## 1.3 Implantes e biotecnologia

Deve-se notar que existem obstáculos importantes no relato de estratégias de pesquisa antimicrobiana pré-clínica *in vitro* e *in vivo* com desfechos clínicos reais [26]. Os estudos pré-clínicos *in vitro* e *in vivo* atuais não são correlacionados nem preditivos de eficácia clínica para as infecções associadas ao dispositivo [26], e existe agora um trabalho relevante para melhora dessa área. As abordagens atuais sobre a superfície de implantes no sentido de diminuir ou prevenir a incidência de infecção se encaixam amplamente em duas categorias: (1) modificação das propriedades da superfície para reduzir ou prevenir a aderência de bactérias no implante e (2) combinações de agentes antibacterianos e no implante para eliminar ativamente as bactérias de contaminação local.

> Os estudos pré-clínicos atuais indicam que as microtopografias clinicamente usadas para a superfície do implante não influenciam na suscetibilidade a infecções.

### 3.4 Reações alérgicas

Implantes de aço inoxidável têm 13-16% de níquel, apesar de o níquel pertencer aos alérgenos de contato da pele mais comuns. As reações alérgicas relevantes aos dispositivos de aço inoxidável que contenham níquel, após a fixação interna, ocorrem em 1-2% dos casos. O níquel, o cromo e o cobalto têm sido implicados na inibição do reparo do DNA e na expressão gênica alterada, produzindo espécies reativas ao oxigênio [27] e sendo considerados significativos no desenvolvimento e na progressão de distúrbios neurodegenerativos [28]. Os implantes de cpTi ou de liga de titânio devem ser usados para a fixação interna em pacientes com alergias conhecidas ao níquel. Embora haja aços inoxidáveis com níquel baixo (aproximadamente 0,03%), eles não são, no entanto, isentos de níquel. Com isso, o risco alérgico é reduzido, mas não necessariamente inexistente.

> As reações alérgicas clinicamente relevantes a implantes de aço inoxidável que contenham níquel, depois da fixação interna, têm uma ocorrência estimada de 1-2% dos casos. Até o momento não há nenhuma reação alérgica comprovada se somente o cpTi tiver sido usado.

### 3.5 Indução de tumores

A irritação contínua dos tecidos pode, em casos excepcionais, levar a uma reação neoplásica. Isso é considerado para o tecido cicatricial, bem como para o resultado de um metal fortemente corrosivo, como partículas de munição. A incidência de carcinogênese por material de fixação interna, ou seja, tumores primários induzidos por um implante, parece ser extremamente baixa em humanos, por conta dos milhões de implantes que não são removidos depois da consolidação da fratura. Foi relatado que cães produziram sarcomas próximos a implantes de aço inoxidável, embora a infecção e a irritação físicas fossem fatores contributivos [29].

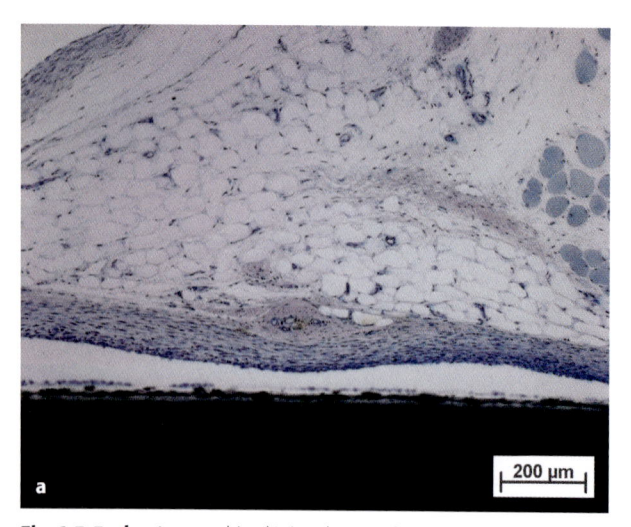

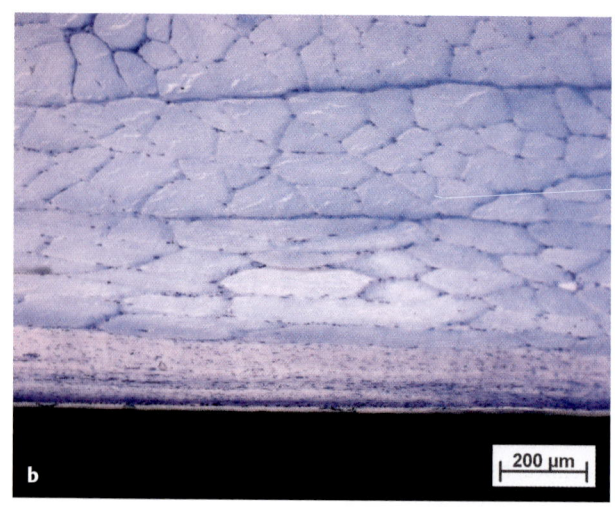

**Fig. 1.3-3a-b** Aspecto histológico da superfície superior das placas 12 semanas após a implantação em coelhos, em um modelo sem fratura.
a   Uma placa de aço inoxidável liso com formação de cápsula fibrosa e um espaço morto ou hiato cheio de líquido.
b   Uma placa de cpTi em contato com tecido conectivo e sem a presença de um espaço preenchido com líquido. Depois de uma reação inicial não específica, pouca inflamação e nenhuma encapsulação foram observadas com as placas testadas de cpTi.

## 4 Compatibilidade com a ressonância magnética (RM)

Os implantes aprovados pela AO (feitos de cpTi ou de ligas de titânio, como ANT) são completamente não magnéticos; a realização de RM nos pacientes com tais implantes não apresenta, portanto, nenhuma dificuldade [11]. Eles produzem menos artefatos na RM, tendo menos suscetibilidade magnética em comparação aos implantes de AIEP, incluindo aços de baixo teor de níquel. O tamanho do artefato produzido é proporcional à massa do implante. O implante de AIEP de qualidade 316L é classificado como um material paramagnético ou não ferromagnético. Uma vez que os implantes de cpTi (e suas ligas) e de AIEP não têm alta suscetibilidade magnética, o risco de deslocamento ou afrouxamento do implante, durante a RM, é mínimo. Assim, fazer uma RM em pacientes que tenham esses implantes é considerado seguro.

> O termo "seguro para RM" é usado para os dispositivos que podem ser utilizados dentro e ao redor de um aparelho de RM sem risco para os pacientes, mas com possíveis efeitos na qualidade da imagem. O termo "RM compatível" é usado para os dispositivos que sejam seguros e sem qualquer influência sobre a informação diagnóstica. Alguns dispositivos de fixação externa podem conter partes magnéticas, e o cirurgião deve estar ciente de que tais pacientes não podem ser submetidos a uma RM.

## 5 Revestimentos

O afrouxamento do implante e a infecção do trajeto do parafuso são complicações não resolvidas que estão associadas com a fixação externa. É geralmente aceito que o afrouxamento pode ser superado com a modificação da interface implante-osso, para melhora da integração óssea. Além disso, a infecção no trajeto do parafuso de Schanz pode ser reduzida pelas mesmas modificações para uma melhor integração de partes moles na interface implante-tecido mole-ar. Uma melhor integração tecidual pode ser obtida pelo uso de revestimentos com hidroxiapatita (HA) ou fosfato tricálcico, desde que a estabilidade inicial da interface permita o crescimento ósseo. Estudos experimentais e clínicos [30] têm demonstrado que os parafusos de Schanz revestidos com HA são capazes de formar uma conexão sólida com o tecido ósseo vivo e reduzir a infecção no trajeto, possivelmente pela melhora na integração de partes moles na interface implante-tecido mole-ar. O material biocerâmico tem boa biocompatibilidade para esse uso, nenhuma toxicidade sistêmica, baixa taxa de degradação, podendo, inclusive, tornar-se quimicamente integrado ao osso. Infelizmente, o uso de HA tem sido limitado pela sua baixa resistência adesiva à superfície do implante, sua alta rigidez e sua fraca coesão dentro das suas camadas (10-60 μm de espessura). Esses fatores causam a separação entre o revestimento e o implante.

## 6 Implantes poliméricos

### 6.1 Implantes poliméricos biodegradáveis

Recomenda-se que os implantes sejam removidos depois da consolidação da fratura em várias situações clínicas. A remoção do implante requer outra cirurgia, com resultados clínicos imprevisíveis, risco de complicações e custos associados. Os materiais biodegradáveis, depois de um período de implantação, são reabsorvidos *in vivo* no corpo sob a forma de subprodutos inofensivos, que serão finalmente eliminados do corpo por processos metabólicos normais. Em teoria, isso superaria a dúvida sobre a remoção do implante uma vez que a fratura tenha consolidado e o implante tenha se tornado supérfluo.

> Os polilactídeos e os poliuretanos são de origem sintética e oferecem pouca tolerância tecidual. Devido a propriedades mecânicas limitadas, esses materiais somente podem ser usados em implantes que precisam resistir a cargas menores.

Exemplos desses implantes são os pinos para a fixação de pequenos defeitos condrais ou osteocondrais das superfícies articulares, âncoras de sutura, ou placas e parafusos finos usados para o tratamento de fraturas na área maxilofacial, incluindo a órbita e o crânio. Infelizmente, apesar de uma grande quantidade de pesquisa pré-clínica no campo [31], existe uma falta de tradução para a prática clínica, já que as propriedades mecânicas, a biocompatibilidade e a degradação não estão integradas com as necessidades clínicas.

Um importante desenvolvimento na pesquisa pré-clínica, que provavelmente irá se traduzir na prática clínica, fica no campo do aporte molecular ativo pontualmente no local da consolidação [31]. A combinação de biomateriais e estratégias de aporte de moléculas biológicas é uma avenida promissora no futuro da cirurgia do trauma. O aporte molecular ativo pode ser usado para reforçar a cascata de consolidação óssea natural (com substâncias osteogênicas para recrutamento de células osteoprogenitoras ou na melhora da resposta angiogênica), para controlar a inflamação (com moléculas de fatores inflamatórios), para melhorar os substitutos ósseos sintéticos (com moléculas para melhor osteocondutividade, osteoindutividade e osteogenicidade) e para tratar infecções (com antibióticos aportados localmente). Os carregadores poliméricos biodegradáveis de antibióticos locais oferecem a possibilidade de aporte controlado da molécula ativa no local do problema real. Os carregadores poliméricos foram desenvolvidos para otimizar a liberação e o direcionamento de moléculas ativas, como os antibióticos. Atualmente, poucos biomateriais estão clinicamente disponíveis para esses usos [31].

## 6.2 Implantes poliméricos não biodegradáveis

Os polímeros de poli-aril-éter-cetona, incluindo os termoplásticos poli-éter-éter-cetona (PEEK) e poli-éter-cetona-cetona (PEKK) são considerados biocompatíveis em osso e podem ser esterilizados pela maioria dos métodos, incluindo vapor, embora tenham ao redor de 5% de perda na resistência quando expostos à radiação gama. Eles são translúcidos aos raios X e não são magnéticos, sendo RM compatíveis. Além disso, não corroem como os metais, mas há preocupações sobre possível vazamento de seus componentes originais (amaciantes, aceleradores, componentes de base não polimerizados e solventes). A resistência à tensão do PEEK é de aproximadamente 90-100 MPa, e o reforço com fibra de carbono pode dobrar essa resistência. Os altos custos desses materiais limitam as suas aplicações. Por ser possível seu processamento em formatos complexos, o PEEK é usado em dispositivos para fusão lombar intersomática, em implantes craniomaxilofaciais específicos, como placas de crânio, e como âncoras de sutura artroscópica para reparar rupturas meniscais no joelho.

## 7 Reparo e regeneração óssea e substitutos de enxertia óssea

O osso adulto é quase único em sua capacidade de se regenerar em osso normal sem formar tecido cicatricial fibroso. Vários processos estão envolvidos nesse mecanismo:

- Osteogênese: formação de novo osso a partir do tecido progenitor
- Osteocondução: propriedade física de um material que fornece a microestrutura para facilitar o crescimento de células que produzem osso
- Osteoindução: capacidade de estimular neoformação óssea

Os materiais e fatores que influenciam o reparo e a regeneração do osso são divididos em quatro categorias:

- Os materiais osteogênicos incluem osso autógeno, medula óssea, concentrados do sangue e, até certo ponto, aloenxerto.
- Os materiais osteocondutores incluem sulfato de cálcio, compostos de fosfato de cálcio/hidroxiapatita, fosfato de cálcio/colágeno e matriz óssea desmineralizada.
- Os fatores osteoindutores incluem proteínas morfogenéticas ósseas.
- Os fatores de reparo tecidual incluem fator de crescimento do fibroblasto, fator de crescimento derivado das plaquetas, fator de crescimento endotelial vascular, peptídeos da trombina, agonistas da prostaglandina, fator de crescimento tipo insulina e hormônio do crescimento.

**Alguns materiais, como o osso autógeno, têm propriedades osteogênicas, osteocondutoras e osteoindutoras.**

O cirurgião é frequentemente confrontado com a necessidade de tratar um defeito ósseo que pode se originar do trauma inicial ou que seja o resultado de infecção e/ou avascularidade. O osso pode ser substituído imediatamente ou depois de um intervalo, durante o qual o local hospedeiro é preparado. O padrão-ouro permanece nos enxertos ósseos autógenos. O osso autógeno é superior a qualquer substituto atual clinicamente disponível. Entretanto, a quantidade de enxerto disponível é limitada, e o local doador é frequentemente foco de dor. Os substitutos sintéticos do enxerto ósseo aprovados para uso clínico são os materiais principalmente cerâmicos, incluindo os sulfatos e fosfatos de cálcio. Os biomateriais baseados em fosfato de cálcio são similares à parte mineral do osso e frequentemente demonstram boa biocompatibilidade, nenhuma imunogenicidade e alta osteocondutividade. Os biomateriais comuns baseados em fosfato de cálcio em uso clínico para regeneração óssea incluem HA, β-tricalciofosfato (β-TCP) ou sua combinação, conhecida como fosfato de cálcio bifásico. Entretanto, eles também são frágeis, o que reduz seu campo de aplicação a situações de baixa carga ou sem carga. A taxa de reabsorção da HA é contada em décadas, de forma que ela deve ser considerada como não reabsorvível. A solubilidade do β-TCP é muito similar àquela da parte mineral do osso. Por conseguinte, os grânulos ou blocos de β-TCP são geralmente reabsorvidos dentro de 1 ou 2 anos *in vivo*. O β-TCP é degradado por atividade osteoclástica, da mesma maneira como o osso necrótico é degradado. As propriedades biológicas dos fosfatos de cálcio bifásico são intermediárias entre as do β-TCP e da HA, e a taxa de degradação depende da proporção entre as duas, sendo mais rápida quanto maior for a proporção de β-TCP.

Os materiais sólidos e volumosos não permitem invasão celular ou crescimento vascular. A microporosidade interconectada (1-10 µm) permite o fluxo de fluidos, o aporte de nutrientes e a eliminação de restos por meio de um arcabouço poroso. A macroporosidade interconectada (200-300 µm) também permite a invasão celular e o crescimento microvascular. Os poros interconectados fornecem a condutividade óssea com a invasão celular. A porosidade aumentada, embora favorável à invasão celular, vascular e mais tarde óssea, diminui a resistência mecânica dos arcabouços. Também estão disponíveis produtos baseados em fosfato de cálcio como compostos (tiras ou esponjas) com uma contrapartida de polímero biodegradável (frequentemente colágeno) [31]. Esses substitutos são atraentes, mas devem de preferência oferecer uma combinação apropriada de resistência mecânica confiável e estimular a consolidação óssea com osteocondução e/ou osteoindução. A reabsorção deve ocorrer sem comprometer o processo de consolidação, incluindo a resistência local à infecção.

Materiais osteobiológicos também estão em uso clínico. Um exemplo é o BMP-2 recombinante humano (rhBMP-2). No momento, foi aprovado pela FDA para artrodeses vertebrais e fraturas de tíbia, mas a segurança desse produto tem sido questionada em função de efeitos adversos. Isso pode ser causado por sistemas de carregamento mal projetados, com controle deficiente da liberação de rhBMP-2 [31]. Os materiais e arcabouços de ocorrência natural aprovados para uso humano na regeneração óssea incluem os materiais alogenéticos (matriz óssea desmineralizada), xenogenéticos (frequentemente o mineral ósseo bovino purificado) e os derivados do coral. A segurança é sempre uma preocupação e, por conseguinte, o controle do processo de produção deve ser estrito, com seleção de doadores, testes microbiológicos, testes de inativação viral, e testes sorológicos [31].

## 8 Aditivos biológicos, fatores de crescimento

Vários estudos pré-clínicos [31, 32] tentaram examinar a eficácia dos fatores de crescimento, dos sistemas de carreamento e dos biomateriais para o reparo de defeitos ósseos. Uma melhora no reparo ósseo também foi demonstrada no uso clínico, após a aprovação pela European Medicines Agency e pela FDA, de BMP-2, BMP-7/OP-1, PDGF, PTH, e PTHrP. Para maiores informações sobre BMPs, ver Capítulo 1.2. O uso dessa lista restrita de fatores de crescimento aprovados em pacientes pode suplementar a formação óssea. Entretanto, a nossa compreensão desse processo altamente complexo é limitada e temporal, e a liberação coordenada de fatores de crescimento tem que ser sincronizada com o processo de reparo biológico, sua duração de atividade, sua atividade biológica e sua cinética de liberação dos carreadores.

Um método mais simples de estimulação da consolidação pode ser induzir as células no ambiente de reparo para produzir mais fatores de crescimento naturais. A indução dos fatores de crescimento naturais em ordem sequencial biologicamente correta e em quantidades biologicamente relevantes poderia ser avançada por estímulos biomecânicos e/ou na superfície do implante [33]. Vários estudos mostraram, ao longo das últimas duas décadas, que a microtopografia das superfícies de implante influencia a diferenciação de osteoblastos de uma forma superfície-dependente, o que, por sua vez, influencia a ocorrência de uma osteointegração direta ou de uma integração osteofibrosa em uma superfície de implante.

## 9 Desenvolvimentos futuros

A manufatura aditiva (MA) é um processo no qual objetos sólidos tridimensionais são criados por camadas posicionadas em série, até uma forma completa. A MA permite a criação de implantes que podem responder aos requisitos específicos dos pacientes, já que mudanças no formato e na estrutura podem ser rapidamente implementadas. A MA não é esperada como substituta dos processos normais de manufatura, mas poderia encontrar nichos onde implantes expressos e personalizados são necessários, com ajustes melhores que outros métodos. Isso elimina a necessidade de ajustes demorados e de moldagem do implante durante a cirurgia a dispositivos fabricados em grandes volumes, enquanto o paciente está sob anestesia, reduzindo o risco de complicações médicas. No campo da regeneração óssea, implantes personalizados podem ser produzidos com a abordagem de fresagem clássica de implantes pré-moldados, mas uma das principais vantagens das tecnologias de MA é a capacidade de produzir biomateriais imprimíveis clinicamente relevantes, tendo propriedades biológicas e físicas direcionadas especificamente para as condições do paciente (localização da fratura, defeito ósseo segmentar, tamanho, biologia e comorbidades do paciente), que não podem ser alcançadas com outros métodos. A manufatura aditiva também permite a produção em alta velocidade de implantes sob medida, especificamente projetados para um paciente, em alinhamento com o planejamento cirúrgico. Além disso, a manufatura poderia ocorrer no hospital. A bioimpressão é uma nova fronteira da tecnologia de impressão tridimensional e envolve a incorporação de células vivas ou outros elementos biológicos dentro dos implantes de biomaterial, para a manufatura automatizada do implante/tecido. Dirigido por inovações na MA, biomateriais imprimíveis e novidades em tecnologia de bioimpressão tridimensional tornam infinitas as possibilidades futuras dessa tecnologia.

Filosofia da AO e princípios básicos
1.3 Implantes e biotecnologia

Referências clássicas    Referências de revisão

## 10 Referências

1. **Hayes JS, Richards RG.** The use of titanium and stainless steel in fracture fixation. *Expert Rev Med Devices.* 2010 Nov;7(6);843–853.
2. **Perren SM, Pohler O, Schneider E.** Titanium as implant material for osteosynthesis applications. In: Brunette DM, Tengvall P, Textor M, et al, eds. *Titanium in Medicine.* 1st ed. Berlin Heidelberg New York: Springer-Verlag; 2001.
3. **Perren SM, Gasser B.** Materials in bone surgery. *Injury.* 2000 Dec;31(Suppl 4):D1–D80.
4. **Tonino AJ, Davidson CL, Klopper PJ, et al.** Protection from stress in bone and its effects. Experiments with stainless steel and plastic plates in dogs. *J Bone Joint Surg Br.* 1976 Feb;58(1):107–113.
5. **Perren SM, Cordey J, Rahn, et al.** Early temporary porosis of bone induced by internal fixation implants. A reaction to necrosis, not to stress protection? *Clin Orthop Relat Res.* 1988 Jul;(232):139–151.
6. **Aitchison GA, Johnstone AJ, Shepherd DE, et al.** A comparison of the torsional performance of stainless steel and titanium alloy tibial intramedullary nails: a clinically relevant approach. *Biomed Mater Eng.* 2004;14(3);235–240.
7. **Case CP, Langkamer VG, James C, et al.** Widespread dissemination of metal debris from implants. *J Bone Joint Surg Br.* 1994 Sep;76(5):701–712.
8. **Keegan GM, Learmonth ID, Case CP.** Orthopaedic metals and their potential toxicity in the arthroplasty patient. *J Bone Joint Surg Br.* 2007 May;89(5):567– 573.
9. **Devine DM, Leitner M, Perren SM, et al.** Tissue reaction to implants of different metals: a study using guide wires in cannulated screws. *Eur Cell Mater.* 2009 Oct;18:40–48.
10. **ap Gwynn I, Wilson C.** Characterizing fretting particles by analysis of SEM images. *Eur Cell Mater.* 2001 Jan;1:1–11.
11. **Kasai Y, Iida R, Uchida A.** Metal concentrations in the serum and hair of patients with titanium alloy spinal implants. *Spine (Phila Pa 1976).* 2003 Jun;15:28(12):1320–1326.
12. **Hayes JS, Welton JL, Wieling R, et al.** In vivo evaluation of defined polished titanium surfaces to prevent soft tissue adhesion. *J Biomed Mater Res B Appl Biomater.* 2012 Apr;100(3):611–617.

13. **Hayes JS, Richards RG.** Surfaces to control tissue adhesion for osteosynthesis with metal implants: in vitro and in vivo studies to bring solutions to the patient. *Expert Rev Med Devices.* 2010 Jan;7(1);131–142.
14. **Pearce AI, Pearce SG, Schwieger K, et al.** Effect of surface topography on removal of cortical bone screws in a novel sheep model. *J Orthop Res.* 2008 Oct;26(10):1377–1383.
15. **Hayes JS, Vos DI, Hahn J, et al.** An in vivo evaluation of surface polishing of TAN intramedullary nails for ease of removal. *Eur Cell Mater.* 2009 Sep 21;18:15–26.
16. **Hayes JS, Seidenglanz U, Pearce AI, et al.** Surface polishing positively influences ease of fracture fixation plate and screw removal. *Eur Cell Mater.* 2010 Feb 26;19:117–126.
17. **Klinger MM, Rahemtulla F, Prince CW, et al.** Proteoglycans at the bone-implant interface. *Crit Rev Oral Biol Med.* 1998;9(4):449–463.
18. **Hayes JS, Khan IM, Archer CW, et al.** The role of surface microtopography in the modulation of osteoblast differentiation. *Eur Cell Mater.* 2010 Jul 21;20:98–108.
19. **Tay SC, Theo LC.** Soft tissue complications in osteosynthesis. In: Herren DB, Nagy L, Campbell D, eds. *Osteosynthesis in the Hand: Current Concepts.* Basel: Karger; 2008;135–141.
20. **Sinicropi SM, Su BW, Raia FJ, et al.** The effects of implant composition on extensor tenosynovitis in a canine distal radius fracture model. *J Hand Surg Am.* 2005 Mar;30(2):300–307.
21. **Meredith DO, Eschbach L, Riehle MO, et al.** Microtopography of metal surfaces influence fibroblast growth by modifying cell shape, cytoskeleton and adhesion. *J Orthop Res.* 2007 Nov;25(11):1523–1533.
22. **Moriarty TF, Debefve L, Boure L, et al.** Influence of material and microtopography on the development of local infection in vivo: experimental investigation in rabbits. *Int J Artif Organs.* 2009 Sep;32(9):663–670.
23. **Neuhoff D, Thompson RE, Frauchiger VM, et al.** Anodic plasma chemical treatment of titanium Schanz screws reduces pin loosening. *J Orthop Trauma.* 2005 Sep;19(8):543–550.

24. **Moriarty TF, Campoccia D, Nees SK, et al.** In vivo evaluation of the effect of intramedullary nail microtopography on the development of local infection in rabbits. *Int J Artif Organs.* 2010 Sep;33(9):667–675.
25. **Moriarty TF, Schlegel U, Perren S, et al.** Infection in fracture fixation: can we influence infection rates through implant design? *J Mater Sci Mater Med.* 2010 Mar;21(3):1031–1035.
26. **Moriarty TF, Grainger D, Richards RG.** Challenges in linking preclinical anti-microbial research strategies with clinical outcomes for device-associated infections. *Eur Cell Mater.* 2014 Sep12;28:112–128.
27. **Valko M, Rhodes CJ, Moncol J, et al.** Free radicals, metals and antioxidants in oxidative stress-induced cancer. *Chem Biol Interact.* 2006 Mar 10;160(1):1–40.
28. **Olivieri G, Novakovic M, Savaskan E, et al.** The effects of beta-estradiol on SHSY5Y neuroblastoma cells during heavy metal induced oxidative stress, neurotoxicity and beta-amyloid secretion. *Neuroscience.* 2002;113(4):849–855.
29. **Stevenson S, Hohn RB, Pohler OE, et al.** Fracture-associated sarcoma in the dog. *J Am Vet Med Assoc.* 1982 May;180(10):1189–1196.
30. **Moroni A, Orienti L, Stea S, et al.** Improvement of the bone-pin interface with hydroxyapatite coating: an in vivo long-term experimental study. *J Orthop Trauma.* 1996;10(4):236–242.
31. **D'Este M, Eglin D, Alini M, et al.** Bone regeneration with biomaterials and active molecules delivery. *Curr Pharm Biotechnol.* 2015;16(7): 582–605.
32. **Gothard D, EL Smith, JM Kanczler, et al.** Tissue engineered bone using select growth factors: a comprehensive review of animal studies and clinical translation studies in man. *Eur Cell Mater.* 2014 Oct 6;28:166–207.
33. **Hayes JS, Kahn IM, Archer CW, et al.** The role of surface microtopography in the modulation of osteoblast differentiation. *Eur Cell Mater.* 2010 Jul 21;20:98–108.

\* Todos os artigos publicados por *Eur Cell Mater* (publicados pelo AO Research Institute Davos) são de acesso aberto e podem ser baixados gratuitamente em www.ecmjournal.org.

## 11 Agradecimentos

Agradecemos a Stephan M. Perren por sua contribuição para este capítulo na 2ª edição de *Princípios AO do tratamento de fraturas*.

1.3 **Implantes e biotecnologia**

# 1.4 Classificação das fraturas

*James F. Kellam*

## 1 Introdução

*"Uma classificação é útil somente se considerar a gravidade da lesão óssea e servir como uma base para o tratamento e para a avaliação dos resultados."* Maurice E. Müller

A localização e a gravidade da lesão são fatores importantes que influenciam a escolha de tratamento pelo cirurgião e o desfecho funcional do paciente. Esses fatores são frequentemente catalogados em uma classificação que deve facilitar a comunicação entre os médicos, ajudá-los no tratamento, na documentação e na pesquisa, e ter um valor prognóstico para os pacientes [1-3]. Quase qualquer tipo de fratura tem pelo menos uma classificação. Entretanto, esses agrupamentos costumavam ser independentes e sem coordenação, sendo pouco úteis para comparações [3-5]. Era necessário um sistema de classificação que pudesse ser universalmente aplicável e aceitável. Maurice E. Müller e colaboradores começaram essa tarefa monumental e desenvolveram a Classificação Müller AO/OTA de Fraturas – Ossos Longos [6], inicialmente publicada em francês como a Classificação AO ("Classificação AO das fraturas") [6, 7]. O sistema para ossos longos foi expandido pela adição de classificações para fraturas da pelve [8], coluna vertebral [9], mão [10] e pé [11]. Em 1996, a Fundação AO e a Orthopaedic Trauma Association concordaram em desenvolver um Compêndio de Classificação de Fraturas englobando todos os ossos apendiculares, pelve e coluna vertebral com base nos princípios e definições do sistema de Müller [12, 13]. Esse compêndio foi atualizado em 2018 [14] e, após validação científica inicial [15-17], as fraturas pediátricas também foram incorporadas a ele.

## 2 Princípios AO/OTA da Classificação de Fraturas e Luxações (baseada na Classificação AO de Müller)

### 2.1 Estrutura e atributos globais

O diagnóstico é um processo contínuo na coleta de informações sobre a fratura. Em muitas situações clínicas, as decisões de tratamento podem ser feitas antes que toda a informação esteja disponível.

> A classificação, entretanto, está completa quando toda a informação é coletada, incluindo as observações intraoperatórias.

O sistema AO/OTA é baseado em terminologia bem definida, que permite ao cirurgião descrever de forma consistente a fratura em todos os detalhes necessários para a situação clínica. Essa descrição é fundamental para a classificação e auxilia na compreensão em termos biomecânicos e biológicos. Ela forma a base de um código alfanumérico para documentação e pesquisa.

O primeiro objetivo é identificar o que Müller chamou "a essência da fratura". Esse é o atributo que dá à fratura sua identidade particular e permite que ela seja atribuída a um tipo específico em vez de outro. A terminologia definida traduz as características principais da fratura em palavras e, subsequentemente, em códigos, permitindo a ela ser classificada.

A terminologia da classificação fornece uma descrição completa da fratura quanto à localização (segmento ósseo) e morfologia da fratura (**Fig. 1.4-1**).

Filosofia da AO e princípios básicos
## 1.4 Classificação das fraturas

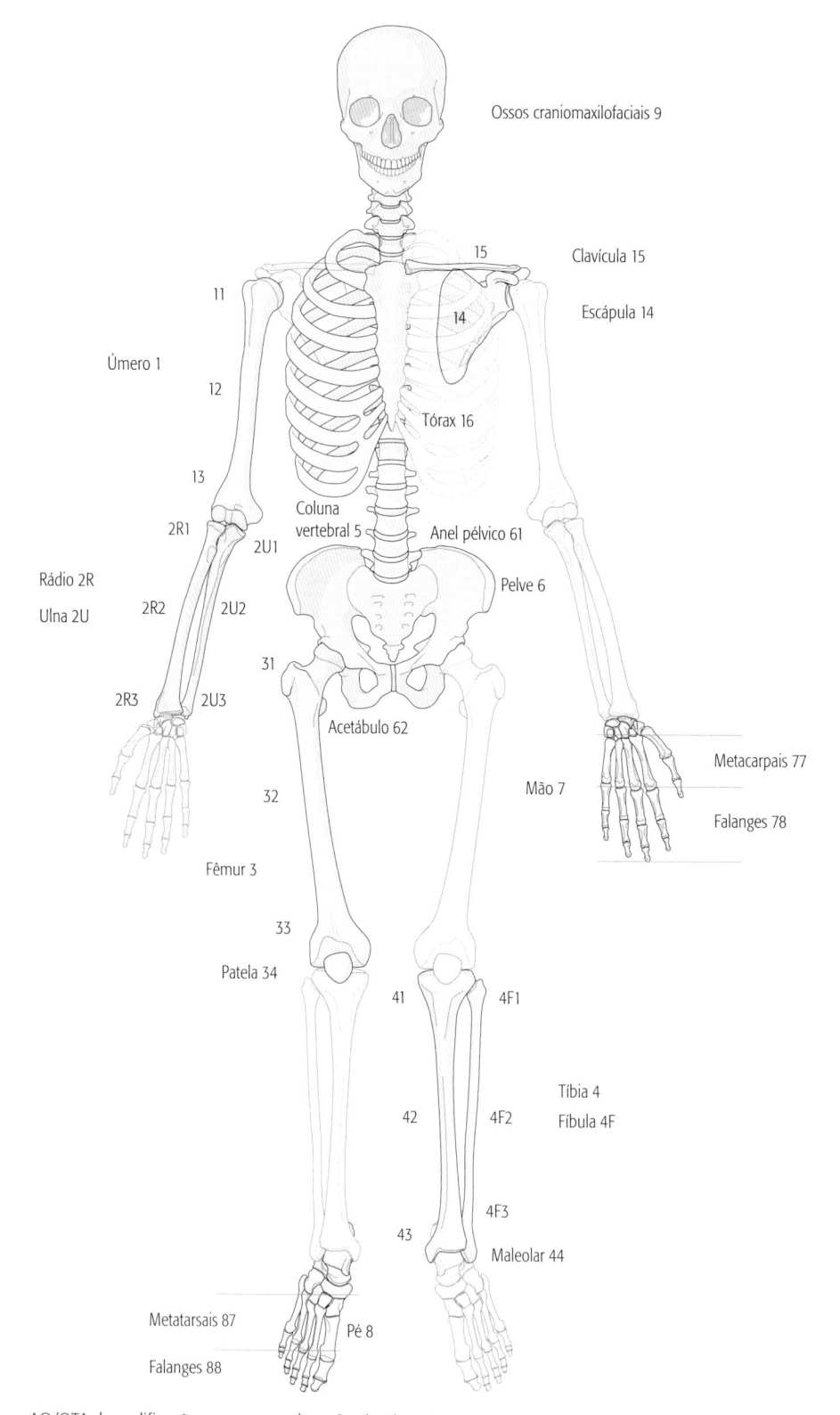

**Fig. 1.4-1** Sistema AO/OTA de codificação para o esqueleto. O primeiro número representa o osso, e o segundo número é a localização anatômica (segmento da extremidade proximal = 1; média ou diáfise = 2; e segmento da extremidade distal = 3).

## 2.2 Descrevendo a localização da fratura: ossos e segmentos

O osso é descrito por seu nome anatômico, seguido pela localização da fratura dentro do osso. A numeração dos ossos foi decidida por convenção e se torna autoevidente a partir da **Figura 1.4-1**. Essa descrição é traduzida para o primeiro número de um código alfanumérico (**Fig. 1.4-2**).

A identificação do respectivo segmento requer mais consideração. Cada osso longo tem três segmentos: uma porção média, ou diáfise, e dois segmentos da extremidade, ou metáfises. A tíbia/fíbula é uma exceção devido ao segmento maleolar (44). Por causa da relação anatômica com a tíbia e a aceitação universal da classificação de Weber para a fratura do tornozelo, o segmento maleolar é classificado como o quarto segmento da tíbia/fíbula.

Em adultos, a epífise e a metáfise são fusionadas e consideradas um segmento – a metáfise ou segmento terminal. O segmento terminal é definido por um quadrado, cujos lados têm a mesma distância que a parte mais larga da metáfise (exceção: extremidade proximal do fêmur). Assim, cada osso longo do adulto tem três segmentos: uma diáfise e dois segmentos terminais (metáfise). O segmento terminal proximal é marcado como 1, a diáfise, como 2, e o segmento terminal distal, como 3 (**Fig. 1.4-3**).

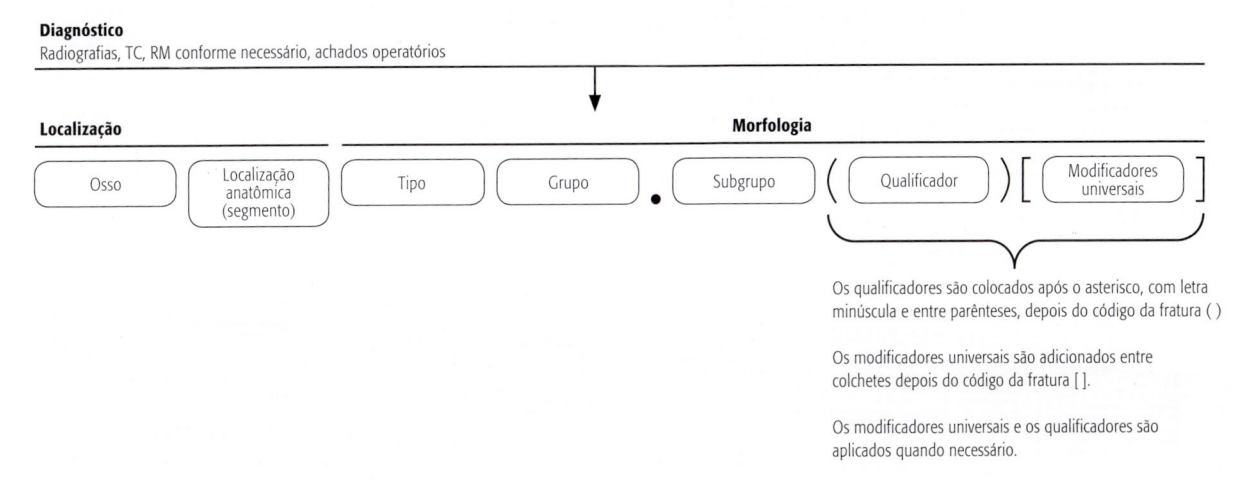

**Fig. 1.4-2** Estrutura alfanumérica da Classificação AO/OTA de Fraturas e Luxações baseada na classificação original de Müller.

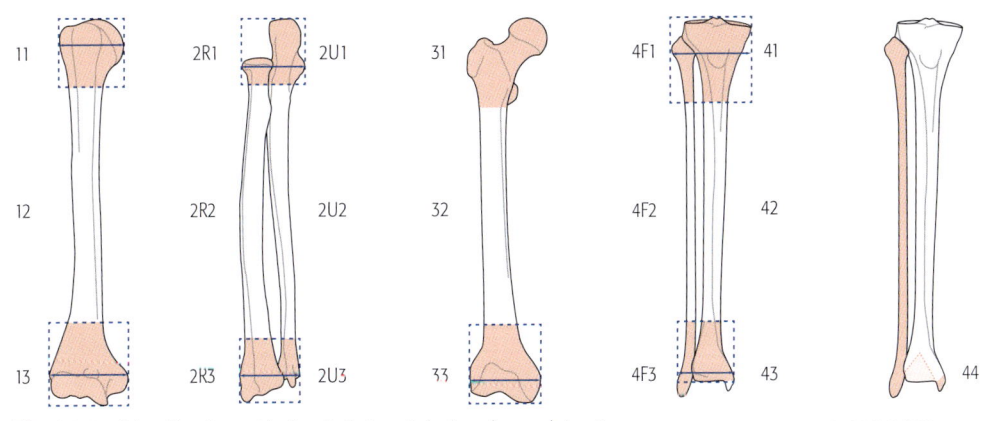

**Fig. 1.4-3** A localização anatômica da fratura é designada por dois números: um para o osso e um para o seu segmento. A tíbia é uma exceção, com os maléolos que representam um quarto segmento (44). Os segmentos proximal e distal de ossos longos são definidos por um quadrado, cujos lados têm a mesma distância que a parte mais larga da epífise (exceção: 31).

Filosofia da AO e princípios básicos
## 1.4 Classificação das fraturas

### 2.3 Descrevendo a morfologia da fratura: tipos, grupos, subgrupos, qualificadores e modificadores

A morfologia da fratura é descrita por definições precisas, permitindo ao cirurgião determinar o tipo, o grupo e o subgrupo.

### 2.3.1 Tipos

As descrições dos tipos diferem entre as fraturas diafisárias e as metafisárias (segmento terminal) (**Tab. 1.4-1**). As fraturas podem ser simples, com um único traço de fratura que produz dois fragmentos, ou ter traços de fratura adicionais produzindo fragmentos múltiplos (três ou mais).

Os tipos de fraturas diafisárias são:

- **Simples – tipo A,** com um único traço de fratura.
- **Em cunha – tipo B,** com um ou mais fragmentos intermediários. Depois da redução, há algum contato cortical entre os principais fragmentos proximal e distal.
- **Multifragmentada – tipo C,** com um ou mais fragmentos intermediários. Depois de redução, não há **nenhum contato** entre os principais fragmentos proximal e distal.

Os tipos de fraturas do segmento terminal são:

- **Extra-articular – tipo A**, quando a fratura não envolve a superfície articular.

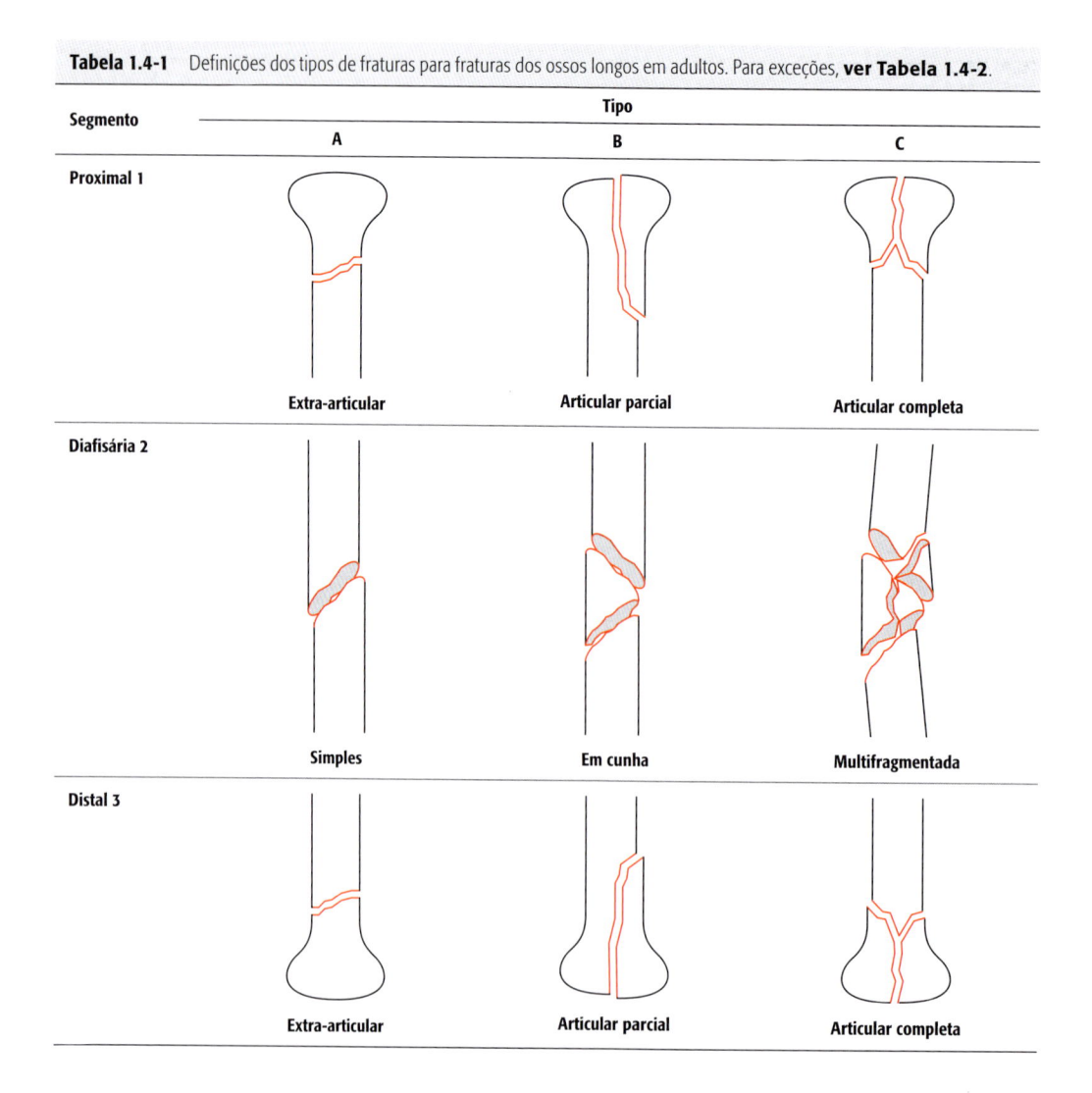

**Tabela 1.4-1** Definições dos tipos de fraturas para fraturas dos ossos longos em adultos. Para exceções, **ver Tabela 1.4-2**.

| Segmento | Tipo | | |
|---|---|---|---|
| | A | B | C |
| Proximal 1 | Extra-articular | Articular parcial | Articular completa |
| Diafisária 2 | Simples | Em cunha | Multifragmentada |
| Distal 3 | Extra-articular | Articular parcial | Articular completa |

- **Articular parcial – tipo B**, quando a fratura envolve uma parte da superfície articular enquanto o restante da articulação permanece em continuidade com a metáfise e a diáfise.
- **Articular completa – tipo C**, quando a fratura tiver rompido a superfície articular, que está completamente separada da diáfise.

Para a região proximal do úmero, proximal do fêmur e segmentos maleolares, são aplicadas definições especiais. A descrição da região proximal do úmero usa o termo "focal" para descrever as linhas de fratura. Uma fratura unifocal representa uma linha de fratura (tipo A), e uma bifocal representa duas linhas de fraturas (tipo B), enquanto as fraturas tipo C são articulares. O segmento proximal do fêmur é definido como a porção acima de uma linha transversal que passa na borda inferior do trocanter menor. Essas são as fraturas trocantéricas (tipo A), fraturas do colo e subcapitais (tipo B), e fraturas da superfície articular (tipo C). O segmento maleolar é classificado pelo nível da fratura maleolar lateral (fíbula) com respeito à sindesmose. A linha de fratura é infrassindesmal (tipo A), trans-sindesmal (tipo B), e suprassindesmal (tipo C) (**Tab. 1.4-2**).

**Tabela 1.4-2** Exceções na classificação dos tipos de fratura

| Osso e segmento | Tipo A | Tipo B | Tipo C |
|---|---|---|---|
| **Úmero, região proximal 11** | Extra-articular, unifocal, 2 partes — Tuberosidade ou metafisária não impactada/impactada | Extra-articular, bifocal, 3 partes — Com ou sem impactação metafisária, ou com luxação glenoumeral | Articular ou 4 partes — Desviada, impactada ou luxada |
| **Fêmur, região proximal 31** | Trocantérica — Pertrocantérica simples ou multifragmentada, ou intertrocantérica | Colo — Subcapital ou transcervical | Cabeça, articular — Separada, depressão (pode envolver o colo) |
| **Tíbia, segmento maleolar 44** | Infrassindesmal — Com ou sem lesão medial | Fibular, trans-sindesmal — Com ou sem lesão medial ou posterior | Fibular, suprassindesmal — Com ou sem lesão medial ou posterior |

Filosofia da AO e princípios básicos
**1.4 Classificação das fraturas**

### 2.3.2 Grupos e subgrupos

Uma vez que a fratura – qualquer que seja seu segmento ósseo – tiver sido reconhecida como um dos três tipos de fratura (A, B ou C), ela pode ser descrita usando grupos adicionais de fraturas.

Para as fraturas diafisárias, as fraturas simples são divididas em três grupos: helicoidais (A1), oblíquas (≥ 30° a uma linha perpendicular ao eixo longo do osso – A2) ou transversas (linha de fratura < 30° a uma linha perpendicular ao eixo longo do osso – A3). As fraturas em cunha são divididas em dois grupos: uma cunha intacta quando existir um único fragmento de cunha (B2) ou uma cunha fragmentada quando existir mais de um fragmento de cunha (B3). As multifragmentadas (previamente chamadas de complexas) também têm dois grupos: segmentar intacto (C2) e segmentar fragmentado (C3) (**Tab. 1.4-3**) (ver seção 5 neste capítulo). Para necessidades mais especializadas, esses grupos podem ser adicionalmente divididos em três subgrupos, baseados no local da fratura ou na morfologia do local da fratura. Em áreas de complexidade particular, subgrupos adicionais, conhecidos como qualificadores, podem ser aplicados. Esses qualificadores podem ajudar no planejamento terapêutico ou podem ser importantes ao prever o resultado de uma fratura em particular.

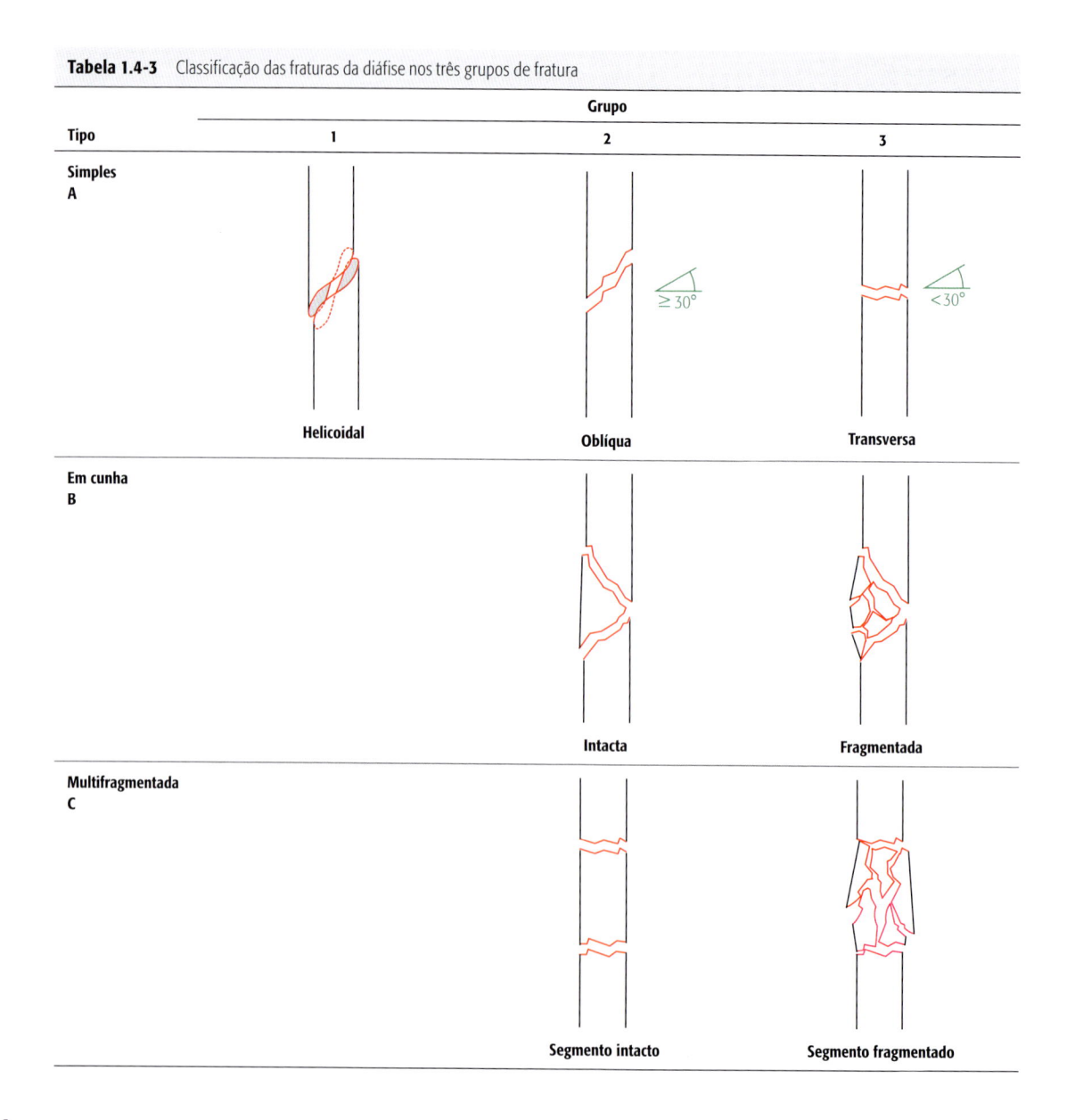

**Tabela 1.4-3** Classificação das fraturas da diáfise nos três grupos de fratura

| Tipo | Grupo 1 | Grupo 2 | Grupo 3 |
|---|---|---|---|
| **Simples A** | Helicoidal | Oblíqua (≥ 30°) | Transversa (< 30°) |
| **Em cunha B** | | Intacta | Fragmentada |
| **Multifragmentada C** | | Segmento intacto | Segmento fragmentado |

Nas fraturas do segmento terminal, os tipos de fratura extra-articular metafisária são agrupados como avulsão (A1), simples (A2) e multifragmentada (A3), enquanto as fraturas articulares parciais são agrupadas como simples (B1), B2 é variável e baseada no osso envolvido, e fragmentada (B3). As fraturas articulares completas são agrupadas como uma fratura simples articular e simples metafisária (C1), fratura articular simples com fraturas metafisárias multifragmentadas (C2), e fratura multifragmentada articular com fratura metafisária multifragmentada (C3) (**Tab. 1.4-4**). Para mais informações e subclassificações adicionais (para propósitos de pesquisa), ver o Compêndio 2018 da Classificação de Fraturas e Luxações no Suplemento do *Journal of Orthopaedic Trauma* [14].

Ao identificar a informação necessária para classificar a fratura, o cirurgião progride ao estabelecer seu mecanismo, gravidade, prognóstico e começa a compreender os potenciais problemas no tratamento. A descrição pode ser traduzida em um código alfanumérico que é útil para a inserção de dados no computador. Pode também ser usado como um método de comunicação com aqueles que estejam familiarizados com o código. Entretanto, como o cirurgião primeiro tem que descrever a fratura para então fazer um diagnóstico preciso, parece lógico usar essa descrição para a comunicação diária com os colegas e para fins de pesquisa.

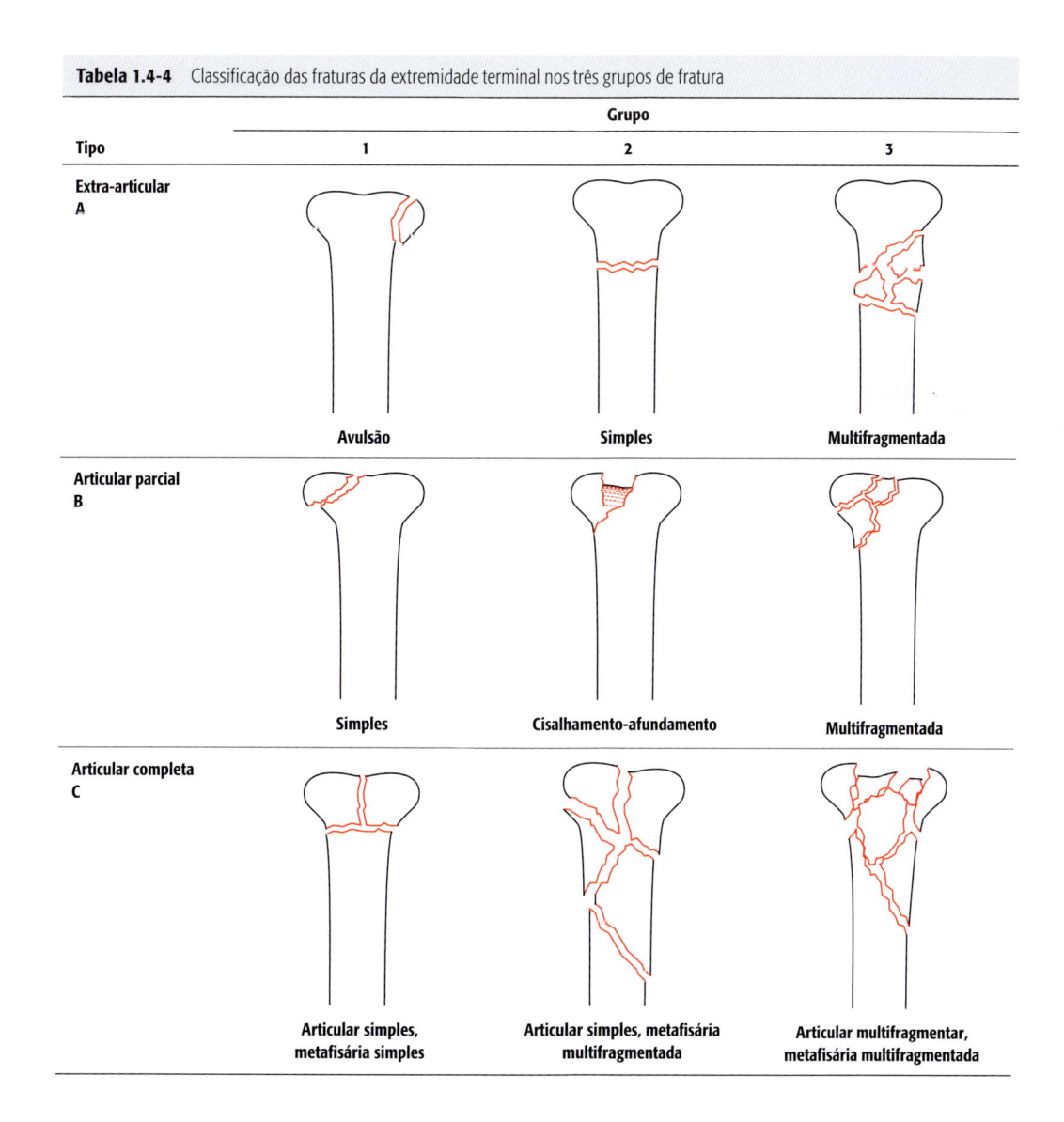

**Tabela 1.4-4** Classificação das fraturas da extremidade terminal nos três grupos de fratura

| Tipo | Grupo 1 | Grupo 2 | Grupo 3 |
|---|---|---|---|
| **Extra-articular A** | Avulsão | Simples | Multifragmentada |
| **Articular parcial B** | Simples | Cisalhamento-afundamento | Multifragmentada |
| **Articular completa C** | Articular simples, metafisária simples | Articular simples, metafisária multifragmentada | Articular multifragmentar, metafisária multifragmentada |

## 3 Definindo o processo de classificação

O processo de classificação é direto, e uma fratura não pode ser completamente classificada até que toda a informação esteja disponível para o profissional. Os passos fundamentais para diagnóstico e classificação estão representados a seguir:

1. História e exame físico determinam o mecanismo, a condição das partes moles e a acurácia da situação clínica.
2. Visualização da fratura:
   - Imagens diagnósticas: radiografias simples em incidências ortogonais são necessárias. Isso é geralmente adequado para fraturas simples, mas pode não evidenciar fraturas ocultas e irá falhar em definir fraturas fragmentadas. A tomografia computadorizada realça a compreensão das fraturas mais complexas, enquanto a ressonância magnética raramente é necessária. Em qualquer momento durante esse processo, o diagnóstico e a decisão de tratamento podem precisar ser feitos. Entretanto, pode haver informação insuficiente para classificar definitivamente a fratura até que o tratamento seja finalizado.
   - A observação direta dos ossos fraturados durante a redução fechada, usando o intensificador de imagem ou a redução aberta, é o determinante definitivo para a classificação.

### 3.1 Passo a passo para classificação de fraturas

A primeira pergunta óbvia é "qual osso"? E ela é seguida por "qual segmento?". Para atribuir a cada fratura um segmento, o centro da fratura deve ser determinado. Para uma fratura simples, é o ponto central de uma linha de fratura oblíqua ou helicoidal; já para uma fratura transversa, o local é óbvio. Uma fratura em cunha tem o seu centro na porção mais larga da cunha ou no ponto médio de uma cunha fragmentada quando reduzida. Para fraturas multifragmentadas, o centro pode precisar ser determinado depois da redução, quando a extensão completa da fragmentação for determinada. Isso pode forçar o cirurgião a classificar depois do tratamento, mas o fato de que existe uma fratura multifragmentada é o que geralmente guia a decisão de tratamento. Uma fratura articular desviada sempre será classificada como aquela de um segmento terminal (metafisário), não importando o seu tipo de fratura diafisária, uma vez que a lesão articular é o fator mais importante para o tratamento e prognóstico. Para determinar o tipo, o grupo e os subgrupos, a "interrogação" da fratura geralmente tem uma abordagem binária do tipo "um ou outro". Para a maioria das perguntas, existe somente uma resposta de duas ou três possibilidades.

#### 3.1.1 Fratura diafisária

Para uma fratura diafisária de um osso longo (**Tab. 1.4-5**), a primeira pergunta determina o tipo de fratura, ou seja, "é simples (A), em cunha (B) ou multifragmentada (C)"? A segunda pergunta determina o grupo, e a terceira pergunta estabelece o subgrupo. A revisão de 2018 da classificação simplificou esse processo, ao avançar diretamente para a descrição morfológica das fraturas.

**Tabela 1.4-5** Etapas na identificação de fraturas diafisárias

| Etapa | Pergunta | Resposta |
|---|---|---|
| 1 | Qual é o osso? | Osso específico |
| 2 | A fratura fica na extremidade ou no segmento médio do osso? | Segmento médio-diafisário (2) |
| 3 | Qual é o tipo? | • Simples (A)<br>• Cunha (B)<br>• Multifragmentada (C) |
| 4a | Grupo: Se simples (A), qual é o padrão de fratura (grupo)? | • Helicoidal (1)<br>• Oblíqua (2)<br>• Transversa (3) |
| 4b | Grupo: Se em cunha (B), qual é o padrão de fratura (grupo)? | • Intacta (2)<br>• Fragmentada (3) |
| 4c | Grupo: Se segmentar (C), qual é o padrão de fratura (grupo)? | • Segmentar intacta (2)<br>• Segmentar fragmentada (3) |
| 5 | Adicionar qualificadores e/ou modificadores universais | |

### 3.1.2 Fratura de segmento terminal (metafisário)

Em uma fratura identificada como de segmento terminal (metafisário) (**Tab. 1.4-6**), a primeira indagação é se a superfície articular está envolvida, para, então, determinar se a fratura é extra-articular (tipo A) ou articular. Se a fratura for articular, a próxima pergunta serve para determinar se a superfície articular inteira está separada da diáfise (articular completa – tipo C) ou não (articular parcial – tipo B). A próxima pergunta identifica o grupo. Nas fraturas articulares parciais, o plano da principal linha de fratura e o número de fragmentos articulares determina o grupo. Para fraturas completas, o grupo e o subgrupo são determinados pela quantidade de fragmentação articular e metafisária (linha de fratura articular única = simples; mais de uma = multifragmentada). A pergunta final é como a metáfise está fraturada (simples ou multifragmentada) (**Fig. 1.4-4, Vídeo 1.4-1**).

Esse resumo descreve o método-padrão para usar a Classificação AO/OTA de Fraturas e Luxações. Contudo, nenhuma classificação é totalmente inclusiva e existem algumas exceções a esse sistema (**Tab. 1.4-2**). Elas são baseadas em variações anatômicas – como o ombro (11) e o quadril (31) – ou no uso amplamente aceito, como para o tornozelo (44) (**Fig. 1.4-2**).

**Tabela 1.4-6** Etapas na identificação de fraturas dos segmentos terminais

| Etapa | Pergunta | Resposta |
|---|---|---|
| 1 | Qual é o osso? | Osso específico |
| 2 | Em qual extremidade está localizada a fratura? | • Proximal (1)<br>• Distal (3) |
| 3 | Tipo: A fratura adentra na superfície articular (tipo)? | • Não – extra-articular (A), vá para a etapa 5<br>• Sim – articular (B ou C), vá para a etapa 4 |
| 4a | Tipo: Se articular, ela é parcial (parte da articulação unida à metáfise)? | Sim (tipo B), vá para a etapa 6 |
| 4b | Tipo: Se articular, ela é completa (nenhuma parte da articulação unida à metáfise)? | Sim (tipo C), vá para a etapa 7 |
| 5 | Grupo: Se extra-articular (A), qual é o padrão de fratura? | • Avulsão (1)<br>• Simples (2)<br>• Multifragmentada (3) |
| 6 | Grupo: Se articular parcial (B), qual é o padrão de fratura? | • Simples (1)<br>• Cisalhamento-afundamento (2)<br>• Fragmentada (3) |
| 7 | Grupo: Se articular completa (C), qual é o padrão de fratura articular? | • Simples (1)<br>• Multifragmentada (2) |
| 8 | Subgrupo: Se articular completa (C), isto depende dos padrões articulares e metafisários. | • Articular simples – metafisária simples (1)<br>• Articular simples, metafisária multifragmentada (2)<br>• Articular multifragmentada com metafisária multifragmentada (3) |
| 9 | Adicionar qualificadores e/ou modificadores universais | |

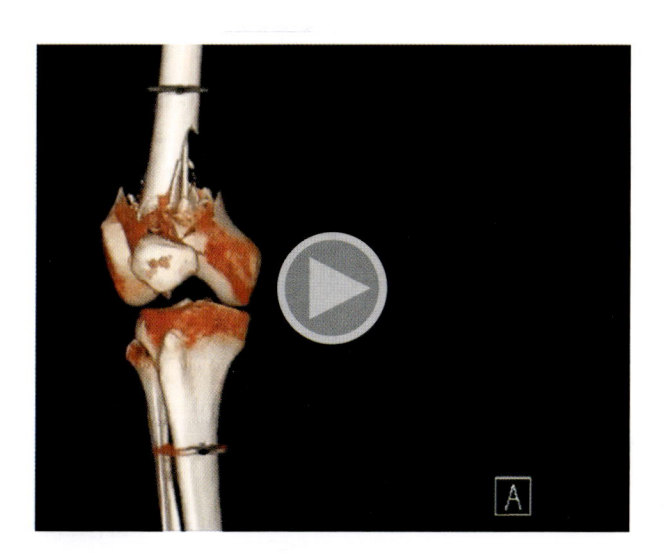

**Vídeo 1.4-1** Tomografia computadorizada tridimensional de fratura distal do fêmur que demonstra traço de fratura metafisária e traço de fratura intra-articular, tornando-a uma fratura 33C3.

## 4 Validação da classificação

Uma classificação de fraturas deve ser confiável, precisa e ter validade de conteúdo. A confiabilidade avalia quão bem as aplicações repetidas do processo de classificação na mesma fratura concordam entre si.

A confiabilidade interobservador é influenciada por:

- Momento de classificação
- Tipo e treinamento do(s) observador(es): cirurgião especialista, residente, assistente de pesquisa ou radiologista
- Uso de ferramentas de gravação: uma medida feita nas imagens diagnósticas usando uma régua, um conjunto de gabaritos sobre uma transparência, ou o uso de *software* específico de classificação [16]
- Uma abordagem sistemática e padronizada para codificação
- O método de classificação: uma classificação única ou uma classificação de consenso entre dois ou mais observadores

A acurácia mede quão bem os diagnósticos da classificação concordam com a condição verdadeira da fratura (o padrão-ouro). A validade de conteúdo significa que a classificação engloba todas as fraturas potencialmente observáveis. A determinação desses parâmetros, antes que um sistema de classificação seja aplicado na prática clínica, é chamada validação da classificação [5, 6, 18-20]. Uma vez que a classificação é validada, pode ser utilizada de forma confiável como base para estudos de desfecho. Poucas classificações foram validadas, e menos ainda usadas, para predizer desfechos.

## 5 Processo de revisão

Quando a Orthopaedic Trauma Association (OTA) e a Fundação AO concordaram em publicar o compêndio, em 1996, um processo de revisão de 10 anos foi instituído [12]. A primeira revisão foi feita em 2007 [13]. A segunda revisão começou em 2014, para publicação em 2018 [14]. O propósito dessa revisão mais recente foi:

- Revisão, atualização e simplificação de códigos baseados na prática comum e na frequência
- Adição de novas classificações ou modificação de definições existentes com base nas revisões de literatura
- Abordagem de problemas com a terminologia existente

Uma prioridade da revisão foi manter os princípios e as definições originais da *Classificação Completa de Fraturas* (CCF) [6].

As alterações importantes na revisão de 2018 são:

- Os termos "complexa" e "multifragmentada" têm criado confusão na sua aplicação. "Complexa" foi substituído por "multifragmentada" para descrever mais precisamente os padrões de fratura definidos por esse termo. O termo multifragmentada não será mais aplicado com cunha e complexa (fraturas diafisárias dos tipos B e C). Haverá três tipos de fraturas diafisárias – simples, em cunha e multifragmentada. "Multifragmentada", quando usado como uma descrição de subgrupo para os tipos B e C, é substituído por "fragmentada".
- A divisão da diáfise em terços é agora opcional.
- Muitas das qualificações e subqualificações dos primeiros dois compêndios foram redundantes, de osso para osso, e de fratura para fratura. Em uma pesquisa com usuários, elas não eram habitualmente usadas. Para simplificar o uso, os modificadores comuns foram colocados em uma lista chamada de Modificadores Universais. Certas qualificações eram fratura-específicas e foram deixadas como qualificadores com a sua fratura específica.

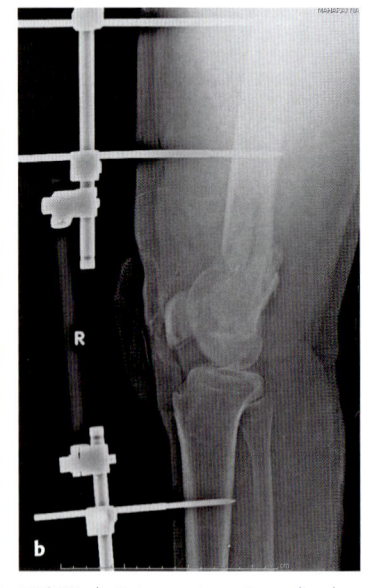

**Fig. 1.4-4a-b** Classificação AO/OTA de Fraturas e Luxações aplicada a uma fratura. O osso é o fêmur (3), e a fratura está localizada no segmento terminal distal (3). O tipo de fratura é articular completa (C) e o grupo é articular multifragmentada e metafisária multifragmentada (3). O subgrupo é multifragmentada diafisária metafisária (3), definindo adicionalmente a natureza complexa da metáfise. A classificação completa é uma fratura femoral de segmento terminal completa com uma fratura articular multifragmentada com extensão diafisária metafisária multifragmentada (33C3.3).

- Uma modificação para a classificação da extremidade proximal da tíbia (como sugerido por Mauricio Kfuri e Joseph Schatzker) para definir a superfície articular em quadrantes e localizar melhor fragmentação ou desvio articular significativos foi adicionada como um qualificador para as fraturas do planalto tipos B e C [21-23].
- Para facilitar a entrada de dados e diminuir a taxa de erros na codificação, o hífen em todos os códigos foi removido.
- A classificação de Neer das fraturas proximais do úmero foi introduzida na descrição de códigos para facilitar a compreensão do profissional dos termos fratura unifocal e bifocal.
- A terminologia da classificação da extremidade proximal do fêmur foi definida, e os códigos foram revisados para representar melhor a estabilidade e o desvio da fratura.
- A adição de um código de fratura da fíbula com base nos princípios da CCF fornece uma oportunidade para classificar fraturas da fíbula não associadas com fraturas maleolares.
- É difícil codificar as lesões complexas, como a tríade terrível do cotovelo e a fratura-luxação transolecraniana. Isso porque as fraturas de ambos os ossos do antebraço foram postas em um código, o que também dificulta a aplicação dos princípios para rádio e ulna. O comitê decidiu separar os ossos e classificar as fraturas em cada osso. Isso simplifica o processo e, quando combinado com os modificadores universais, torna a classificação das lesões complexas do cotovelo mais consistente e precisa. Também segue o sistema CID-10, onde cada osso é separadamente codificado.

Foi reconhecido pelo Comitê AO/OTA para a Classificação Internacional Completa de Fraturas e Luxações que essa revisão deve manter os princípios e as definições da CCF e os dois compêndios anteriores. O comitê também percebeu que isso mudaria um pouco a codificação. A revisão de 2018 representa um refinamento da versão de 2007, fornecendo uma versão mais concisa e clinicamente relevante. O usuário poderá escolher a versão que preenche satisfatoriamente suas necessidades para documentação clínica, educação ou pesquisa. É esperado que a integração de outras classificações padronizadas aos códigos será de valor para as outras subespecialidades ortopédicas.

## 6 Conclusão

A classificação de fraturas é extremamente importante para a tomada de decisão clínica e pesquisa no tratamento de fraturas. A classificação de Müller nos dá a base para um sistema universal. A chave está em uma estrutura lógica com nomenclatura claramente definida e um conjunto de definições que permitem a comunicação precisa e consistente entre médicos e pesquisadores.

## 7 Terminologia da classificação

Essa classificação é baseada na compreensão e na aplicação de termos bem definidos. Foi mostrado que a acurácia de aplicação de qualquer classificação depende do uso de terminologia definida. Assim como o glossário no final do livro, a seguinte lista de termos usados na classificação pode ser útil para entender este capítulo e para o uso eficaz da classificação.

**Processo de classificação:** Método pelo qual os cirurgiões alocam fraturas para as respectivas categorias. Tal processo pode ser entendido como um teste diagnóstico.

**Sistema de classificação de fraturas:** Conjunto organizado de categorias de fraturas e a sua estrutura com base em um diagnóstico de fratura definido.

**Fratura fragmentada:** O termo é usado aqui para descrever uma cunha ou fratura segmentar multifragmentada nos grupos de fraturas.

**Fratura impactada:** Uma fratura em que as superfícies ósseas opostas são dirigidas umas contra as outras e se comportam como uma unidade. É um diagnóstico clínico e radiográfico combinado.

**Fratura multifragmentada:** Uma fratura com mais de uma linha de fratura, de forma que existem três ou mais pedaços. Os fragmentos proximal e distal não terão contato após a redução. O termo é usado aqui como um tipo de fratura.

**Fratura com depressão fragmentada:** Uma fratura articular parcial na qual parte da articulação é afundada e existem mais de três fragmentos articulares da fratura.

**Fratura com depressão pura:** Uma fratura articular na qual existe somente uma depressão da superfície articular pela impactação, sem cisalhamento. A depressão pode ser central ou periférica.

**Fratura com cisalhamento:** Uma fratura articular em que existe um traço longitudinal metafisário e articular, sem qualquer lesão osteocondral ou impactação articular adicional.

Filosofia da AO e princípios básicos
1.4 Classificação das fraturas

**Referências clássicas** | **Referências de revisão**

## 8 Referências

1. **Rockwood CA, Green DP, Bucholz RW, et al.** Rockwood and Green's Fractures in Adults. 4th ed. Philadelphia New York: Lippincott-Raven; 1996.
2. **Browner BD, Jupiter JB, Levine AM, et al.** Skeletal Trauma—Fractures, Dislocations, Ligamentous Injuries. 2nd ed. Philadelphia London Toronto Montreal Sydney Tokyo: WB. Saunders; 1998.
3. **Bernstein J, Monaghan BA, Silber JS, et al.** Taxonomy and treatment—a classification of fracture classifications. J Bone Joint Surg Br. 1997 Sep;79(5):706–707.
4. **Colton CL.** Telling the bones. J Bone Joint Surg Br. 1991;73(3):362–364.
5. **Colton CL.** Fracture classification—A response to Bernstein et al. J Bone Joint Surg Br. 1997 Sep;79 (5):708–709.
6. **Müller ME, Nazarian S, Koch P, et al.** The Comprehensive Classification of Fractures of Long Bones. 1st ed. Berlin, Heidelberg, New York: Springer-Verlag; 1990.
7. **Müller ME, Nazarian S, Koch P.** Classification AO des fractures. Tome I. Les os longs. 1st ed. Berlin: Springer-Verlag; 1987. French
8. **Tile M.** Fractures of the Pelvis and Acetabulum. 3rd ed. Philadelphia: Williams & Wilkins; 2003.
9. **Magerl F, Aebi M, Gertzbein SD, et al.** A comprehensive classification of thoracic and lumbar injuries. Eur Spine J. 1994;3(4):184–201.
10. **Petracic B, Siebert H.** AO Classification of fractures of the hand bones. Handchir Mikrochir Plast Chir. 1998;30(1):40–44.
11. **Zwipp H, Baumgart F, Cronier P, et al.** Integral classification of injuries (ICI) to the bones, joints, and ligaments— application to injuries of the foot. Injury. 2004 Sep;35(Suppl 2):SB3–9.
12. **Orthopaedic Trauma Association Committee for Coding and Classification.** Fracture and dislocation compendium. J Orthop Trauma. 1996;10 (Suppl 1):V–IX, 1–154.
13. **Orthopaedic Trauma Association Committee for Coding and Classification.** Fracture and dislocation compendium. J Orthop Trauma. 2007;21(Suppl):1–163.
14. **Meinberg E, Agel J, Roberts C, et al.** Fracture and Dislocation Classification Compendium—2018. J Orthopaed Trauma. 2018 Jan;32(Suppl 1)
15. **Audigé L, Bhandari M, Kellam J.** How reliable are reliability studies of fracture classifications? A systematic review of their methodologies. Acta Orthop Scand. 2004;75(2):184–194.
16. **Slongo T, Audigé L, Schlickewei W, et al.** Development and validation of the AO pediatric comprehensive classification of long-bone fractures by the Pediatric Expert Group of the AO Foundation in collaboration with AO Clinical Investigation and Documentation and the International Association for Pediatric Traumatology. J Paediatr Orthop. 2006;26(1):43–49.
17. **Schneidmüller D, Röder C, Kraus R, et al.** Development and validation of a paediatric long-bone fracture classification. A prospective multicentre study in 13 European paediatric trauma centres. BMC Musculoskelet Disord. 2011 May 6;12:89.
18. **Garbuz DS, Masri BA, Esdaile J, et al.** Classification systems in orthopaedics. J Am Acad Orthop Surg. 2002;10(4):290–297.
19. **Burstein AH.** Fracture classification systems: do they work and are they useful? J Bone Joint Surg Am. 1993;75(12):1743–1744.
20. **Meling T, Harboe K, Enoksen C et al.** How reliable and accurate is the AO/ OTA comprehensive classification system for adult long bone fractures? J Trauma Acute Care. 2012 Jul;73:224–231.
21. **Luo CF, Sun H, Zhang B, et al.** Three-column fixation for complex tibial plateau fractures. J Orthop Trauma. 2010 Nov;24(11):683–692.
22. **Parsons.BO, Klepps SJ, Miller S, et al.** Reliability and reproducibility of radiographs of greater tuberosity displacement. A cadaveric study. J Bone Joint Surg Am. 2005;87:58–65.
23. **Crist BD, Martin SL, Stannard JP.** Tibial plateau fractures. In: Stannard JP, Schmidt AH, eds. Surgical Treatment of Orthopaedic Trauma 2nd ed. New York: Thieme; 2016:913–945.

## 9 Agradecimentos

Agradecemos a Laurent Audigé por sua contribuição para este capítulo na 2ª edição de Princípios AO do tratamento de fraturas. Também é importante reconhecer o Comitê Internacional AO/OTA para a Classificação Completa das Fraturas e Luxações (Eric Meinberg, Julie Agel, James Kellam, Craig Roberts e Matthew Karam) por seu trabalho na atualização do sistema de classificação.

# 1.5 Lesão de partes moles: fisiopatologia, avaliação e classificação

*Brian Bernstein*

## 1 Introdução

A biologia da consolidação óssea depende de vários fatores, tendo como mais relevante a condição do envelope de partes moles. Girdlestone comparou o osso a uma planta, com suas raízes nas partes moles, e essa comparação é uma imagem poderosa para o cirurgião traumatologista lembrar.

> O tratamento efetivo das fraturas depende do manejo adequado das partes moles.

A transferência de energia necessária para fraturar um osso também resulta em dano para o tecido mole vizinho, com uma "zona de lesão" cercando qualquer osso fraturado. Este capítulo descreve a avaliação, a classificação e a resposta fisiopatológica à lesão de partes moles e fornece as bases para o tratamento do paciente do trauma.

As fraturas expostas e as fraturas com lesões fechadas e graves de partes moles são frequentemente associadas a politraumatismo. O tratamento para salvar a vida deve sempre ter prioridade, e o cirurgião deve considerar tanto a lesão local quanto o paciente como um todo. A avaliação da fratura também deve determinar a extensão da lesão de partes moles, fator fundamental no tratamento. O cirurgião precisa estar familiarizado com a fisiopatologia da lesão de partes moles e o momento, os riscos e os benefícios das diferentes opções de tratamento.

O conhecimento de cuidados avançados da ferida e uma compreensão da biologia da cicatrização da ferida é tão importante quanto o conhecimento das várias opções de tratamento das fraturas, o que ajudará o cirurgião de trauma a tomar decisões apropriadas de tratamento.

## 2 Fisiopatologia e biomecânica

A condição do ferimento depois da lesão é determinada por vários fatores, incluindo:

- O tipo de agressão e a área de contato (não penetrante, penetrante, esmagamento, balístico, etc.)
- Magnitude da força aplicada
- Direção da força
- Área(s) afetada(s) do corpo
- Contaminação da ferida
- Condição física geral do paciente

Uma combinação desses fatores produzirá tipos diferentes de feridas (**Tab. 1.5-1**). As feridas não somente diferem em sua apresentação física, mas também no tipo de tratamento necessário e no prognóstico para cicatrização [1]. Todas as lesões causam sangramento e destruição de tecidos. Isso ativa os mecanismos humorais e celulares para parar o sangramento e resistir à infecção. O processo sequencial de consolidação começa imediatamente depois do trauma e pode ser dividido em três fases:

- Fase exsudativa ou inflamatória
- Fase proliferativa
- Fase reparadora

**Tabela 1.5-1** Tipos de feridas

| Tipo de força | Tipo de lesão |
|---|---|
| Cortante, de ponta | Facada, corte |
| Não penetrante | Lesão contusa, pancada |
| Extensão, torção | Laceração |
| Cisalhamento | Desenluvamento, defeito de cobertura, avulsões, abrasão |
| Combinação de forças | Ferimentos por golpes, empalamento, mordeduras e arma de fogo |
| Esmagamento | Amputação traumática, ruptura, lesão por esmagamento |
| Térmica | Queimaduras |

## 3 Respostas fisiopatológicas na cicatrização

As proteínas bioativas, como os fatores de crescimento, são cruciais para a cicatrização tecidual e são liberadas com a ativação de plaquetas, como, por exemplo, fator de crescimento derivado das plaquetas (PDGF), fator transformador de crescimento (TGF), fator de crescimento endotelial vascular (VEGF), fator de crescimento insulínico (IGF) e fator de crescimento epidérmico (EGF). A matriz extracelular (MEC) também afeta o crescimento e a diferenciação celular, ativa o sistema de reparo e a liberação de fator de crescimento e é, por sua vez, regulada por fatores de crescimento, como o TGF-β [2]. Essas proteínas bioativas são fatores histopromotores, criando condições para a cicatrização tecidual, incluindo quimiotaxia celular, proliferação, diferenciação, remoção de fragmentos, angiogênese e o desenvolvimento de MEC. Pesquisas sobre o efeito de biomateriais baseados em plasma sobre o tecido mole e na consolidação óssea têm mostrado que o reparo de partes moles parece ser positivamente influenciado, e as taxas de infecção são mais baixas; entretanto uma evidência conclusiva de melhora na consolidação óssea ainda precisa ser demonstrada [3].

### 3.1 Fase inflamatória

Na fase inflamatória, há uma interação aumentada entre os leucócitos e o endotélio microvascular lesionado. O trauma expõe as estruturas do colágeno subendotelial, levando à agregação de plaquetas. Estas liberam serotonina, adrenalina e tromboxano A, causando vasoconstrição e produzindo citocinas como PDGF e TGF-β, que têm um forte efeito quimiotático e mitogênico sobre os macrófagos, neutrófilos polimorfonucleares (PMNs), linfócitos e fibroblastos. A vasoconstrição e a agregação de trombócitos contribuem para a coagulação e constituem uma parte importante nesse processo, durante a parada do sangramento. Como um efeito colateral, o tecido danificado é subperfundido, levando à hipoxia e acidose. As primeiras células a se mover a partir dos pequenos vasos para o tecido danificado são os PMN e os macrófagos. Os PMNs são rapidamente mobilizados e produzem uma resposta inicial extremamente vigorosa. A função principal de macrófagos é a remoção de tecido necrótico e microrganismos (fagocitose e secreção de proteases) e a produção e secreção de citocinas (PDGF: mitogênico e quimiotático; TNF-α: pró-inflamatório e angiogênico; β-FGF, EGF, PDGF e TGF-β: mitogênicos [4]).

Os macrófagos são responsáveis pela ativação inicial das células imunocompetentes induzidas pela citocina, pela inibição e destruição de bactérias e pela remoção de fragmentos celulares do tecido danificado. Entretanto, a capacidade dos macrófagos para fagocitose é limitada. Se a sua capacidade for sobrecarregada por uma quantidade excessiva de tecido necrótico, isso diminuirá as atividades antimicrobianas dos fagócitos mononucleares. Uma vez que tais atividades fagocíticas estão associadas a produção de superóxidos e alto consumo de oxigênio, as áreas de hipoxia e as áreas avasculares são especialmente ameaçadas pela infecção e formação de biofilme bacteriano. Assim, a razão fisiopatológica para executar o debridamento cirúrgico radical de tecido morto é apoiar o processo fagocítico dos macrófagos.

As substâncias quimiotáticas, como a calicreína, melhoram a permeabilidade vascular e a exsudação pela liberação do nanopeptídeo bradicinina, que pertence à fração α2-globulina. As prostaglandinas, originadas dos fragmentos teciduais, estimulam a liberação de histamina a partir dos mastócitos e causam hiperemia local, que é necessária para os processos metabólicos de cicatrização da lesão. Além disso, o oxigênio altamente reativo e os radicais hidroxila são liberados durante a peroxidação de lipídeos da membrana, o que causa uma desestabilização adicional das membranas celulares. Esses mecanismos resultam em um prejuízo da permeabilidade endotelial capilar, que novamente promove hipoxia e acidose nas áreas danificadas. Os granulócitos e macrófagos infiltrados, com sua capacidade para resistir à infecção e engolfar fragmentos celulares e bactérias (debridamento fisiológico da lesão), têm um papel fundamental na resposta inflamatória do tecido traumatizado e, por conseguinte, têm um efeito decisivo sobre os processos reparadores subsequentes.

### 3.2 Fases proliferativa e reparadora

A fase proliferativa começa quando os fibroblastos, seguidos pelas células endoteliais, migram para dentro da área da lesão e lá se proliferam. Isso é estimulado pelos fatores de crescimento mitogênicos. Essas células têm uma série de receptores do fator de crescimento em suas superfícies e, por processos parácrinos e autócrinos, liberam várias citocinas e sintetizam as proteínas estruturais da matriz extracelular, como o colágeno. As fibronectinas, proteínas destacadas da superfície dos fibroblastos por hidrolases, facilitam a ligação do colágeno tipo I às cadeias α1. Esse processo é um pré-requisito importante para a proliferação celular progressiva e reparadora.

Existe uma transição suave para a fase reparadora e, simultaneamente, as células endoteliais proliferativas formam vasos capilares, que é a característica típica do tecido de granulação. No fim da fase reparadora, o conteúdo da água é reduzido e o colágeno inicialmente formado é substituído pelo colágeno do tipo III de ligação cruzada, seguido de fibrose e formação cicatricial. O papel dos fatores de crescimento na formação da cicatriz permanece obscuro, mas parece que a TGF-β desempenha um papel decisivo [5].

## 4 Diagnóstico e tratamento das lesões fechadas de partes moles

### 4.1 Problemas de diagnóstico e avaliação

A ausência de uma ferida visível pode causar desconsideração do médico com relação à gravidade de uma lesão fechada. O grau da lesão e da isquemia tecidual podem não ser evidentes e tornar difícil o diagnóstico e as decisões terapêuticas [6]. Muitas técnicas modernas de imagens permitem a avaliação qualitativa das lesões fechadas de partes moles, mas falta uma avaliação quantitativa clinicamente útil do dano. Não existe nenhum critério diagnóstico que permita a diferenciação definitiva pré-operatória entre o tecido danificado reversivelmente (vivo) e irreversivelmente (morto). Desse modo, a experiência clínica e o bom julgamento permanecem essenciais ao selecionar as opções para tratamento e prognóstico. Há fármacos em investigação que podem reduzir a disfunção microvascular pós-traumática e restaurar a microcirculação lesada [7].

### 4.2 Dano secundário

A resposta imune ao trauma resulta em um aumento drástico na interação dos leucócitos com o endotélio e a perda subsequente de integridade endotelial com aumento da permeabilidade microvascular (**Fig. 1.5-1**). Isso leva a um extravasamento transendotelial de plasma e edema intersticial [8]. O edema pode reduzir o suprimento sanguíneo microvascular em áreas adjacentes, o que pode resultar em necrose progressiva do músculo esquelético ou pele em áreas marginais que não foram diretamente afetadas pelo trauma. Desse modo, pode ocorrer uma perda secundária de tecido.

### 4.3 Resposta sistêmica à lesão de partes moles

A lesão grave de partes moles resulta em dano microvascular local e celular e pode levar a uma relevante resposta inflamatória sistêmica devido à liberação de citocinas pró-inflamatórias (TNF-α, IL-1, IL-6, IL-10). Estas afetam o endotélio vascular em vários órgãos, resultando em marginação, migração e ativação de PMNs, aumento na permeabilidade capilar, edema intersticial e uma resposta inflamatória. A síndrome da resposta inflamatória sistêmica (SIRS) pode resultar em dano a vários órgãos, como, por exemplo, a síndrome da disfunção de múltiplos órgãos (SDMO). O dano não ocorre somente em órgãos como pulmões (síndrome da angústia respiratória do adulto [SARA]), fígado, trato gastrintestinal, rins, miocárdio e sistema nervoso central, mas afeta também todo o sistema imune: a sepse permanece a causa mais comum de morte nesses pacientes. Desse modo, as alterações fisiopatológicas no tecido lesionado depois do trauma de partes moles são produto de um círculo vicioso.

### 4.4 Avaliação da lesão de partes moles

#### 4.4.1 História do caso

Para determinar a escolha apropriada e o momento do tratamento, o cirurgião precisa saber quando, onde e como a lesão ocorreu. Por exemplo, o aprisionamento prolongado em um carro sugere a possibilidade de uma síndrome compartimental, e os acidentes rurais têm um risco alto de infecção. As lesões por arma de fogo são influenciadas pela velocidade do projétil e pela cavitação associada, o que resultará em uma significativa zona oculta de lesão que não deve ser negligenciada.

O mais importante é o conhecimento da quantidade e da direção da força ou da energia que causou a lesão. Isso determina tanto a gravidade da lesão quanto os passos necessários ao tratamento. Quanto maior a força, mais graves serão o dano e as sequelas.

#### 4.4.2 Exame sistemático

##### Avaliação da pele e dos músculos

As lesões de partes moles nas fraturas fechadas são menos óbvias que nas fraturas expostas, mas ainda têm grande importância. A sua avaliação pode ser muito mais difícil que nas fraturas expostas, e a sua gravidade é facilmente subestimada. Simples abrasões representam uma lesão da barreira fisiológica da pele e podem permitir o desenvolvimento de uma infecção profunda.

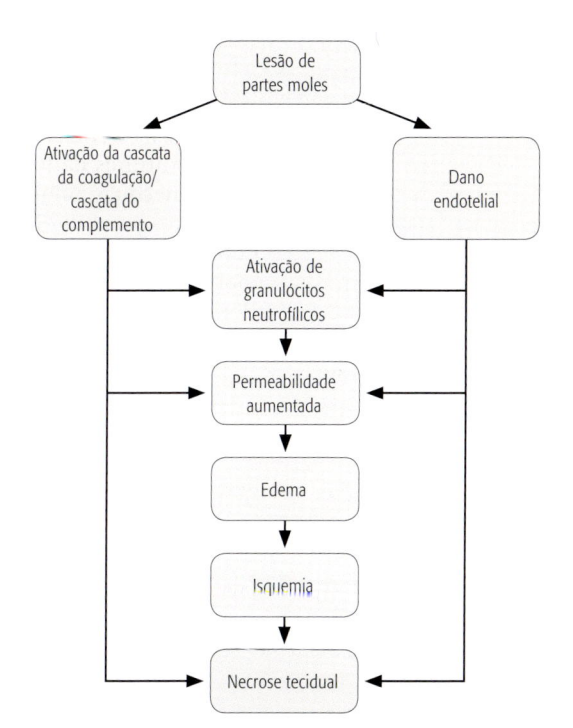

**Fig. 1.5-1** Fisiopatologia da lesão de partes moles.

## Filosofia da AO e princípios básicos
### 1.5 Lesão de partes moles: fisiopatologia, avaliação e classificação

O "desenluvamento fechado da pele" ocorre quando houver uma força de cisalhamento, resultando na separação entre a pele e a fáscia subjacente, sem que haja qualquer ruptura externa na pele. A cavidade resultante pode ser preenchida com fluido seroso ou hematoma, e a vascularização da derme fica comprometida. A derme também é denervada e uma área insensível de pele, que parece "escorregadia" ao toque, é patognomônica de uma lesão de desenluvamento fechada. O tratamento na emergência consiste na drenagem da coleção e curativo compressivo. Em alguns casos, um dreno deve ser deixado *in situ* e retirado progressivamente. O objetivo desse tratamento é permitir o contato entre as camadas separadas, agindo como um enxerto de pele *in situ*. A pele afetada deve ser diligentemente observada para garantir que não ocorra necrose. Se uma lesão de desenluvamento ocorrer com ruptura concomitante na pele, é chamada de "lesão de desenluvamento aberta". O tratamento é quase o mesmo; contudo, se houver uma fratura associada, tal lesão deve ser considerada uma fratura exposta.

Pesquisas têm mostrado que a coleção intradérmica tem risco de contaminação e pode agir como uma fonte de infecção profunda (a lesão de Morel-Lavallée nas fraturas pélvicas e acetabulares é um exemplo) [9, 10].

As "flictenas" são formadas quando há edema agudo significativo de um membro, com cisalhamento resultante no nível epidérmico. As flictenas são estéreis e mais adequadamente tratadas somente com medidas antiedema. Entretanto, as bolhas cheias de sangue de fratura são bolhas "mais graves", já que são indicativas de dano tecidual significativo mais profundo e potencial retardo de cicatrização (**Fig. 1.5-2**).

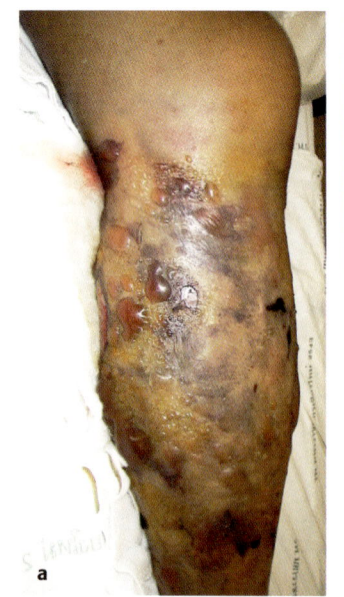

**Fig. 1.5-2a-b** Fratura proximal da tíbia com lesão grave de partes moles. Evolução das flictenas nos dias 2 (**a**) e 14 (**b**).

Em fraturas expostas (ver Cap. 4.2), a ferida deve ser coberta por um curativo estéril úmido, que não deve ser removido até o paciente estar na sala de cirurgia. Somente lá, e sob condições estéreis, é avaliada a extensão completa da lesão de partes moles. Alguns autores sugerem que uma fotografia é importante para facilitar o planejamento cirúrgico da equipe. Existe um aumento significativo nas taxas relatadas de infecção com a exposição repetida da lesão. A avaliação adicional na sala de cirurgia sob condições estéreis e inspeção visual detalhada é útil, e pode afetar a classificação e o prognóstico final. O grau de contaminação da ferida é importante e influencia o seu curso e o seu desfecho. Os corpos estranhos e as partículas de sujeira dão informações úteis sobre o nível de contaminação e ajudam o cirurgião a graduar essas lesões. Os ferimentos com arma de fogo de alta velocidade, explosões e os acidentes rurais são considerados gravemente contaminados.

O debridamento cirúrgico se torna um exercício diagnóstico, já que as bordas da pele, a gordura subcutânea, os músculos e os elementos fasciais são verificados para viabilidade e sangramento. A avaliação definitiva de uma lesão de partes moles requer um cirurgião experiente, porque ela determina o protocolo de tratamento, bem como a via de acesso cirúrgica e a escolha do implante para fixação da fratura [11].

### Avaliação da condição vascular

É obrigatório determinar a condição vascular de todos os membros lesionados. Os pulsos periféricos, a temperatura e o enchimento capilar devem ser verificados e comparados com o lado não lesionado. A condição vascular deve ser registrada na história médica. Embora a ausência de pulso palpável seja um indicativo importante para potencial dano vascular, a presença de pulso ou de bom enchimento capilar não garante, necessariamente, um suprimento vascular intacto. O exame com Doppler da extremidade ferida e da extremidade não lesionada pode ser útil para o rastreamento, assim como o índice tornozelo-braquial (ITB) [12]. Em todos os casos de dúvida ou onde houver uma história clínica, exame físico ou padrão radiográfico de fratura que indique dano vascular, a opinião de um cirurgião vascular deve ser obtida urgentemente. As estratégias de manejo incluem uma angiografia urgente no setor de radiologia vascular, angiografia imediata na mesa de exames, ou abordagem direta do vaso ferido. O método escolhido depende das instalações locais, do momento e dos protocolos.

### Avaliação da condição neurológica

A avaliação neurológica pode ser difícil em pacientes inconscientes com lesões múltiplas. Entretanto, o exame dos reflexos e da resposta a estímulos fortes e dolorosos dá algum indicativo dos déficits importantes. Esses exames devem ser executados repetidamente, porque a confirmação de um déficit nervoso importante pode ser decisiva na escolha entre salvação ou amputação de extremidades gravemente feridas.

### Avaliação da fratura

O padrão radiográfico da fratura fornece informação indireta essencial sobre a lesão de partes moles, e pode demonstrar corpos estranhos, sujeira, densidade de partes moles ou ar aprisionado ao redor e/ou distal ao local da fratura. A força absorvida pelo osso é indicada pelo padrão de fratura e indica a força equivalente que foi provavelmente aplicada aos tecidos moles.

Na hora do debridamento, a inspeção cuidadosa de fragmentos ósseos, sua relação com o envelope de partes moles e o suprimento sanguíneo, bem como a informação obtida a partir das radiografias, ajuda a otimizar a avaliação do dano.

### 4.5 Síndrome compartimental

A síndrome compartimental ocorre devido à pressão elevada em um espaço fascial ou osteofascial fechado que resulta em isquemia tecidual local. Isso pode comprometer a função neuromuscular e resultar em necrose muscular com perda de função, infecção e possível amputação [13, 14].

> A síndrome compartimental é vista mais frequentemente na perna, mas também pode ocorrer no antebraço, na nádega, na coxa, na mão e no pé. Pode ocorrer a qualquer momento, durante os primeiros dias depois do trauma ou da cirurgia.

#### 4.5.1 Fisiopatologia

Nas fraturas fechadas com lesão de partes moles, a ameaça criada pela síndrome compartimental não pode ser menosprezada. Ela é desencadeada por um aumento no volume e na pressão intramuscular dentro um espaço osteofascial fechado, em um nível acima de uma pressão crítica de perfusão microvascular [15]. A causa pode ser pressão exógena (p. ex., aparelhos gessados apertados) ou pressão endógena devido a um aumento no volume dentro do compartimento. Esta é o resultado de hemorragia, infusões perivasculares ou edema causado por permeabilidade capilar anormal, que, por sua vez, ocorre devido a isquemia ou reperfusão prolongadas (**Fig. 1.5-3**). Se persistir o prejuízo da microcirculação pelo aumento da pressão tecidual, a disfunção neuromuscular grave e irreversível devido à hipoxia resultará e levará a uma necrose muscular e axonotmese.

Originalmente, acreditava-se que o limiar para a síndrome compartimental era uma pressão intramuscular constante acima de 30 mmHg. Contudo, o fator fundamental reconhecido atualmente é a diferença entre a pressão arterial diastólica (PAd) e a pressão intramuscular (PIM). Isso determina a pressão de perfusão muscular

média (PMM/ΔP), por exemplo: 78 (PAd) − 51 (PIM) = 27 (PMM/ΔP).

### PAd − PIM = PMM/ΔP

Se a pressão de perfusão muscular estiver abaixo de 30 mmHg, haverá hipoxia e metabolismo celular anaeróbico. É importante notar que a pressão arterial tem uma relação direta com a pressão de perfusão. Desse modo, pacientes politraumatizados com hipotensão e hipoxia estão predispostos à síndrome compartimental. As lesões com um risco alto de desenvolver síndrome compartimental incluem as lesões vasculares com isquemia e reperfusão periférica, trauma de alta energia, esmagamento grave de partes moles e fraturas complexas da tíbia [11]. O objetivo de qualquer procedimento terapêutico deve ser a imediata descompressão do compartimento por meio de dermatofasciotomia de forma a alcançar a reperfusão do leito capilar.

A síndrome compartimental aguda é geralmente progressiva de natureza e requer atenção urgente para evitar lesão muscular e tecidual irreversível. A lei de Laplace em relação à permeabilidade da membrana e equilíbrio se aplica nesses casos.

#### 4.5.2 Manifestação clínica da síndrome compartimental

Um compartimento é um espaço anatômico, cercado em todos os lados por osso ou fáscia profunda, que contém um ou mais músculos. Além disso, o epimísio circundante, a pele ou um curativo apertado podem criar tal envelope com limites estritos. A relativa inelasticidade da parede envoltória significa que, se o tecido muscular inchar, a pressão no envelope osteofascial aumentará.

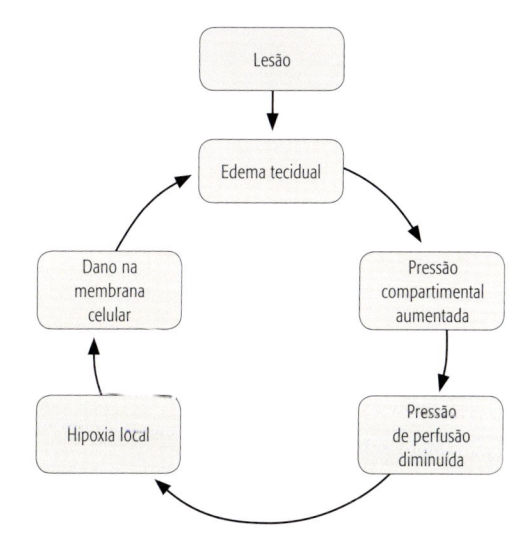

**Fig. 1.5-3** A síndrome compartimental ocorre devido a um ciclo vicioso de retroalimentação positiva.

O diagnóstico da síndrome compartimental em um paciente consciente é normalmente feito pela manifestação clínica de dor muscular isquêmica resistente, que não é aliviada pelas quantidades esperadas de analgesia (dor "fora de proporção").

Qualquer nervo que percorrer o compartimento envolvido ficará isquêmico, frequentemente ocasionando formigamento e sensação de choques na distribuição do nervo. O relato desses sintomas requer um paciente alerta, consciente e cooperativo, cujas percepções ou respostas não tenham sido alteradas por outro trauma, lesão craniana, álcool ou drogas.

O exame clínico demonstrará um compartimento tenso e inchado; a palpação do compartimento reproduzirá a dor, e o alongamento passivo dos músculos do compartimento envolvido também aumentará a dor. Esse sinal é útil, embora não específico. Um déficit sensitivo do nervo que percorre o compartimento pode ou não estar presente. A fraqueza motora é uma alteração tardia. Os pulsos são sempre palpáveis na síndrome compartimental, já que, em um paciente normotenso, a pressão muscular raramente excede o nível sistólico. Uma taquicardia persistente e inexplicável ou um nível alto de lactato também devem ser considerados como um sinal possível de síndrome compartimental no paciente inconsciente quando outras causas (p. ex., hipovolemia) tiverem sido excluídas.

O equilíbrio entre a pressão do compartimento intramuscular e a pressão microvascular determinará a suficiência da perfusão e, daí, o suprimento de oxigênio para o músculo.

A necrose tecidual ocorrerá quando a pressão intersticial aumentar além de um limiar individual por um período de tempo. Os pacientes que sofrem de uma síndrome compartimental não tratada ou despercebida desenvolverão uma contratura isquêmica. Isso resulta em um membro retraído e não funcional (contratura isquêmica de Volkmann). O cirurgião deve estar ciente de que todas as lesões de membros têm risco de síndrome compartimental. Ela é mais comum nas fraturas de alta energia e lesões por esmagamento, mas também pode ser vista a partir de lesões simples e sem qualquer fratura associada. Os pacientes em terapia anticoagulante estão em alto risco, e os homens jovens apresentam um risco mais alto de síndrome compartimental, possivelmente porque têm uma fáscia relativamente grossa e inelástica. A síndrome compartimental também pode se desenvolver depois da reperfusão de um membro isquêmico. Isso é visto em pacientes que tenham ficado inconscientes por várias horas (p. ex., dependentes químicos) e, também, depois do reparo de lesões arteriais. Por conseguinte, pacientes vítimas de trauma que tiveram um reparo ou reconstrução arterial devem receber dermatofasciotomias distais profiláticas (**Fig./Animação 1.5-4**).

### 4.5.3 Diagnóstico da síndrome compartimental

O diagnóstico diferencial inclui lesão arterial e lesão de nervo periférico: os pulsos ausentes indicam lesão arterial; a lesão de nervo periférico é um diagnóstico de exclusão. Uma quantidade grande de suspeita é essencial para não deixar passar os casos de síndrome compartimental. O cirurgião deve estar atento, já que os sintomas e os sinais podem ser mínimos. A equipe médica e de enfermagem devem estar cientes de que os analgésicos podem mascarar os sintomas, o que pode criar um problema particular depois da cirurgia, quando a analgesia controlada pelo paciente (ACP) for administrada. O uso excessivo de ACP deve alertar a equipe para a possibilidade de síndrome compartimental. Os cirurgiões também devem estar cientes de que os pacientes com uma lesão de nervo periférico podem ter a sensibilidade alterada e não experimentar a dor da síndrome compartimental.

A síndrome compartimental também pode ser diagnosticada pelas medidas da pressão tecidual. Isso é extremamente útil nas situações onde o exame clínico não for confiável, como no traumatismo craniano ou nos pacientes intoxicados. A pressão tecidual já está geralmente elevada antes que os sinais e sintomas se desenvolvam; assim, as medidas de pressão podem ser usadas para diagnosticar uma síndrome compartimental iminente. Elas também podem ser usadas para monitorar os pacientes em alto risco para o desenvolvimento dessa complicação após a cirurgia. Os critérios de Heppenstall [15], afirmando que a perfusão muscular fica comprometida quando a pressão do compartimento estiver dentro de 20 mmHg da PSd, têm sido usados por muitos anos, mas, agora, é recomendado o cálculo do PMM/deltaP, conforme descrito.

Os fatores que afetarão a acurácia de medidas de pressão incluem:

- Calibração e uso corretos de equipamento
- Posicionamento anatômico correto da ponta do cateter
- Profundidade da inserção da agulha
- A posição e a estabilidade da extremidade durante o teste

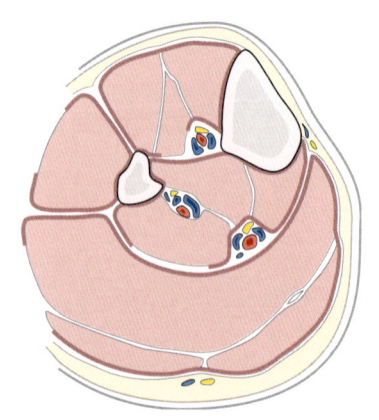

**Fig./Animação 1.5-4** Efeitos da pressão compartimental aumentada.

Por exemplo, enquanto a medida dos compartimentos anterior e lateral da perna é bastante direta, a medida do compartimento posterior profundo é notoriamente incerta, e o potencial "quinto" compartimento (o músculo tibial posterior) é com frequência avaliado de forma inadequada.

A orientação com ultrassom pode ser usada para ajudar na colocação do cateter, e as várias técnicas descritas para o posicionamento do cateter para o diagnóstico da síndrome compartimental crônica pelo exercício (SCCE) podem ser usadas também para a situação aguda. Entretanto, no contexto traumático agudo, as condições para diagnóstico preciso são menos que favoráveis.

As medidas de pressão podem ser obtidas por uma variedade de técnicas. A técnica de infusão é simples e contínua, mas pode piorar a síndrome e normalmente tem um limiar de pressão mais alto que os outros métodos. A técnica do pavio usa um material fino dentro do cateter para manter a abertura, permitindo a monitoração contínua. A técnica da vara é geralmente um sistema confiável e simples para ser usado, mas o equipamento apropriado deve ser comprado. Nos últimos anos, têm se tornado disponíveis os transdutores de fio fino para a pressão intracompartimental. Eles são simples e confiáveis e permitem a monitoração contínua da pressão durante o período perioperatório [16]. Os avanços nas modalidades diagnósticas incluem a ressonância magnética, a espectroscopia de infravermelho e o ultrassom com Doppler; contudo eles são mais apropriados para o diagnóstico de SCCE [17].

> Uma vez que o diagnóstico seja considerado, a síndrome compartimental deve ser ativamente excluída. Se isso não for possível, a avaliação clínica com um profissional experiente é essencial, com um limiar baixo para a descompressão cirúrgica. A consequência do manejo retardado é uma morbidade significativa.

### 4.5.4 Tratamento da síndrome compartimental

O tratamento inicial deve incluir a liberação de todos os curativos circunferenciais e a colocação do membro no nível do coração (para maximizar a pressão de perfusão tecidual).

> A síndrome compartimental é uma emergência cirúrgica, e o tratamento de escolha é a dermatofasciotomia imediata.

> No trauma, a fasciotomia percutânea não está indicada, uma vez que a pele, enquanto permanecer intacta, age como uma membrana limitante e pode manter a síndrome compartimental.

A síndrome compartimental é mais comum na perna (**Fig. 1.5-5**). Todos os quatro compartimentos devem ser liberados usando a técnica de incisão dupla de Mubarak ou a dermatofasciotomia parafibular descrita por Matsen e colaboradores [13]. A fasciotomia com fibulectomia, popularizada na literatura da cirurgia vascular, está contraindicada em pacientes de trauma. Ainda que a pressão esteja aumentada em apenas um ou dois compartimentos, é obrigatório fazer a liberação de todos os compartimentos. Isso é verdadeiro para qualquer local passível de síndrome compartimental na extremidade superior ou inferior.

O conceito a ser lembrado seria aumentar o volume do compartimento para permitir a demanda exigida pela pressão aumentada. Um fasciotomia que aumente o diâmetro do membro em 2 cm resulta em um aumento de 44% no volume e, desse modo, uma redução significativa na pressão. Foram propostas numerosas técnicas para o fechamento retardado. A recomendação da British Orthopaedic Association Standards for Trauma (BOAST 10) é uma diretriz útil para o manejo [18]. A probabilidade de precisar de um enxerto de pele parcial para fechamento final sem tensão é alta.

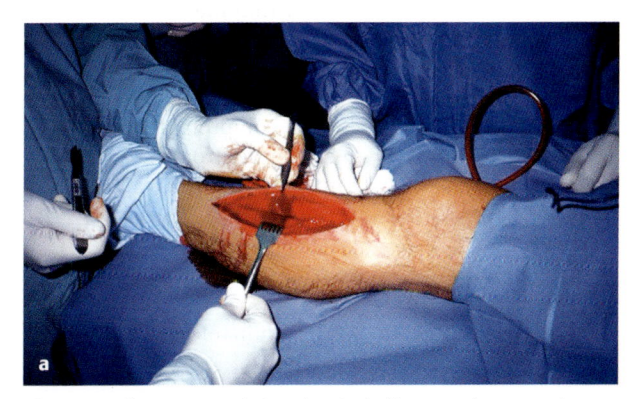

**Fig. 1.5-5a-b** Imagens clínicas depois da liberação do compartimento.
**a** Músculos vivos
**b** Morte de todos os músculos no compartimento

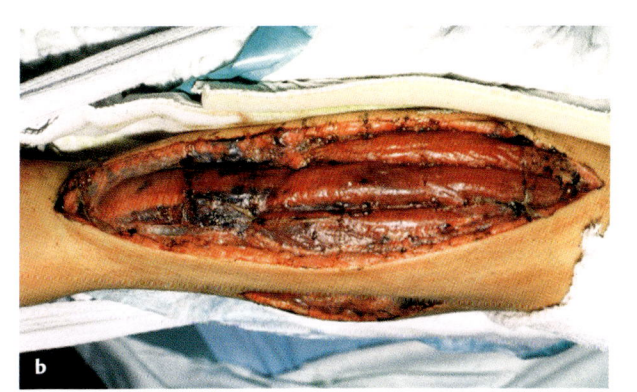

## 5 Lesões abertas de partes moles

As lesões abertas de partes moles são frequentemente chamadas de "compostas" na literatura. Trata-se de uma nomenclatura incorreta e ultrapassada. Qualquer fratura associada a uma lesão aberta de partes moles é mais suscetível à infecção devido à quebra na integridade da pele, existindo probabilidade de impregnação ou contaminação por microrganismos. Além disso, a liberação da matriz extracelular e potenciais fatores de crescimento e quimiocinas pode levar a um retardo na consolidação óssea e na cicatrização de partes moles, e aumentar a incidência de não união.

O tratamento da fratura exposta é especificamente abordado no Capítulo 4.2, mas, com respeito à lesão de partes moles, é obrigatório o conhecimento de técnicas avançadas de tratamento de lesões, incluindo os curativos de nanocristais de prata e os curativos com pressão negativa para o cuidado adequado do paciente.

Os achados do estudo LEAP desafiaram muitos dogmas que cercam o momento do debridamento e o fechamento primário *versus* secundário da lesão, mas essas recomendações devem estar adaptadas conforme a logística local e o perfil do paciente e do cirurgião [19, 20].

## 6 Classificação da lesão de partes moles nas fraturas

A classificação da lesão de partes moles deve considerar todos os fatores essenciais e guiar o tratamento. A classificação exata da lesão efetivamente diminui as complicações, já que previne erros evitáveis no tratamento, e deve ter algum valor prognóstico. Existe também a possibilidade de monitorar e comparar os protocolos padronizados de tratamento. As classificações mais usadas para as lesões de partes moles foram criadas por Gustilo e Anderson [21, 22] e por Tscherne [23].

Muitos problemas no tratamento das fraturas complexas são devido aos padrões de lesão de alta velocidade, causando graves danos nas partes moles. As classificações mais frequentemente usadas têm demonstrado limitações para esses tipos de lesões. Brumback e Jones [24] demonstraram que existe uma confiabilidade interobservador apenas moderada para classificar as fraturas expostas usando a classificação de Gustilo e Anderson.

Na prática, todos os sistemas de classificação têm problemas com a validação, assim como com a conformidade, compreensão e aplicação pelo usuário. Isso levou ao desenvolvimento do sistema alfanumérico de Classificação AO/OTA de Fraturas e Luxações. Entretanto, muitos cirurgiões preferem o uso dos sistemas mais simples, com os quais estão familiarizados. Em resumo, o sistema de classificação utilizado deve ser facilmente comunicado e entendido por todos envolvidos no atendimento do paciente.

### 6.1 Classificação de Gustilo das fraturas expostas

Gustilo e Anderson desenvolveram a sua classificação com base em uma análise retrospectiva e prospectiva de 1.025 fraturas expostas. Eles inicialmente descreveram três tipos, mas a aplicação clínica levou Gustilo, Mendoza e Williams a estender e subdividir a classificação das lesões graves (tipo III) em subgrupos A, B e C.

- Tipo I: São fraturas com uma lesão limpa, com menos de 1 cm de tamanho e com pouca ou nenhuma contaminação. A lesão resulta de uma perfuração de dentro para fora por uma das extremidades da fratura. O padrão da fratura é simples (p. ex., fraturas helicoidais ou oblíquas curtas).
- Tipo II: A laceração cutânea tem mais de 1 cm, mas os tecidos circundantes têm nenhum ou têm apenas um pequeno sinal de contusão. Não existe nenhum músculo desvitalizado presente, e a instabilidade da fratura é de moderada a grave.
- Tipo III: Existe dano extenso de partes moles, frequentemente com a vascularização comprometida, com ou sem grave contaminação da ferida. O padrão de fratura é complexo, com marcada instabilidade da fratura.

Por causa dos muitos e diferentes fatores ocorrendo nesse último grupo, Gustilo [22] propôs três subtipos.

- Tipo IIIA: Geralmente resulta de um trauma de grande energia. Ainda existe cobertura adequada de partes moles do osso fraturado, apesar de extensa laceração ou retalhos de partes moles (similar à classificação AO/OTA IO 2).
- Tipo IIIB: Há extensa perda de partes moles com desnudamento periosteal e exposição óssea. Essas lesões precisam de cobertura de partes moles e podem estar associadas à contaminação maciça (similar à classificação AO/OTA IO 3).
- Tipo IIIC: Qualquer fratura exposta associada a uma lesão arterial que necessita de reparo. É independente do tipo de fratura (similar à classificação AO/OTA IO 4).

O sistema de classificação de Gustilo deve ser visto como uma indicação progressiva do tamanho da ferida, do grau de contaminação, da lesão de partes moles (incluindo vasculares), e da lesão óssea (incluindo a presença de desnudamento periosteal), refletindo a necessidade de procedimentos de reconstrução e técnicas simples ou complexas (Tab. 1.5-2).

## 6.2 Classificação de Tscherne das lesões abertas de partes moles

Na classificação de Tscherne [23], as lesões de partes moles são agrupadas em quatro categorias, de acordo com a gravidade. A fratura é rotulada como exposta ou fechada por um "E" ou um "F".

- Fratura exposta grau I (Fr. E 1): A pele é lacerada por um fragmento ósseo de dentro para fora. Não existe ou há mínima contusão da pele, e essas fraturas simples são o resultado de trauma indireto (fraturas do tipo A1 e A2, de acordo com a classificação AO/OTA).
- Fratura exposta grau II (Fr. E 2): Existe uma laceração cutânea com contusão circunferencial de partes moles ou pele e contaminação moderada. Todas as fraturas expostas por trauma direto (tipo A3, tipo B e tipo C da classificação AO/OTA) estão incluídas neste grupo.
- Fratura exposta grau III (Fr. E 3): Há extenso dano de partes moles, frequentemente com uma lesão adicional de vaso ou nervo importante. Toda fratura exposta que é acompanhada por isquemia e cominução óssea grave pertence a este grupo. Os acidentes rurais, ferimentos por tiro de alta velocidade e a síndrome compartimental estão incluídos por causa de alto seu risco de infecção.
- Fratura exposta grau IV (Fr. E 4): São as amputações subtotais e totais. As amputações subtotais são definidas pelo Replantation Committee of the International Society for Reconstructive Surgery como uma "separação de todas as estruturas anatômicas importantes, especialmente os vasos principais, com isquemia total". A ponte remanescente de partes moles pode não exceder um quarto da circunferência do membro.

Os casos que requerem revascularização são classificados como abertos grau III ou IV.

## 6.3 Classificação de Tscherne das fraturas fechadas

Tscherne desenvolveu uma classificação específica de partes moles porque ele percebeu que as lesões fechadas eram frequentemente menosprezadas.

- Fratura fechada grau 0 (Fr. F 0): Não existe ou há mínima lesão de partes moles, com uma fratura simples por trauma indireto. Um exemplo típico é a fratura helicoidal da tíbia ocorrida durante o ato de esquiar.
- Fratura fechada grau I (Fr. F 1): Existe abrasão ou contusão superficial da pele, com tipos de fratura simples ou de gravidade média. Uma lesão típica é a fratura-luxação em pronação-rotação externa da articulação do tornozelo. A lesão de partes moles ocorre pela pressão do fragmento no maléolo medial.
- Fratura fechada grau II (Fr. F 2): Existem abrasões contaminadas profundas e contusões localizadas na pele ou no músculo, resultantes de um trauma direto. A síndrome compartimental iminente também pertence a este grupo. A lesão resulta em padrões de fratura transversais ou complexos. Um exemplo típico é a fratura segmentar da tíbia a partir do golpe direto de um para-choque de carro.
- Fratura fechada grau III (Fr. F 3): Há extensa contusão da pele, destruição de músculo ou avulsão de tecido subcutâneo (desenluvamento fechado). Síndrome compartimental e lesões vasculares estão incluídas. Os tipos de fratura são complexos.

É importante reconhecer que a pele pigmentada pode nublar a avaliação da lesão fechada de partes moles, já que a contusão pode ser menos visível.

**Tabela 1.5-2** Classificação de Gustilo-Anderson

| Tipo | Ferida | Contaminação | Lesão de partes moles | Lesão óssea |
|---|---|---|---|---|
| I | 1 cm ou menos | Limpa | Mínima | Simples, com mínima cominução |
| II | 1-10 cm | Moderada | Moderada, com alguma lesão muscular | Cominução moderada |
| IIIa | Mais que 10 cm | Alta | Grave com lesão associada por esmagamento | Moderada – cobertura de partes moles possível |
| IIIb | Mais que 10 cm | Alta | Perda grave da cobertura | Requer procedimentos de reconstrução |
| IIIc | Mais que 10 cm | Alta | Grave, com lesão vascular necessitando reparo | Requer procedimentos de reconstrução |

## 6.4 Sistema AO de pontuação das partes moles

Por causa das limitações dos sistemas de classificação existentes, incluindo a moderada confiabilidade interobservador e a pontuação de muitas lesões diferentes no mesmo subgrupo, a AO desenvolveu um sistema de classificação mais detalhado e preciso para as fraturas com dano de partes moles. Esse sistema de pontuação identifica as lesões em estruturas anatômicas diferentes e as atribui em grupos de diferentes gravidades. A pele ou tegumento (P), músculos (M) e tendões (T), e o sistema neurovascular (NV) são as estruturas anatômicas direcionadas; a fratura é classificada de acordo com a classificação AO/OTA das fraturas. A pontuação da lesão de pele é feita separadamente para as lesões abertas (A) ou fechadas (F): Cada uma é dividida em cinco grupos de gravidade (**Tabs. 1.5-3-4** e **Figs. 1.5-6-15**). Deste modo, uma fratura fechada sem lesão de pele aparente seria descrita como PF 1. O dígito "1" indica a lesão menos grave. Já PF5 tem o dano mais grave de partes moles.

Embora possa haver dano considerável a um envelope muscular, raramente existe uma lesão nos tendões, exceto nas lesões graves (**Tab. 1.5-5**). O envolvimento do sistema neurovascular (**Tab. 1.5-6**) sempre indica uma lesão mais grave, representada pelos tipos IIIB e IIIC de Gustilo, com alta taxa de complicações. As lesões musculares e tendíneas, assim como as lesões neurovasculares, são de alto valor prognóstico para o destino da extremidade.

Esse sistema permite uma descrição completa de todo o complexo da lesão. Os números e as letras são úteis para o uso em computador, auditoria e pesquisa. Na prática clínica diária, o uso de termos precisos e exatamente definidos ajuda na tomada de decisão e na comunicação. Por exemplo, uma fratura helicoidal simples e fechada da diáfise da tíbia, decorrente de uma queda ao esquiar, sem lesão de pele, músculos, tendões, nervos ou vasos, é assim classificada: 42-A1.2/PF1-MT1-NV1.

Em contraste, a **Fig. 1.5-16** mostra uma fratura-luxação de cotovelo do tipo de Monteggia, com extensa lesão de músculo e de tendão, mas nenhum dano neurovascular. Essa é uma fratura-luxação anterior transolecraniana simples ou multifragmentar do cotovelo, classificada como PA5-MT4-NV1. A **Fig. 1.5-14** ilustra uma fratura da diáfise da tíbia segmentar exposta, com uma lesão aberta maior que 5 cm, defeito muscular e laceração de tendão. Não existe lesão de nervo, mas há uma lesão da artéria fibular. Essa lesão será classificada como 42F2.3/PA4-MT4-NV3 [25].

**Tabela 1.5-3** Classificação AO de partes moles: lesões fechadas da pele (PF)

| | |
|---|---|
| PF 1 | Nenhuma lesão de pele evidente (**Fig. 1.5-6**) |
| PF 2 | Nenhuma laceração de pele, mas contusão (**Fig. 1.5-7**) |
| PF 3 | Desenluvamento circunscrito (**Fig. 1.5-8**) |
| PF 4 | Desenluvamento extenso, fechado (**Fig. 1.5-9**) |
| PF 5 | Necrose por contusão (**Fig. 1.5-10**) |

**Tabela 1.5-4** Classificação AO de partes moles: lesões abertas da pele (PA)

| | |
|---|---|
| PA 1 | Rompimento cutâneo de dentro para fora (**Fig. 1.5-11**) |
| PA 2 | Rompimento cutâneo de fora para dentro < 5 cm, bordas contundidas (**Fig. 1.5-12**) |
| PA 3 | Rompimento cutâneo de fora para dentro > 5 cm, contusão aumentada, bordas desvitalizadas (**Fig. 1.5-13**) |
| PA 4 | Contusão de espessura completa considerável, abrasão, extenso desenluvamento aberto, perda cutânea (**Fig. 1.5-14**). |
| PA 5 | Desenluvamento extenso (**Fig. 1.5-15**) |

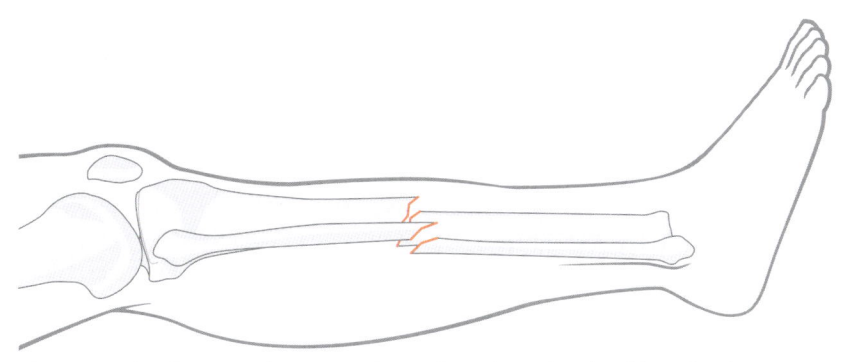

Princípios AO do tratamento de fraturas
Volume 1

**Fig. 1.5-6**  Classificação AO de partes moles: nenhuma lesão de pele evidente (PF 1).

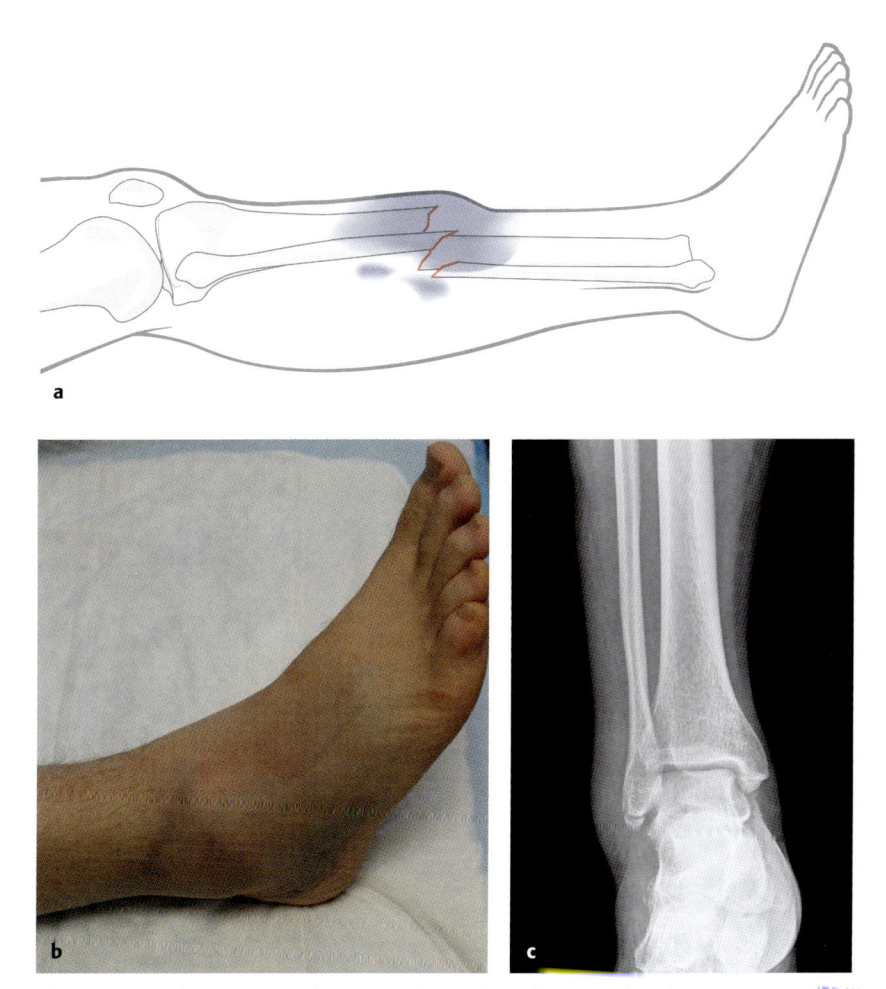

**Fig. 1.5-7a-c**  Classificação AO de partes moles: nenhuma laceração de pele, mas contusão (PF 2).

61

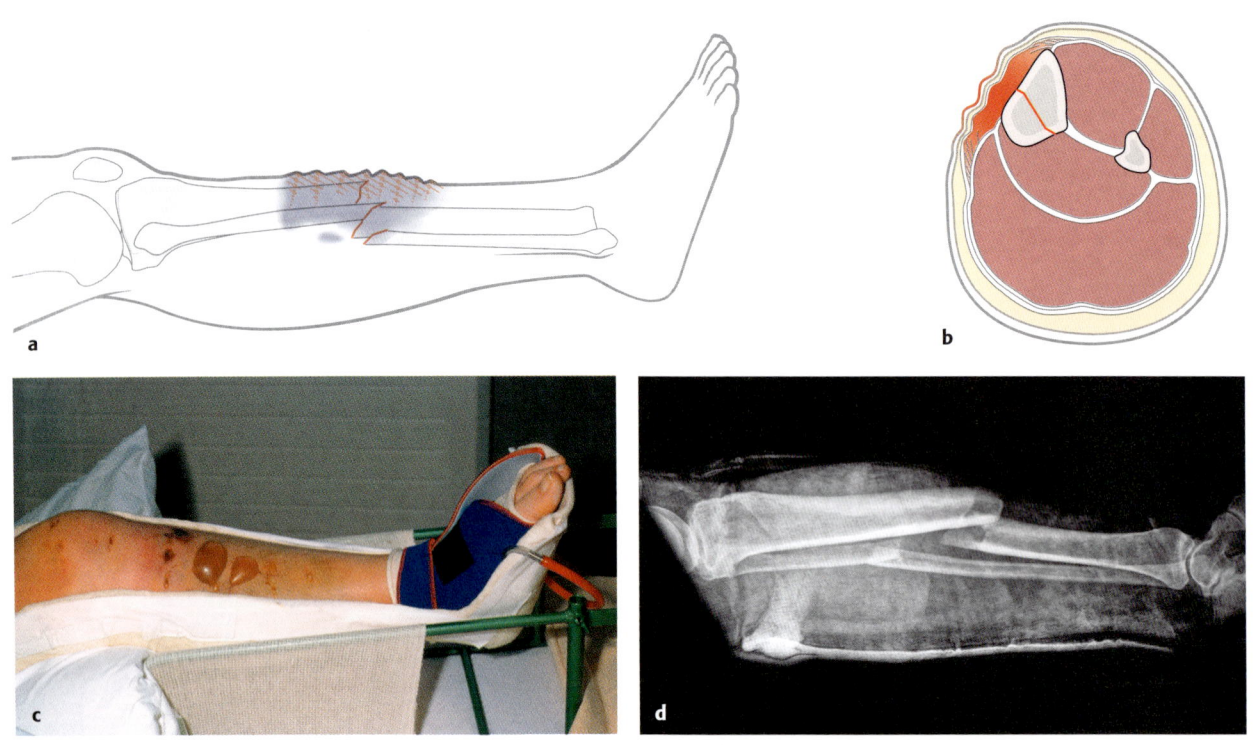

Filosofia da AO e princípios básicos
1.5   Lesão de partes moles: fisiopatologia, avaliação e classificação

**Fig. 1.5-8a-d**   Classificação AO de partes moles: desenluvamento circunscrito (PF 3).

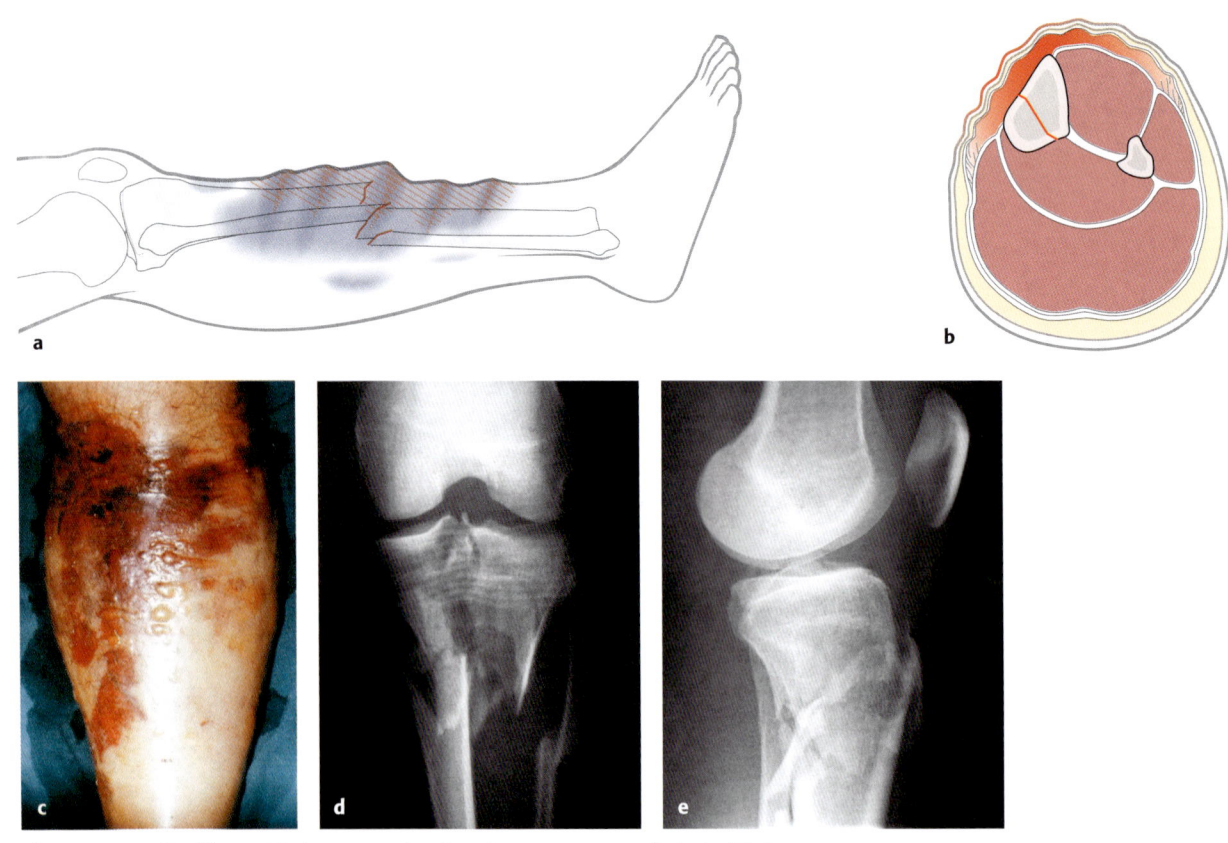

**Fig. 1.5-9a-e**   Classificação AO de partes moles: desenluvamento extenso, fechado (PF 4).

Princípios AO do tratamento de fraturas
**Volume 1**

**Fig. 1.5-10a-d** Classificação AO de partes moles: necrose pela contusão (PF 5).

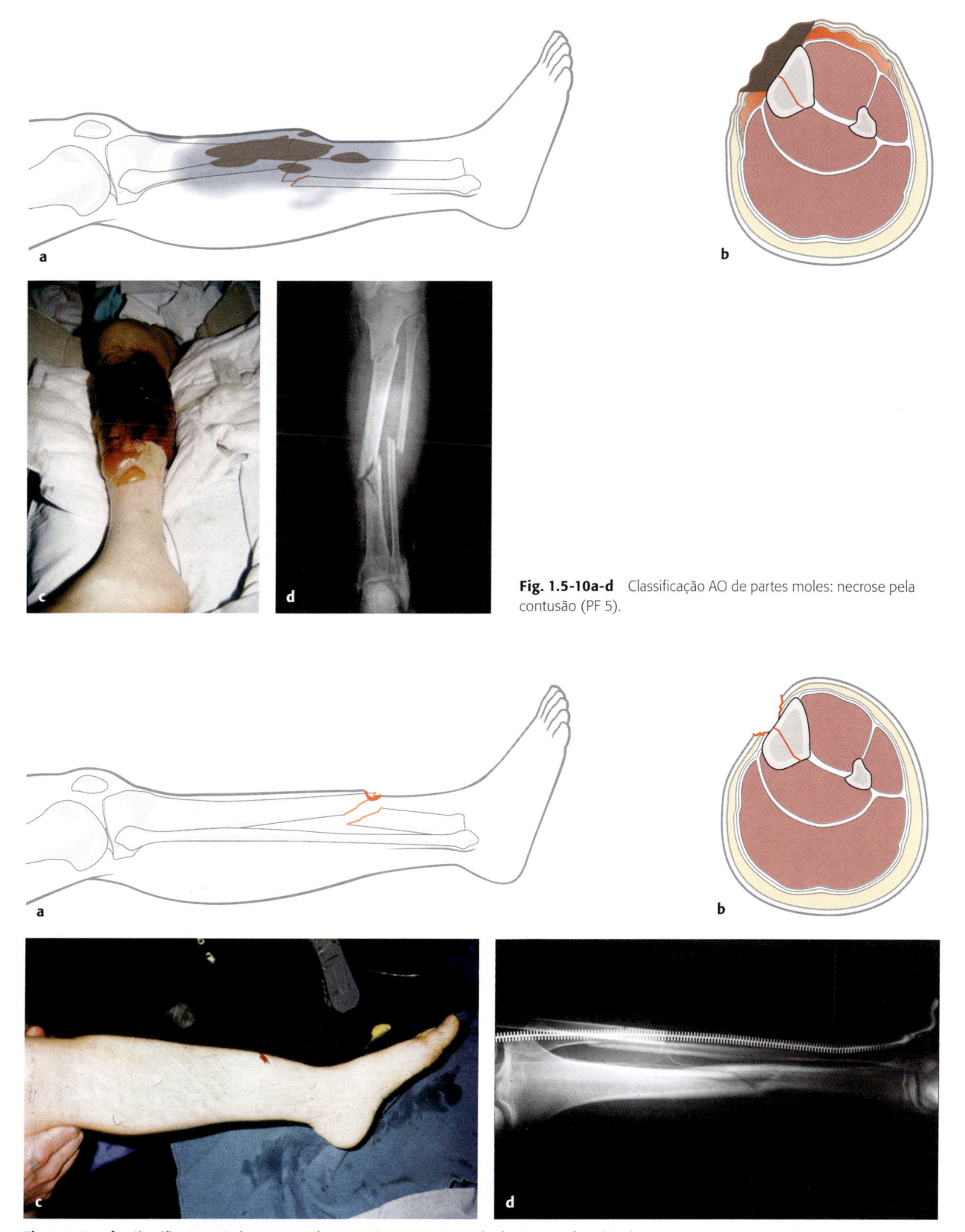

**Fig. 1.5-11a-d** Classificação AO de partes moles: rompimento cutâneo de dentro para fora (PA 1).

63

Filosofia da AO e princípios básicos
1.5  Lesão de partes moles: fisiopatologia, avaliação e classificação

**Fig. 1.5-12a-d**  Classificação AO de partes moles: rompimento cutâneo de fora para dentro < 5 cm, bordas contundidas (PA 2).

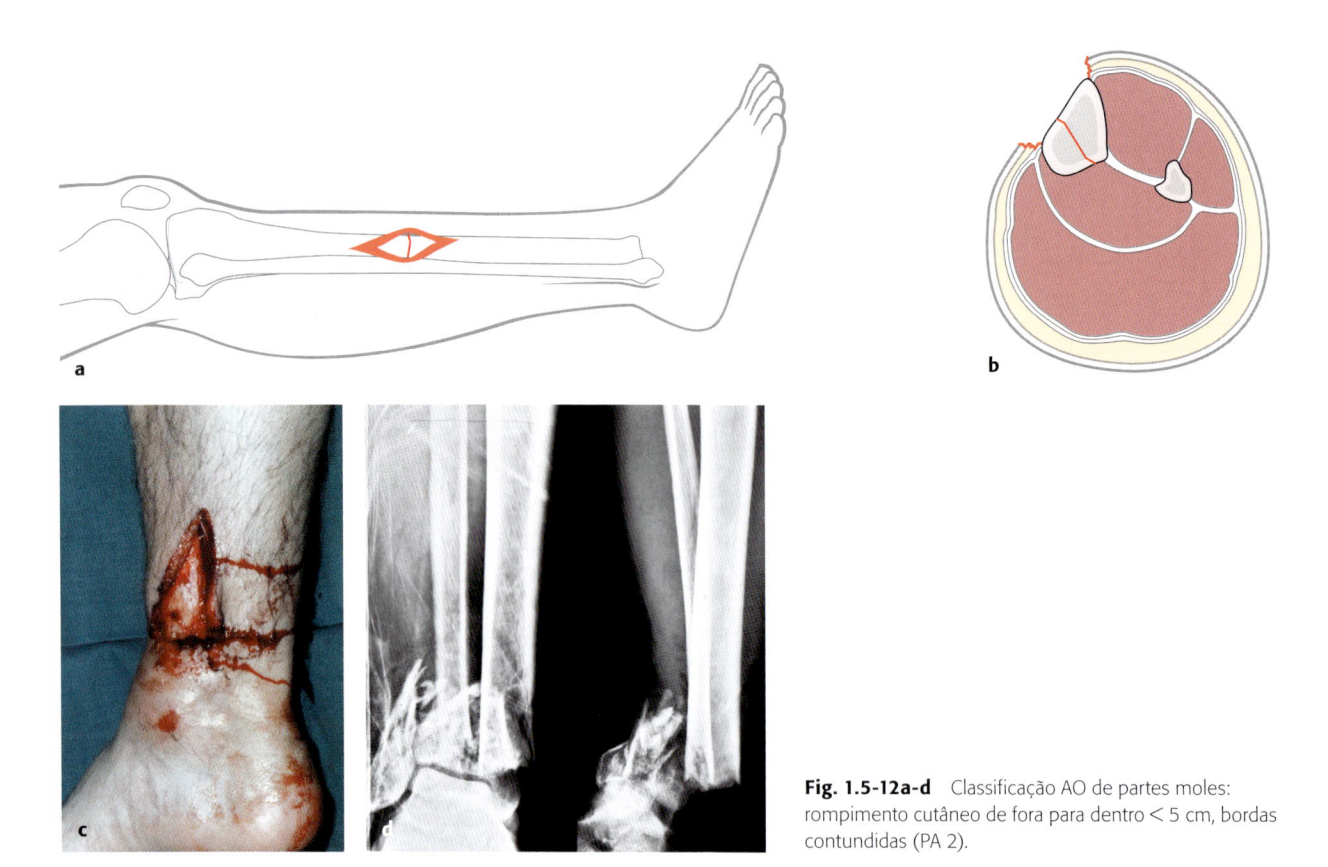

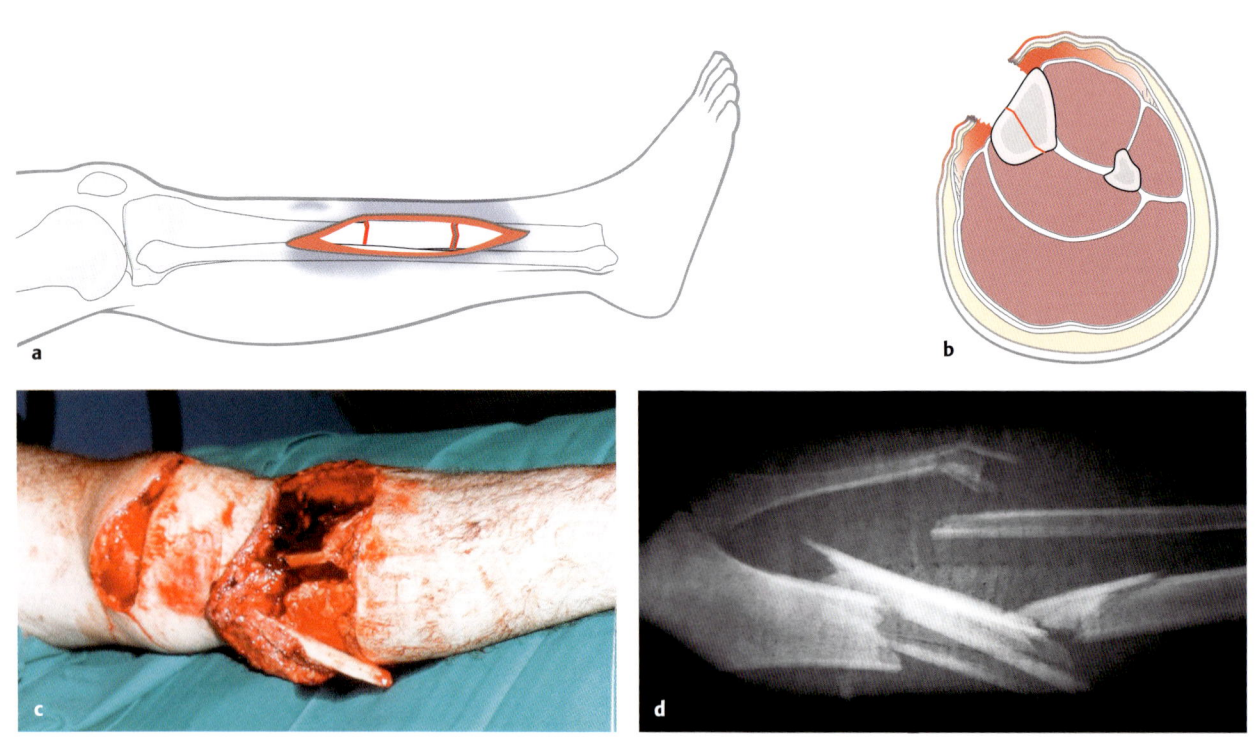

**Fig. 1.5-13a-d**  Classificação AO de partes moles: rompimento cutâneo de fora para dentro > 5 cm, contusão aumentada, bordas desvitalizadas (PA 3).

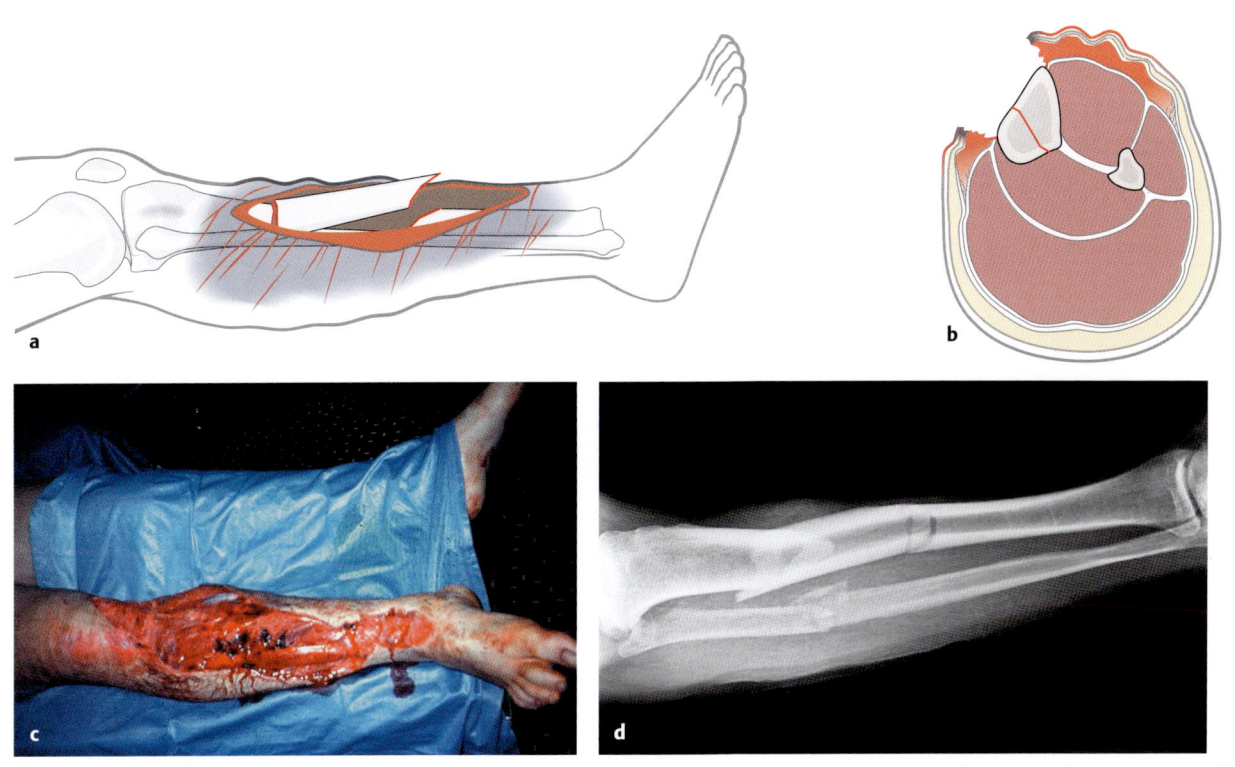

Princípios AO do tratamento de fraturas
**Volume 1**

**Fig. 1.5-14a-d**   Classificação AO de partes moles: contusão considerável, de espessura completa, abrasão, desenluvamento aberto extenso, perda de pele (PA 4).

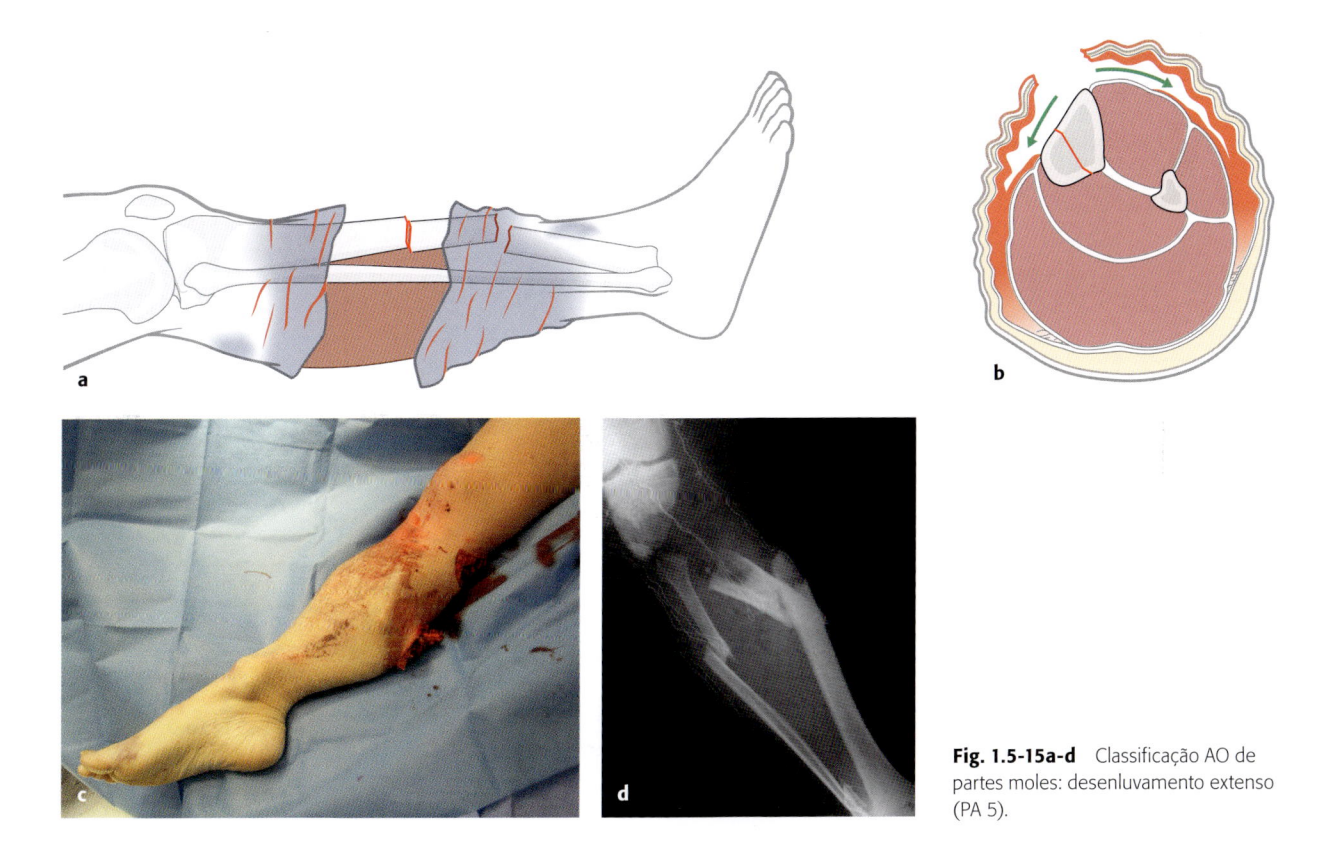

**Fig. 1.5-15a-d**   Classificação AO de partes moles: desenluvamento extenso (PA 5).

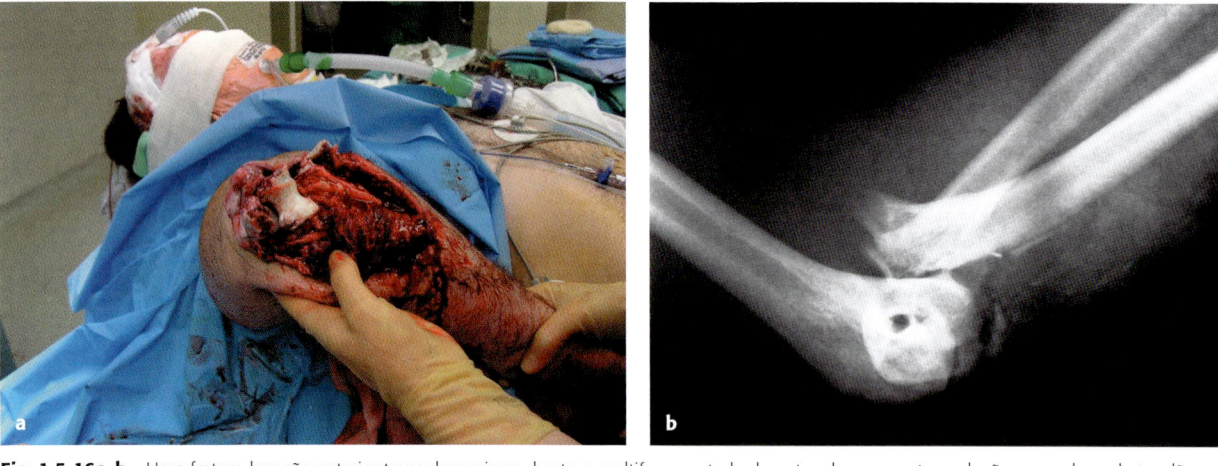

Filosofia da AO e princípios básicos
1.5   Lesão de partes moles: fisiopatologia, avaliação e classificação

**Fig. 1.5-16a-b**   Uma fratura-luxação anterior transolecraniana aberta e multifragmentada do cotovelo, com extensa lesão muscular e de tendão, mas nenhum dano neurovascular.

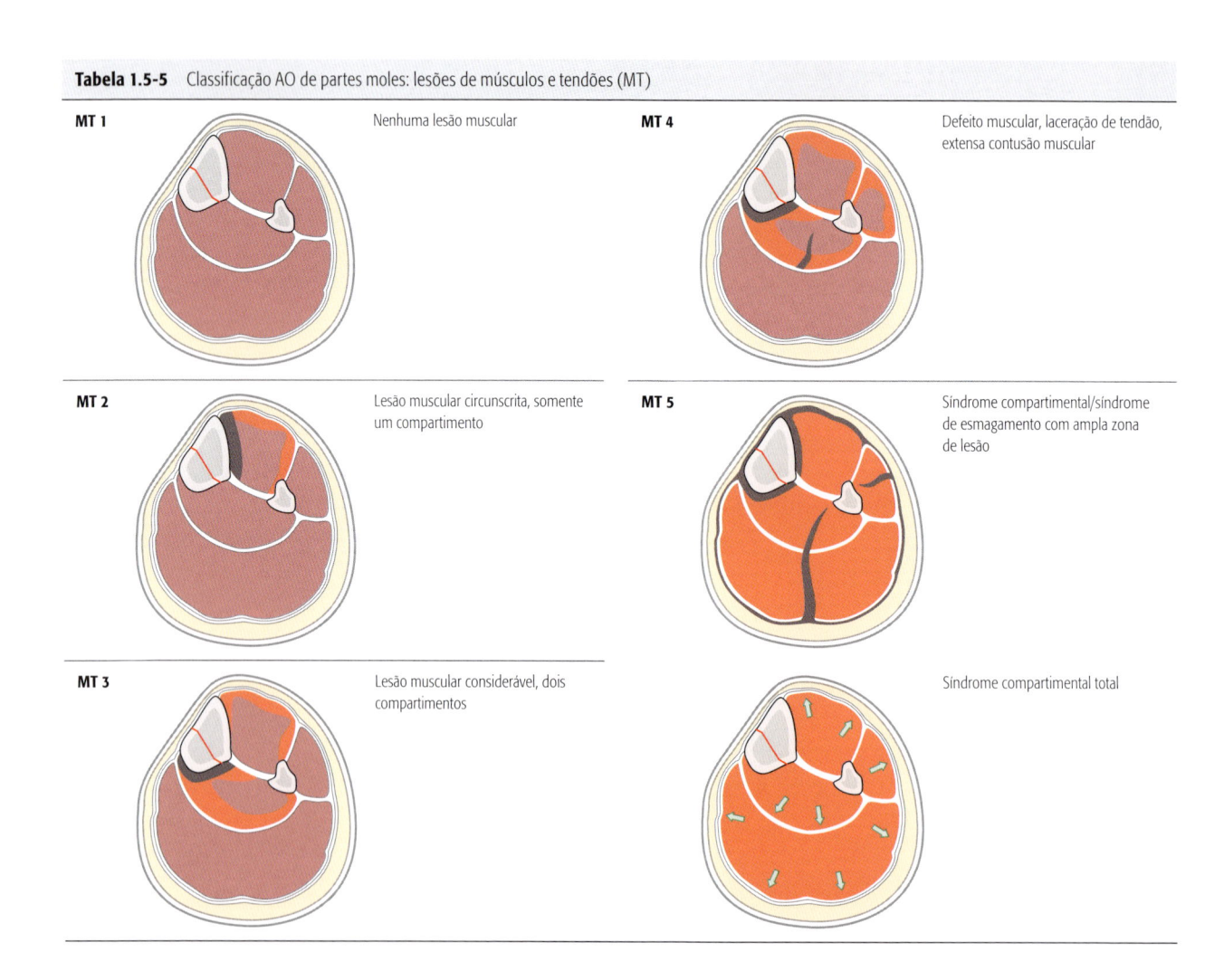

**Tabela 1.5-5**   Classificação AO de partes moles: lesões de músculos e tendões (MT)

| | | |
|---|---|---|
| MT 1 | Nenhuma lesão muscular | |
| MT 2 | Lesão muscular circunscrita, somente um compartimento | |
| MT 3 | Lesão muscular considerável, dois compartimentos | |
| MT 4 | Defeito muscular, laceração de tendão, extensa contusão muscular | |
| MT 5 | Síndrome compartimental/síndrome de esmagamento com ampla zona de lesão | |
| | Síndrome compartimental total | |

**Tabela 1.5-6** Classificação AO de partes moles: lesões de nervos e vasos (NV)

| | |
|---|---|
| **NV 1** Nenhuma lesão neurovascular | **NV 4** Lesão vascular segmentar extensa |
| **NV 2** Lesão de nervo isolada | 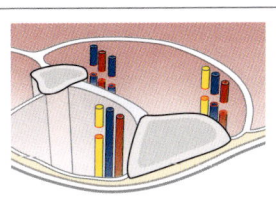 **NV 5** Lesão neurovascular combinada, incluindo amputação subtotal ou total |
| **NV 3** Lesão vascular localizada | |

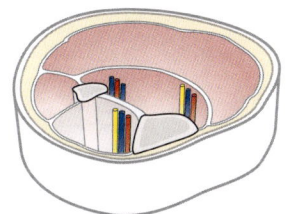

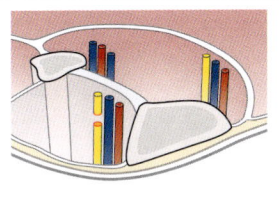

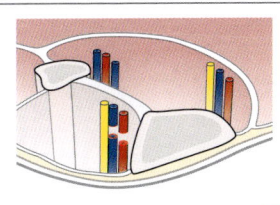

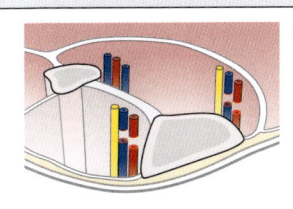

## 6.5 Usando sistemas de classificação

Graus mais altos da classificação de Gustilo das fraturas expostas e da classificação de Tscherne das fraturas fechadas são difíceis de tratar. Essas lesões têm as mais altas taxas de complicação e podem causar incapacidade grave. Os sistemas de classificação têm vários objetivos, como, por exemplo:

- Facilitar a comunicação
- Auxiliar na tomada de decisão
- Identificar as opções de tratamento
- Antecipar problemas
- Sugerir o método de tratamento
- Prever o desfecho
- Permitir a comparação com casos similares
- Auxiliar na documentação e auditoria

## 7 Conclusão

O tratamento efetivo das fraturas depende do tratamento adequado das partes moles. O cirurgião deve avaliar cuidadosamente a lesão, examinando sistematicamente cada estrutura que pode estar danificada: pele, tecido subcutâneo, músculos e tendões, nervos, vasos e ossos. A possibilidade de síndrome compartimental deve ser sempre considerada e deve-se ter em mente que as lesões fechadas podem estar associadas com um dano grave de partes moles. A avaliação cuidadosa permitirá ao cirurgião classificar a fratura usando um dos sistemas de pontuação. Isso guiará a tomada de decisão, permitirá uma comunicação clara e dará uma indicação das potenciais complicações e desfechos. O conhecimento atualizado sobre os avanços nas técnicas de cuidado das lesões, a fisiopatologia de cicatrização das lesões e a aplicação apropriada desse conhecimento trarão benefícios para os pacientes de trauma em sua recuperação.

## 8  Referências

1. **Levin LS.** Personality of soft-tissue injury. *Tech Orthop.* 1995;10:65–72.
2. **Schultz GS, Wysocki A.** Interactions between extracellular matrix and growth factors in wound healing. *Wound Repair Regen.* 2009 Mar-Apr;17(2):153–162.
3. **Bernstein BP, Maqungo S, Nortje M, et al.** First Clinical Use of a Novel Plasma Based Biomaterial to Augment the Healing of Open Tibia Fractures. Scientific poster No. 128 presented at: Annual Meeting of the Orthopaedic Trauma Association; October 15–18, 2014; Tampa, Fla, USA.
4. **Steenfos HH.** Growth factors and wound healing. *Scand J Plast Reconstr Surg Hand Surg.* 1994 Jun;28(2):95–105.
5. **Schmid P, Itin P, Cherry G, et al.** Enhanced expression of transforming growth factor-beta type I and type II receptors in wound granulation tissue and hypertrophic scar. *Am J Pathol.* 1998 Feb;152(2):485–493.
6. **Levin LS, Condit DP.** Combined injuries—soft tissue management. *Clin Orthop Relat Res.* 1996 Jun;(327):172–181.
7. **Gierer P, Mittlmeier T, Bordel R, et al.** Selective cyclooxygenase-2 inhibition reverses microcirculatory and inflammatory sequelae of closed soft-tissue trauma in an animal model. *J Bone Joint Surg Am.* 2005 Jan;87(1):153–160.
8. **Mittlmeier T, Schaser K, Kroppenstedt S, et al.** Microvascular response to closed soft tissue injury. *Trans Orthop Res Soc.* 1997;44:317.
9. **Morel-Lavallée M.** [Decollements traumatiques de la peau et des couches sous-jacentes. *Arch Gen Med.* 1863;1:20– 38,172–200,300–332.] French.
10. **Tseng S, Tornetta P 3rd.** Percutaneous management of Morel-Lavallée lesions. *J Bone Joint Surg Am.* 2006 Jan;88(1): 92–96.
11. **Mundy R, Chaudhry H, Niroopan G, et al.** Open tibial fractures: updated guidelines for management. *J Bone Joint Surg Rev.* 2015;3(2):e1.
12. **Mills WJ, Barei DP, McNair P.** The value of the ankle-brachial index for diagnosing arterial injury after knee dislocation: a prospective study. *J Trauma.* 2004 Jun;56(6):1261–1265.
13. **Matsen FA 3rd, Winquist RA, Krugmire RB Jr.** Diagnosis and management of compartmental syndromes. *J Bone Joint Surg Am.* 1980 Mar;62(2):286–291.
14. **Shrier I, Magder S.** Pressure-flow relationships in in vitro model of compartment syndrome. *J Appl Physiol (1995).* 1995 Jul;79(1):214–221.
15. **Heppenstall RB.** Compartment syndrome: pathophysiology, diagnosis, and treatment. *Techn Orthop.* 1997;12:92–108.
16. **Willy C, Gerngross H, Sterk J.** Measurement of intracompartmental pressure with use of a new electronic transducer-tipped catheter system. *J Bone Joint Surg Am.* 1999 Feb;81(2):158–168.
17. **Shuler MS, Reisman WM, Whitesides TE Jr, et al.** Near-infrared spectroscopy in lower extremity trauma. *J Bone Joint Surg Am.* 2009 Jun;91(6):1360–1368.
18. British Orthopedic Association Standards for Trauma (BOAST). BOAST 10: Diagnosis and management of compartment syndrome of the limbs. Available at: www.boa.ac.uk. Accessed June 2017.
19. **MacKenzie EJ, Bosse MJ.** Factors influencing outcome following limb-threatening lower limb trauma: lessons learned from the Lower Extremity Assessment Project (LEAP). *J Am Acad Orthop Surg.* 2006;14(10 Spec No.):S205–210.
20. **Higgens TF, Klatt JB, Beals TC.** Lower Extremity Assessment Project (LEAP): the best available evidence on limb-threatening lower extremity trauma. *Orthop Clin North Am.* 2010 Apr;41(2):233–239.
21. **Gustilo RB, Anderson JT.** Prevention of infection in the treatment of one thousand and twenty-five open fractures of long bones: retrospective and prospective analyses. *J Bone Joint Surg Am.* 1976 Jun;58(4):453–458.
22. **Gustilo RB, Mendoza RM, Williams DN.** Problems in the management of type III (severe) open fractures: a new classification of type III open fractures. *J Trauma.* 1984 Aug;24(8):742–746.
23. **Tscherne H, Oestern HJ.** [A new classification of soft-tissue damage in open and closed fractures]. *Unfallheilkunde.* 1982 Mar;85(3):111–115. German.
24. **Brumback RJ, Jones AL.** Interobserver agreement in the classification of open fractures of the tibia. The results of a survey of two hundred and forty-five orthopaedic surgeons. *J Bone Joint Surg Am.* 1994 Aug;76(8):1162–1166.
25. **Volgas DA.** Classification Systems. In Volgas DA, Harder Y, eds. *Manual of Soft-Tissue Management in Orthopaedic Trauma.* Stuttgart New York; Georg Thieme Verlag; 2011:62–70.

## 9  Agradecimentos

Agradecemos a Norbert Sudkamp por sua contribuição para este capítulo na 2ª edição de *Princípios AO do tratamento de fraturas.*

## 1.5 Lesão de partes moles: fisiopatologia, avaliação e classificação

# Seção 2

## Tomada de decisão e planejamento

# Seção 2
# Tomada de decisão e planejamento

| | | |
|---|---|---|
| 2.1 | **O paciente e a lesão: tomada de decisão na cirurgia do trauma**<br>*Christopher G. Moran* | 73 |
| 2.2 | **Fraturas diafisárias: princípios**<br>*Piet de Boer* | 83 |
| 2.3 | **Fraturas articulares: princípios**<br>*Chang-Wug Oh* | 93 |
| 2.4 | **Planejamento pré-operatório**<br>*Matthew Porteous* | 105 |

## 2.1 O paciente e a lesão: tomada de decisão na cirurgia do trauma

*Christopher G. Moran*

### 1 Introdução

A tomada de decisão e a comunicação são fatores vitais para uma cirurgia bem-sucedida; bons cirurgiões tomam decisões sábias. Antes de recomendar o tratamento cirúrgico, uma avaliação abrangente do paciente deve ser feita para entender a extensão completa da lesão, antecipar e prevenir complicações pós-operatórias, e determinar o potencial para recuperação.

A prioridade é salvar a vida, e o tratamento das lesões torácicas, abdominais e encefálicas sempre terá precedência. Raramente as fraturas são potencialmente fatais, mas as fraturas pélvicas podem necessitar imobilização, estabilização, compressão ou embolização para cessar uma hemorragia grave. A próxima ação na escala de importância é salvar o membro pelo tratamento precoce das lesões vasculares e fraturas expostas. As luxações articulares e as fraturas gravemente desviadas devem ser reduzidas, mas a maioria das fraturas pode ser imobilizada. Essa ação confere tempo para otimizar a condição do paciente, executar investigações e formular um plano de tratamento definitivo.

O cirurgião deve avaliar a "personalidade" da lesão. Esta é determinada por:
- Fatores do paciente
- Lesão de partes moles
- Fratura

As decisões devem ser tomadas no contexto das instalações locais de atendimento. Este capítulo apresenta esses elementos fundamentais no processo de tomada de decisão (**Fig. 2.1-1**).

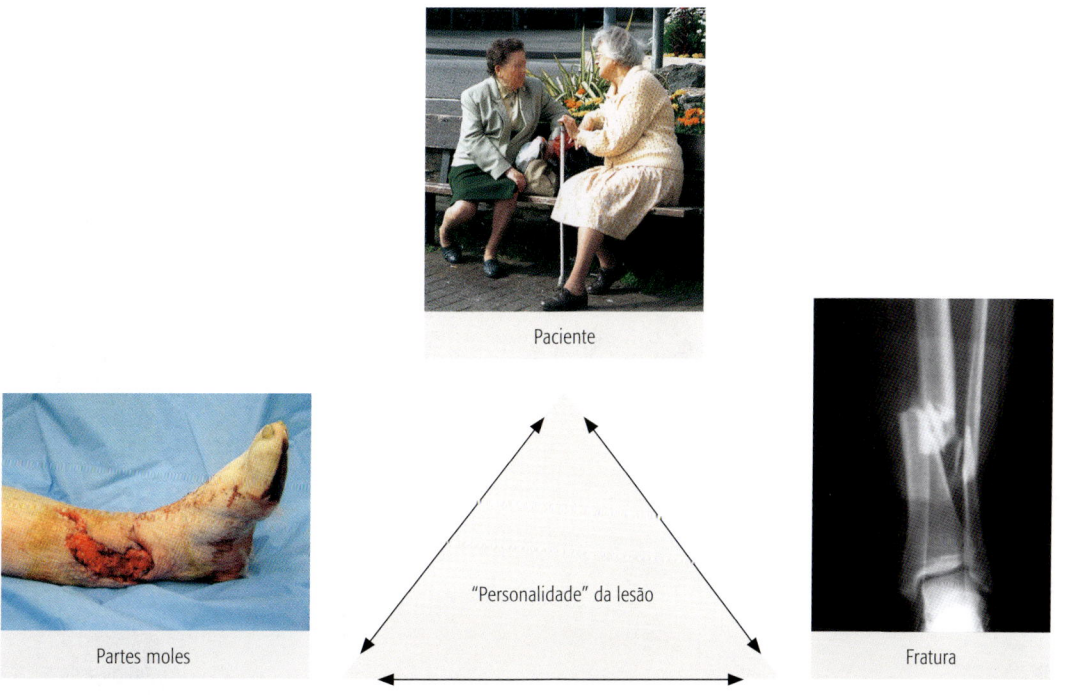

**Fig. 2.1-1** Fatores que determinam a "personalidade" de uma lesão.

Tomada de decisão e planejamento
## 2.1 O paciente e a lesão: tomada de decisão na cirurgia do trauma

## 2 Politraumatismo

A avaliação inicial e o tratamento de todos os pacientes com politraumatismo (ver Cap. 4.1) devem seguir o sistema das diretrizes de suporte avançado da vida no trauma (ATLS). Ele divide o tratamento em quatro fases:

- Avaliação primária
- Reanimação
- Avaliação secundária
- Cuidado definitivo

### 2.1 Avaliação primária e reanimação

> A avaliação primária e a reanimação são executadas de modo simultâneo, de preferência por uma equipe multidisciplinar de trauma. O objetivo da avaliação primária é identificar imediatamente todas as condições potencialmente fatais e começar o tratamento na sequência cABCDE:
>
> c – Controle da hemorragia externa exsanguinante
> A – Via aérea (*airway*) com controle da coluna cervical
> B – Respiração (*breathing*)
> C – Circulação
> D – Avaliação da incapacidade (*disability*)
> E – Exposição e controle da temperatura

Se uma equipe de trauma estiver disponível, essas fases podem ser simultaneamente executadas por membros diferentes da equipe (**Fig. 2.1-2**). A hemorragia externa exsanguinante ocorre, em geral, devido à lesão aberta de uma artéria grande, e deve ser imediatamente controlada pela aplicação de pressão direta. Um torniquete proximal pode ser aplicado se o local de lesão permitir. O pescoço e a coluna vertebral devem ser protegidos até que uma lesão nesta seja descartada, de acordo com as diretrizes locais.

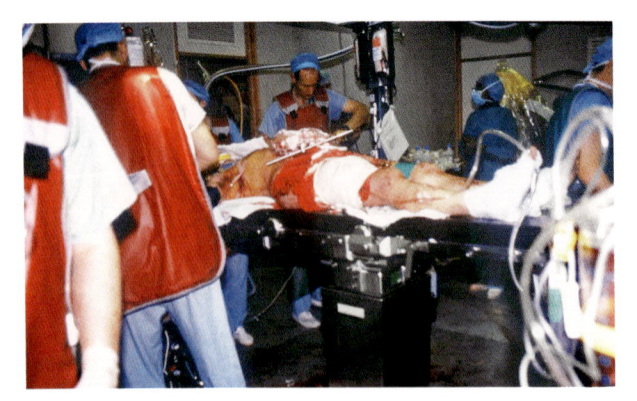

**Fig. 2.1-2** O politraumatismo é mais bem administrado por uma equipe de trauma bem organizada e multidisciplinar.

As lesões potencialmente fatais mais comuns ocorrem no tórax, no abdome e na cabeça, e devem ser tratadas rapidamente. A avaliação radiográfica precoce é essencial: é feita, de preferência, com uma tomografia computadorizada do corpo inteiro (TCCI) (série de trauma) com uso de contraste intravenoso (IV), da cabeça até a pelve, com uma incidência exploratória que inclua os fêmures [1]. Se o acesso imediato à TC não estiver disponível, devem ser obtidas radiografias iniciais do tórax e da pelve. O movimento excessivo da pelve deve ser evitado, já que pode desalojar coágulos sanguíneos de fraturas pélvicas e aumentar o sangramento. Os imobilizadores pélvicos são, hoje, muito usados para estabilizar a pelve, mas um simples cinto ou lençol amarrado pode ser temporariamente efetivo.

São raras as lesões ósseas potencialmente fatais, a menos que exista hemorragia grave de fraturas pélvicas, expostas ou de múltiplos ossos longos. A hemorragia das fraturas pode ser reduzida por imobilização precoce que restrinja o movimento e que permita a formação de coágulos. É essencial que a hipotermia seja prevenida, já que inibe a cascata de coagulação. As vítimas de trauma não penetrante ou penetrante que tenham evidência de perda sanguínea significativa devem receber ácido tranexâmico IV dentro de até 3 horas da lesão [2, 3]. A infusão precoce de produtos sanguíneos, como plasma fresco congelado, plaquetas e crioprecipitado deve ser considerada em todos os pacientes com choque hipovolêmico, usando um "Protocolo de Transfusão Maciça" que visa fornecer concentrado de hemácias, plasma e plaquetas, em uma proporção de 1:1:1 [4].

### 2.2 Avaliação secundária

A avaliação secundária ocorre quando a avaliação primária foi finalizada. Uma história completa do acidente deve ser obtida do paciente (se possível), dos paramédicos e dos familiares. Uma história médica pregressa e de drogas também deve ser obtida.

> Um exame completo da cabeça aos pés, pela frente e por trás, deve identificar lesões restantes.

Nos membros, cada osso e articulação devem ser testados, verificando-se a sensibilidade e a estabilidade, e uma avaliação neurovascular de cada membro é obrigatória. Todos os ferimentos devem ser cuidadosamente inspecionados e quaisquer contaminantes grosseiros deverão ser removidos. Se possível, fotografias devem ser tiradas antes dos ferimentos serem cobertos com curativos estéreis e umedecidos com soro fisiológico. Estes não devem ser removidos até o tratamento definitivo da ferida na sala de cirurgia. A cobertura apropriada para tétano e os antibióticos devem ser administrados. Sempre que houver suspeita de fraturas, radiografias devem ser obtidas. A TC pode ser útil na avaliação da coluna, da pelve e das fraturas articulares complexas.

## 2.3 Cuidado definitivo

A tomada de decisão é difícil nos pacientes politraumatizados, e os cirurgiões experientes devem ser chamados o mais cedo possível. Uma decisão estratégica fundamental no politraumatizado é proceder com a cirurgia de controle de danos, cuidado total precoce ou cuidado apropriado precoce, que é um conceito em evolução.

### 2.3.1 Cirurgia de controle de danos

> A cirurgia de controle de danos deve ser considerada em pacientes que permaneçam hemodinamicamente instáveis ou naqueles com hipotermia, déficit de base anormal, lactato aumentado ou anormalidades da coagulação.

Nenhuma investigação única fornece um guia claro para a tomada de decisão e, atualmente, é a condição fisiológica global do paciente que oferece o melhor guia. A resposta imunológica do paciente parece ser um fator importante [5], mas não existe nenhum teste imunológico rápido e confiável que possa ser usado na prática clínica. Em pacientes que permanecem subreanimados e com fisiologia anormal, somente a cirurgia de salvação de vida e de membro deve ser executada durante a fase inicial. As fraturas de ossos longos podem ser imobilizadas com aparelhos gessados, talas ou tração esquelética, ou rapidamente estabilizadas com fixação externa temporária simples. Os fios Schanz de fixação devem estar do lado de fora da zona de lesão e, se possível, fora da zona de qualquer cirurgia futura para cuidado definitivo (**Fig. 2.1-3a-c**). A tomada de decisão é difícil em pacientes que tenham uma lesão vascular que precise de reparo (para salvar o membro), mas permanece fisiologicamente instável. Nessa situação, a reconstrução vascular prolongada pode pôr a vida do paciente em risco e a amputação primária deve ser considerada. A cirurgia de controle de danos deve ser feita tão rápida e seguramente quanto for possível, e o paciente deve ser transferido para a unidade de cuidados intensivos o mais breve possível. A cirurgia definitiva é retardada até que o paciente atinja condição ideal, frequentemente entre 5-10 dias após o trauma [6].

### 2.3.2 Cuidado total precoce

O cuidado total precoce é benéfico em um número significativo de pacientes com politraumatismo. Envolve a estabilização cirúrgica definitiva de todas as fraturas de ossos longos durante a fase inicial de tratamento, geralmente dentro das primeiras 24 horas. Isso pode reduzir complicações pulmonares e permitir uma reabilitação mais precoce do paciente [7].

> O cuidado total precoce é indicado para pacientes com fraturas múltiplas que já estejam completamente reanimados e hemodinamicamente estáveis, com normalidade na gasometria arterial, coagulação e temperatura.

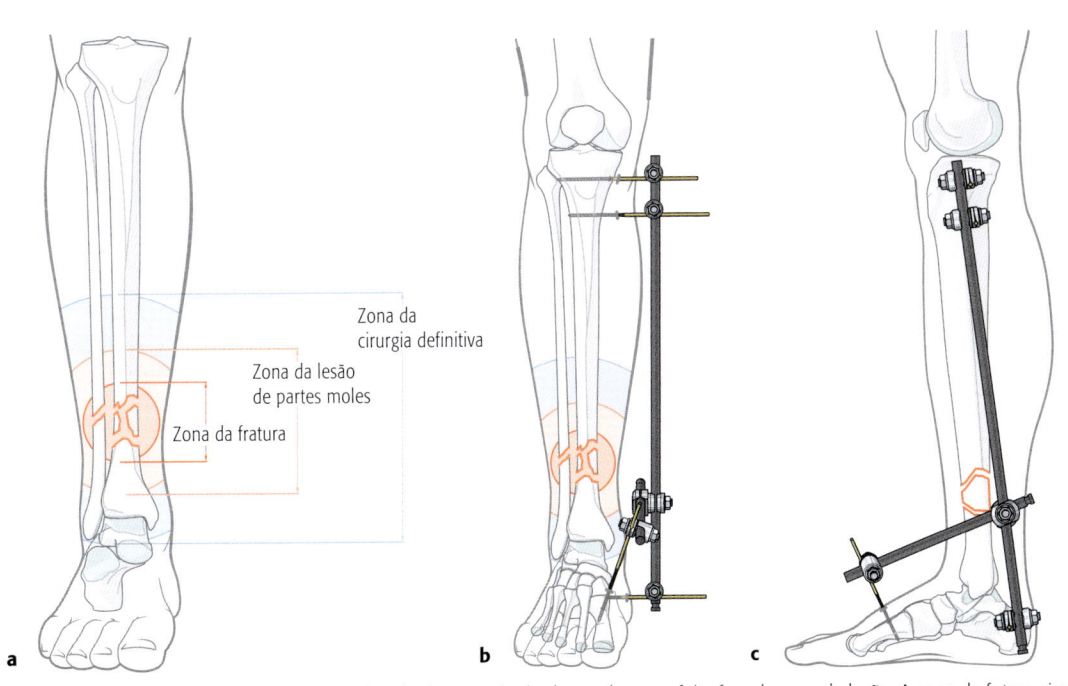

**Fig. 2.1-3a-c** A aplicação da fixação externa para a cirurgia de controle de danos deve ser feita fora da zona de lesão. A zona da futura cirurgia definitiva da fratura também deve ser delimitada, se possível.

Tomada de decisão e planejamento
## 2.1 O paciente e a lesão: tomada de decisão na cirurgia do trauma

A fixação definitiva da fratura não deve ser executada em pacientes com hipotensão persistente, taquicardia e oligúria, nem naqueles com distúrbios de coagulação, temperatura corporal interna abaixo de 35,5°C, ou gasometria arterial anormal. O lactato venoso é um bom indicador da condição de reanimação. A fixação definitiva da fratura não deve ocorrer se o lactato estiver > 3,0 mmol/L. A reanimação deve continuar e uma estratégia de controle de danos é seguida se o paciente não melhorar. Se for feita a fixação da fratura, o planejamento cuidadoso da sequência e do momento da cirurgia é essencial, já que a deterioração na condição do paciente pode obrigar a uma mudança para a cirurgia de controle de danos. É essencial o contato frequente com as equipes de cuidados intensivos e de anestesia.

### 2.3.3  Cuidado apropriado precoce

O cuidado apropriado precoce é um conceito mais recente, em que a cirurgia da fratura é retardada por até 36 horas, enquanto o paciente é completamente reanimado de forma que todos os seus parâmetros fisiológicos fundamentais retornem ao normal [8]. Durante esse tempo, as fraturas de ossos longos são imobilizadas ou colocadas em tração esquelética antes da fixação definitiva de todas as fraturas instáveis pélvicas e vertebrais, junto com todas as fraturas de ossos longos. Se os tecidos moles estiverem adequados e a equipe cirúrgica apropriada estiver disponível, a fixação de fraturas periarticulares também pode ser considerada dentro desse período, já que permite a mobilização mais rápida do paciente.

### 2.4  Lesões isoladas

As primeiras indagações a serem consideradas em uma lesão aparentemente isolada são:

- O que mais está lesado?
- O mecanismo de lesão indica que o paciente possa ter politraumatismo?
- Existe alguma lesão na articulação acima ou abaixo?

No politraumatismo, cada lesão individual deve ter a mesma avaliação completa que aquela efetuada para lesões únicas. Em cada caso, os fatores do paciente, como as comorbidades múltiplas, podem ter um efeito profundo na tomada de decisão. A avaliação local de cada lesão tem duas facetas fundamentais: os tecidos moles e o padrão de fratura. Esses fatores, junto com os fatores do paciente, determinarão a personalidade da lesão, assim como a tomada de decisão e o tratamento subsequentes.

## 3  Personalidade da lesão

### 3.1  Paciente

Uma abordagem holística do paciente é essencial. Uma história clínica e exame físico completos devem ser feitos, junto com as investigações apropriadas.

Os fatores importantes que influenciarão a tomada de decisão incluem a idade, o estado geral de saúde, a saúde mental, a profissão e os fatores sociais.

### 3.2  Idade

A idade é obviamente importante, especialmente na infância, quando o esqueleto em crescimento tem potencial para remodelar e as lesões podem resultar em distúrbios do crescimento. O desenvolvimento da osteoporose no esqueleto envelhecido tem uma influência importante nas técnicas cirúrgicas, mas a idade em si não é suficiente na avaliação de pacientes idosos. A mobilidade pré-lesão, a condição residencial, a função cognitiva, os medicamentos de longo prazo e as condições médicas preexistentes são importantes e influenciam na tomada de decisão [9, 10].

### 3.3  Estado geral de saúde

**Problemas cardiorrespiratórios** influenciam o anestésico utilizado e são fatores importantes ao determinar a aptidão física do paciente para cirurgia. O uso crescente de anticoagulação e terapia antiplaquetária para muitas doenças cardiovasculares também é um fator importante a ser considerado.

O **diabetes** altera a resposta metabólica do paciente ao trauma e requer manejo cuidadoso durante o período transoperatório. Em pacientes com diabetes, os granulócitos neutrofílicos não funcionam normalmente, o que predispõe tais pacientes à infecção. Eles também sofrem de doença microvascular, que pode causar cicatrização retardada e um aumento adicional no risco de infecção. Esses pacientes podem desenvolver neuroartropatia e destruição articular (articulação de Charcot). Uma avaliação cuidadosa da condição neurovascular do membro é essencial, e os pacientes devem estar cientes dos riscos aumentados [11].

A **doença arterial periférica** terá uma influência importante na cicatrização de partes moles e na consolidação da fratura. O índice tornozelo-braquial deve ser medido em todos esses casos.

A **doença venosa** nas pernas pode causar edema crônico, congestão venosa e ulceração, que afetarão o tratamento e o prognóstico. A cirurgia deve ser evitada, sempre que possível, nos pacientes com vasculite aguda. A presença desse problema deve sempre ser considerada em pacientes com doenças inflamatórias sistêmicas, como artrite reumatoide e lúpus eritematoso sistêmico.

A **doença renal** e a insuficiência renal crônica podem resultar em metabolismo ósseo anormal, e não é incomum tratar fraturas dos pacientes em diálise. Esses pacientes podem ter distúrbios dos eletrólitos e da coagulação e estão em risco aumentado de infecção e não união. É essencial que os nefrologistas sejam envolvidos no tratamento perioperatório, já que a doença renal preexistente é um fator fundamental no desenvolvimento de lesão renal aguda após a cirurgia.

A **doença hepática** também predispõe à osteoporose e à fratura. Os pacientes com cirrose podem ter distúrbios da coagulação. A função hepática e a coagulação devem ser sempre testadas antes da cirurgia. A hepatite viral pode pôr a equipe de enfermagem e cirúrgica em risco de infecção cruzada.

**Condições neurológicas,** como acidente vascular encefálico (AVE) e doença de Parkinson, podem alterar a capacidade do paciente em apoiar o membro e cooperar com a reabilitação. Esses pacientes têm mais risco de quedas e podem precisar de imobilizadores externos adicionais para maior proteção. Os pacientes com traumatismo craniano estão mais propensos à formação de osso heterotópico e podem ter espasticidade muscular resultando em contraturas articulares. Essas contraturas devem ser prevenidas com fisioterapia e imobilizadores.

A **doença maligna** deve sempre levantar a possibilidade de fratura patológica e a presença de um tumor ósseo primário deve ser considerada em pacientes jovens que se apresentem com uma fratura patológica. A tomada de decisão em pacientes com fratura patológica e malignidade avançada é sempre difícil e deve envolver o paciente, os familiares e a equipe de cuidados paliativos.

A **doença articular,** tal como osteoartrite ou artrite reumatoide, deve ser considerada ao se avaliar qualquer fratura.

> Algumas fraturas articulares e periarticulares podem ser tratadas com prótese articular primária se houver artrite avançada.

A presença de uma prótese articular e fratura periprotética demandará uma avaliação cuidadosa para determinar afrouxamento ou infecção preexistente, a etiologia da fratura e a relação entre as linhas de fratura e a prótese.

A **obesidade** é um importante problema de saúde no mundo ocidental e um problema crescente nos países em desenvolvimento. A obesidade mórbida cria para o cirurgião de trauma e para o anestesista alguns problemas ímpares. Os pacientes podem ser muito grandes para um aparelho de TC ou ressonância magnética, assim como as mesas operatórias comuns e a função respiratória deficiente podem impedir o posicionamento habitual em decúbito dorsal. A cooperação com os programas de reabilitação pode ser um problema, e talas ou gessados podem ser difíceis de serem colocados [12].

**Medicamentos,** como os corticosteroides, podem resultar em osteoporose, cicatrização ruim e risco aumentado de infecção. Os pacientes podem também estar em risco para uma crise addisoniana se tiverem tomado altas doses de esteroides. Os pacientes que usam imunossupressores têm da mesma forma um risco aumentado de infecção, junto com os potenciais distúrbios da coagulação. Os pacientes em uso de beta-bloqueadores e outros fármacos para o coração podem ser incapazes de responder normalmente à hipovolemia. Anticoagulantes como a varfarina são agora comumente prescritos e requerem monitoração hematológica atenta. Os anti-inflamatórios não esteroides podem ser implicados na patogênese de algumas não uniões, e alguns cirurgiões limitam o seu uso após a cirurgia para tal problema [13]. O desenvolvimento de fraturas de estresse em pacientes usando bifosfonados para tratar osteoporose foi recentemente reconhecido, com fraturas que ocorrem na região subtrocantérica e diáfise do fêmur. Os tempos de consolidação são mais lentos e a seleção da técnica e implante cirúrgico deve levar isso em conta [14]. Muitos pacientes sofrem de hipovitaminose D e precisam de suplementação com vitamina D [15].

### 3.4 Saúde mental

A saúde mental pode ter uma influência importante no desfecho após o trauma. Qualquer distúrbio psicológico preexistente deve ser considerado, e reações psicológicas pós-traumáticas são comuns. A depressão e a ansiedade são reconhecidamente associadas a um desfecho ruim após o trauma, e os pacientes podem se beneficiar de tratamento especializado se tais condições forem diagnosticadas [16]. O tratamento da dor pode ser complexo e difícil e, às vezes, precisar de especialistas dessa área. A cooperação com o tratamento, a fisioterapia e a reabilitação podem constituir um problema, sendo frequentemente necessário o envolvimento das equipes de saúde mental para otimizar o tratamento do paciente. Está bem reconhecido que a litigância para indenização judicial pode alterar radicalmente a resposta do paciente à lesão e ao tratamento [17].

### 3.5 Profissão

A profissão pode ter uma influência importante nas metas funcionais do paciente. Depois de um trauma grave na mão, os requisitos funcionais de um trabalhador de atividades delicadas, como um joalheiro, serão diferentes de um trabalhador manual pesado. Isso pode requerer um programa cirúrgico e de reabilitação completamente diferente. Os desportistas profissionais – homens e mulheres – constituem outro grupo em que as demandas funcionais podem influenciar a tomada de decisão.

### 3.6 Fatores sociais

Os fatores sociais que influenciam o tratamento das fraturas incluem o tabagismo, que pode retardar a cicatrização de partes moles e a consolidação da fratura, e o abuso do álcool, que predispõe a quedas e à osteoporose. A cooperação do paciente e a reabilitação podem ser problemáticas nesse grupo. Os usuários de drogas intravenosas apresentam desafios similares, e estão em risco de doenças

Tomada de decisão e planejamento
## 2.1 O paciente e a lesão: tomada de decisão na cirurgia do trauma

hematogênicas virais, como hepatite B, C, E, e o vírus da imunodeficiência humana. As precauções universais devem ser aplicadas para prevenir a infecção cruzada dos trabalhadores na saúde.

## 4 Partes moles

As partes moles são um fator importante para determinar o momento da cirurgia, a via de acesso cirúrgica e o risco de complicações.

Os princípios fundamentais do tratamento de partes moles foram apresentados no Capítulo 1.5. Os ferimentos militares têm as suas próprias características, e a experiência cirúrgica com essas agressões de partes moles melhora a tomada de decisão. Cada tipo de tecido mole deve ser avaliado para determinar a extensão completa da zona de lesão:

- Pele – feridas, escoriações, desenluvamento (fechado ou aberto)
- Músculos e tendões – função, síndrome compartimental
- Nervos – motores e sensitivos
- Vasos – pulsos periféricos, retorno venoso capilar

Após esse exame, a lesão de partes moles pode ser classificada e essa parte da personalidade da fratura é definida (ver Cap. 1.5).

## 5 Fratura

As radiografias simples definirão a fratura e deverão ser feitas em dois planos de 90 graus entre si. As articulações acima e abaixo da lesão devem ser mostradas. A maior parte da informação para o tratamento de fraturas vem das radiografias simples. As radiografias tiradas com a tração, depois de o paciente ser anestesiado, podem fornecer informação valiosa para o planejamento da fixação da fratura. As investigações adicionais são frequentemente necessárias. Uma TC é útil para mostrar as fraturas intra-articulares, fornecendo informações sobre tamanho, local e desvio dos fragmentos da fratura. A reconstrução computadorizada da TC nos planos sagital e coronal e nas projeções tridimensionais pode ser útil. A ressonância magnética fornece um bom detalhe das lesões ósseas e pode ser muito útil em casos de lesão combinada de osso e partes moles (p. ex., uma fratura de planalto tibial com lesão meniscal e ligamentar: ver Cap. 6.7.2).

O conceito de "estabilizar", "examinar" e "planejar" (*span*, *scan*, e *plan*) cria uma base sólida para a tomada de decisão. A avaliação completa da fratura permitirá a classificação e o planejamento cirúrgico, porém o momento da cirurgia não é determinado pela fratura, mas pela condição fisiológica do paciente e da lesão de partes moles.

## 6 Momento da cirurgia

A escolha do momento correto para a execução da cirurgia da fratura é uma decisão fundamental que será determinada pela personalidade da fratura. A cirurgia no momento errado pode ser desastrosa para o paciente. O paciente politraumatizado e hemodinamicamente instável deverá ter apenas uma cirurgia mínima para salvar a vida e o membro, e não a cirurgia complexa de reconstrução para restaurar a função articular. A cirurgia através do tecido inchado e edemaciado tem um alto risco de deiscência da ferida e infecção secundária.

A maioria dos pacientes tem uma fratura isolada e fechada. Nesse caso, a cirurgia não é urgente e deve ser agendada depois das investigações apropriadas e do planejamento. O momento da cirurgia dependerá da saúde do paciente e da condição dos tecidos moles. Idealmente, deve ocorrer dentro de 1-3 dias depois da lesão para reduzir a permanência hospitalar e permitir que o paciente comece a reabilitação precoce (**Tab. 2.1-1**). As fraturas isoladas e fechadas da diáfise femoral devem ser operadas dentro de 24 horas, pois isso reduz o risco de complicações respiratórias [18].

Os pacientes politraumatizados que estiverem hemodinamicamente estáveis e aptos para o cuidado total precoce devem realizar fixação da fratura urgentemente. Os tecidos moles determinarão o tratamento local e, se permitirem, a fixação definitiva precoce da fratura é o ideal. Os pacientes politraumatizados que estejam hemodinamicamente instáveis ou sem condições para suportar uma cirurgia prolongada (p. ex., hipotermia) devem ter a cirurgia para controle de danos ou reanimação continuada para restaurar a fisiologia normal e permitir o cuidado apropriado precoce. O momento da cirurgia definitiva da fratura pode ser difícil em pacientes que tenham precisado de talas temporárias ou de fixação externa como parte da cirurgia de controle de danos. As decisões precisam ser tomadas em conjunto com a equipe de cuidados intensivos, e evidências atuais sugerem que o cuidado definitivo deve ser retardado por 5-10 dias (ver Cap. 4.1). Isso permite que o paciente se recupere da resposta inflamatória sistêmica ao trauma, minimizando o risco de infecção secundária no trajeto do parafuso de Schanz externo.

As fraturas expostas altamente contaminadas requerem um debridamento urgente da ferida. Entretanto, um retardo mais longo é aceitável em feridas limpas e em crianças [19, 20] para evitar uma cirurgia nas primeiras horas da manhã e permitir o cuidado articular ortoplástico de feridas graves em instalações adequadas. Contudo, as feridas abertas tipo 3, especialmente na extremidade inferior, não são indulgentes em relação aos riscos de infecção tardia, e devem ser prontamente debridadas [19]. Os antibióticos devem ser administrados, e o paciente deve ter sua cirurgia agendada como o primeiro caso da manhã. A decisão de executar a cirurgia para controle de dano local (i.e., debridamento da ferida mais fixação externa temporária) ou cuidado definitivo local (i.e., debridamento da ferida mais fixação definitiva da fratura) dependerá de muitos fatores, incluindo o retardo entre a lesão e a cirurgia, o estado dos tecidos moles, as instalações disponíveis e a experiência do cirurgião. A maioria dos ferimentos necessitará de fechamento primário retardado ou cobertura com retalho. Isso deve ser feito dentro de 5 dias. Se um fixador externo temporário tiver sido aplicado, pode ser apropriado executar a fixação definitiva nesse momento.

As fraturas-luxações fechadas ou as fraturas articulares complexas formam um grupo importante a ser considerado. Estas frequentemente desenvolvem um importante edema de partes moles com flictenas. Se o paciente for visto precocemente, antes de os tecidos moles incharem, então a fixação precoce definitiva da fratura será uma opção, desde que as investigações apropriadas para o planejamento (p. ex., TC) e uma equipe cirúrgica experiente estejam disponíveis. Entretanto, a cirurgia de controle de danos local deve ser considerada se:

- As partes moles estiverem comprometidas
- As comorbidades do paciente necessitarem de tratamento antes da cirurgia
- A equipe especializada de cirurgia ou de enfermagem não estiver disponível
- Os implantes cirúrgicos/instrumentos especializados não estiverem imediatamente disponíveis

Muitas fraturas podem ser simplesmente reduzidas, imobilizadas e elevadas (p. ex., punho, calcâneo) até que o edema se resolva. Entretanto, em alguns casos (p. ex., pilão tibial, joelho), um fixador externo temporário de estabilização articular pode proteger os tecidos moles de lesão adicional e também prevenir encurtamento, subluxação articular e lesão adicional à superfície articular. Esse tratamento parece facilitar a cicatrização de partes moles e frequentemente permite ao paciente ficar em casa, enquanto o edema se resolve, geralmente de 7-18 dias. A cirurgia definitiva é agendada nesse estágio.

**Tabela 2.1-1**  O momento da cirurgia de fratura

| Tipo de lesão | Detalhes da lesão | Momento da cirurgia primária | Procedimento da cirurgia primária | Momento da cirurgia de reconstrução precoce | Cirurgia de reconstrução definitiva |
|---|---|---|---|---|---|
| **Politraumatismo** | Hemodinamicamente instável | Imediata | Cirurgia de controle de danos<br>Fixador externo | 5-10 dias<br>"Janela da oportunidade" | Após 3 semanas |
| | Hemodinamicamente estável | Imediata | Cuidado apropriado precoce | – | – |
| **Fratura exposta** | Tipo I-IIIA | < 12-24 h | Debridamento e fixação definitiva da fratura | 24-72 h<br>Redebridamento e cobertura de partes moles | Após 6-20 semanas<br>Enxerto ósseo e manejo de partes moles |
| | Tipo IIIB e IIIC | < 6 h | Debridamento, fixação definitiva da fratura ou controle de danos locais | 24-72 h<br>Redebridamento e cobertura de partes moles aos 5 dias e fixação definitiva da fratura quando limpo | – |
| **Fratura fechada** | Tecidos moles adequados | 1-3 dias | Fixação definitiva da fratura | – | – |
| | Tecidos moles ruins | < 24 h | Controle de dano local, fixador externo | – | Após 10-18 dias, quando apresentar o sinal da ruga<br>Fixação definitiva da fratura |
| **Fratura-luxação instável** | Tecidos moles adequados | < 12 h | Fixação definitiva da fratura | – | – |
| | Tecidos moles ruins | Imediata | Controle de dano local, fixador externo | – | Após 10-18 dias, quando apresentar o sinal da ruga<br>Fixação definitiva da fratura |

Tomada de decisão e planejamento
**2.1 O paciente e a lesão: tomada de decisão na cirurgia do trauma**

## 7 Comunicação

O cirurgião é o líder da equipe de atendimento que trata os pacientes com trauma.

> A comunicação clara entre médicos, enfermeiros, pacientes e familiares é uma habilidade essencial.

Uma vez que o cirurgião tenha avaliado a personalidade da lesão, ele deve formular um plano de tratamento e comunicá-lo de maneira eficaz. Existem três facetas fundamentais no plano de tratamento:

- Estratégia cirúrgica
- Tática cirúrgica
- Planejamento cirúrgico

A estratégia cirúrgica é o plano de tratamento global para o paciente, incluindo as investigações pré-operatórias, tratamento cirúrgico e clínico, e reabilitação. No paciente politraumatizado, uma boa comunicação com os outros especialistas é importante para acertar as prioridades e determinar a sequência e o momento dos procedimentos múltiplos. É essencial que um cirurgião experiente assuma a responsabilidade global do tratamento do paciente; em geral, será o cirurgião de trauma.

A tática cirúrgica é a avaliação e o planejamento para cada episódio completo na sala de cirurgia. Isso permite ao cirurgião, ao anestesista e à equipe da sala de cirurgia se preparar para cada operação. A informação fundamental que deve ser comunicada inclui o procedimento planejado, a posição do paciente, o tipo de mesa operatória, os instrumentos e implantes necessários, a necessidade de exames de imagem, transfusão sanguínea e antibióticos durante a cirurgia, imobilizadores e necessidades pós-operatórias especiais, tais como um leito na unidade de terapia intensiva.

O planejamento cirúrgico é o esboço detalhado que o cirurgião deve preparar para cada fixação de fratura. Isso permite ao cirurgião ensaiar mentalmente a operação, decidir sobre o método de redução e o tipo de fixação (incluindo instrumentos e implantes especiais) e, a partir daí, determinar a abordagem anatômica para a fratura (e, assim, o posicionamento do paciente). As complicações e os problemas intraoperatórios potenciais podem ser antecipados e evitados. Isso é uma rotina importante para os cirurgiões de trauma ortopédico, sendo descrito no Capítulo 2.4.

A comunicação adequada com os pacientes e familiares é importante. Eles devem ter uma compreensão clara da natureza da lesão, do tratamento cirúrgico pretendido, e do programa de reabilitação que deve incluir o tempo das metas de reabilitação fundamentais, como alta hospitalar, retorno ao apoio do membro, retorno à direção de veículos e retorno ao trabalho ou estudos. Uma expectativa realista do desfecho é essencial, e a boa comunicação com o paciente em geral evitará uma quebra na confiança que poderia levar a um litígio.

## 8 Ambiente dos cuidados de saúde

As instalações disponíveis para oferecer os cuidados de trauma variam muito, não só de país para país, mas também dentro de regiões e até das cidades. As instalações disponíveis serão um determinante fundamental de quais cuidados podem ser oferecidos. Antes de começar o tratamento, particularmente em casos raros ou complexos, o cirurgião deve fazer duas perguntas:

- O meu hospital tem a equipe, as instalações e os implantes para efetuar o procedimento planejado?
- O cirurgião tem habilidade, experiência e perícia suficientes para tratar essa condição?

A formulação da tática e do planejamento cirúrgico é útil e permitirá ao cirurgião antecipar as necessidades de instrumentos e implantes, procedimentos especiais, como retalhos livres microvasculares, e instalações especiais, como a unidade de terapia intensiva. Esse planejamento pode então ser comparado com as instalações e a capacidade técnica disponíveis no hospital.

> Os cirurgiões devem ter uma apreciação realista de suas próprias habilidades e limitações. Sem instalações sofisticadas e uma equipe altamente treinada, pode não ser seguro executar uma cirurgia complexa de reconstrução, e os pacientes devem ser transferidos (tão segura e rapidamente quanto possível) para uma instituição onde tais fatores estejam disponíveis.

Quando as necessidades do paciente excederem os recursos disponíveis na instituição de atendimento, tal transferência é obrigatória.

Boas instalações de reabilitação também devem estar disponíveis, já que a osteossíntese mais perfeita consistirá em um desperdício de tempo e de recursos se o paciente não receber a orientação, a fisioterapia, a terapia ocupacional e a nutrição [21] adequadas para permitir que recupere o máximo possível da função após a lesão.

## 9  Conclusão

Em resumo, o cirurgião de trauma deve ter uma abordagem holística no tratamento da fratura. É raro que as fraturas sejam potencialmente fatais, e outras lesões podem ter prioridade. A formulação de um plano de tratamento definitivo dependerá dos fatores do paciente, da lesão de partes moles e da fratura em si. Esses três fatores determinam a personalidade da lesão e devem ser completamente avaliados antes do tratamento.

Referências clássicas    Referências de revisão

## 10  Referências

1. **Huber-Wagner S, Lefering S, Qvick L-M, et al.** Effect of whole-body CT during trauma resuscitation on survival: a retrospective, multicentre study. *Lancet*. 2009 Apr 25;373(9673):1455–1461.
2. **CRASH-2 trial collaborators. Shakur H, Roberts I, et al.** Effects of tranexamic acid on death, vascular occlusive events, and blood transfusion in trauma patients with significant haemorrhage (CRASH-2): a randomised, placebo-controlled trial. *Lancet*. 2010 Jul 3;376(9734):23–32.
3. **CRASH-2 collaborators, Roberts I, Shakur H, et al.** The importance of early treatment with tranexamic acid in bleeding trauma patients: an exploratory analysis of the CRASH-2 randomised controlled trial. *Lancet*. 2011 Mar 26;377(9771):1096–1101.
4. **Holcomb JB, Tilley BC, Baraniuk S, et al.** Transfusion of plasma, platelets, and red blood cells in a 1:1:1 vs a 1:1:2 ratio and mortality in patients with severe trauma: the PROPPR randomized clinical trial. *JAMA*. 2015 Feb 3;313(5):471–482.
5. **Harwood PJ, Giannoudis PV, van Griensven M, et al.** Alterations in the systemic inflammatory response after early total care and damage control procedures for femoral shaft fracture in severely injured patients. *J Trauma*. 2005 Mar;58(3):446–454.
6. **Pape HC, Grimme K, van Griensven M, et al.** Impact of intramedullary instrumentation versus damage control for femoral fractures on immunoinflammatory parameters: prospective randomized analysis by the EPOFF Study Group. *J Trauma*.
7. **Pape HG.** *Damage-Control Orthopaedic Surgery in Polytrauma: Influence on the Clinical Course and Its Pathogenetic Background.* European Instructional Lectures. Berlin Heidelberg: Springer; 2009:67–74.
8. **Vallier HA, Wang X, Moore TA, et al.** Timing of orthopaedic surgery in multiple trauma patients: development of a protocol for early appropriate care. *J Orthop Trauma*. 2013 Oct;27(10):543–551.
9. **Alegre-Lopez J, Cordero-Guevara J, Alonso-Valdivielso JL, et al.** Factors associated with mortality and functional disability after hip fracture: an inception cohort study. *Osteoporos Int*. 2005 Jul;16(7):729–736.
10. **Todd CJ, Freeman CJ, Camilleri-Ferrante C, et al.** Differences in mortality after fracture of hip: the east Anglian audit. *BMJ*. 1995 Apr 8;310(6984):904–908.
11. **McCormack RG, Leith JM.** Ankle fractures in diabetics. Complications of surgical management. *J Bone Joint Surg Br*. 1998 Jul;80(4):689–692.
12. **McKee MD, Waddell JP.** Intramedullary nailing of femoral fractures in morbidly obese patients. *J Trauma*. 1994 Feb;36(2):208–210.
13. **Giannoudis PV, MacDonald DA, Matthews SJ, et al.** Nonunion of the femoral diaphysis. The influence of reaming and non-steroidal anti-inflammatory drugs. *J Bone Joint Surg Br*. 2000 Jul;82(5):655–658.
14. **Thompson RN, Phillips JR, McCauley SH, et al.** Atypical femoral fractures and bisphosphonate treatment: experience in two large United Kingdom teaching hospitals. *J Bone Joint Surg Br*. 2012 Mar;94(3):
15. **Sprague S, Petrisor B, Scott T, et al.** What is the role of vitamin D supplementation in acute fracture patients? A systematic review and meta-analysis of the prevalence of hypovitaminosis D and supplementation efficacy. *J Orthop Trauma*. 2016 Feb;30(2):53–63.
16. **Starr AJ.** Fracture repair: successful advances, persistent problems, and the psychological burden of trauma. *J Bone Joint Surg Am*. 2008;90(Suppl 1):132–137.
17. **Harris I, Mulford J, Solomon M, et al.** Association between compensation status and outcome after surgery: a meta-analysis. *JAMA*. 2005 Apr 6;293(13):1644–1652.
18. **Bone LB, Johnson KD, Weigelt J, et al.** Early versus delayed stabilization of femoral fractures. A prospective randomized study. *J Bone Joint Surg Am*. 1989 Mar;71(3):336–340.
19. **Weber D, Dulai SK, Bergman J, et al.** Time to initial operative treatment following open fracture does not impact development of deep infection: a prospective cohort study of 736 subjects. *J Orthop Trauma*. 2014 Nov;28(11):613–619.
20. **Skaggs DL, Friend L, Alman B, et al.** The effect of surgical delay on acute infection following 554 open fractures in children. *J Bone Joint Surg Am*. 2005 Jan;87(1):8–12.
21. **Deren M, Huleatt J, Winkler M, et al.** Assessment and treatment of malnutrition in orthopedic surgery. *J Bone Joint Surg Rev.*, 2014;2(9) e1.

## Tomada de decisão e planejamento
### 2.1 O paciente e a lesão: tomada de decisão na cirurgia do trauma

# 2.2 Fraturas diafisárias: princípios

*Piet de Boer*

## 1 Introdução

Na era da cirurgia minimamente invasiva, o tratamento das fraturas diafisárias está evoluindo e progredindo. Novos conceitos de redução e de fixação estão emergindo com base na melhor compreensão da biologia do reparo da fratura e do papel dos tecidos moles no processo de cura [1].

> A restauração do comprimento, do alinhamento axial e da rotação é essencial, mas a redução anatômica de todos os fragmentos da fratura não é necessária para uma função normal do membro.

Com mais opções disponíveis, a tomada de decisão se tornou mais complexa. Os fatores relevantes ao tratamento ideal de uma fratura diafisária devem ser constantemente revisados ao se planejar o tratamento.

## 2 Considerações funcionais

A diáfise de um osso longo tem muitas funções. As duas mais importantes são a manutenção das suas articulações, proximal e distal, em sua relação espacial correta, e fornecer uma inserção para os músculos que as movem. Nos ossos longos, o eixo mecânico normal dos membros deve ser restaurado. Isso requer a consolidação sem encurtamento, angulação ou deformidade rotacional. Uma boa função pode ser esperada, ainda que os fragmentos da fratura, individualmente, não estejam anatomicamente reduzidos (**Fig. 2.2-1**).

Alguma deformidade residual pode ser tolerada no membro inferior, sem causar problemas funcionais para as atividades normais diárias – como, por exemplo, o encurtamento de até 1 cm ou deformidades angulares mínimas no plano das articulações adjacentes. O encurvamento anterior ou posterior de até 10 graus de uma fratura da tíbia consolidada é compatível com a boa função do tornozelo, apesar da deformidade estética. Entretanto, a deformidade em valgo ou varo de até 5 graus pode submeter a articulação a forças anormais e levar à osteoartrite pós-traumática [2]. Em atletas com demandas funcionais maiores, a restauração do alinhamento axial deve ser obtida.

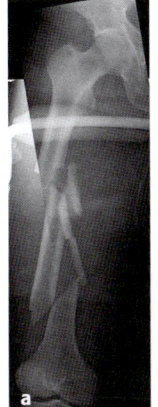

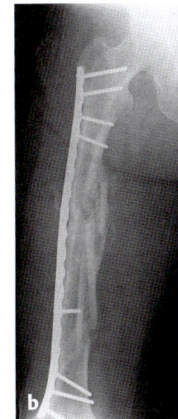

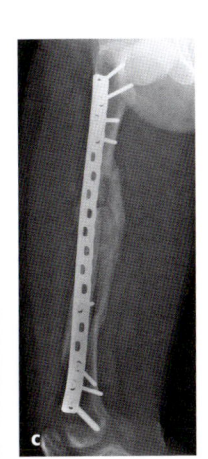

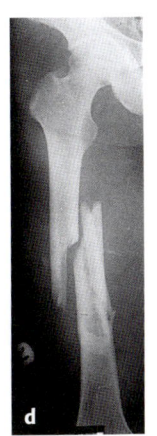

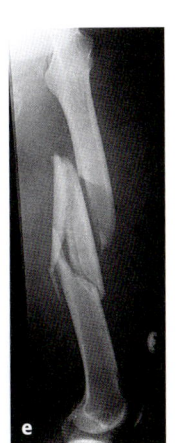

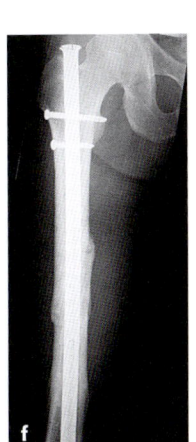

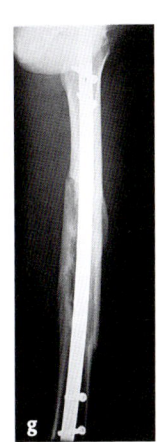

**Fig. 2.2-1a-g**  Redução indireta para restaurar comprimento, alinhamento e rotação.
**a-c**  Fixação com uma placa longa em ponte.
**d-g**  Fixação com uma haste intramedular.

Tomada de decisão e planejamento
2.2 Fraturas diafisárias: princípios

O encurtamento da diáfise do úmero produz pequena incapacidade funcional e, pelo fato de o ombro ter a maior amplitude de movimento articular no corpo, 20 graus de deformidade rotacional ou 30 graus de deformidade angular também são bem tolerados. Em contraste, as diáfises do rádio e da ulna, sendo parte de uma articulação complexa que inclui as articulações radioulnares proximal e distal, requerem uma redução anatômica para a função normal do membro.

## 3 Incidência

Em muitas partes do mundo, as melhoras no projeto dos carros, legislação sobre condução e álcool, restrições da velocidade e o uso dos cintos de segurança têm reduzido a incidência das fraturas diafisárias. Entretanto, nos países em desenvolvimento, o grande aumento no transporte mecanizado, particularmente nas motocicletas, está produzindo mais lesões diafisárias. Muitas dessas fraturas são lesões expostas e se apresentam tardiamente por causa do retardo no transporte das vítimas para o hospital. O número das lesões traumáticas em pedestres encontra-se estagnado, mas a porcentagem das fraturas expostas vem subindo. Uma população cada vez mais velha [3] tem elevado a incidência das lesões diafisárias osteoporóticas.

## 4 Mecanismo

### 4.1 Padrões de lesão

As fraturas podem ser causadas por forças diretas ou indiretas. O trauma indireto geralmente envolve menos energia que um golpe direto e causa proporcionalmente menos desvios dos fragmentos e dano de partes moles. As fraturas expostas geralmente são resultado de forças diretas [4]. Os padrões diferentes de lesão são reconhecidos na Classificação AO/OTA de Fraturas e Luxações [5] (ver Caps. 1.4, 1.5 e 4.2).

As fraturas helicoidais (A1) resultam de forças rotacionais indiretas. Elas têm grande área de superfície óssea em contato e mínimo dano de partes moles. A consolidação da fratura é, em geral, tranquila e sem complicações, embora possa ser difícil manter a redução sem alguma fixação.

As fraturas em cunha (B2) são produzidas por forças de flexão. A força aplicada ao membro é considerável, e o dano resultante ao tecido mole e ao periósteo é significativo. A consolidação pode levar mais tempo, e as abordagens cirúrgicas diretas ao local de fratura criam desvitalização óssea adicional.

Fraturas transversas (A3), fraturas fragmentadas em cunha (B3) e fraturas multifragmentadas (tipo C) são geralmente causadas por forças diretas que são com frequência de grande magnitude, especialmente no fêmur. Se o osso tiver qualidade normal e a fratura estiver muito desviada, o grau de lesão de partes moles será extenso. Mesmo com a pele intacta, a exposição direta dessas fraturas resulta em agressão adicional aos tecidos moles. Por conseguinte, o tipo de fratura e o desvio são bons preditores do dano de partes moles (**Fig. 2.2-2**). Quanto maior o dano antecipado de partes moles, mais importante será o momento da cirurgia e a escolha da abordagem, da técnica de redução e do implante (ver Caps. 3.1.2 e 3.1.3).

## 5 Avaliação inicial

### 5.1 Condição do paciente

Uma anamnese bem clara deve ser obtida ao se avaliar uma fratura diafisária, particularmente para se descobrir o mecanismo e as forças que causaram a fratura. A força gerada quando um pedestre é atingido por um para-choque de carro a 50 km/h é de aproximadamente cem vezes aquela gerada por uma queda simples. Embora as radiografias possam parecer similares, a lesão associada de partes moles será diferente.

A maioria das fraturas desviadas é identificada pela observação. A palpação é usada somente para produzir dor no osso se não houver nenhuma fratura óbvia. Os elementos mais importantes do exame físico se concentram na detecção de qualquer lesão arterial ou neurológica. As áreas anatômicas onde os vasos maiores ficam perto de ossos, como o distal do fêmur ou o proximal da tíbia, devem criar um alto nível de suspeita de lesão arterial.

> A lesão arterial dominará o processo de tomada de decisão por causa da necessidade imediata de reparo arterial, com estabilização apropriada da fratura.

> A síndrome compartimental também requer tratamento urgente. É vista principalmente na perna, mas também pode ocorrer na coxa, no antebraço, na nádega e no pé.

A síndrome compartimental pode ocorrer a qualquer momento durante os primeiros dias depois do trauma. É mais comum nas fraturas com muito desvio, mas pode ocorrer nas fraturas simples, nas fraturas expostas, após o encavilhamento intramedular (IM) e na luxação articular, especialmente no joelho. O quadro clínico e o tratamento são descritos detalhadamente no Capítulo 1.5.

### 5.2 Avaliação radiográfica

As radiografias dão suporte ao diagnóstico. As incidências em AP e lateral, incluindo as articulações adjacentes, auxiliarão na maioria dos casos; as projeções oblíquas podem ser úteis na metáfise. As radiografias permitem a

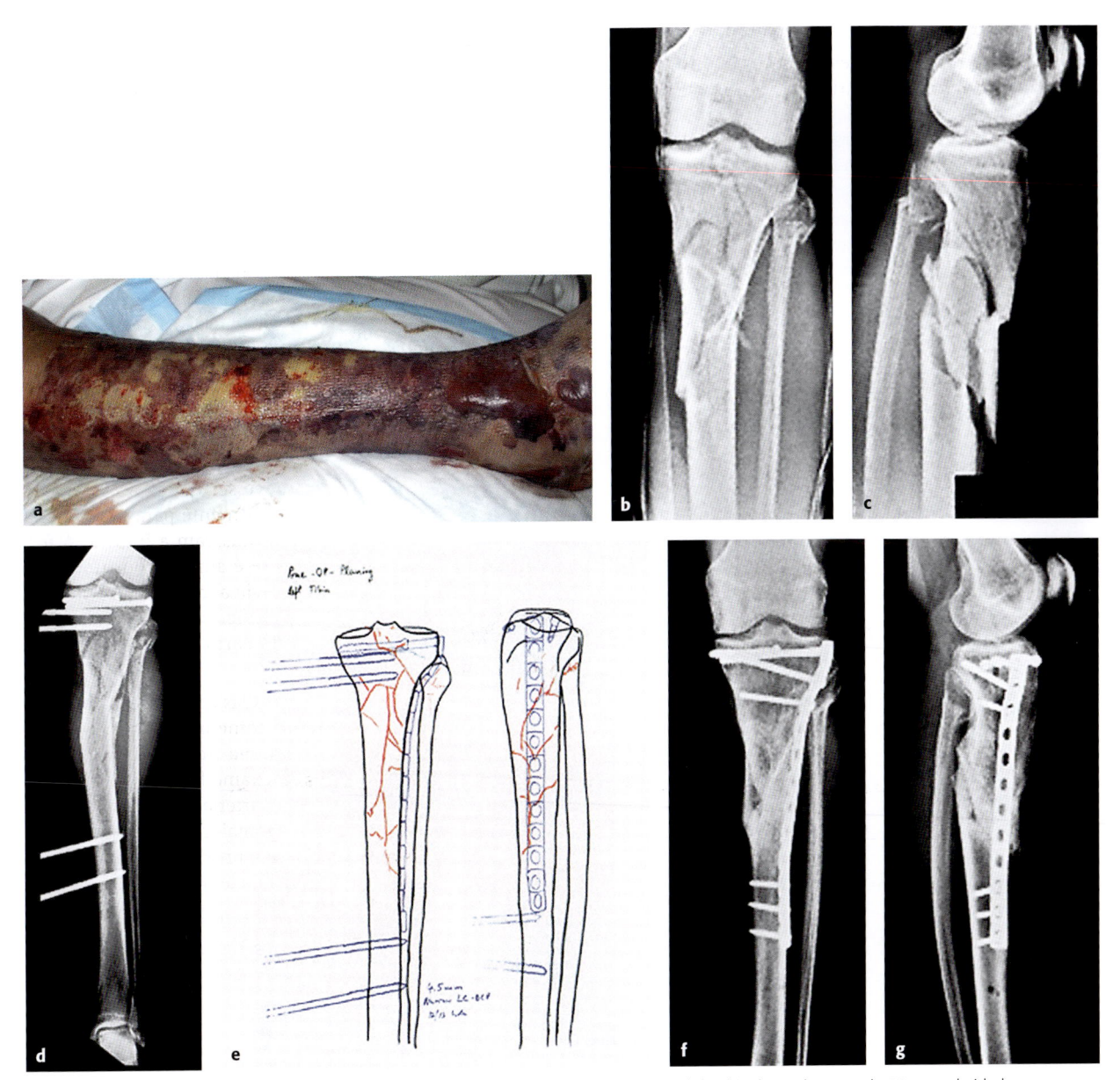

Princípios AO do tratamento de fraturas
Volume 1

**Fig. 2.2-2a-g**  Lesão de alta velocidade (colisão de veículo automotor) na metade proximal da tíbia de um homem de 30 anos de idade.
a   A lesão fechada é uma fratura multifragmentada da diáfise da tíbia, com extensão proximal metafisária e intra-articular.
b-c  O padrão complexo de fratura sugere extenso dano de partes moles, apesar de a fratura ser fechada.
d-e  Dez dias depois do acidente, quando os tecidos moles se recuperaram, uma placa em ponte foi planejada e aplicada ao lado lateral da tíbia por meio de pequenas incisões nas extremidades superior e inferior da placa escolhida. Pelo fato de a placa, isoladamente, não oferecer estabilidade suficiente para prevenir a deformação em varo, o fixador externo de estabilização foi mantido para permitir a mobilização do paciente. O fixador externo foi removido em 8 semanas, quando a formação de calo foi observada no local da fratura. O componente intra-articular da fratura foi tratado por redução fechada e parafusos canulados percutâneos, enquanto os fragmentos da diáfise foram estabilizados com um fixador externo unilateral. Ambos os procedimentos evitaram qualquer dano adicional de partes moles na zona de lesão. O joelho foi então mobilizado em uma máquina de movimento passivo contínuo (MPC).
f-g  A fratura evoluiu para consolidação sem problemas em 16 semanas. Nota: o eixo correto, o comprimento e a rotação foram preservados.

## Tomada de decisão e planejamento
### 2.2 Fraturas diafisárias: princípios

classificação precisa das fraturas diafisárias. Incidências radiográficas do lado oposto podem ser úteis para o planejamento pré-operatório (ver Cap. 2.4). A tomografia computadorizada e a ressonância magnética não têm nenhum papel na avaliação das lesões diafisárias agudas, embora possam ser úteis quando a fratura diafisária tiver extensão articular ou no planejamento da cirurgia reconstrutora em casos complexos de consolidação viciosa.

### 5.3 Lesões associadas

As lesões de partes moles sempre influenciam e com frequência ditam as opções de tratamento de uma fratura diafisária. Uma fratura fechada, simples, desviada e transversa da diáfise da tíbia pode ser tratada por encavilhamento intramedular, uso de placa ou fixação externa. A contusão cutânea grave exclui a opção do uso de placa comum, porque a abordagem cirúrgica poderia adicionalmente comprometer os tecidos moles. Um ferimento muito contaminado poderia contraindicar o encavilhamento primário, por causa do risco de sepse. Nessa situação, o tratamento preliminar com um fixador externo é o tratamento de escolha.

Similarmente, a lesão arterial aguda e a síndrome compartimental demandam um tratamento de emergência. Nos casos que requerem reparo vascular ou liberação extensa dos compartimentos musculares, a fratura associada deve ser estabilizada no mesmo tempo. Assim, a lesão associada não apenas dita a necessidade para estabilização, mas também determina o seu momento e a abordagem. O uso de uma placa na fratura por meio da exposição usada para o reparo vascular pode ser o tratamento de escolha, já que pode não haver tempo para qualquer outra coisa.

O tratamento das lesões potencialmente fatais sempre precede o tratamento de uma lesão diafisária.

> A presença de mais de uma fratura no mesmo membro pode, com frequência, tornar desejável a fixação de todas elas, particularmente se a combinação tiver produzido uma articulação "flutuante".

As fraturas adicionais em outros membros, como, por exemplo, fraturas bilaterais da diáfise umeral, podem tornar o paciente quase desamparado. Essa situação pode ditar a estabilização cirúrgica de uma fratura que poderia ser tratada de forma conservadora, se fosse isolada.

O número crescente de pacientes idosos com osteoporose e que tiveram cirurgia de substituição articular no passado tem levado a um aumento drástico na incidência de fraturas periprotéticas. Essa é agora a razão mais comum para a colocação de placa de fêmur no mundo desenvolvido [6].

### 6 Indicações para fixação cirúrgica da fratura

As indicações para fixação interna ou externa das fraturas diafisárias variam em diversos locais do mundo, dependendo das instalações disponíveis. Existem várias indicações absolutas que podem ser agrupadas ao redor de dois títulos – salvar a vida e salvar o membro.

### 6.1 Indicações absolutas
#### 6.1.1 Salvar a vida

A estabilização precoce das fraturas da diáfise do fêmur em pacientes politraumatizados que já foram completamente reanimados mostrou diminuir a morbidade e a mortalidade (ver Cap. 4.1) [7]. Entretanto, existem relatos contraditórios sobre o uso de hastes IM ou placas, enquanto a fixação externa pode ser aplicada para dar estabilização temporária [8].

A melhor compreensão dos processos inflamatórios associados ao trauma e seu tratamento têm levado a um maior uso da fixação externa para estabilizar as fraturas da diáfise do fêmur como parte do controle de danos nos casos de politraumatismo. A identificação daqueles pacientes que se beneficiariam do controle de danos ortopédicos, em oposição ao cuidado total precoce (fixação definitiva imediata) tem levado à identificação de quatro grupos de pacientes – estáveis após a reanimação; limítrofes; instáveis após a reanimação; e casos extremos. Os pacientes estáveis se beneficiam com o cuidado total precoce. Os pacientes instáveis e aqueles casos extremos se beneficiam do controle de danos ortopédicos. O tratamento ideal para os pacientes limítrofes permanece controverso, mas o conceito de cuidado apropriado precoce envolve a imobilização da fratura, a reanimação continuada na unidade de terapia intensiva para restaurar a fisiologia normal e a estabilização definitiva das fraturas de ossos longos dentro de 36 horas da lesão [9, 10] (ver Cap. 4.1).

> A estabilização precoce da fratura da diáfise do fêmur pode salvar a vida, mas o tipo e o método de estabilização permanecem controversos.

#### 6.1.2 Salvar o membro

A estabilização das fraturas diafisárias é parte de uma operação de emergência para salvar o membro no caso de lesão vascular aguda, síndrome compartimental ou fratura exposta. A instabilidade da fratura compromete não apenas o reparo vascular, mas também a cicatrização de qualquer lesão de partes moles.

### 6.2 Indicações relativas

A impossibilidade de reduzir ou manter uma fratura por meio de tratamento não operatório é uma indicação para cirurgia. As fraturas da diáfise do fêmur são difíceis de reduzir e manter em tração, e o tratamento não operatório por tração está indicado somente se não houver instalações operatórias adequadas.

As fraturas da diáfise da tíbia são, com frequência, fáceis de reduzir por manipulação, mas a estabilidade da redução depende do padrão da fratura. As fraturas transversas bem reduzidas podem ser estáveis na carga axial, mas a consolidação geralmente é lenta. O tratamento não operatório de fraturas instáveis multifragmentadas tem um alto risco de encurtamento, desvio rotacional e problemas no alinhamento [11].

As fraturas da diáfise do úmero são frequentemente difíceis de reduzir e manter por meios não operatórios, mas graus significativos de consolidação viciosa são compatíveis com uma boa função do membro e, assim, a fixação cirúrgica somente está indicada em alguns casos.

As fraturas dos ossos do antebraço são difíceis de reduzir e manter anatomicamente por meios não operatórios. Mesmo um mínimo mau alinhamento impede a função normal do membro, e a cirurgia é quase sempre indicada.

### 6.3 Mobilização precoce dos pacientes

A mobilização precoce dos membros e dos pacientes tem benefícios enormes, especialmente para o idoso. A estabilização das fraturas diafisárias permite o movimento precoce das articulações adjacentes e evita rigidez, fraqueza e atrofia muscular ("doença da fratura") que se desenvolve com o desuso e a imobilização prolongada. O movimento precoce também reduz a incidência da síndrome da dor regional complexa (SDRC) tipo 1 (ver Cap. 4.7). A fixação bem-sucedida da fratura está associada a internações mais breves, retorno mais cedo ao trabalho, e custos sociais reduzidos em relação a benefícios e invalidez.

Existem aspectos socioeconômicos importantes, por exemplo, o tratamento não operatório de uma fratura da diáfise do fêmur requer muitas semanas no hospital em comparação aos poucos dias após um encavilhamento IM. Isso torna proibitivo o custo do tratamento não operatório das fraturas da diáfise do fêmur em muitos países desenvolvidos. Entretanto, uma complicação grave após a cirurgia pode mudar drasticamente a relação custo/benefício. Na maioria dos países desenvolvidos, a demanda e as expectativas do paciente também constituem um fator importante na tomada de decisão. A internet tem criado uma geração de pacientes informados que, com frequência, se mostram pouco dispostos a passar períodos significativos imobilizados com gesso. Infelizmente, muitos *sites* da *web* são comercialmente direcionados. Os médicos precisam saber que a escolha do paciente não deve dominar completamente os seus próprios processos de tomada de decisão, e todos os pacientes devem estar cientes do risco em potencial da cirurgia, especialmente naqueles casos (p. ex., diáfise do úmero) onde o tratamento não operatório tem demonstrado resultados excelentes [12, 13].

### 7 Tratamento não cirúrgico

O tratamento não operatório, geralmente por tração e/ou gesso, pode ser usado para tratamento temporário ou definitivo. O tratamento cirúrgico das fraturas diafisárias desviadas geralmente produz resultados funcionais melhores que o tratamento não operatório em todos os ossos, exceto no úmero [13].

Vantagens:

- Risco diminuído de infecção
- Mínima demanda de equipamentos e instalações cirúrgicas
- Custos hospitalares mais baixos para muitas fraturas

Desvantagens:

- Risco mais alto de consolidação viciosa, osteoporose por desuso e rigidez de articulações adjacentes
- Permanência hospitalar prolongada nas fraturas do fêmur

Em adultos, algumas fraturas são mais adequadamente tratadas de forma não operatória. As fraturas não desviadas ou minimamente desviadas da tíbia e do úmero podem ser eficazmente tratadas de forma não operatória com um gessado bem moldado ou imobilizador (**Fig. 2.2-3**). Tal opção requer um acompanhamento regular, já que são frequentes os desvios secundários antes de a fratura consolidar.

As fraturas da diáfise do fêmur não devem ser tratadas de forma não operatória se houver instalações e possibilidade para um tratamento cirúrgico seguro. O tratamento não operatório é muito demorado e a incidência de encurtamento e deformidade angular é alta. Se não houver instalações e instrumentação cirúrgica apropriadas no local, o tratamento não operatório ainda é indicado, mesmo para as fraturas da diáfise do fêmur [14]. Provavelmente é melhor terminar com uma consolidação viciosa do que com uma osteomielite crônica. O tratamento não operatório das fraturas da diáfise femoral e tibial permanece o tratamento de escolha em grandes áreas do mundo, mesmo no século XXI. O uso correto da tração e da imobilização permanece uma habilidade cirúrgica crucial nessas partes do mundo.

Os dois principais métodos não operatórios disponíveis são a tração e o gesso. Ambos requerem habilidade, experiência e supervisão. A tração é demorada e pode causar retardo de consolidação na tíbia. Entretanto, é uma forma excelente de fixação provisória enquanto se espera pela cirurgia definitiva, caso os fixadores externos não estiverem disponíveis. O gesso, se corretamente aplicado, é seguro, embora a necessidade de imobilizar as articulações adjacentes possa causar rigidez. Isso pode ser minimizado pelo uso de imobilizadores articulados [13]. A angulação pode ser controlada por um gesso bem moldado. Entretanto, pode ser difícil controlar a rotação e o encurtamento em algumas fraturas.

Tomada de decisão e planejamento
## 2.2 Fraturas diafisárias: princípios

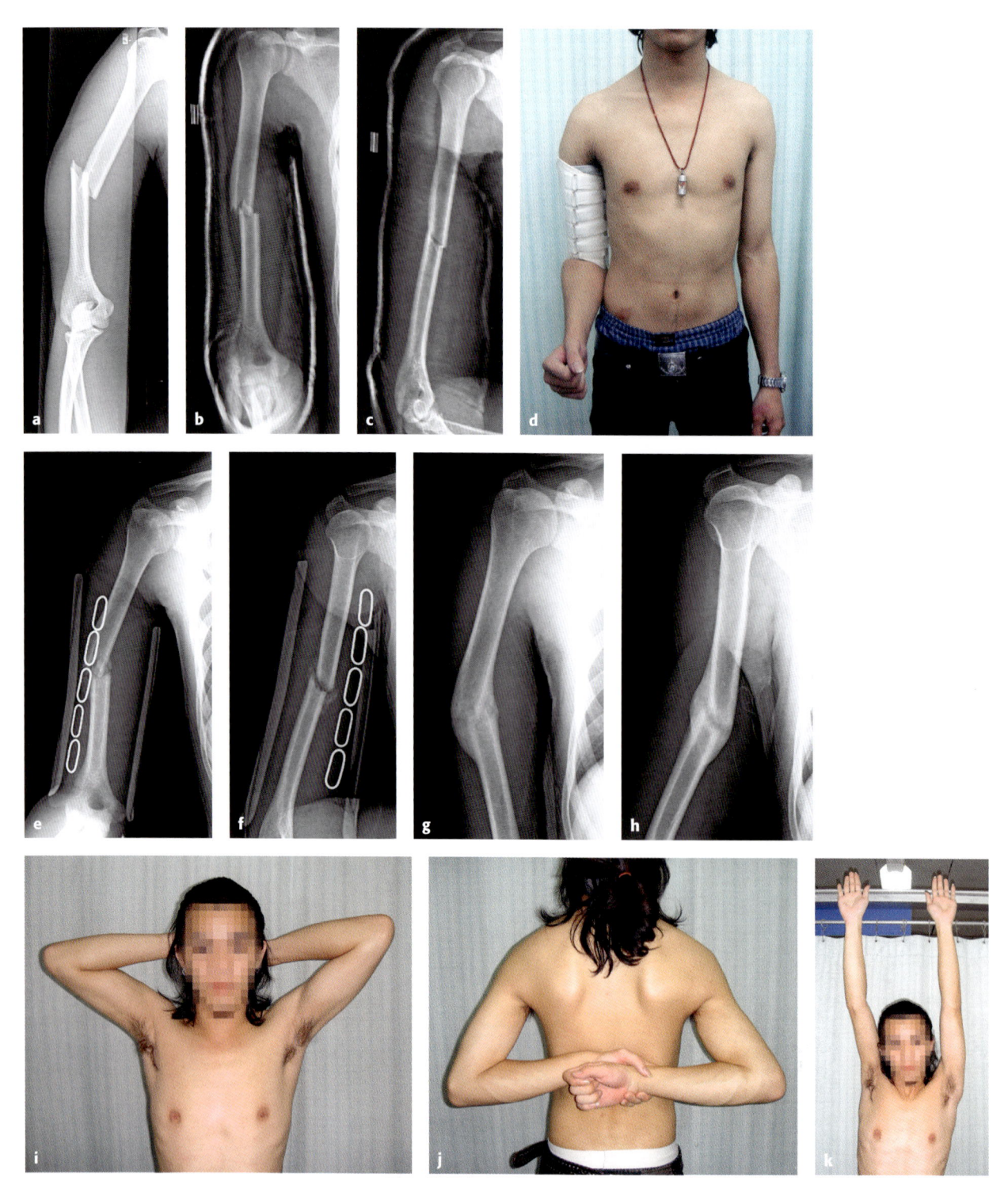

**Fig. 2.2-3a–k** Um homem de 23 anos de idade sofreu acidente de motocicleta.
- **a** Fratura da diáfise média do úmero.
- **b-c** Redução fechada e imobilização com tala em U.
- **d** Depois de 2 semanas, mudança para um imobilizador funcional.
- **e-f** Em 4 semanas, as radiografias mostram um alinhamento aceitável, com calo sob o imobilizador funcional.
- **g-h** Em 5 meses, as radiografias mostram consolidação da fratura. Angulações AP e lateral aceitáveis foram notadas.
- **i-k** Recuperação completa da função.

Sarmiento e Latta [13] publicaram resultados excelentes com o tratamento não operatório das fraturas da diáfise da tíbia, sugerindo que uma fratura não se desviará mais que seu desvio máximo inicial durante o tratamento. Deve ser reconhecido que um cirurgião geralmente desconhece o desvio máximo de uma fratura, pois este ocorre alguns milissegundos depois do trauma. As radiografias tiradas no momento da internação não demonstram o desvio máximo ocorrido na fratura. O tratamento com gesso em adultos está muito limitado àquelas fraturas diafisárias minimamente desviadas e estáveis.

## 8 Princípios do tratamento cirúrgico

Para informações mais detalhadas sobre cuidados de fraturas específicas, ver Capítulo 6.

### 8.1 Momento

O momento do tratamento cirúrgico das lesões diafisárias é crucial. Nenhum tratamento operatório deve ser contemplado até que a condição geral do paciente tenha sido avaliada. As lesões vasculares, a síndrome compartimental e as fraturas expostas são casos especiais que demandam um tratamento de emergência.

Em geral, se estiverem indicadas redução aberta e fixação interna, quanto mais cedo isso acontecer, melhor será. O edema se desenvolverá, e operar através de tecidos inchados leva à dificuldade no fechamento da ferida e ao risco subsequente de deiscência. Para a redução aberta direta, a intervenção cirúrgica dentro de 6-48 horas é recomendada para a maioria das fraturas, exceto em localizações anatômicas especiais (p. ex., proximal da tíbia, pilão, calcâneo). Se o edema significativo ocorrer mais cedo, geralmente é mais seguro usar uma imobilização ou estabilização provisória e esperar 7-15 dias até o edema regredir.

> Se houver qualquer dúvida sobre a viabilidade dos tecidos moles, é muito mais seguro aplicar um fixador externo como medida temporária e esperar pela evolução dos tecidos moles.

As fraturas da diáfise da tíbia e do fêmur são tratadas, na maior parte, por redução indireta e encavilhamento IM fechado. Nessa situação, o edema ao redor do local da fratura é menos problemático, porque essas partes moles não estão no campo cirúrgico e, portanto, o momento é menos crítico. O encavilhamento IM requer uma significativa experiência e, assim, a cirurgia pode precisar aguardar por uma equipe cirúrgica experiente (**Fig. 2.2-4**).

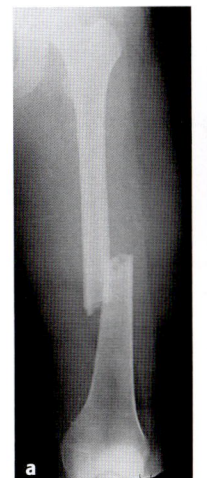

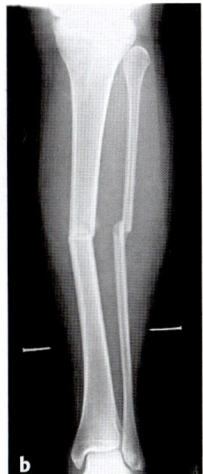

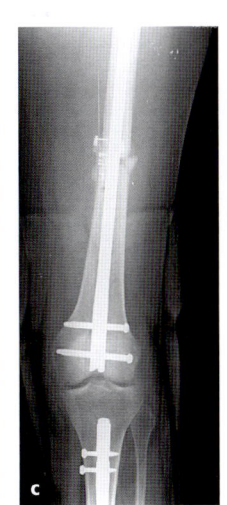

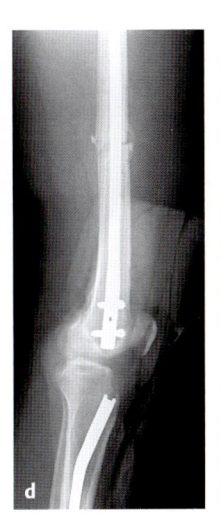

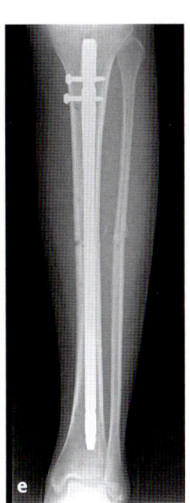

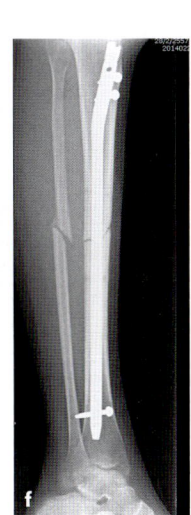

**Fig. 2.2-4a-f** Uma mulher de 25 anos de idade envolvida em uma colisão de motocicleta.
**a-b** Fraturas da diáfise do fêmur e da diáfise da tíbia (joelho flutuante).
**c-d** O fêmur foi tratado com haste femoral retrógrada.
**e-f** A tíbia foi tratada com haste tibial anterógrada.

## 8.2 Planejamento pré-operatório e vias de acesso

Todas as fixações cirúrgicas das fraturas diafisárias devem ser cuidadosamente planejadas. As técnicas de planejamento pré-operatório são apresentadas no Capítulo 2.4. O planejamento efetivo deve assegurar que o cirurgião não inicie um procedimento cirúrgico a menos que haja disponibilidade de equipe e equipamento necessários. Nas fraturas expostas, é vital antever além da primeira operação para planejar o quanto será obtido de partes moles para cobertura. Por exemplo, um fixador externo, usado para estabilização provisória, pode obstruir a colocação de um retalho de partes moles ou a fixação interna definitiva.

A via de acesso cirúrgica para uma fratura depende claramente do local, da condição das partes moles, da redução planejada e da escolha do dispositivo de fixação. O conhecimento da anatomia é essencial, e a dissecção deve ser gentil. Quando a via de acesso planejada for menos conhecida, a consulta a uma referência em acesso cirúrgico é obrigatória [15], e a dissecção de uma peça anatômica humana é desejável.

A adoção de técnicas minimamente invasivas requer acesso percutâneo, geralmente executado com controle radiográfico. Essas técnicas podem possivelmente minimizar o trauma de partes moles, mas são tecnicamente trabalhosas e exercem tração excessiva na pele, em nome de uma incisão menor, devendo ser evitadas. A necessidade de dominar a anatomia relevante e as técnicas de redução é igualmente importante nesses casos, já que o cirurgião não pode ver os tecidos e estruturas por debaixo dos tecidos moles [15].

## 8.3 Técnicas de redução e fixação

As fraturas diafisárias podem ser reduzidas direta ou indiretamente. Os princípios estão descritos no Capítulo 3.1.1.

> Independentemente da técnica, qualquer manobra de redução deve ser tão delicada quanto possível para preservar todo o suprimento sanguíneo existente para os tecidos moles e periósteo.

No tratamento das fraturas diafisárias, as técnicas de fixação mais usadas incluem o encavilhamento IM, o uso de placa e a fixação externa.

As hastes IM são imobilizadores internos que compartilham carga e permitem o apoio precoce. Eles permitem um pequeno grau de movimento no local de fratura (estabilidade relativa) e seu uso está associado à formação de calo e à consolidação óssea precoce [4]. As hastes IM bloqueadas controlam a rotação e permitem que seja mantido o comprimento nas fraturas multifragmentadas. Na extremidade inferior, os implantes de compartilhamento de carga, que permitem o apoio precoce, são normalmente preferíveis aos implantes, como placas e parafusos, que são mais propensos à falha por fadiga se a consolidação for demorada [4]. Entretanto, o encavilhamento IM está contraindicado em fraturas com um canal medular pequeno ou deformado, se o canal medular estiver ocupado por um implante ou prótese, e em crianças com placas de crescimento abertas.

As placas e parafusos podem ser uma boa opção para as fraturas diafisárias que se estendem até a área metafisária ou dentro de uma articulação. Elas podem ser introduzidas por meio de técnicas de redução diretas ou indiretas. As fraturas simples (que podem ser reduzidas anatomicamente com facilidade ou com parafusos de tração interfragmentados combinados com uma placa de proteção) são mais adequadamente tratadas com esse método de fixação ou com tratamento não operatório cuidadoso (**Fig. 2.2-3**).

> A placa em ponte, com estabilidade relativa, não é uma boa opção para fraturas diafisárias simples. O risco de não união é alto por causa do *strain* alto produzido no local de fratura [16].

O uso de placa em fraturas diafisárias multifragmentadas complexas deve ser feito por técnicas minimamente invasivas com redução indireta. A placa age como uma ponte, fornecendo estabilidade relativa e deixando o local de fratura intocado (ver Caps. 3.1.3 e 3.3.2).

> A qualidade óssea é muito importante. A osteoporose grave diminui o poder de pega dos parafusos ou pinos ou dos parafusos de fixação externa. A fixação externa e a osteossíntese das fraturas com placas e parafusos convencionais podem falhar no osso osteoporótico.

As placas bloqueadas (Cap. 3.3.4) têm expandido as indicações para a fixação com placa nas fraturas diafisárias, especialmente naquelas fraturas que se estendem para dentro da metáfise. As placas bloqueadas fornecem estabilidade maior que as placas convencionais, com melhor fixação em segmentos metafisários curtos. Essa vantagem também pode ser vista no osso osteoporótico. Há placas anatômicas pré-moldadas agora disponíveis para as metáfises de todos os ossos e que podem permitir o tratamento de lesões diafisárias associadas a fraturas metafisárias ou intra-articulares com um único implante.

Os fixadores externos ainda são o padrão-ouro no caso de problemas graves de partes moles e naquelas partes do mundo onde as hastes e as placas são mais difíceis e arriscadas de usar. Isso pode ser por causa das taxas de infecção ou por razões logísticas e técnicas como, por exemplo, esterilidade da sala de cirurgia ou falta de intensificador de imagem. Entretanto, problemas no trajeto do Schanz (infecção, afrouxamento) são comuns, e a consolidação da fratura pode ser retardada se as armações forem muito rígidas, podendo ainda ocorrer a consolidação viciosa. Por conseguinte, os fixadores externos não são uma escolha popular para a fixação definitiva, e uma conversão do método é frequentemente considerada, uma vez que os problemas iniciais da fratura tenham sido dominados (Cap. 3.3.3).

O uso de fixadores externos como uma medida temporária para permitir a recuperação de tecidos moles tem se tornado crescentemente popular, assim como o uso da fixação externa temporária para a estabilização das fraturas da diáfise femoral em politraumatizados.

O tratamento das fraturas patológicas exige consideração especial. Em um paciente com uma expectativa de vida limitada, pode ser mais sensato o direcionamento para uma melhor qualidade de vida, com mobilidade e alívio de dor, em vez de uma redução perfeita. O uso de uma técnica adjuvante, como, por exemplo, o uso de cimento ósseo, também deve ser considerado, embora possa retardar a consolidação óssea. A substituição articular com prótese também pode ser uma opção onde houver doença extensa da diáfise e da metáfise.

## 9 Cuidados pós-operatórios

A mobilização pós-operatória é influenciada pela presença de outras lesões, pela saúde geral do paciente e por aspectos psicossociais.

> O fator mais importante ao decidir sobre a mobilização e a carga funcional é a avaliação da estabilidade da fixação pelo cirurgião.

A anatomia da fratura e a técnica da fixação devem ser consideradas conjuntamente. Quando houver dúvida, a atividade pode precisar ser retardada e cuidadosamente monitorada.

> A fisioterapia para reabilitação muscular deve começar assim que possível depois da cirurgia, e continuar até que a função normal do membro seja obtida.

O movimento ativo inicial dos músculos e articulações é a melhor alternativa, mas pode ser doloroso, devendo ser combinado com o tratamento cuidadoso e planejado da dor (ver Cap. 4.7). O movimento passivo contínuo [17], se for usado, deve sempre ser combinado com exercícios musculares ativos para reduzir o risco de atrofia muscular.

A transmissão de carga é um importante estímulo para o crescimento ósseo, e a ausência prolongada da carga está associada a osteopenia de desuso, atrofia da cartilagem articular e atrofia muscular. A meta deve ser a obtenção de uma montagem de fixação que permita uma carga parcial ou completa precoce no paciente cooperativo. O planejamento pré-operatório adequado é fundamental para evitar a fixação cirúrgica que não seja suficientemente forte para permitir a mobilização, com ou sem carga.

## 10 Resultados

Os desfechos do paciente variam com a gravidade da lesão, bem como as complicações (ver Seções 5 e 6). Deve haver recuperação funcional completa nas lesões de baixa velocidade e sem dano associado de partes moles com o tratamento apropriado. As lesões de alta energia e com perda de partes moles não recuperarão função normal; contudo a avaliação cuidadosa, o planejamento pré-operatório, a técnica operatória meticulosa, a preservação de tecidos moles e a reabilitação pós-operatória diligente fornecerão a melhor recuperação possível para qualquer paciente.

Tomada de decisão e planejamento
## 2.2 Fraturas diafisárias: princípios

| Referências clássicas | Referências de revisão |

## 11 Referências

1. **Buckwalter J, Einhorn T, Simon S,** eds. *Orthopedic Basic Science.* 2nd ed. Chicago: American Academy of Orthopaedic Society; 2000:371–400.
2. **Pauwels F.** *Biomechanics of the Locomotor Apparatus: Contributions of the Ffunctional Anatomy of the Locomotor Apparatus.* Berlin Heidelberg New York: Springer-Verlag; 1980.
3. **Johnell O, Kanis J.** Epidemiology of osteoporotic fractures. *Osteoporos Int.* 2005 Mar;16(Suppl 2)S3–7.
4. **Perren SM.** The biomechanics and biology of internal fixation using plates and nails. *Orthopedics.* 1989 Jan;12(1):21–34.
5. **Müller ME, Nazarian S, Koch P, et al.** *The Comprehensive Classification of Long Bone Fractures.* Berlin Heidelberg New York: Springer-Verlag; 1990.
6. **Sidler-Maier CC, Waddell JP.** Incidence and predisposing factors of periprosthetic proximal femoral fractures: a literature review. *Int Orthop.* 2015 Sep;39(9):1673–1682.
7. **Pape HC, Hildebrand F, Pertschy S, et al.** Changes in the management of femoral shaft fractures in polytrauma patients: from early total care to damage control orthopedic surgery. *J Trauma.* 2002 Sep;53(3):452–461; discussion 461–462.
8. **Boulanger BR, Stephen D, Brenneman FD.** Thoracic trauma and early intramedullary nailing of femur fractures: are we doing harm? *J Trauma.* 1997 Jul;43(1):24–28.
9. **Vallier HA, Wang X, Moore TA, et al.** Timing of orthopaedic surgery in multiple trauma patients: development of a protocol for early appropriate care. *J Orthop Trauma.* 2013 Oct;27(10):543–551.
10. **Nicholas B, Toth L, van Wessem K, et al.** Borderline femur fracture patients: early total care or damage control orthopaedics? *ANZ Surg.* 2011 Mar;81(3):148–153.
11. **Bone LB, Sucato D, Stegemann PM, et al.** Displaced isolated fractures of the tibial shaft treated with either a cast or intramedullary nailing: an outcome analysis of matched pairs of patients. *J Bone Joint Surg Am.* 1997;79(7):1336–1341.
12. **Wallny T, Sagebiel C, Westerman K, et al.** Comparative results of bracing and interlocking nailing in the treatment of humeral shaft fractures. *Int Orthop.* 1997;21(6):374–379.
13. **Sarmiento A, Latta LL.** *Closed Functional Treatment of Fracture Bracing.* Berlin Heidelberg New York: Springer-Verlag; 1995.
14. **Dresing K, Trafton P, Engelen J.** *Casts, Splints, and Support Bandages – Nonoperative Treatment and Perioperative Protection.* New York Stuttgart: Thieme: 2014.
15. **Hoppenfeld S, de Boer P, Buckley R.** Surgical approaches in orthopaedics. In: *The Anatomy Method.* 6th ed. Philadelphia: Lippincott; 2016.
16. **Paluvadi S, Lal H, Mittal D, et al.** Management of fractures of the distal third tibia by minimally invasive plate osteosynthesis: a prospective series of 50 patients. *J Clin Orthop Trauma.* 2014 Sep;5(3):129–136.
17. **Salter RB.** The physiologic basis of continuous passive motion for articular cartilage healing and regeneration. *Hand Clin.*1994 May;10(2):211–219.

# 2.3 Fraturas articulares: princípios

*Chang-Wug Oh*

## 1 Introdução

A lesão de qualquer componente de uma articulação pode resultar em função articular alterada, por conta dos processos patológicos de artrofibrose ou osteoartrose. Por exemplo, as fraturas intra-articulares desviadas estão associadas a *gaps* ou degraus na superfície articular que podem imediatamente afetar a estabilidade, causar dor e prejudicar o movimento efetivo da articulação e a mecânica articular. A resposta inflamatória associada a tal lesão pode levar à fibrose extensa, tanto dentro da articulação quanto dos tecidos moles circundantes. Essa resposta pode ser exacerbada por imobilização imprópria ou por procedimentos cirúrgicos. Por essas razões, a redução fechada e a imobilização externa geralmente fracassavam no tratamento inicial das fraturas intra-articulares desviadas. O resultado é geralmente deformidade óssea com rigidez, dor e incapacidade funcional associadas. A introdução do tratamento com tração e mobilização articular melhorou o movimento, mas a instabilidade e a incongruência articular persistiram. Para evitar essas complicações do tratamento não operatório, Charnley [1] propôs que a perfeita restauração anatômica e o movimento articular somente poderiam ser obtidos por redução aberta e fixação interna. Entretanto, os implantes iniciais eram incapazes de alcançar estabilidade suficiente para permitir o movimento imediato e prevenir o desvio. Como resultado, os pacientes recebiam a pior combinação possível de tratamentos: os riscos da redução aberta combinada com as complicações da imobilização externa por longo prazo. Os desfechos eram ruins após a cirurgia, e a maioria dos especialistas defendia o tratamento não operatório.

O advento dos antibióticos, a manipulação melhorada de partes moles, uma metalurgia aprimorada com novos desenhos de implante e a melhor compreensão das lesões por cirurgiões dedicados aos cuidados das fraturas resultaram em maior segurança e aceitação da redução aberta e fixação interna das fraturas intra-articulares. A aplicação dos princípios de tratamento operatório de fraturas da Classificação AO/OTA de Fraturas e Luxações confirmou que a fixação interna, com estabilidade absoluta e movimento articular precoce, melhorou os resultados radiográficos e clínicos nas fraturas articulares [2].

Tomada de decisão e planejamento
## 2.3 Fraturas articulares: princípios

## 2 Considerações funcionais

O cirurgião pode atuar em três fatores fundamentais que influenciam na função articular e no risco de artrite pós-traumática: incongruência articular, mau alinhamento e instabilidade.

A incongruência da superfície articular pode causar aumento nos estresses de contato da articulação [3]. Se essa incongruência se combinar com instabilidade, pode causar movimento anormal com aumentos desproporcionais na taxa e magnitude do estresse de contato. Além disso, pode desviar anatomicamente o padrão de carga da superfície articular, iniciando osteoartrite pós-traumática com inflamação secundária, e levando à degeneração articular. Embora a evidência clínica conectando a incongruência à osteoartrite pós-traumática seja ainda inconclusiva, é importante alcançar a congruência apropriada das articulações atingidas (**Fig. 2.3-1**) [4].

O mau alinhamento pode deslocar o padrão de carga da superfície articular em uma articulação, o que pode ser crucial para a progressão subsequente da osteoartrite. O novo ponto de contato pode não ser adaptado para a carga na cartilagem e pode ser incapaz de acomodar rapidamente a transição para a carga por meio de remodelação, levando à degeneração de toda a articulação. Particularmente na extremidade inferior, a restauração do eixo anatômico é crucial [5].

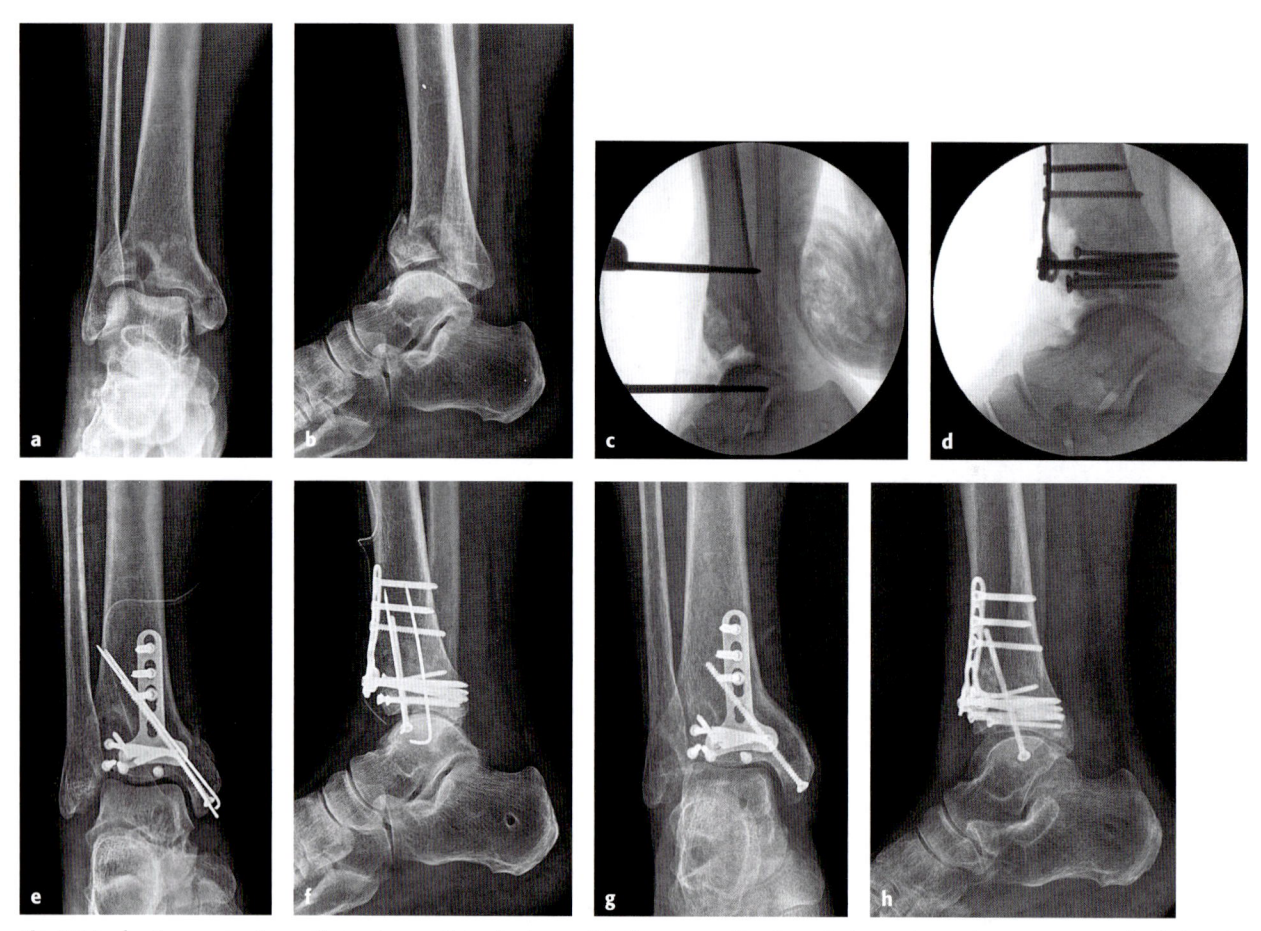

**Fig. 2.3-1a–h** A reconstrução anatômica da superfície articular, combinada com uma fixação estável, permite movimento precoce e distribui uniformemente as forças através da articulação, o que é essencial para um bom resultado em longo prazo.
**a–b** Fratura articular completa distal da tíbia.
**c–d** Com a ajuda de um distrator, a reconstrução meticulosa de superfície articular foi executada.
**e–f** Reconstrução exata da superfície articular e fixação estável, seguidas por movimento precoce da articulação do tornozelo.
**g–h** Depois de 3 anos, há sinais iniciais de artrite, mas persiste uma boa função.

A instabilidade causada por fratura, por lesão de ligamento ou de menisco, também pode levar à degeneração da cartilagem e pode ser importante na determinação do desfecho. Um exemplo é a alta incidência de subluxação posterior, como o modo inicial de falha, após a operação das fraturas multifragmentadas da parede posterior do acetábulo (**Fig. 2.3-2**). Isso pode indicar que a subluxação ou instabilidade posterior da articulação do quadril é um fator importante que leva à degeneração depois da fixação interna das fraturas da parede posterior. Nas fraturas do planalto tibial, a excisão do menisco durante a cirurgia aumenta a tensão de carga e pode provocar instabilidade na articulação do joelho. O desenvolvimento de osteoartrite e os desfechos ruins são comuns, e as técnicas cirúrgicas modernas enfatizam a importância de preservar o menisco e restaurar a estabilidade do joelho por meio de reparo apropriado ou reconstrução do ligamento (ver Cap. 6.7.2).

O mau alinhamento articular, a instabilidade articular e a incongruência articular desempenham um papel no desenvolvimento da osteoartrite pós-traumática. Entretanto, a contribuição relativa de cada fator para a progressão subsequente da artrite não foi bem caracterizada. Uma combinação desses fatores provavelmente cria um desfecho pior do que um fator isolado. A articulação envolvida também é um fator, e a artrite sintomática é mais provável em articulações de carga [6, 7].

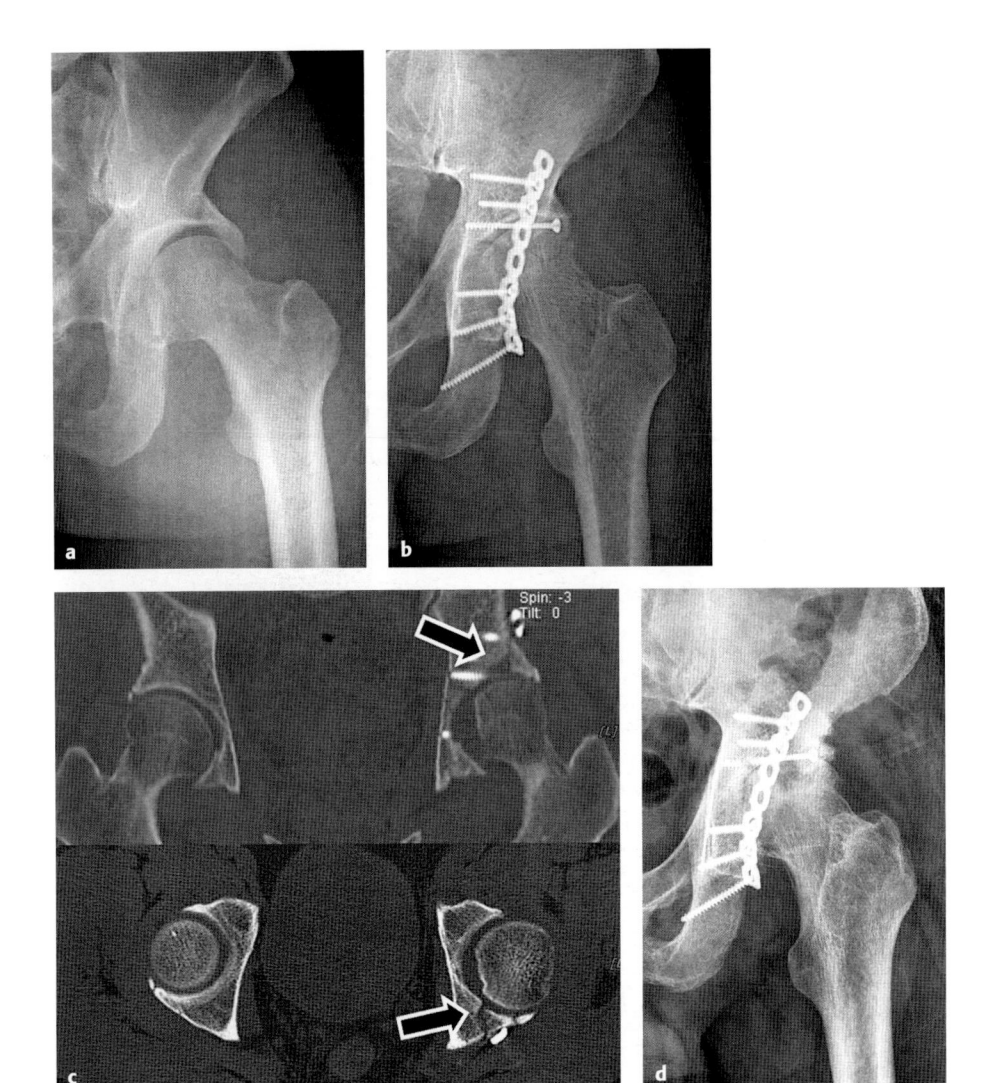

**Fig. 2.3-2a-d** Uma articulação mal reconstruída pode se tornar osteoartrítica rapidamente.
a   Fratura da parede posterior do acetábulo.
b   Reduzida e fixada com um parafuso e placa de reconstrução.
c   A tomografia computadorizada pós-operatória mostra uma redução imperfeita (setas), bem como incongruência.
d   Aos 6 meses de pós-operatório, uma artrite foi notada, com degeneração da articulação do quadril.

Desse modo, a maioria dos autores concorda que é necessário fixar com redução anatômica da superfície articular, restaurar a estabilidade articular e o alinhamento axial normal para dar ao paciente a melhor chance possível de preservação articular permanente.

A filosofia atual de tratamento cirúrgico dessas lesões é baseada nas seguintes observações [8]:

- A imobilização com gesso das fraturas intra-articulares resulta em rigidez articular.
- A imobilização com gesso das fraturas intra-articulares após a redução aberta e fixação interna resulta em rigidez muito mais intensa.
- Os fragmentos articulares deprimidos estão impactados e não serão reduzidos pela manipulação fechada e tração.
- As depressões articulares grandes não se preenchem com fibrocartilagem. A instabilidade resultante é permanente.
- A redução anatômica e a fixação estável dos fragmentos articulares são necessárias para restaurar e manter a congruência articular.
- Os defeitos metafisários sob segmentos articulares reduzidos devem ser preenchidos com enxerto ósseo estrutural ou substituto para prevenir um redeslocamento do fragmento articular.
- O desvio metafisário e diafisário deve ser reduzido para obter o alinhamento adequado do membro e prevenir a sobrecarga articular.
- A movimentação precoce é necessária para prevenir rigidez articular e assegurar a consolidação e a recuperação articular. Isso requer uma fixação interna estável.

## 3 Mecanismo de lesão

Há dois mecanismos comuns de lesão nas fraturas articulares:

1. A **aplicação indireta de força**, produzindo um momento de flexão através da articulação, que direciona uma parte desta para a superfície articular oposta. Em geral, os ligamentos são suficientemente fortes para de início resistir a essa carga excêntrica, convertendo o momento de flexão a uma sobrecarga axial direta, fraturando a superfície articular. Geralmente isso resulta em uma fratura articular parcial (**Fig. 2.3-3a-b**).
2. A **aplicação direta de força**, seja no componente metafisário ou diafisário da articulação, seja por transmissão axial da força ao longo da diáfise (**Fig. 2.3-3c-e**). Esse esmagamento ou aplicação axial direta de força causa uma explosão do osso e uma dissipação da força nos tecidos moles. Desse processo, resultam fraturas articulares multifragmentadas completas, frequentemente com lesões graves associadas em partes moles (**Fig. 2.3-4**). A qualidade óssea, a posição do membro e o vetor exato da força determinarão o padrão da fratura.

## 4 Avaliação do paciente e da lesão

### 4.1 Avaliação clínica

Muitas lesões articulares são causadas por trauma de alta energia, e a avaliação sistemática de todo o paciente é essencial, porque existe um alto risco de politraumatismo. Uma vez que as lesões potencialmente fatais tenham sido abordadas, a lesão articular deve ser avaliada de uma forma sistemática.

Ao avaliar qualquer lesão articular, deve-se atentar para o envelope de partes moles, já que as fraturas intra-articulares podem ser expostas e causar um mau alinhamento grosseiro do membro, subluxação ou luxação. As lesões ligamentares associadas devem ser inicialmente examinadas por palpação ao longo do curso do ligamento e examinadas novamente depois da fixação da fratura. A condição vascular distal à lesão deve ser avaliada em qualquer caso e anotada de forma clara no registro médico. Isso é adequadamente feito pela palpação dos pulsos distais à lesão. Se não houver nenhum pulso palpável ou se houver uma discrepância entre o lado lesionado e o lado contralateral, o uso de um monitor de Doppler e a avaliação do enchimento capilar, da cor e da temperatura de pele são necessários. O índice tornozelo-braquial (ITB) fornece informação objetiva confiável em relação ao comprometimento arterial depois de uma lesão não penetrante ou penetrante do membro inferior. Um ITB abaixo de 0,9 indica uma provável lesão vascular [9]. Um exame neurológico cuidadoso do membro também deve ser executado e documentado.

De preferência, as radiografias devem ser obtidas antes de qualquer manobra de redução fechada, mas elas devem ser imediatamente executadas se houver qualquer sugestão de comprometimento neurovascular. Se a obtenção das radiografias causar um retardo de mais que alguns minutos, o membro deve ser realinhado. Após o realinhamento e a imobilização do membro, o exame neurológico e vascular deve ser repetido (e registrado), e uma nova radiografia deve ser obtida.

Extensos ferimentos abertos, lacerações ou desenluvamentos são identificados na zona de lesão. Mesmo uma pequena ruptura da pele próxima a uma fratura deve ser considerada uma fratura exposta ou uma lesão articular exposta, até prova em contrário. O vazamento de fluido sinovial tingido de sangue, glóbulos de gordura no sangue ou o vazamento de fluido injetado na articulação indicam que uma fratura ou lesão articular se comunica com o ambiente externo.

Uma lesão extensa dos tecidos circundantes pode ocorrer mesmo na ausência de feridas abertas. A determinação do mecanismo da lesão pode ajudar a predizer a evolução da lesão de partes moles. Deve-se observar a presença e o local de quaisquer abrasões, derrame articular, flictenas

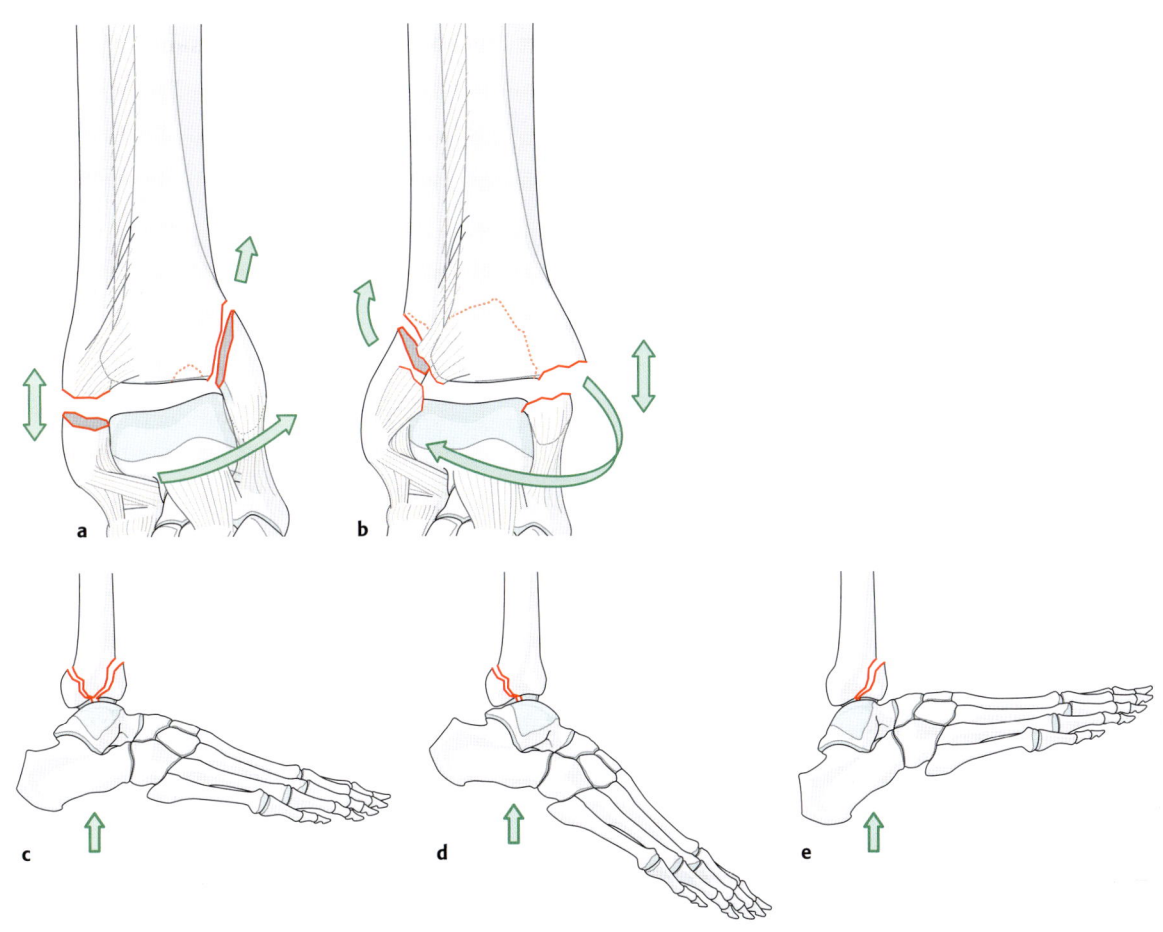

Princípios AO do tratamento de fraturas
**Volume 1**

**Fig. 2.3-3a-e** Existem dois mecanismos que geralmente causam uma fratura articular:
**a-b** Uma carga excêntrica ou força indireta pode causar excesso de pronação ou supinação ou movimento de varo ou valgo em qualquer articulação. A carga de um lado da articulação geralmente produz uma fratura de cisalhamento (**a**), enquanto uma tração nas inserções ligamentares do lado oposto resulta em uma fratura por avulsão ou um ligamento rompido (**b**).
**c-e** O outro mecanismo é uma força de carga axial, permitindo que um componente aja como um martelo sobre o outro, produzindo um impacto da superfície articular ou, se for mais grave, um impacto com fragmentação da fratura da metáfise, com ou sem a diáfise.

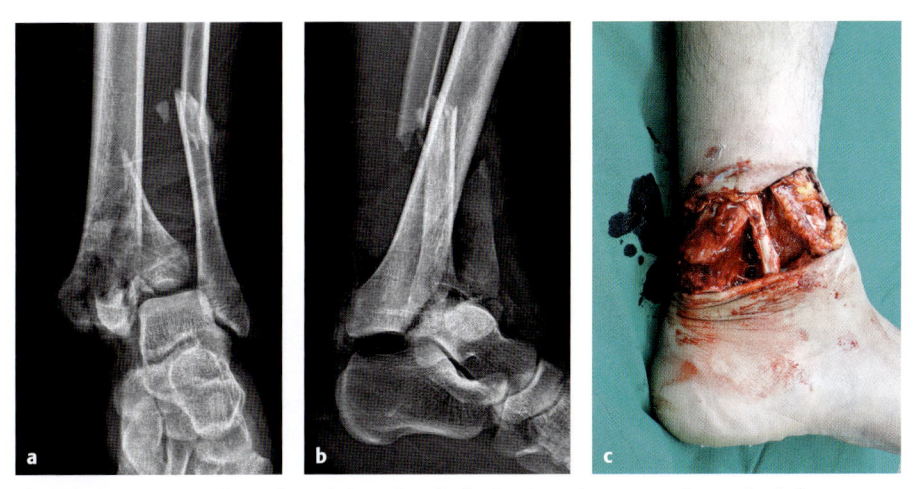

**Fig. 2.3-4a-c** A transmissão direta de força (queda de altura) resulta em grave impacção da fratura ou luxação (**a-b**) e lesões associadas de partes moles (**c**).

cutâneas e edema de partes moles. A sensibilidade focal nas inserções ligamentares pode ser a única pista para uma ruptura ligamentar. Os compartimentos musculares devem ser avaliados na busca de qualquer evidência de síndrome compartimental.

### 4.2 Avaliação radiográfica

As radiografias simples podem fornecer uma enorme quantidade de informações quanto à lesão no osso e oferecer pistas sobre as lesões associadas de partes moles. A análise radiográfica inicial inclui duas incidências obtidas em planos de 90 graus entre si e centradas sobre a zona de lesão (**Fig. 2.3-5a-b**). Se clinicamente indicado, o resto do membro deve ser submetido a exames radiográficos.

Para as fraturas simples, as radiografias anteroposteriores (AP) e lateral são suficientes. Para fraturas mais complexas, radiografias oblíquas tiradas em 45 graus em relação ao plano coronal ajudarão a identificar os fragmentos da fratura (**Fig. 2.3-5c-d**). O desvio e a fragmentação do osso articular e metafisário, identificados por incidências comuns, podem fornecer informações para planejar o tratamento. Os fragmentos articulares livres impactados no osso esponjoso de sustentação da metáfise podem ser identificados pela densidade de seu osso cortical subcondral (**Fig. 2.3-5a-d**). Os fragmentos afundados, sem inserções de partes moles, não podem ser reduzidos à sua posição original pela manipulação fechada. A identificação dos fragmentos impactados é importante porque o reposicionamento requer a redução direta.

Se houver extensa fragmentação e deformidade, a tração aplicada à extremidade durante o exame radiográfico pode melhorar a compreensão da lesão. Se for preciso, as incidências com tração podem ser obtidas sob anestesia e são úteis para planejar a fixação cirúrgica (ver Cap. 2.4)

A tomografia computadorizada com imagens sagitais e coronais reconstruídas fornece informação adicional sobre o número e a posição dos fragmentos articulares, a presença de segmentos articulares impactados, a localização das linhas da fratura metafisária e a morfologia global da lesão (**Fig. 2.3-5g-i**). Isso pode ser inestimável no planejamento pré-operatório para determinar a via de acesso cirúrgica, a colocação dos parafusos e a posição do implante. A tomografia computadorizada fornecerá mais informações depois do realinhamento de uma deformidade grave, sendo melhor retardá-la até que um fixador externo temporário seja aplicado (**Fig. 2.3-5e-f**).

## 5 Indicações para fixação cirúrgica da fratura

A restauração da função do membro depois do trauma é dependente da função articular livre e indolor. A fixação cirúrgica das fraturas intra-articulares desviadas é recomendada para se alcançar a redução anatômica da superfície articular e uma fixação com estabilidade absoluta. Entretanto, a decisão para operar não é baseada somente na fratura, mas também dependerá dos tecidos moles e do paciente: *a personalidade da lesão*. Além disso, algumas articulações toleram uma incongruência muito maior que outras, de forma que as indicações para redução cirúrgica irão variar conforme a localização da fratura.

A fixação cirúrgica de fraturas articulares em pacientes delicados e idosos com osteoporose é um desafio. Os desfechos são piores e, em algumas situações, a prótese articular primária dará resultados mais confiáveis. Isso é bem estabelecido para as fraturas subcapitais desviadas do colo do fêmur e pode também ser uma boa opção em alguns casos de fratura do acetábulo [10] e em fraturas supracondilares do cotovelo [11].

### 5.1 Indicações absolutas

As fraturas articulares requerem tratamento cirúrgico nas seguintes circunstâncias:

- Fraturas expostas (para o tratamento de partes moles)
- Fraturas-luxações irredutíveis
- Lesões neurológicas associadas quando fragmentos desviados fizerem pressão sobre nervos
- Lesões vasculares associadas
- Síndrome compartimental associada

### 5.2 Indicações relativas

A cirurgia para fraturas articulares deve ser fortemente considerada nos seguintes casos:

- Superfície articular desviada > 2 mm
- Fragmentos livres dentro da articulação
- Fraturas desviadas resultando em instabilidade
- Desvio significativo do eixo mecânico do membro

### 5.3 Mobilização precoce dos pacientes

Salter e colaboradores [2] demonstraram que a imobilização articular depois de uma lesão articular leva à rigidez e degeneração da cartilagem articular. É possível assumir que isso é devido à falta de nutrição e à formação de uma sinovite destrutiva. As experiências posteriores revelaram que o uso de movimento passivo contínuo (MPC) facilitava o reparo dos defeitos de espessura completa da cartilagem articular em coelhos imaturos. Em fraturas de alta energia do planalto tibial, o fixador externo provisório usado para lidar com o envelope de partes moles pode ser um fator de risco para o desenvolvimento de artrofibrose. Em uma pesquisa recente [12], o MPC após a fixação definitiva da fratura pode reduzir essa complicação.

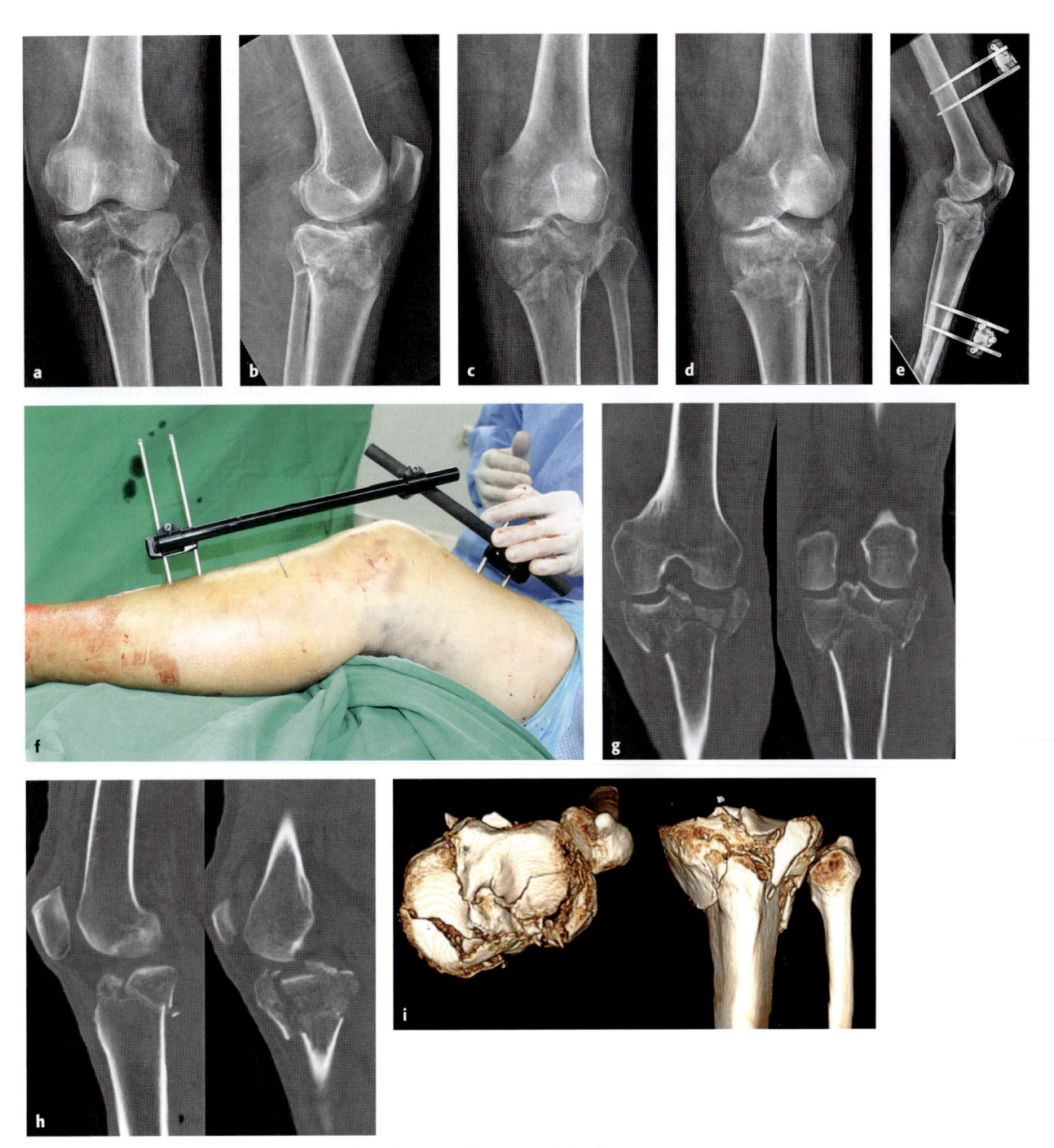

**Fig. 2.3-5a–i**  Avaliação da lesão óssea com radiografia/tomografia computadorizada.
- **a-b**  As radiografias AP e lateral comuns habitualmente demonstram o principal padrão da fratura. A impacção da superfície articular pode ser pressuposta quando houver irregularidades das linhas subcondrais e densidades duplas na metáfise.
- **c-d**  As incidências oblíquas em dois planos podem dar evidência adicional do envolvimento articular e ajudar a determinar mais precisamente a extensão e o local da lesão.
- **e-f**  A fixação externa transarticular foi feita para o cuidado da lesão de partes moles.
- **g-i**  A tomografia computadorizada foi obtida depois da fixação externa. As imagens de reconstrução bidimensional mostram a depressão e a impacção da fratura bicondilar. As imagens de reconstrução tridimensionais fornecem o retrato completo de uma articulação danificada e facilitam o planejamento pré-operatório.

## 6 Tratamento não cirúrgico

As fraturas não desviadas podem ser tratadas conservadoramente. Mesmo com fraturas intra-articulares desviadas, alguns pacientes podem ser mais adequadamente tratados sem cirurgia, especialmente aqueles com comorbidades significativas, fumantes pesados e pacientes não cooperativos. O cirurgião precisa equilibrar os riscos e os benefícios da cirurgia, e isso requer um julgamento acurado.

## 7 Princípios gerais do tratamento cirúrgico

### 7.1 Momento

Depois da avaliação completa do paciente e da lesão específica, certos fatores podem influenciar o momento da cirurgia. No politraumatismo, o momento da cirurgia dependerá da resposta fisiológica do paciente à reanimação. Durante a cirurgia de controle de danos, as únicas lesões articulares que serão abordadas são aquelas com lesão vascular, síndrome compartimental ou contaminação grave: a cirurgia limita-se a restaurar a circulação e à descontaminação. As articulações devem ser imobilizadas ou um fixador externo transarticular será aplicado. A reconstrução de fratura complexa não deve ser executada, e frequentemente é melhor retardar até a janela de oportunidade, entre os dias 5-10 (ver Cap. 4.1). A fixação precoce da fratura articular pode ser considerada em pacientes que respondem à reanimação e que estejam aptos para o cuidado apropriado precoce. Entretanto, não existe evidência de que a estabilização precoce das fraturas articulares confirme os benefícios fisiológicos que são observados com a estabilização precoce das fraturas diafisárias dos ossos longos. Desse modo, o momento da cirurgia para as fraturas articulares complexas em politraumatismos dependerá dos tecidos moles, do planejamento pré-operatório e da equipe cirúrgica apropriada.

Em um paciente com uma lesão isolada de uma articulação, o início rápido de edema excessivo depois da lesão é geralmente o resultado de hemorragia na articulação e nos tecidos circundantes. A cirurgia imediata pode permitir a evacuação de tal hematoma, enquanto a redução e a fixação reduzirão ainda mais o sangramento e, possivelmente, o edema adicional [13]. Por conseguinte, com cirurgiões experientes, o melhor momento para a fixação precoce da fratura pode ser imediatamente após a lesão.

Se uma lesão incluir a contaminação aberta de uma articulação, a cirurgia muito precoce (< 6 horas) deve ser executada, e a cartilagem articular exposta deve ser tratada com debridamento, irrigação e fechamento articular precoce. A falha em fazer tais procedimentos resultará em ressecamento da cartilagem, além de degeneração e destruição articular muito precoce.

Se o envelope de partes moles em torno da articulação estiver edemaciado ou traumatizado com abrasões, flictenas ou desenluvamento, a cirurgia aberta dentro dos primeiros dias pode estar contraindicada. A intervenção cirúrgica precoce em fraturas periarticulares complexas da perna é extensa e tem sido associada a um aumento nas complicações da cicatrização de feridas [14]. O retardo da cirurgia definitiva por vários dias pode ser mais apropriado. A estabilização temporária da fratura por um fixador externo articular pode ser útil para prevenir danos adicionais de partes moles e manutenção do alinhamento geral. O fixador externo deve ser colocado fora da zona de lesão e fora da zona potencial de cirurgia definitiva. Isso não só reduz a dor e leva a uma resolução mais rápida do edema, mas também torna a reconstrução retardada muito mais fácil. O momento de fixação definitiva é determinado pela condição do paciente e do envelope de partes moles. É seguro operar quando a pele na área da cirurgia planejada já tiver recuperado suas pregas e rugas.

As abrasões e flictenas precisam estar epitelizadas e secas antes de se executar uma cirurgia na sua proximidade. No caso de um desenluvamento subcutâneo fechado ou esmagamento da gordura subcutânea, recomenda-se o debridamento cirúrgico precoce, seguido por uma reconstrução articular retardada.

Deve ser reconhecido que a cirurgia retardada torna a redução mais difícil, já que o hematoma se organiza e os tecidos moles ficam mais rígidos e mais difíceis de mobilizar por causa da induração. Isso pode criar um risco sério se a via de acesso demandar exposição e mobilização de vasos importantes (veias grandes têm um risco particular de lesão). Desse modo, o cirurgião precisa equilibrar os riscos da cirurgia precoce com maior potencial para complicações na ferida contra o risco de uma redução deficiente da fratura com a cirurgia retardada. Nas fraturas do acetábulo, redução e desfechos melhores podem ser alcançados em pacientes com cirurgia dentro de 5 dias [15].

### 7.2 Planejamento pré-operatório

O planejamento pré-operatório é um pré-requisito importante na redução aberta e fixação interna das fraturas intra-articulares. A análise radiográfica adequada, junto com a avaliação de partes moles, permitirá ao cirurgião entender a personalidade da lesão e o que será necessário para alcançar as metas cirúrgicas. A decisão dos detalhes do procedimento, incluindo a mesa operatória, posição do paciente, via de acesso, tática de redução, instrumentos específicos, implantes e necessidade de radiografia transoperatória antes de começar o procedimento permitirá que a cirurgia prossiga de maneira mais eficiente e sem os perigos de problemas imprevistos (ver Cap. 2.4).

Um planejamento detalhado dos diferentes passos e da tática cirúrgica é obrigatório antes de se começar qualquer cirurgia de uma fratura intra-articular. Também serve como uma ferramenta educacional e pode ser usado para o controle de qualidade pelo cirurgião e seus pares.

## 7.3 Técnicas de redução e fixação

A redução indireta usando tração e ligamentotaxia pode ser efetiva para as fraturas articulares onde os fragmentos tiverem tecidos moles (principalmente cápsula articular) ainda inseridos. A redução direta é necessária para os fragmentos articulares centrais que estejam impactados (afundados) ou livres dentro da articulação. Todas as superfícies da fratura devem ser completamente limpas de hematoma e qualquer calo inicial. Todos os fragmentos articulares devem ser inicialmente retidos como chaves para a redução final, não importando o seu tamanho. Os fragmentos osteocondrais livres podem ser removidos do ferimento, mas os fragmentos impactados não devem ainda ser elevados de seus leitos esponjosos subjacentes. Uma vez que os fragmentos tenham sido eliminados, a tração é reduzida para permitir que as porções intactas da articulação retomem a sua posição anatômica. Se houver estabilidade inadequada, um distrator grande ou um fixador externo pode ser usado para manter a distração e o alinhamento axial e permitir alguma redução indireta dos fragmentos da fratura (**Fig. 2.3-6a**). As superfícies articulares intactas e as superfícies articulares opostas são usadas como gabaritos para julgar a redução de fragmentos articulares desviados ou impactados.

Os fragmentos osteocondrais impactados devem ser elevados do osso metafisário subjacente, junto com um bloco adequado de osso esponjoso, usando um osteótomo ou elevador. Essa técnica mantém a zona impactada entre o osso cortical subcondral e seu osso esponjoso subjacente, facilitando a fixação futura (**Fig. 2.3-6b**).

A cartilagem livre ou fragmentos osteocondrais pequenos (< 4 mm) sem qualquer suporte de osso esponjoso são úteis para reduzir fragmentos articulares maiores. Entretanto, pode ser difícil de reter e fixá-los confiavelmente, e a sua viabilidade em longo prazo é questionável. Em geral, é melhor removê-los depois de ajudar na redução.

Os defeitos ósseos remanescentes dentro da metáfise podem ser preenchidos com enxerto ósseo autógeno ou alogênico, ou substitutos ósseos para fornecer um suporte estrutural inicial à superfície articular e para estimular a reconstituição do estoque ósseo metafisário. Isso também pode fornecer um suporte para a superfície articular quando a carga tiver sido retomada. A redução da cortical e das inserções de partes moles ajudará na redução dos fragmentos periféricos da fratura e de suas superfícies articulares associadas. Pinças ósseas autocentrantes ou fios de Kirschner são temporariamente usados enquanto a redução é confirmada radiograficamente (**Fig. 2.3-6c**).

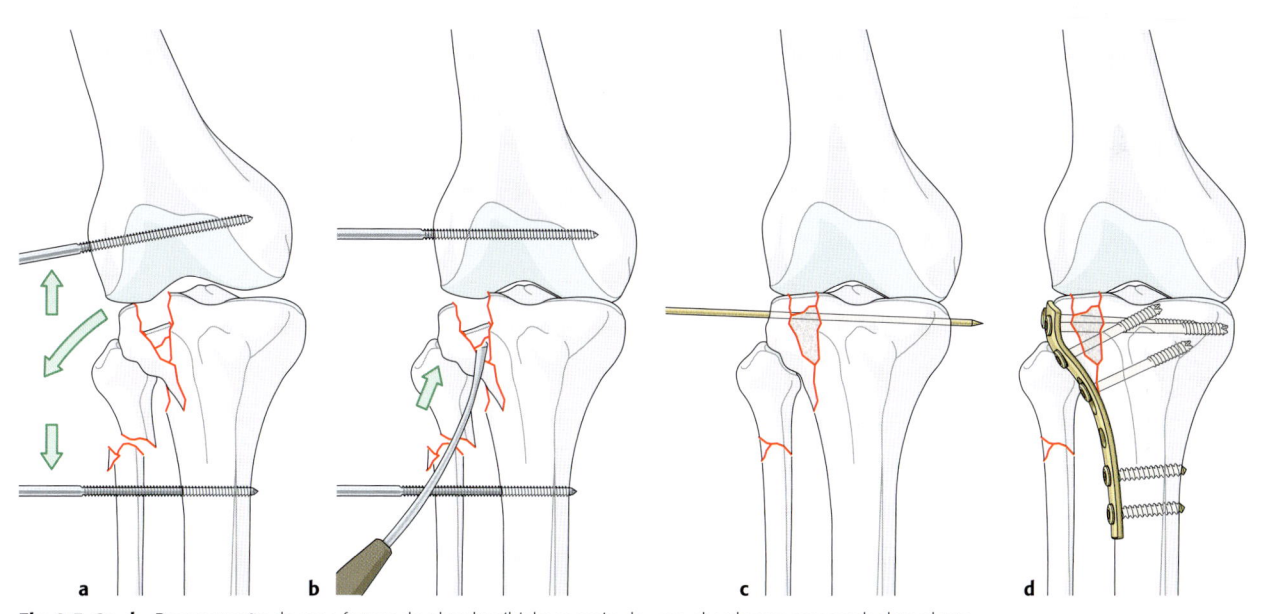

**Fig. 2.3-6a-d** Reconstrução de uma fratura do planalto tibial por meio de uma abordagem parapatelar lateral reta.
**a** A redução indireta e o alinhamento axial são alcançados por ligamentotaxia e um distrator para suporte articular.
**b** O grande fragmento articular impactado é elevado com um impactor curvo introduzido através da fratura ou por uma janela cortical na metáfise.
**c** Depois da fixação temporária do fragmento reduzido com um fio de Kirschner, o defeito ósseo metafisário é preenchido com osso esponjoso autógeno ou um bloco corticoesponjoso que atua como uma longarina.
**d** O planalto lateral reconstruído é então sustentado por uma placa convencional ou bloqueada. O fio de Kirschner foi substituído por um parafuso esponjoso de tração de 6,5 mm.

Em fraturas articulares com fissuras parciais simples, a redução fechada pode ser tentada usando-se o intensificador de imagem ou artroscopia para verificar a redução, seguida por fixação minimamente invasiva com parafusos de tração. Para as fraturas articulares completas com fragmentação metafisária (lesões C3), nenhuma porção da superfície articular tem qualquer contato com a diáfise. O cirurgião tem duas estratégias para redução: ou reconstrói a superfície articular (convertendo uma fratura tipo C em uma tipo A) e, então, a reinsere à metáfise, ou reduz a parte mais simples da metáfise e da articulação com a diáfise (convertendo uma fratura tipo C em uma lesão articular parcial tipo B) e, então, reduz o resto da articulação e da metáfise, produzindo uma redução anatômica.

A inspeção direta da superfície articular, seja por artrotomia ou por artroscopia, ajudará a avaliar a redução das superfícies articulares. A intensificação de imagem ou radiografias intraoperatórias também fornecerá a informação sobre a redução. Uma vez que a redução pareça satisfatória, a fixação da porção intra-articular pode ser completada (**Fig. 2.3-7**). A fixação com parafuso de tração cria compressão entre os fragmentos da fratura e resulta em uma fixação estável. Se houver fragmentos múltiplos e pequenos, é preciso ter cuidado para não comprimi-los excessivamente. Nessa situação, a redução e o suporte da fratura sem compressão podem ser mantidos com parafusos de posição de rosca completa, pois a estabilidade absoluta não pode ser obtida. Múltiplos parafusos de 3,5 mm podem ser aplicados ao osso subcondral para suportar os fragmentos da fratura. Esta "técnica de *rafting*" é mais adequadamente usada em combinação com parafusos de cabeça bloqueada através de uma placa, produzindo um dispositivo de ângulo fixo que apoia a superfície articular. O efeito desse suporte estável sobre a biologia local do osso e da cartilagem ainda não está claro.

### 7.4 Fraturas articulares com extensão metafisária/diafisária

Uma vez que o bloco articular tenha sido reduzido anatomicamente e fixado com estabilidade absoluta, a próxima tarefa é juntá-lo no alinhamento axial e rotacional correto em relação à diáfise. A redução exata dos fragmentos corticais na metáfise geralmente não é necessária. Essa fixação deve ser estável para permitir movimento precoce da articulação. Isso pode ser alcançado usando uma placa, fixador externo, ou uma haste intramedular bloqueada. Defeitos maiores do osso esponjoso podem precisar de algum tipo de enxerto ósseo ou substituto ósseo (**Fig. 2.3-6d**).

Os fixadores externos híbridos e os fixadores em anel podem ser usados, com exposição cirúrgica limitada da metáfise/diáfise [16].

Uma parte significativa da força é transmitida pelo fixador, e a estabilidade relativa de toda a montagem será suficiente para permitir movimento precoce controlado.

A fragmentação da metáfise ou da diáfise pode tentar o cirurgião a reduzir com precisão e fixar internamente todos os fragmentos corticais não articulares. Tais reduções exatas podem resultar em melhor estabilidade, mas sacrificando a biologia (p. ex., desvascularização dos fragmentos). Isso demonstra uma técnica cirúrgica deficiente, com um alto risco de infecção e não união.

### 7.5 Reparo de partes moles

As lesões ligamentares associadas às fraturas articulares são frequentes, mas nem sempre são diagnosticadas. Ligamentos rompidos podem impedir a redução (p. ex., o ligamento deltoide nas fraturas maleolares) ou causar instabilidade (p. ex., canto póstero-lateral do joelho). O tratamento dependerá da articulação envolvida com o reparo primário ou secundário, ou mesmo nenhum reparo. Similarmente, o menisco de uma articulação pode estar envolvido, como no joelho, por exemplo, onde o reparo ou a reinserção do menisco é fortemente recomendada. Isso adicionará estabilidade à articulação e reduzirá o risco de artrite pós-traumática [17].

## 8 Tratamento pós-operatório

O objetivo da cirurgia é fornecer fixação estável que permita exercícios ativo-assistidos pós-operatórios precocemente, sob a supervisão de um terapeuta. Os exercícios musculares isométricos são iniciados no primeiro dia após a operação.

Uma tala removível pode ser usada para manter a posição ideal da articulação e do membro até que seja recobrado o controle muscular do movimento articular. Isso ajudará na recuperação de partes moles. Embora a importância do movimento precoce para a regeneração da cartilagem e cicatrização dos ligamentos tenha sido demonstrada, a imobilização pós-operatória intermitente pode ser necessária para assegurar a cicatrização, especialmente quando a cooperação do paciente for duvidosa ou quando a fixação não tiver sido a ideal. A rigidez pós-operatória se torna, então, mais provável. A carga limitada (10-15 kg) geralmente é prescrita por 6-8 semanas depois da cirurgia, podendo, então, ser aumentada, dependendo dos achados clínicos e radiográficos.

A vigilância regular com radiografias pode ajudar a detectar uma perda de redução ou da fixação e guiar a reabilitação, permitindo uma intervenção corretiva oportuna.

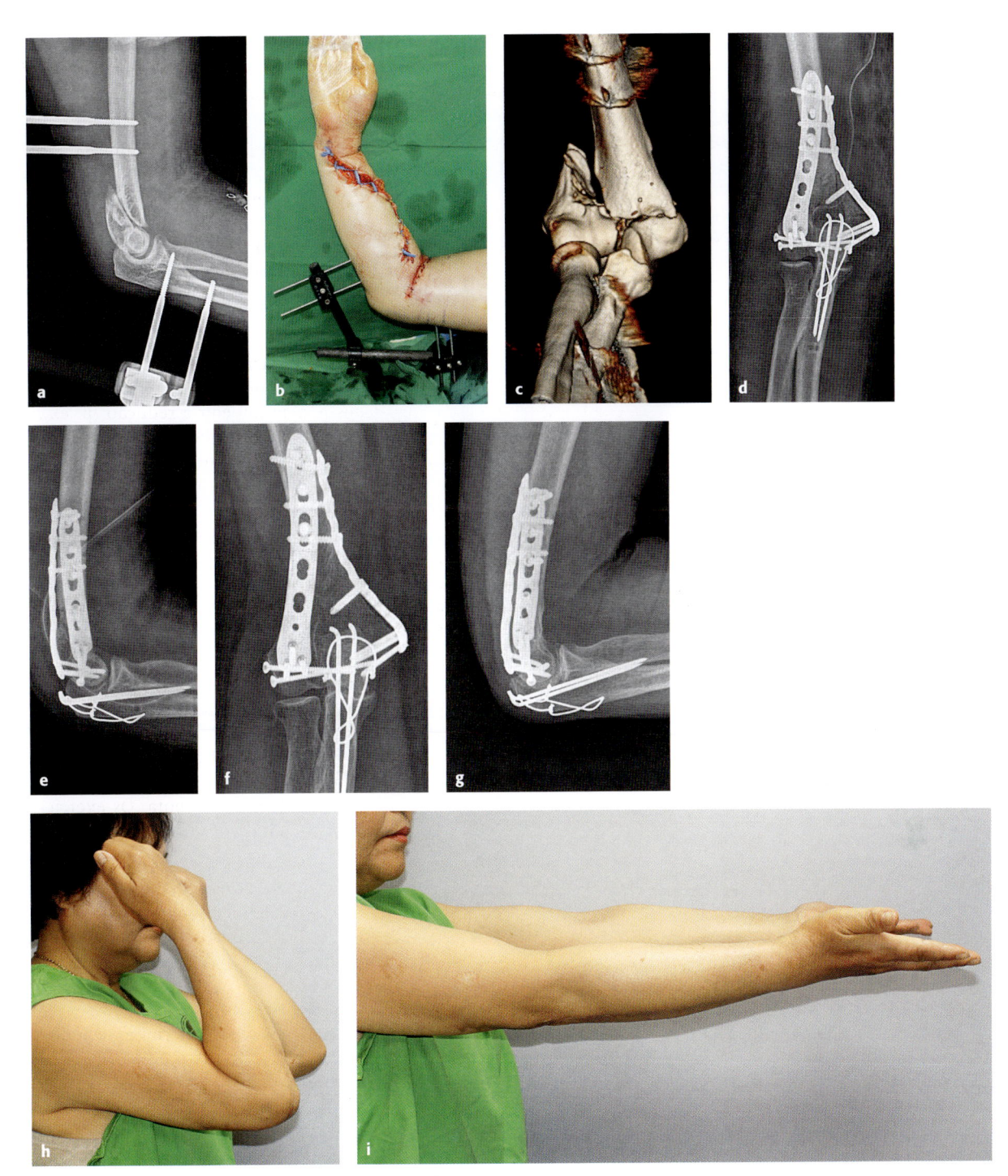

**Fig. 2.3-7a-i** Fratura da distal do úmero com lesão arterial.
- **a-b** Fixador externo temporário de sustentação articular para controle de dano, aplicado após o reparo da artéria braquial.
- **c** A reconstrução com tomografia computadorizada mostra a fratura intra-articular.
- **d-e** Depois da remoção do fixador externo, em 2 semanas, foi feita a redução aberta e fixação interna. Os fragmentos articulares foram limpos, e a fratura articular reduzida. Mantendo a redução, parafusos corticais de 3,5 mm foram inseridos como parafusos de tração para manter a reconstrução da tróclea. Foram usadas placas LCP de 3,5 na região distal do úmero.
- **f-i** Após 2 anos da operação, o paciente tinha flexão irrestrita do cotovelo, com um pequeno déficit da extensão.

## 9 Resultados

O objetivo principal do tratamento cirúrgico nas fraturas articulares é alcançar uma redução anatômica, alinhamento axial correto e fornecer uma fixação estável para permitir a mobilização ativa precoce da articulação. A decisão de operar dependerá da condição do paciente e dos tecidos moles. O tratamento global de uma fratura articular requer experiência considerável, um plano pré-operatório bem projetado, e uma cirurgia habilmente executada, seguida pelo tratamento pós-operatório apropriado, a fim de se obter o melhor desfecho possível. Algumas articulações parecem menos propensas à artrite tardia que outras possivelmente com base na biomecânica, alinhamento ou meniscos [18]. Essa revisão evidenciou que a redução da superfície articular é importante para prevenir a osteoartrite tardia, mas ainda não está claro o tamanho do degrau ou do *gap* ou a articulação exata que precisam ser tratados.

## 10 Referências

1. **Charnley J.** The Closed Treatment of Common Fractures. Edinburgh: Churchill Livingstone; 1961.
2. **Salter RB, Simmonds DF, Malcolm BW, et al.** The biological effect of continuous passive motion on the healing of full-thickness defects in articular cartilage. An experimental investigation in the rabbit. *J Bone Joint Surg Am.* 1980 Dec;62(8):1232–1251.
3. **Dirschl DR, Marsh JL, Buckwalter JA, et al.** Articular fractures. *J Am Acad Orthop Surg.* 2004 Nov-Dec;12(6):416–423.
4. **Marsh JL, Buckwalter J, Gelberman R, et al.** Articular fractures: does an anatomic reduction really change the result? *J Bone Joint Surg Am.* 2002 Jul;84-A(7):1257–1259.
5. **Giannoudis PV, Tzioupis C, Papathanassopoulos A, et al.** Articular step-off and risk of post-traumatic osteoarthritis. Evidence today. *Injury.* 2010 Oct;41(10):986–995.
6. **Schenker ML, Mauck RL, Ahn J, et al.** Pathogenesis and prevention of posttraumatic osteoarthritis after intra-articular fracture. *J Am Acad Orthop Surg.* 2014 Jan; 22(1):20–28.
7. **Furman BD, Olson SA, Guilak F.** The development of posttraumatic arthritis after articular fracture. *J Orthop Trauma* 2006 Nov-Dec;20(10):719–725.
8. **Schatzker J.** Intrarticular fractures. In: Schatzker J, Tile M, Axelrod T, et al. *The Rationale of Operative Fracture Care.* 3rd ed. Berlin: Springer-Verlag; 2005:33–42.
9. **Mills WJ, Barei DP, McNair P.** The value of the ankle-brachial index for diagnosing arterial injury after knee dislocation: a prospective study. *J Trauma.* 2004 Jun;56(6):1261–1265.
10. **Boraiah S, Ragsdale M, Achor T, et al.** Open reduction internal fixation and primary total hip arthroplasty of selected acetabular fractures. *J Orthop Trauma* 2009 Apr;23(4):243–248.
11. **Popovic D, King GJ.** Fragility fractures of the distal humerus: what is the optimal treatment? *J Bone Joint Surg Br.* 2012 Jan;94(1):16–22.
12. **Haller JM, Holt DC, McFadden ML, et al.** Arthrofibrosis of the knee following a fracture of the tibial plateau. *Bone Joint J.* 2015 Jan;97-B(1):109–114.
13. **White TO, Guy P, Cooke CJ, et al.** The results of early primary open reduction and internal fixation for treatment of OTA 43.C-type tibial pilon fractures: a cohort study. *J Orthop Trauma.* 2010 Dec;24(12):757–763.
14. **Sirkin M, Sanders R, DiPasquale T, et al.** A staged protocol for soft tissue management in the treatment of complex pilon fractures. *J Orthop Trauma.* 1999 Feb;13(2):78–84.
15. **Deo SD, Tavares SP, Pandey RK, et al.** Operative management of acetabular fractures in Oxford. *Injury.* 2001 Sep; 32(7):581–586.
16. **Ahearn N, Oppy A, Halliday R, et al.** The outcome following fixation of bicondylar tibial plateau fractures. *Bone Joint J.* 2014 Jul;96-B (7):956–962.
17. **Weigel DP, Marsh JL.** High-energy fractures of the tibial plateau Knee function after longer follow-up. *J Bone Joint Surg Am.* 2002 Sep;84-A (9):1541–1551.
18. **Peters AC, Lafferty PM, Jacobson AR, et al.** The effect of articular reduction after fractures on posttraumatic degenerative arthritis: a critical analysis review. *JBJS Reviews.* 2013 Dec; 1 (2): e4. http://dx.doi.org/10.2106/JBJS.RVW.M.00041.

## 11 Agradecimentos

Agradecemos a Michael Stover e James Kellam por suas contribuições para este capítulo na 2ª edição de *Princípios AO do tratamento de fraturas*.

# 2.4 Planejamento pré-operatório

*Matthew Porteous*

## 1 Introdução

O planejamento é o primeiro passo no tratamento cirúrgico de qualquer fratura e não deve ser considerado como opcional. Isso é bem compreendido por muitos especialistas em trauma, mas alguns erradamente percebem o planejamento como demorado e de pouco benefício. Aqueles que formalmente planejam o tratamento de suas fraturas podem confirmar a verdade da máxima de que "falhar em planejar é planejar para falhar". É responsabilidade do cirurgião assegurar que o planejamento seja executado. Este capítulo discute os passos fundamentais para formular um planejamento cirúrgico bem-sucedido.

## 2 Por que planejar?

O planejamento é uma disciplina cirúrgica importante, que encoraja o cirurgião a focar no padrão da fratura, na técnica de fixação e na abordagem cirúrgica. O cirurgião pode ensaiar mentalmente a operação, o equipamento e os instrumentos podem ser solicitados, e a equipe da sala de cirurgia (ESC) pode ser informada. Os problemas podem ser antecipados, ou mesmo evitados ou resolvidos quando um plano alternativo para lidar com dificuldades que possam surgir durante a cirurgida é desenvolvido (**Fig. 2.4-1**).

Os problemas que podem surgir quando o planejamento é inadequado incluem:

- Falta de instrumentador que esteja familiarizado com o material a ser usado
- Anestésico ou bloqueio impróprio dado ao paciente
- Mesa operatória correta já em uso em outro lugar
- Instrumentos não disponíveis (usados mais cedo e não reesterilizados)
- Implantes não disponíveis
- Intensificador de imagem agendado para outra sala de cirurgia
- Falta de assistente apropriado
- Incisão no lugar errado
- Dissecção excessiva e desnudamento de partes moles para obter redução
- Incapacidade para reduzir ou manter a redução da fratura enquanto o implante definitivo é aplicado
- Longa espera enquanto implantes ou instrumentos adicionais não antecipados sejam localizados
- A posição de um parafuso prejudica a colocação de outros a partir de uma direção diferente
- Implante posicionado no lugar errado
- Surgimento de complicações inesperadas
- Duração da cirurgia maior que a prevista
- Fechamento impróprio da ferida
- Programa pós-operatório inadequado

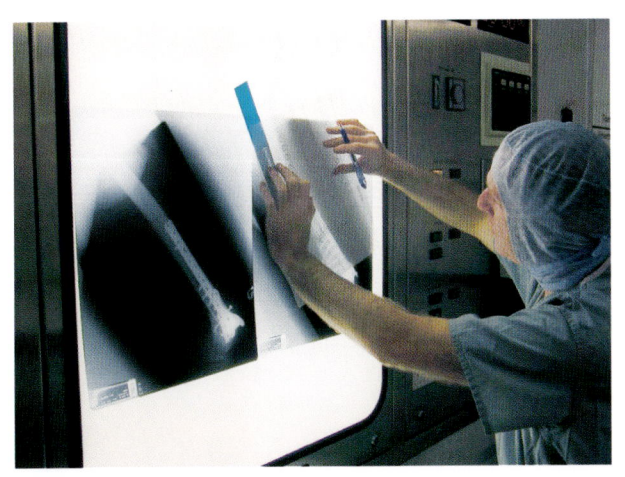

**Fig. 2.4-1** O planejamento é uma disciplina cirúrgica importante. Falhar em planejar é planejar para falhar.

Tomada de decisão e planejamento
## 2.4 Planejamento pré-operatório

> A falha em planejar pode causar incerteza sobre se a técnica de fixação é destinada a fornecer estabilidade absoluta ou relativa. Isso pode levar à falha da aplicação dos princípios apropriados, com eventual falha do implante e/ou não união da fratura.

## 3 Avaliação

Para tratar uma fratura, é necessário obter o máximo de informações possíveis. A radiografia é o suporte principal do diagnóstico, sendo obrigatórias incidências claras da fratura em dois planos, demonstrando a articulação acima e abaixo. O uso de um intensificador de imagem imediatamente antes de cirurgia, com a sua resolução de imagem mais baixa e campo de imagem mais estreito, é um substituto ruim para as radiografias de qualidade. Uma vez que o paciente esteja anestesiado, radiografias tiradas com a tração do membro podem ser muito úteis para o planejamento. Radiografias de boa qualidade são úteis somente se forem examinadas cuidadosamente. As fraturas tendem a seguir padrões que podem dar uma falsa sensação de segurança. Sem uma inspeção minuciosa das radiografias as variações sutis, que podem ter implicações significativas para a cirurgia, podem facilmente passar despercebidas.

As radiografias simples, mesmo suplementadas por incidências oblíquas, podem ser inadequadas e, quando houver incerteza, a tomografia computadorizada (TC) (suplementada quando disponível por reconstruções tridimensionais) é necessária para permitir ao cirurgião construir a imagem bidimensional e tridimensional do padrão da fratura, necessária para o bom planejamento. Isso é particularmente importante nas fraturas ao redor das articulações, que geralmente requerem redução anatômica precisa. A TC bidimensional é mais importante que a tridimensional para avaliar as fraturas articulares, pois demonstra a fratura nos planos transversal, sagital e coronal, enquanto a tridimensional mostra somente a superfície externa e o panorama do padrão de fratura.

Se houver mais de um método razoável para fixar a fratura, todas as possibilidades podem ser experimentadas no papel antes que a decisão seja tomada sobre o método de fixação, a via de acesso e o equipamento necessário. Em algumas situações, o cirurgião precisa de mais de um plano; quando o primeiro plano não for possível, então o segundo plano é aplicado. Esse processo permite ao cirurgião praticar os passos da operação no papel e ensaiá-lo na sua mente. Desse modo, os equívocos podem ser deixados no cesto de lixo, e não no paciente.

Com os detalhes da fixação estabelecidos, a ESC pode verificar a disponibilidade dos instrumentos e implantes, e os outros departamentos, como a radiologia, podem ser avisados da necessidade de seus serviços. Durante a operação, as equipes cirúrgica e de anestesia podem seguir os passos da cirurgia a partir do plano; as cirurgias planejadas tendem a ter menos problemas e a tomar menos tempo. O tipo de anestesia é importante em alguns tipos de cirurgia. A anestesia geral é necessária nos procedimentos que precisam de mais relaxamento muscular, como a cirurgia pélvica e acetabular, enquanto a maioria das operações de membros superiores precisa somente de bloqueio nervoso regional ou seletivo.

O planejamento permite uma análise detalhada das opções e dá uma avaliação muito melhor dos riscos e benefícios da cirurgia e de suas complicações, que podem ser discutidas com o paciente e permitir o consentimento informado. A inclusão do planejamento pré-operatório e da tática nos registros médicos reflete com clareza o pensamento e o planejamento utilizados na operação, além de indicar uma abordagem profissional e provavelmente tornar mais fácil a defesa de qualquer litígio subsequente.

## 4 Como planejar

Para propósitos descritivos, o processo de planejamento é dividido em quatro estágios sequenciais. Os primeiros três estágios – a reconstrução, a tomada de decisão e a fixação – levam a um desenho detalhado e ensaio da fixação proposta. O estágio final, a tática cirúrgica, é uma lista sequencial dos passos a serem seguidos na sala de cirurgia para alcançar a fixação planejada.

Na realidade, esses estágios tendem a se desenvolver em paralelo na mente do cirurgião. Entretanto, quanto mais complexo o problema, mais formal deve ser o processo de planejamento.

Os passos citados aqui formam a base de todas as técnicas de planejamento cirúrgico. As variações e os atalhos são possíveis, e a radiografia digital está promovendo o desenvolvimento de *software* de planejamento especializado, que evita a necessidade de caneta e papel. Os princípios, entretanto, permanecem os mesmos.

Material necessário:

- Radiografia da fratura: É importante ser capaz de ver a articulação acima e abaixo da fratura. Se os fragmentos parecerem estar grosseiramente desviados ou rodados (o que pode ser um problema nas fraturas complexas do cotovelo), a perspectiva pode ser melhorada obtendo radiografias com tração, uma vez que o paciente esteja anestesiado.
- Radiografia do lado não lesionado: Essa radiografia é girada ao contrário para produzir uma imagem especular, que é usada como um gabarito sobre o qual a fratura é reduzida. Ambas radiografias precisam ter a mesma magnificação conhecida.
- Conjuntos de gabaritos de implantes: Precisam ter uma magnificação idêntica à das radiografias. A maioria dos gabaritos comerciais tem uma magnificação de 115%. Se necessário, eles podem ser aumentados ou reduzidos em uma fotocopiadora.
- Papel para desenho.
- Canetas coloridas: É mais fácil fazer e entender o desenho se forem usadas cores diferentes para o contorno dos ossos, linhas de fratura e implantes, embora não seja essencial.

## 4.1 Reconstrução

Isso envolve a identificação e a remontagem dos fragmentos da fratura, parecido com a montagem de um quebra-cabeça:

- Passo 1 – Traçando o osso intacto: colocar um pedaço do papel de desenho sobre a radiografia normal e localize o contorno do osso intacto (é melhor fazer isso sobre o negatoscópio). Se houver significativa sobreposição óssea (como em uma incidência lateral do antebraço), os ossos sobrepostos podem ser traçados separadamente, lado a lado (**Fig. 2.4-2**).
- Passo 2 – Traçando a fratura: colocar um pedaço separado de papel de desenho sobre a radiografia da fratura e contornar os fragmentos da fratura. Onde os fragmentos se sobrepõem, eles podem ser separadamente desenhados e ligeiramente afastados um do outro, já que a sua posição relativa não é importante (**Fig. 2.4-3**).
- Passo 3 – Restauração: coloque o traçado do osso intacto sobre o traçado do osso fraturado. Movendo os esboços do osso intacto sobre os pedaços da fratura é possível marcar, no traçado do osso intacto, onde os fragmentos da fratura se ajustariam, uma vez que essa tenha sido completamente reduzida (**Fig. 2.4-4**).

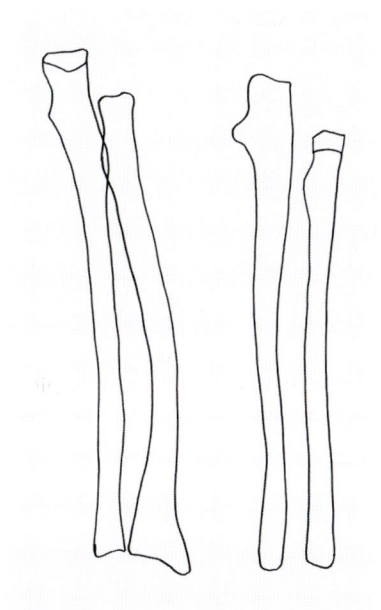

**Fig. 2.4-2** Desenho do osso intacto. Note que o rádio e a ulna foram desenhados separadamente na incidência lateral.

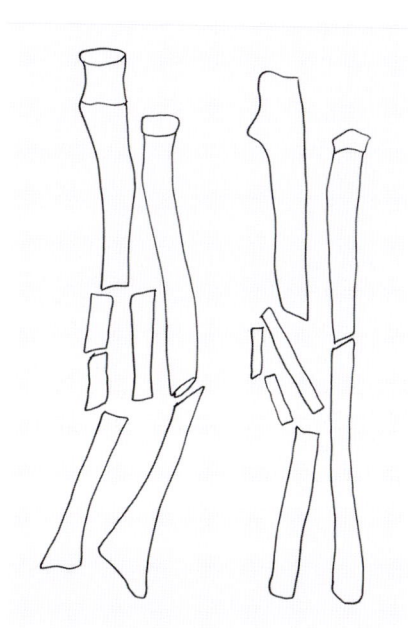

**Fig. 2.4-3** Desenho do esboço dos fragmentos da fratura. Todos os fragmentos sobrepostos foram separados.

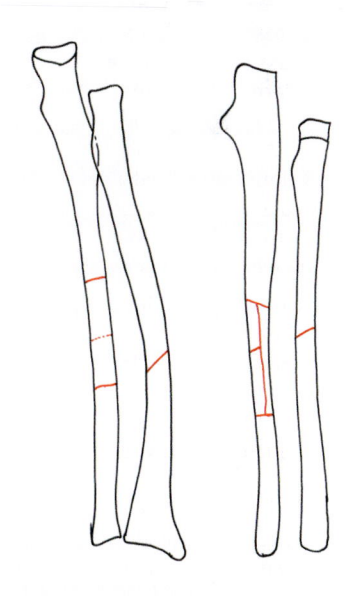

**Fig. 2.4-4** Restauração: o traçado intacto (**Fig. 2.4-2**) é colocado sobre o traçado da fratura (**Fig. 2.4-3**), e as fraturas, desenhadas sobre o osso intacto.

Tomada de decisão e planejamento
## 2.4 Planejamento pré-operatório

O produto da fase reconstrutora é um traçado de um osso intacto com os fragmentos da fratura reduzida nele marcados. Nas fraturas complexas, é aconselhável copiar a reconstrução, já que frequentemente se torna necessária mais de uma tentativa no planejamento da fixação (**Fig./Animação 2.4-5**). Nas fraturas simples, com frequência é possível remontar os fragmentos no papel do desenho sem precisar do traçado do osso intacto como um guia, tal como ao juntar as peças de um quebra-cabeça para ver o retrato original antes de começar.

### 4.2 Tomada de decisão

Antes de tentar descobrir como fixar a fratura reduzida, deve-se responder às seguintes perguntas [1]:

- Como eu quero que essa fratura consolide (ou seja, consolidação óssea primária ou secundária)?
- A fratura precisa ser mantida por um método que forneça estabilidade absoluta ou relativa?
- Que implante fornece a estabilidade desejada: encavilhamento intramedular (IM), placa e parafusos, ou fixador externo?
- Como posicionar o paciente e o intensificador de imagens, incluindo o tipo de mesa operatória?
- Como é que a fratura vai ser reduzida? Redução direta ou indireta?
- Qual é a abordagem cirúrgica necessária para cada técnica a fim de reduzir a fratura?
- Como eu posso manter a redução sem obstruir a fixação definitiva?
- Qual combinação de abordagem e técnica de fixação causará menor dano aos tecidos moles?
- Como eu fixo a fratura em passos sequenciais?
- Como eu fecho a ferida?
- Qual é o programa pós-operatório?

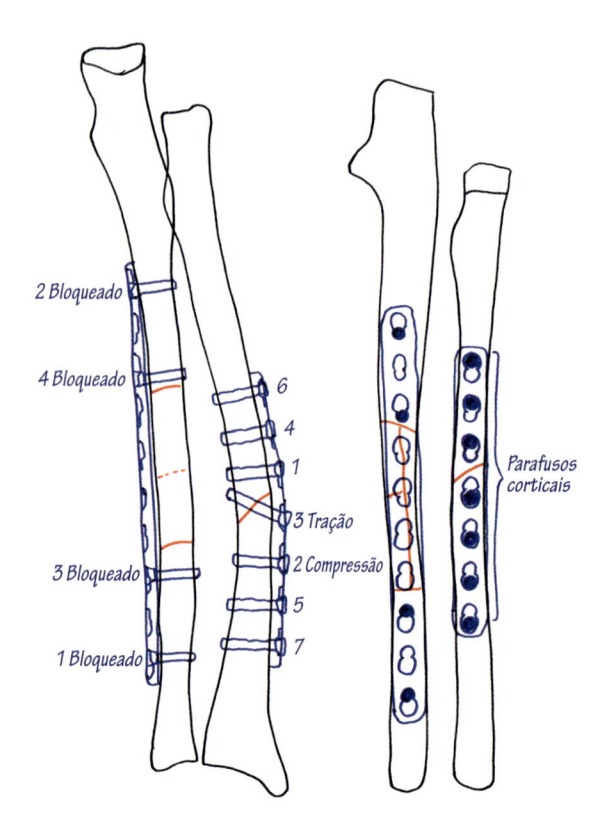

**Fig./Animação 2.4-5** Três passos que levam ao planejamento pré-operatório final: os contornos de placas e parafusos foram desenhados sobre a fratura reduzida usando-se gabaritos apropriados. A sequência da inserção dos parafusos foi numerada. Os detalhes adicionais são desenvolvidos na tática.

A reflexão sobre o tratamento cirúrgico de uma fratura e como isso será alcançado é, sem dúvida, o passo mais importante do planejamento pré-operatório, e deve ocorrer antes de qualquer operação.

O processo de descrever a sequência dos passos ajuda a clarificar o processo de raciocínio para qualquer cirurgião ou aluno.

### 4.3 Fixação

O gabarito de implante apropriado é selecionado e colocado sob o traçado da reconstrução da fratura. A melhor posição para o implante é traçada sobre a reconstrução, junto com quaisquer parafusos (para os quais existem gabaritos separados). Quando uma placa precisar ser moldada, o gabarito e o papel são movidos entre si para simular tal fato. Marcar no plano onde serão necessárias as dobras da placa, pois isso ajudará na moldagem da placa durante a cirurgia. Onde houver mais de um modo possível de alcançar a fixação, ou em fraturas complexas, várias tentativas podem ser necessárias antes que uma solução satisfatória seja alcançada. Quando parafusos com funções diferentes estão sendo usados (p. ex., parafusos de tração ou parafusos de cabeça bloqueada), a ordem em que os parafusos são inseridos é vital, e a sequência deve estar claramente numerada no plano [2]. Isso também ajuda no entendimento da função de cada parafuso (**Fig./Animação 2.4-5**).

### 4.4 Tática cirúrgica

O desenvolvimento de uma tática cirúrgica é pelo menos tão importante quanto produzir os desenhos. Isso cria a sequência lógica dos passos necessários para alcançar a redução da fratura, a sua fixação e a reabilitação do paciente. A tática pode ser dividida em quatro seções:

- Equipamento necessário: Os instrumentos e os implantes devem ser discutidos com a ESC com tanta antecedência da cirurgia quanto possível [3]. Os implantes especiais podem necessitar encomenda e um instrumental de reserva no caso de complicações intraoperatórias previsíveis (p. ex., uma hemiartroplastia de ombro durante a fixação de uma fratura complexa e intra-articular da proximal do úmero) deve estar disponível. A necessidade de equipamento adicional, como intensificador de imagem ou orientação por computador, também pode precisar de antecedência (**Fig. 2.4-6**). Quanto mais detalhada for a lista de equipamentos, menos prováveis serão os atrasos durante a cirurgia. Em casos complexos, é útil ter uma lista dos equipamentos que certamente serão necessários (e preparados no começo da operação para uso direto), bem como uma lista do equipamento que deve estar rapidamente disponível, mas não preparado para a operação, a menos que solicitado.

- Preparação: Inclui detalhes, como a anestesia, o tipo de mesa operatória, a necessidade de um garrote, o posicionamento do paciente para a cirurgia, a necessidade para um local doador de enxerto ósseo e a via de acesso cirúrgica. Deve ser definido o posicionamento de toda a equipe na sala de cirurgia, incluindo a posição do anestesista, do cirurgião e do instrumentador, do intensificador de imagem e da tela do intensificador de imagem, de forma que possa ser facilmente visto pela equipe, a fim de auxiliar na montagem e preparação da sala de cirurgia.

- Redução e fixação:
  - Método de redução: O cirurgião decide sobre o uso de redução direta ou indireta e considera os detalhes específicos da técnica e dos instrumentos.
  - Fixação provisória: Ela determina como a fratura deve ser mantida sem obstruir a subsequente fixação definitiva com placas ou parafusos (p. ex., usando fios de Kirschner ou pinça de redução). Atenção especial é dada para minimizar o dano às partes moles.
  - Fixação definitiva: É demonstrada no plano cirúrgico (de fixação), e a ordem exata da inserção de quaisquer parafusos e placas deve ser clara. Isso é particularmente importante ao usar combinações de parafusos com funções diferentes (p. ex., parafusos de tração e de cabeça bloqueada).

- Fechamento e regime pós-operatório: Define o método de fechamento, o uso de drenos e talas pós-operatórias, o regime de reabilitação e os detalhes do seguimento.

*Equipamento:*
1. *Conjunto AO de pequenos fragmentos*
2. *Conjunto de LCP de pequenos fragmentos*
3. *Furadeira de ar comprimido*
4. *Intensificador de imagens*
5. *Duas pinças de redução pontiagudas pequenas*

**Fig. 2.4-6** Lista de equipamentos para a fixação de uma fratura do antebraço.

Tomada de decisão e planejamento
## 2.4 Planejamento pré-operatório

A tática é descrita em uma sequência lógica, do princípio ao fim, para permitir à equipe cirúrgica seguir o plano facilmente. Entretanto, é importante reconhecer que não é a mesma ordem na qual a tática é desenvolvida. O planejamento começa com a fixação definitiva e trabalha para trás, com a fixação provisória, até a redução e a abordagem cirúrgica. Então se move para diante, no fechamento e reabilitação. Somente quando o método de fixação definitiva tiver sido estabelecido é que os outros detalhes podem ser trabalhados, e uma lista de materiais é fornecida [4] (**Fig. 2.4-7**).

*Tática:*

1. *Anestesia geral*
2. *Sem garrote*
3. *Posição lateral cotovelo sobre coxim*
4. *Abordagem posterior*
5. *Osteotomia em chevron do olécrano*
6. *Expor local de fratura*
   *+ identificar nervo ulnar*
7. *Reduzir os fragmentos articulares e mantê-los com fio de Kirschner*
8. *Passar o parafuso de tração cortical único (1)*
9. *Reduzir o fragmento distal na diáfise; mantê-lo com pinça de redução e, então, fios de Kirschner*
10. *Moldar placa 1/3 de tubo*
11. *Inserir parafuso 2 como parafuso de tração (cortical)*
12. *Inserir parafuso 3 (esponjoso)*
13. *Moldar LCP de reconstrução de 7 orifícios*
14. *Inserir parafuso 4 (parafuso cortical de posição)*
15. *Inserir parafuso 5 sob compressão*
16. *Inserir parafusos 6-9 (bloqueio)*
17. *Inserir parafusos 10-12*
18. *Reduzir o olécrano e fixá-lo com banda de tensão*
19. *Fechar a ferida – Vicryl e grampos metálicos*
20. *Pós-operatório:   algodão e crepe*
    *elevar braço*
    *\*mobilização imediata\**
    *(ativa)*
    *Retirada de pontos em 10 dias*

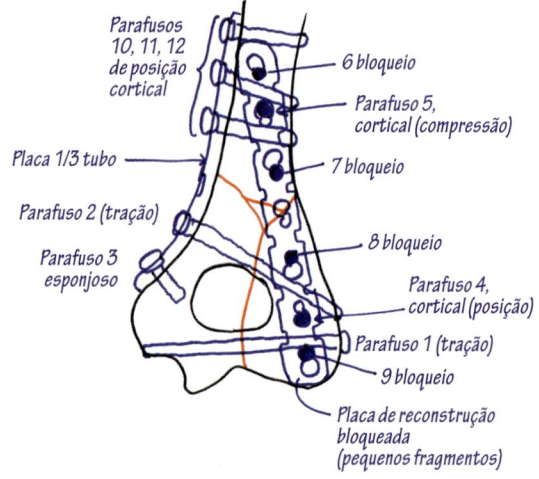

*Equipamento:*

1. *Conjunto AO de pequenos fragmentos*
2. *Conjunto LCP de pequenos fragmentos*
3. *Furadeira de ar comprimido*
4. *Microserra*
5. *Conjunto de cerclagem*
6. *Osteótomos*
7. *Duas pinças de redução óssea pontiagudas grandes*

*\* Intensificador de imagem o tempo todo \**

**Fig. 2.4-7**   O plano e a tática cirúrgica completos, incluindo a lista de materiais e o tratamento pós-operatório proposto.

Princípios AO do tratamento de fraturas
Volume 1

## 4.5 Consumação do plano

O plano final consiste em três componentes:

- Tática cirúrgica
- Desenho comentado
- Lista de equipamentos

A aplicação desse plano facilitará muito a cirurgia e deverá resultar em melhores resultados para o paciente (**Fig. 2.4-8**). O mesmo método pode ser usado para o planejamento das osteotomias e o tratamento da não união (**Vídeo 2.4-1**).

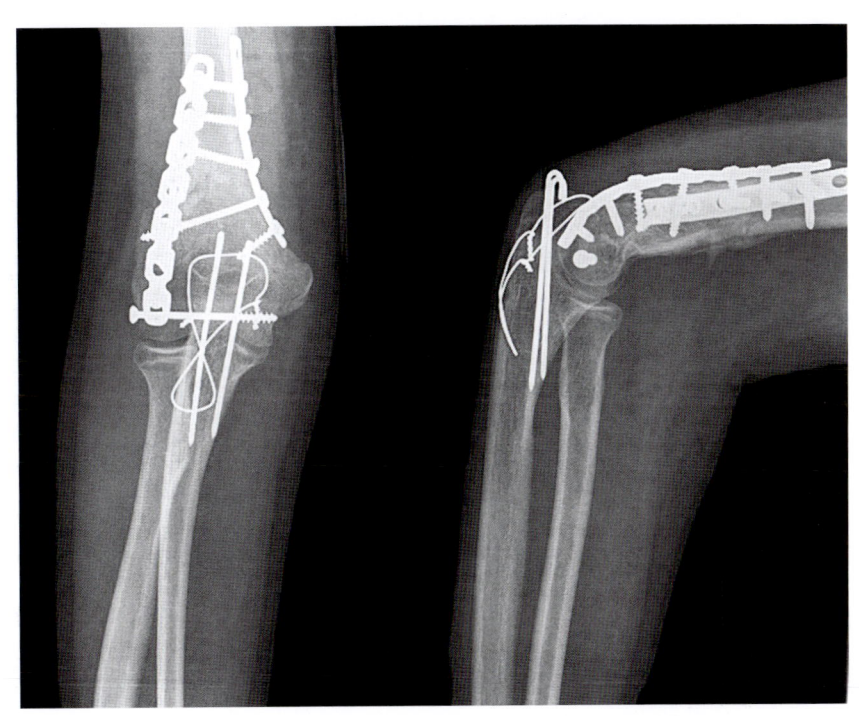

**Fig. 2.4-8** Radiografia pós-operatória da fixação de fratura planejada na **Fig. 2.4-7**. Esta fratura complexa foi perfeitamente reduzida e fixada usando uma técnica de estabilidade absoluta. O planejamento cuidadoso resultou em uma excelente fixação da fratura, dando ao paciente a melhor chance possível de um bom desfecho.

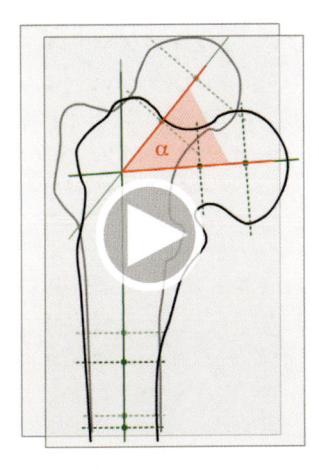

**Vídeo 2.4-1** Planejamento pré-operatório da osteotomia valgizante e de extensão da consolidação viciosa da proximal do fêmur com placa--lâmina angulada de 120°.

Tomada de decisão e planejamento
## 2.4 Planejamento pré-operatório

### 5 Dicas e sugestões

Com o aumento da experiência, existem atalhos que podem acelerar o processo sem afetar o resultado. Quando o uso de uma haste IM for planejado, a reconstrução formal pode ser desnecessária, embora o comprimento da haste e o seu diâmetro sempre necessitem ser verificados.

Em fraturas comuns com padrões simples, geralmente é suficiente fazer um planejamento adequado a partir da radiografia em apenas um plano. Pode ser suficiente um esboço rápido ilustrando a fixação, sem necessidade para gabaritos formais dos implantes (**Fig. 2.4-9**). Entretanto, uma tática será sempre necessária. Para fraturas mais complexas, o planejamento em dois planos é indispensável.

– Placa bloqueada distal do fêmur
– Conjunto LHS grande
– Distrator?
– Afastadores
– Fios de cerclagem

Fios de cerclagem, 2-3 cada

4-5 parafusos LHS

*Tática:*

*LCP proximal do fêmur*

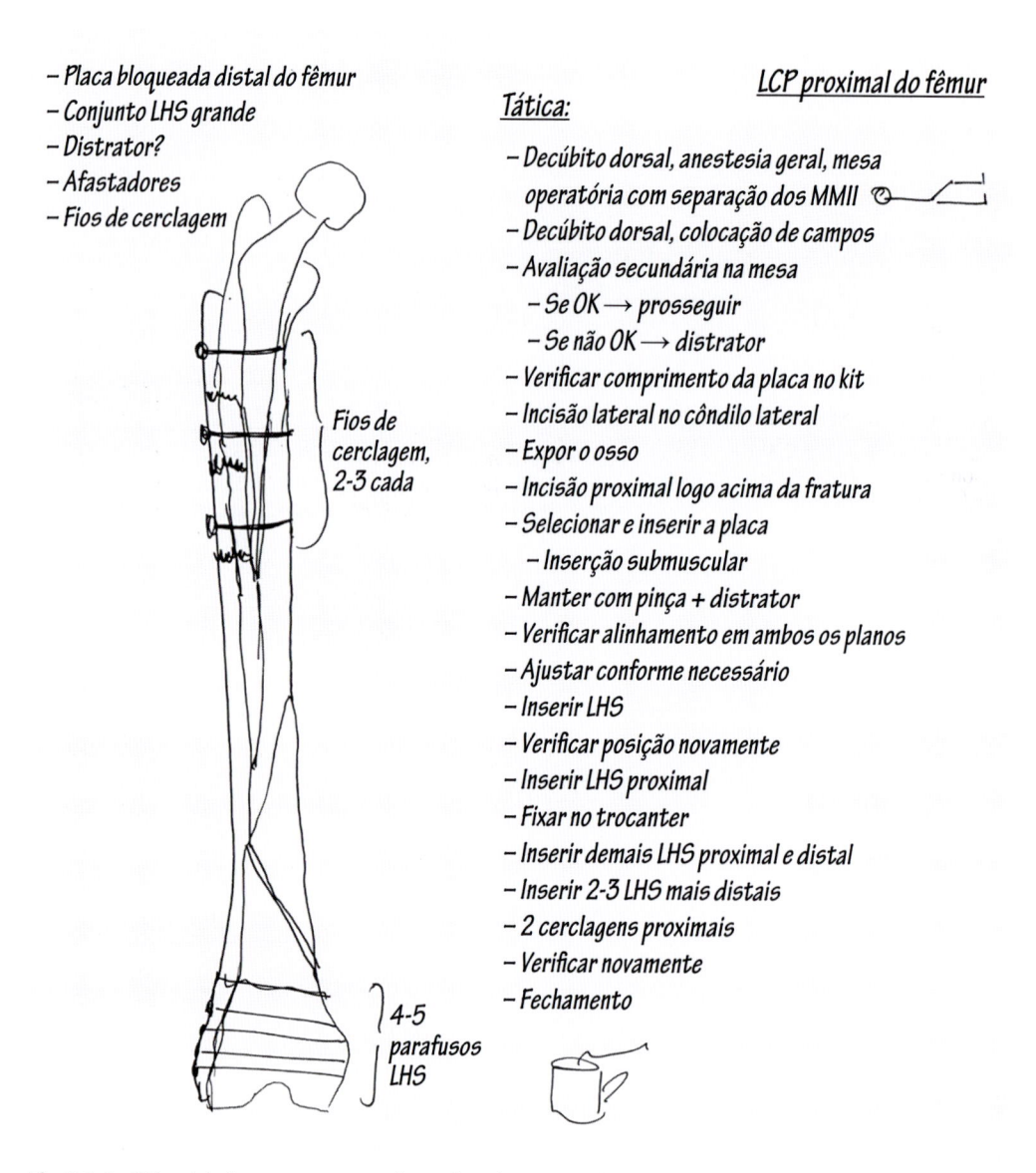

– Decúbito dorsal, anestesia geral, mesa operatória com separação dos MMII
– Decúbito dorsal, colocação de campos
– Avaliação secundária na mesa
  – Se OK → prosseguir
  – Se não OK → distrator
– Verificar comprimento da placa no kit
– Incisão lateral no côndilo lateral
– Expor o osso
– Incisão proximal logo acima da fratura
– Selecionar e inserir a placa
  – Inserção submuscular
– Manter com pinça + distrator
– Verificar alinhamento em ambos os planos
– Ajustar conforme necessário
– Inserir LHS
– Verificar posição novamente
– Inserir LHS proximal
– Fixar no trocanter
– Inserir demais LHS proximal e distal
– Inserir 2-3 LHS mais distais
– 2 cerclagens proximais
– Verificar novamente
– Fechamento

**Fig. 2.4-9** Tática cirúrgica para um caso real com desenho em um plano único. Para casos simples, isso pode ser suficiente, mas, para casos complexos, um desenho como o da **Fig. 2.4-5** é necessário.

As fraturas articulares podem requerer uma TC para estabelecer a posição exata de todos os fragmentos, já que as radiografias isoladamente são frequentemente insuficientes. Essas fraturas ainda devem ser tratadas usando o método de planejamento delineado acima, mas a reconstrução principal pode ser reforçada pelos traçados dos cortes da TC mostrando a posição exata dos parafusos críticos.

O desenvolvimento rápido da radiografia digital produziu algumas dificuldades, já que os filmes podem não ser de uma escala uniforme, o que causa problemas para fornecer gabaritos apropriados. O caminho rápido para planejar as fraturas simples é esboçar ou mesmo desenhar diretamente a partir de uma tela de computador sobre o papel e, então, esboçar sobre os implantes (**Fig./Animação 2.4-5**). As fraturas mais complexas requerem o uso de um marcador de tamanho conhecido colocado no plano do osso fraturado para permitir o cálculo da escala. O uso de um *software* de planejamento permitirá a reconstrução do osso intacto e a aplicação dos implantes na escala adequada quase da mesma forma como é feita usando o papel de traçado acima [5]. O *software* também existe para permitir o planejamento tridimensional a partir de imagens geradas por TC, e as impressoras tridimensionais podem agora ser usadas para produzir modelos de tamanho natural. Esses modelos são particularmente úteis nas osteotomias complexas e podem ser usados para ensaiar o procedimento. A fratura é impressa e, então, usando a imagem especular do lado ileso como gabarito, o comprimento e a posição da placa e a posição dos parafusos podem ser determinados antes da cirurgia.

## 6  Conclusão

O planejamento pré-operatório pode parecer demorado e trabalhoso. Entretanto, é uma disciplina profissional importante, e a familiaridade com o processo a torna muito rápida para as fraturas simples, embora para as fraturas mais complexas leve mais tempo. Sem dúvida, o passo mais importante do planejamento é o de raciocinar sobre o tratamento cirúrgico em detalhes, depois do exame cuidadoso das imagens. Ele deve ser convertido em uma tática formal, escrita e, conforme a fixação se torna mais complexa, suplementado por um esboço ou um plano escalonado formal. O processo inteiro torna menos provável que as radiografias sejam mal interpretadas, que problemas na cirurgia passem despercebidos, e que o implante de tamanho correto esteja indisponível depois que a operação já tiver começado. Os benefícios de uma abordagem planejada, para o cirurgião e para a ESC, excedem em muito o tempo necessário para o planejamento em si. Um bom plano quase sempre resulta em um tempo de cirurgia mais curto e um desfecho melhor para o paciente.

## 7  Referências

1. **Holdsworth BJ.** Planning in fracture surgery. In: Bunker TD, ed. *Frontiers in Fracture Surgery.* London: Martin Dunitz; 1989.
2. **Mast J, Jakob R, Ganz R.** *Planning and Reduction Technique in Fracture Surgery.* Berlin Heidelberg: Springer-Verlag; 1989.
3. **Porteous M, Bauerle S, eds.** *Techniques and Principles for the Operating Room.* Stuttgart: Thieme; 2010.
4. **Hak DJ, Rose J, Stahel PE.** Preoperative planning in orthopedic trauma: benefits and contemporary uses. *Orthopedics.* 2010 Aug;33(8):581–584.
5. **Suero EM, Hüfner T, Stübig T, et al.** Use of a virtual 3-D software for planning tibial plateau fracture reconstruction. *Injury.* 2010 Jun;41(6):589–591.

## 8  Agradecimentos

Agradecemos a Norbert Sudkamp e Joseph Schatzker por suas contribuições para este capítulo na 2ª edição de *Princípios AO do tratamento de fraturas*.

## 2.4 Planejamento pré-operatório

# Seção 3

## Redução, vias de acesso e técnicas de fixação

# Seção 3
# Redução, vias de acesso e técnicas de fixação

## Redução e vias de acesso

| | | |
|---|---|---|
| 3.1.1 | **Redução cirúrgica**<br>*Rodrigo Pesantez* | 117 |
| 3.1.2 | **Vias de acesso e manuseio<br>intraoperatório de partes moles**<br>*Ching-Hou Ma* | 137 |
| 3.1.3 | **Osteossíntese minimamente invasiva**<br>*Reto Babst* | 149 |

## Técnicas de estabilidade absoluta

| | | |
|---|---|---|
| 3.2.1 | **Parafusos**<br>*Wa'el Taha* | 173 |
| 3.2.2 | **Placas**<br>*Mark A. Lee* | 185 |
| 3.2.3 | **Princípio da banda de tensão**<br>*Markku Nousiainen* | 209 |

## Técnicas de estabilidade relativa

| | | |
|---|---|---|
| 3.3.1 | **Encavilhamento intramedular**<br>*Martin H. Hessmann* | 217 |
| 3.3.2 | **Placa em ponte**<br>*Friedrich Baumgaertel* | 241 |
| 3.3.3 | **Fixador externo**<br>*Dankward Höntzsch* | 253 |
| 3.3.4 | **Placas bloqueadas**<br>*Christoph Sommer* | 269 |

## 3.1.1 Redução cirúrgica
*Rodrigo Pesantez*

### 1 Desvio dos fragmentos, deformação e impacção do osso

Uma fratura diafisária geralmente separa o osso em dois fragmentos principais – proximal e distal – com suas articulações adjacentes. Existem seis modos básicos em que esses fragmentos principais podem se desviar entre si: três pares de desvios translacionais, e três rotações ao longo e em torno dos eixos x, y e z. A maioria das fraturas se desvia em uma combinação de modos. O grau e a direção de desvio dos fragmentos da fratura refletem os vetores das forças externas e a tração dos músculos que permaneceram inseridos (**Fig. 3.1.1-1**). Em crianças, a deformação plástica pode ocorrer em osso diafisário, sem que haja a descontinuidade completa da cortical óssea.

O desvio no osso diafisário e metafisário pode ser prontamente detectado com radiografias convencionais obtidas em dois planos perpendiculares entre si. Na metáfise e na epífise, as incidências oblíquas em 45 graus podem ser úteis, mas a tomografia computadorizada com reconstrução multiplanar é com frequência necessária para avaliar completamente a fragmentação, o desvio, a deformação e a impacção. A análise cuidadosa do local e da extensão da deformação óssea, como também a direção e o grau de desvio, são importantes para identificar a melhor técnica de redução, que, por sua vez, ajudará a selecionar a mais apropriada abordagem cirúrgica, técnica de fixação e escolha de implante.

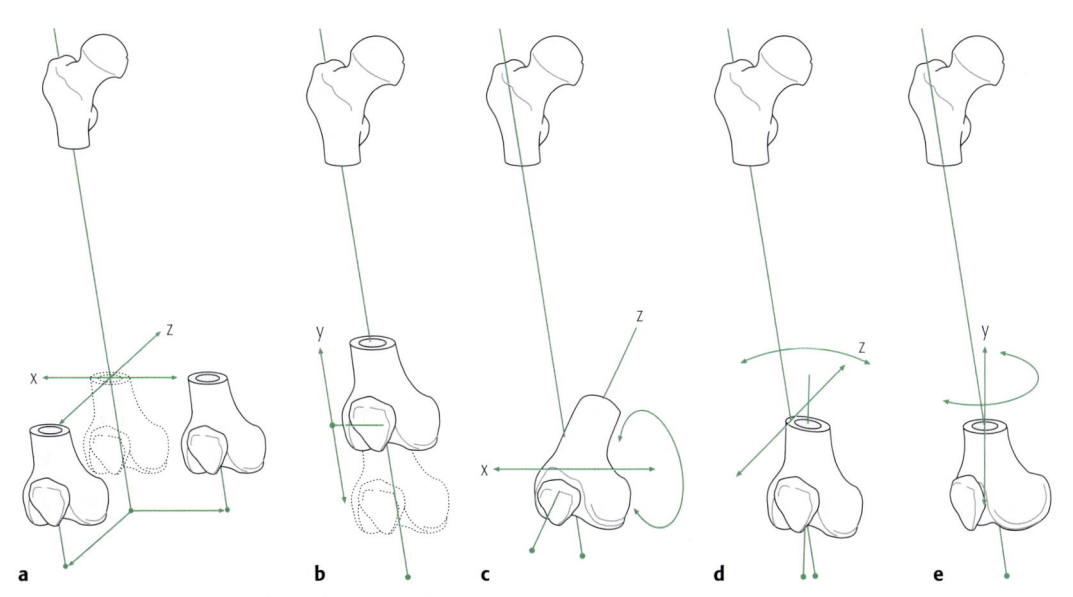

**Fig. 3.1.1-1a-e** Desvio translacional e rotacional.
**a-b** O desvio translacional ou linear pode ocorrer ao longo dos três eixos no espaço: os eixos x, y e z. Os desvios ao longo do eixo x são mediais ou laterais, e aqueles ao longo do eixo z são anteriores ou posteriores (**a**). Aqueles ao longo do eixo y formam o encurtamento ou alongamento (**b**).
**c-e** O desvio rotacional também é possível em torno dos três eixos no espaço. O desvio angular no plano sagital (em torno do eixo x) é um mau alinhamento axial em flexão ou extensão (**c**), no plano coronal (em torno do eixo z) é um mau alinhamento axial em abdução ou adução (**d**), e no plano transversal (em torno do eixo y) é um mau alinhamento rotacional (**e**).

Redução, vias de acesso e técnicas de fixação
### 3.1.1 Redução cirúrgica

## 2 Redução da fratura

Redução é o ato de restaurar a relação e a posição correta dos fragmentos da fratura. Isso inclui o processo de reconstrução dos fragmentos impactados de osso esponjoso e articular. Em outras palavras, a redução é a recriação da relação espacial de um fragmento em relação ao outro (**Vídeo 3.1.1-1**).

A redução inverte o processo que criou o desvio da fratura durante a lesão, e utiliza forças em direções opostas àquelas que produziram a fratura (**Fig. 3.1.1-2**). A análise do desvio e da deformação, junto com o conhecimento do local de inserção e da tração muscular, ajuda a planejar os passos táticos necessários para alcançar a redução, independentemente do método de tratamento (i.e., operatório ou não operatório) [1-3].

**Vídeo 3.1.1-1**  Redução direta e indireta.

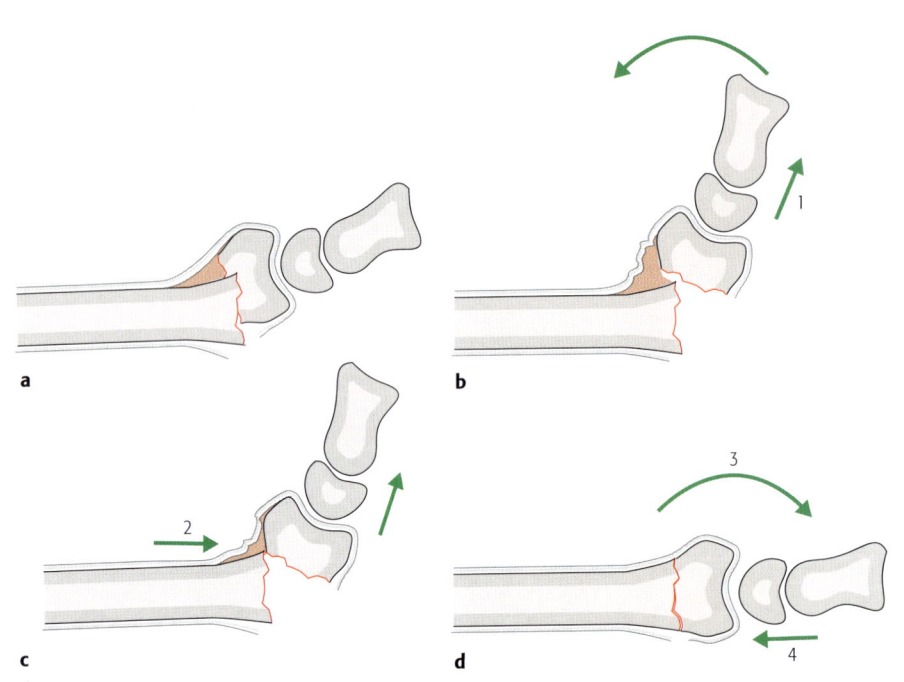

**Fig. 3.1.1-2a-d**  Redução fechada com a reversão das forças que criaram o desvio da fratura.
**a**  Fratura da distal do rádio com encurtamento, desvio posterior e angulação dorsal. O periósteo intacto no lado dorsal pode atuar como uma obstrução à redução por tração, porque os fragmentos estão bloqueados.
**b**  O primeiro passo para reduzir esta fratura consiste em desencaixar as extremidades ósseas com a extensão do punho e a tração dorsalmente angulada para relaxar a dobradiça de partes moles (seta 1).
**c**  Sob tração dorsal o fragmento distal é empurrado (seta 2) para a sua posição correta, em contato com as extremidades do fragmento dorsal reduzido.
**d**  Com a adição de uma força de flexão e continuando a empurrar (seta 3), o fragmento distal será realinhado e os fragmentos serão encaixados (seta 4).

## 2.1 Objetivo da redução

**Na diáfise e na metáfise, o objetivo da redução da fratura é restaurar o comprimento, o alinhamento e a rotação, de forma que as articulações acima e abaixo da fratura estejam na posição correta.**

Isso ocorre independentemente de a fratura ser simples ou multifragmentada, segmentar ou se há perda óssea. Nem todo fragmento tem que ser perfeitamente reduzido, mas o osso deve ser restaurado ao seu comprimento, alinhamento e rotação originais (**Fig. 3.1.1-3**).

Nas fraturas articulares, o objetivo da redução é restaurar de maneira perfeita a superfície articular para fornecer uma articulação congruente e estável com o movimento normal. Em alguns casos, pode haver dano irreparável à cartilagem devido ao impacto na hora da lesão. A redução anatômica da superfície articular, como também a restauração do alinhamento axial, especialmente na extremidade inferior, são fatores que o cirurgião controla para reduzir o risco de osteoartrite pós-traumática [4]. De preferência, nenhum desvio residual deve ser aceito. Entretanto, articulações diferentes com diferentes condições de carga parecem ter tolerâncias diferentes [4]. Uma articulação concêntrica, como a do quadril ou do tornozelo, depende muito mais da congruência articular perfeita [5, 6] que uma articulação não concêntrica, como a articulação do joelho. No joelho, a restauração do alinhamento axial de todo o membro e a restauração da estabilidade ligamentar e meniscal pode ser tão importante quanto a reconstrução anatômica da superfície articular.

Para alcançar uma redução perfeita, o cirurgião deve entender o desvio dos fragmentos da fratura e planejar as manobras de redução com antecedência. A redução e a sua manutenção são frequentemente a parte mais difícil da cirurgia, e os cirurgiões mais experientes planejam suas reduções e antecipam problemas.

## 2.2 Técnicas de redução

**As técnicas de redução devem ser delicadas e criar o menor dano adicional possível.**

As técnicas de redução devem preservar a vascularização do envelope de partes moles e quaisquer inserções teciduais restantes dos fragmentos ósseos. A consolidação óssea será retardada ou irá parar se o ambiente mecânico ou biológico for criticamente transtornado. O risco de infecção também será aumentado [7-9].

**O grau de estabilidade alcançado pela fixação (estabilidade absoluta ou relativa) é o estímulo mecânico para a resposta biológica e determina o padrão de cura (consolidação óssea primária ou formação de calo).**

O processo de cura é modulado por qualquer dano adicional ao osso e ao envelope de partes moles circundantes, causado pela exposição cirúrgica, manobras de redução e pela aplicação de dispositivos de fixação.

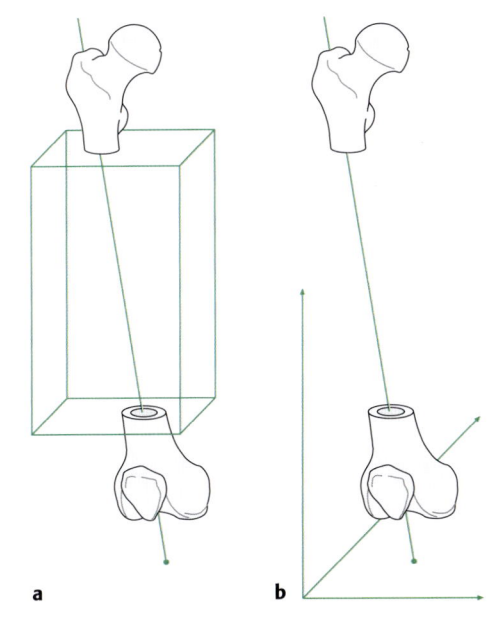

**Fig. 3.1.1-3a-b** Redução de fratura na diáfise. A zona de fratura é como uma caixa preta, cujo conteúdo é de pouca ou nenhuma importância em relação ao objeto principal da redução. Depois da redução, os fragmentos proximal e distal principais devem ser realocados para as suas posições espaciais corretas.

Redução, vias de acesso e técnicas de fixação
## 3.1.1 Redução cirúrgica

Existem duas técnicas fundamentais para a redução de fraturas: redução direta e indireta (**Tab. 3.1.1-1**).

**A redução direta significa que mãos ou instrumentos ficam em contato com os fragmentos da fratura para manipulação sob visão direta.**

Em fraturas diafisárias simples (p. ex., fraturas simples da diáfise do antebraço), a redução direta é tecnicamente exequível e os resultados são reprodutíveis. A coaptação exata dos dois fragmentos principais restaura anatomicamente o comprimento, o alinhamento e a rotação. Uma exposição cirúrgica cuidadosa não deve adicionar dano vascular ao osso ou aos tecidos moles e deve manter a biologia. Entretanto, isso somente é verdadeiro se a cirurgia for feita com delicadeza, com manipulação meticulosa de partes moles e com exposição periosteal limitada do osso [10].

**Em fraturas diafisárias mais complexas, as técnicas de redução direta podem resultar em tentativas de expor, reduzir e estabilizar todo e qualquer fragmento. Ao fazer isso, o cirurgião pode desvascularizar esses fragmentos ao desnudar o periósteo e os tecidos moles.**

O uso repetido das pinças ósseas e outras ferramentas de redução pode desvitalizar completamente os fragmentos. As radiografias não mostram quanta manipulação ocorre durante a cirurgia. Isso pode ter consequências desastrosas para o processo de cura, incluindo retardo de consolidação, não união, infecção e falha do implante. Somente pela compreensão e respeito à biologia do osso, do periósteo e dos tecidos moles é que o cirurgião pode evitar falhas depois da redução aberta e da fixação interna [1, 9].

**A redução indireta significa que os fragmentos não estão expostos e são manipulados aplicando uma força corretiva a uma distância da fratura. As imagens radiográficas são necessárias para assegurar o posicionamento apropriado da fratura.**

A redução correta por técnicas indiretas pode ser difícil de alcançar. Ela requer a compreensão do padrão de fratura, da anatomia (tração muscular) e meticuloso planejamento pré-operatório. O processo real de redução é frequentemente mais exigente e requer o uso de um intensificador de imagens. Em termos biológicos, as técnicas de redução indireta oferecem vantagens significativas. Se corretamente aplicadas, elas adicionam um dano cirúrgico mínimo aos tecidos. Todas as ferramentas de redução são aplicadas longe do foco de fratura, de forma que qualquer dano local a partir dos próprios instrumentos não afetará a consolidação da fratura.

A maioria dos instrumentos ou implantes disponíveis hoje pode ser usada como ferramenta tanto para técnicas de redução direta quanto indiretas. O sucesso, ao se preservar a biologia dos tecidos, não depende de qualquer instrumento ou implante específico, mas das habilidades do cirurgião. Nunca é demais enfatizar quão importante é o planejamento para esse processo:

**A conversão de uma redução indireta pretendida para uma redução direta aberta não planejada pode resultar em significativo dano de partes moles. Isso pode não ser visível na radiografia ou anotado no registro da operação, mas coloca o paciente sob um risco adicional de ter complicações sérias.**

### 2.2.1 Tração ou distração

**O mecanismo mais importante para reduzir uma fratura é a tração. Esta é normalmente aplicada no eixo longo do membro.**

Em fraturas articulares cominutivas, a tração aplicada em uma articulação pode reduzir os fragmentos por ligamentotaxia. A tração pode ser aplicada manualmente, por meio de uma mesa ortopédica, ou pela aplicação de um distrator (**Vídeo 3.1.1-2**). A mesa ortopédica requer que a tração seja aplicada por pelo menos uma articulação. A desvantagem é que o membro não pode ser movido pelo cirurgião, e a abordagem cirúrgica ou o alinhamento do membro podem ficar comprometidos. O distrator, aplicado diretamente aos fragmentos principais, permite manobrar o membro durante a cirurgia. Entretanto, sua aplicação é trabalhosa e requer tensão; as correções angulares ou rotacionais são difíceis e a montagem pode ser incômoda. Também há uma tendência inerente aos ossos curvos de se retificarem durante o procedimento de tração, de forma que a força excêntrica produzida pelo distrator unilateral pode produzir uma deformidade adicional (**Fig. 3.1.1-4**).

**Tabela 3.1.1-1** Comparação de dois métodos de redução: direta e indireta

| | Redução direta | Redução indireta |
|---|---|---|
| **Principal campo de aplicação** | Fraturas articulares e fraturas diafisárias simples | Fraturas articulares específicas (ligamentotaxia), fraturas diafisárias multifragmentadas (taxia de partes moles) |
| **Dificuldade para alcançar redução** | Relativamente fácil | Trabalhosa |
| **Controle da redução** | Exposição direta, radiografias, intensificador de imagem | Técnica: clínica, radiográfica ou intensificação de imagem, artroscopia, auxiliada por computador |
| **Dissecção de partes moles** | Relativamente extensa | Limitada |
| **Desvascularização óssea** | Relativamente extensa | Mínima |
| **Princípio de fixação geralmente empregado** | Estabilidade absoluta | Estabilidade relativa |

O distrator também pode ser aplicado nas articulações para ajudar na redução das lesões articulares por ligamentotaxia. Isso também ajuda a visualização direta da superfície articular pela tração da articulação (**Fig. 3.1.1-5**).

O fixador externo pode ser usado para a redução indireta, mas o alongamento gentil é mais difícil do que com o distrator. Ao aplicar tração em uma articulação, os ligamentos e tecidos moles em torno da área de fratura podem ajudar a alcançar a redução seja por ligamentotaxia ou por redução de partes moles. Os principais campos de aplicação são os segmentos metafisários/articulares cominutivos, quando a condição de partes moles ou a fragmentação de fratura não permitir a redução aberta e as técnicas de estabilização [10].

O uso de tração para reduzir as fraturas também é utilizado em cirurgia pélvica e acetabular com armações especialmente projetadas e pinças percutâneas.

### 2.2.2 Instrumentos para redução

Várias pinças de redução são apresentadas na **Tabela 3.1.1-2**.

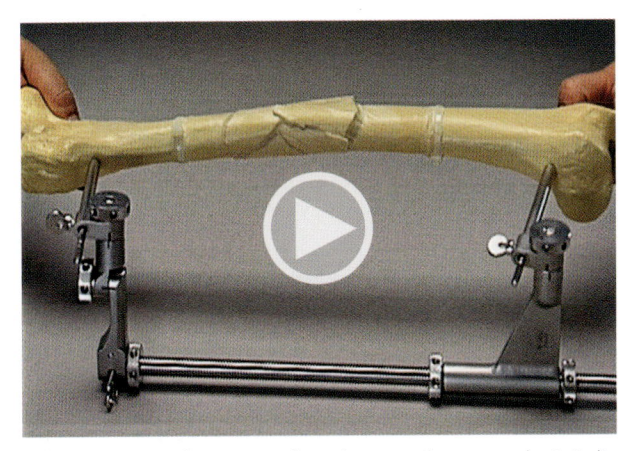

**Vídeo 3.1.1-2**   O distrator grande pode ser usado para a redução indireta de uma fratura femoral.

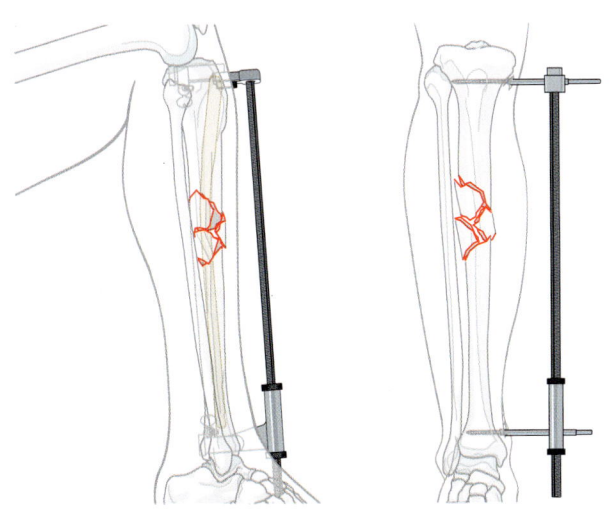

**Fig. 3.1.1-4**   Distrator unilateral usado para redução indireta de fraturas multifragmentadas da diáfise da tíbia. Note a posição posterior do Schanz para permitir a introdução de uma haste intramedular.

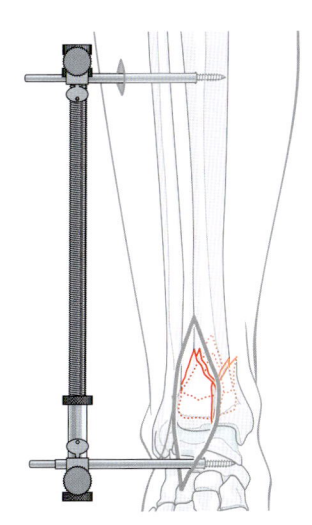

**Fig. 3.1.1-5**   Distrator aplicado na articulação do tornozelo para permitir tratamento de uma fratura do pilão. O distrator fornece redução indireta ou alinhamento e rotação, mais o acesso à articulação para permitir a redução direta de fragmentos articulares.

Redução, vias de acesso e técnicas de fixação
### 3.1.1 Redução cirúrgica

**Tabela 3.1.1-2** Desenho e função de pinças de redução

| Instrumento | Imagem do instrumento | Descrição | Técnica de aplicação |
|---|---|---|---|
| Pinça de redução com pontas (pinça de Weber) | | Este instrumento tem pontas em cada extremidade para poder segurar o osso e ajudar a manipular e reduzir os fragmentos. Muito útil na maioria das fraturas do tipo A e em algumas dos tipos B1 e B2. | Posicionar cada ponta da pinça no osso (diretamente ou por um pequeno orifício perfurado) e manipular os fragmentos da fratura até que a redução seja alcançada (**Vídeos 3.1.1-3-4**). |
| Pinça de redução denteada | | Este instrumento é similar às pinças de redução com ponta, mas suas extremidades são mais agressivas no osso, podendo ajudar na aplicação da placa (segurando a placa) em ossos pequenos (antebraço e fíbula). | Aplicar uma extremidade ao osso e a outra na placa, para segurá-la enquanto é fixada com parafusos (**Fig. 3.1.1-8**). Também pode ser usada para manipular fragmentos ósseos nos padrões simples de fratura usando a técnica de uma ou duas pinças. |
| Pinça para segurar osso autocentrante (pinça de Verbrugge) | | Uma extremidade é similar a um afastador de Hohmann e a outra é projetada para segurar a placa junto ao osso. Se coloca ao redor do osso e é menos amigável com as partes moles. | A extremidade do afastador de Hohmann é posicionada ao redor do osso e a extremidade de prender a placa irá segurar e centrar a placa para mantê-la junto ao osso (**Fig. 3.1.1-9**). Também pode prover compressão se usada na técnica de tração (**Fig. 3.1.1-8b**). |
| Afastador laminar | | Ajuda a alcançar afastamento dos fragmentos e ganho de comprimento usando a técnica empurra-puxa. | Suas extremidades são suportadas por um parafuso independente no osso e a extremidade da placa no outro lado para alcançar a distração (**Fig. 3.1.1-8a**, **Vídeo 3.1.1-12**). |

Princípios AO do tratamento de fraturas
**Volume 1**

**Tabela 3.1.1-2 (cont.)** Desenho e função de pinças de redução

| Instrumento | Imagem do instrumento | Descrição | Técnica de aplicação |
|---|---|---|---|
| Pinça de redução colinear | | É projetada para fornecer força linear e reduzir/comprimir fragmentos da fratura ou segurar a placa junto ao osso. Tem braços com diferentes formas que podem ser seguros de acordo com a fusão desejada e o tamanho do osso. | Pode ser aplicada percutaneamente para comprimir (fraturas distais do fêmur, sindesmose) ou na redução aberta (fraturas da coluna posterior do acetábulo por via de acesso anterior). Também ajuda a segurar a posição da placa em técnicas de OPMI. |
| Pinça de redução pélvica com ponta esférica | | Esta pinça é similar a uma pinça de Weber, mas é maior e fornece mais força. A ponta esférica previne a penetração excessiva na cortical. | Em lesões articulares distais do fêmur e proximais da tíbia pode ajudar a reduzir e comprimir os padrões simples de fratura por meio de pequenas incisões (**Fig. 3.1.1-11**). |
| Pinça de redução pélvica angulada (pinça de Matta) | | A angulação desta pinça permite que alcance áreas difíceis na cirurgia pélvica e acetabular. | Pode ajudar a comprimir e reduzir padrões de fratura transversais na cirurgia de fraturas acetabulares pela via de acesso posterior (posicionando através da incisura ciática maior). |
| Pinça de redução pélvica (pinça de Farabeuf) | | Esta pinça tem dois braços com extremidades projetadas para segurar cabeças de parafusos (3,5 e 4,5 mm). | Uma vez que parafusos independentes são inseridos em cada extremidade da fratura, a pinça pode prender cada cabeça de parafuso e manipular os fragmentos em planos diferentes (**Vídeo 3.1.1-6**). Também pode ser usada para segurar fragmentos anteriores de fratura da coluna na via de acesso anterior. |
| Pinça de redução pélvica (pinça de Jungbluth) | | Esta pinça tem dois braços com extremidades projetadas para serem fixadas ao osso por meio de parafusos (3,5 e 4,5 mm). | Cada braço da pinça é fixado ao osso com um parafuso, e, então, cada braço é encaixado ao outro para fornecer a manipulação da fratura em planos diferentes (**Fig. 3.1.1-13**, **Vídeo 3.1.1-6**). |

Sigla: OPMI, osteossíntese com placa minimamente invasiva.

Redução, vias de acesso e técnicas de fixação
### 3.1.1 Redução cirúrgica

#### Pinça de redução com pontas (pinça de Weber)

> A pinça de redução com ponta é a ferramenta de escolha primária para redução porque é delicada com o manguito periosteal e pode ser usada para redução direta e indireta.

A técnica de duas pinças consiste em segurar cada um dos dois fragmentos principais de uma fratura transversa com uma pinça de redução (**Vídeo 3.1.1-3**). A redução pode ser alcançada por tração manual e, em uma fratura transversa, a estabilidade intrínseca primária permite a remoção da pinça sem a perda de redução (**Fig. 3.1.1-6**).

Para uma fratura no plano oblíquo que precisar de algum alongamento, a pinça de redução com ponta se encaixa nos fragmentos principais em cada lado da fratura, com uma leve inclinação da pinça (técnica de uma pinça). Combinando a compressão com um movimento rotacional da pinça, a correção do comprimento pode ser obtida (**Vídeo 3.1.1-4**). Para manter os fragmentos reduzidos, a primeira pinça frequentemente tem que ser substituída por outra, perpendicular ao plano de fratura (**Fig. 3.1.1-7**).

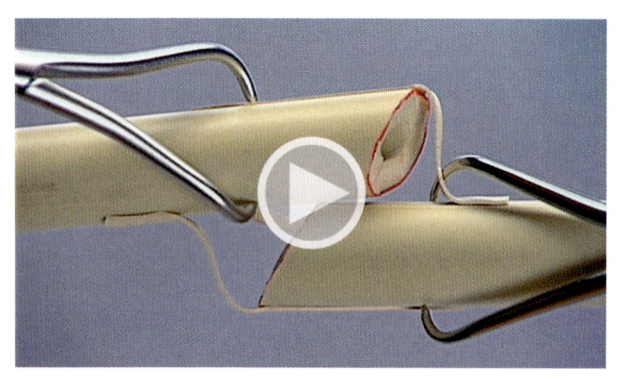

**Vídeo 3.1.1-3**  A técnica de redução de fratura com duas pinças.

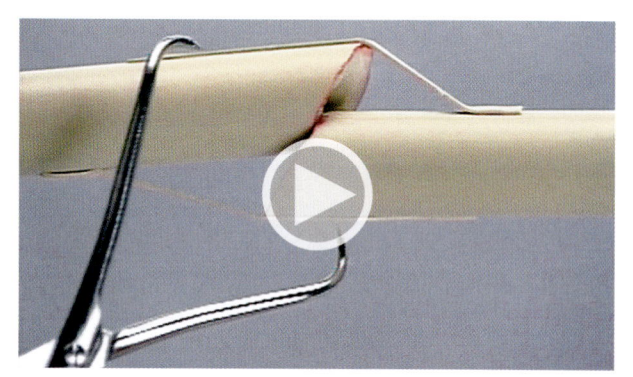

**Vídeo 3.1.1-4**  A técnica de pinça única para redução de fraturas oblíquas.

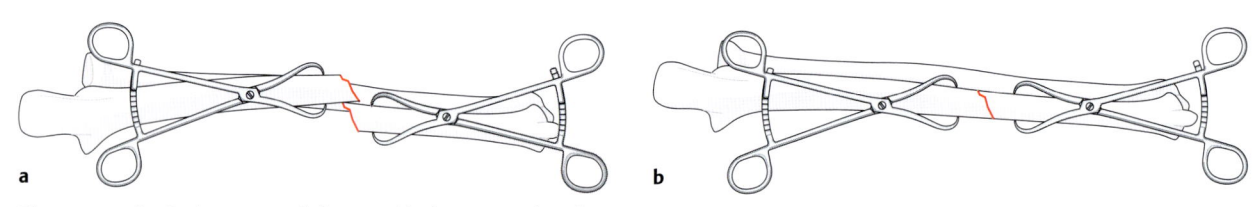

**Fig. 3.1.1-6a-b**  Redução manual direta usando duas pinças de redução com ponta.
**a**  Cada fragmento principal é seguro com uma pinça de redução com ponta.
**b**  O alongamento é alcançado por tração manual, enquanto a rotação correta e o alinhamento axial podem ser controlados com a pinça.

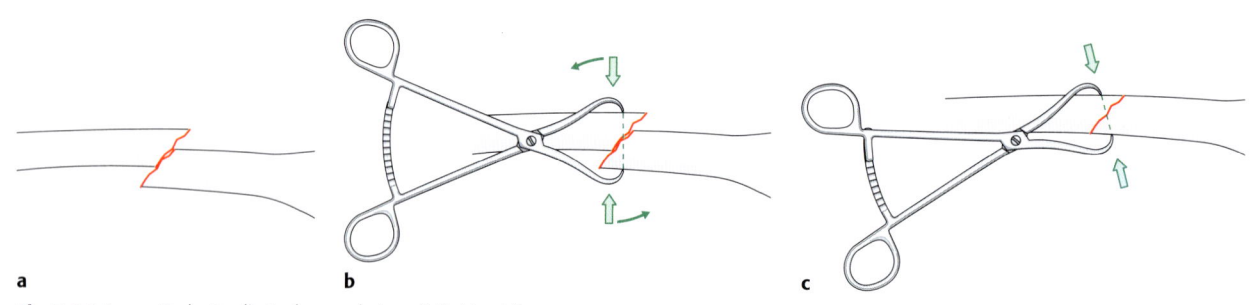

**Fig. 3.1.1-7a-c**  Redução direta de uma fratura diafisária oblíqua.
**a**  Ambos os fragmentos são seguros com a pinça de redução com ponta levemente inclinada.
**b**  Ao rodar e comprimir gentilmente a pinça, o osso é alongado e a fratura é reduzida.
**c**  Para manter a redução, é aplicada uma segunda pinça perpendicular ao plano de fratura.

## Pinça de redução denteada

Esta pinça de redução é um instrumento típico usado para a redução direta de uma fratura.

> Devido a sua dimensão e ao desenho dos ramos, a pinça de redução denteada tem uma tendência a deslizar sobre a superfície óssea, prejudicando adicionalmente o envelope periosteal.

É usada para ajustar a sintonia fina da redução da fratura e da posição da placa.

## Afastador laminar

Este dispositivo pode ser usado para tração se colocado entre dois fragmentos ou entre a extremidade de uma placa e um parafuso independente a 1 cm da extremidade da placa (técnica de empurrar) (**Fig. 3.1.1-8a**).

## Pinça para segurar osso autocentrante (pinça de Verbrugge)

A função principal desta pinça é segurar uma placa no osso diafisário. Devido ao seu desenho, produz considerável exposição circunferencial do osso porque sua extremidade com ponta tem que encaixar completamente em torno do osso (**Fig. 3.1.1-9**). Uma segunda função dessa pinça é a compressão: a extremidade com ponta da pinça pode ser enganchada em um orifício de extremidade da placa, enquanto a extremidade larga é presa ao redor de uma cabeça de parafuso independente para puxar a placa, comprimindo os fragmentos (técnica de tração) (**Fig. 3.1.1-8b**).

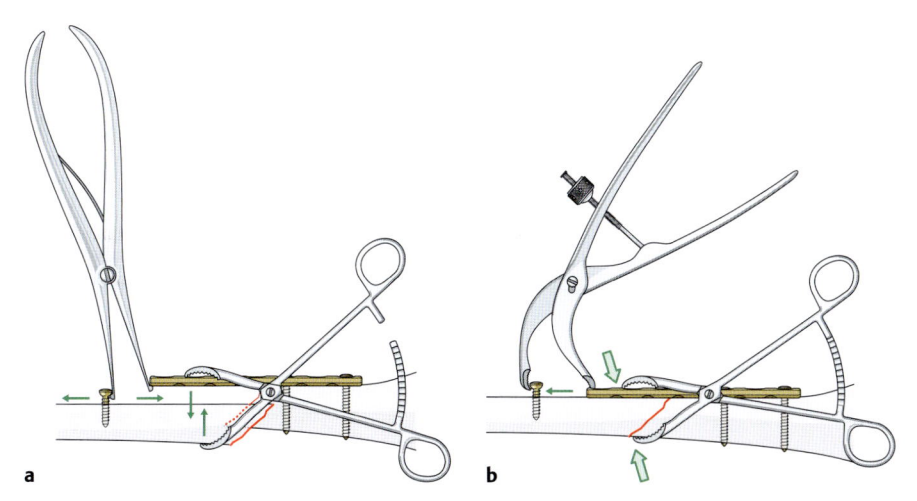

**Fig. 3.1.1-8a-b** Técnica empurra-puxa.
**a** O afastador ósseo, colocado entre a extremidade de uma placa e um parafuso independente, pode ser usado para distrair ou afastar a fratura para redução.
**b** Usando o mesmo parafuso independente, a compressão interfragmentar pode então ser obtida puxando a extremidade da placa em direção ao parafuso com uma pinça de Verbrugge pequena.

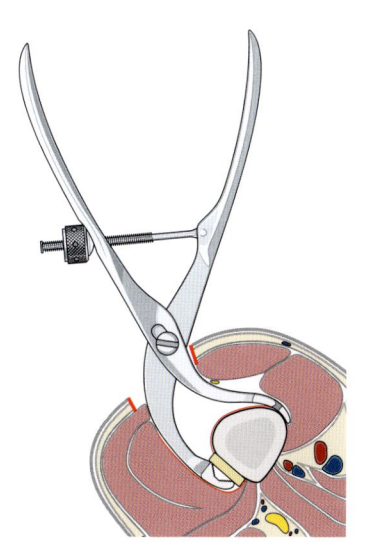

**Fig. 3.1.1-9** A pinça de Verbrugge é autocentrante e pode ser usada para segurar uma placa. Deve ser usada fora da zona de fratura para minimizar o dano ao suprimento sanguíneo.

### 3.1.1 Redução cirúrgica

#### Pinça de redução colinear

Esta pinça tem um mecanismo de deslizamento que permite o movimento linear. O gancho é projetado para passar ao redor do osso sem desnudamento de tecidos moles (**Fig. 3.1.1-10**) [11].

#### Pinça de redução pélvica com ponta esférica

Estas pinças de redução são principalmente usadas para a redução de fraturas pélvicas, acetabulares ou do planalto tibial. Para evitar a penetração profunda das pontas no osso, uma arruela móvel pode ser fixada às pontas esféricas. A pinça também pode ser usada para a redução indireta de outras fraturas articulares, como, por exemplo, no planalto tibial. Uma ou ambas as pontas desta pinça podem ser inseridas percutaneamente através de pequenas incisões (**Fig. 3.1.1-11**), enquanto os braços largos da pinça evitam o esmagamento de tecidos moles conforme a pinça é fechada.

#### Pinça de redução pélvica angulada (pinça de Matta)

Estas pinças de redução são também usadas para as fraturas pélvicas e acetabulares. A angulação permite o acesso a áreas anatômicas que sejam difíceis de alcançar (p. ex., através da incisura isquiática). As pontas esféricas e arruelas encaixáveis reduzem as forças de contato no osso enfraquecido.

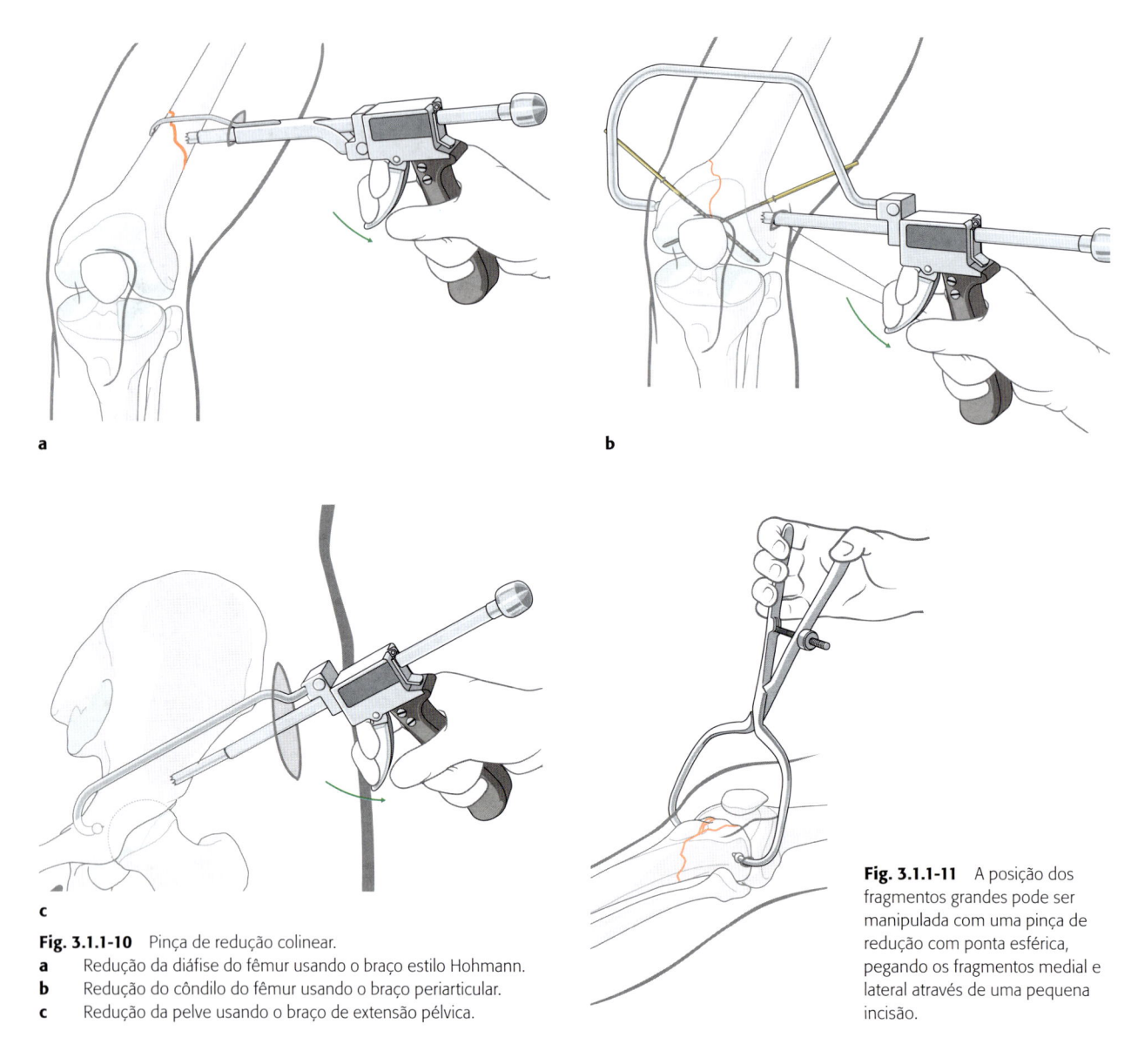

**Fig. 3.1.1-10** Pinça de redução colinear.
a  Redução da diáfise do fêmur usando o braço estilo Hohmann.
b  Redução do côndilo do fêmur usando o braço periarticular.
c  Redução da pelve usando o braço de extensão pélvica.

**Fig. 3.1.1-11** A posição dos fragmentos grandes pode ser manipulada com uma pinça de redução com ponta esférica, pegando os fragmentos medial e lateral através de uma pequena incisão.

Princípios AO do tratamento de fraturas
**Volume 1**

### Pinça de redução pélvica (pinça de Faraboeuf)

A pinça de Faraboeuf é projetada para segurar cabeças de parafuso inseridas em qualquer um dos lados de uma linha de fratura (parafusos de 3,5 ou 4,5 mm) (**Fig. 3.1.1-12**). A manipulação da pinça permite compressão e permite manipulações limitadas em dois planos diferentes (**Vídeo 3.1.1-5**). Entretanto, o afastamento do *gap* de fratura não é possível.

### Pinça de redução pélvica (pinça de Jungbluth)

A pinça de Jungbluth é fixada em ambos os fragmentos com um parafuso cortical de 3,5 ou 4,5 mm. Isso permite que os fragmentos sejam movidos e reduzidos em três planos (tração e compressão, bem como desvio lateral em dois planos) (**Fig. 3.1.1-13**, **Vídeo 3.1.1-6**).

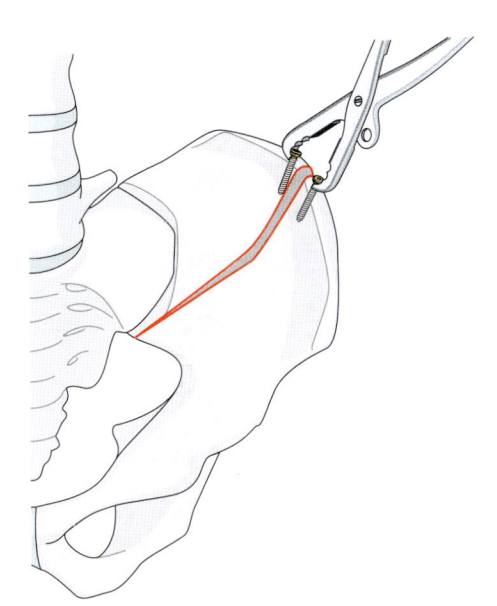

**Fig. 3.1.1-12** A pinça de Faraboeuf é principalmente usada para a redução de fratura do anel pélvico e da crista ilíaca. Ela é ancorada em ambos os lados da fratura com parafusos corticais de 3,5 ou 4,5 mm. A pinça é útil somente para reduzir um desvio lateral ou para fechar um *gap* de fratura. A tração não é possível.

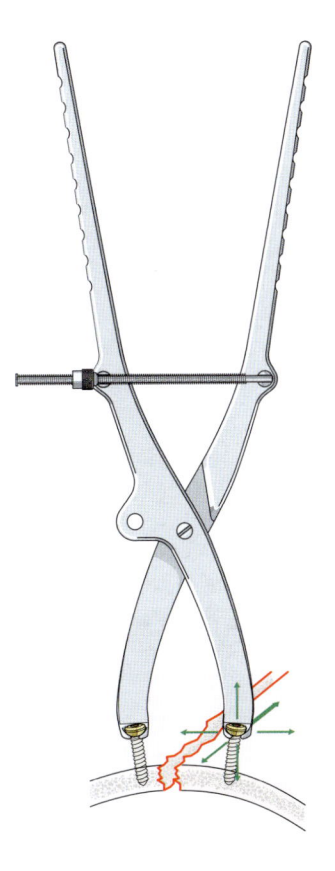

**Fig. 3.1.1-13** A pinça de Jungbluth é fixada aos fragmentos com parafusos corticais de 4,5 mm. Essa conexão firme permite manobras translacionais de redução em todos os três planos.

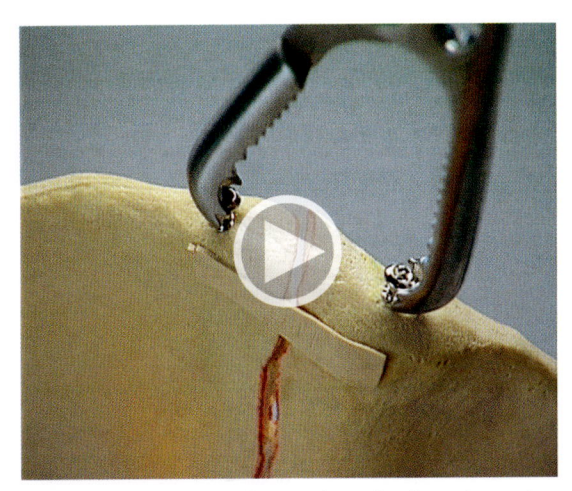

**Vídeo 3.1.1-5** Aplicação da pinça de Faraboeuf usando as cabeças dos parafusos.

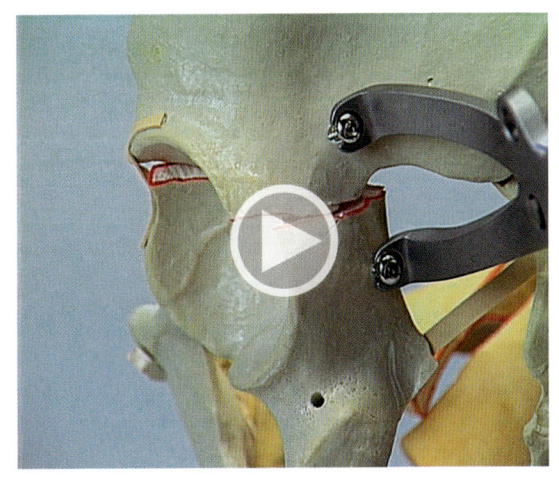

**Vídeo 3.1.1-6** A pinça de Jungbluth permite a redução em três planos.

Redução, vias de acesso e técnicas de fixação
### 3.1.1  Redução cirúrgica

#### Afastador de Hohmann

No osso cortical, a ponta curta do afastador de Hohmann pode ser usada como uma alavanca ou impactor para empurrar e alcançar a redução. A ponta do afastador de Hohmann é introduzida entre as corticais dos dois fragmentos diafisários, sendo então rodada em 180 graus para se encaixar na cortical do fragmento oposto. Com uma força de inclinação aplicada ao afastador de Hohmann, as duas corticais podem ser realinhadas, permitindo a redução cuidadosa da fratura. Outra virada do afastador é geralmente necessária para removê-lo (**Fig. 3.1.1-14**) [1]. Pelo fato de a ponta do afastador estar completamente dentro da fratura, nenhum desnudamento adicional de partes moles é criado durante essa manobra (**Vídeo 3.1.1-7**). Entretanto, pode desviar a fratura se houver uma fratura não reconhecida ou se o osso for osteoporótico.

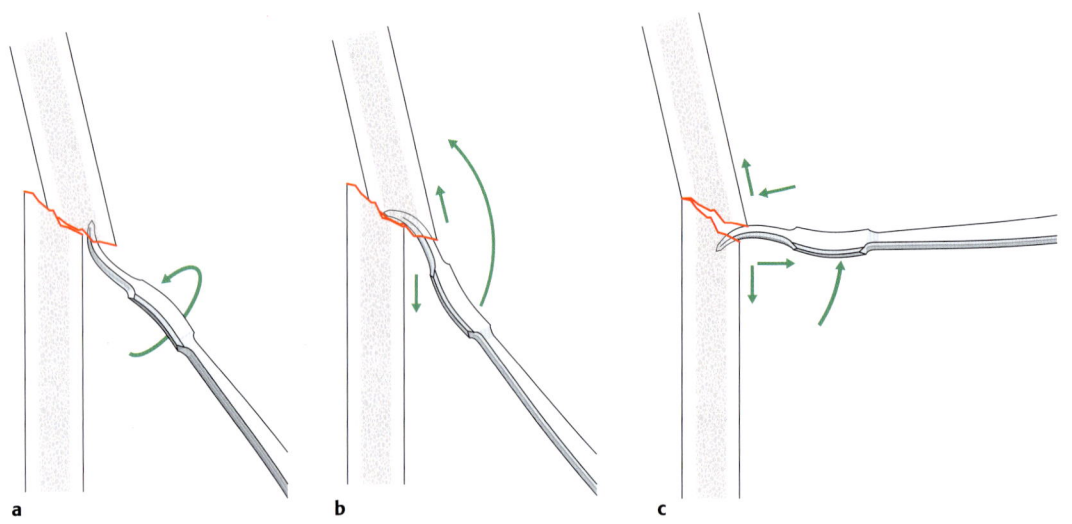

**Fig. 3.1.1-14a–c**   Redução diafisária com um afastador de Hohmann pequeno.
No osso cortical, a ponta do afastador de Hohmann é colocada entre os dois fragmentos. Girando e curvando o cabo do afastador, os fragmentos podem ser desencaixados e reduzidos. Outro giro é geralmente necessário para remover o afastador de Hohmann.

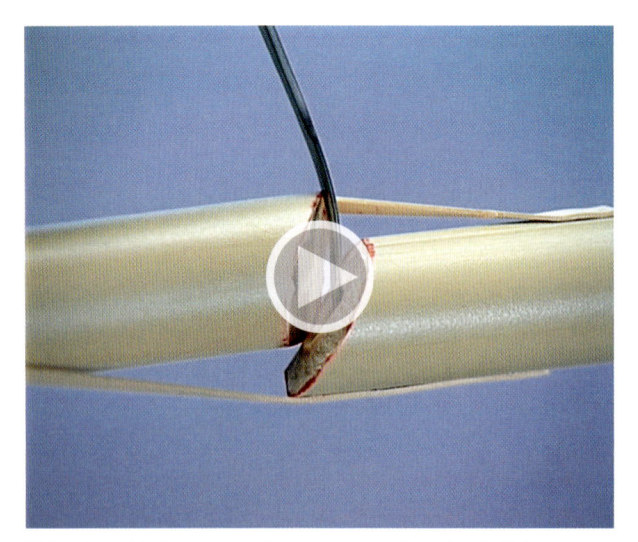

**Vídeo 3.1.1-7**   Redução de fratura com um afastador de Hohmann pequeno.

Uma outra aplicação do afastador de Hohmann é reduzir um desvio translacional no osso esponjoso de uma fratura na asa do ilíaco. Primeiro, a ponta do afastador de Hohmann é ligeiramente martelada para dentro do osso. Então, é virada, e a redução pode ser obtida com uma força de inclinação (**Fig. 3.1.1-15**, **Vídeo 3.1.1-8**). Essa manobra geralmente produz uma pequena zona de impacção na fina cortical do fragmento empurrado para baixo.

### Esfera com ponta, impactor ósseo, gancho ósseo

A redução da fratura em uma direção pode ser executada por instrumentos projetados para empurrar ou puxar. Usando a esfera com ponta, os fragmentos podem ser firmemente empurrados na posição correta. O impactor ósseo, usado de dentro para fora, serve para desencaixar (elevar) os fragmentos impactados de uma superfície articular. O gancho pequeno (dental) ou o gancho ósseo regular pode ser muito útil para a redução delicada de um fragmento.

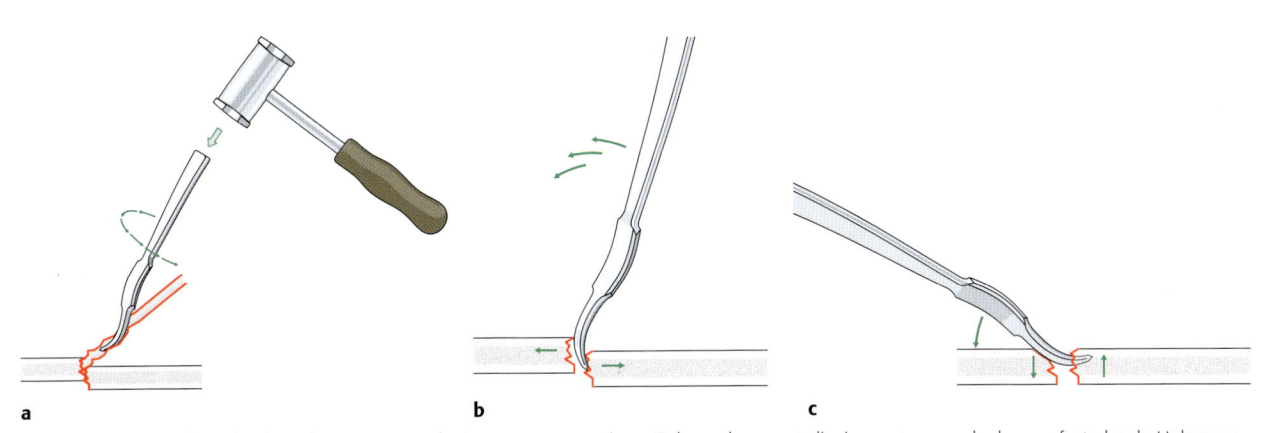

**Fig. 3.1.1-15a-c**  Afastador de Hohmann para redução no osso esponjoso. Colocando a ponta ligeiramente curvada de um afastador de Hohmann entre dois fragmentos sobrepostos e então girando e inclinando o afastador, a fratura pode ser reduzida e interdigitada. Uma pré-condição é uma camada sólida de osso.

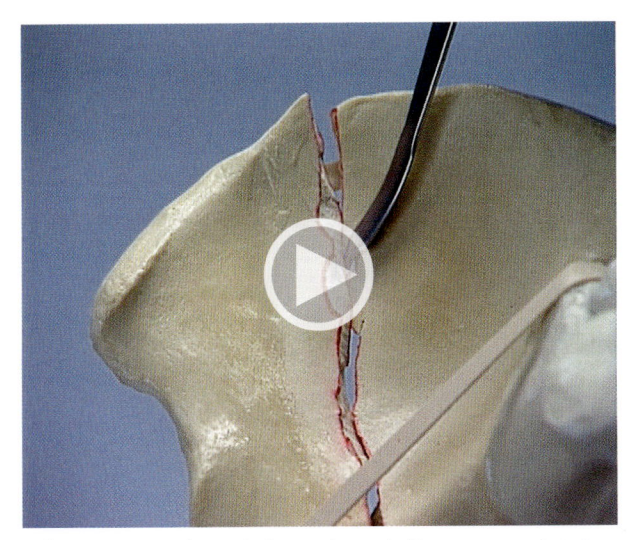

**Vídeo 3.1.1-8**  Redução de fratura da asa do ilíaco com um afastador de Hohmann pequeno.

Redução, vias de acesso e técnicas de fixação
### 3.1.1 Redução cirúrgica

### Redução com *joystick*

Esta técnica pode ser usada com parafusos de Schanz ou fios de Kirschner para manipular fragmentos de fratura em planos diferentes; pode ser usada só ou associada a outras técnicas de redução (distratores, pinça de redução). A inserção de um parafuso de Schanz no ísquio é uma técnica comum para manipular a coluna posterior do acetábulo (no caso de uma fratura da coluna posterior, transversa ou em forma de T). A mesma técnica pode ser usada para controlar a rotação da diáfise femoral ou côndilo femoral ao reduzir uma fratura supracondilar-intercondilar. A inserção aberta ou percutânea de fios de Kirschner rosqueados ou não rosqueados permite a manipulação dos fragmentos ósseos com ou sem uma visão direta (**Fig. 3.1.1-16**, **Vídeo 3.1.1-9**) [3, 12].

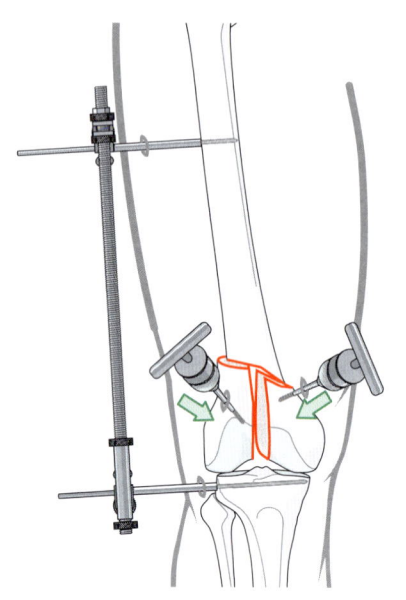

**Fig. 3.1.1-16**  Técnica do *joystick* combinada com o distrator femoral.

### Redução de Kapandji

Com um fio de Kirschner introduzido através do *gap* da fratura, o fragmento de uma fratura distal do rádio pode ser manipulado e rodado similarmente à técnica com o afastador de Hohmann. A estabilização definitiva é alcançada completando-se a inserção do fio de Kirschner para dentro da cortical oposta do osso (ver Cap. 6.3.3).

### Fios de cerclagem

A cerclagem é definida como as laçadas de fio circunferencial e periosteal colocadas perpendicularmente ao eixo longo do osso. Mostra uma força centrípeta reduzindo e mantendo juntos os fragmentos radialmente desviados [13-16]. Pode ser usada como uma ferramenta de redução e como um dispositivo de fixação. Hoje o uso da aplicação percutânea de fios de cerclagem usando a técnica minimamente invasiva e passador de fio tem provado causar danos mínimos aos tecidos moles e ao osso (**Fig. 3.1.1-17**) [16]. Wähnert e colaboradores [15] demonstraram que a estabilidade fornecida pelo fio de cerclagem é determinada pela deformação plástica da torção serrilhada, e a chave é a virada mais interna. Isso é alcançado aplicando-se ao mesmo tempo torque e tração, tentando tracionar a torção para longe do osso (**Vídeo 3.1.1-10**).

Ao aplicar cerclagem como uma ferramenta de redução, deve ser aplicada pelo menos 1 cm da ponta da fratura, especialmente com fragmentos oblíquos, helicoidais e em asa-de-borboleta. Em fragmentos grandes oblíquos ou em asa-de-borboleta, podem ser usados vários fios de cerclagem.

O uso de cerclagem aumentou nos últimos anos, especialmente nas fraturas periprotéticas e nas fraturas helicoidais proximais ou distais do fêmur [13].

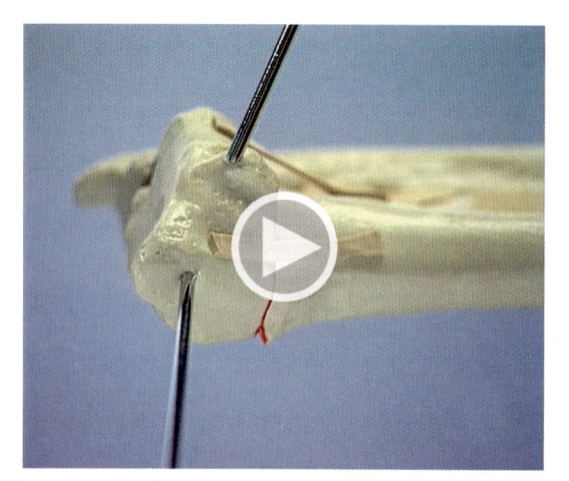

**Vídeo 3.1.1-9**  Redução com *joystick* usando fios de Kirschner em uma fratura distal do rádio.

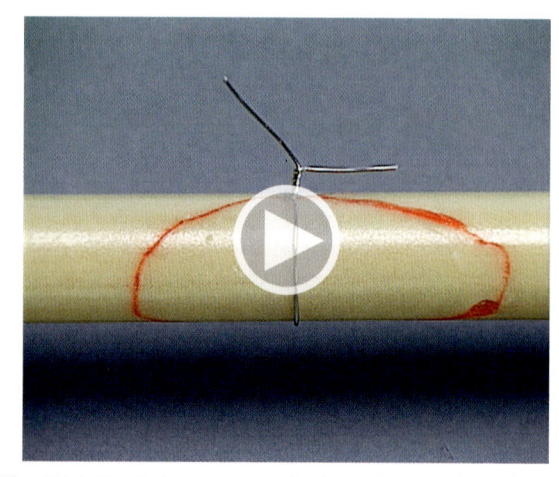

**Vídeo 3.1.1-10**  Redução com um fio de cerclagem. O desnudamento de partes moles deve ser mínimo.

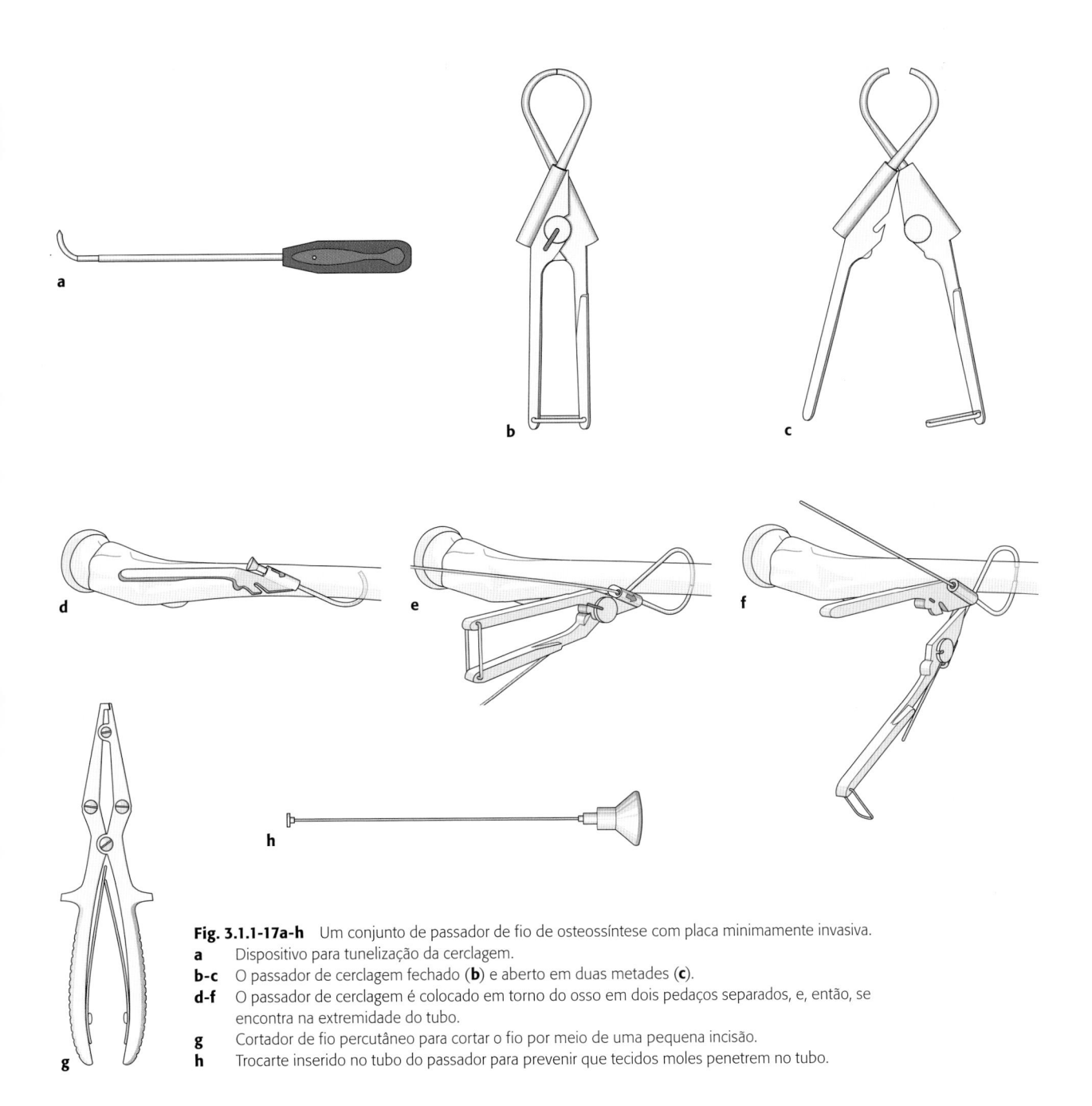

**Fig. 3.1.1-17a-h**  Um conjunto de passador de fio de osteossíntese com placa minimamente invasiva.
a   Dispositivo para tunelização da cerclagem.
b-c O passador de cerclagem fechado (**b**) e aberto em duas metades (**c**).
d-f O passador de cerclagem é colocado em torno do osso em dois pedaços separados, e, então, se encontra na extremidade do tubo.
g   Cortador de fio percutâneo para cortar o fio por meio de uma pequena incisão.
h   Trocarte inserido no tubo do passador para prevenir que tecidos moles penetrem no tubo.

Redução, vias de acesso e técnicas de fixação
### 3.1.1 Redução cirúrgica

#### 2.2.3 Redução com a ajuda de implantes

**Um implante pode ser usado como uma ferramenta de redução, bem como fornecer a fixação da fratura.**

Um exemplo simples disso é a redução alcançada por uma haste intramedular anatomicamente moldada. Conforme a haste cruza a fratura de um fragmento de mesmo diâmetro até o outro, deve ocorrer a redução nos planos coronal e sagital. Em fraturas multifragmentadas da diáfise, algum alongamento pode ser obtido depois do bloqueio distal da haste, impactando-a distalmente de forma adicional. Entretanto, um planejamento preciso é necessário com a medida do comprimento correto da haste em uma radiografia inteira de todo o osso oposto [17].

#### Redução sobre uma placa

**As fraturas dentro de um segmento reto da diáfise podem ser reduzidas com uma placa para restaurar o alinhamento antes da fixação definitiva (Vídeo 3.1.1-11).**

Tracionando-se a fratura, a tensão nos tecidos moles é aumentada, o que tende a realinhar os fragmentos até a sua posição original. A técnica de puxa-empurra com um afastador ósseo e a pinça de Verbrugge é um modo elegante de tracionar e reduzir uma fratura dos ossos do antebraço, por exemplo, ou na cirurgia retardada de uma fratura maleolar do tipo B ou C (**Fig. 3.1.1-18**, **Vídeo 3.1.1-12**).

**Vídeo 3.1.1-11**  Redução de uma fratura oblíqua usando a placa como uma ferramenta de redução.

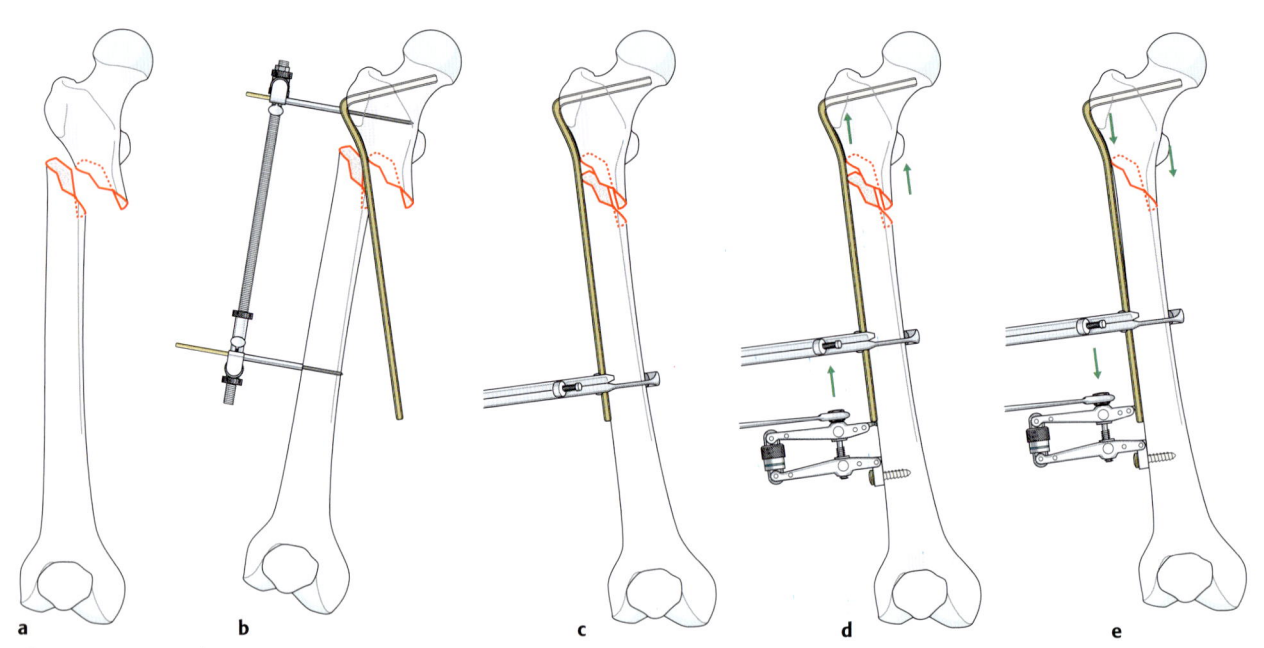

**Fig. 3.1.1-18a-e**  Redução com ajuda da placa-lâmina condilar.
a   Fratura proximal do fêmur desviada com o fragmento proximal em adução e flexão.
b   Introdução da placa-lâmina angulada com 95° (placa-lâmina condilar) e tração da fratura com o distrator grande.
c   Fixação provisória com uma pinça de redução distalmente.
d   Uso do dispositivo de tensão articulado para tracionar a fratura e permitir proximalmente a redução completa.
e   Pela reversão do gancho pequeno, o dispositivo de tensão é usado para a compressão interfragmentar.

## Princípios AO do tratamento de fraturas
**Volume 1**

### Placa de suporte/antideslizante

Outro mecanismo de redução simples e poderoso utiliza a placa na função de suporte. A aplicação de uma placa corretamente moldada no fragmento diafisário de uma fratura metafisária oblíqua reduz automaticamente a fratura. Essa técnica corrige os pequenos desvios e a angulação enquanto mantém a estabilidade, conforme ocorre a redução (**Fig. 3.1.1-19**, **Vídeo 3.1.1-13**).

### Placa-lâmina angulada

Uma placa-lâmina angulada, quando corretamente introduzida no segmento metafisário proximal ou distal do fêmur irá, por seu formato, trazer o segmento diafisário para o alinhamento anatômico. Essa técnica é principalmente usada para a correção de deformidades por consolidação viciosa ou não união (**Fig. 3.1.1-18**).

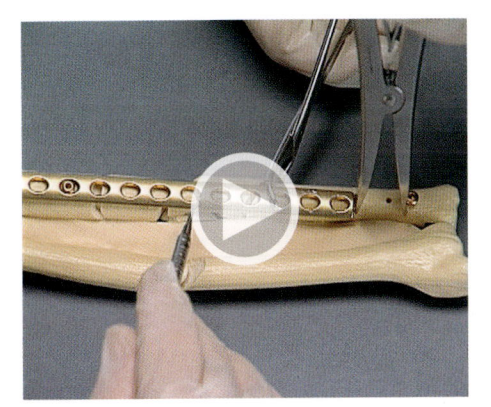

**Vídeo 3.1.1-12** Um afastador ósseo pode ser usado para tracionar uma fratura e permitir a redução.

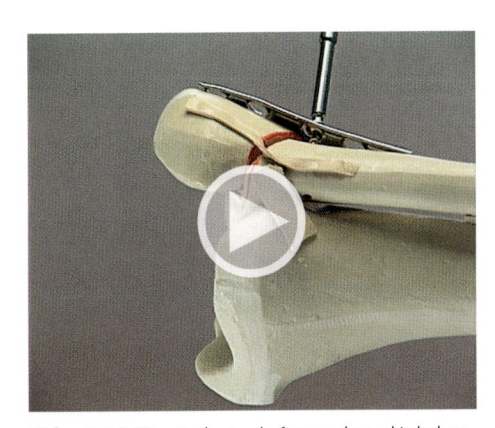

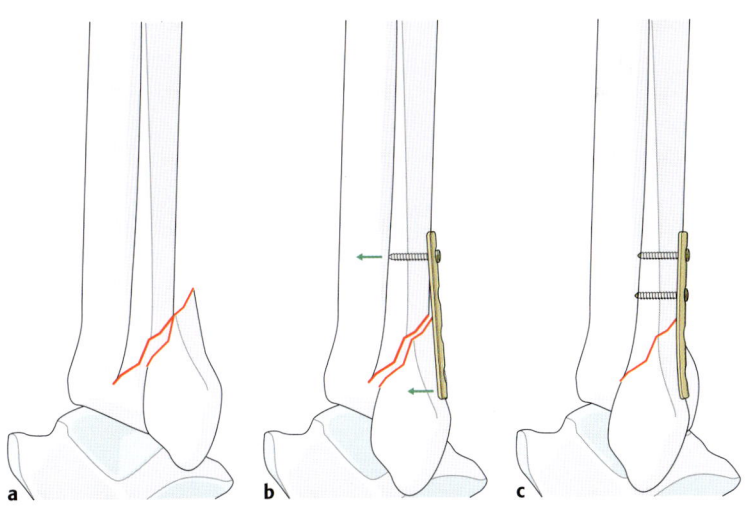

**Fig. 3.1.1-19a-c** Redução indireta com uma placa funcionando em modo de suporte (ou antideslizante).
a   Fratura posteriormente desviada (tipo B) do maléolo lateral.
b   Fixação com uma placa de 1/3 de tubo de 4 orifícios ou 5 orifícios posteriormente sobre o fragmento proximal.
c   O aperto do parafuso força o fragmento distal a deslizar distalmente e anteriormente ao longo do plano de fratura oblíqua até a posição correta, onde é firmemente bloqueado pela placa. Um parafuso de tração pode agora ser colocado através da placa cruzando a fratura oblíqua.

**Vídeo 3.1.1-13** Redução de fratura de maléolo lateral do tipo B com uma placa de suporte posterior.

133

Redução, vias de acesso e técnicas de fixação
### 3.1.1 Redução cirúrgica

#### Placas anatômicas moldadas

As metas de redução com essa nova geração de implantes permanecem as mesmas que com as placas convencionais. Entretanto, a aplicação desses implantes é mais trabalhosa, especialmente se eles forem usados com inserção submuscular ou subcutânea em combinação com as técnicas de redução indireta. O planejamento pré-operatório da redução, a inserção do implante e a ordem de colocação dos parafusos é essencial (**Figs. 3.1.1-20-21**).

Se parafusos convencionais e de cabeça bloqueada forem usados no mesmo segmento ósseo, a ordem de inserção do parafuso é importante.

#### Miniplacas e parafusos unicorticais

O uso de placas de minifragmentos (2,7, 2,4 e 2,0) e parafusos para auxiliar na redução das lesões de ossos longos nas fraturas de extremidade superiores vem aumentando [18, 19], especialmente em lesões periarticulares complexas (ver Cap. 3.2.2).

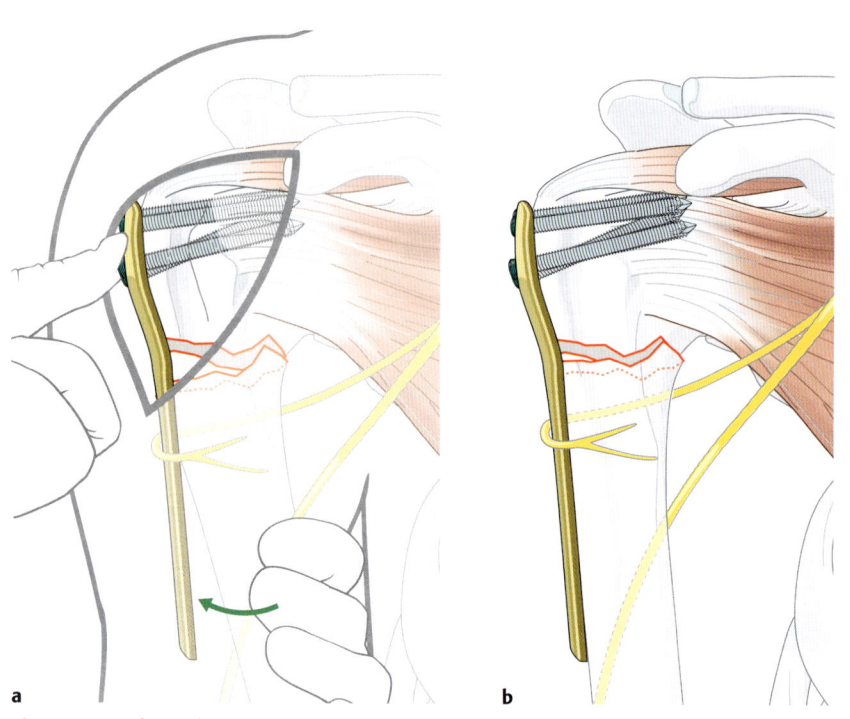

**Fig. 3.1.1-20a-b** A placa anatômica é usada como um auxílio para a redução na extremidade proximal do úmero. Note que a placa é passada profundamente ao nervo axilar.

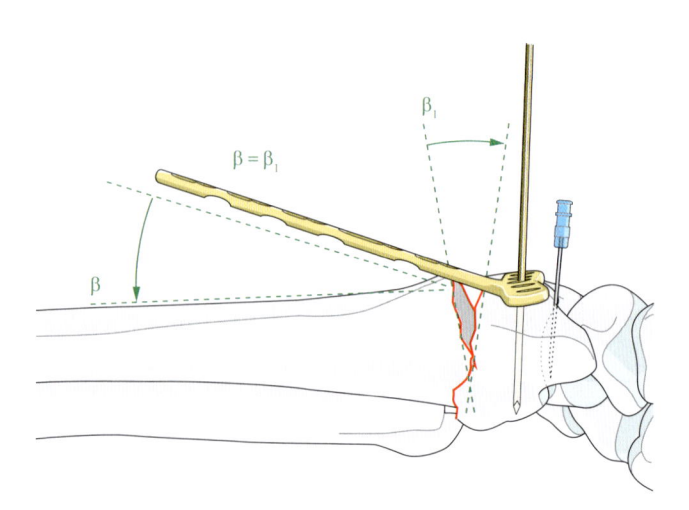

**Fig. 3.1.1-21** A placa anatômica distal do rádio é usada como um auxílio à redução com uma via de acesso anterior (palmar) no punho. É necessário o planejamento cuidadoso da redução e na colocação da placa. Deve-se notar que a fixação deve primeiro ser obtida distalmente antes que ocorra a redução, sendo seguida pela fixação proximal.

## 3 Avaliação da redução

Uma vez que a redução de uma fratura tenha sido executada por qualquer uma das técnicas diretas ou indiretas, o alinhamento e a rotação corretos devem ser verificados.

Existem vários caminhos para fazê-lo (**Tab. 3.1.1-3**), incluindo a visão direta, a palpação (digital ou instrumental), por radiografia ou intensificação de imagem intraoperatória, artroscopia ou endoscopia, bem como os sistemas auxiliares digitais.

As pequenas indentações ou referências que estiverem presentes em toda linha de fratura devem ser alinhadas se a fratura estiver visível (técnica do quebra-cabeça). Quando uma superfície de fratura não puder ser vista diretamente, a palpação gentil com uma ponta do dedo pode ser útil, como, por exemplo, na superfície quadrilátera da pelve para controlar a redução de uma fratura do acetábulo. Similarmente, um instrumento apropriado, como uma rugina, pode ser usado cegamente para verificar a exatidão da redução de uma superfície articular, como, por exemplo, do planalto tibial. A avaliação clínica do alinhamento axial e rotacional pode ser difícil e não confiável. Ela é, entretanto, frequentemente necessária, em especial no encavilhamento intramedular fechado.

O controle intraoperatório da redução e fixação da fratura deve ser feito por intensificador de imagem ou radiografias em dois planos, ainda que a redução direta tenha sido executada. A angulação da fratura pode ser difícil de se apreciar dentro de campo operatório limitado.

Em fraturas articulares, tem sido descrito o uso de artroscopia para ajudar ou verificar a redução (p. ex., planalto tibial).

Os mais novos desenvolvimentos incluem o uso de sistemas guiados por computador para a colocação de instrumentos e implantes, ou para a localização espacial dos fragmentos ósseos. As referências anatômicas proximais e distais ao local de fratura podem servir como uma referência para o cálculo do desvio residual (translacional ou rotacional), usando algoritmos matemáticos. A redução navegada da fratura de osso longo está se tornando disponível com o uso de *softwares* e rastreadores dedicados. Isso permitirá a redução rápida e precisa com muito menos exposição à radiação [20, 21].

**Tabela 3.1.1-3** Controle da redução

| Método de controle | Campo de aplicação | Vantagens | Desvantagens |
|---|---|---|---|
| Controle visual da anatomia/reconstrução | Fraturas diafisárias articulares e simples (úmero/antebraço) | Visualização direta, precisa | Exposição de fragmentos da fratura, dano de partes moles na exposição |
| Palpação | Fraturas do acetábulo e da pelve | Pode ser feito em qualquer fratura | Requer experiência, menos precisa que visualização direta |
| Controle visual de membro | Alinhamento da extremidade (inferior) | Fácil de fazer, pode ser ajudado por intensificador de imagem | Inexata, requer a extremidade contralateral normal |
|  | Rotação da extremidade (clínica) | Comparar ao lado normal, fácil de fazer | Inexata, requer a extremidade contralateral normal |
| Radiografias intraoperatórias | Qualquer fratura | Imagem melhor que com intensificador; avaliação acurada do alinhamento em fraturas da diáfise | Demanda tempo |
| Intensificação de imagem | Qualquer fratura, técnicas de OMI | Disponível, avaliação imediata | Campo limitado de visão, aumento da exposição à radiação |
| Intensificador de imagem tridimensional | Fraturas articulares | Preciso | Custo, tempo de execução, exposição à radiação |
| TC | Avaliação de fraturas articulares, rotação nas fraturas da diáfise | Preciso | Indisponível na maioria dos centros cirúrgicos |
| Controle artroscópico | Fraturas articulares | Preciso para a superfície articular | Experiência, soro fisiológico bombeado para dentro de articulações e tecidos moles |
| Navegação auxiliada por computador | Fraturas articulares, da pelve, do acetábulo, da coluna vertebral | Precisa, nenhuma radiação | Custo, tempo para aprender a técnica |

Siglas: TC, tomografia computadorizada; OMI, osteossíntese minimamente invasiva.

Redução, vias de acesso e técnicas de fixação
### 3.1.1 Redução cirúrgica

| Referências clássicas | Referências de revisão |

## 4 Referências

1. **Mast J, Jakob R, Ganz R.** *Planning and Reduction Technique in Fracture Surgery.* 1st ed. Berlin Heidelberg New York: Springer-Verlag; 1989.
2. **Müller ME, Allgöwer M, Schneider R, et al.** *Manual of Internal Fixation.* 3rd ed. Berlin Heidelberg New York: Springer-Verlag; 1990.
3. **Schatzker J, Tile M.** *The Rationale of Operative Fracture Care.* 3rd ed. Berlin Heidelberg New York: Springer-Verlag; 1987.
4. **Marsh JL, Buckwalter J, Gelberman R, et al.** Articular fractures: does anatomical reduction really change the result? *J Bone Joint Surg Am.* 2002 Jul;84(7):1259–1271.
5. **Matta JM.** Fractures of the acetabulum: accuracy of reduction and clinical results in patients managed operatively within three weeks after the injury. *J Bone Joint Surg Am.* 1996 Nov;78(11):1632–1645.
6. **Olson SA, Matta JM.** The computerized tomography subchondral arc: a new method of assessing acetabular articular continuity after fracture (a preliminary report). *J Orthop Trauma.* 1993;7(5):402–413.
7. **Rhinelander FW.** Tibial blood supply in relation to fracture healing. *Clin Orthop Relat Res.* 1974 Nov-Dec;(105):34–81.
8. **Trueta J.** Blood supply and the rate of healing of tibial fractures. *Clin Orthop Relat Res.* 1974 Nov-Dec;(105):11–26.
9. **Wilson JW.** Blood supply to developing, mature, and healing bone. In: Sumner-Smith G, ed. *Bone in Clinical Orthopedics,* 2nd ed. Stuttgart New York: Georg Thieme Verlag; 2002:23–116.
10. **Volgas D, Harder Y.** *Manual of Soft-Tissue Management in Orthopedic Trauma.* New York: Thieme; 2011.
11. **Link BC, Rosenkranz J, Winkler J, et al.** Minimally invasive plate osteosynthesis of the distal femur. *Oper Orthop Traumatol.* 2012 Sep;24(4-5):324–334.
12. **Siegall E, Ziran B.** En bloc joystick reduction of a comminuted intra-articular distal radius fracture: technical trick. *Am J Orthop (Belle Mead NJ).* 2014 Aug;43 (8):351–353.
13. **Mouhsine E, Garofalo R, Borens O, et al.** Cable fixation and early total hip arthroplasty in the treatment of acetabular fractures in elderly patients. *J Arthroplasty.* 2004 Apr;19(3):344–348.
14. **Perren SM, Fernandez Dell'Oca A, Lenz M, et al.** Cerclage, evolution and potential of a Cinderella technology. An overview with reference to periprosthetic fractures. *Acta Chir Orthop Traumatol Cech.* 2011;78(3):190–199.
15. **Wähnert D, Lenz M, Schlegel U, et al.** Cerclage handling for improved fracture treatment. A biomechanics study on the twisting procedure. *Acta Chir Orthop Traumatol Cech.* 2011;78(3):208–214.
16. **Apivatthakakul T, Phaliphot J, Leuvitoonvechkit S.** Percutaneous cerclage wiring, does it disrupt femoral blood supply? A cadaveric injection study. *Injury.* 2013 Feb;44(2):168–174.
17. **Krettek C, Miclau T, Grün O, et al.** Intraoperative control of axes, rotation and length in femoral and tibial fractures. Technical note. *Injury.* 1998;29(Suppl 3):C29–39.
18. **Archdeacon MT, Wyrick JD.** Reduction plating for provisional fracture fixation. *J Orthop Trauma.* 2006 Mar;20(3):206–211.
19. **Oh JK, Sahu D, Park JW, et al.** Use of 2.0 Miniplate system as reduction plate. *Arch Orthop Trauma Surg.* 2010 Oct;130 (10):1239–1242.
20. **Khaler D.** Navigated long-bone fracture reduction. *J Bone Joint Surg Am.* 2009 Feb;91 Suppl 1:102–107.
21. **Khoury A, Beyth S, Mosheiff R, et al.** Computer-assisted orthopaedic fracture reduction: clinical evaluation of a second generation prototype. *Curr Orthop Pract.* 2011;22(1):109–115.

## 5 Agradecimentos

Agradecemos a Emmanuel Gautier por sua contribuição para este capítulo na 2ª edição de *Princípios AO do tratamento de fraturas*.

# 3.1.2 Vias de acesso e manuseio intraoperatório de partes moles

*Ching-Hou Ma*

## 1 Introdução

"A exposição é a chave da cirurgia" – esse provérbio antigo foi revisado na cirurgia ortopédica moderna. As grandes incisões de pele e as amplas exposições subcutâneas não são mais consideradas uma prática aceitável na cirurgia do trauma. A saúde dos tecidos moles que circundam uma fratura é agora reconhecida como fundamental para a consolidação bem-sucedida. A extensão e o grau de lesão de partes moles na hora da fratura desempenham um papel importante na cicatrização e são fatores importantes na determinação da personalidade da lesão. Os fatores do paciente, incluindo idade avançada, tabagismo e doenças sistêmicas, como diabetes melito e vasculite, podem também afetar a cicatrização de partes moles, sendo essencial a identificação cuidadosa de comorbidades ao lidar com fraturas. A interpretação correta do dano de partes moles, o conhecimento profundo da anatomia e do suprimento sanguíneo para os tecidos moles, o planejamento cuidadoso das incisões, como também a manipulação precisa dos tecidos moles, podem ajudar a evitar dano adicional e reduzir as complicações.

## 2 Anatomia e suprimento sanguíneo das camadas de partes moles

O osso, o endósteo, o periósteo, os músculos com sua camada fascial circundante, o tecido subcutâneo, incluindo sua camada fascial superficial (tela subcutânea) [1] e, finalmente, a pele podem ser considerados como uma unidade anatômica.

O suprimento sanguíneo para todas essas estruturas é muito relacionado e interdependente, sendo importante entender a complexa rede de vasos sanguíneos e o fluxo de sangue para planejar com sucesso uma exposição segura e correta de uma fratura.

O suprimento sanguíneo para a pele é fornecido por duas fontes principais: um sistema vascular fasciocutâneo e uma rede vascular musculocutânea [2]. O sistema vascular fasciocutâneo corre através de estruturas como a fáscia ou os septos musculares. O sistema vascular musculocutâneo consiste em três tipos de vasos:

- Artérias segmentares, que estão em continuidade com a aorta no que se relaciona à pressão de perfusão, geralmente cruzando debaixo dos músculos e sendo acompanhadas por uma única veia grande e, frequentemente, por um nervo periférico [3]. A artéria radial é um bom exemplo.
- Os vasos perfurantes, também conhecidos como perfurantes musculares verdadeiras, passam através dos músculos ou septos e servem como conexões a partir dos vasos segmentares até a circulação cutânea. Esses canais ou perfurantes têm conexões para suprir os músculos com sangue.
- Os vasos cutâneos, que consistem em:
  – Artérias musculocutâneas, que cruzam perpendicularmente à superfície de pele
  – Vasos cutâneos diretos, que cruzam em paralelo à pele

Redução, vias de acesso e técnicas de fixação
## 3.1.2 Vias de acesso e manuseio intraoperatório de partes moles

Eles podem ser divididos em plexos fasciais, subcutâneos e cutâneos (**Fig. 3.1.2-1**) [4].

A fáscia do músculo, que consiste em um plexo dominante pré-fascial e um subfascial, é bem vascularizada. Em contraste, o tecido subcutâneo é um tecido adiposo mal vascularizado, que é separado por uma camada fascial superficial bem vascularizada e mecanicamente resistente [1], incluindo o plexo subcutâneo. Essa fáscia está bem desenvolvida no tronco e na coxa. A pele é vascularizada por um sistema complexo de vários plexos horizontais em níveis diferentes, incluindo os níveis subepidérmico, dérmico e subdérmico (**Fig. 3.1.2-1**)

> Os diferentes plexos vasculares horizontais são interconectados por vasos verticalmente orientados que perfuram o músculo, os septos e os tecidos subcutâneos. Esses vasos verticalmente orientados se originam a partir do sistema vascular cutâneo e musculocutâneo.

Em uma extensão horizontal, esses plexos formam territórios vasculares, também conhecidos como angiossomos, que são unidades compostas de pele e tecido profundo subjacente provido por suas artérias-fonte [5]. Eles são definidos pela extensão das conexões do vaso-fonte antes que se anastomosem com os ramos dos vasos-fonte adjacentes.

> A fim de garantir a perfusão ao tecido mole adjacente, o cirurgião tem que estar ciente de dois fatos importantes antes de expor um local de fratura:
> - Mecanismo de lesão e a energia envolvida
> - Angiossomos locais, incluindo relações anatômicas dos vasos perfurantes

Se esses fatos não forem levados em conta, existe um risco de se menosprezar a extensão da lesão aos tecidos moles. A lesão direta e o edema podem reduzir ou interromper completamente o suprimento sanguíneo colateral para a pele, e uma lesão cirúrgica adicional aos vasos perfurantes pode resultar em necrose de pele, o que não ocorreria durante a cirurgia eletiva em pele ilesa. As lesões de desenluvamento apresentam um risco particular.

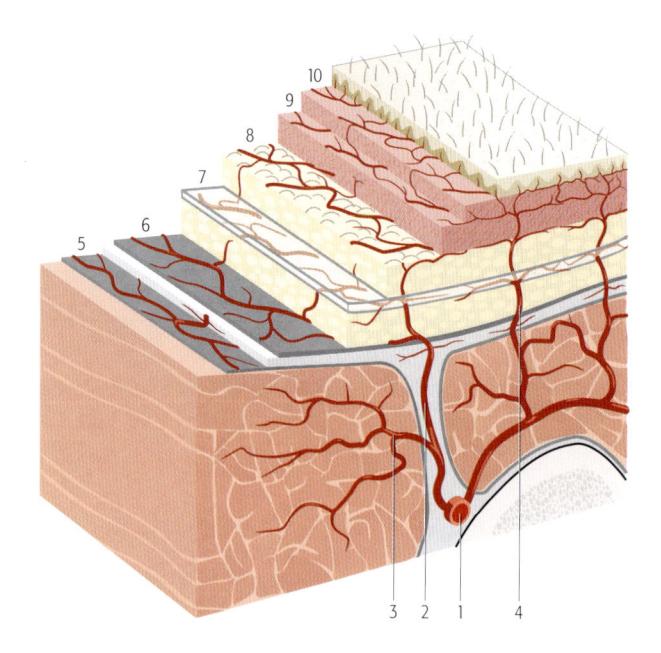

**Fig. 3.1.2-1** Circulação cutânea.
A artéria segmentar (**1**) se divide em ramos septocutâneos (**2**), musculares (**3**) e musculocutâneos (**4**). Os vasos septocutâneos e musculocutâneos perfuram a fáscia profunda (as "perfurantes"). Os vasos cutâneos consistem em vasos perfurantes (**2**, **4**), que continuam a correr em vasos perpendicularmente à pele. Eles dão origem a três plexos arteriais horizontais: o fascial, que pode ser subfascial (**5**) e pré-fascial (**6**), o subcutâneo (**7**) e o cutâneo, que tem três elementos: subdérmico (**8**), dérmico (**9**), e subepidérmico (**10**).

O cirurgião deve cuidar para evitar o descolamento da pele e proteger os vasos perfurantes (verticais) durante a cirurgia da fratura.

Uma ferida nunca deve ser fechada sob tensão, já que poderá reduzir o fluxo sanguíneo e colocar em risco os tecidos moles circundantes.

## 3 Planejando a via de acesso cirúrgica

A via de acesso cirúrgica variará dependendo da localização anatômica da lesão, do tipo de redução necessária e da fixação planejada da fratura. Em áreas como a borda subcutânea da ulna, onde a pele está soltamente inserida no tecido subjacente e facilmente mobilizada para cobrir uma placa, uma via de acesso subcutânea direta pode ser usada. Em outras áreas, como a borda medial da porção distal da tíbia, a pele adere muito firmemente às estruturas subjacentes e não pode ser mobilizada com facilidade. Por conseguinte, uma via de acesso subcutânea pode ser muito mais arriscada. Se a pele se romper, o implante estará exposto, e as tentativas para a sua cobertura pela mobilização de tecido local não serão bem-sucedidas. Sempre que possível, as incisões de pele devem estar localizadas sobre o músculo. Se houver rompimento da pele com exposição do músculo subjacente, ele pode ser coberto com um enxerto de pele.

Também deve haver consideração com:

- As linhas de Langer (o resultado das fibras elásticas dentro da derme que servem para manter a pele em um estado de tensão constante. Elas são um guia útil para o planejamento e delineamento das incisões de pele.)
- Prevenção da contratura de partes moles (Incisões curvadas ou quebradas devem ser usadas sobre as rugas cutâneas sobrejacentes.)
- Antecipação de cirurgia adicional

Por exemplo, nas fraturas periarticulares de joelho, o reparo ligamentar secundário ou a artroplastia podem ser necessários, sugerindo que as incisões retas sejam usadas em vez das curvadas. Da mesma forma, uma incisão para a colocação de placa na fíbula deve ser feita mais posteriormente para criar uma ponte de pele alargada se uma segunda via de acesso anterior for usada para reparar a fratura distal da tíbia em um estágio mais adiante (**Fig. 3.1.2-2**).

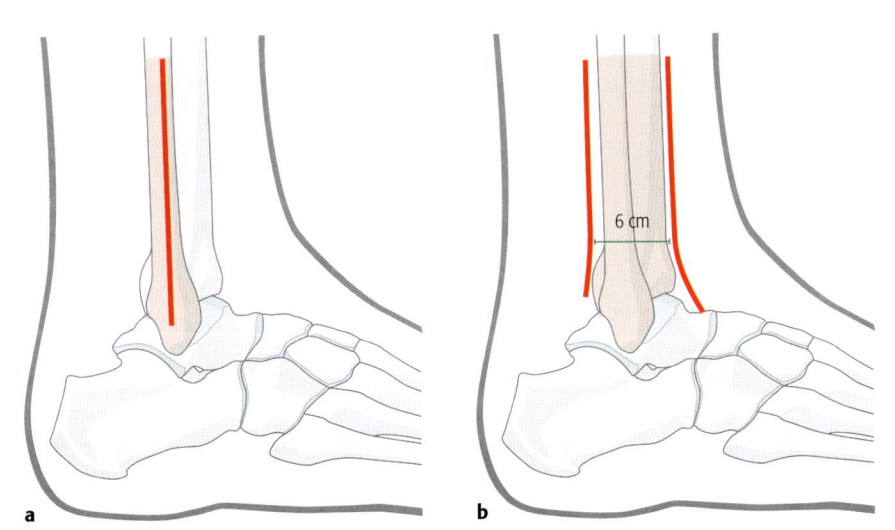

**Fig. 3.1.2-2a-b** A incisão-padrão para o maléolo lateral (**a**) deve ser levada para mais adiante se uma segunda via de acesso anterior à extremidade distal da tíbia (**b**) for planejada, permitindo uma ponte mínima de pele com 5-6 cm. As incisões não devem prejudicar as margens da pele.

## 4 Momento da cirurgia

Há vários fatores que afetam o momento ideal de fixação da fratura, sendo os mais importantes:

- A condição geral do paciente, como, por exemplo, politraumatismo, comorbidades agudas
- Lesão de partes moles
- Redução da fratura
- Reabilitação planejada

Para cada um desses fatores, pode haver um tempo ideal diferente para a cirurgia e, algumas vezes, eles entram em conflito. A fixação precoce da fratura permite a mobilidade mais cedo do membro e do paciente, e reduz complicações que são associadas à imobilização prolongada, como a trombose venosa profunda e a rigidez articular. A cirurgia precoce facilita a redução da fratura antes que esta fique "pegajosa" pela formação do calo e pela fibrose de partes moles. Por outro lado, a fixação precoce da fratura pode levar a um aumento nas complicações da ferida se executada enquanto os tecidos moles estão ainda traumatizados e edemaciados. A quantidade de energia transmitida aos tecidos determina a zona de lesão. Essa zona é caracterizada pela microcirculação perturbada, que potencialmente arrisca a viabilidade das partes moles [6]. Na hora da lesão, geralmente não é possível prever a extensão do dano. Da mesma forma, a área real de tecido mole traumatizado poderia ser mais extensa que a inicialmente apreciada, em especial depois de um trauma de grande energia nas extremidades inferiores.

O retorno das pregas cutâneas mostra que o edema dérmico se resolveu e é um sinal favorável de que o edema de partes moles diminuiu até o ponto onde a cirurgia pode ser admitida com segurança. O aperto gentil da pele ou o movimento de uma articulação vizinha (se possível) demonstrará a presença ou a ausência das pregas cutâneas.

As flictenas da fratura são problemáticas para os cirurgiões, porque representam uma lesão na derme. Existe pouca diferença histológica entre as flictenas hemáticas e as serosas. Ambas são caracterizadas por necrose da epiderme, embora a maioria dos cirurgiões tenha maior preocupação com as flictenas hemáticas [7]. Há muitos modos para se tratar as flictenas de fratura enquanto se espera a cirurgia. A remoção do teto da flictena, seguida pela aplicação de várias pomadas antibióticas ou tintura de benjoim é preconizada por alguns. Outros deixam a flictena intacta até a cirurgia. Nenhum método provou-se mais benéfico que o outro [7]. Há um consenso de que a cirurgia deve ser retardada por 7-10 dias para esses tipos de lesões.

Se possível, as incisões devem evitar passar por sobre uma flictena, e o afastamento excessivo deve ser evitado.

Como regra, a redução aberta e a fixação interna do calcâneo, da região proximal e distal da tíbia podem ser adiadas com segurança por até 10-14 dias depois da lesão. No membro superior, as fraturas distais do úmero devem ser reparadas de preferência dentro de 10 dias. Os pacientes idosos frequentemente se beneficiam da cirurgia precoce, o que tem sido estabelecido para as fraturas do quadril e também pode ser considerado para as fraturas em outros locais, como a extremidade proximal do úmero [8]. O momento da fixação para as fraturas com síndrome compartimental associada é difícil, mas a fixação interna precoce no membro superior é provavelmente segura [9]. A maioria das outras fraturas pode ser tratada dentro de até três semanas da lesão se os tecidos moles não melhorarem mais cedo. O paciente deve ser aconselhado sobre o tabagismo [10] e sobre nutrição durante esse período, quando os tecidos moles estão se recuperando.

Enquanto espera a cirurgia, a fratura deve ser imobilizada com uma tala, por tração ou com um fixador externo temporário. Isso reduz não apenas a dor, mas contribui significativamente para a recuperação dos tecidos moles. A elevação moderada da extremidade, como também os dispositivos de compressão do pé – se for o caso – ajudam a resolver o edema. Atenção especial deve ser dada ao desenvolvimento de síndrome compartimental (ver Cap. 1.5), especialmente se uma tala de gesso ou gesso circular tiverem sido usados.

Uma lesão especial e grave de partes moles é a lesão de Morel-Lavallée. Foi originalmente descrita como um padrão de lesão associada a fraturas pélvicas, onde existe a desinserção da pele e das camadas subcutâneas da fáscia mais profunda. Esse tipo de lesão é causado por compressão e estresse de cisalhamento nas zonas de transição do tecido subcutâneo e da fáscia muscular ou do periósteo do osso, conforme visto em lesões por atropelamento. Também leva ao cisalhamento da pele e do tecido subcutâneo a partir do músculo e/ou osso subjacente, seguido pelo desenvolvimento de um espaço oco preenchido de sangue e liquefação de gordura (**Fig. 3.1.2-3**). Se a pele permanecer intacta, essa lesão fechada de desenluvamento pode persistir por semanas ou até meses, e tem um risco de infecção geralmente considerado proveniente da disseminação hematogênica. Até 46% das lesões fechadas de desenluvamento podem ter aspirados positivos na cultura antes da incisão e debridamento. O aspecto clínico habitual é uma massa flutuante com pele móvel e equimose, mas pode também se apresentar como um tumor sólido que poderia ser confundido com neoplasia. Uma vez abertos, esses casos têm um prognóstico similar às queimaduras de espessura completa, com risco de infecção grave e necrose de pele.

Ocasionalmente, o envelope de partes moles não retorna a um estado que permita a cirurgia. Por exemplo, algumas fraturas expostas requerem reconstruções com retalho, e o intervalo entre o primeiro debridamento e a fixação definitiva é longo. Isso resultará em reabilitação tardia e desfechos funcionais ruins.

Recentemente, um protocolo de dois estágios foi criado para a lesão exposta da tíbia, consistindo de um primeiro estágio que utiliza placas bloqueadas de perfil baixo para a fixação temporária depois do debridamento e redução, seguida pela reconstrução de partes moles [12-14].

O segundo estágio, então, consiste em placas bloqueadas para a fixação interna definitiva usando osteossíntese percutânea minimamente invasiva. Esse protocolo permite que os pacientes comecem a reabilitação antes da fixação interna definitiva. A tomada de decisão é fundamental nessas situações complexas, e o cirurgião deve ponderar os riscos da cirurgia contra as complicações do tratamento não operatório. Algumas vezes, o tratamento não operatório será a melhor opção, porque a fisiologia, as comorbidades ou os tecidos moles do paciente podem nunca permitir uma cirurgia segura. Esse curso de tratamento pode ser apropriado em pacientes mais velhos com nutrição deficiente ou doença vascular periférica com múltiplas lesões graves, que permanecem criticamente doentes por várias semanas.

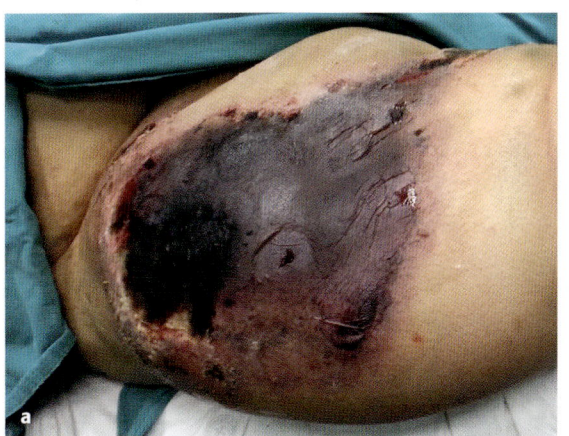

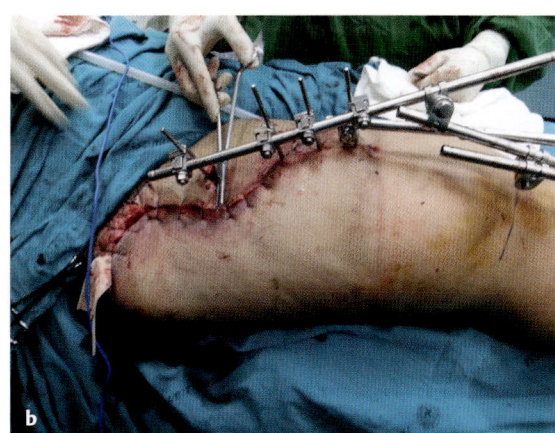

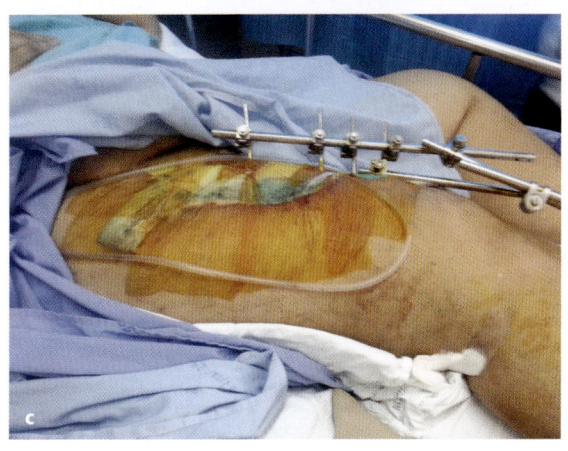

**Fig. 3.1.2-3**
a   Lesão de partes moles na coxa direita de paciente com desenluvamento fechado (Morel-Lavallée).
b   Após debridamento cirúrgico.
c   Terapia da ferida por pressão negativa.

## 5 Incisão e manipulação de partes moles

A dissecção cirúrgica é uma habilidade que é mais bem aprendida observando-se as técnicas de cirurgiões experientes e pela prática repetida. A atenção cuidadosa a detalhes e a observação dos seguintes princípios básicos podem ajudar a evitar muitas complicações:

- **Realizar a cirurgia no momento adequado.** O risco de complicações na cicatrização da ferida aumenta se uma dissecção extensa for feita em áreas de partes moles traumatizadas.
- **Lembrar que o suprimento sanguíneo para a pele vem dos tecidos moles subjacentes.** Qualquer dissecção entre os diferentes planos põe em perigo o suprimento sanguíneo. A dissecção em áreas de alto risco deve ocorrer em uma direção vertical, e os instrumentos de dissecção devem ser orientados dessa forma (**Fig. 3.1.2-4**). O descolamento horizontal romperá os vasos perfurantes verticais que suprem a pele sobrejacente.
- **Os afastadores devem ser usados de forma gentil e com moderação.** Força excessiva aplicada aos afastadores pode impedir o fluxo sanguíneo capilar na pele e romper os vasos perfurantes. O assistente deve ser instruído para afastar gentilmente e só até um ponto onde o cirurgião possa ver a área de interesse. Se o uso de força excessiva for necessário para o cirurgião visualizar a fratura, geralmente é melhor estender a incisão e reduzir a tensão.
- **Os afastadores devem ser colocados sobre – e não por baixo – do periósteo, especialmente o afastador de Hohmann no lado oposto da incisão.** A colocação de um afastador sob o periósteo resultará em desnudamento periosteal considerável, que deve ser evitado.
- **O uso de pinça para segurar a pele deve ser evitado.** Se for preciso, os dentes da pinça podem ser usados para erguer a borda da pele, em vez de agarrá-la. Isso previne o aperto inapropriado da pele delicada.
- **A dissecção cortante leva a menos dano tecidual.** que aquela causada por bisturis ou tesouras rombas. A criação de planos múltiplos de dissecção, por repetidas tentativas de expor a fratura, deve ser evitada.
- **Usar hemostasia meticulosa.** A hemostasia ruim resultará em hematoma ou seroma, além de aumentar o risco de colapso da ferida e infecção. A pressão digital nas bordas da pele perto de um vaso sangrante controlará o sangramento e permitirá a hemostasia precisa focada no vaso real.
- **A regulagem excessiva do bisturi elétrico que queima as bordas da pele deve ser evitada.** O uso indiscriminado do bisturi elétrico causa necrose tecidual e aumenta o risco de colapso da ferida e infecção.
- **Procurar por sinais de lesão de partes moles durante a abordagem.** A contusão da gordura subcutânea ou da derme indica trauma significativo ao envelope de partes moles. O tecido morto ou questionavelmente viável deve ser debridado.

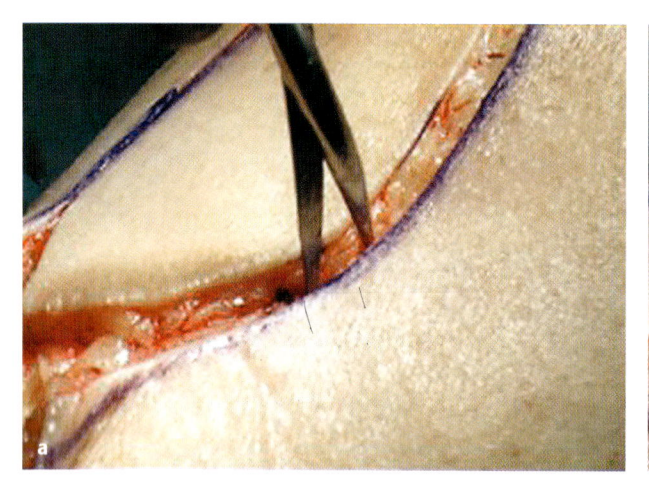

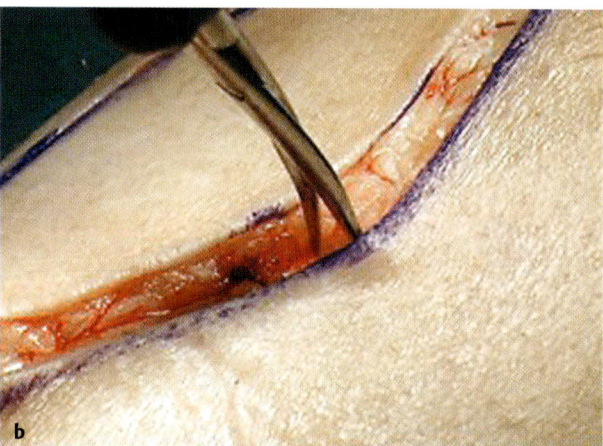

**Fig. 3.1.2-4a-b** Dissecção do tecido subcutâneo. Ela deve ser sempre feita em uma direção vertical (**a**). A dissecção horizontal que debilita a pele deve ser sempre evitada (**b**).

## 6 Incisão e técnica de redução

O tipo de redução – direta ou indireta (ver Cap. 3.1.1) – é importante para determinar o local e a extensão da incisão. Existe uma tendência à cirurgia minimamente invasiva, tanto em casos agudos quanto eletivos. É preciso ter cuidado para que a incisão planejada permita uma exposição satisfatória, minimizando qualquer agressão cirúrgica adicional (**Fig. 3.1.2-5**).

> A meta deve ser a cirurgia segura, não a menor incisão possível.

É melhor usar uma incisão maior do que tração excessiva, que resulta em dano e necrose de partes moles. Repetidas reduções fechadas ou manipulação causam mais dano tecidual. A cirurgia minimamente invasiva não está indicada se a fratura não puder ser indiretamente reduzida ou nos casos onde houver um retardo significativo antes da cirurgia.

As fraturas diafisárias frequentemente podem ser abordadas através de um forte envelope muscular, que pode estar significativamente traumatizado de dentro para fora pela fratura. A abordagem deve ser delicada e respeitar o suprimento vascular daquela área. No úmero, a fratura diafisária com frequência envolve partes significativas do envelope muscular, o que pode facilitar a abordagem. Às vezes, o cirurgião deve estar preparado para modificar a via de acesso durante a cirurgia, dependendo da "dissecção" que tiver sido produzida pela fratura. A maioria dos músculos recebe o seu suprimento sanguíneo e inervação a partir de um pedículo proximal, devendo haver cuidado para não ferir tais estruturas.

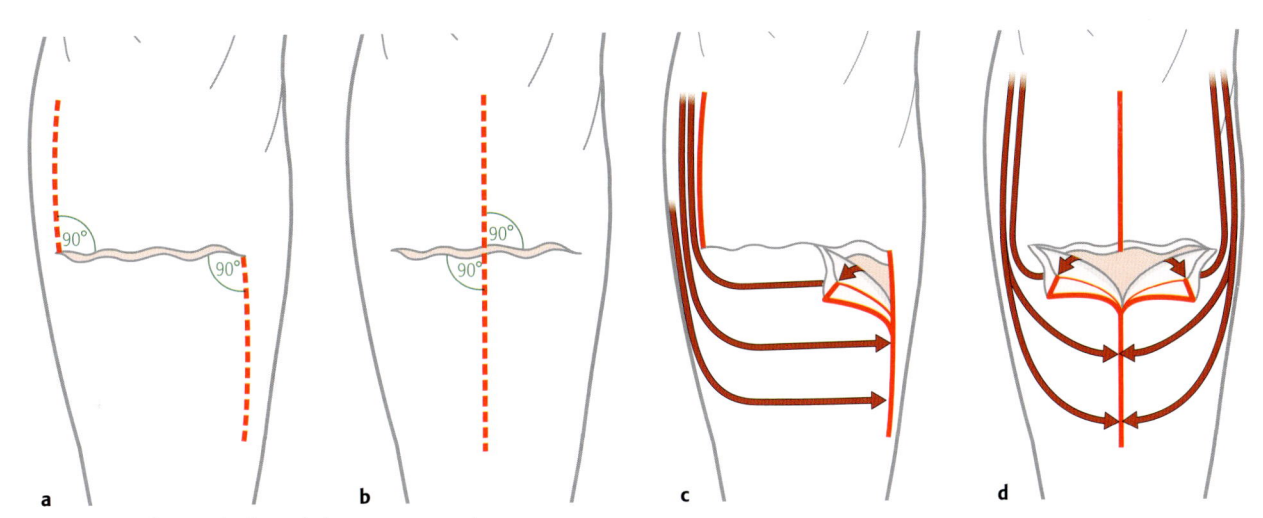

**Fig. 3.1.2-5a-d**  Manejo de um ferimento transversal.
a   Ferimento transversal estendido em uma forma de Z (linha pontilhada vermelha = incisão planejada).
b   Ferimento transversal estendido utilizando a forma de T de dupla exposição (linha pontilhada vermelha = incisão planejada).
c   Perfusão de um retalho de pele utilizando uma técnica de extensão tipo zetaplastia. Note que o fluxo sanguíneo deve percorrer a zona inteira do retalho de pele elevado (setas).
d   Perfusão de um retalho de pele utilizando uma técnica de extensão tipo duplo T em oposição. Note que a distância que deve ser perfundida (setas) para alcançar a incisão é reduzida à metade em comparação com aquela da **Fig. 3.1.2-5c**.

Redução, vias de acesso e técnicas de fixação
3.1.2  Vias de acesso e manuseio intraoperatório de partes moles

A via de acesso para as fraturas metafisárias e articulares deve ser cuidadosamente planejada (**Fig. 3.1.2-6**). A reconstrução de uma fratura articular requer uma via de acesso aberta para permitir uma redução direta. A cominuição metafisária associada pode ser indiretamente reduzida e aproximada por uma placa que é introduzida de forma subcutânea. Assim, uma lesão pode ser mais bem tratada por uma combinação de redução direta e indireta para permitir a manipulação ideal das partes moles.

## 7  Fechamento da ferida

A importância do fechamento da ferida não deve ser menosprezada. Essa parte importante da cirurgia da fratura não deve ser deixada para membros inexperientes da equipe do trauma ortopédico. A técnica de sutura deficiente e o erro de julgamento sobre a tensão da ferida contribuem para a deiscência. A colocação errada de uma tala ou gesso também pode comprometer a ferida; assim, a atenção meticulosa ao detalhe é essencial a partir do momento em que o paciente entra na sala de cirurgia até o momento em que sai.

O fechamento da ferida envolve vários princípios básicos:

- A cicatrização da ferida depende de manter a microcirculação e o tecido viável nas bordas da ferida.
- O uso excessivo do eletrocautério pode resultar em piora da vascularização nas bordas de pele.
- É de vital importância manter o uso da pinça a um mínimo durante a sutura, porque o esmagamento da borda da pele comprometerá os delicados ramos vasculares.

O fechamento fascial na perna e no antebraço não é recomendado pelo risco de síndrome compartimental. Se o tecido subcutâneo estiver muito contundido ou muito fino, o fechamento por uma camada única é preferível. Em geral, o aumento do número de pontos de sutura diminuirá a tensão sobre uma sutura única. Entretanto, conforme aumenta o número de suturas, aumenta o dano local ao tecido subcutâneo, já que há mais áreas isquêmicas. O cirurgião deve contar com a experiência ao determinar a tensão ideal para o fechamento da ferida. Uma área esbranquiçada de pele entre as suturas é um sinal de tensão em demasia. A maioria dos cirurgiões não preconiza o uso de uma incisão de relaxamento para permitir o fechamento da ferida

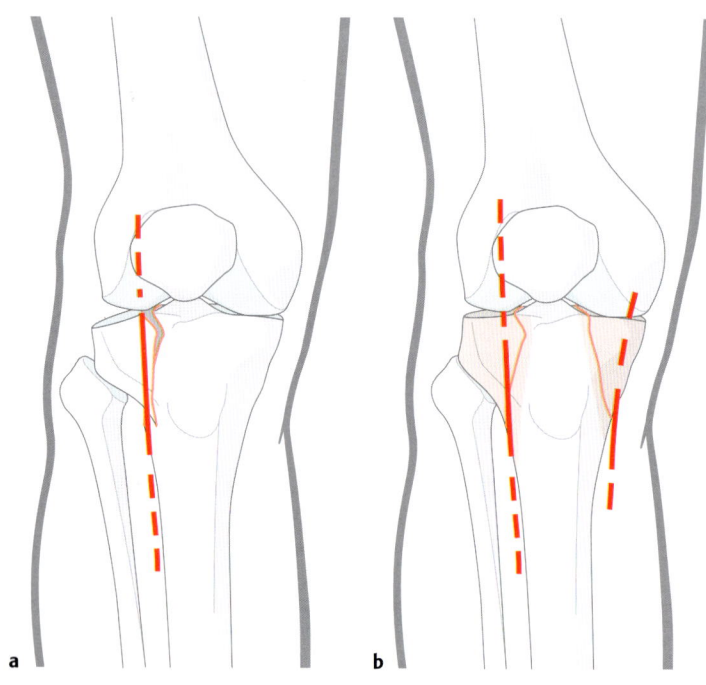

**Fig. 3.1.2-6a-b**  Via de acesso para as fraturas proximais da tíbia.
- **a**  A via de acesso reta parapatelar é apropriada para as fraturas proximais da tíbia. É extensível e não compromete uma eventual cirurgia secundária.
- **b**  Nas fraturas tipo C mais complexas o côndilo medial é mais bem reduzido e fixado via uma incisão póstero-medial separada, enquanto a fratura lateral é abordada por meio de uma via anterolateral. Essas duas vias de acesso estão nos lados opostos da perna. A pele mais delicada sobre a porção anterior da tíbia e medial não deve ser tocada.

com menos tensão. Se a pele não puder ser fechada sem tensão, então alguma forma de procedimento reconstrutivo primário será necessária (p. ex., enxerto cutâneo ou retalho fasciocutâneo). Alternativamente, a ferida pode ser deixada aberta para fechamento primário retardado depois que o edema tenha se resolvido, ou um procedimento retardado de reconstrução [11] (**Fig. 3.1.2-7**). Essas decisões importantes requerem experiência.

A sutura de Allgöwer-Donati (**Fig. 3.1.2-8**) é semelhante a uma sutura de canto, já que penetra na pele em um lado do ferimento, mostrando um chuleio horizontal no lado mais distante da incisão, e então avança de profundo até superficial no fechamento. Ela oferece a vantagem de pegar uma quantidade relativamente grande de tecido (espalhando a força de tensão sobre uma área grande), ao mesmo tempo em que não perturba tanto o fluxo sanguíneo, como um chuleio verdadeiramente horizontal. É útil sempre que houver retalhos ou partes de uma incisão que pareçam menos vascularizadas que outros. Ademais, a técnica de sutura de Allgöwer-Donati – se corretamente aplicada – resulta em cicatrizes esteticamente aceitáveis [11] (**Vídeo 3.1-1**).

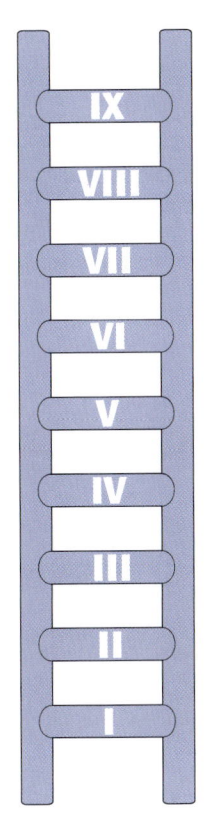

**Fig. 3.1.2-7** A escada reconstrutiva clássica. O método mais simples que provavelmente irá alcançar o fechamento ou cobertura estável deve ser sempre direcionado a evitar complicações. O próximo degrau é alcançado somente se um método mais simples falhar. Os fechamentos primário, primário retardado e secundário não são considerados nesta escada. (Modificada de acordo com Ashton SJ, Beasley RW, Thorne CHM [1997] *Grabb and Smith's Plastic Surgery*. 5th ed. Philadelphia: Lippincot t-Raven, 14.)

I    Cicatrização por segunda intenção
II   Fechamento primário
III  Fechamento primário retardado
IV   Enxerto cutâneo de espessura parcial
V    Enxerto cutâneo de espessura total
VI   Expansão tecidual
VII  Retalho de padrão aleatório
VIII Retalho pediculado
IX   Retalho livre

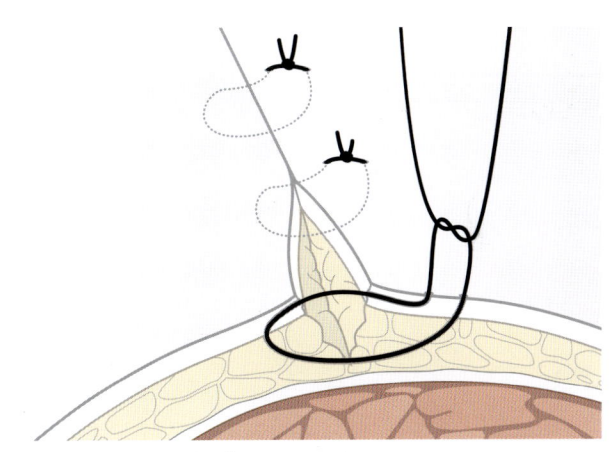

**Fig. 3.1.2-8** Sutura de Allgöwer-Donati.

Redução, vias de acesso e técnicas de fixação
## 3.1.2 Vias de acesso e manuseio intraoperatório de partes moles

Outra técnica que pode ser útil em ferimentos que não possam ser fechados primariamente é o uso de alças vasculares de silicone (*vessel loop*) para aproximar as bordas da ferida em estágios (**Fig. 3.1.2-9**) [15]. Elas previnem a retração da borda cutânea e, conforme o edema diminui, as alças vasculares tracionam e aproximam as bordas da pele. As técnicas de pérolas de antibiótico podem ser usadas para aumentar os níveis de antibiótico no local [11]. Isso pode ser feito com as feridas fechadas ou deixadas abertas (**Fig. 3.1.2-10a-d**). A terapia da ferida por pressão negativa [16] é útil em áreas de perda de pele e nas fraturas expostas, e promove a formação rápida de tecido de granulação. Pode ser combinada com a técnica de alça de silicone, mas não é aconselhada quando as pérolas de antibióticos locais forem usadas, já que o efeito do vácuo remove o antibiótico localmente eluído.

Os drenos são uma questão de preferência pessoal, com pequena base de evidência para uso. Se forem usados, os drenos de sucção ativa (vácuo) devem ser aplicados para aspirar qualquer acúmulo de fluido na ferida, reduzir qualquer espaço morto subcutâneo ou submuscular, e reduzir a contaminação bacteriana via local de drenagem. Por causa do risco de infecção, esses drenos devem ser removidos dentro de 24-48 horas. Os drenos não substituem a hemostasia adequada.

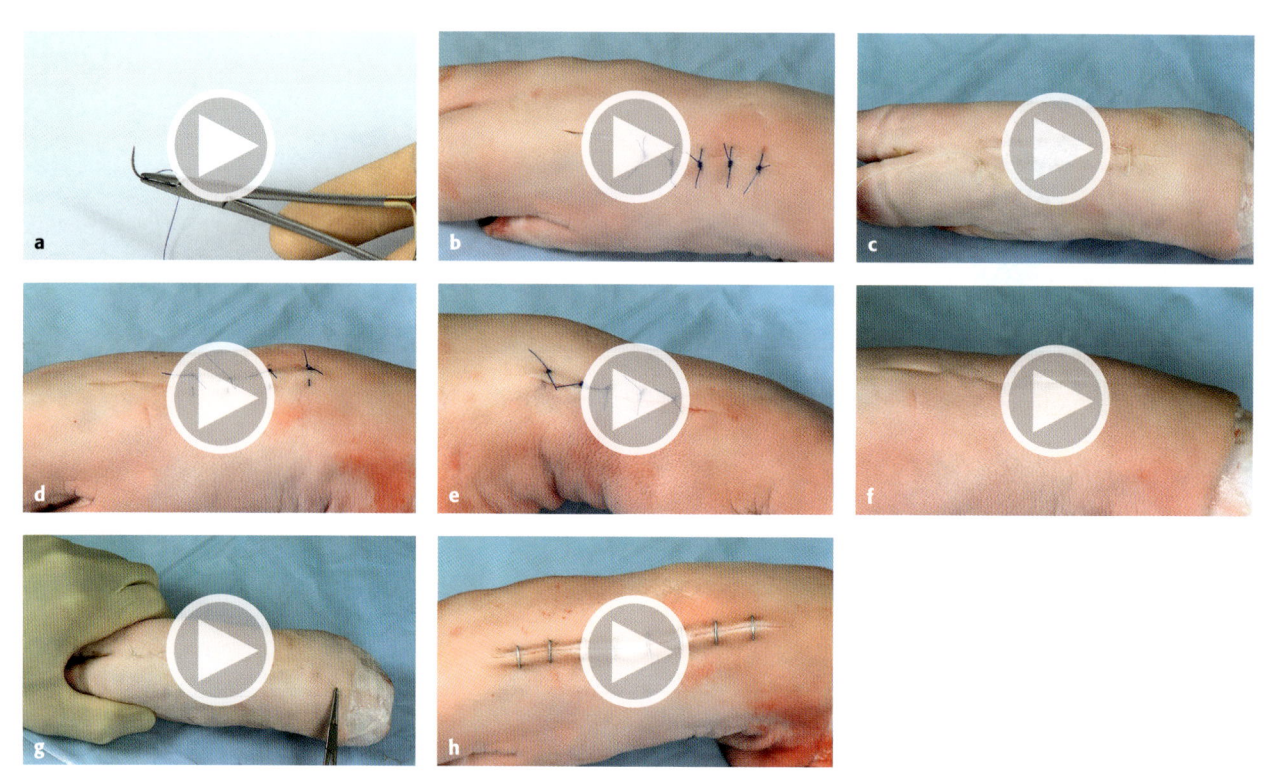

**Vídeo 3.1.1** Técnicas de sutura mostradas em uma pata suína.
a   Manejo geral dos instrumentos
b   Técnica de sutura interrompida simples
c   Técnica de sutura contínua simples
d   Técnica de sutura com chuleio vertical (Donati), interrompida e contínua
e   Técnica de sutura de Allgöwer-Donati, interrompida e contínua
f   Técnica de sutura sepultada interrompida simples
g   Técnica de sutura intradérmica contínua
h   Fechamento cutâneo com grampos. Há evidência de nível 1 que grampos de pele não devem ser usados para fechar feridas depois da cirurgia de fratura de quadril em pacientes mais velhos.

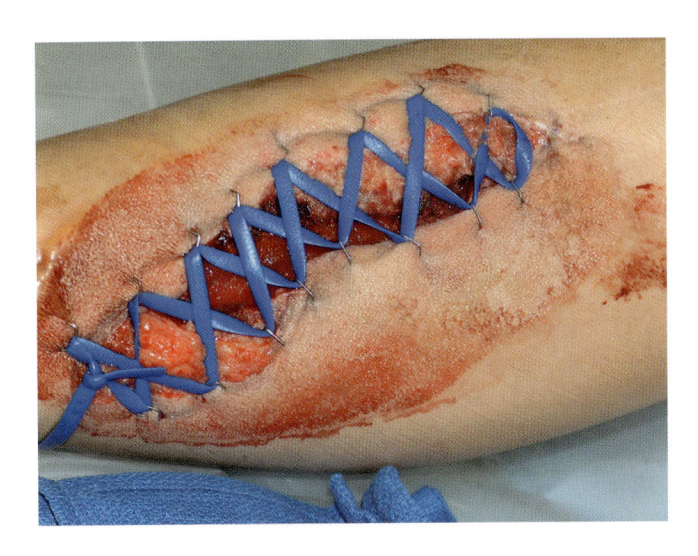

Princípios AO do tratamento de fraturas
Volume 1

**Fig. 3.1.2-9** As alças vasculares de silicone (*vessel loop*) podem ser usadas para prevenir a retração cutânea e facilitar o fechamento primário retardado da ferida.

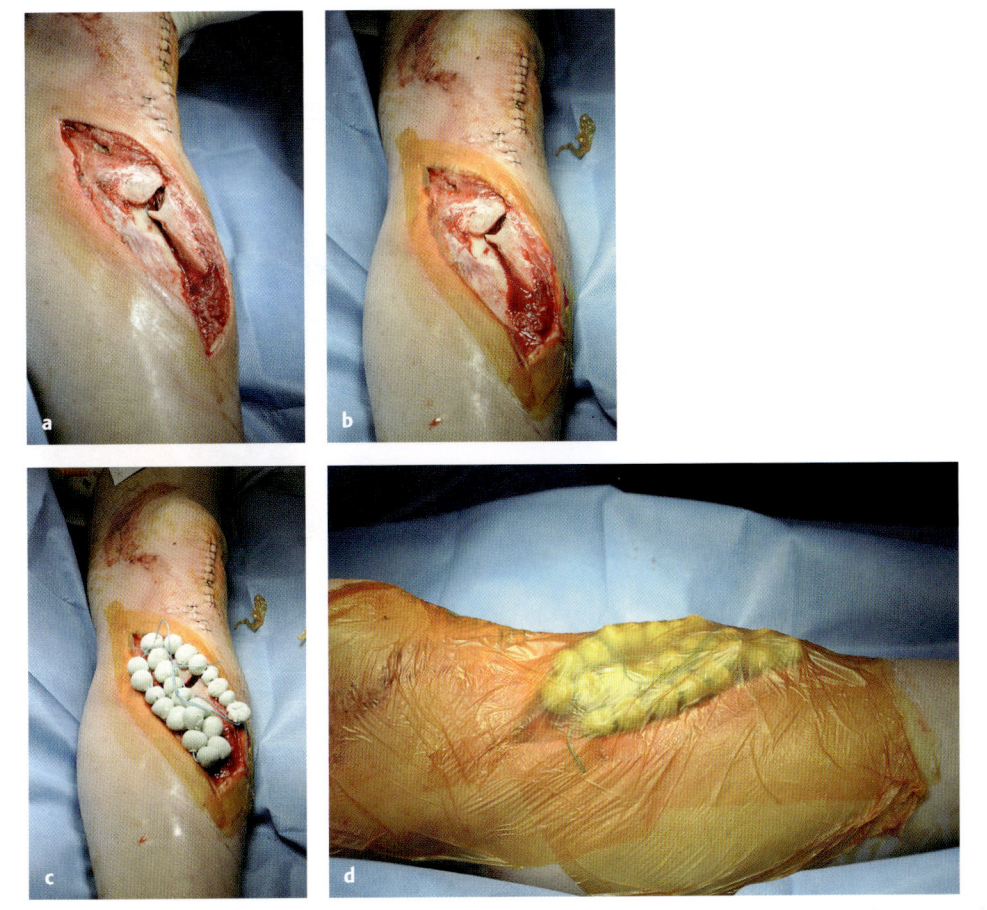

**Fig. 3.1.2-10a-d** Técnica de "pérolas de cimento" com antibiótico em cimento ósseo com vancomicina 2,0 g e tobramicina 2,4 g.
a   Fotografia clínica de uma fratura tipo IIIB de Gustilo depois do debridamento.
b   A borda da ferida é protegida primeiro aplicando colódio ou benjoim, e uma borda fina de curativo oclusivo a fim de prevenir a maceração das bordas da ferida.
c   Pequenas pérolas de 5-8 mm amarradas em um fio de sutura são colocadas sobre a ferida.
d   Cobertura por um curativo oclusivo.

Redução, vias de acesso e técnicas de fixação
3.1.2 Vias de acesso e manuseio intraoperatório de partes moles

Referências clássicas    Referências de revisão

## 8 Referências

1. **Nakajima H, Minabe T, Imanishi N.** Three-dimensional analysis and classification of arteries in the skin and subcutaneous adipofascial tissue by computer graphics imaging. *Plast Reconstr Surg.* 1998 Sep;102(3):748–760.
2. **Daniel RK, Williams HB.** The free transfer of skin flaps by microvascular anastomoses: an experimental study and a reappraisal. *Plast Reconstr Surg.* 1973 Jul;52(1):16–31.
3. **Daniel RK.** The anatomy and hemodynamics of the cutaneous circulation and their influence on skin flap design. In Grabb WC, Myers MB, eds. *Skin Flaps.* Boston: Little Brown; 1975.
4. **Daniel RK, Kerrigan CL.** Principles and physiology of skin flap surgery. In: McCarthy JG, ed. *Plastic Surgery.* Philadelphia: Saunders; 1990.
5. **Taylor GI, Palmer JH.** The vascular territories (angiosomes) of the body: experimental study and clinical applications. *Br J Plast Surg.* 1987 Mar;40(2):113–141.
6. **Yaremchuk MJ, Brumback RJ, Manson PN, et al.** Acute and definitive management of traumatic osteocutaneous defects of the lower extremity. *Plast Reconstr Surg.* 1987 Jul;80(1):1–14.
7. **Giordano CP, Koval KF.** Treatment of fracture blisters: a prospective study of 53 cases. *J Orthop Trauma.* 1995 Apr;9(2):171–176.
8. **Menendez ME, Ring D.** Does the timing of surgery for proximal humeral fracture affect inpatient outcomes? *J Shoulder Elbow Surg.* 2014 Sep;23(9):1257–1262.
9. **Blum J, Gercek E, Hansen M, et al.** [Operative strategies in the treatment of upper limb fractures in polytraumatized patients.] *Unfallchirug.* 2005 Oct;108(10):843–844. German.
10. **Sorensen LT, Karlsmark T, Gottrup F.** Abstinence from smoking reduces incisional wound infection: a randomized controlled trial. *Ann Surg.* 2003 Jul;238(1):1–5.
11. **Volgas D, Harder Y.** *Manual of Soft tissue Management in Orthopedic Trauma.* Stuttgart: Thieme; 2011.
12. **Ma CH, Tu YK, Yeh JH, et al.** Using external and internal locking plates in a two-stage protocol for treatment of segmental tibial fractures. *J Trauma.* 2011 Sep;71(3):614–619.
13. **Ma CH, Wu CH, Yu SW, et al.** Staged external and internal less-invasive stabilisation system plating for open proximal tibial fractures. *Injury.* 2010 Feb;41(2):190–196.
14. **Ma CH, Yu SW, Tu YK, et al.** Staged external and internal locked plating for open distal tibial fractures. *Acta Orthop.* 2010 Jun;81(3):382–386.
15. **Asgari MM, Spinelli HM.** The vessel loop shoelace technique for closure of fasciotomy wounds. *Ann Plast Surg.* 2000 Feb;44(2):225–229.
16. **Harvin WH, Stannard JP.** Negative-pressure wound therapy in acute traumatic and surgical wounds in orthopedics. *J Bone Joint Surg Am.* 2014 Aug 6;96(15):1273–1279.

## 9 Agradecimentos

Agradecemos a David Volgas e Yves Harder por suas contribuições para a 2ª edição de *Princípios AO do tratamento de fraturas*.

# 3.1.3 Osteossíntese minimamente invasiva

*Reto Babst*

## 1 Introdução

O tratamento minimamente invasivo da fratura não é um novo conceito nos cuidados cirúrgicos de fraturas. A fixação percutânea de fraturas, usando fixadores externos e hastes intramedulares, foi usada no começo do último século pelo cirurgião francês Alain Lambotte e durante a Segunda Guerra Mundial pelo cirurgião alemão Gerhard Küntscher. Comum a ambas as técnicas era o acesso mínimo ao osso por pequenas incisões de pele e uma técnica de redução indireta que não envolvia a manipulação e visualização direta do local de fratura. A estabilidade relativa alcançada por ambos os conceitos de estabilização resultava em consolidação óssea indireta pela formação de calo. O apelo dessa abordagem minimamente invasiva para a fixação de fraturas não eram as incisões pequenas deixando cicatrizes pequenas, mas a vantagem biológica com mínimo comprometimento de partes moles no local da fratura, permitindo a cura sem perturbação da fratura e menos infecção. A redução aberta e a fixação interna (RAFI), visando a estabilidade absoluta, podem resultar em desvascularização de fragmentos ósseos individuais.

No final da década de 1980, o conceito de não tocar o local de fratura ao aplicar uma placa, como um tutor extramedular, foi introduzido por Mast e colaboradores [1] usando uma via de acesso aberta com técnicas de redução indireta em fraturas metafisárias multifragmentadas. Eles usaram o termo "osteossíntese biológica", uma vez que essa técnica não era direcionada à fixação anatômica rígida, mas à restauração de comprimento, eixo e rotação sem comprometer a vascularização dos fragmentos da fratura. Ela resultava em consolidação óssea secundária, com ampla formação de calo, que permitia a carga precoce, e menos enxertos ósseos secundários e infecções profundas. As primeiras tentativas na fixação submuscular percutânea com a introdução de uma placa por uma incisão de pele pequena foram descritas por Krettek e colaboradores [2], aplicando uma placa de ângulo fixo na extremidade distal do fêmur. Nas últimas duas décadas, houve a introdução de novas adaptações para tecnologia de placas com parafusos de cabeça bloqueada (LHSs). Isso facilitou a técnica cirúrgica e a disseminação no mundo todo da técnica da osteossíntese com placa minimamente invasiva (OPMI) [3]. A aplicação dessas placas bloqueadas também tem sido ajudada pela introdução de ferramentas especiais de redução e pelo desenvolvimento de placas anatomicamente pré-moldadas [4].

## 2 Definição de osteossíntese minimamente invasiva

A osteossíntese minimamente invasiva (OMI) é a fixação interna de fraturas usando técnicas de redução indiretas, por meio de incisões pequenas, para reduzir uma fratura e inserir um implante remotamente da zona de fratura. A OMI, por conseguinte, inclui todos os tipos de fixação de fratura percutânea, como a fixação externa, o encavilhamento intramedular, o fio de Kirschner e a fixação com parafuso percutâneo, bem como a OPMI.

Este capítulo é focado na OPMI, enquanto outros procedimentos de OMI, como a fixação externa (ver Cap. 3.3.3), o encavilhamento intramedular (ver Cap. 3.3.1) e a fixação com fio de Kirschner e com parafuso percutâneo (ver Cap. 3.2.1) podem ser encontrados alhures.

Em geral, o conceito biomecânico usado com a OMI é a estabilidade relativa. Entretanto, sob condições especiais, a estabilidade absoluta com OPMI também pode ser alcançada usando-se parafusos de tração percutâneos em combinação com uma placa de proteção.

## 3 Indicações para OPMI

A opção para aplicação de placa minimamente invasiva deve sempre ser ponderada contra as outras possibilidades, especialmente o encavilhamento intramedular. Ambos têm vantagens biológicas semelhantes sobre a RAFI convencional e requerem um planejamento pré-operatório cuidadoso.

A OPMI é usada nos seguintes casos:

- Em fraturas metafisárias
- Quando as condições de partes moles impedirem um procedimento aberto
- Quando o padrão de fratura não for apropriado para encavilhamento intramedular (extensão intra-articular, canal medular estreito, deformado ou obstruído)
- Quando outros implantes obstruírem o canal medular (artroplastias, hastes femorais)
- Quando uma fratura envolver placas de crescimento abertas
- Quando a condição geral do paciente (p. ex., politraumatizado, contusão pulmonar) impedir agressões sistêmicas adicionais, como a fresagem do canal.

A osteossíntese com placa deve também prover o ambiente biomecânico correto para o padrão específico de fratura. Por exemplo, ao usar uma placa em uma fratura metafisária simples, a estabilidade absoluta é melhor usando a compressão interfragmentar com fixação por parafuso de tração. Essa meta pode ser alcançada de uma forma percutânea, usando técnicas minimamente invasivas, mas requer planejamento e técnica cirúrgica meticulosa.

> O equilíbrio entre a OPMI e a cirurgia aberta deve sempre ser influenciado pelos princípios da osteossíntese e a habilidade e experiência do cirurgião.

## 4 Planejamento pré-operatório para OPMI

O planejamento pré-operatório é de suma importância com as técnicas de OPMI, porque as imagens da zona de fratura são somente possíveis com o intensificador de imagens. Por conseguinte, é imperativo o posicionamento adequado do paciente para fornecer bom acesso à visão anteroposterior (AP) e lateral do intensificador. O cirurgião deve considerar o preparo de ambas as pernas para usar a perna saudável como um gabarito para o controle intraoperatório de comprimento, alinhamento e rotação.

### 4.1 O que é incluído no planejamento?

O cirurgião deve considerar:

- Posição do paciente, do cirurgião, do assistente cirúrgico e da equipe da sala de cirurgia
- Instrumentos e implantes específicos
- Localização e preparo do intensificador de imagens, tipo de mesa operatória (p. ex., radiolucente)
- Preparo do paciente
- Conceito de fixação biomecânico
- Via de acesso cirúrgica
- Sequência cirúrgica
- Tática(s) para redução
- Passos da fixação
- Fechamento e acompanhamento

Várias perguntas devem ser respondidas antes de se começar um procedimento de OPMI:

- Onde estão as zonas de perigo ou os corredores seguros a respeito do acesso para o implante planejado?
- A fixação deve fornecer estabilidade relativa usando uma placa em ponte, ou a fratura é mais adequadamente tratada com estabilidade absoluta por compressão interfragmentar?
- Como a redução pode ser alcançada e mantida?
- Quão melhor é verificar o comprimento, o alinhamento e a rotação com o intensificador de imagens antes da fixação?
- Estão disponíveis os assistentes e o instrumental cirúrgico para redução direta e indireta?
- Estão disponíveis o intensificador de imagens e o técnico operador?
- Há necessidade de instrumentos adicionais para facilitar a redução percutânea?
- Há necessidade de moldar a placa?
- Como e quando deve o cirurgião prosseguir quando a meta original da OPMI não puder ser alcançada (plano alternativo)?

### 4.2 Zonas de perigo

Um conhecimento completo da anatomia cirúrgica é necessário para evitar danos às estruturas vitais, como nervos e vasos sanguíneos. Várias zonas de perigo devem ser consideradas ao se inserir e manipular instrumentos e implantes por meio de incisões pequenas e sem controle visual das estruturas em risco.

- Proximal do úmero:
  - O nervo axilar passa 5-7 cm abaixo da ponta do acrômio, em torno da região proximal do úmero, vindo de posterior para anterior.

- Diáfise do úmero:
  - O nervo radial passa de proximal posterior para distal anterolateral e então entre os músculos braquial e braquiorradial.
  - O nervo musculocutâneo passa debaixo do músculo bíceps, ao longo do trajeto anterior e medial do músculo braquial.
- Diáfise do fêmur:
  - A artéria femoral superficial corre de proximal anterior até distal posterior pelo canal adutor, na junção do terço médio e distal do fêmur, e passa perto da diáfise femoral medial e posterior antes de emergir na fossa poplítea.
- Diáfise distal da tíbia:
  - O feixe neurovascular da artéria tibial anterior e o nervo fibular profundo estão próximos ao terço distal da tíbia, correndo de posterior até a superfície anterior da tíbia.
- Maléolo medial:
  - O nervo e a veia safena estão no nível do maléolo medial.

## 4.3 Redução

### Redução fechada

A redução fechada, usando redução indireta, é a doutrina principal na OPMI. Essa técnica pode ser trabalhosa quando a fratura tiver que ser reduzida sem tocar o local de fratura. O envelope de partes moles junto com as forças de tração ao lado dos eixos do membro são necessários para contrariar as forças de deformação e criar um campo operatório estável para a OPMI. O relaxamento muscular completo durante a anestesia também pode ser necessário. Isso deve resultar em restauração do comprimento, alinhamento e rotação. Vários instrumentos, como a mesa de tração, um ou dois distratores femorais grandes [5], ou um fixador externo, podem criar um campo operatório estável. A inserção da placa, que é temporária ou definitivamente fixada ao fragmento distal ou proximal, também pode ser usada para alinhar a fratura. As ferramentas adicionais, como coxins ou triângulos radiolucentes também podem ajudar a reduzir a fratura. Os parafusos de Schanz, impactores percutâneos com ponta esférica, manipuladores, pinças colineares (**Fig. 3.1.3-1**) ou hastes intramedulares ajudam a acertar a redução da fratura e a mantê-la para a radiografia de controle antes da fixação pela OPMI.

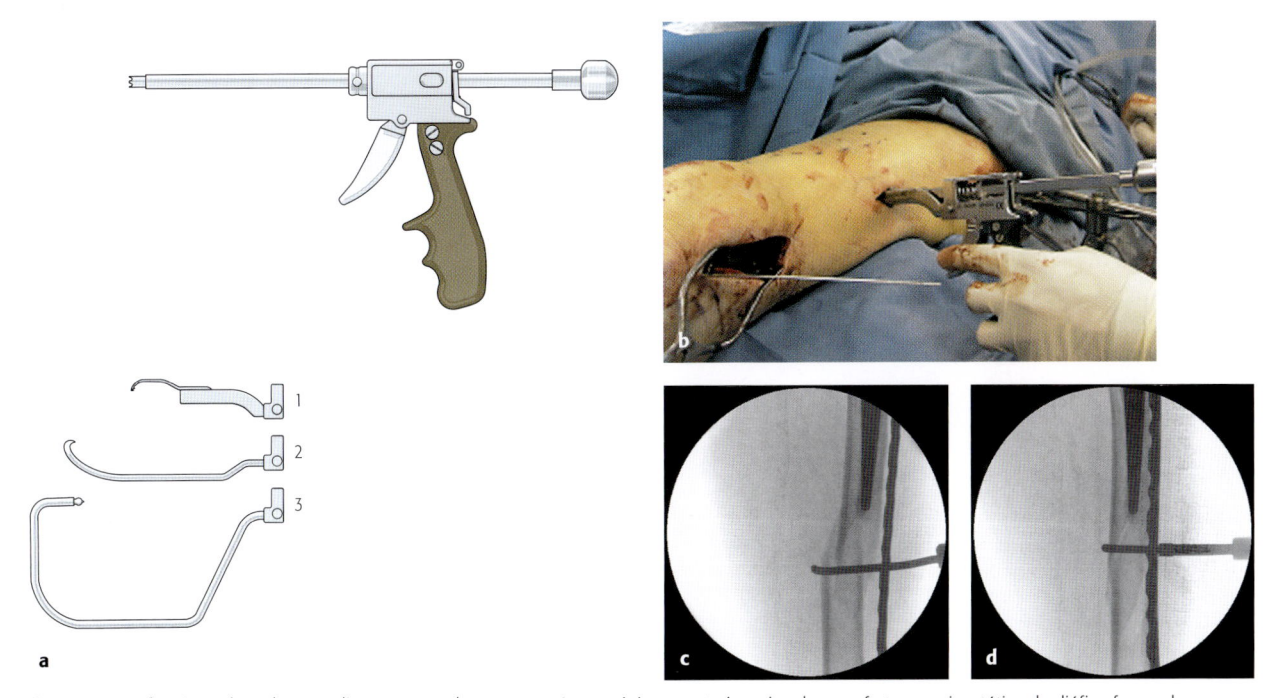

**Fig. 3.1.3-1a-d** Pinça de redução colinear para redução percutânea minimamente invasiva de uma fratura periprotética da diáfise femoral.
a    Pinça de redução com diferentes pontas para a osteossíntese com placa minimamente invasiva das fraturas da diáfise (1). Fraturas pélvicas e proximais do fêmur (2) e fraturas articulares (3).
b    Pinça de redução inserida através de uma pequena incisão de pele.
c    Redução da fratura com pinça colinear em uma fratura periprotética.
d    Redução do fragmento distal contra a placa, segurando a redução com a pinça colinear.

Redução, vias de acesso e técnicas de fixação
### 3.1.3 Osteossíntese minimamente invasiva

## Manuseio de partes moles

O objetivo da OPMI não é produzir a menor incisão possível. O manuseio cuidadoso de partes moles permanece essencial e a tração excessiva nas feridas deve ser evitada – é melhor estender a ferida alguns milímetros para facilitar inserção do implante. A pele estirada e contundida é propensa a problemas na cicatrização e infecção na ferida. As placas subcutâneas devem ser cuidadosamente moldadas e colocadas, de forma a não causar necrose por pressão na ferida. Isso pode ser um problema com as placas da tíbia inseridas no maléolo medial.

## Redução aberta limitada

As fraturas intra-articulares desviadas e as fraturas metafisárias ou diafisárias simples requerem redução anatômica com fixação por parafuso de tração. Isso pode ser alcançado pela manipulação percutânea usando impactores, pilões e outros instrumentos para as fraturas articulares sob controle artroscópico e por intensificador de imagens. Para as fraturas metafisárias simples, as pinças aplicadas de forma percutânea podem fornecer a redução anatômica, seguida pela inserção de um parafuso de tração. Uma placa de proteção é, então, inserida através de pequenas incisões. Nessas situações, é recomendada uma via de acesso aberta limitada para alcançar uma redução anatômica e fixação estável (**Fig. 3.1.3-2**).

## Papel da cerclagem na redução

A cerclagem é uma ferramenta simples e eficiente de redução centrípeta, especialmente para fraturas helicoidais ou oblíquas simples e para a redução de fragmentos ao redor de um implante (fraturas periprotéticas). Historicamente, essa técnica tinha uma reputação ruim, mas evidências recentes mostraram que, quando corretamente usada e com mínimo desnudamento de partes moles, pode ser uma das melhores técnicas de redução [6]. O método de aplicação da cerclagem é fundamental. O suprimento sanguíneo periosteal não deve ser transtornado no local da fratura. Uma pinça especial para a aplicação minimamente invasiva dos fios de cerclagem permite a aplicação segura de fios ou cabos de cerclagem para a redução de fraturas helicoidais simples ou uma fixação adicional em fraturas periprotéticas. O passador de fio de OMI é uma pinça especial com dois semicírculos canulados conectáveis, que podem ser inseridos de forma atraumática em torno do osso. Um fio ou um cabo podem então ser inseridos com mínimo dano de partes moles (**Fig. 3.1.1-17**).

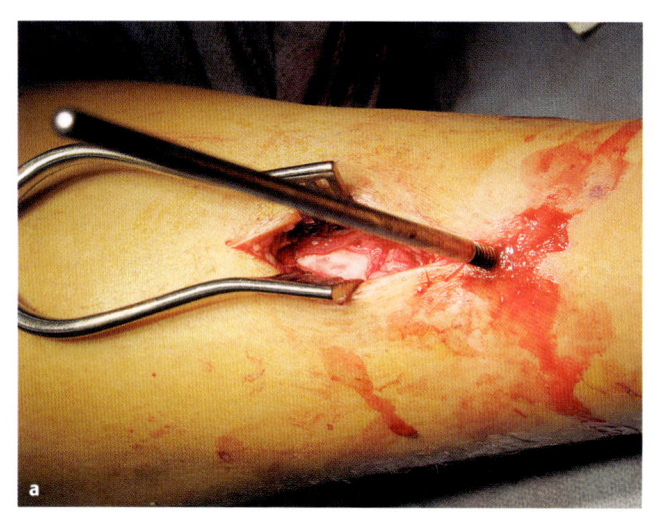

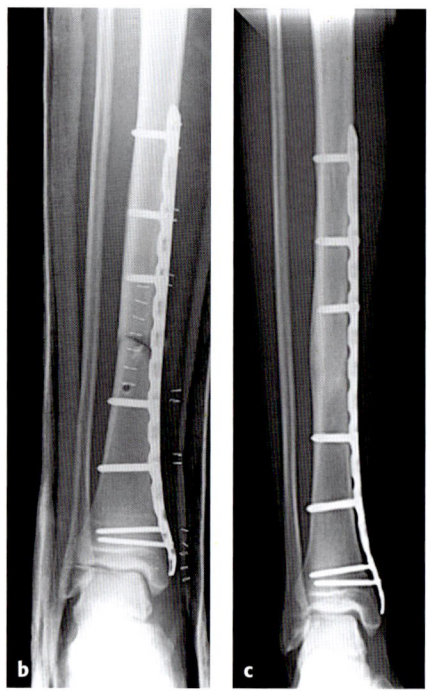

**Fig. 3.1.3-2a-c** Um paciente de 16 anos de idade com uma fratura simples da tíbia.
a   A redução percutânea fechada com *joystick* (ainda *in situ*) não forneceu a redução anatômica e, por conseguinte, uma via de acesso aberta limitada para alcançar a redução anatômica foi feita antes da inserção da placa.
b   Radiografia pós-operatória: conceito da placa em ponte. Note os grampos de pele ao nível das incisões.
c   Radiografia em 1 ano de pós-operatório: consolidação óssea com mínima formação de calo.

## 4.4 Estabilidade absoluta ou relativa?

Para a maioria das técnicas de OPMI, a estabilidade relativa é o princípio biomecânico recomendado. A técnica de redução indireta, usando placas longas para transpor uma fratura multifragmentada metafisária ou diafisária, é um exemplo clássico. Isso corrige o comprimento e o alinhamento e permite a consolidação indireta e sem perturbação da fratura, pela formação de calo.

> Entretanto, o cirurgião deve estar ciente do mau alinhamento rotacional, já que a literatura mostra uma taxa surpreendentemente alta dessa deformidade específica (tão alto quanto em 25% dos casos) [7].

Em contraste, as fraturas metafisárias ou diafisárias simples (fraturas do tipo A na Classificação AO/OTA) requerem a redução anatômica e estabilidade absoluta, obtidas por compressão interfragmentar usando um parafuso de tração e placa de proteção. Esse é o princípio recomendado para prevenir o *strain* alto no *gap* de fratura e resultar em consolidação óssea direta.

## 4.5 Implantes

A osteossíntese com placa minimamente invasiva pode ser executada usando muitos tipos de placas. As placas retas longas são geralmente adequadas para as fraturas médio--diafisárias. Em anos recentes, as placas de compressão bloqueadas (LCP) anatomicamente moldadas têm estado disponíveis.

### Placas convencionais (placa de compressão dinâmica de baixo contato [LC-DCP])

As placas convencionais devem ser muito longas (10-14 orifícios na tíbia e no úmero, 16-24 orifícios no fêmur).

> Como regra, o comprimento da placa deve ser três vezes mais longo que o comprimento da fratura.

A placa deve ir de uma metáfise até a outra [8]. A moldagem exata da placa é necessária para ajustar as irregularidades metafisárias: os parafusos convencionais trarão o osso até a placa e, se a moldagem não for precisa, haverá uma perda de redução quando o primeiro parafuso for apertado (**Fig./Animação 3.1.3-3**). A pré-moldagem da placa com um modelo ósseo de plástico é útil. Esta placa é enviada à esterilização antes da cirurgia.

### Placas de compressão bloqueadas

A LCP, se usada como uma placa bloqueada, não requer uma moldagem precisa. Entretanto, uma moldagem mínima das LCPs retas (quando não se estiverem usando placas anatômicas) é aconselhável para prevenir a proeminência da placa sob a pele.

> A moldagem da LCP não deve ocorrer dentro dos orifícios rosqueados, já que a deformação pode reduzir a pega dos parafusos de cabeça bloqueada.

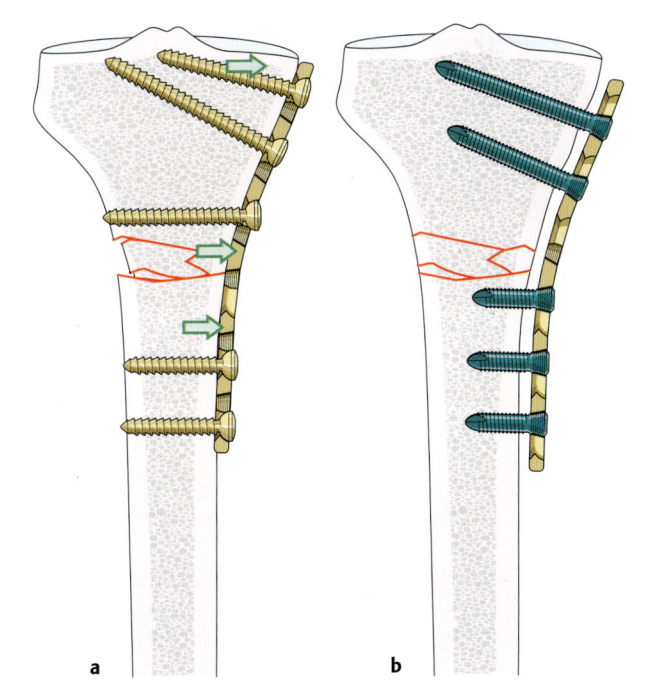

**Fig./Animação 3.1.3-3a-b**
a  Com parafusos convencionais, o osso é reduzido (puxado) em direção à placa, produzindo perda de redução primária quando ela não estiver precisamente moldada.
b  A estabilidade angular dos parafusos de cabeça bloqueada assegura a manutenção da redução inicial, mesmo se a placa não estiver moldada com exatidão. Isso permite que a placa de compressão bloqueada seja inserida com técnica de OPMI.

### 4.6 Imagens intraoperatórias

Sem as imagens intraoperatórias, a OMI e o OPMI não são possíveis. Uma via de acesso através de janelas de partes moles do local de fratura, sem visualização direta dos fragmentos, requer imagens repetidas para verificar a redução. É importante criar um campo operatório estável, que permita a manutenção da redução alcançada. A redução da fratura pode ser mantida por ferramentas de redução indiretas como a mesa ortopédica, o distrator femoral grande, ou o fixador externo. Ferramentas adicionais, como coxins, campos, pinças e fios de Kirschner percutâneos também são úteis. Isso fornece um ambiente onde as imagens com o intensificador, nas projeções em AP e lateral, podem ser obtidas sem exposição à radiação pelas mãos do cirurgião (ver Cap. 4.9).

### 4.7 Plano alternativo

Deve haver sempre um plano alternativo caso a OMI/OPMI não possa ser executada conforme desejado. Ele deve incluir:

- Abertura limitada do local de fratura para aplicar um instrumento para redução direta
- Exposição da fratura como no uso da placa convencional (RAFI)
- Pedido de auxílio a cirurgiões mais experientes

Um conhecimento completo dos prós e contras da OPMI ajudará a reduzir os problemas associados a essa técnica trabalhosa, incluindo consolidação viciosa, retardo de consolidação e não união.

### 4.8 Cuidados pós-operatórios

Os cuidados pós-operatórios depois da cirurgia de OPMI não são diferentes dos de outra OMI, ou nos casos de RAFI. Medicação para dor pode ser necessária por um tempo menor, pois as incisões de pele são limitadas. A profilaxia antibiótica e tromboembólica também é obrigatória, como em qualquer outra cirurgia com implante. O membro afetado deve estar bem posicionado, elevado e protegido para reduzir o edema. As talas ajudarão a prevenir contraturas; por exemplo, a aplicação de uma tala no tornozelo e pé para prevenir deformidade em equino. A fisioterapia deve ser iniciada assim que possível depois de procedimentos de OPMI. As articulações devem ser mobilizadas por movimentos ativos ou ativo-assistidos ou por movimento passivo contínuo, especialmente depois de fraturas articulares. A carga deve ser limitada de acordo com a forma física do paciente, a qualidade do osso e a estabilidade da fixação.

A remoção do implante pode ser considerada depois de 1-2 anos, dependendo do segmento ósseo, se:

- O paciente for jovem
- O implante estiver na extremidade inferior
- O implante limitar a função do membro durante o trabalho ou esporte, ou se causar irritação

O paciente deve ser informado sobre a possibilidade de que os parafusos quebrados possam ser deixados *in situ*, porque a remoção pode causar danos a partes moles e osso, e aumentar o risco de refratura. Quando remover LHSs, instrumentos especiais de remoção devem estar disponíveis para remover cabeças de parafuso emperradas com parafusos cônicos de extração ou tipos de brocas especiais. Para reduzir o risco de refratura, os pacientes devem ser aconselhados a evitar esportes de contato ou trabalho pesado por 2-4 meses após a remoção do implante [9].

## 5 OPMI em segmentos ósseos específicos

A OPMI demonstrou ter algumas vantagens biológicas nos ossos longos quando o encavilhamento não for uma opção, especialmente em fraturas periarticulares que se estendem para a diáfise. A literatura recente [10-12] tem mostrado a viabilidade, a segurança e a eficácia dessa técnica. Entretanto, permanecem algumas regiões anatômicas onde a OPMI é muito perigosa para a aplicação geral, tal como a distal do úmero ou o antebraço, devido à proximidade das estruturas neurovasculares [13]. Além disso, a OPMI pode ser usada nas fraturas de escápula [14], na pelve [15], no calcâneo [16], para osteotomias corretivas [17] e transporte ósseo [18].

## 5.1 Clavícula

**Princípio:** A moldagem da placa e sua posição é um tópico importante quando se decide executar a OPMI da clavícula. A posição superior da placa é mais fácil de aplicar. A placa tem que ser moldada em um formato de S horizontal com uma placa de reconstrução de 3,5 ou uma placa anatômica. A fixação da placa é possível com parafusos convencionais devido à superfície plana da clavícula. Se for preferida a posição anterior da placa, um formato de S vertical deve ser moldado, ou uma placa anatômica é usada. Para a placa de posição anterior, as LCPs são preferidas porque toleram a moldagem imperfeita sem comprometer a redução alcançada. A fratura precisa ser reduzida e estabilizada por uma placa temporária ou por um minifixador externo posicionado em 90 graus em relação à placa definitiva (**Fig. 3.1.3-4**). O paciente pode ser posicionado em posição supina ou de cadeira de praia. Imagens em visão AP com o intensificador de imagens [10-12] são obtidas durante a operação. A posição superior da placa causa mais irritação de pele que a posição anterior e é esteticamente menos atraente em pacientes magros.

**Seleção do paciente:** As fraturas da diáfise da clavícula simples são uma boa indicação para a cirurgia de OMI com hastes de titânio elástico (EIEE, ver Cap. 6.1.2), enquanto a indicação para OPMI nas fraturas da clavícula incluem as multifragmentadas. Comparada com a RAFI, a OPMI de fraturas médio-diafisárias da clavícula parece ser um método efetivo de fixação (**Fig. 3.1.3-4**) [19], mas pode haver um risco ligeiramente aumentado de não união.

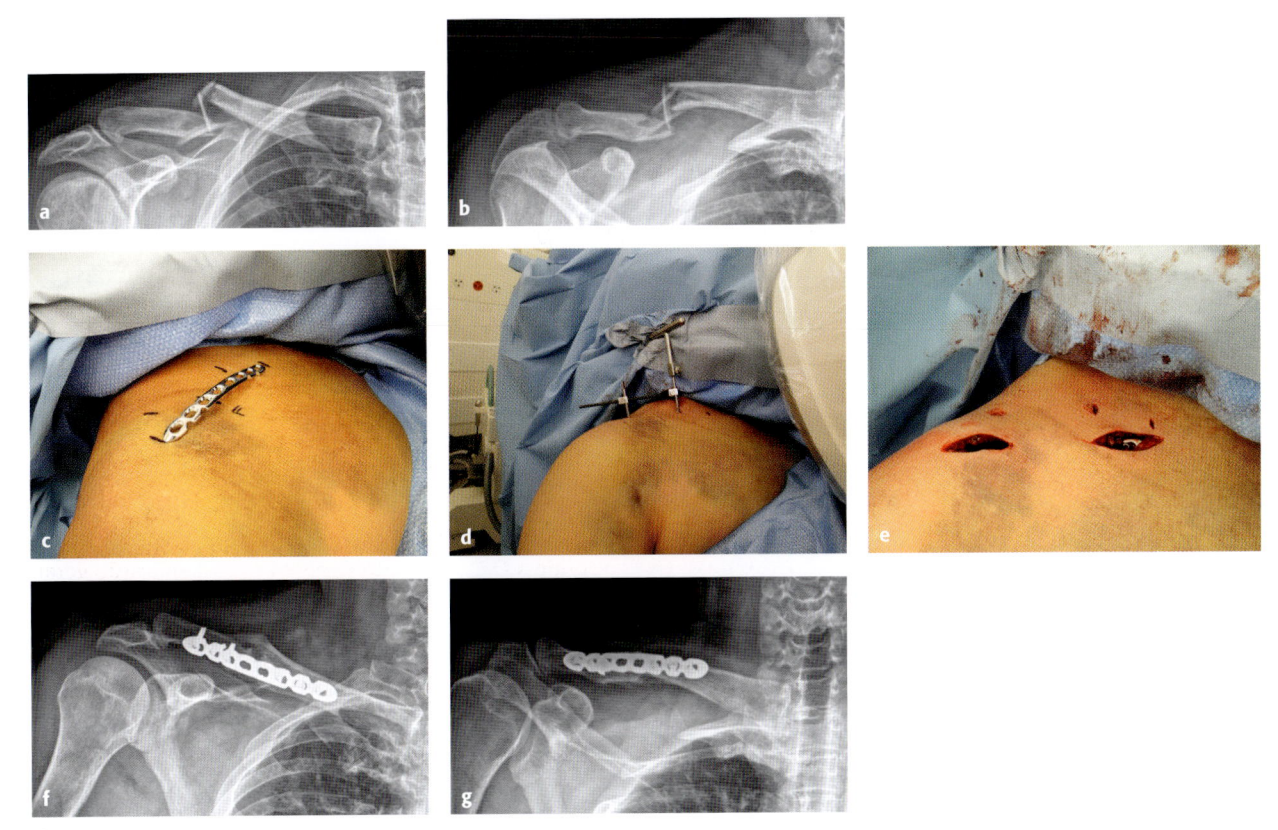

**Fig. 3.1.3-4a-g**
a-b  Um paciente de 25 anos de idade com fratura multifragmentada médio-diafisária da clavícula.
c    Por causa da fragmentação, a osteossíntese minimamente invasiva com placa anterior foi escolhida. Planejamento das incisões usando a placa anterior.
d    Redução da fratura com um fixador externo superior de pequenos fragmentos.
e    Janelas de partes moles depois da fixação com placa.
f-g  Radiografia em 1 ano após a operação.

Redução, vias de acesso e técnicas de fixação
### 3.1.3 Osteossíntese minimamente invasiva

### 5.2 Úmero

#### 5.2.1 Proximal do úmero

**Princípio:** Há uma grande variedade de placas anatômicas disponíveis para as fraturas proximais do úmero, e que podem ser inseridas usando-se duas abordagens da OPMI: ou com uma versão curta da via de acesso deltopeitoral convencional, ou por uma divisão lateral do deltoide, onde a placa é deslizada sob o nervo axilar no colo do úmero. Existe evidência recente a favor da abordagem por OPMI [20]. A ligamentotaxia é de grande valia para a redução quando estiver sendo usada uma posição em cadeira de praia. A tração por um assistente ou um dispositivo de tração pneumático (**Fig. 3.1.3-5e**) reduz a fratura, que é, então, estabilizada adicionalmente pela placa inserida, fixada temporariamente na cabeça do úmero, e, então, fixada na diáfise (**Fig. 3.1.3-5f-h**). A diáfise é, então, reduzida à placa usando um parafuso convencional antes de ocorrer a fixação definitiva.

As fraturas intra-articulares que não sejam reduzidas por ligamentotaxia precisam ser reduzidas primeiro via redução direta através da fratura, usando uma rugina, antes da fixação temporária com fios de Kirschner. Para neutralizar as forças de tração do manguito rotador, as suturas em banda de tensão adicionam estabilidade quando atadas à placa no final da fixação.

**Seleção do paciente:** Fraturas desviadas do colo cirúrgico (11A2, 11B), incluindo aquelas com extensões metafisárias, as fraturas em 3 partes (11B1 e 11B2), especialmente aquelas com um grande fragmento posterior do tubérculo maior, e as fraturas em 4 partes impactadas em valgo (11C1), onde as inserções de partes moles aos tubérculos permanecem intactas (**Fig. 3.1.3-5**). As fraturas-luxações e as fraturas grosseiramente desviadas são difíceis de reduzir, e a via de acesso deltopeitoral formal ou lateral estendida pode, então, ser escolhida.

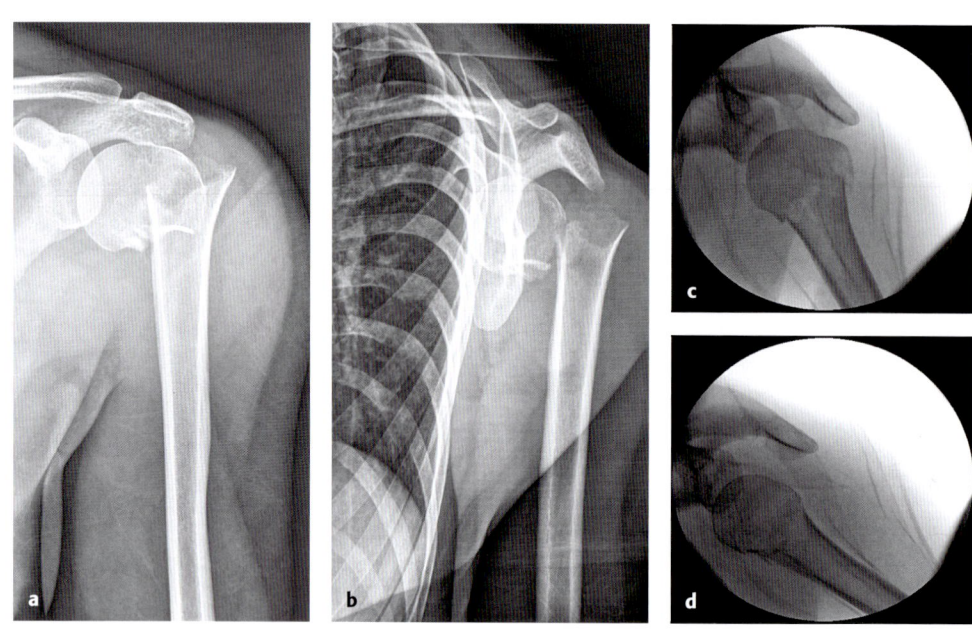

**Fig. 3.1.3-5a-l**
**a-b** Um paciente com 36 anos de idade com uma fratura proximal do úmero desviada em 2 partes.
**c-d** Vista intraoperatória depois da tração.

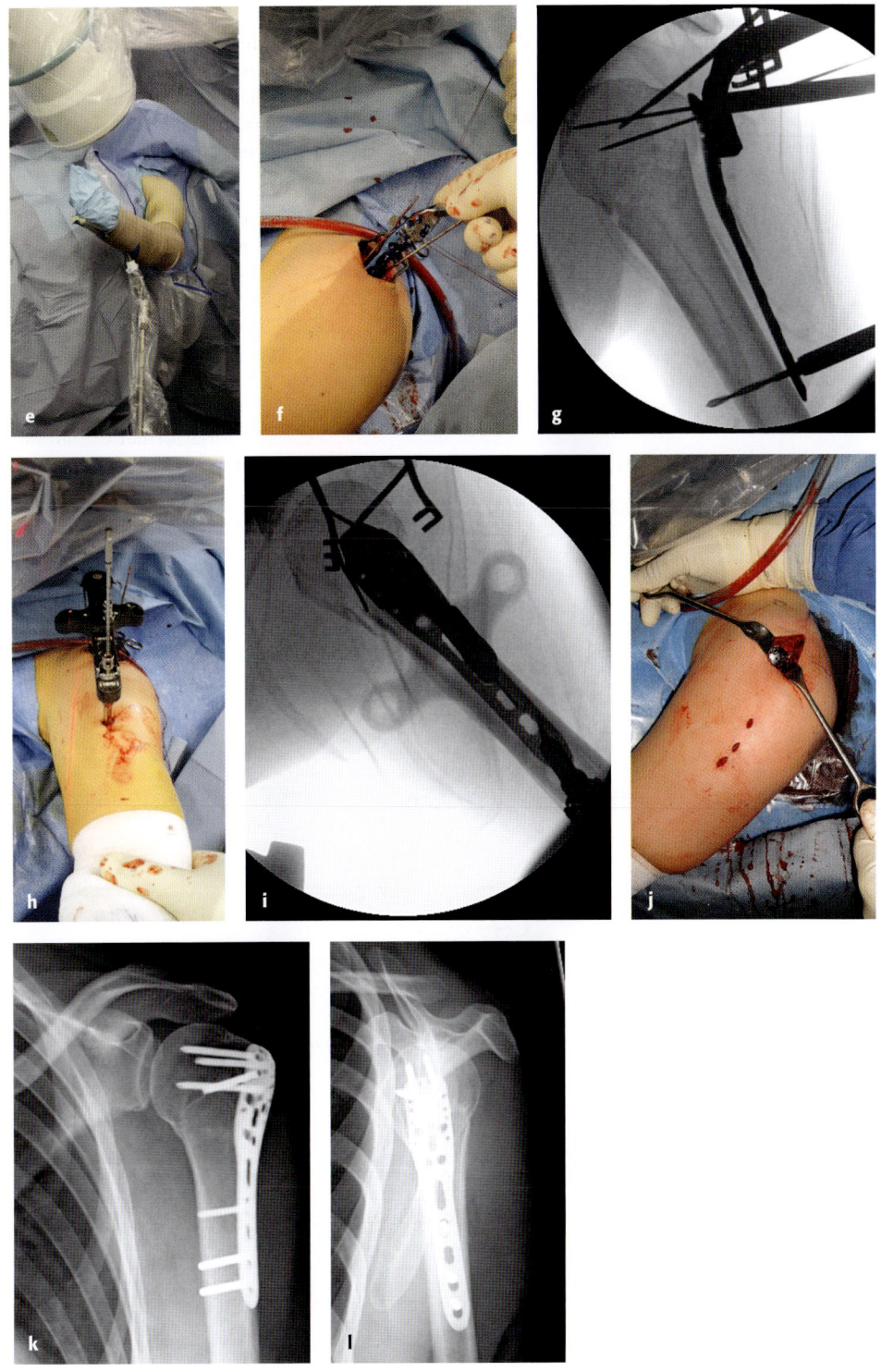

**Fig. 3.1.3-5a-l (cont.)**
e  Dispositivo de tração pneumática para manter a redução.
f  Inserção da placa PHILOS.
g-h  Fixação temporária com placa na diáfise usando fios de Kirschner e uma broca distal na vista AP.
i  Radiografia de controle na vista axial.
j-l  Fixação percutânea definitiva da placa.

Redução, vias de acesso e técnicas de fixação
### 3.1.3 Osteossíntese minimamente invasiva

#### 5.2.2 Diáfise do úmero

**Princípio:** As fraturas proximais e médias da diáfise precisam de duas abordagens diferentes quando a OPMI for usada. A fratura proximal da diáfise, com extensão de fratura perto ou para a cabeça do úmero, é abordada proximalmente pela mesma via de acesso lateral com divisão do deltoide, tal como nas fraturas proximais do úmero. Dependendo da extensão da fratura no nível da diáfise, o comprimento de placa determina a via de acesso distal (**Fig. 3.1.3-6**). Isso é determinado pelo curso do nervo radial e pela decisão do cirurgião para torcer ou não a placa de OPMI. Se a placa não for torcida, a incisão é lateral e o nervo radial precisa ser explorado, já que passa através do septo intermuscular entre a cabeça lateral do músculo tríceps e o músculo braquiorradial. O nervo estará em relação de muita proximidade com a placa. Se a placa for torcida, então será posicionado mais para anterolateral (torção ≤ 45°) ou anterior (torção 70-90°) na diáfise umeral distal. Para a abordagem anterolateral, o músculo bíceps é afastado para o lado medial e o músculo braquial é dividido na seção média, partindo uma parte do músculo braquial como proteção para o nervo radial (**Fig. 3.1.3-7**). A placa reta lateral ajuda no alinhamento da fratura e é tecnicamente mais fácil de aplicar do que a placa torcida. A posição do paciente pode ser em supino, usando uma mesa auxiliar, ou em posição de cadeira de praia, usando tração para estabilizar o campo cirúrgico. A placa inserida é fixada proximalmente de modo temporário para permitir suficiente estabilidade, para verificar a redução com o intensificador de imagens. Um fixador externo pode ser usado para adicionar estabilidade ao campo cirúrgico (**Fig. 3.1.3-8c-d**).

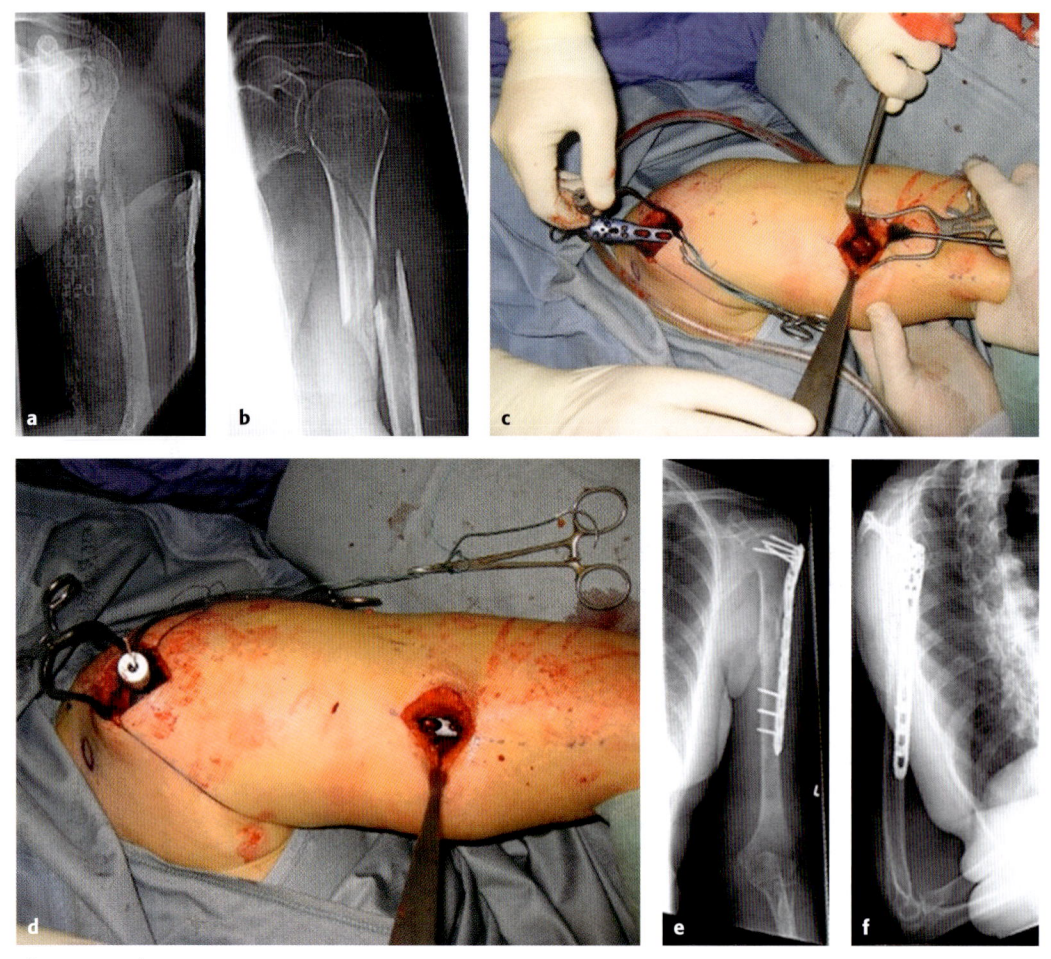

**Fig. 3.1.3-6a-f**
a-b  Um paciente de 66 anos de idade com uma fratura helicoidal desviada na região proximal da diáfise do úmero. Inserção de uma placa PHILOS reta.
c    A incisão distal era proximal ao curso anterior do nervo radial. Note a estabilização do campo cirúrgico por tração.
d    Fixação temporária da placa para controle com intensificador.
e-f  Radiografia de controle em 1 ano de pós-operatório.

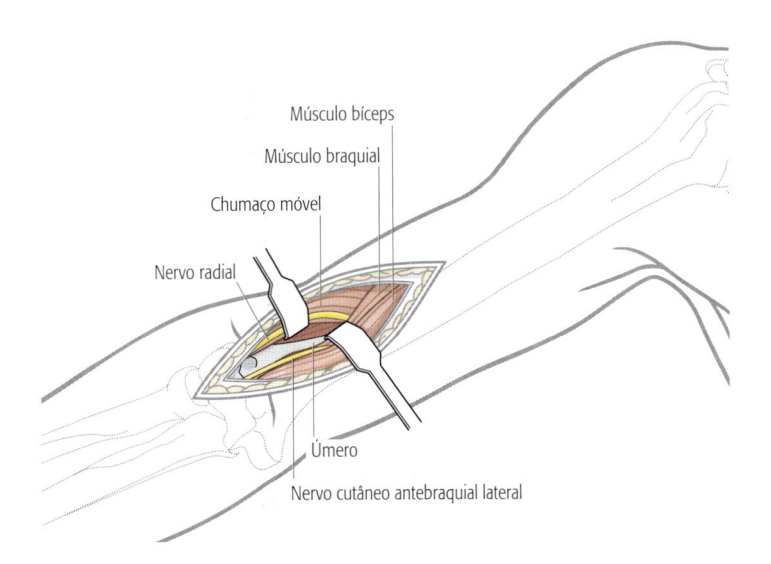

**Fig. 3.1.3-7** Incisão distal anterolateral para a fixação distal da placa em uma fratura médio-diafisária do úmero. O músculo bíceps, incluindo o nervo cutâneo antebraquial lateral, é puxado para o lado medial. O músculo braquial é dividido no meio. A parte lateral, então, serve para proteger o nervo radial.

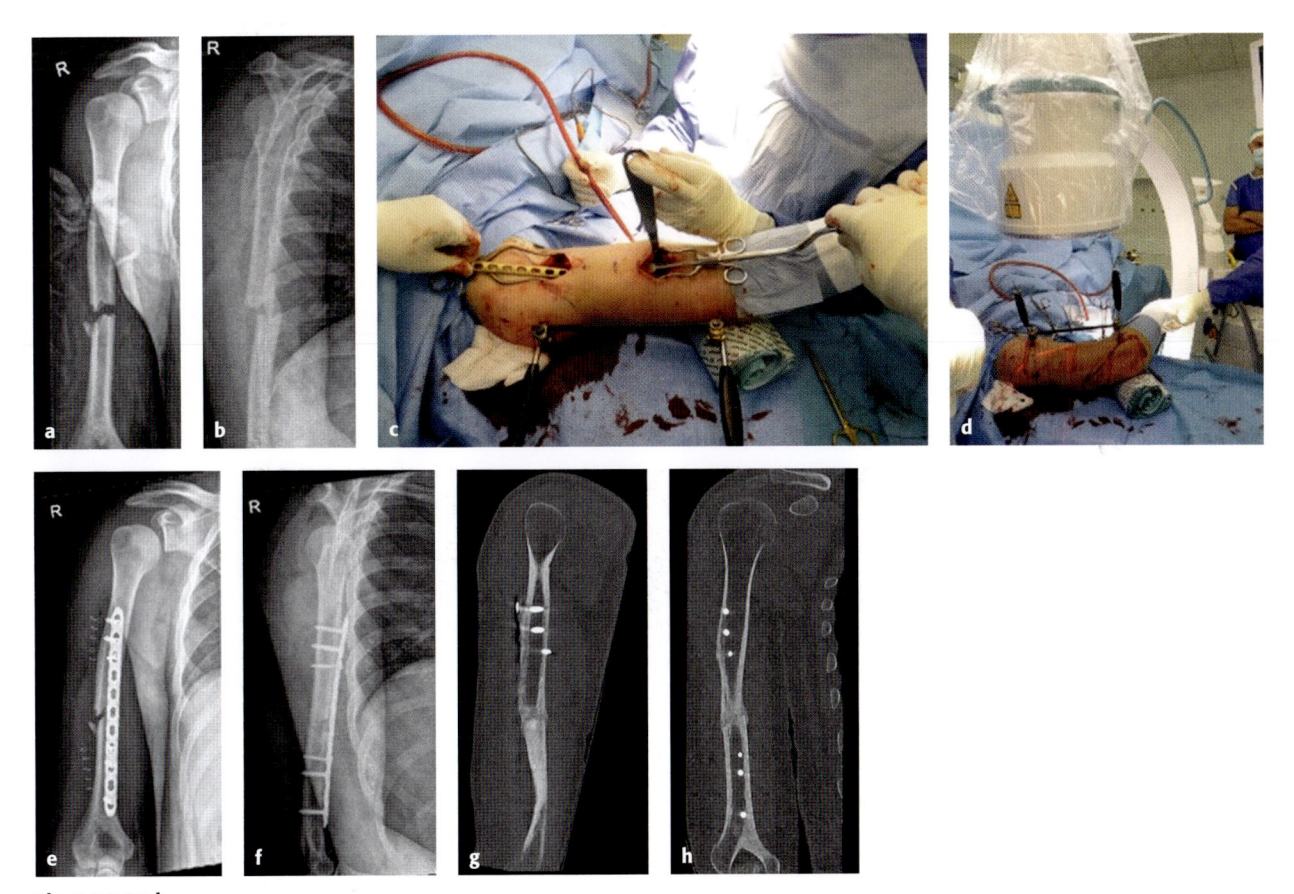

**Fig. 3.1.3-8a-h**
- **a-b** Um paciente de 33 anos de idade com uma fratura médio-diafisária do úmero com diastase (12A3)
- **c** A fratura foi reduzida e estabilizada usando os manipuladores de osteossíntese com placa minimamente invasiva, combinados com uma haste de fixador externo. Inserção da placa de proximal para distal, usando o deslizador epiperiostal para puxar a placa de proximal para distal.
- **d** Controle radiográfico em visão lateral da redução.
- **e-f** Radiografias pós-operatórias em incidência AP e lateral. Note os parafusos convencionais perto da fratura como parafusos de redução e parafusos de cabeça bloqueada em ambas as extremidades da placa. A fratura foi fixada em leve diastase no lado lateral.
- **g-h** A fratura foi transposta por calo na cortical posteromedial, e o paciente voltou a carregar peso como um trabalhador braçal pesado 6 meses depois da operação.

Redução, vias de acesso e técnicas de fixação
## 3.1.3 Osteossíntese minimamente invasiva

As fraturas do úmero mediodiafisárias podem ser estabilizadas por uma abordagem anterior usando placas longas, convencionais e estreitas de 3.5 ou 4.5, de acordo com o diâmetro ósseo. Por causa da ampla excursão rotacional da extremidade superior, uma placa longa fornece fixação muito mais estável que uma placa curta. A moldagem da placa é mínima na parte distal quando são usados parafusos convencionais, e não é necessário quando são usados somente os parafusos bloqueados. O paciente é preferencialmente posicionado deitado supino, com uma mesa auxiliar em leve abdução para obter um campo cirúrgico estável. Na janela de partes moles distais, os afastadores de Hohmann não devem ser usados para evitar tração no nervo radial. A placa longa, alcançando a maior parte do comprimento do úmero, é, então, fixada com três parafusos em cada fragmento (**Fig. 3.1.3-8**). A OPMI da fratura da diáfise do úmero tem-se mostrado uma técnica segura e confiável, com resultados similares aos da RAFI convencional [21].

**Seleção do paciente:** A OPMI é uma boa indicação para:

- Fraturas multifragmentadas da diáfise do úmero que se estendem proximal e distalmente
- Fraturas segmentares
- Canal medular pequeno, que não permita encavilhamento
- Deformação da diáfise devido a fratura antiga
- Pacientes com placas de crescimento abertas

A OPMI não é recomendada nos casos retardados com encurtamento significativo ou em não união. As fraturas simples são muito mais desafiadoras para reduzir, e a redução abaixo do ideal pode levar ao retardo de consolidação ou à não união, com falha do implante, sendo mais adequadamente tratadas com redução anatômica e uso de placa de compressão para fornecer uma estabilidade absoluta.

## 5.3 Fêmur

### 5.3.1 Proximal do fêmur

**Princípio:** Muitos dispositivos de fixação estão disponíveis para o tratamento das fraturas proximais do fêmur, como, por exemplo, os implantes intramedulares e extramedulares. Os implantes extramedulares incluem o parafuso dinâmico de quadril (DHS), o parafuso dinâmico condilar (DCS), a placa-lâmina de 95 graus, a placa de compressão bloqueada proximal do fêmur (LCP-PF), e a LCP reversa distal do fêmur (LCP-DF). De acordo com o padrão da fratura, a preferência pode recair sobre um implante intramedular ou extramedular. A redução é feita usando uma mesa de tração, na posição supina, ou com o distrator femoral grande ou fixador externo (**Fig. 3.1.3-9**) ao utilizar uma abordagem de OPMI.

**Seleção do paciente:** O papel para a OPMI nas fraturas proximais do fêmur é limitado a:

- Fraturas trocantéricas com extensão proximal envolvendo o ponto de entrada da haste
- Fraturas ipsilaterais do colo e complexa da diáfise não apropriadas para um dispositivo intramedular
- Fraturas subtrocantéricas expostas

A redução aberta e fixação interna nessa região tem sido associada a um risco significativo de não união e falha do implante. A OPMI tem mostrado reduzir a incidência de não união e a necessidade de enxertia óssea primária e secundária [22].

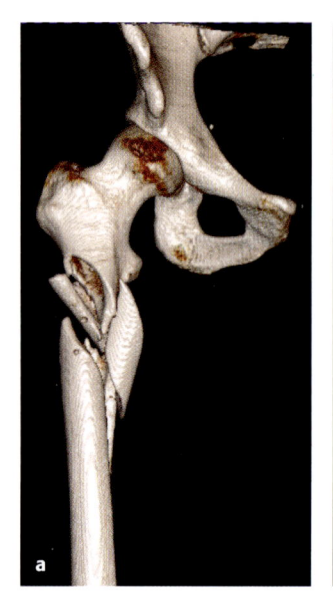

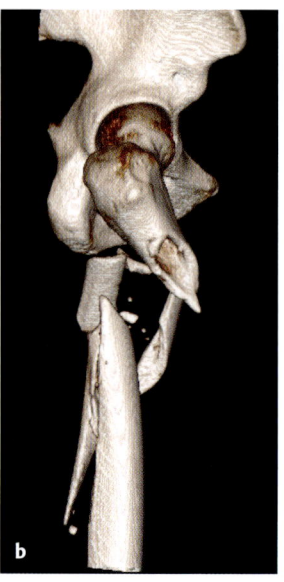

**Fig. 3.1.3-9a-h**
**a-b** Um paciente politraumatizado de 22 anos de idade com uma fratura subtrocantérica multifragmentada.

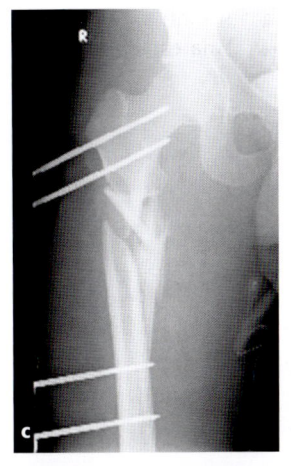

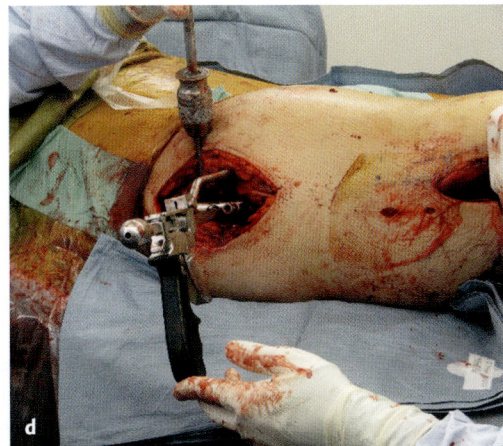

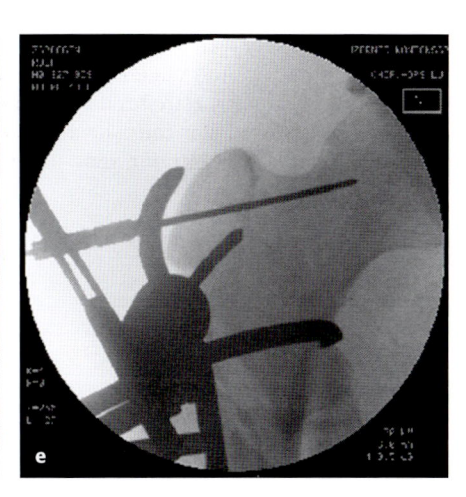

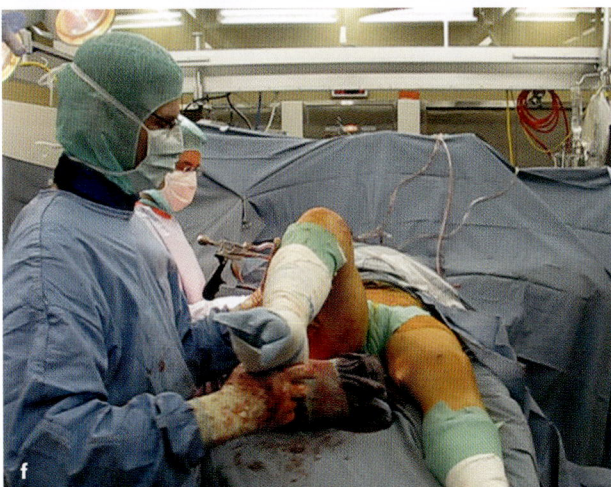

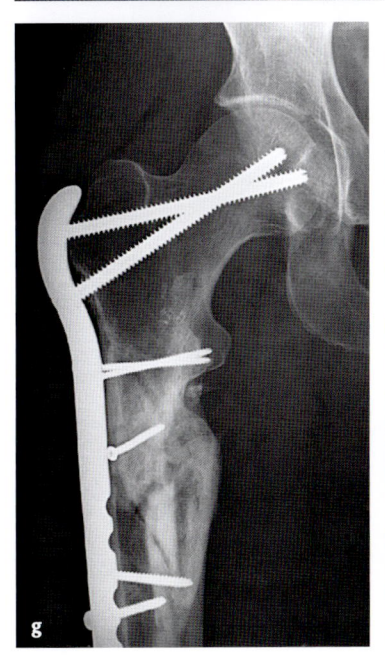

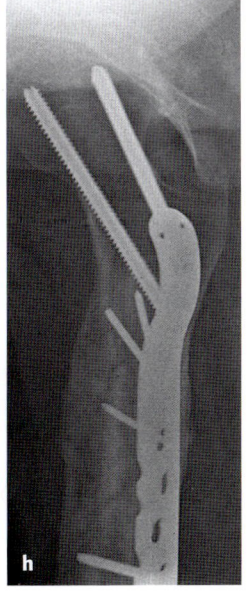

**Fig. 3.1.3-9a-h (cont.)**

c   Cirurgia de controle de danos com fixador externo.
d   Através de uma janela de partes moles proximal, o fragmento proximal é reduzido usando um parafuso de Schanz com um cabo em T para neutralizar as forças de flexão do músculo iliopsoas, e uma placa de compressão bloqueada na região proximal do fêmur foi inserida e o fragmento proximal foi reduzido usando a pinça colinear contra a LCP-PF.
e   Vista intraoperatória com intensificador de imagem com o fragmento proximal reduzido contra a placa e a fixação temporária com um fio de Kirschner e a pinça de redução colinear.
f   Controle clínico intraoperatório para rotação. O comprimento foi controlado usando a perna contralateral, e o alinhamento é controlado por intensificação de imagem com auxílio do método de cabo.
g-h Radiografia de controle 1 ano após o trauma.

Redução, vias de acesso e técnicas de fixação
### 3.1.3 Osteossíntese minimamente invasiva

#### 5.3.2 Diáfise do fêmur

**Princípio:** Para a OPMI da diáfise do fêmur, estão disponíveis a placa de compressão dinâmica (DCP) larga, a placa de compressão dinâmica de baixo contato (LC-DCP), ou a LCP. A LCP moldada com antecurvo é útil para a fixação da fratura com OPMI devido à sua curvatura sagital. O paciente é posicionado em uma mesa radiolucente com ambas as pernas preparadas e um coxim debaixo da articulação do joelho. Existem dois métodos para alcançar um campo cirúrgico estável ao se fazer uma OPMI da diáfise do fêmur.

- A placa é usada como uma ferramenta de redução pela fixação proximal e distal temporária no centro da cortical lateral (**Fig. 3.1.3-10**).
- A diáfise do fêmur é reduzida primeiro, usando um fixador externo ou o distrator grande antes de inserir e fixar a placa ao osso.

É recomendado usar pelo menos três parafusos inseridos percutaneamente nos fragmentos proximal e distal. O comprimento da placa em fraturas multifragmentadas é de geralmente 16-18 furos, enquanto as placas em fraturas simples (que requerem redução anatômica e estabilidade absoluta) têm um comprimento de 8-10 furos com uma densidade placa/parafuso de 0,5.

**Seleção do paciente:** As fraturas da diáfise femoral (32B e 32C) são boas indicações para OPMI se:

- A diáfise do fêmur estiver estreita ou deformada.
- O paciente pediátrico tiver fises abertas.
- O canal medular estiver ocupado por um implante.
- A condição geral ou fraturas associadas não permitirem o encavilhamento intramedular.

#### 5.3.3 Distal do fêmur

**Princípio:** Vários implantes foram especialmente projetados para as fraturas distais do fêmur, como placa-lâmina de 95 graus, a LCP-DF, e a haste distal do fêmur. As fraturas distais do fêmur intra-articulares requerem estabilidade absoluta e são tratadas, primeiramente, usando uma via de acesso parapatelar para executar a redução anatômica da superfície articular. Nas fraturas extra-articulares, uma janela de partes moles centrada no côndilo femoral lateral é suficiente para a inserção da placa. Entretanto, a via de acesso deve ser suficientemente grande para permitir o posicionamento adequado do implante. O paciente é colocado em uma mesa radiolucente, com a perna contralateral preparada para comparar o comprimento, o alinhamento e a rotação depois da redução do bloco articular à diáfise. A redução pode ser obtida por fixação temporária da placa distalmente, usando-a como uma ferramenta

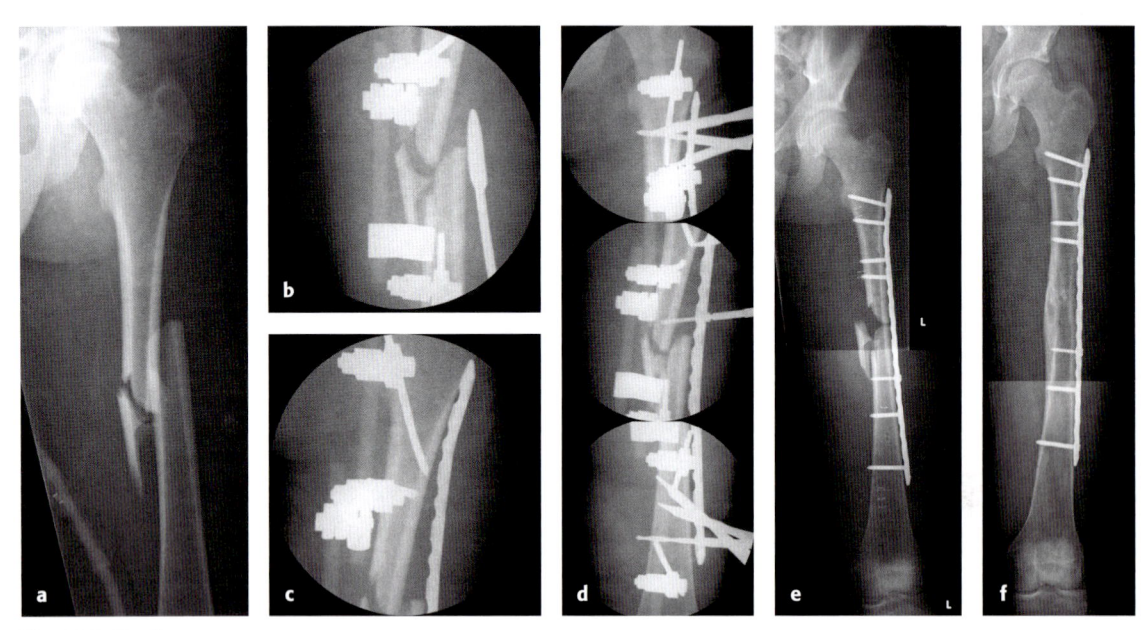

**Fig. 3.1.3-10a-f**
a    Um paciente politraumatizado de 17 anos de idade com canal femoral estreito, submetido à cirurgia de controle de danos com fixador externo.
b    Longe do foco da fratura, um deslizador epiperiostal submuscular foi inserido, e um túnel submuscular foi preparado.
c    A placa foi inserida e alinhada com a fratura.
d    A fratura foi temporariamente fixada com brocas através dos guias inseridos nos orifícios rosqueados da placa de compressão bloqueada, posicionada no centro da diáfise. O fragmento intermediário foi reduzido com um parafuso de redução.
e    Radiografia pós-operatória. Afora o parafuso de redução, todos os outros parafusos são parafusos de cabeça bloqueada para manter a redução.
f    Radiografia em vista AP após a consolidação, 1 ano após a cirurgia.

de redução. Ou a redução pode ser mantida reduzindo-se o bloco articular contra a diáfise com a ajuda de um distrator femoral grande, de um fixador externo, ou por manobra percutânea usando-se uma pinça colinear ou um fio de cerclagem (**Fig. 3.1.3-11**) antes da inserção e fixação da placa.

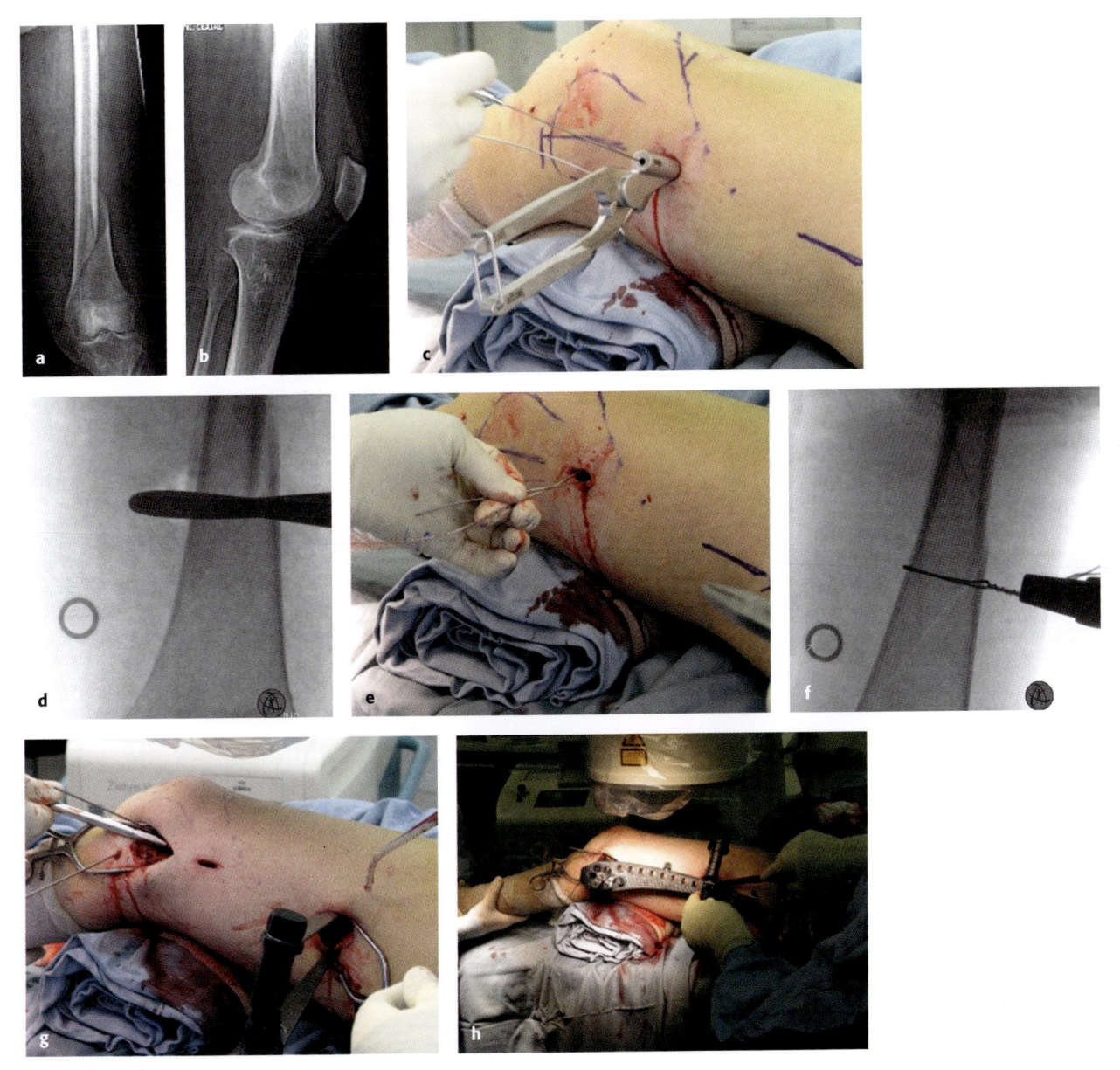

**Fig. 3.1.3-11a-l**
- **a-b** Uma mulher de 56 anos de idade com uma fratura distal do fêmur extra-articular helicoidal.
- **c** Redução direta da fratura helicoidal por osteossíntese com placa minimamente invasiva (OPMI) e passador de fio (**Fig. 3.1.1-17**).
- **d** Imagem de intensificação intraoperatória com o passador de fio *in situ*.
- **e** Depois da extração do instrumental passador de fio, os fios de cerclagem estavam prontos para serem apertados.
- **f** Mantendo a redução da fratura da diáfise com a cerclagem.
- **g** Inserção submuscular do instrumento deslizante de tunelização epiperiosteal da OPMI.
- **h** Inserção e fixação distal do fêmur do sistema de estabilização menos invasivo usando o braço direcionador.

### 3.1.3 Osteossíntese minimamente invasiva

**Seleção do paciente:** Todas as fraturas distais do fêmur (33A e 33C) são apropriadas para OMI com haste distal do fêmur ou OPMI. As fraturas complexas 33C são tratadas com mais segurança com LCP-DF depois que a superfície articular tiver sido abordada.

## 5.4 Tíbia

### 5.4.1 Proximal da tíbia

**Princípio:** As fraturas proximais da tíbia, causadas por trauma de alta energia, com ou sem luxação, constituem fraturas desafiadoras para tratar, porque, em geral, o envelope de partes moles em torno da articulação do joelho está gravemente ferido. Depois da primeira avaliação, o tratamento na maior parte dessas fraturas é a aplicação de um fixador externo transarticular, seguida pela tomografia computadorizada (TC). Os Schanz do fixador externo devem estar do lado de fora da zona de lesão e do potencial local do implante. De acordo com o padrão de fratura, duas estratégias de fixação diferentes são aplicadas. Em fraturas extra-articulares (41A) e articulares parciais (41B), o uso de placa de coluna única é suficiente. Em fraturas intra-articulares bicondilares (41C), a aplicação das placas de coluna única ou dupla depende do padrão de fratura. Em fraturas bicondilares, uma abordagem posteromedial para sustentação da coluna medial é feita como um primeiro passo. O segundo passo aborda a fratura intra-articular, antes que a fixação definitiva entre a articulação e a diáfise ocorra na parte lateral (para combinar o bloco articular com a diáfise). Se houver uma fratura cortical simples na coluna medial, que pode ser reduzida anatomicamente a uma posição estável, então a fixação de uma coluna lateral isolada, usando uma LCP, pode ser suficiente. Diferentes placas anatômicas mediais e posteromediais estão disponíveis, mas as placas tubulares convencionais de 3,5 ou LCPs de 3,5 podem ser suficientes se a fixação de sustentação isolada fornecer estabilidade. Dependendo da extensão da fratura na porção proximal da diáfise, as placas anatômicas de 3,5 ou 4,5/5,0 (LCP tibial proximal) permitem a estabilização segura (**Fig. 3.1.3-12**).

**Seleção do paciente:** As fraturas proximais da tíbia de alta ou baixa energia, com comprometimento de tecidos moles, se beneficiam de uma OPMI com abordagem cuidadosa dos tecidos moles (41A, 41B, 41C). Nas fraturas expostas, o envelope de partes moles deve ser restabelecido depois de cuidadoso debridamento, junto com a técnica de OPMI, ou a osteossíntese deve ser feita em um procedimento estadiado depois da cobertura definitiva de partes moles [23].

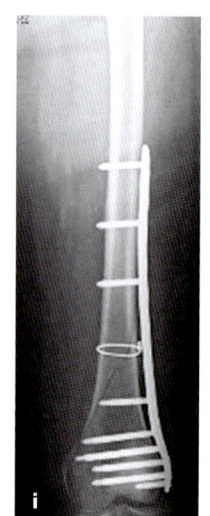

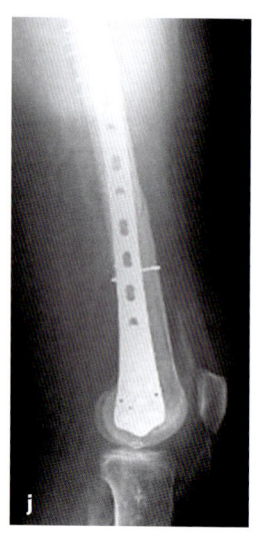

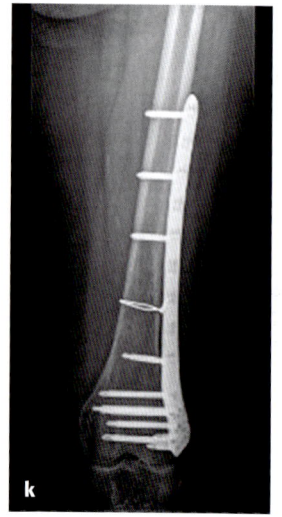

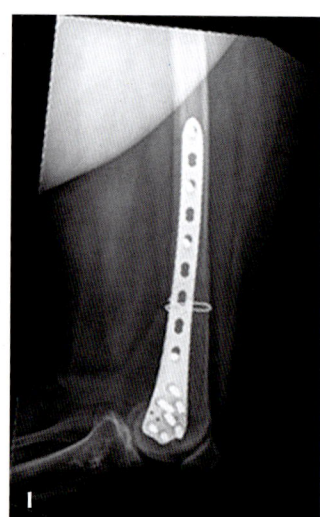

**Fig. 3.1.3-11a-l (cont.)**
**i-j** Radiografias pós-operatórias em visão anteroposterior (AP) e lateral.
**k-l** Radiografia de controle após 2 anos.

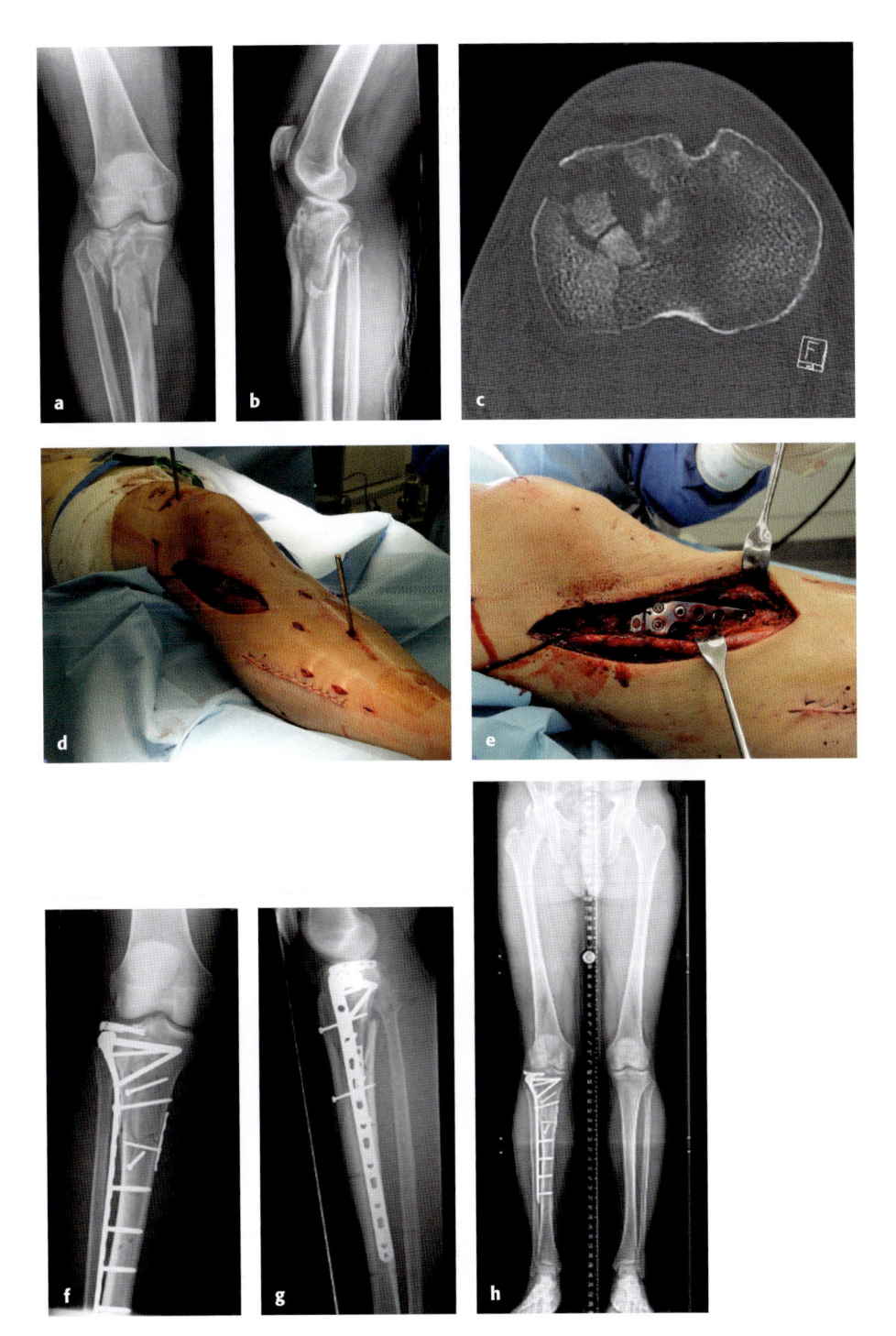

Princípios AO do tratamento de fraturas
**Volume 1**

**Fig. 3.1.3-12a-h**
a-c  Uma paciente de 49 anos de idade com uma fratura fechada bicondilar 41C3 do planalto tibial.
d   Depois do fixador externo inicial e liberação do compartimento. A liberação do compartimento foi fechada antes que ocorresse a fixação com osteossíntese com placa minimamente invasiva.
e   Antes que fosse inserida a placa de compressão bloqueada proximal da tíbia (LCP-PT), o planalto lateral foi reduzido e adicionalmente sustentado com parafusos através de uma placa tubular de 2,7.
f-g Radiografias pós-operatórias em AP e lateral com a placa de redução no lado medial e parafusos de redução em AP. Sustentação lateral da coluna lateral com uma LCP-PT e proximalmente uma placa tubular de 2,7.
h   Um ano depois da cirurgia, consolidação da fratura com bom alinhamento.

Redução, vias de acesso e técnicas de fixação
**3.1.3   Osteossíntese minimamente invasiva**

### 5.4.2   Diáfise da tíbia

**Princípio:** A OPMI para as fraturas da tíbia mediodiafisárias é a exceção. O encavilhamento intramedular é o padrão-ouro para o tratamento desse segmento ósseo. As placas retas DCP, LC-DCP, ou LCP 5,0/4,5 são usadas para OPMI. Placas longas com 12-16 orifícios são necessárias nas fraturas multifragmentadas, estendendo-se proximal ou distalmente. Nessa situação, uma moldagem adicional para ajustar ao relevo proximal ou distal é necessária. A moldagem e torção correta são importantes para manter o alinhamento e a rotação correta da tíbia e evitar a perda de redução quando são usados parafusos convencionais. A posição de placa é escolhida de acordo com o padrão da fratura, a condição de partes moles e pela preferência do cirurgião. A aplicação de placa medial é mais fácil, mas pode causar proeminência do material de síntese, levando a problemas na ferida. Isso é mais comum em pacientes magros (com pouca gordura subcutânea) e em pacientes idosos com pele delicada e circulação deficiente. A inserção da placa começa proximal ou distalmente através de uma janela de partes moles de 3-4 cm, perto da borda posteromedial da tíbia. Na metáfise proximal, uma incisão transversal é frequentemente mais fácil de usar. Distalmente, a veia safena magna e o nervo precisam ser evitados. A redução com ajuda da placa (**Fig. 3.1.3-13**) ou a redução preliminar nas fraturas simples usando pinças percutâneas ou um fixador externo, antes de inserir a placa, são as duas estratégias usadas. A perna contralateral, se preparada também, pode servir como um gabarito para o comprimento, o alinhamento e a rotação. Se for escolhida a posição lateral para a placa, a cobertura de partes moles é muito melhor, mas a aplicação da placa é mais exigente e a sua moldagem é mais difícil, já que a torção é necessária. Na porção distal da tíbia, a janela de partes moles precisa ser grande o suficiente para evitar danos aos vasos tibiais anteriores e ao nervo fibular profundo.

**Seleção do paciente:** A OPMI somente está indicada para fraturas da tíbia mediodiafisárias fechadas e expostas de primeiro e segundo graus se o encavilhamento não for possível por conta de:

- Extensão da fratura para a superfície articular da tíbia
- Fraturas proximal e distal da diáfise
- Algumas fraturas segmentares
- Canal medular pequeno
- Canal medular bloqueado por um implante
- Fratura periprotética
- Canal medular deformado
- Placas de crescimento abertas

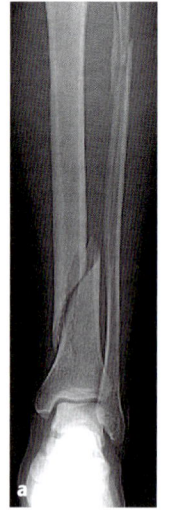

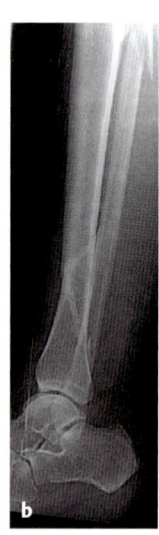

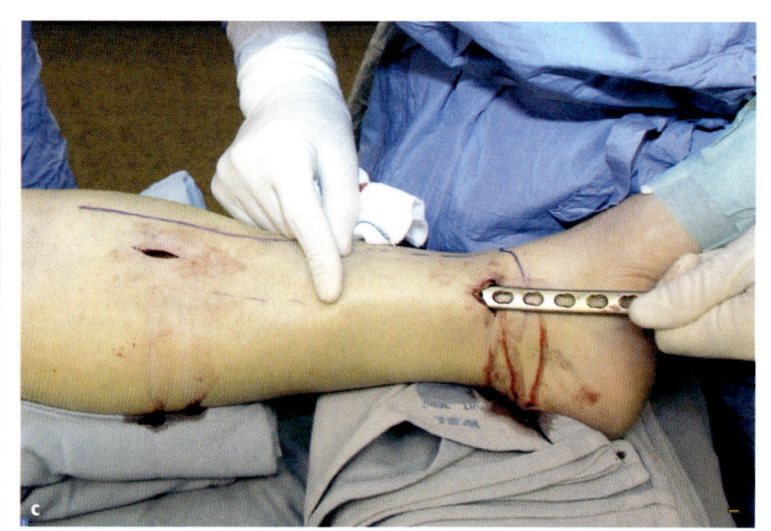

**Fig. 3.1.3-13a-k**
**a-b**   Um paciente de 51 anos de idade com uma fratura helicoidal distal da tíbia (42A1), com a linha de fratura que se estende até o pilão tibial.
**c**   Inserção de placa percutânea medial.

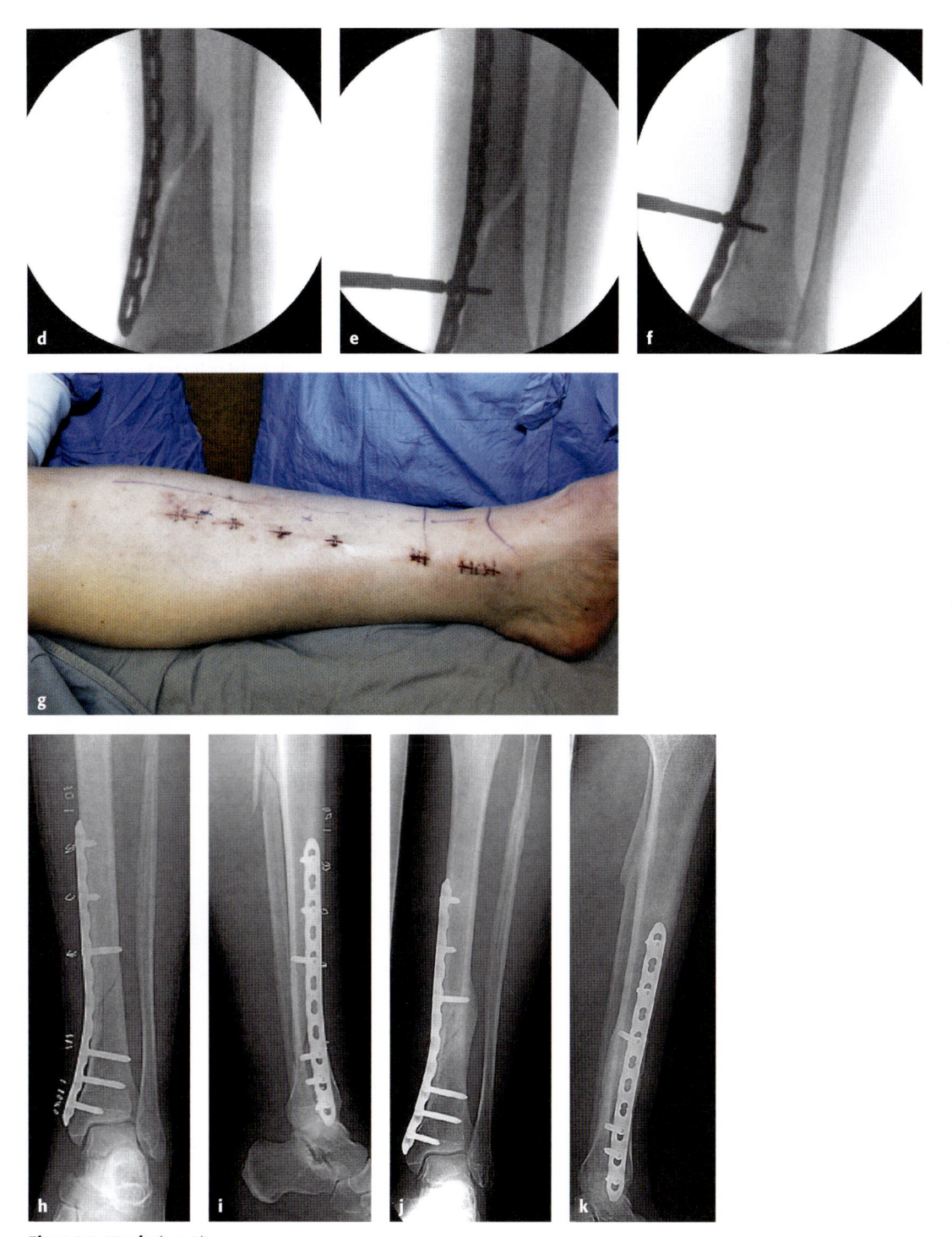

**Fig. 3.1.3-13a-k (cont.)**
d   Sob tração, o fragmento distal desviado não foi alinhado com a placa pré-moldada.
e   Inserção percutânea de um parafuso cortical como um parafuso de redução.
f   Após o aperto do parafuso, o fragmento distal foi reduzido contra a placa.
g   Incisões cutâneas fechadas.
h-i  Radiografia pós-operatória em vista AP e lateral. Note que depois da fixação proximal e distal com parafuso de cabeça bloqueada, o parafuso de redução foi substituído por um parafuso de cabeça bloqueada (LHS).
j-k  Vista AP e lateral 1 ano depois da fixação. Note o calo depois de aplicar a fixação com placa em ponte.

Redução, vias de acesso e técnicas de fixação
**3.1.3 Osteossíntese minimamente invasiva**

5.4.3 Distal da tíbia intra-articular

**Princípio:** Em fraturas distais da tíbia que envolvam a articulação e/ou a metáfise, a condição dos tecidos moles tem um papel fundamental ao se considerarem procedimentos de OPMI. Os fragmentos de fratura desviados devem ser reduzidos, e a tíbia, alinhada por imobilização em uma tala bem acolchoada ou em um fixador externo antes do exame de TC (estabilizar e examinar). Nas lesões de baixa velocidade com fraturas extra-articulares que não sejam passíveis de encavilhamento, a OPMI é uma via de acesso confiável e segura para todos os padrões de fratura, especialmente as fraturas tipo C [24]. Dependendo do padrão da fratura e da condição de partes moles, o procedimento estadiado é recomendado, especialmente nas lesões de alta velocidade. Depois que o edema tenha diminuído, a fratura articular é abordada pelas vias anteromedial (**Fig. 3.1.3-14**), anterior, anterolateral, posterolateral ou posteromedial – ou por combinações dessas vias – que dependem do padrão de fratura. As incisões devem ser suficientemente grandes para alcançar uma redução anatômica da articulação, e enxerto ou substituto ósseo deve ser usado para sustentar a superfície articular. A visualização e a redução da articulação é facilitada usando o distrator femoral grande. De acordo com o padrão da fratura, as placas são inseridas de distal para proximal, sem desnudamento do periósteo, e a fixação da placa na diáfise é alcançada por meio de inserção percutânea dos parafusos.

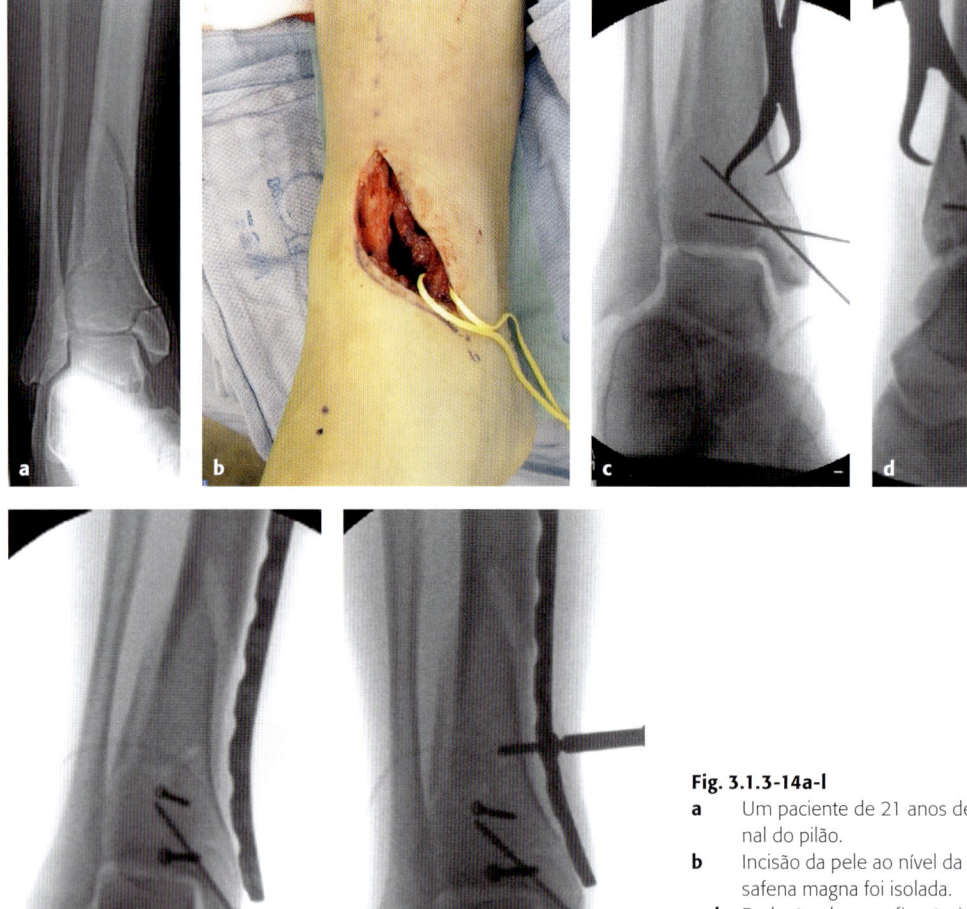

**Fig. 3.1.3-14a-l**
a   Um paciente de 21 anos de idade com uma fratura rotacional do pilão.
b   Incisão da pele ao nível da articulação do tornozelo. A veia safena magna foi isolada.
c-d Redução aberta e fixação interna (RAFI) das fraturas articulares, inicialmente com fios de Kirschner temporários.
e-f Fixação definitiva da superfície articular com três parafusos de tração.

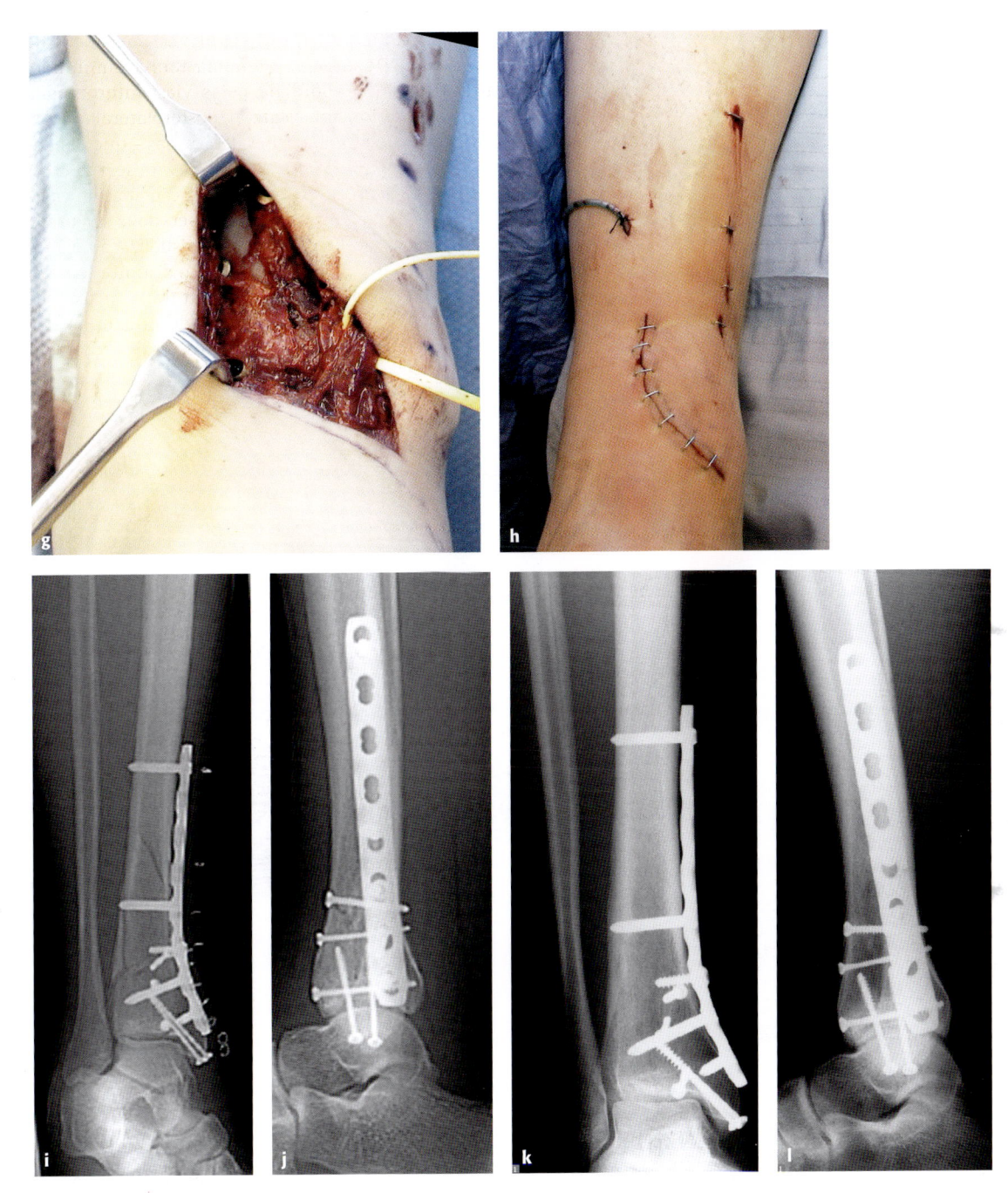

**Fig. 3.1.3-14a-l (cont.)**
- **g**   Região distal da tíbia depois da redução aberta e fixação interna do bloco articular e inserção da placa.
- **h**   Incisão cutânea fechada com grampos.
- **i-j**   Radiografias pós-operatórias.
- **k-l**   Vista anteroposterior (AP) e lateral após 1 ano da cirurgia. A fratura consolidou sem sinais de artrose no tornozelo.

## 3.1.3 Osteossíntese minimamente invasiva

**Seleção do paciente:** Fraturas extra-articulares (43A) que não sejam adequadas para os novos desenhos de haste anterógrada são boas indicações para OPMI, como também as fraturas do pilão tibial com extensões da fratura para dentro da diáfise. Padrões simples de fratura (43A1, 43A2 e 43A3) requerem redução anatômica e fixação com estabilidade absoluta, enquanto a fixação com placa em ponte e a estabilidade relativa são usadas nas fraturas multifragmentadas (43B e 43C). Várias placas de baixo perfil anatômico estão disponíveis (placa tibial anterolateral 3,5, LCP 3,5, placa metafisária 3,5/2,7, placa tibial distal em T 3,5/4,5/5,0, 3,5) para tratar essas fraturas pela sustentação do bloco articular a partir do lado anterolateral, posterior ou anteromedial. A necessidade e a sequência da fixação da fíbula dependem do seu padrão de fratura e do padrão de fratura distal da tíbia. A redução anatômica da fíbula ajuda, na maioria das situações, a alcançar o correto comprimento e posição do pilão tibial posterolateral inserido, e auxilia na estabilidade. A pinça maleolar deve ser sempre verificada quanto à estabilidade quando o alinhamento estiver garantido.

## 6 Complicações

O princípio da cirurgia minimamente invasiva é o de reduzir o trauma operatório das vias de acesso cirúrgicas e no local de fratura.

> As incisões curtas de pele não são a meta da cirurgia com OMI, já que podem resultar em significativa tração para os tecidos moles subjacentes e pele.

Isso pode provocar necrose de partes moles e infecção secundária. Além da manipulação gentil de partes moles, a cirurgia de OMI/OPMI requer um planejamento pré-operatório meticuloso e posicionamento correto do paciente e intensificador de imagens para permitir as técnicas de redução indiretas.

### Colapso cutâneo

O colapso da pele, com ou sem infecção, pode ocorrer quando tensão em demasia tiver sido aplicada ao tecido mole com afastadores ou com suturas. Pode também ser causada por placas proeminentes causando necrose por pressão. Isso pode ser um problema particular em alguns locais como a borda medial da tíbia, se parafusos de bloqueio forem usados, já que eles permitem que a placa fique saliente no osso.

### Infecção profunda

Comparadas com os procedimentos abertos convencionais, as taxas de infecção depois da OMI parecem ser mais baixas, mesmo em casos de fraturas expostas [4]. Mas a tração desproporcionada na pele e tecidos moles, bem como a inserção e remoção repetitivas da placa, podem causar uma infecção profunda. A cirurgia minimamente invasiva não é necessariamente uma cirurgia de infecção mínima.

### Consolidação viciosa

As reduções indiretas do local de fratura e o diâmetro reduzido da imagem do intensificador são riscos inerentes para criar a consolidação viciosa. É importante a avaliação intraoperatória do comprimento, alinhamento e rotação sob condições estáveis. A manutenção da redução alcançada com adjuntos como a placa inserida e temporariamente fixada, o fixador externo, o distrator femoral grande ou a mesa de tração são tão importantes quanto o uso do membro ileso contralateral como um gabarito da extremidade inferior.

A curva de aprendizado para os procedimentos de OPMI é íngreme, e as taxas relatadas de consolidação viciosa são elevadas para a cirurgia de OPMI [7, 12]. As placas bloqueadas e as placas anatomicamente pré-moldadas diminuíram a curva de aprendizado. Entretanto, o cirurgião não pode somente confiar em placas pré-moldadas para a redução porque existe variação na anatomia normal.

### Retardo de consolidação/não união

A não união é incomum depois da OPMI, desde que os princípios da fixação interna sejam seguidos. Em fraturas de alta velocidade, a necessidade para enxerto ósseo secundário fica entre 2,5 e 7% [12, 22, 23]. A enxertia óssea secundária é aconselhável quando nenhuma formação de calo estiver visível depois de 6-8 semanas. As fraturas simples, quando tratadas com placa em ponte, têm risco de retardo de consolidação porque a consolidação do *gap* de fratura é necessária, e a falha por fadiga da placa pode ocorrer antes de a fratura consolidar. A redução anatômica e a fixação da fratura com estabilidade absoluta usando compressão são recomendadas para os padrões simples (tipo A) de fraturas.

### Falha do implante

A quebra de placa depois da OPMI tem sido observada em casos de retardo de consolidação. Isso pode ser devido à diastose com um *gap* na fratura > 2 mm, trauma de alta energia com lesão de partes moles e desvascularização dos fragmentos ósseos, ou falha em alcançar a estabilidade absoluta em um padrão de fratura simples. A colocação de um parafuso muito perto do *gap* de fratura ao usar o conceito de placa em ponte também levará à falha do implante, já que a falta de estabilidade relativa prevenirá a formação do calo: a consolidação do *gap* é lenta nessa situação de "estabilidade excessiva", com falha por fadiga subsequente do implante (**Fig./Animação 3.1.3-15**). Ao usar parafusos bloqueados, a placa precisa ser colocada no centro da diáfise para obter suficiente pega do parafuso, a fim de alcançar a estabilidade planejada do implante (**Fig. 3.1.3-16**).

## 7 Remoção do implante

A remoção de implante depois da OMI pode ser mais difícil que a inserção do implante. Conforme o edema cede, as incisões frequentemente não estão mais na sua posição original em relação a um parafuso. Os pacientes devem ser advertidos que uma incisão maior pode ser necessária para remover os implantes. Instrumental e brocas especiais devem estar disponíveis ao efetuar a remoção do implante. Isso pode facilitar a remoção do material de síntese, especialmente quando o LHS estiver emperrado na placa por causa de técnica de inserção ruim ou crescimento ósseo sobre os implantes de titânio [9].

## 8 Educação na OMI e como começar

A cirurgia de OPMI é uma forma de osteossíntese de acesso mínimo. A invasividade mínima não é definida pelos comprimentos da incisão, mas principalmente pela técnica de redução sob as condições de controle visual limitado. Essa técnica é mais trabalhosa. Os princípios da fixação interna usando placas e a aplicação de outros procedimentos de OMI, como fixadores externos e encavilhamento intramedular, devem ser bem conhecidos pelo cirurgião. A OPMI não deve ser executada por cirurgiões de trauma sem experiência. Os procedimentos abertos devem ser o primeiro passo para o cirurgião em aprendizado, que, então, pode prosseguir para os casos mais difíceis de OPMI à medida que eles forem surgindo.

## 9 Conclusão

A tecnologia para a fixação das fraturas evoluiu rapidamente nos anos recentes. Instrumentos específicos para a redução percutânea de fraturas e numerosas placas para muitas regiões anatômicas, com parafusos de cabeça bloqueada, têm facilitado a cirurgia de OPMI. A meta de preservação de partes moles dessa cirurgia é chamativa, e tem ajudado na disseminação dessa técnica inovadora. Entretanto, essa técnica é exigente e requer uma abordagem passo a passo com análise de caso crítico, planejamento pré-operatório adequado, criação de um campo cirúrgico estável, e visualização da redução alcançada com intensificador de imagem antes da fixação definitiva. Os princípios biomecânicos da osteossíntese com placa são idênticos e não devem ser comprometidos usando essa técnica. As metas da cirurgia permanecem as mesmas.

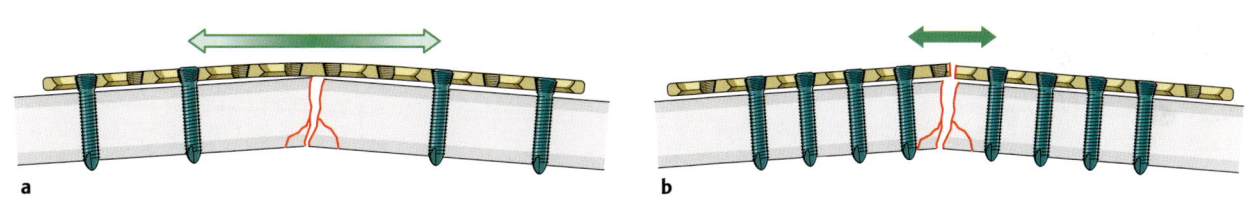

**Fig./Animação 3.1.3-15a-b** Distribuição do *strain*. Influência da fixação do parafuso sobre as forças dentro da placa.

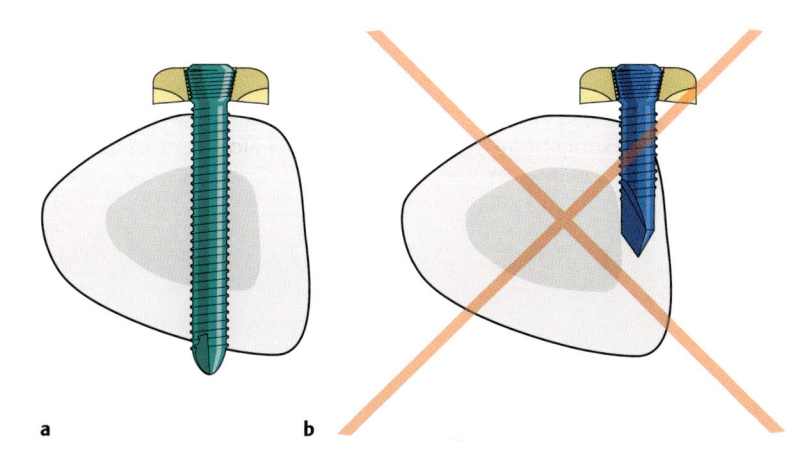

**Fig. 3.1.3-16a-b** A placa deve estar centralizada na diáfise para evitar a colocação tangencial do parafuso, o que está associado à perda da fixação.

Redução, vias de acesso e técnicas de fixação
### 3.1.3 Osteossíntese minimamente invasiva

**Referências clássicas**  **Referências de revisão**

## 10 Referências

1. **Mast J, Jakob R, Ganz R.** *Planning and Reduction Technique in Fracture Surgery.* 1st ed. Berlin Heidelberg: Springer Verlag; 1989.
2. **Krettek C, Schandelmaier P, Tscherne H.** [Distal femoral fractures. Transarticular reconstruction, percutaneous plate osteosynthesis and retrograde nailing.] *Unfallchirurg.* 1996 Jan;99(1):2–10. German.
3. **Frigg R.** Development of the locking compression plate. *Injury.* 2003 Nov;34 Suppl 2:B6–10.
4. **Babst R, Bavonratanavech S, Pesantez R.** *Minimally Invasive Plate Osteosynthesis (MIPO).* 2nd ed. Stuttgart: Thieme Verlag; 2012.
5. **Babst R, Hehli M, Regazzoni P.** [LISS tractor. Combination of the "less invasive stabilization system" (LISS) with the AO distractor for distal femur and proximal tibial fractures.] *Unfallchirurg.* 2001 Jun;104(6):530–535. German.
6. **Perren SM, Fernandez dell'Orca F, Regazzoni P et al.** New aspects of cerclage: improved technology applicable to MIO with special reference to periprosthetic fractures. In: *Minimally Invasive Plate Osteosynthesis.* 2nd ed. Stuttgart: Thieme Verlag; 2012.
7. **Buckley R, Mohanty K, Malish D et al.** Lower limb malrotation following MIPO technique of distal femoral and proximal tibial fractures. *Injury.* 2011 Feb;42(2):194–199.
8. **Gautier E, Sommer C.** Guidelines for the clinical application of the LCP. *Injury.* 2003;34 Suppl 2:63–76.
9. **Georgiadis GM, Gove NK, Smith AD, et al.** Removal of the less invasive stabilization system. *J Orthop Trauma.* 2004 Sep;18(8):562–564.
10. **Hasenboeler E, Rikli D, Babst R.** Locking compression plate with minimally invasive plate osteosynthesis in diaphyseal and distal tibial fractures: a retrospective study of 32 patients. *Injury.* 2007 Mar;38(3):365–370.
11. **Livani B, Belangero WD.** Bridging plate osteosynthesis of humeral shaft fractures. *Injury.* 2004 Jun;35(6):587–595.
12. **Zlowodzki M, Bhandari M, Marek DJ, et al.** Operative treatment of acute distal femur fractures: systematic review of 2 comparative techniques and 45 case series (1989 to 2005). *J Orthop Trauma.* 2006 May;20(5):366–371.
13. **Livani B, Belangero WD, Castro De Medeiros R.** Fractures of the distal third of the humerus with palsy of the radial nerve: management using minimally invasive percutaneous plate osteosynthesis. *J Bone Joint Surg Br.* 2006 Dec;88(12):1625–1628.
14. **Gauger EM, Cole PA.** Surgical technique: a minimally invasive approach to scapula neck and body fractures. *Clin Orthop Relat Res.* 2011;469(12):3390–3399.
15. **Routt ML Jr, Nork SE, Mills WJ.** Percutaneous fxation of pelvic ring disruptions. *Clin Orthop Relat Res.* 2000 Jun;(375):15–29.
16. **Rammelt S, Amlang M, Barthel A, et al.** Percutaneous treatment of less severe intraarticular calcaneal fractures. *Clin Orthop Relat Res.* 2010 Apr;468(4):983–990.
17. **Oh CW, Song HR, Kim JW, et al.** Deformity correction with submuscular plating technique in children. *J Pediatric Orthop B.* 2010 Jan;19(1): 47–54.
18. **Oh CW, Song HR, Kim JW.** Limb lengthening with a submuscular locking plate. *J Bone Joint Surg Br.* 2009 Oct;91(10):1394–1399.
19. **Sohn HS, Kim WJ, Shon MS.** Comparison between open plating versus minimally invasive plate osteosynthesis for acute displaced clavicular shaft fractures. *Injury.* 2015 Aug;46(8):1577–1584.
20. **Lin T, Xiao B, Ma X, et al.** Minimally invasive plate osteosynthesis with a locking compression plate is superior to open reduction and internal fxation in the management of the proximal humerus fractures. *BMC Musculoskelet Disord.* 2014;15:206:1–7.
21. **Kim JW, Oh CW, Byun YS, et al.** A prospective randomized study of operative treatment for noncomminuted humeral shaft fractures: conventional open plating versus minimal invasive plate osteosynthesis. *J Orthop Trauma;* 2015 Apr;29(4):189–194.
22. **Oh CW, Kim JJ, Byun YS, et al.** Minimally invasive plate osteosynthesis of subtrochanteric femur fractures with a locking plate: a prospective series of 20 fractures. *Arch Orthop Trauma Surg.* 2009 Dec;129(12):1659–1665.
23. **Kim JW, Oh CW, Jung WJ, et al.** Minimally invasive plate osteosynthesis for open fractures of the proximal tibia. *Clin Orthop Surg.* 2012 Dec;4(4):313–320.
24. **Zou J, Zhang W, Zhang CQ.** Comparison of minimally invasive percutaneous plate osteosynthesis with open reduction and internal fxation for treatment of extra-articular distal tibia fractures. *Injury.* 2013 Aug;44(8):1102–1106.

## 11 Agradecimentos

Agradecemos a Kok-Sun Khong por suas contribuições para a 2ª edição de *Princípios AO do tratamento de fraturas*.

# 3.2.1 Parafusos

*Wa'el Taha*

## 1 Desenho e função

### 1.1 O que é um parafuso?

O parafuso é um dispositivo mecânico poderoso que converte a rotação em movimento linear.

A maioria dos parafusos usados para a fixação de fraturas compartilham características no seu desenho (**Fig. 3.2.1-1**):

- Eixo central que fornece resistência
- Uma rosca que se encaixa no osso e converte a rotação em movimento linear
- Uma ponta que pode ser romba ou afiada
- Uma cabeça que se encaixa no osso ou na placa
- Um recesso para encaixar a chave de fenda

Os parafusos vêm em formatos e tamanhos diferentes, e seus nomes são baseados em vários fatores (**Fig. 3.2.1-2**):

- Desenho (p. ex., canulado, cabeça bloqueada)
- Dimensão (p. ex., 4,5 mm)
- Características (p. ex., automacheante, autoperfurante)
- Área de aplicação (cortical, esponjoso, monocortical ou bicortical)
- Função ou mecanismo

Desde a introdução dos parafusos de cabeça bloqueada (LHSs), todos os outros tipos de parafusos são chamados de parafusos "convencionais". O parafuso pode ser aplicado para comprimir a superfície da fratura (parafuso de tração), para fixar a placa ao osso produzindo compressão entre a placa e o osso (parafuso com placa), ou pode ser usado para fixar um fixador externo (parafuso de Schanz) ou fixador interno (parafuso de cabeça bloqueada) ao osso. O parafuso de posição segura dois fragmentos juntos sem compressão. Os parafusos de tração podem ser introduzidos através de uma placa ou independentemente. O termo parafuso de tração não descreve o desenho do parafuso, mas se refere à função de comprimir dois fragmentos juntos.

A rotação de um parafuso é convertida em movimento linear pelas suas roscas. Conforme o parafuso avança, a cabeça é pressionada contra a cortical óssea e o avanço adicional do parafuso comprime a cabeça contra a cortical, criando uma pré-tensão. Essa pré-tensão comprime a fratura e previne a separação, enquanto a fricção entre as superfícies da fratura e entre o parafuso e o osso opõe-se ao desvio por cisalhamento. Os parafusos de tração são usados para alcançar a estabilidade absoluta. Em contraste, o LHS tem uma cabeça com rosca que se combina com a rosca recíproca no orifício da placa (**Fig./Animação 3.2.1-3**). Conforme ele avança, forma um par mecânico com a placa que não se baseia na compressão entre os dois elementos. Isso produz estabilidade angular e a placa não é apertada contra o osso. A transferência de carga dessa montagem ocorre via placa e não por pré-tensão e fricção. Esse é o mesmo princípio que o de um fixador externo, e o efeito de estabilização do LHS e dos parafusos de Schanz é baseado na sua rigidez de encurvamento somada à junção mecânica com a placa ou a armação do fixador externo.

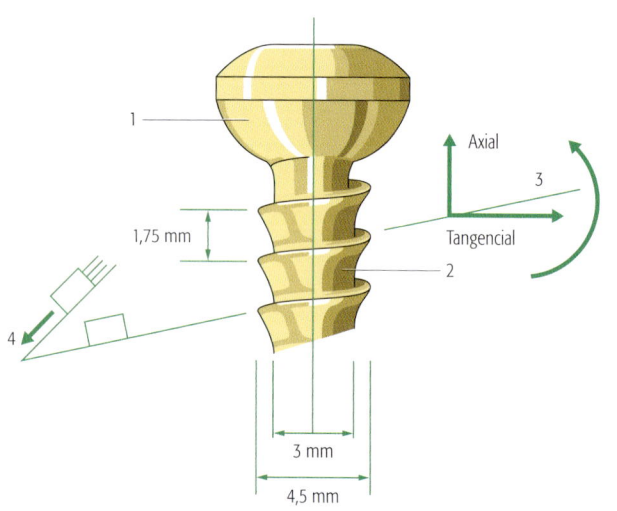

Redução, vias de acesso e técnicas de fixação
### 3.2.1 Parafusos

**Fig. 3.2.1-1** Parafuso cortical convencional, como o usado no osso diafisário. O lado inferior (1) da cabeça do parafuso é esférico, permitindo que um encaixe congruente seja mantido, ao mesmo tempo em que o parafuso possa ser inclinado, como, por exemplo, dentro de um orifício da placa. A rosca (2) é assimétrica, com o passo de 1,75 mm. As dimensões demonstradas são projetadas para oferecer uma boa relação entre as forças axiais e o torque aplicado (3), e essas dimensões resultam em uma inclinação da rosca, que é autobloqueante (4). O parafuso corresponde ao padrão ISO 5835. Neste exemplo, 3 mm demonstra o diâmetro da "alma" do parafuso, e 4,5 mm demonstra o diâmetro da "rosca" do parafuso.

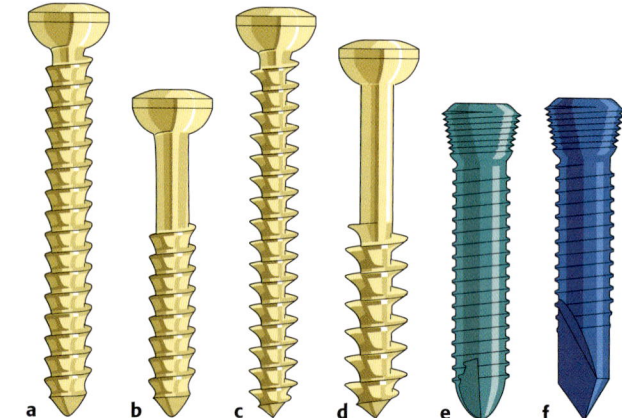

**Fig. 3.2.1-2a-f** Os tipos e funções dos parafusos diferem, entretanto todos os parafusos têm uma cabeça que tem um recesso para a inserção da chave de fenda. O diâmetro interno do parafuso corresponde ao tamanho da broca usada para criar o trajeto para o parafuso. O diâmetro da rosca do parafuso corresponde ao tamanho do parafuso, ou seja, 3,5 mm ou 4,5 mm. A ponta do parafuso pode ser arredondada ou pontuda, dependendo se tem função automacheante ou não automacheante. O passo (distância entre as roscas do parafuso) varia conforme o parafuso seja para osso cortical ou esponjoso ou bloqueado.
**a** Parafuso para osso cortical
**b** Parafuso para osso cortical parcialmente rosqueado
**c** Parafuso para osso esponjoso
**d** Parafuso para osso esponjoso parcialmente rosqueado
**e** Parafuso de cabeça bloqueada
**f** Parafuso de cabeça bloqueada automacheante/autoperfurante

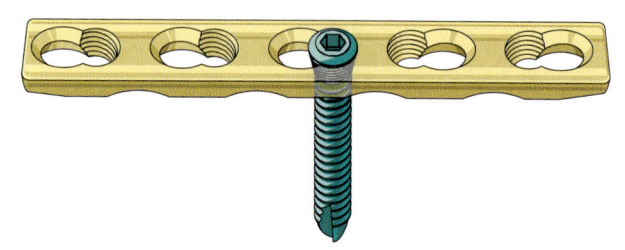

**Fig./Animação 3.2.1-3** A cabeça do parafuso rosqueado bloqueia dentro das roscas recíprocas da placa de compressão bloqueada (LCP). O orifício combinado permite a inserção de um parafuso convencional como alternativa.

Parafuso é uma ferramenta eficiente para a fixação de uma fratura por compressão interfragmentar ou para fixar o elemento de imobilização, como uma placa, uma haste intramedular ou um fixador externo ao osso.

## 1.2 Biomecânica

A força axial produzida por um parafuso (**Fig. 3.2.1-4a**) resulta de sua rotação no sentido horário, na qual a superfície inclinada de sua rosca desliza ao longo de uma superfície correspondente no osso. A inclinação da rosca – o passo – deve ser suficientemente pequena para possibilitar a pega do parafuso no osso, ou seja, para prevenir que o parafuso se desenrosque e fique solto (**Fig. 3.2.1-1**), e o passo deve ser suficientemente grande para permitir a inserção completa, com um número aceitavelmente baixo de revoluções [1].

O giro do parafuso dentro do osso cria fricção, que, por sua vez, gera calor. O desenho do parafuso e o seu método de inserção terão uma influência importante na quantidade de calor gerado. Esse calor tem o potencial de causar necrose térmica do osso, com subsequente afrouxamento do parafuso, e deve ser evitado. A necrose térmica também pode ser causada por brocas cegas ou pela inserção de fios e pinos de maior diâmetro (> 2 mm) no osso cortical sem a pré-perfuração apropriada. É responsabilidade do cirurgião evitar isso.

Duas forças são ativas, uma ao longo da circunferência da rosca do parafuso (tangencial), e a outra ao longo do eixo do parafuso (axial). A primeira resulta do torque de inserção. A segunda resulta do deslocamento ao longo da superfície inclinada entre a rosca do parafuso e a rosca do osso, que produz tensão axial. Ao mesmo tempo, a força axial que age na superfície inclinada produz torque, que tenta desenroscar o parafuso. Essa força aumenta com a inclinação. Conforme a fricção permanece constante, fica limitada a variação do ângulo de inclinação que pode ser usada.

O torque aplicado a um parafuso cortical convencional de 4,5 mm durante o aperto é dividido em três componentes:

- 50% é usado para superar a fricção na interface da cabeça do parafuso
- 40% é transformado em força axial
- 10% supera a fricção da rosca

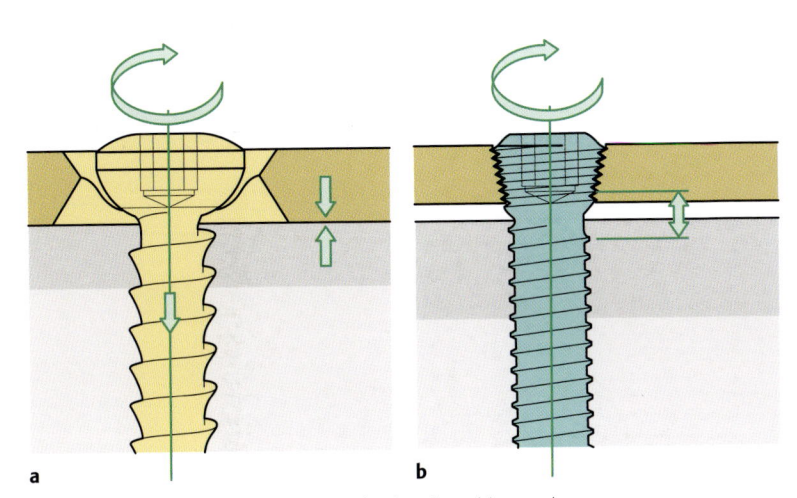

**Fig. 3.2.1-4a-b**  Parafuso convencional e de cabeça bloqueada.
a   Isso mostra o desenho e os componentes da força de um parafuso convencional usado para a placa de compressão dinâmica (DCP) e a DCP de baixo contato (LC-DCP). O parafuso age produzindo fricção entre o lado inferior da placa e a superfície óssea devido à compressão da interface.
b   Parafusos de cabeça bloqueada usados no sistema de estabilização menos invasivo (LISS) e na placa de compressão bloqueada (LCP). Eles funcionam mais como parafusos de bloqueio do que como parafusos convencionais; a força axial produzida pelo parafuso é mínima. O parafuso fornece fixação baseada no fato de que a cabeça do parafuso fica bloqueada em uma posição perpendicular ao corpo da placa, que não é apertada contra o osso. Tais sistemas atuam mais como fixadores do que como placas.

Redução, vias de acesso e técnicas de fixação
## 3.2.1 Parafusos

Desse modo, durante a prova na bancada, um parafuso introduzido através de um orifício na placa pode ser apertado quase duas vezes o torque de um parafuso isolado. A razão para isso é que a cortical sob a cabeça de um parafuso isolado tem mais probabilidade de falhar por causa da concentração de força a partir da cabeça do parafuso até uma área de contato pequena no osso. No osso cortical, o escareamento pode ser usado para aumentar a área de contato entre a cabeça do parafuso e a cortical. Isso reduz o estresse de contato e o risco de microfratura local sob a cabeça de parafuso, especialmente se o parafuso for inclinado (**Fig. 3.2.1-5**). A relação entre o torque aplicado e a força axial induzida é de mais ou menos 670 N/Nm para um parafuso cortical convencional de 4,5 mm. No LHS, uma vez que a cabeça de parafuso se encaixa dentro do orifício da placa, praticamente todo o torque é usado para bloqueio, e o torque aplicado à rosca do parafuso é mínimo. A rosca do parafuso é, por conseguinte, protegida, já que somente resistirá às forças funcionais sem uma pré-carga. Isso explica a observação de que, em uma série clínica monitorada de mais de 2.000 parafusos de titânio de cabeça bloqueada introduzidos, não houve nenhuma falha [1]. Entretanto, se um cirurgião aplicar torque descontrolado durante o aperto, algo terá que ceder. Isso poderia ser a conexão para o caminho onde, em torque mais alto, o recesso hexagonal pode estragar, especialmente se for usada uma chave sextavada desgastada.

**É importante que o cirurgião verifique a qualidade da ponta da chave sextavada regularmente antes do uso.**

A compressão aplicada por um parafuso afeta uma área comparativamente pequena do osso circundante. Por conseguinte, um único parafuso comprimindo uma fratura oblíqua não contraria de maneira eficaz a rotação dos fragmentos ósseos em torno do eixo daquele parafuso. A área de compressão induzida em torno do parafuso é pequena. Isso é importante com respeito à torção que age nas superfícies lisas de osteotomia: um parafuso único aplicado a uma superfície não fornece muita resistência contra a torção entre os dois fragmentos. Tais situações requerem um segundo parafuso colocado separadamente do primeiro e, se possível, em uma direção diferente. A alavanca então corresponde à distância entre os parafusos mais duas vezes a alavanca do parafuso único (**Fig. 3.2.1-6**).

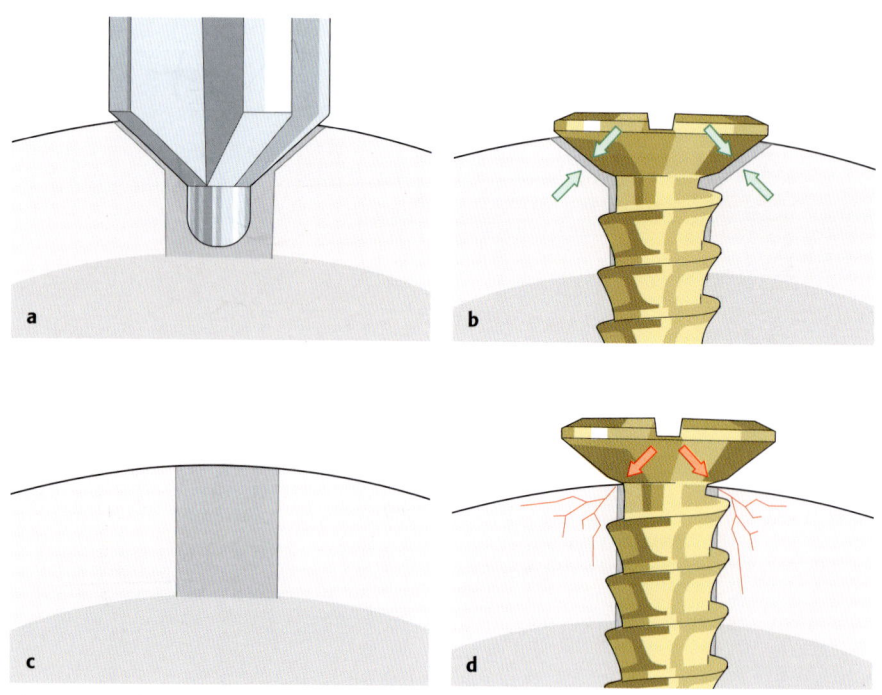

**Fig. 3.2.1-5a-d**  O escareador é usado no preparo do osso para receber a cabeça do parafuso de forma que a área de contato entre a cabeça de parafuso e o osso é aumentada (**a-b**). Sem o escareamento, as forças se concentrariam em uma área pequena (**c-d**).

## 1.3 Rosca do parafuso

Existem três tipos de roscas de parafuso usadas para a técnica da AO:

- A rosca do parafuso para osso cortical é projetada para a aplicação no osso diafisário e está disponível em tamanhos diferentes.
- Os parafusos para osso esponjoso têm uma rosca mais profunda, um passo de rosca maior, e um diâmetro externo maior que os parafusos para osso cortical. Suas aplicações residem no osso metafisário ou no epifisário esponjoso.
- O LHS usado com a placa de compressão bloqueada LCP (**Fig. 3.2.1-4b**) é caracterizado por um diâmetro interno maior e uma rosca comparativamente rasa, com bordas rombas. Isso resulta em aumento da resistência e uma interface maior entre o parafuso e o osso se comparado aos parafusos convencionais [2]. A cabeça do parafuso também é rosqueada. O perfil raso da rosca exige técnica de inserção precisa com a furadeira para prevenir uma resultante redução da pega na interface rosca do parafuso – osso [3]. As vantagens e riscos do LHS estão descritos em detalhe nos Capítulos 3.3.2 e 3.3.4.

Ao introduzir um LHS, as últimas voltas devem ser sempre feitas à mão, usando uma chave com limitação de torque.

## 1.4 Ponta do parafuso

Desenhos diferentes estão disponíveis para a ponta do parafuso, incluindo:

- Pontas lisas e cônicas para inserção em um orifício de broca pré-macheado
- Automacheante, que cortará um canal para a rosca
- Automacheante/autoperfurante, que cortará um orifício de broca e o canal para a rosca

O macho é um instrumento que corta o canal para a rosca do parafuso. Os parafusos originais e lisos, com ponta cônica, foram projetados para a inserção depois que o orifício da broca tinha sido macheado. O macheamento pode reduzir a resistência de tração dos parafusos, provavelmente porque a alternância do macho permite que o orifício seja aumentado em um tamanho maior que o realmente necessário. No osso osteoporótico e esponjoso, geralmente é melhor evitar o uso do macho, ou usá-lo

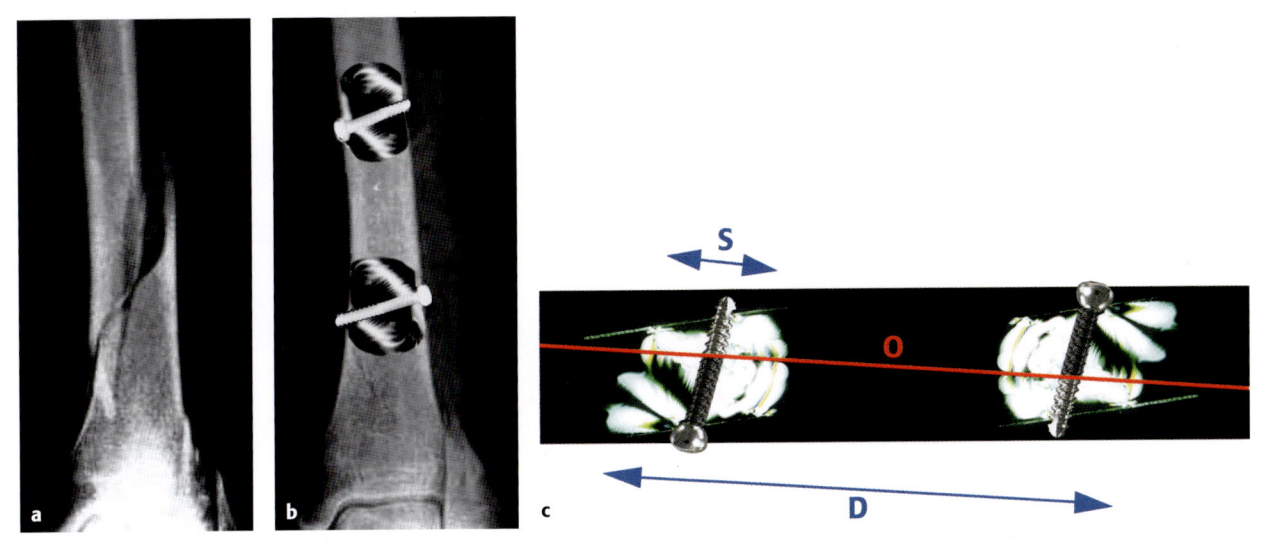

**Fig. 3.2.1-6a-c** Os diferentes efeitos de usar um ou dois parafusos de tração para a estabilização contra a rotação na fixação com parafuso de tração puro.
a   Modelo de uma fratura helicoidal em uma diáfise.
b   Fixação da fratura usando dois parafusos de tração. A extensão da compressão interfragmentar ao redor de um parafuso de tração é demonstrada por um experimento fotoelástico. Os retratos fotoelásticos são sobrepostos à radiografia para dar uma ideia aproximada da distribuição da compressão.
c   Nesta figura, a área de compressão ao redor do parafuso de tração, obtida a partir de um experimento fotoelástico, foi inserida em um desenho esquemático de uma osteotomia oblíqua longa para explicar o efeito diferente de um parafuso de tração isolado (S) em comparação ao efeito de dois parafusos de tração bem espaçados (D).
   S   Braço de alavanca de um parafuso de tração único
   D   Braço de alavanca de dois parafusos de tração
   O   Osteotomia
   Este diagrama esquemático demonstra que sempre que os parafusos de tração forem usados isoladamente, deverá haver pelo menos dois parafusos bem espaçados.

### 3.2.1 Parafusos

apenas para a cortical cis para permitir o encaixe do parafuso. O macheamento usando o motor reduz a alternância, mas a penetração profunda pode ser mais difícil de controlar e é potencialmente perigosa.

No osso cortical denso, as aéreas cortantes do parafuso podem entupir e o macho deve ser usado. Nessa situação, é importante que o macho seja revertido meia-volta a cada três ou quatro voltas completas para frente. Isso retira os fragmentos ósseos do canal do macho para reduzir a fricção e previne o emperramento que pode resultar na quebra do macho.

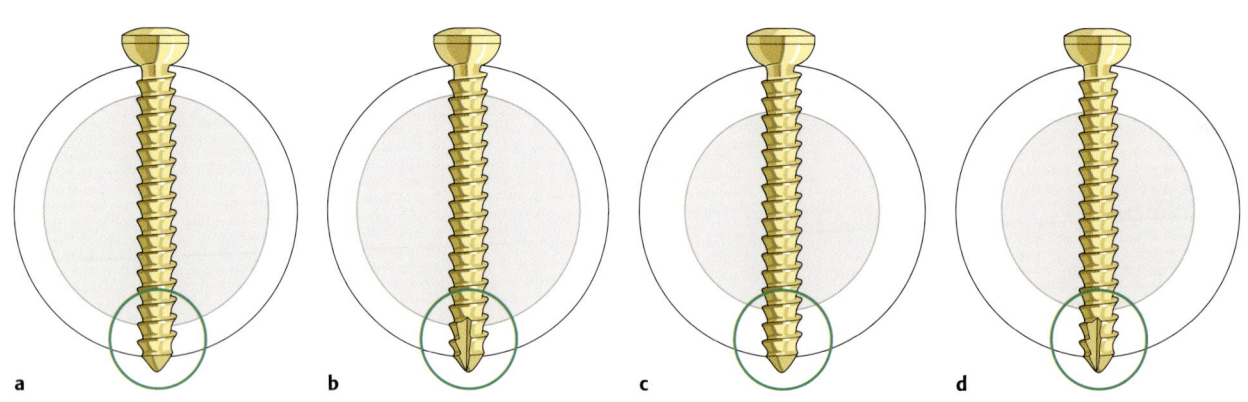

Os parafusos automacheantes têm várias vantagens, incluindo a facilidade e a velocidade de aplicação [4]. Entretanto, é ainda necessário usar um macho no osso cortical duro de adultos jovens. Isso é particularmente importante para os tamanhos menores de parafusos (3,5 e 2,7 mm), já que as cabeças dos parafusos podem quebrar se um torque alto for usado para inserir o parafuso sem machear.

Os parafusos automacheantes devem ser introduzidos com precisão sem oscilação e podem ser difíceis de usar durante as técnicas de osteossíntese com placa minimamente invasiva, já que a tensão das partes moles pode causar problemas para direcionar o parafuso. As fendas cortantes reduzem a quantidade de contato entre o parafuso e a cortical óssea, o que pode reduzir a força de tração do parafuso. Isso fica mais pronunciado nos ossos de menor diâmetro, como no antebraço. Por conseguinte, ao inserir parafusos automacheantes, é recomendado que o parafuso escolhido seja 2 mm mais longo que o comprimento medido real para maximizar a força de tração (**Fig. 3.2.1-7**) [5].

A remoção dos parafusos automacheantes pode ser difícil quando as fendas cortantes estiverem preenchidas por crescimento ósseo, ou se a fricção entre parafuso e superfície for alta.

Para evitar problemas com a remoção do parafuso, o cirurgião deve tentar desobstruir o osso das fendas, primeiro apertando levemente o parafuso, provocando o cisalhamento do osso que cresceu a partir das fendas cortantes. Desse modo, a primeira virada deve ser no sentido horário, seguida pela remoção anti-horária do parafuso.

A vantagem óbvia de usar parafusos autoperfurantes é a sua facilidade de aplicação. Entretanto, isso é anulado pelo fato de que o avanço da broca e da rosca devem ser compatíveis e síncronos. Muitos parafusos autoperfurantes falham em oferecer uma boa pega, porque o passo de sua rosca requer a progressão rápida da ponta perfurante do parafuso, que com frequência não pode ser alcançada. Uma desvantagem adicional dos parafusos autoperfurantes é que a medida do comprimento adequado do parafuso não é possível.

Por conseguinte, a maioria dos parafusos autoperfurantes também é canulada. O fio-guia é usado primeiro para predeterminar a direção do parafuso e para ajudar com a medida. O parafuso autoperfurante é então introduzido e inserido sobre o fio-guia, que é subsequentemente removido uma vez que o parafuso esteja no lugar desejado.

Não é recomendado o uso de parafusos bicorticais autoperfurantes com uma ponta protrusa, longa e afiada, que pode danificar nervos, vasos ou tendões.

**Fig. 3.2.1-7a-d** Parafusos automacheantes.
**a-b** Ao usar parafusos automacheantes em ossos com uma cortical fina, é essencial ter certeza que as fendas de macheamento passem a cortical para aumentar a força de tração do parafuso.
**c-d** No osso cortical espesso, a força de tração pode não ser significativamente afetada quando o parafuso automacheante de tamanho adequado for usado, em comparação com um parafuso que não seja automacheante.

O uso de LHS monocortical autoperfurante/automacheante tem sido associado à falha do parafuso. Por conseguinte, o parafuso deve ser avançado até que se encaixe na cortical trans sem protruir (**Fig. 3.2.1-8**).

### 1.5 Função do parafuso

Um parafuso pode ser usado para executar funções diferentes, dependendo do plano cirúrgico (**Tab. 3.2.1-1**).

## 2 Parafuso de tração

### 2.1 Compressão interfragmentar

#### 2.1.1 Aplicação de um parafuso completamente rosqueado como um parafuso de tração

O parafuso completamente rosqueado pode ser usado como um parafuso de tração, desde que a rosca não se encaixe na cortical perto da cabeça do parafuso (cortical cis).

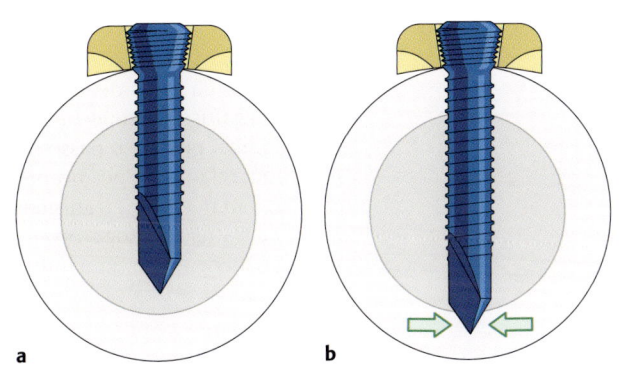

**Fig. 3.2.1-8a-b** Parafusos autoperfurantes.
Se o parafuso for introduzido somente a uma distância curta dentro do osso, existe risco de afrouxamento do parafuso com cargas aumentadas (**a**). Ao usar esses parafusos, é possível notar que a ponta é afiada e que pode ferir tecidos moles se houver protrusão além da cortical trans. Este tipo de parafuso somente deve ser introduzido na profundidade suficiente para se encaixar na cortical trans (**b**).

**Tabela 3.2.1-1** Funções dos parafusos

| Função | | Exemplo clínico |
|---|---|---|
| **Nome** | **Mecanismo** | |
| Parafuso com placa | A pré-tensão e a fricção são aplicadas para criar força entre a placa e o osso | LC-DCP no antebraço |
| Parafuso de tração | O orifício de deslizamento permite a compressão entre os fragmentos ósseos | Fixação de um fragmento em asa-de-borboleta ou em cunha ou da fratura do maléolo medial |
| Parafuso de posição | Mantém as partes anatômicas na relação correta entre si sem compressão, ou seja, somente o orifício de rosca, sem nenhum orifício de deslizamento | Fratura maleolar do tipo C (parafuso de sindesmose) ou fratura articular do tipo C com defeito na extremidade distal do úmero |
| Parafuso de cabeça bloqueada | Usado exclusivamente com LCP/LISS; as roscas na cabeça do parafuso permitem o acoplamento mecânico a uma rosca recíproca na placa e fornecem estabilidade angular | LCP/LISS no osso osteoporótico |
| Parafuso de bloqueio | Acopla uma haste intramedular ao osso para manter o comprimento, o alinhamento e a rotação | Haste intramedular bloqueada femoral/tibial |
| Parafuso de ancoragem | Um ponto de fixação usado para ancorar uma alça de fio ou sutura forte | Âncora de banda de tensão em uma fratura proximal do úmero |
| Parafuso puxa-empurra | Um ponto temporário de fixação, usado para reduzir uma fratura por tração e/ou compressão | Uso de um dispositivo de compressão articulado |
| Parafuso de redução | Parafuso convencional usado através de uma placa para puxar os fragmentos de fratura em direção à placa; o parafuso pode ser removido ou permutado uma vez que o alinhamento seja obtido | A técnica de OPMI para reduzir a fratura multifragmentada sobre uma LCP |
| Parafuso *Poller* | Parafuso usado como um fulcro para redirecionar uma haste intramedular (Cap. 3.3.1) | Fratura proximal da tíbia durante o encavilhamento intramedular |

*Siglas*: LCP, placa de compressão bloqueada; LC-DCP, placa de compressão dinâmica de baixo contato; LISS, sistema de estabilização menos invasivo; OPMI, osteossíntese com placa minimamente invasiva.

Redução, vias de acesso e técnicas de fixação
### 3.2.1 Parafusos

Esse princípio da técnica é alcançado pela perfuração de um orifício de deslizamento na cortical cis com um diâmetro ligeiramente maior que o diâmetro externo da rosca do parafuso. Na cortical oposta ou trans, um orifício menor é perfurado com um guia de broca que é introduzido no orifício de deslizamento. Este é chamado de orifício piloto. Ele tem o mesmo diâmetro que a alma do parafuso que será introduzido. Um parafuso automacheante pode ser introduzido no orifício piloto, ou um macho pode ser usado para cortar um canal para as roscas do parafuso. É então chamado de orifício de rosca. Quando o parafuso cortical de tração completamente rosqueado é aplicado, ele tem apenas pega no orifício de rosca, e não se encaixa no orifício de deslizamento. Conforme a cabeça do parafuso é apertada contra a cortical, a pré-tensão é criada. Os fragmentos ósseos são comprimidos conforme o parafuso é apertado, produzindo compressão interfragmentar (**Fig. 3.2.1-9**) (**Vídeo 3.2.1-1**).

### 2.1.2 Aplicação de um parafuso parcialmente rosqueado como um parafuso de tração

O princípio dessa técnica está indicado no osso esponjoso. É alcançado pela perfuração de um orifício piloto na cortical cis, através da fratura, e para dentro da trans distal. O eixo liso do parafuso esponjoso parcialmente rosqueado serve como o orifício de deslizamento, a parte rosqueada se encaixa no osso esponjoso e cortical oposto e, conforme a cabeça é comprimida contra a cortical cis, a pré-tensão é criada, resultando em compressão interfragmentar (**Fig. 3.2.1-10**).

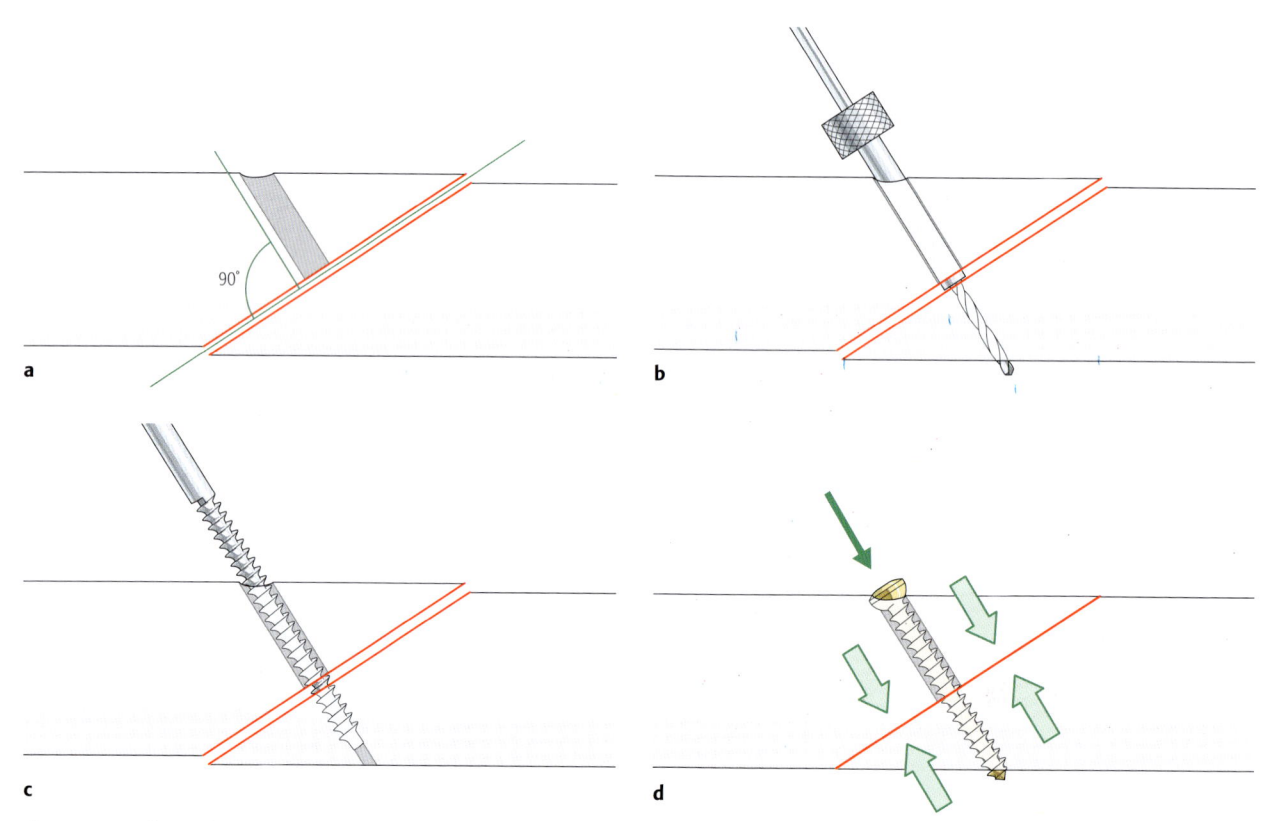

**Fig. 3.2.1-9a-d**  Parafuso cortical de 4,5 mm completamente rosqueado foi usado para comprimir uma fratura (função = compressão interfragmentar).
- **a**  Redução anatômica da fratura. O orifício de deslizamento é ligeiramente mais largo que o diâmetro da rosca do parafuso. É perfurado em 90° em relação à linha de fratura.
- **b**  O guia apropriado da broca é colocado dentro do orifício de deslizamento. O orifício piloto é perfurado no diâmetro da alma do parafuso. O orifício será escareado com a ferramenta apropriada.
- **c**  O macho é usado para cortar um canal para as roscas no orifício piloto. Isto cria um orifício rosqueado. Este passo é omitido se forem usados os parafusos automacheantes.
- **d**  Conforme o parafuso avança, a cabeça se encaixa na cortical cis e cria pré-tensão. O avanço adicional do parafuso cria compressão no local de fratura (compressão interfragmentar).

## 2.2 Chaves para aperto do parafuso com limitação de torque

Quando um cirurgião experiente aperta um parafuso até o ponto que considera ideal, ele alcança o torque que está próximo daquele de espanamento da rosca. Pelo fato de os parafusos produzirem quantidades altas de força axial, não há sentido em apertá-los até esse limite extremo. Quando a força de pega de um parafuso for completamente alcançada pela pré-tensão, existe pouca força de pega restante para suportar qualquer carga funcional adicional. Historicamente, os cirurgiões tentavam alcançar a força axial extrema, incluindo o reaperto repetido. Atualmente, o cirurgião é aconselhado a aplicar nos parafusos de tração (e nos parafusos da placa) aproximadamente dois terços do torque possível. Também é importante que o cirurgião entenda que o titânio fornece menos *feedback* tátil que o aço inoxidável e deve haver cuidado extra ao inserir parafusos de titânio (ver Cap. 1.3).

O LHS, a LCP e a LCP de ângulo variável (VA-LCP) se bloqueiam com o aperto dentro do orifício da placa bloqueada e, assim, protegem a rosca do parafuso e o osso. Com esses parafusos, a chave com limitador de torque deve ser usada para prevenir que as cabeças dos parafusos emperrem. Entretanto, as chaves com limitador de torque não têm nenhum uso prático quando aplicadas a parafusos convencionais, porque a qualidade e a espessura do osso exibem grandes variações individuais e topográficas.

Uma variante do LHS é o LHS de ângulo variável, que fornece quatro opções para bloqueio rosqueado entre a placa (VA-LCP) e o parafuso, formando uma montagem de ângulo fixo no ângulo desejado. A cabeça do parafuso bloqueado de ângulo variável é arredondada para facilitar vários ângulos dentro do orifício de bloqueio (ver Cap. 3.3.4).

## 2.3 Compressão

Testes com cirurgiões experientes demonstraram que os parafusos de 4,5 mm eram rotineiramente apertados a um torque que produzia entre 2.000-3.000 N de compressão axial. As medidas *in vivo* da compressão aplicada ao osso vivo demonstraram que a compressão inicialmente aplicada diminuía lentamente com o passar dos meses [6], mas a compressão sobrevive o tempo necessário para que os ósteons preencham a lacuna da fratura e resultem em consolidação óssea.

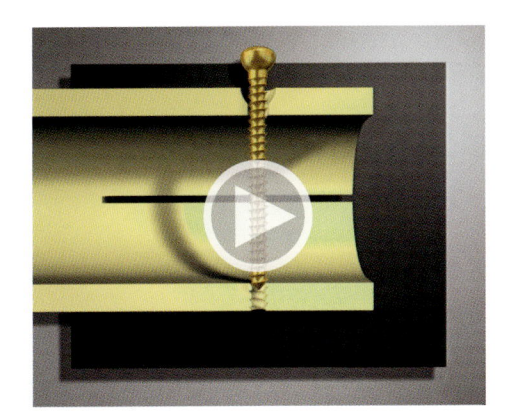

**Vídeo 3.2.1-1** Técnica do parafuso de tração. O orifício de deslizamento na cortical cis é mais largo que o diâmetro da rosca. O orifício da rosca na cortical trans é do mesmo diâmetro da alma do parafuso, tendo sido macheado.

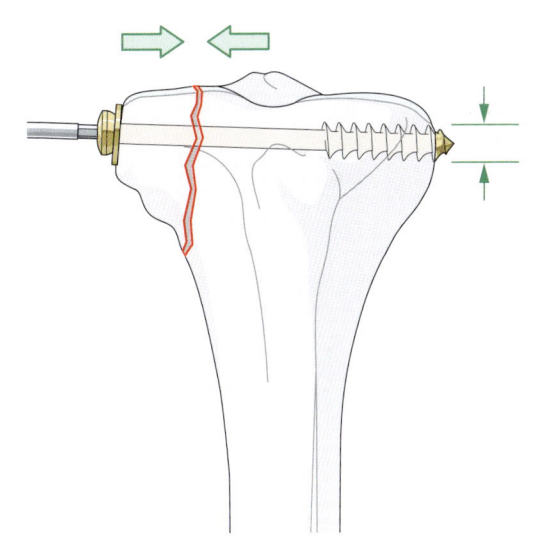

**Fig. 3.2.1-10** Compressão de uma fratura articular parcial usando um parafuso esponjoso de rosca parcial de 6,5 mm. A rosca traciona o fragmento ósseo oposto em direção à cabeça do parafuso. O talo liso do parafuso não transmite qualquer força axial grande entre a diáfise e o osso circundante. O comprimento do talo liso do parafuso deve ser escolhido de forma que a parte rosqueada do parafuso fique completamente dentro do fragmento ósseo oposto. Uma arruela é usada para evitar que a cabeça do parafuso afunde na cortical fina.

Redução, vias de acesso e técnicas de fixação
## 3.2.1 Parafusos

*In vivo*, o afrouxamento dos parafusos bem colocados é induzido pelo micromovimento na interface entre a rosca e o osso, e não pela pressão (**Fig. 3.2.1-11**) [7].

> Se o *strain* produzido pelo micromovimento for maior que a tolerância do *strain* no osso, o parafuso se soltará e, desse modo, colocará *strain* adicional no parafuso adjacente. Existirá afrouxamento progressivo do implante. Isso é um problema especial no osso osteoporótico, que tem baixa tolerância ao *strain*.

Na maioria dos casos, o afrouxamento é devido à técnica ruim, e os problemas comuns incluem:

- Falha no planejamento
- Posicionamento impróprio do implante
- Falha em alcançar redução anatômica para técnicas de estabilidade absoluta
- Força excessiva causando destruição da interface parafuso-osso

Em muitos casos, a estabilidade global estará irrevogavelmente perdida, e a fratura pode não consolidar.

### 2.4 Inserção do parafuso

No uso da placa convencional, a inclinação dos parafusos em relação ao eixo longo da placa pode ser selecionada para fornecer um efeito ideal no parafuso de tração (**Vídeo 3.2.1-2**), ou ultrapassar uma área de cominução ou uma linha de fratura na cortical trans. A pega do parafuso na cortical trans então bloqueia a inclinação do parafuso.

Quando forem usados os parafusos monocorticais, a estabilidade angular deve ser provida pelo desenho da cabeça no processo de bloqueio do parafuso na placa. Uma rosca helicoidal cônica fornece este processo de bloqueio. O termo geral LHS é utilizado para esse tipo de montagem. Há somente poucas indicações para parafusos monocorticais já que a sua pega é inferior aos parafusos bicorticais; eles são usados mais comumente para fraturas periprotéticas onde um implante intramedular impede a inserção de parafusos bicorticais.

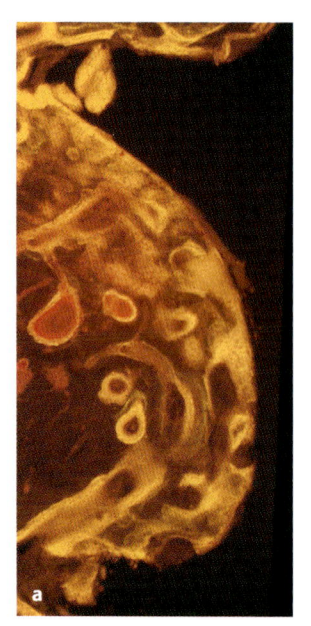

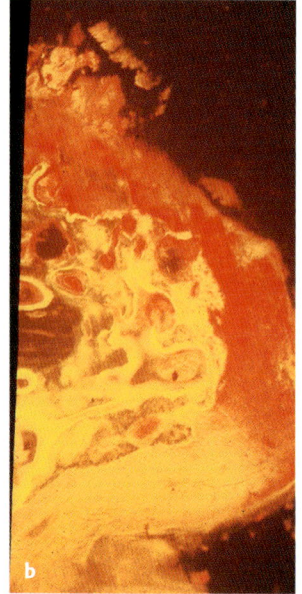

**Fig. 3.2.1-11a-b** Afrouxamento mecânico do parafuso – reação biológica.
**a** Secção histológica de um parafuso bem fixado. Existe contato íntimo entre o osso e o parafuso adjacente, com a remodelação óssea.
**b** O aparecimento da "rosca" onde o parafuso tinha sofrido movimento em uma variação de micrômetros. O osso foi reabsorvido e substituído por tecido fibroso que não tem mais força de pega.

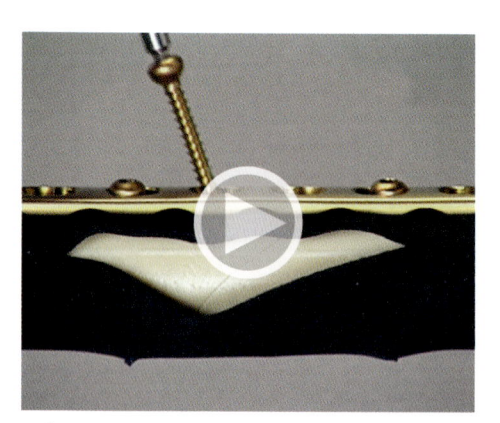

**Vídeo 3.2.1-2** O orifício do parafuso na placa de compressão dinâmica de baixo contato (LC-DCP) permite a inclinação dos parafusos e o posicionamento ideal do parafuso de tração.

Os parafusos de cabeça bloqueada não podem ser usados como parafusos de tração.

O LHS pode ser inserido usando técnicas minimamente invasivas, mas requer planejamento cuidadoso e um entendimento completo, tanto da mecânica quanto da biologia da fixação de fraturas. Seu uso está descrito em detalhes no capítulo sobre placas bloqueadas (ver Cap. 3.3.4).

## 2.5 Modos de falha

Os parafusos podem falhar por causa da tração axial, forças de encurvamento, torção, ou uma combinação de todos esses fatores. Os parafusos podem falhar durante a inserção quando o cirurgião tenta aplicar o torque máximo. Enquanto os parafusos habitualmente resistem bem à tração axial, a maioria dos parafusos convencionais resiste mal ao encurvamento e à torção por causa de seu pequeno diâmetro da alma. Com base no conhecimento de que o diâmetro da alma de um parafuso pode ser aumentado sem privar indevidamente a força de tração, a resistência ao encurvamento pode ser aumentada em três vezes com um aumento de somente 30% da alma de um parafuso de tamanho padrão.

Os melhores implantes toleram um pico intermitente de (sobre)carga sem perda irreversível da interface osso-implante. Enquanto hoje as placas, as hastes intramedulares, os fixadores externos e os internos cedem e voltam ao seu antigo formato, os parafusos são menos tolerantes ao pico de carga. Com a sobrecarga, a rosca óssea pode espanar e o parafuso perderá seu poder de pega para sempre.

Esse comportamento deve ser considerado ao aplicar a fixação com parafuso de tração puro e nas combinações de parafusos e dispositivos flexíveis como hastes intramedulares e fixadores externos.

## 3 Aplicações clínicas dos parafusos de tração

### 3.1 Posicionamento do parafuso de tração

Os parafusos de tração são mais eficientes quando colocados perpendiculares ao plano de fratura ou em uma inclinação a meio caminho entre as perpendiculares ao plano de fratura e ao eixo longo do osso (**Fig. 3.2.1-12**). Depende da ausência ou da presença de forças ao longo do eixo do osso para que a primeira ou a segunda opção seja favorecida. A posição perpendicular em relação ao plano de fratura é, na maioria dos casos, simples de alcançar e fornece uma função quase ideal ao parafuso de tração. Vários parafusos de tração podem ser usados para melhorar a estabilidade em uma fratura helicoidal longa. A sua direção deve seguir o plano helicoidal da fratura. Isso pode causar considerável desnudamento de tecidos moles e periósteo, e a preservação do suprimento sanguíneo e da biologia do periósteo deve ser considerada ao aplicar os parafusos de tração. Antes de inserir um parafuso de tração inclinado no osso diafisário, o escareador para a cabeça de parafuso deve ser usado.

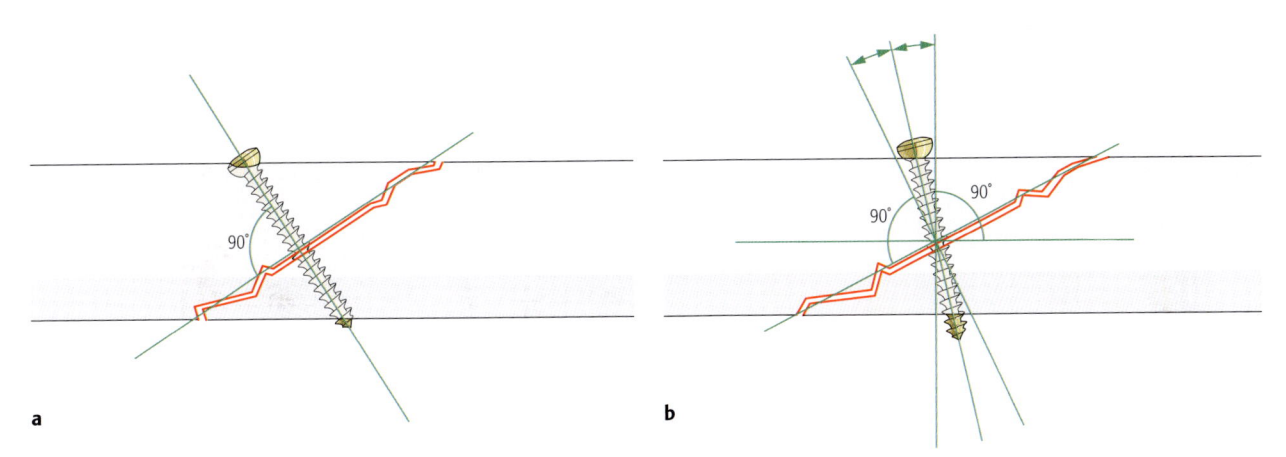

**Fig. 3.2.1-12a-b** Inclinação ideal do parafuso em relação a um plano de fratura simples.
a   O parafuso de tração está orientado perpendicular ao plano de fratura. Essa é a inclinação ideal, na ausência de forças no eixo do osso.
b   A inclinação a meio caminho entre a perpendicular ao plano da fratura e ao eixo longo do osso é o mais adequado para resistir à carga funcional compressiva, ao longo do eixo longo do osso.

Redução, vias de acesso e técnicas de fixação
## 3.2.1 Parafusos

Os parafusos de tração isolados geralmente requerem a proteção de uma placa – exceto perto da articulação.

### 3.2 Parafusos de tração nas regiões metafisárias e epifisárias

As fraturas articulares e periarticulares precisam de redução anatômica e estabilidade absoluta a fim de obter e manter a congruência perfeita da articulação. Nessa região, a fixação com parafuso de tração é o procedimento predominante. Para prevenir que a cabeça do parafuso afunde no osso, uma arruela é frequentemente necessária (**Fig. 3.2.1-10, Vídeo 3.2.1-3**). Para o tratamento funcional pós-operatório, a maior parte dessas fixações com parafusos são suplementadas por uma placa de proteção ou de suporte. Os parafusos de cabeça bloqueada, em combinação com as placas bloqueadas, podem fornecer estabilidade angular quando houver fragmentos múltiplos na metáfise. Esses parafusos não podem atuar como parafusos de tração.

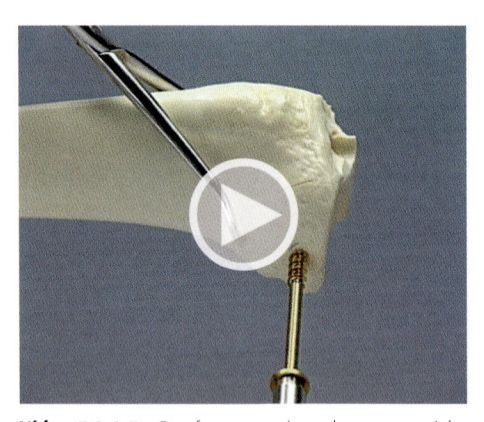

**Vídeo 3.2.1-3** Parafuso esponjoso de rosca parcial, usado para tracionar uma fratura do planalto tibial.

## 4 Referências

1. **Haas N, Hauke C, Schütz M, et al.** Treatment of diaphyseal fractures of the forearm using the Point Contact Fixator (PC-Fix): results of 387 fractures of a prospective multicentric study (PC-Fix II). *Injury.* 2001 Sep;32(Suppl 2): B51–62.
2. **Tepic S, Perren SM.** The biomechanics of the PC-Fix internal fixator. *Injury.* 1995;26(Suppl 2):5–10.
3. **Krettek C, Krettek G.** Minimally invasive plate osteosynthesis . *Injury.* 1998;29(Suppl 3):C3–6.
4. **Baumgart FW, Cordey J, Morikawa K, et al.** AO/ASIF self-tapping screws (STS). *Injury.* 1993;24(Suppl 1):1–17.
5. **Taha W, Blachut P.** Pullout testing for self-tapping screws. Presented at: 50th Annual Orthopedic Research Day at University of British Colombia; May 2000; Vancouver, BC; 2000.
6. **Blümlein H, Cordey J, Schneider U, et al.** [Langzeitmessung der Axialkraft von Knochenschrauben in vivo.] *Med Orthop Tech.* 1977;97(1):17–19. German
7. **Ganz R, Perren S, Rueter A.** [Mechanical induction of bone resorption.] *Fortschr Kiefer Gesichtschir.* 1975;19:45–48. German.

## 5 Agradecimentos

Agradecemos a Peter Messmer, Stephan Perren e Norbert Suhm por suas contribuições para este capítulo na 2ª edição de *Princípios AO do tratamento de fraturas*.

# 3.2.2 Placas

*Mark A. Lee*

## 1 Introdução

Embora a tecnologia do uso de placas continue a evoluir, as funções e as aplicações básicas das placas permaneceram essencialmente inalteradas. Com as melhorias e avanços nas opções de interface de parafusos e placas, estas estão sendo cada vez mais usadas em uma sequência de aplicações. A fixação com placa de compressão convencional, usando técnicas de estabilidade absoluta e levando à consolidação óssea direta, tem sido geralmente recomendada para o tratamento cirúrgico de fraturas desde o trabalho pioneiro de Danis e do grupo AO na metade do século XX [1], e continua tendo um lugar importante no tratamento das fraturas. A melhora do entendimento sobre o espectro da estabilidade e a sua influência no modo de consolidação da fratura, em conjunto com a nova tecnologia de interface dos parafusos e as aplicações dos tipos mistos de parafusos, tem permitido a oportunidade de usar placas de modos diferentes daqueles antes considerados [2-4].

As fraturas intra-articulares requerem redução anatômica e estabilidade absoluta, e as placas são frequentemente usadas para a fixação da metáfise. Nessas fraturas, a redução anatômica é essencial para minimizar a artrose, e a formação de calo não é desejável. As fraturas diafisárias dos ossos longos são frequentemente tratadas com encavilhamento intramedular, mas as boas indicações para o uso de placa incluem a necessidade para redução anatômica (p. ex., na diáfise do antebraço e da fíbula) e a presença de um fragmento curto distal ou proximal, o que torna o encavilhamento tecnicamente difícil. A osteossíntese com placa pode ser preferida à fixação externa em alguns pacientes politraumatizados e em alguns casos de não união, especialmente na presença de deformidade.

A fixação com estabilidade relativa resulta na consolidação da fratura, por calo, via ossificação endocondral. A formação de calo depois das tentativas na fixação com estabilidade absoluta indica um grau de instabilidade que, em última instância, pode levar à fadiga e à falha do implante (ver Cap. 1.3). A estabilidade absoluta resulta em consolidação direta da fratura e geralmente leva mais tempo que a consolidação por calo. A placa, em contato direto e pressionada sobre a superfície óssea, pode perturbar o fluxo sanguíneo à cortical subjacente. Isso pode levar à necrose cortical local [5], embora a relevância clínica dessa necrose seja obscura. O processo de remodelação e revascularização óssea é lento, e uma osteoporose local é observada no osso cortical nos pontos de contato (pegadas) com a placa.

> O distúrbio do suprimento sanguíneo cortical pode ser diminuído pela minimização do desnudamento periosteal. A placa pode ser colocada sobre o periósteo.

Devido à sua área de contato reduzida com o osso, a placa de compressão dinâmica de baixo contato (LC-DCP) parece preservar o suprimento sanguíneo melhor que a placa de compressão dinâmica (DCP) original, um efeito inclusive mais evidente com as placas bloqueadas, que não se baseiam na compressão e na fricção entre a placa e o osso para estabilidade [6]. Foi previamente teorizado que as placas enfraquecem o osso local devido à proteção da tensão, uma teoria que já não é amplamente aceita. É mais provável que a vascularização alterada resulte em remodelação mais lenta da cortical debaixo de uma placa.

> A técnica clássica da aplicação da placa, fornecendo estabilidade absoluta, requer aderência estrita aos princípios de redução anatômica e compressão interfragmentar.

Os erros de técnica e os princípios mal aplicados podem levar a complicações, como consolidação retardada, falha do implante e não união. Esses erros na técnica são frequentemente relacionados a falhas ou tentativas incompletas de redução durante a compressão interfragmentar de padrões simples de fraturas (tipo A), ou tentativas mal conduzidas de estabilizar fraturas multifragmentadas (tipo C) com parafusos de tração. Os desenhos das placas bloqueadas podem criar a neutralização segura e mais rígida em uma grande variedade de qualidades ósseas, e tais erros técnicos podem ocorrer mais comumente [7] com esses implantes se o cirurgião falhar em compreender os princípios e as falhas no planejamento.

## 2 Desenhos das placas

Muitas placas diferentes foram desenvolvidas, sendo que a maior parte pode ser usada para efetuar funções biomecânicas diferentes, dependendo de como o cirurgião aplica a placa.

Redução, vias de acesso e técnicas de fixação
## 3.2.2 Placas

O cirurgião, e não o projetista da placa, determina como a placa funcionará e como ela será aplicada.

Esse é um elemento fundamental no planejamento pré-operatório. Qualquer placa não bloqueada pode ser usada para fornecer quaisquer das seis funções fundamentais de uma placa (**Tab. 3.2.2-1**). Entretanto, o desenho e a aplicação da placa devem levar em conta o ambiente biomecânico. Desse modo, uma fina placa de um terço de tubo é uma escolha excelente para proteger uma fixação com parafuso de tração do maléolo lateral, mas não suficientemente forte para agir como uma placa em ponte para uma fratura multifragmentada no mesmo local.

Esta seção discute o desenho e a aplicação das várias placas disponíveis e ajuda a guiar o cirurgião a selecionar a placa correta durante o planejamento pré-operatório.

### 2.1 Placa de compressão dinâmica de baixo contato

A LC-DCP foi introduzida por Perren em 1990 [6] e se tornou o padrão-ouro para a fixação com placa (**Fig. 3.2.2-1**). A placa está disponível em dois tamanhos, 3,5 e 4,5 mm, que são determinados pelo diâmetro da rosca dos parafusos corticais usados com a placa. O desenho do orifício do parafuso permite a compressão axial pela inserção excêntrica do parafuso.

A LC-DCP pode ser usada para fornecer seis funções biomecânicas diferentes:
- Compressão
- Proteção
- Suporte
- Banda de tensão
- Ponte
- Redução

#### 2.1.1 Desenho

Várias alterações no desenho têm melhorado a LC-DCP, em comparação aos desenhos antigos (p. ex., DCP).

A área de contato placa-osso (a pegada da placa) está muito reduzida na LC-DCP. Existe menos prejuízo da rede capilar do periósteo, resultando em uma melhora relativa de perfusão cortical.

Isso reduz a reabsorção óssea debaixo da placa. Ademais, a geometria da superfície inferior da placa resulta em uma distribuição equilibrada da rigidez, tornando a moldagem mais fácil e minimizando a probabilidade de concentração das moldagens na placa (**Fig. 3.2.2-2**). No modo de ponte, essa distribuição da rigidez resulta em uma deformação elástica da placa inteira, sem concentração de tensão em um orifício de parafuso. O corte transversal da placa é de

**Tabela 3.2.2-1**  As seis funções de uma placa não bloqueada

| Função da placa | Biomecânica | Exemplo de aplicação |
|---|---|---|
| Compressão | A placa produz compressão no local de fratura para fornecer estabilidade absoluta. | Fratura do úmero transversa simples |
| Proteção | A placa neutraliza as forças de cisalhamento e torção para proteger a fixação com parafuso de tração. | Fratura do rádio oblíqua |
| Suporte | A placa resiste à carga axial pela aplicação de força em 90° em relação ao eixo de deformidade em potencial. | Fratura do planalto tibial lateral |
| Banda de tensão | A placa é fixada no lado da tensão da fratura e converte a força tênsil em uma força compressiva na cortical oposta do implante. | Fratura do olécrano |
| Ponte | A placa fornece estabilidade relativa pela fixação aos dois fragmentos principais, alcançando o correto comprimento, alinhamento e rotação. O local da fratura não é perturbado. | Fratura multifragmentada da ulna |
| Redução | A placa ajuda na redução direta e na posição global dos fragmentos da fratura, sendo temporária ou definitiva. As placas não prejudicam a biologia da fratura, mas são necessárias para fornecer o posicionamento preciso dos fragmentos porque a fixação definitiva pode ser alcançada. | Fratura multifragmentada proximal da tíbia |

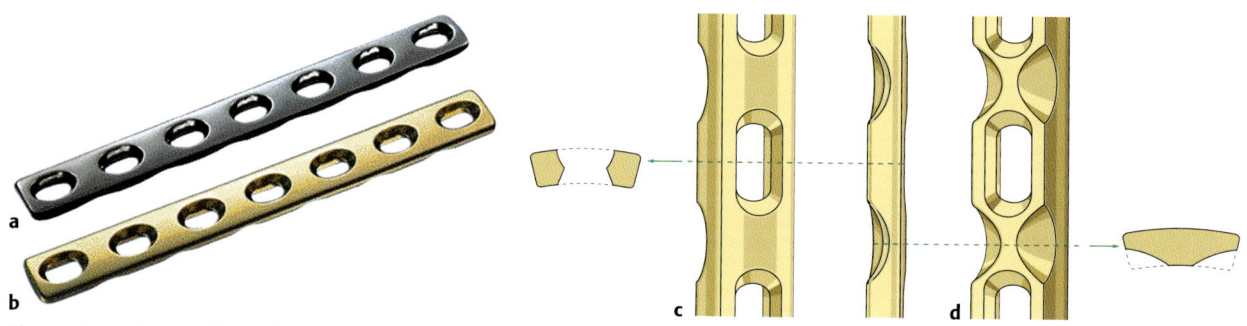

**Fig. 3.2.2-1a-d**  A LC-DCP está disponível em aço inoxidável (**a**) ou titânio (**b**). Sua superfície inferior (**c-d**) permite contato limitado entre a placa e o osso, e existe uma distribuição equilibrada de orifícios ao longo da placa.

um formato trapezoidal; assim, as cristas ósseas que se formam ao longo das bordas da placa tendem a ser mais espessas e achatadas, tornando-as menos propensas a danos durante a remoção da placa.

O desenho LC-DCP está disponível em muitos tamanhos para diferentes ossos, grandes e pequenos, sendo o desenho largo de 4,5 usado para o fêmur, e o desenho estreito de 4,5 usado para o úmero e a tíbia. O desenho pequeno de 3,5 é usado para o antebraço e a fíbula.

Os orifícios dos parafusos na LC-DCP são mais bem descritos como uma porção de um cilindro inclinado e angulado. Tal como uma bola, a cabeça do parafuso desliza para baixo na rompa inclinada do cilindro (**Fig. 3.2.2-3**). Na prática, quando o parafuso é introduzido em tal

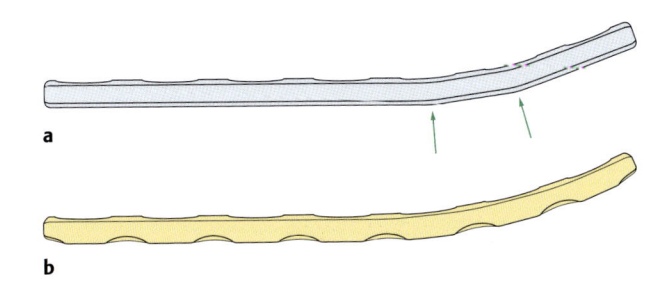

**Fig. 3.2.2-2a-b**
a   Na DCP, a área nos orifícios da placa é menos rígida que a área entre eles. Durante a moldagem, a placa tende a se curvar somente nas áreas do orifício.
b   A LC-DCP tem uma rigidez uniforme, sem o risco de empenamento nos orifícios do parafuso.

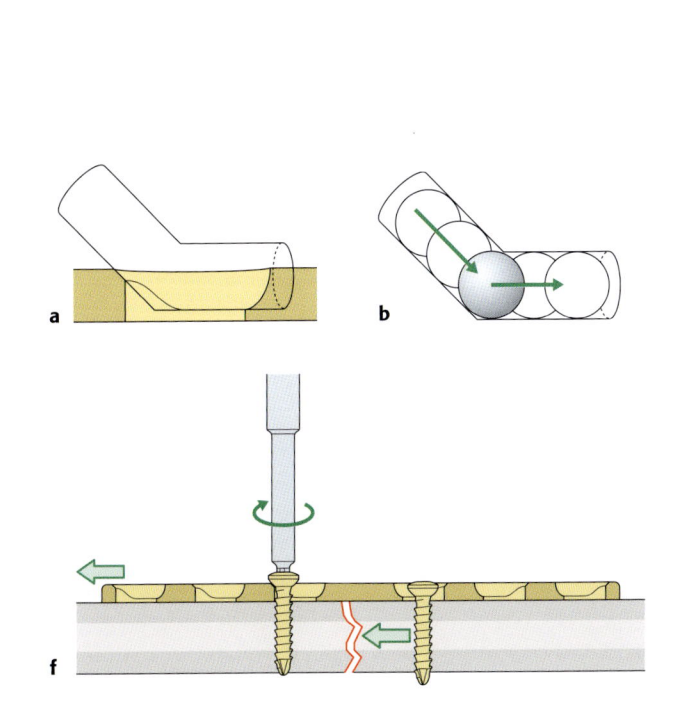

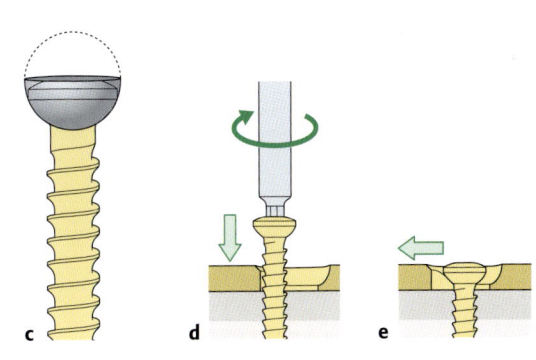

**Fig. 3.2.2-3a-f**  O princípio da compressão dinâmica.
a   Os orifícios da placa são formados como um cilindro inclinado e transverso.
b-c   Como uma bola, a cabeça do parafuso desliza no cilindro inclinado.
d-e   Devido ao formato do orifício da placa, a placa está sendo movida horizontalmente quando o parafuso é apertado.
f   Conforme o segundo parafuso é apertado, o deslizamento horizontal adicional da placa move o osso em direção ao fragmento ósseo, alcançando a compressão.

Redução, vias de acesso e técnicas de fixação

## 3.2.2 Placas

orifício e apertado, isso resulta em movimento do fragmento ósseo em relação à placa e, consequentemente, compressão através do foco da fratura. O desenho dos orifícios dos parafusos permite um deslocamento de até 1,0 mm (**Vídeo 3.2.2-1**). Depois da inserção de um parafuso de compressão, é possível a compressão adicional usando mais um parafuso excêntrico antes de o primeiro parafuso ser completamente apertado (**Fig. 3.2.2-4**). Para a compressão axial em uma distância maior que 2,0 mm, é recomendado o uso do dispositivo de tensão articulado (ver Seção 3.2 no capítulo). O formato oval dos orifícios permite 25 graus de inclinação dos parafusos no plano longitudinal e até 7 graus de inclinação no plano transversal (**Fig. 3.2.2-5**).

### 2.1.2 Técnica de aplicação

A LC-DCP de 4,5 é usada com parafusos corticais de 4,5 mm e parafusos esponjosos de 6,5 mm. A LC-DCP de 3,5 é usada com parafusos corticais e esponjosos de 3,5 mm.

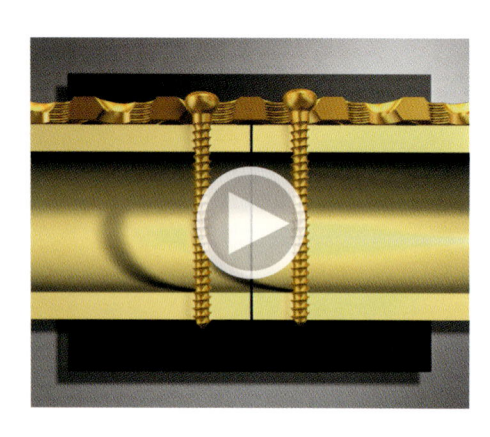

**Vídeo 3.2.2-1** O posicionamento excêntrico de um parafuso convencional no orifício combinado da LCP permite que esta placa seja usada como uma placa de compressão.

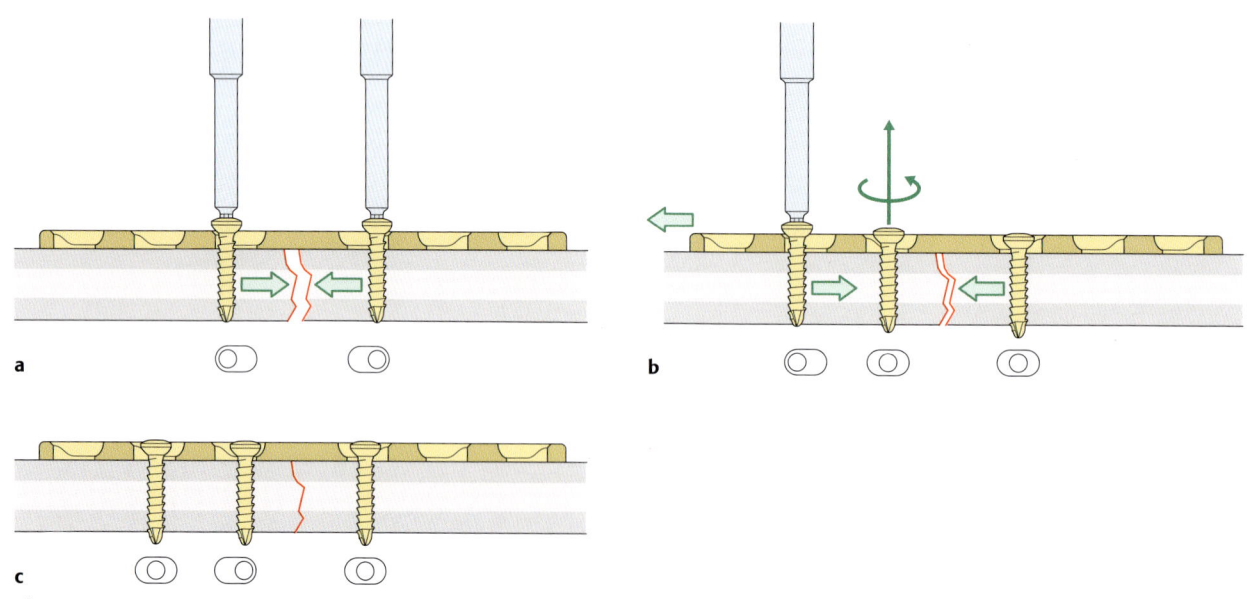

**Fig. 3.2.2-4a-c**
a   Inserção de um parafuso de compressão em um dos lados da fratura.
b   Se depois da inserção dos dois parafusos de compressão permanecer um *gap* na fratura, um terceiro parafuso excentricamente posicionado pode ser inserido. Antes desse parafuso ser apertado, o primeiro parafuso precisa ser solto para permitir a placa deslizar.
c   Depois disso, o primeiro parafuso é apertado novamente.

Existem dois guias DCP de perfuração, um com um orifício excêntrico (carga) e colarinho dourado, e o outro com um orifício central (neutro) e um colarinho verde, para cada tamanho das placas/parafusos (**Fig. 3.2.2-6a-b**). Dependendo da função pretendida da placa, é escolhido o guia de broca excêntrico ou central. Se o parafuso for introduzido na posição neutra (verde), o orifício estará 0,1 mm longe do centro e ainda adiciona uma quantidade pequena de compressão. O guia de carga (dourado) tem um orifício a 1,0 mm do centro e deve ser posicionado para longe da fratura de forma que, quando o parafuso for apertado, o osso é deslocado em relação à placa, aplicando compressão ao local da fratura (**Vídeo 3.2.2-2**).

Se houver intenção de que a placa funcione como suporte (ver Seção 4.2 neste capítulo), o guia universal da broca pode ser usado, colocando o parafuso na extremidade oposta do orifício. Isso previne qualquer deslizamento da placa em relação ao osso (**Fig. 3.2.2-6 c**).

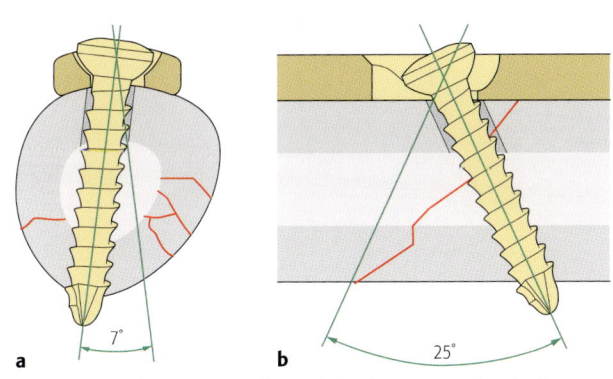

**Fig. 3.2.2-5a-b**   O formato dos orifícios da DCP permite a inclinação dos parafusos em até 7° na direção transversal (**a**) e de 25° na direção longitudinal (**b**).

**Vídeo 3.2.2-2**   Para perfurar um orifício excêntrico (com carga) e aplicar compressão, a seta no guia da broca deve apontar para a fratura.

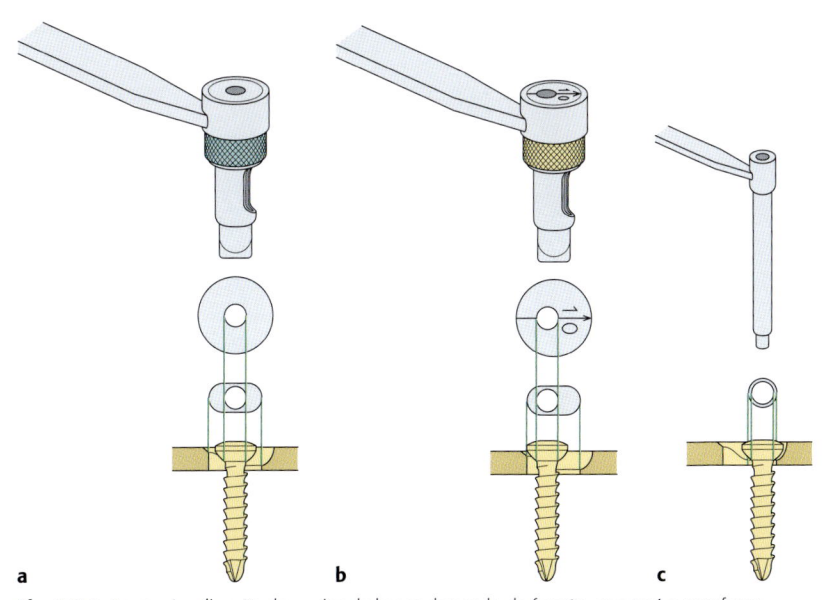

**Fig. 3.2.2-6a-c**   A aplicação dos guias da broca depende da função que terá o parafuso:
**a**   Posição neutra (extremidade verde do guia)
**b**   Compressão (extremidade dourada do guia)
**c**   Suporte (guia de perfuração universal)

Redução, vias de acesso e técnicas de fixação
### 3.2.2 Placas

O guia de perfuração LC-DCP universal com mola permite o posicionamento da broca no orifício de placa em uma posição neutra ou excêntrica. Se o tubo da broca interna for estendido (condição normal do guia da broca) e colocado contra a extremidade do orifício da placa, resultará em um orifício excêntrico (**Fig. 3.2.2-7a**). Entretanto, se o guia com mola for apertado contra o osso, o tubo na broca interna se retrai, e a extremidade arredondada do tubo externo desliza no declive do orifício para uma posição neutra (**Fig. 3.2.2-7b**, **Vídeo 3.2.2-3**).

### 2.2 Placas tubulares

A placa um terço de tubo existe somente na versão de 3,5 mm. Sua contrapartida no sistema de 4,5 mm é a placa semitubular. A placa um terço de tubo está disponível em titânio ou aço inoxidável (**Fig. 3.2.2-8a**). Como tem uma espessura de somente 1,0 mm, sua capacidade de conferir estabilidade é algo limitada. Entretanto, pode ser útil em áreas com cobertura mínima de partes moles, como o maléolo lateral, o olécrano e a extremidade distal da ulna. Cada orifício é cercado por um pequeno colarinho (**Fig. 3.2.2-8b**) para prevenir que as cabeças esféricas do

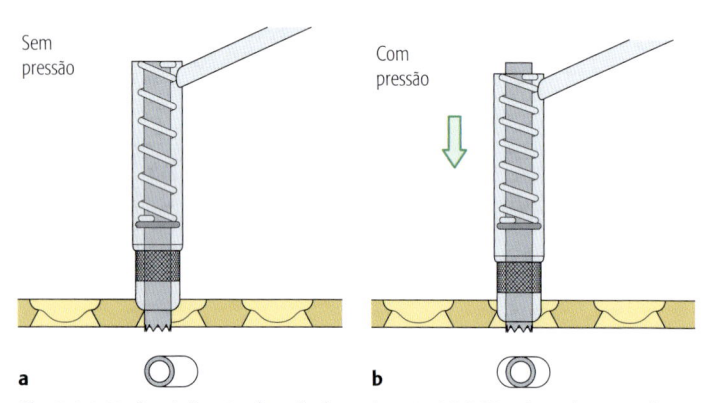

**Fig. 3.2.2-7a-b** Aplicação do guia de perfuração LC-DCP universal com mola.
a    Posição excêntrica
b    Posição neutra

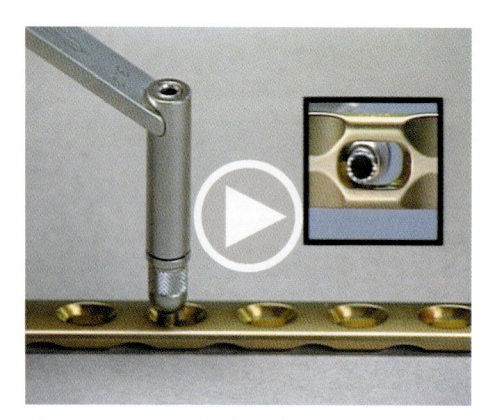

**Vídeo 3.2.2-3** O guia de perfuração universal LC-DCP, usado sem pressão para baixo, produz um orifício excêntrico.

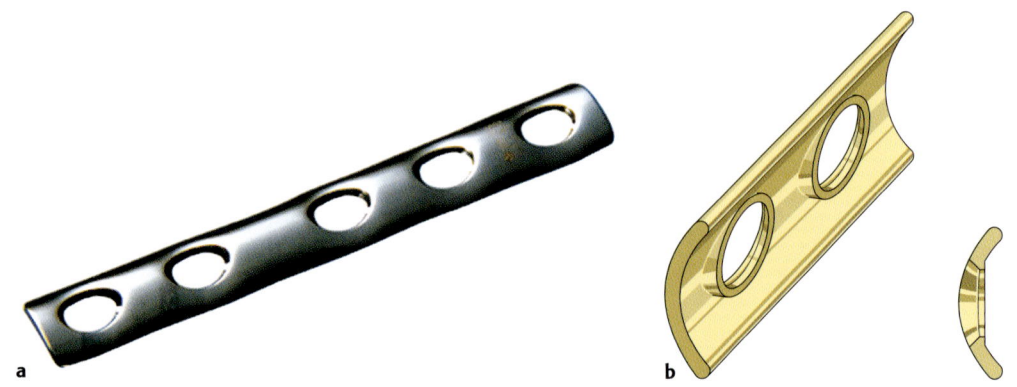

**Fig. 3.2.2-8a-e** Placas um terço de tubo.
a    Placa um terço de tubo em aço inoxidável.
b    O colar em torno do orifício da placa um terço de tubo previne que a cabeça do parafuso protrua e mantém o contato placa-osso.

parafuso penetrem na placa e produzam rachaduras na cortical cis (**Fig. 3.2.2-8c-d**). O formato oval de cada orifício permite certo grau de posicionamento excêntrico do parafuso para produzir compressão da fratura (**Fig. 3.2.2-8e**). Essa placa também pode ser sobreposta sobre outra para melhorar a rigidez, e ainda manter o contorno e o contato ósseo precisos, sem necessidade de moldagem adicional da placa. A flexibilidade da placa um terço de tubo otimiza a sua função como uma placa de suporte (antideslizamento) (**Fig. 3.2.2-9**). Essa placa funciona bem quando aplicada no ápice de uma fratura oblíqua, uma vez que a moldagem precisa não é necessária, mas um contato crítico entre a placa e o osso pode ainda ser alcançado para produzir um suporte eficiente.

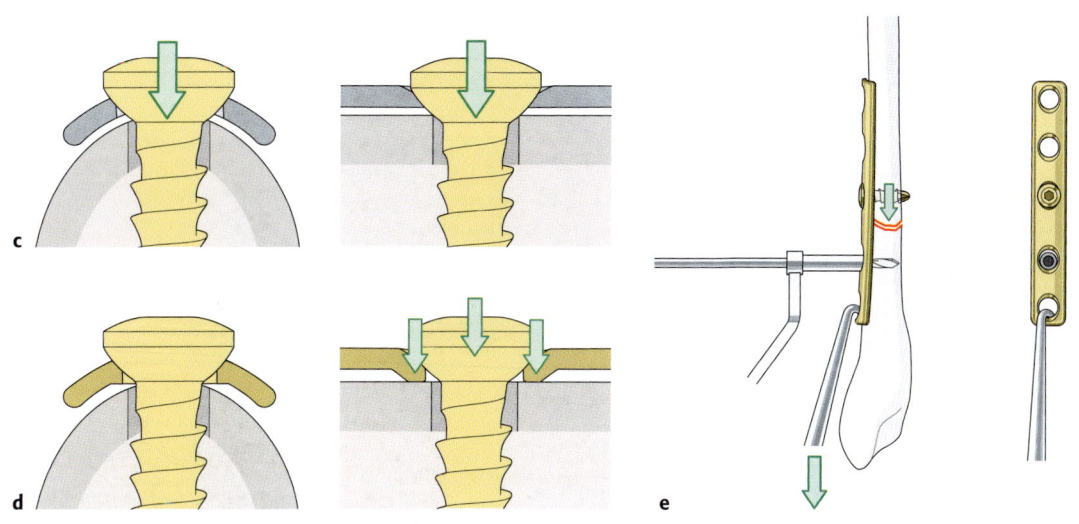

**Fig. 3.2.2-8a-e** (**cont.**)   Placas um terço de tubo.
c   Sem o colar, a cabeça do parafuso protrui através da placa, prevenindo a boa fixação.
d   Devido ao colar, a junção placa-parafuso-osso é melhorada.
e   O formato oval de cada orifício permite certo grau de posicionamento excêntrico do parafuso para produzir compressão da fratura, que pode ser aumentada ao puxar a extremidade da placa.

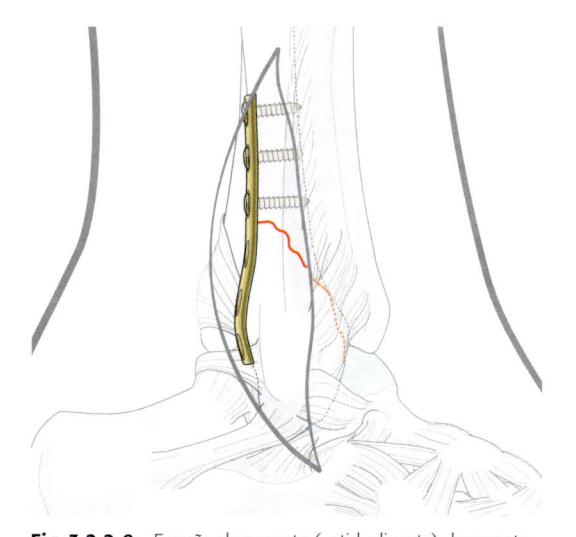

**Fig. 3.2.2-9**   Função de suporte (antideslizante) demonstrada por uma placa um terço de tubo minimamente moldada colocada na superfície posterior distal da fíbula com parafusos para reduzir a fratura oblíqua.

## 2.3 Placas de reconstrução

As placas de reconstrução têm incisuras profundas na borda da placa. Essas incisuras estão situadas entre os orifícios e permitem a moldagem precisa da placa em todos os planos (**Fig. 3.2.2-10a**). Dois tamanhos de placa estão disponíveis com os parafusos corticais de 3,5 e 4,5 mm. A placa não é tão forte quanto a LC-DCP e pode ser adicionalmente enfraquecida pela moldagem excessiva; assim, dobras agudas em qualquer direção devem ser evitadas. Os orifícios são ovais para permitir a compressão dinâmica. Estas placas são especialmente úteis em fraturas de ossos com geometria tridimensional complexa, como a pelve, o acetábulo, distal do úmero, distal da tíbia e a clavícula. Instrumentos especiais estão disponíveis para a moldagem dessas placas (**Fig. 3.2.2-10b**).

## 2.4 Placas bloqueadas

### 2.4.1 Desenho e biomecânica

A tecnologia de placa bloqueada demonstra alguns dos avanços mais recentes nas interfaces entre parafusos e placas. A placa de compressão bloqueada (LCP) pode ser aplicada para a função como qualquer outra placa, ou seja, pode fornecer compressão, proteção, suporte, e assim por diante. Outras placas bloqueadas, como o sistema de estabilização menos invasivo (LISS), atuam como fixadores internos e podem fornecer somente uma função de suporte.

As superfícies inferiores conicamente rosqueadas das cabeças dos parafusos se ajustam a roscas recíprocas nos diferentes desenhos das placas bloqueadas, permitindo que os parafusos sejam presos de maneira eficaz na placa e no osso (**Fig. 3.2.2-11**). Isso tem implicações biomecânicas significativas. Por causa dos parafusos de ângulo fixo, a fixação não requer que a placa seja comprimida ao osso para estabilidade. O desenho de orifícios combinados também permite que os parafusos convencionais sejam inseridos em orifícios neutros ou com carga, e isso permite que a LCP seja usada para executar quaisquer das seis funções biomecânicas de uma placa comum.

> As placas bloqueadas podem ser usadas como fixadores internos, especialmente as variedades mais rígidas de placas, como, por exemplo, a LCP de 4,5. De preferência, não deve existir nenhum contato com o periósteo. Isso fornece estabilidade relativa e maximiza o possível suprimento sanguíneo para permitir uma consolidação rápida e indireta pela formação do calo [2].

Os parafusos de ângulo fixo também permitem que a carga seja mais uniformemente distribuída ao longo de toda a fixação em vez de ser concentrada em uma única interface osso-parafuso (**Fig. 3.2.2-12**) [8]. A falha na fixação com placas comuns frequentemente começa em um parafuso, que pode então se propagar para outros parafusos. Pelo fato de um fenômeno similar não ocorrer com as placas bloqueadas, elas podem ser particularmente úteis no osso osteoporótico.

> A LCP é versátil – pode ser usada para fornecer quaisquer das seis funções biomecânicas de uma placa não bloqueada e pode ser usada como um fixador interno ou um dispositivo de ângulo fixo.

**Fig. 3.2.2-10a-b**
a  Placa de reconstrução.
b  Os alicates de moldagem especial para as placas de reconstrução: há dispositivos disponíveis para torcer a placa.

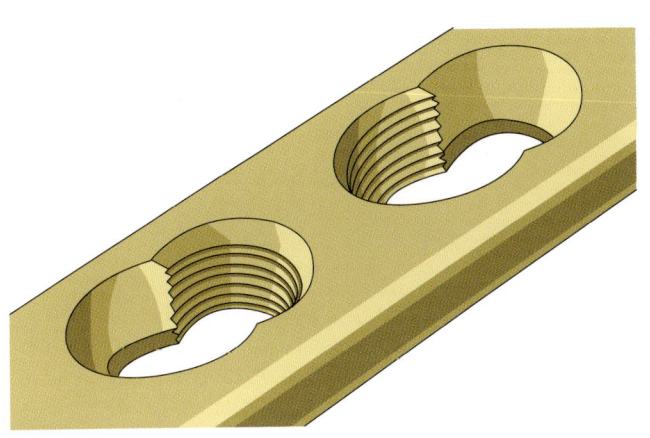

**Fig. 3.2.2-11** O orifício combinado da LCP permite que parafusos convencionais e de cabeça bloqueada sejam colocados no mesmo implante, mas não no mesmo orifício de uma só vez.

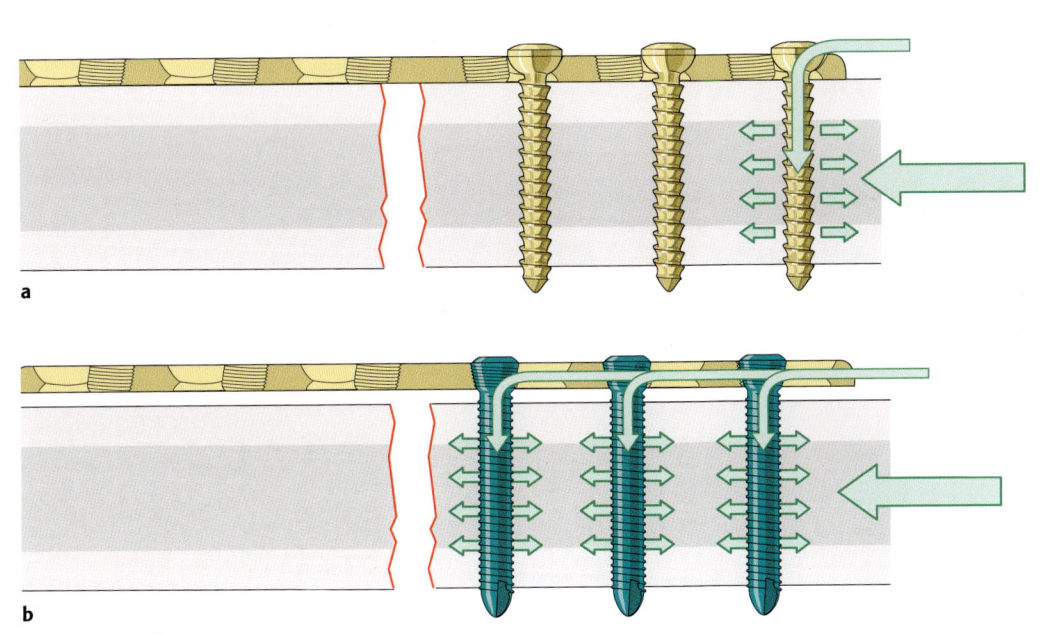

**Fig. 3.2.2-12a-b**
**a** A energia é dissipada na interface osso-parafuso mais longe da fratura, porque uma cabeça de parafuso convencional pode oscilar durante a carga. A energia é concentrada nesse nível, protegendo inicialmente da carga os parafusos adicionais.
**b** Nas placas bloqueadas, os parafusos de ângulo fixo (parafuso de cabeça bloqueada [LHS]) previnem a concentração de carga em uma única interface osso-parafuso, distribuindo-a mais uniformemente [8].

Redução, vias de acesso e técnicas de fixação
## 3.2.2 Placas

O desenvolvimento mais recente nas placas bloqueadas é a tecnologia do parafuso poliaxial. Esse desenho placa-orifício permite a angulação limitada dos parafusos dentro de um raio definido (15 graus fora do centro/eixo nominal) e ainda fornece estabilidade angular por meio de uma interface especial entre o parafuso rosqueado e a placa. É mais adequado para a fixação periarticular para maximizar a pega dos parafusos perto do osso subcondral em uma fratura periarticular, enquanto permite o cirurgião posicionar os parafusos de forma que a articulação em si não seja penetrada (**Fig. 3.2.2-13**).

### 2.4.2 Técnica de aplicação

É essencial entender que um parafuso de cabeça bloqueada não pode ser usado como uma ferramenta de redução. A inserção de um parafuso de cabeça bloqueada não realinhará o fragmento da fratura e não moverá a placa para melhorar a redução. Uma vez que um único parafuso de cabeça bloqueada seja aplicado através da placa em um dos lados de uma fratura, a posição da placa e daquele fragmento de fratura é fixada e não pode mais ser ajustada.

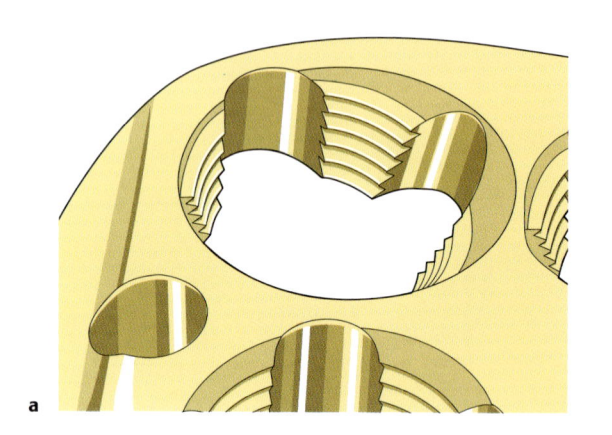

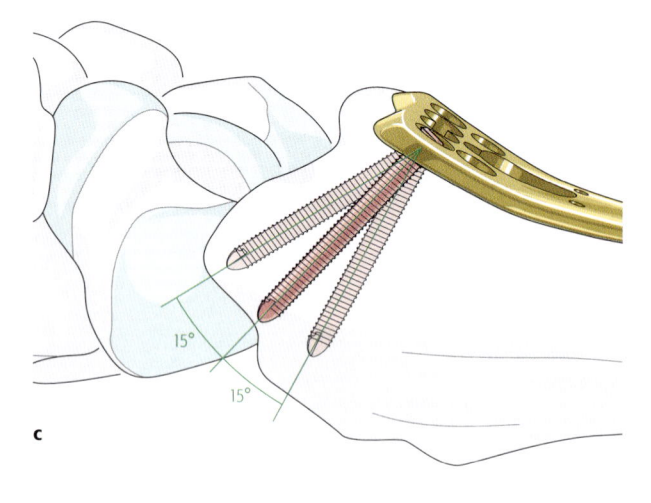

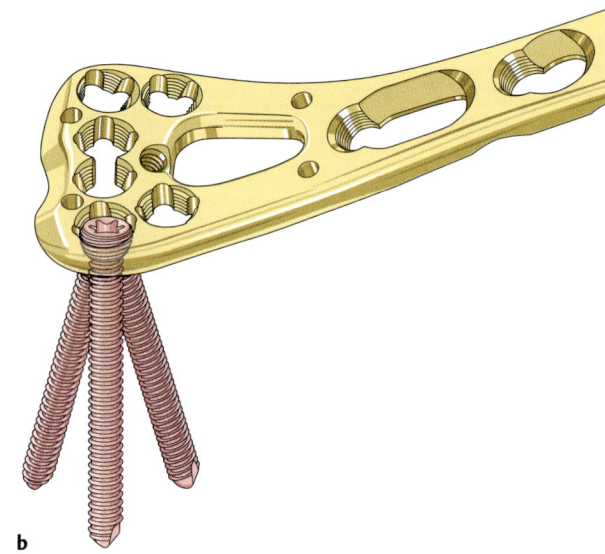

**Fig. 3.2.2-13a-c** Tecnologia de ângulo variável.
a  Orifício do parafuso rosqueado de quatro colunas na placa de ângulo variável.
b-c  Placa distal do rádio de ângulo variável de 2,4 mostrando excursão de 30° dos parafusos.

O planejamento pré-operatório cuidadoso é essencial ao usar a LCP e deve incluir a ordem na qual os parafusos serão aplicados. Antes de usar um parafuso de cabeça bloqueada, é crucial que a redução final seja obtida.

O encaixe correto do mecanismo de bloqueio requer um ângulo preciso e predefinido de inserção. Por conseguinte, a perfuração somente é executada depois que o guia rosqueado de broca tiver sido inserido no orifício desejado da placa. O posicionamento correto do guia rosqueado da broca previne o rosqueamento cruzado das roscas dos parafusos de cabeça bloqueada. Três métodos de medir o comprimento de parafuso são possíveis:

- Remoção do guia da broca e uso do dispositivo de mensuração padrão e indireto
- Uso de um dispositivo de mensuração específico e indireto através do guia
- Mensuração diretamente do eixo da broca

Os parafusos de bloqueio de ângulo variável também devem ser colocados com precisão. A maioria dos sistemas de implante contém um guia angulado para limitar a angulação da broca. Para quaisquer dos desenhos atuais, o direcionamento do caminho do parafuso próximo à angulação máxima sugerida pode limitar intensamente a quantidade de estabilidade angular alcançada. Para a maioria das aplicações com essas placas, o eixo nominal do parafuso (central ou 0°) deve ser selecionado para otimizar a estabilidade; entretanto, a angulação para o menor desvio aceitável do eixo nominal pode reforçar a fixação no osso osteoporótico.

O cirurgião deve estar ciente que a fixação alcançada é devido ao contato placa-parafuso em vez do contato parafuso-osso.

É essencial que a chave com limitador de torque correto seja usada para prevenir o aperto excessivo do parafuso.

Os parafusos convencionais e de cabeça bloqueada podem ser usados no mesmo fragmento de fratura, mas isso requer planejamento cuidadoso.

Uma vez que um parafuso de cabeça bloqueada tenha sido inserido em um fragmento de fratura, nenhum parafuso convencional (adicional) deve ser introduzido nesse lado da fixação – somente parafusos adicionais bloqueados podem ser usados. "Primeiro a redução e a tração, depois o bloqueio".

A qualidade óssea ruim é uma situação clínica na qual a fixação combinada pode se provar muito útil [9]. Inicialmente, são colocados parafusos de tração em cada segmento para comprimir os fragmentos. Subsequentemente, o resto da fixação com placa é executado com parafusos de cabeça bloqueada em vez dos parafusos convencionais. Estes parafusos de cabeça bloqueada suportam o encaixe por fricção estabelecido pelos parafusos de compressão, sem criar compressão adicional ou risco de afrouxamento do implante por aperto excessivo. Adicionalmente, a estabilidade angular pode melhorar a resistência global da montagem, minimizando as forças na interface parafuso-osso. A biomecânica dessa montagem não foi experimentada e a combinação de princípios diferentes no mesmo fragmento de fratura pode não conduzir às vantagens totais de um ou de outro princípio [10, 11].

### 2.5 Placas especiais

Várias placas especiais periarticulares para locais específicos foram desenvolvidas (**Fig. 3.2.2-14**). Elas são moldadas anatomicamente, correspondendo ao local onde serão aplicadas, e muitas têm orifícios combinados, tornando as placas versáteis. Estas placas se aproximam da morfologia óssea média e podem, então, estar em descompasso com os ossos individuais. Dependendo da técnica de aplicação (uso de parafusos bloqueados ou não bloqueados), a moldagem manual da placa pode ser necessária. A moldagem próxima a um orifício de parafuso bloqueado deve ser feita com precaução; pode haver deformação das roscas no orifício de bloqueio, o que poderia mudar a qualidade da interface de bloqueio na cabeça do parafuso [12].

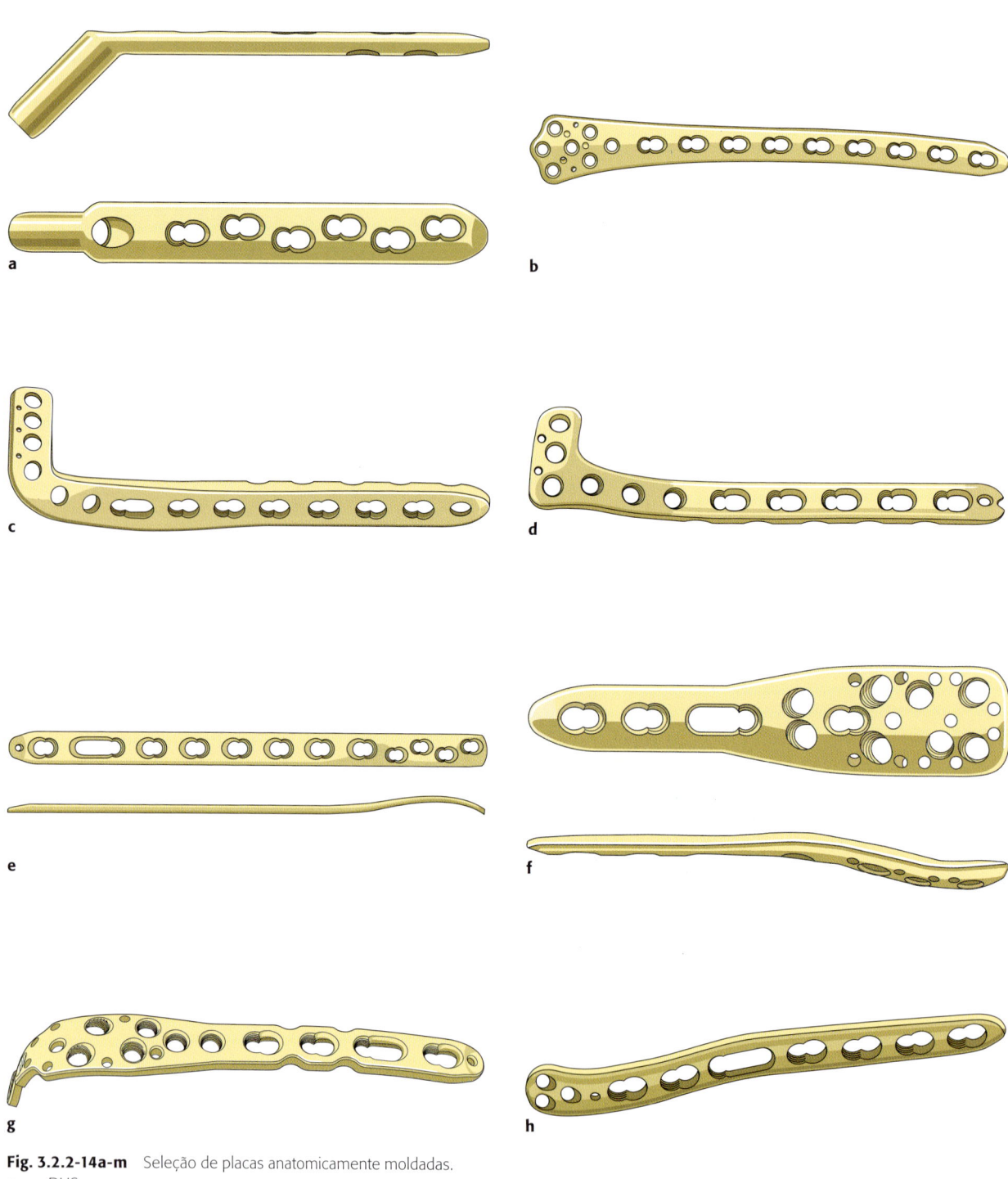

Redução, vias de acesso e técnicas de fixação
## 3.2.2 Placas

**Fig. 3.2.2-14a-m**  Seleção de placas anatomicamente moldadas.
a   DHS
b   LCP-DF (distal do fêmur)
c   LCP anterolateral para distal da tíbia
d   LCP para proximal da tíbia
e   Placa LCP metafisária
f   PHILOS (proximal do úmero)
g   Placa LCP para olécrano
h   LCP para distal do úmero

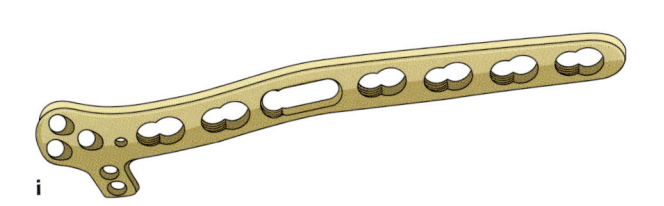

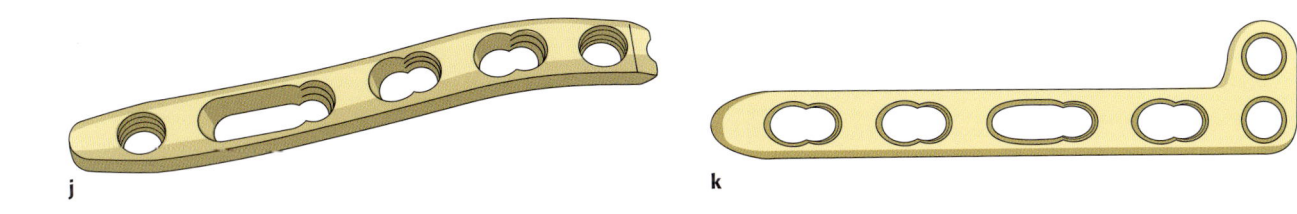

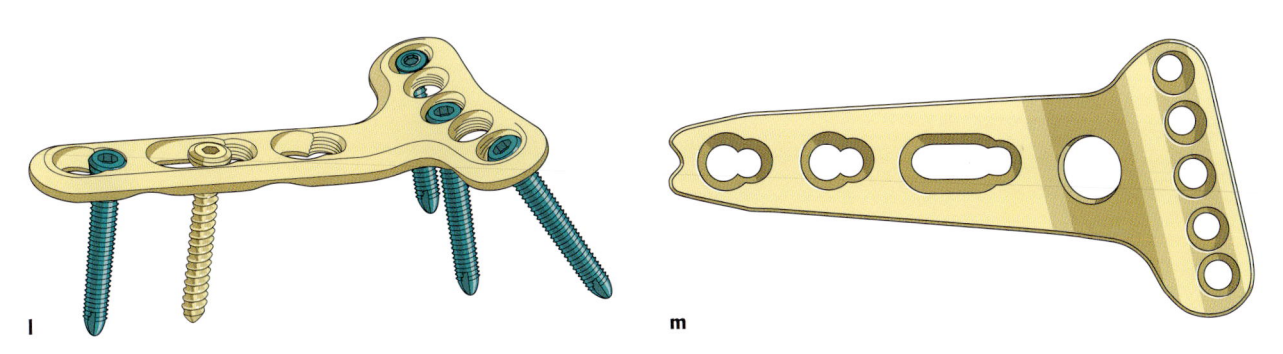

**Fig. 3.2.2-14a-m** (**cont.**)  Seleção de placas anatomicamente moldadas.
i   LCP lateral para distal do úmero
j-m  LCP para distal do rádio

Redução, vias de acesso e técnicas de fixação
3.2.2 Placas

## 3 Princípio clássico da estabilidade absoluta usando placas

A estabilidade absoluta das fraturas com placa requer redução anatômica e compressão interfragmentar. Isso pode ser estabelecido por meio de parafusos de tração, por compressão axial com placa, ou por ambos. A compressão estática entre dois fragmentos é mantida durante várias semanas [13] e não aumenta a reabsorção ou necrose do osso (**Fig. 3.2.2-15**). A interdigitação de fragmentos da fratura e a compressão reduzem o movimento interfragmentar a quase zero e permitem a remodelação óssea direta da fratura (consolidação óssea primária sem calo).

> Para alcançar a estabilidade absoluta, a compressão deve neutralizar suficientemente todas as forças (encurvamento, tensão, cisalhamento e rotação) ao longo de toda a secção transversal da fratura.

Existem quatro modos de obter compressão interfragmentar com uma placa:

- Compressão com a unidade de compressão dinâmica da placa (LC-DCP)
- Compressão pela moldagem (dobra excessiva) da placa
- Compressão com parafusos de tração através dos orifícios da placa
- Compressão com o dispositivo de tensão articulado

## 3.1 Estabilidade absoluta com parafuso de tração e placa de proteção

Os padrões de fratura oblíquos são reduzidos anatomicamente e fixados com uma técnica de estabilidade absoluta usando uma combinação de parafusos de tração e placa de proteção (**Fig. 3.2.2-16**). Uma placa de proteção reduz a carga colocada na fixação do parafuso interfragmentar, protegendo-o de falhas. Em fraturas metafisárias com cisalhamento, a fixação do parafuso de tração frequentemente precisa ser combinada com uma placa de suporte para proteger tais parafusos das forças de cisalhamento. A moldagem da placa deve ser precisa ao usar uma LC-DCP na função de proteção do parafuso, já que uma placa mal moldada e aplicada com parafusos não bloqueados causará translação do osso em direção à placa e criará um desvio da fratura, ou perda da pega do parafuso de tração. Uma LCP com todos os parafusos bloqueados também pode fornecer proteção e pode ser uma escolha melhor quando a moldagem precisa da placa não puder ser alcançada. Um parafuso de tração corretamente inserido em osso de boa qualidade gera forças de até 3.000 N. Uma vez que o mesmo efeito não pode ser provocado por nenhum dos métodos listados abaixo, os parafusos de tração devem ser usados sempre que o padrão de fratura permitir.

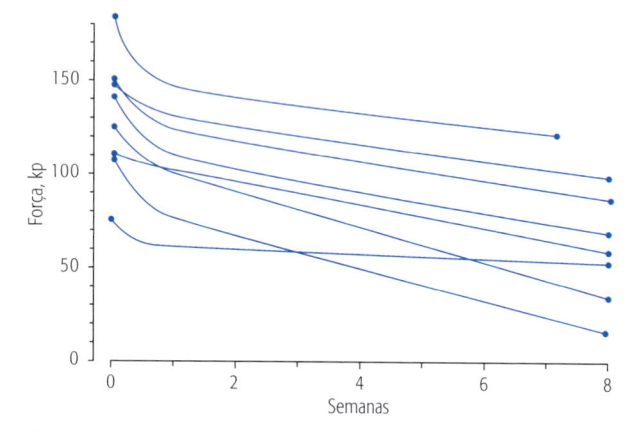

**Fig. 3.2.2-15** Compressão aplicada no osso cortical *in vivo*. A força de compressão diminui muito lentamente. Esse padrão de mudança na compressão indica que não ocorre necrose por pressão com a reabsorção da superfície na área comprimida.

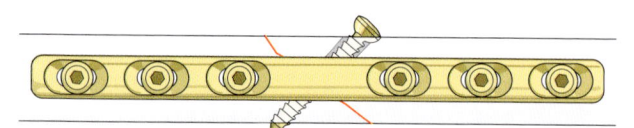

**Fig. 3.2.2-16** É mostrada uma osteossíntese com parafuso de tração e uma placa de proteção. A compressão interfragmentar é alcançada por um parafuso de tração. A função da placa é prevenir que o parafuso de tração sofra flexão, cisalhamento e forças rotacionais. Os parafusos de tração podem ser colocados independentemente ou através de uma placa.

O parafuso de tração pode ser colocado isoladamente ou através da placa. Para evitar qualquer desnudamento adicional de partes moles, a colocação através da placa é preferível.

No caso de um fragmento em cunha oposto à placa, o fragmento deve ser reduzido com a ajuda de ganchos de ponta ou uma pinça de redução com ponta (**Fig. 3.2.2-17**). Isso deve ser feito cuidadosamente para evitar desnudamento de partes moles.

### 3.2 Compressão usando o dispositivo de tensão

Em fraturas transversas ou oblíquas curtas da diáfise, a colocação de um parafuso de tração nem sempre é possível. O dispositivo de tensão articulado (**Fig. 3.2.2-18**) foi desenvolvido para obter compressão adequada (mais de 100 kp) nessas situações. Ademais, é recomendado para as fraturas da diáfise do fêmur ou do úmero, quando o *gap* a ser fechado excede 1-2 mm, bem como para a compressão das osteotomias e não uniões. A maioria das placas tem uma incisura em cada extremidade, na qual se ajusta o gancho do dispositivo de tensão. Antes do uso, os dois ramos do dispositivo de tensão devem ser abertos completamente. Depois da fixação da placa em um fragmento principal, a fratura é reduzida e mantida em posição com uma pinça de redução. O dispositivo de tensão é agora conectado à placa e fixado ao osso com um parafuso cortical. Para a aplicação de forças de 100-120 kp, ou no osso osteoporótico, a fixação bicortical é sempre recomendada. Em fraturas oblíquas, para prevenir o desvio, a tensão deve ser aplicada de tal modo que o pico do fragmento móvel seja pressionado

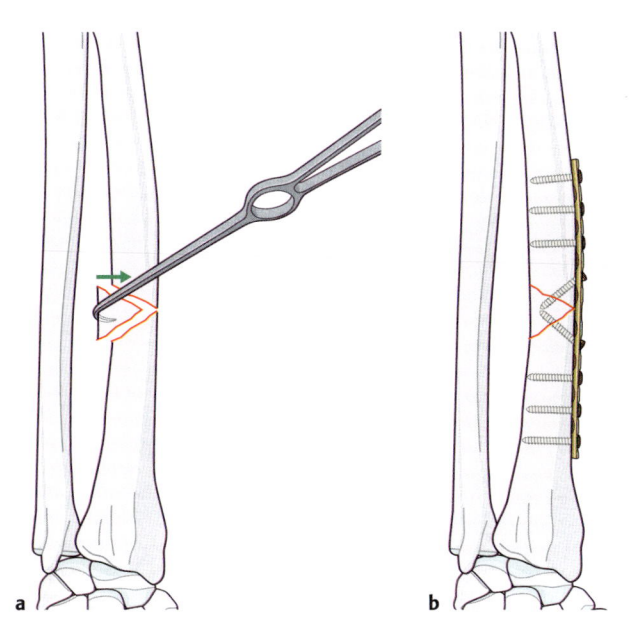

**Fig. 3.2.2-17a-b**
a Fratura em cunha de flexão, reduzida com gancho para evitar desnudamento de partes moles.
b Fixação com parafusos de tração de 2,7 mm através da placa de 3,5.

**Fig. 3.2.2-18** Dispositivo de tensão articulado. Dependendo da posição do gancho, o dispositivo pode ser usado para tração ou compressão.

Redução, vias de acesso e técnicas de fixação
## 3.2.2 Placas

no encaixe que é formado pela placa e pelo outro fragmento principal ao qual ele foi fixado (**Fig. 3.2.2-19**). Estudos biomecânicos demonstraram que a inclinação e a estabilidade rotacional de tais fraturas aumentam bastante se um parafuso de tração for adicionado através da placa quando a compressão axial tiver sido estabelecida (**Vídeo 3.2.2-4**). Para fraturas transversas, é essencial que a placa seja pré-tensionada sobre o foco de fratura, para evitar a distribuição não equilibrada da compressão no foco de fratura. (**Fig. 3.2.2-20-21**).

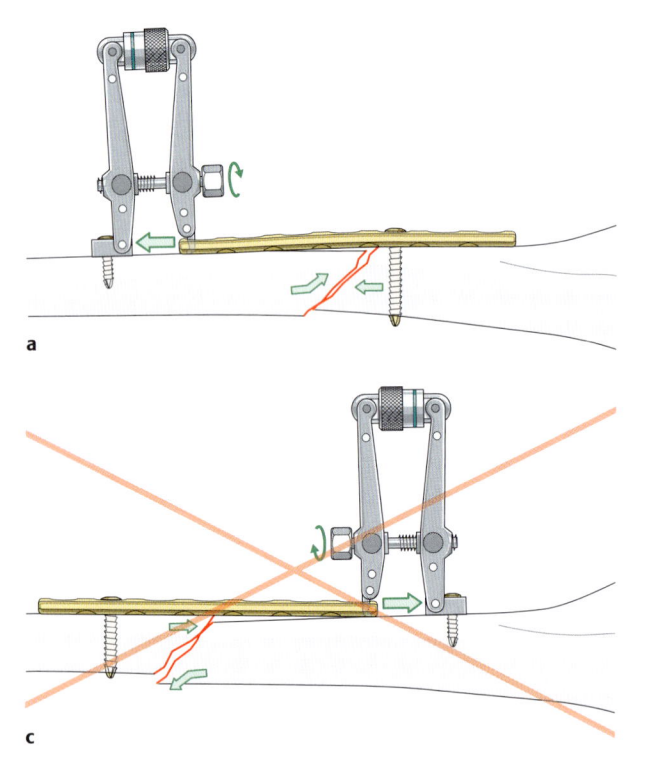

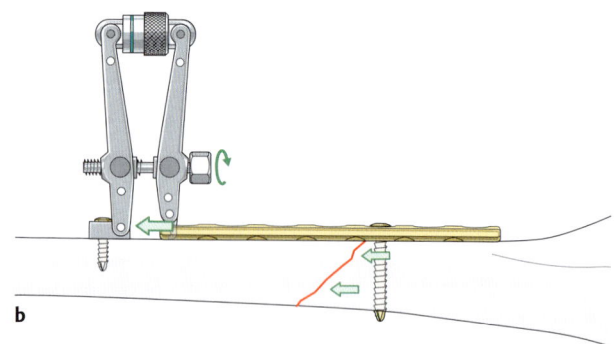

**Fig. 3.2.2-19a-c**  Aplicação do dispositivo de tensão articulado.
**a-b**  Em fraturas oblíquas, o dispositivo de tensão deve ser aplicado de tal modo que o fragmento solto se bloqueia no encaixe quando a compressão for produzida.
**c**  Esta figura demonstra o dispositivo de tensão aplicado na posição errada.

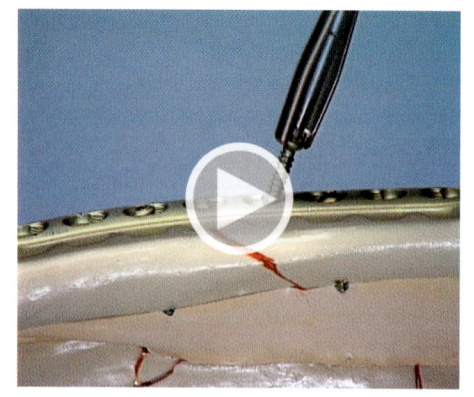

**Vídeo 3.2.2-4**  LCP aplicada em uma fratura do rádio simples com técnica convencional, com um parafuso de tração colocado através da placa.

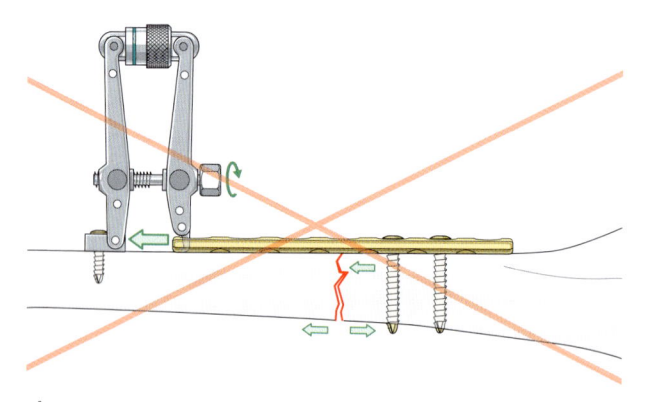

**Fig. 3.2.2-20**  Se uma placa reta é usada para comprimir um osso reto, abre-se um *gap* na fratura do lado oposto à placa, devido à ação de forças excêntricas no lado oposto.

## 3.3 Compressão com pré-tensionamento da placa

Se uma placa reta for aplicada a um osso reto, as forças compressivas serão maiores diretamente sob a placa. Na cortical oposta, um pequeno *gap* resulta devido à tensão (**Fig. 3.2.2-20**). Isso pode prevenir a compressão concêntrica adequada através de toda a superfície da fratura.

Se a colocação de um parafuso de tração adicional não for possível, o pré-tensionamento da placa é essencial (**Fig. 3.2.2-21**). Ao aplicar a tensão, a placa pré-tensionada é retificada, o que leva à compressão da cortical oposta, adicionando estabilidade. Existem instrumentos especiais disponíveis para o pré-tensionamento ou dobra das placas (**Fig. 3.2.2-22**).

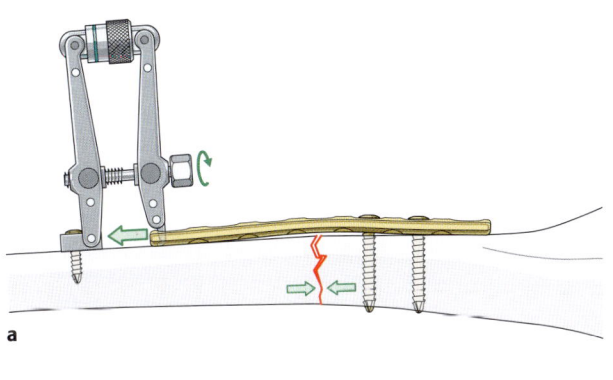

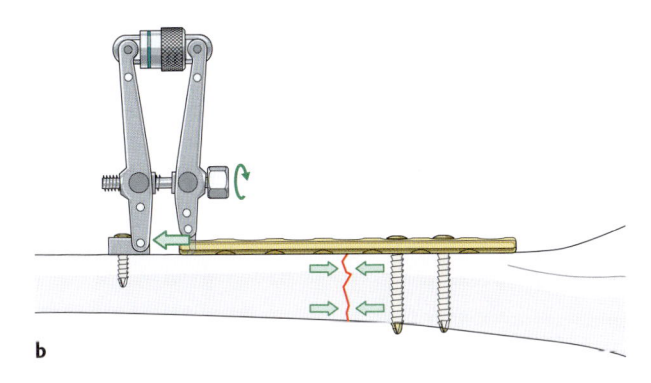

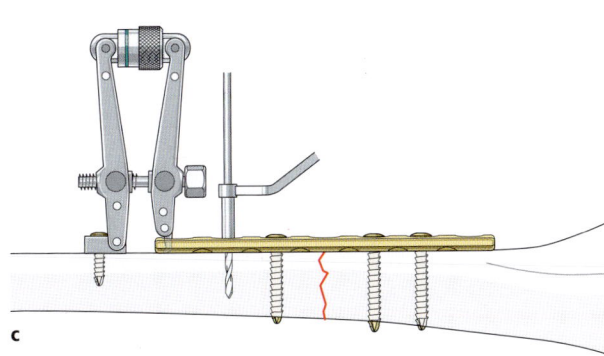

**Fig. 3.2.2-21a-c** Se a placa é ligeiramente pré-tensionada antes da aplicação (**a**), o *gap* na cortical oposta desaparece conforme a compressão é aumentada (**b**), de forma que finalmente toda a fratura seja firmemente fechada e comprimida (**c**).

**Fig. 3.2.2-22** O alicate de dobra manual é útil, e seu uso correto é mostrado no **Vídeo 3.2.2-5**.

Redução, vias de acesso e técnicas de fixação
### 3.2.2 Placas

### 3.4 Compressão usando a LC-DCP (princípio da compressão dinâmica)

A compressão axial também pode ser gerada com a LC-DCP. Entretanto, a força de compressão alcançada é mais baixa do que com o dispositivo de tensão. A pré-tensão da placa é necessária para obter uma distribuição equilibrada das forças compressivas.

### 3.5 Moldagem das placas

As placas retas com frequência precisam ser moldadas antes da aplicação para se ajustar à anatomia do osso. Se isto não for feito, a redução pode ser perdida, especialmente se nenhum parafuso de tração tiver sido colocado através da fratura. As placas anatomicamente modeladas (ver Seção 2.5 neste capítulo) podem também requerer a moldagem delicada antes da aplicação. Isso é feito de forma mais adequada com o alicate de dobradura manual (**Fig. 3.2.2-22**), a prensa de moldagem, ou com os ferros de dobradura (**Vídeo 3.2.2-5**). Se for necessária uma moldagem tridimensional complexa, estão disponíveis gabaritos flexíveis especiais que podem ser modelados à superfície do osso (**Fig. 3.2.2-23**). A moldagem repetida de um lado a outro deve ser evitada, já que enfraquece a placa. A LCP deve ser contornada por inclinação em uma área longe do orifício da rosca.

### 4 Diferentes funções das placas

É importante enfatizar que, cada vez que uma placa for usada, o cirurgião determina como uma placa funcionará. As placas podem ser usadas pelo menos de seis formas diferentes:

- Compressão
- Proteção
- Suporte
- Banda de tensão
- Ponte
- Redução

A LCP também pode ser usada como um fixador interno para transpor uma fratura.

### 4.1 Placas de compressão e proteção

O uso das placas de compressão e proteção foi descrito em detalhes (ver seção 3.1 neste capítulo).

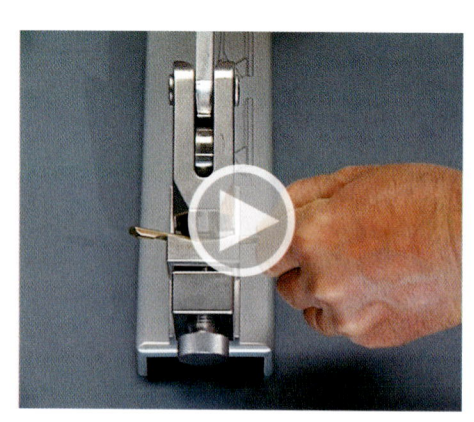

**Vídeo 3.2.2-5** A moldagem precisa das placas requer o uso correto das ferramentas, como a prensa de dobradura.

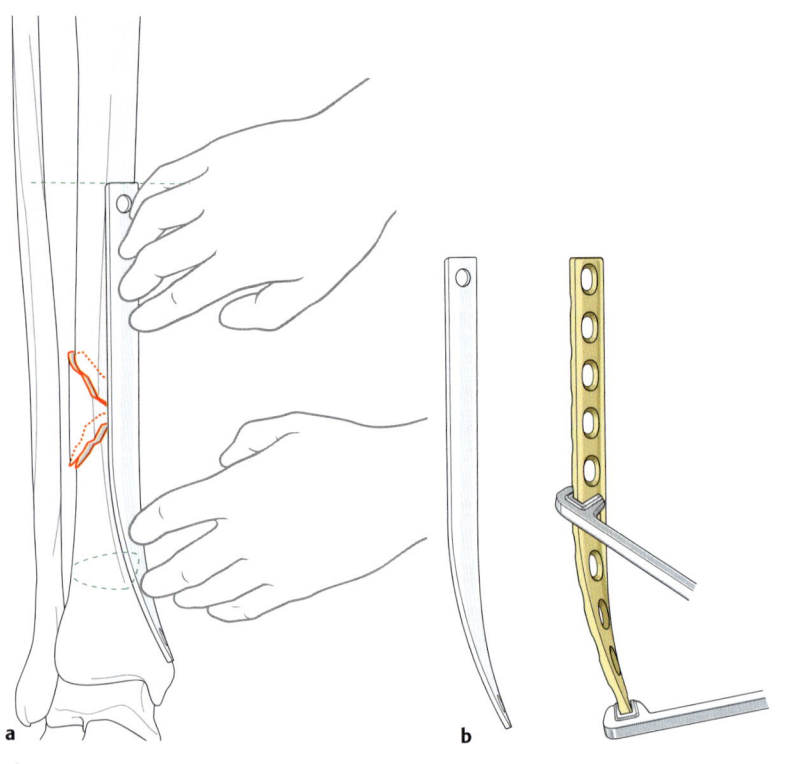

**Fig. 3.2.2-23a-b** Gabaritos flexíveis são usados para facilitar a moldagem da placa.

## 4.2 Placa de suporte/antideslizante

Uma placa de suporte resiste à carga axial pela aplicação de força em 90 graus ao eixo da deformidade potencial.

Em uma fratura metafisária com cisalhamento ou separação, frequentemente a fixação apenas com parafusos de tração é insuficiente. O parafuso de tração deve, por conseguinte, ser combinado com uma placa com função de suporte (**Vídeo 3.2.2-6**). Ela protegerá o parafuso das forças de cisalhamento através da fratura. As placas podem ser usadas sem parafusos de tração para prover suporte e, nas placas com orifícios DC, os parafusos devem ser introduzidos na posição de suporte (**Fig. 3.2.2-24**). O suporte é uma montagem mecânica poderosa, tal como uma visita a qualquer catedral medieval na Europa demonstrará. Se o cirurgião tiver a opção de usar uma placa de suporte, ela em geral dará a melhor fixação.

## 4.3 Placa como banda de tensão

Os seguintes quatro critérios devem ser preenchidos para uma placa atuar como uma banda de tensão:

- O osso fraturado deve ser excentricamente carregado, como, por exemplo, o fêmur
- A placa deve ser colocada na superfície de tensão (convexa)
- A placa deve ser capaz de resistir às forças de tensão
- A cortical oposta deve ser capaz de resistir à força compressiva

O último ponto é de importância suprema: a redução anatômica da cortical oposta é essencial, e a placa como banda de tensão não pode funcionar se a cortical oposta tiver fragmentos múltiplos.

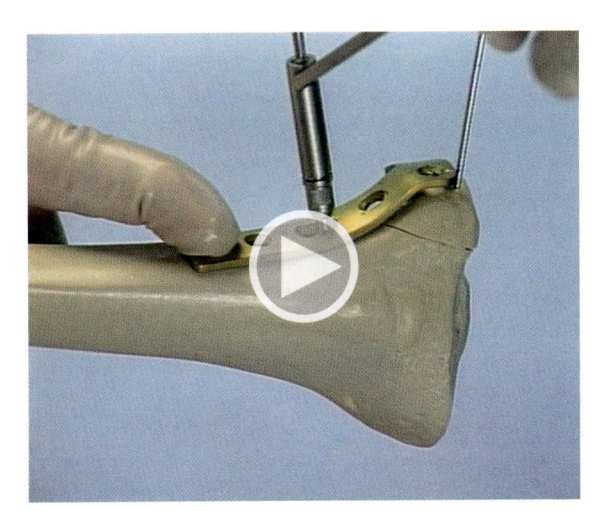

**Vídeo 3.2.2-6** Para a aplicação de uma placa de suporte, o primeiro parafuso deve ser excêntrico para prevenir o deslizamento da placa.

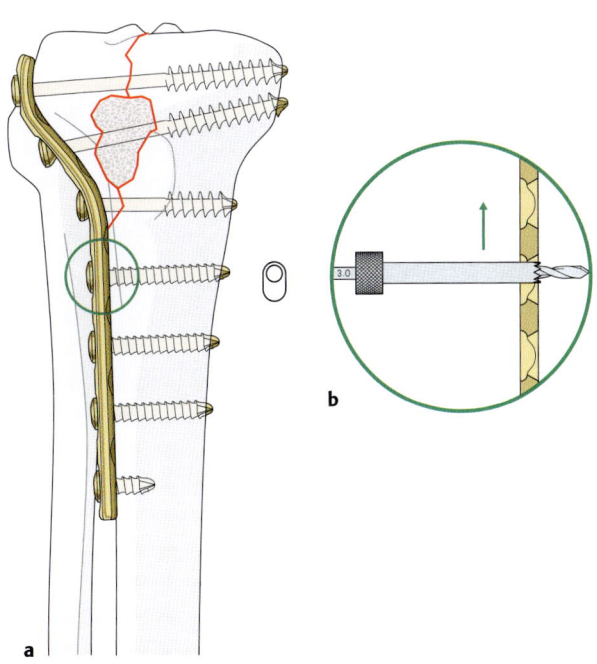

**Fig. 3.2.2-24a-b**
a Aplicação da DCP na função de suporte.
b Para prevenir qualquer deslizamento da placa, o parafuso é colocado tão proximal quanto possível no orifício.

Redução, vias de acesso e técnicas de fixação
## 3.2.2 Placas

A função da banda de tensão é converter a força tênsil em força compressiva. Depois da redução da fratura, a cortical oposta deve fornecer uma sustentação óssea para prevenir o encurvamento cíclico e a falha na fixação.

Um bom exemplo de um osso excentricamente carregado é o fêmur (**Fig. 3.2.2-25**). Se a placa for colocada no lado lateral (tensão) de uma fratura transversa, as forças de tração são convertidas em forças compressivas através de toda a interface da fratura, desde que a cortical medial não esteja fragmentada. Se a mesma placa for colocada medialmente, ela não pode contrariar a força tênsil, e a fixação falhará sob carga (ver Cap. 3.2.3).

### 4.4 Placa em ponte

Para respeitar a biologia de uma fratura multifragmentada complexa e minimizar qualquer lesão adicional de partes moles, o princípio de placa em ponte pode ser aplicado. As placas em ponte fornecem estabilidade relativa, e a consolidação da fratura ocorre por formação de calo.

O conceito fundamental da placa em ponte é que a placa é fixada somente aos dois fragmentos principais, deixando a zona de fratura intocada para maximizar o suprimento sanguíneo.

Se possível, a fratura deve ser reduzida de maneira indireta, e a placa em ponte deve ser aplicada com exposição mínima a fim de restaurar o comprimento, o alinhamento axial e a rotação [14]. As placas em ponte são discutidas em detalhes no Capítulo 3.3.2.

Existem alguns princípios biomecânicos importantes para considerar quando se usa essa técnica. Para maximizar a estabilidade do implante nessa fixação flexível, placas longas com poucos parafusos devem ser usadas para aumentar o braço de alavanca e distribuir as forças de flexão [15, 16]. O comprimento de placa maior que três vezes o comprimento da fratura, nas fraturas multifragmentadas, e maior que 8-10 vezes o comprimento da fratura, em fraturas simples, tem sido preconizado [9]. Proporções de parafuso para placa com menos que 0,5 criam um braço de alavanca longo e diminuem as

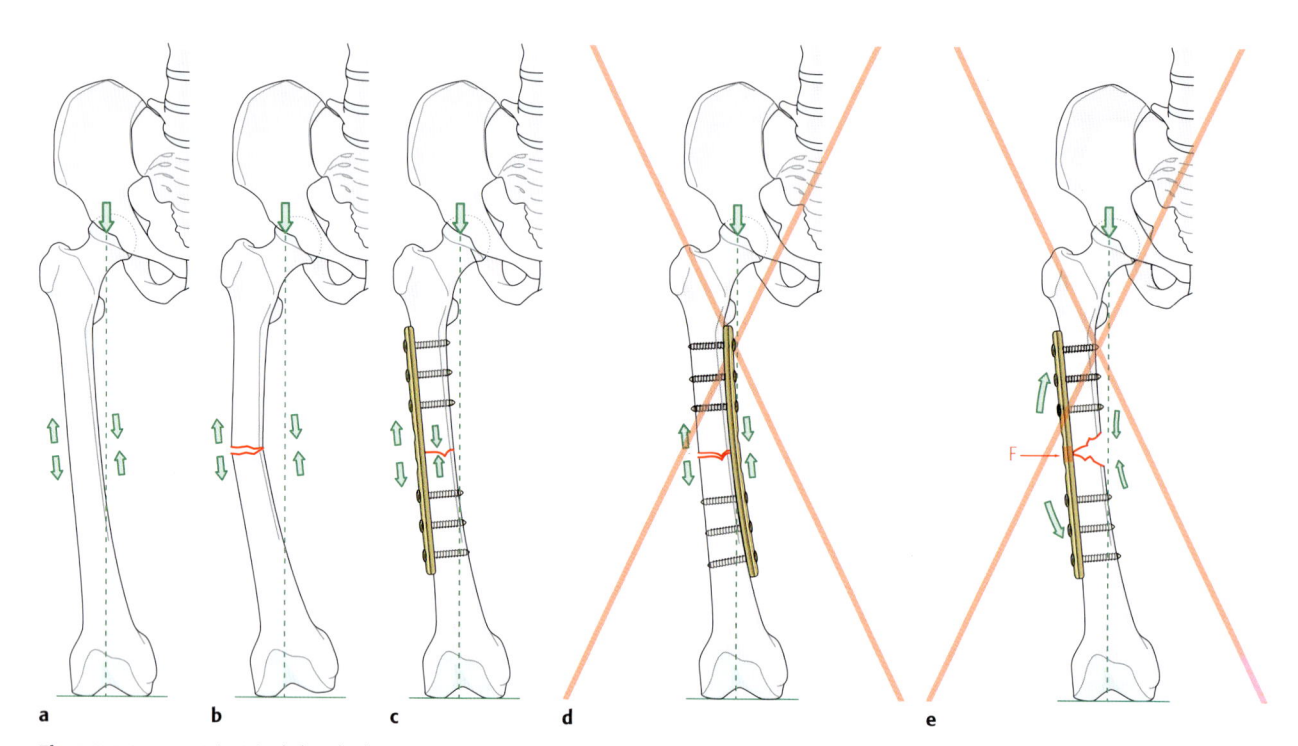

**Fig. 3.2.2-25a-e** Princípio da banda de tensão no fêmur.
**a** O fêmur intacto é um osso excentricamente carregado com tração ou forças de tensão, lateral, e compressão no lado medial.
**b** No caso de uma fratura, o *gap* de fratura lateral se abre, enquanto o medial está comprimido.
**c** A placa lateral está sob tensão quando carregada, comprimindo assim o *gap* da fratura, desde que haja contato ósseo medial.
**d** Se a placa for colocada no lado da compressão, não é capaz de prevenir a abertura do espaço lateral (instabilidade).
**e** Se a cortical medial estiver fragmentada, o princípio da banda de tensão pode não funcionar por causa da falta de uma sustentação (ver Cap. 3.2.3). Ambas estas situações (**d-e**) devem ser evitadas.

cargas de flexão nos parafusos distais [9]. Além disso, um espaço de pelo menos dois ou três orifícios do parafuso deve ser deixado aberto sobre a fratura para diminuir a concentração do estresse (**Fig. 3.2.2-26**, **Vídeo 3.2.2-7**) [9, 15]. Se a vascularização do osso e do tecido mole circundante não tiver sido lesada em demasia, a resposta fisiológica para essa montagem relativamente flexível é a formação de calo que sustenta os fragmentos, tal como ocorre no tratamento não cirúrgico, ou depois do encavilhamento intramedular.

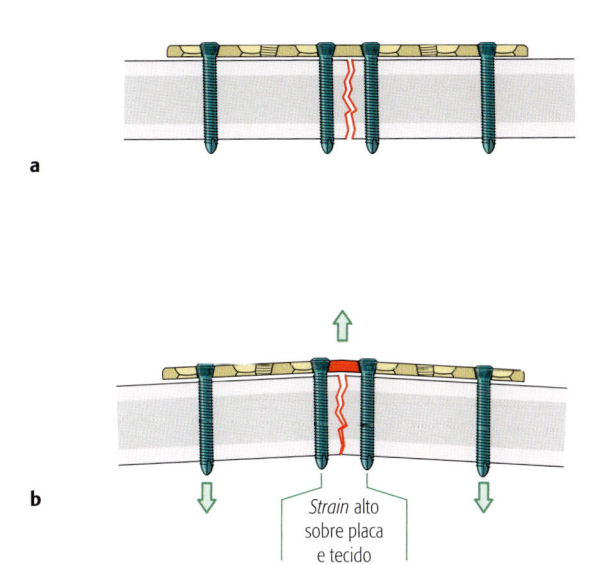

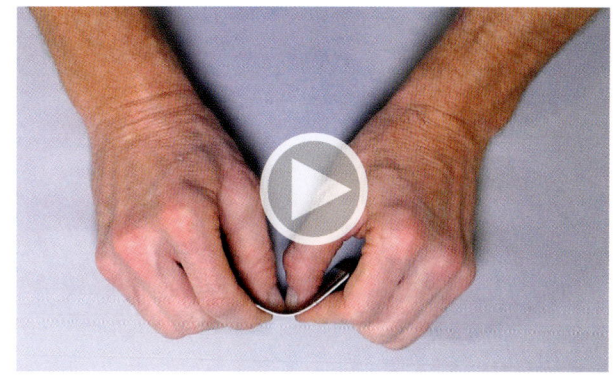

**Vídeo 3.2.2-7** O cartão de crédito sendo tensionado por dois métodos diferentes demonstra baixo *strain* e alto *strain* em um sistema dinâmico, dependendo de onde a fixação é colocada.

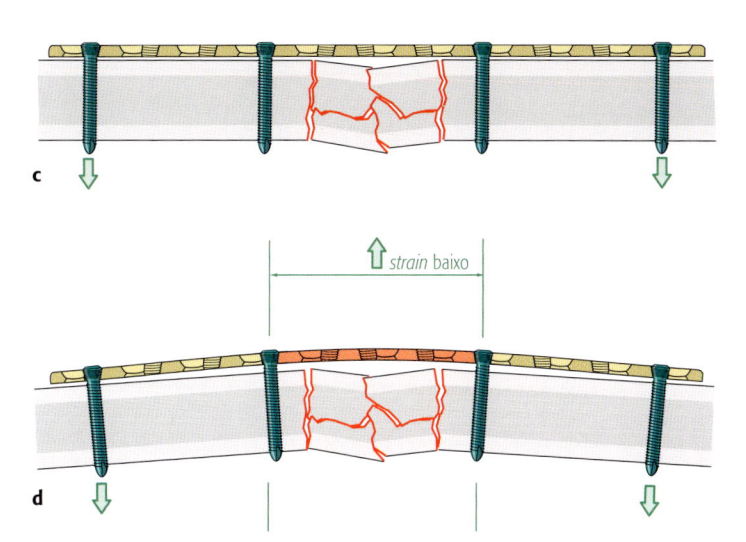

**Fig. 3.2.2-26a-d**
**a-b** Em uma fratura transversa simples, o segmento curto da placa sofre deformação (mostrada em vermelho) devido ao *strain* alto na placa e no tecido.
**c-d** Em fraturas multifragmentadas, o suporte é mais adequado com placas longas. Em tal caso, o segmento estabilizado é mais longo, e uma força como a mostrada em **a-b** é distribuída sobre uma distância mais longa. O *strain* sobre a placa é mais baixo, e a sua resistência à fadiga é mais alta [15].

Redução, vias de acesso e técnicas de fixação
## 3.2.2 Placas

### 4.5 Placa de redução

O exemplo clássico de uma placa de redução é a placa-lâmina angulada de 95 graus (**Fig./Animação 3.2.2-27**). Com planejamento e inserção precisos, a placa de ângulo fixo pode corrigir planos múltiplos de desvios conforme for fixada acima e abaixo da zona de fratura ou deformidade. As placas de redução de menor tamanho (pequenos fragmentos e minifragmentos) também são usadas para a redução das fraturas diafisárias transversas, como as fraturas da diáfise média do úmero ou as fraturas da clavícula (**Fig. 3.2.2-28**). Ao usar placas para redução, é preciso ter extremo cuidado para que não haja dissecção adicional significativa apenas para aplicar as placas de redução, já que a técnica de redução menos invasiva deve ser sempre escolhida. As placas pequenas ou de minifragmentos também são frequentemente usadas para obter e manter reduções de segmentos metafisários curtos ou fraturas diafisárias expostas durante os procedimentos de encavilhamento intramedular, especialmente na tíbia [17]. Essas placas também devem ser aplicadas com cautela, já que devem ser mantidos os princípios de preservação da biologia e do cuidado local de partes moles. A decisão para usar placas bloqueadas ou não bloqueadas deve ser baseada na qualidade óssea para essas aplicações; parafusos unicorticais (intracorticais) não bloqueados podem ser colocados para deixar livre o caminho de uma haste intramedular, que então mais adiante serão convertidos para parafusos bicorticais em torno da haste. A decisão para deixar a placa de redução também deve ser feita sob medida para a aplicação. Frequentemente as placas usadas para redução metafisária são deixadas no lugar, já que não mudam o modo selecionado de estabilidade (estabilidade relativa com o dispositivo intramedular). Entretanto, as placas de redução diafisária são quase sempre removidas, já que existe um risco que tais placas fixem um pequeno *gap* entre os segmentos ósseos, ou limitem a compressão óssea dinâmica que é obtida com o compartilhamento de carga intramedular nos padrões simples de fraturas [17].

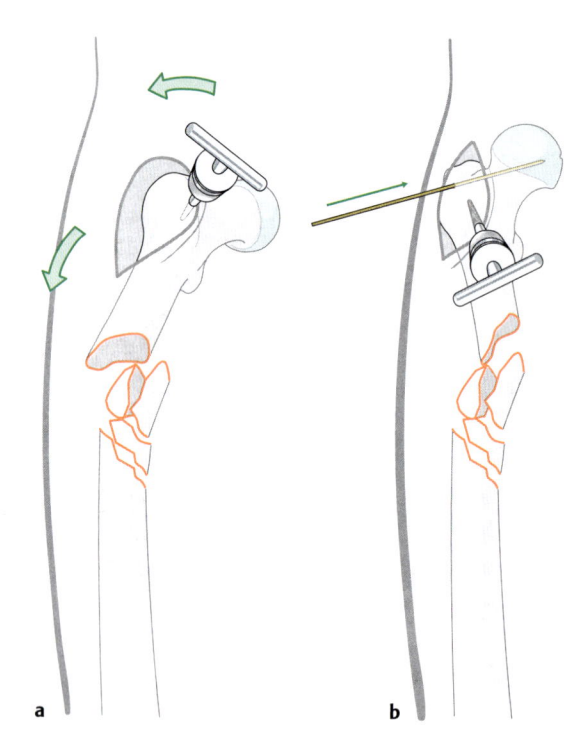

**Fig./Animação 3.2.2-27a-e**  OPMI de fratura proximal do fêmur usando a placa-lâmina condilar de 95°.
a   O parafuso de Schanz é inserido para contrapor a tração do músculo e para manter a região proximal do fêmur na posição AP. É preciso ter cuidado para que o parafuso de Schanz não interfira com a preparação do trajeto da lâmina.
b   Um fio-guia é inserido em um ângulo de 95° na incidência AP, com a anteversão correta na incidência lateral. A posição do fio-guia é verificada usando intensificador de imagem.

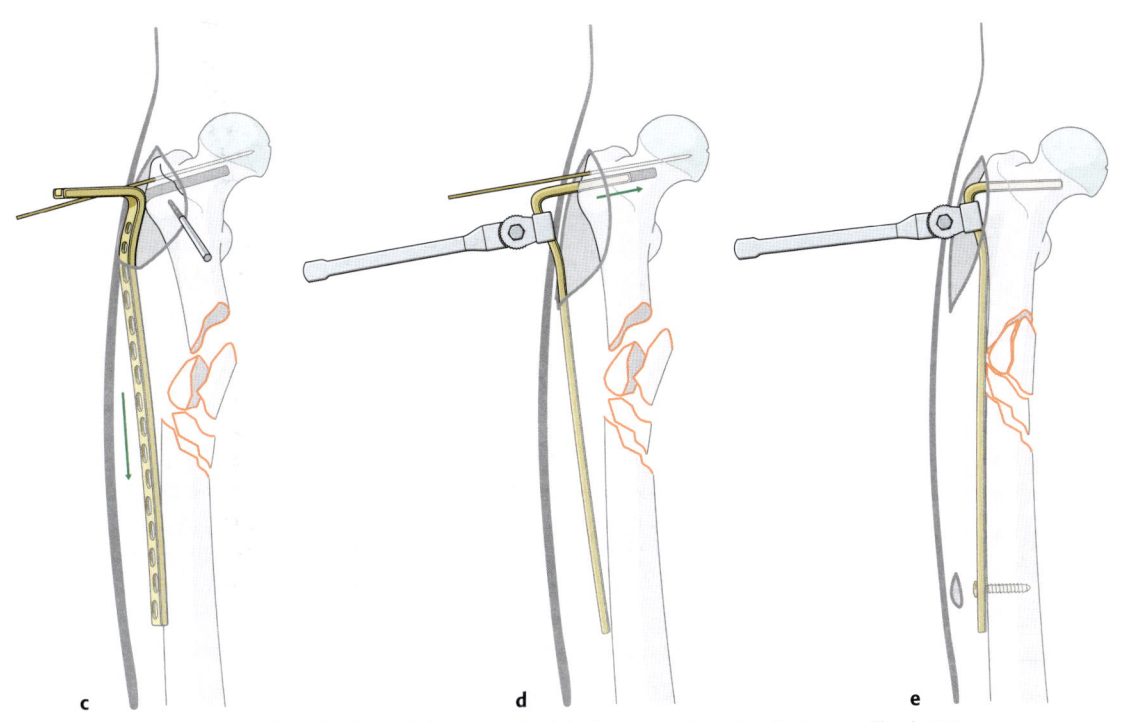

**Fig./Animação 3.2.2-27a-e (cont.)**   OPMI de fratura proximal do fêmur usando a placa-lâmina condilar de 95°.
- **c**   Depois que o trajeto da lâmina tiver sido preparado, a placa condilar é deslizada sob o músculo vasto lateral com a lâmina olhando lateralmente. O fio-guia é mantido como uma referência para a direção da lâmina.
- **d-e**   A lâmina é virada 180° e inserida no canal preparado usando um segurador de placa. Em alguns casos, o parafuso de Schanz pode ser usado para manipular o fêmur durante a inserção da lâmina. A aplicação do parafuso distal reduzirá o osso à placa.

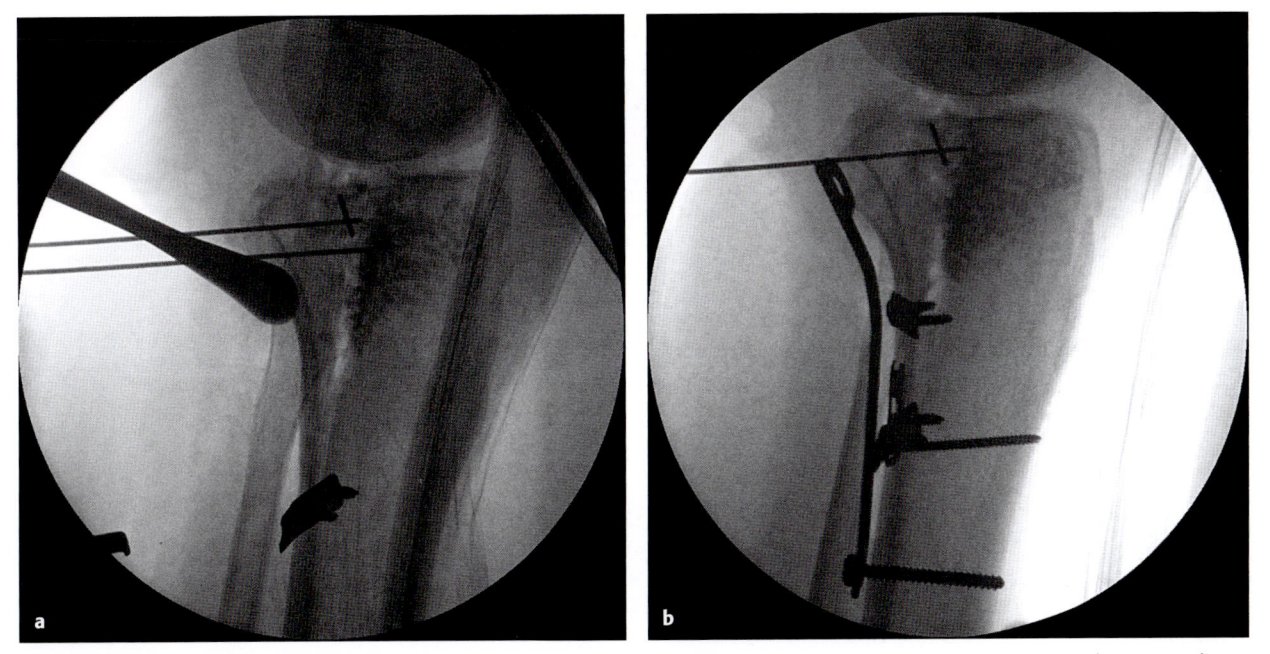

**Fig. 3.2.2-28a-b**   Imagens intraoperatórias em perfil da via de acesso posterior para uma fratura do planalto tibial. Placas curtas de um terço de tubo, com 3 orifícios, foram aplicadas com parafusos unicorticais para ajudar na redução.

Redução, vias de acesso e técnicas de fixação
### 3.2.2 Placas

| Referências clássicas | Referências de revisão |

## 5 Referências

1. **Miclau T, Martin RE.** The evolution of modern plate osteosynthesis. *Injury.* 1997;28(Suppl 1):A3–6.
2. **Perren SM.** Evolution of the internal fixation of long bone fractures. The scientific basis of biological internal fixation: choosing a new balance between stability and biology. *J Bone Joint Surg Br.* 2002 Nov;84(8): 1093–1110.
3. **Schmal H, Strohm PC, Jaeger M, et al.** Flexible fixation and fracture healing: do locked plating "internal fixators" resemble external fixators? *J Orthop Trauma.* 2011 Feb;25(Suppl 1):S15–20.
4. **Bottlang M, Feist F.** Biomechanics of far cortical locking. *J Orthop Trauma.* 2011 Feb;25 Suppl 1:S21–28.
5. **Perren SM, Cordey J, Rahn BA, et al.** Early temporary porosis of bone induced by internal fixation implants. A reaction to necrosis, not to stress protection? *Clin Orthop Relat Res.* 1988 Jul;(232):139–151.
6. **Perren SM, Klaue K, Pohler O, et al.** The limited contact dynamic compression plate (LC-DCP). *Arch Orthop Trauma Surg.* 1990;109(6):304–310.
7. **Davis C, Stall A, Knutsen E, et al.** Locking plates in osteoporosis: a biomechanical cadaveric study of diaphyseal humerus fractures. *J Orthop Trauma.* 2012 Apr;26(4): 216–221.
8. **Gardner MJ, Brophy RH, Campbell D, et al.** The mechanical behavior of locking compression plates compared with dynamic compression plates in a cadaver radius model. *J Orthop Trauma.* 2005 Oct;19(9):597–603.
9. **Wagner M, Frigg R.** *Internal Fixators—Concepts and Cases Using LCP and LISS.* New York: Thieme; 2006.
10. **Haidukewych GJ, Ricci W.** Locked plating in orthopedic trauma: a clinical update. *J Am Acad Orthop Surg.* 2008 Jun;16(6):347–355.
11. **Anglen J, Kyle RF, Marsh JL, et al.** Locking plates for extremity fractures. *J Am Acad Orthop Surg.* 2009 Jul;17(7):465–472.
12. **Gallagher B, Silva MJ, Ricci WM.** Effect of off-axis screw insertion, insertion torque and plate contouring on locked screw strength. *J Orthop Trauma.* 2014 Jul;28(7):427–432.
13. **Perren SM, Huggler A, Russenberger M, et al.** The reaction of cortical bone to compression. *Acta Orthop Scand Suppl.* 1969;125:19–29.
14. **Mast JW, Jakob R, Ganz R.** *Planning and Reduction Technique in Fracture Surgery.* 1st ed. Springer-Verlag: Berlin; 1989.
15. **Gautier E, Sommer C.** Guidelines for the clinical application of the LCP. *Injury.* 2003 Nov;34 Suppl 2:B63–76.
16. **Acharya AV, Evans SL.** Does placing screws off-centre in tubular bone alter their pullout strength? *Injury.* 2009 Nov;40(11):1161–1166.
17. **Dunbar RP, Nork SE, Barei DP, et al.** Provisional plating of type III open tibia fractures prior to intramedullary nailing. *J Orthop Trauma.* 2005 Jul;19(6):412–414.

## 6 Agradecimentos

Agradecemos a Dean Lorich e Michael Gardner por sua contribuição para este capítulo na 2ª edição de *Princípios AO do tratamento de fraturas*.

## 3.2.3 Princípio da banda de tensão
*Markku Nousiainen*

### 1 Princípios biomecânicos

Os conceitos iniciais da transferência de carga dentro do osso foram desenvolvidos e descritos por Frederic Pauwels [1]. Ele observou que uma estrutura curva e tubular sob carga axial sempre tem um lado de compressão, bem como um lado de tensão (**Fig./Animação 3.2.3-1**). A partir dessas observações, o princípio da banda de tensão foi desenvolvido.

A banda de tensão converte a força tênsil em força de compressão na cortical oposto. Isso é alcançado pela aplicação de um dispositivo, excentricamente, colocado no lado convexo de um osso curvo.

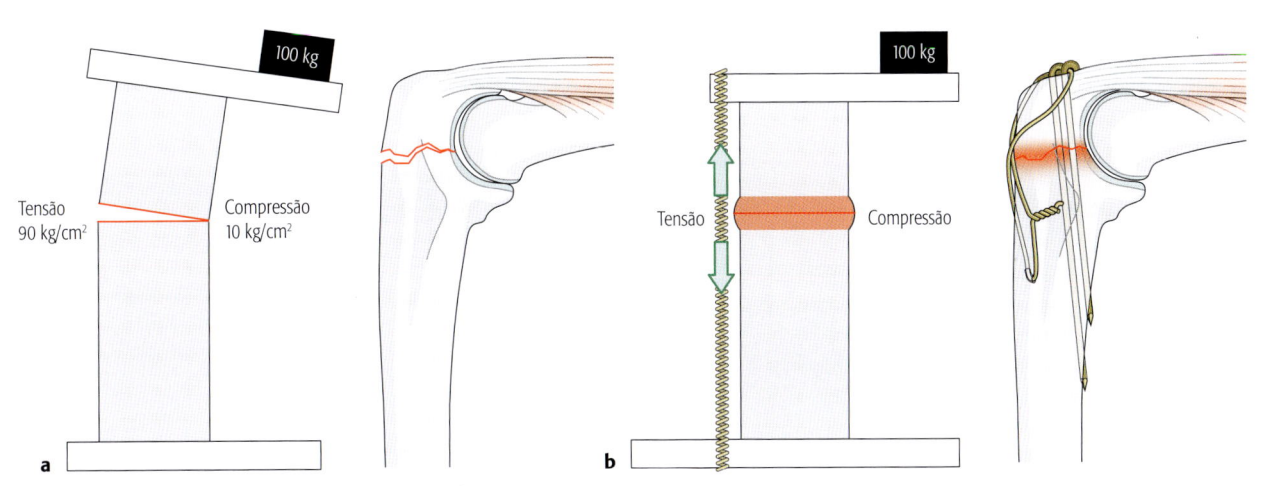

**Fig./Animação 3.2.3-1a-b** O princípio da banda de tensão.
a  O osso excentricamente carregado tem um lado de tensão e um de compressão.
b  A banda de tensão converte a tensão em compressão na cortical oposta.

Redução, vias de acesso e técnicas de fixação
## 3.2.3 Princípio da banda de tensão

O conceito pode ser mais facilmente entendido examinando-se o fêmur sob carga mecânica (**Fig. 3.2.3-2**). Se uma fratura deve consolidar, ela requer estabilidade mecânica, que é obtida por compressão dos fragmentos da fratura. Da mesma forma, a tração ou a tensão interferem na consolidação da fratura. Por conseguinte, a força de tensão em um osso deve ser neutralizada ou, de preferência, convertida em força de compressão para promover a consolidação da fratura. Isso é especialmente importante nas fraturas articulares, onde a estabilidade é essencial para o movimento precoce e um bom desfecho funcional. Em fraturas onde a tração muscular tende a tracionar os fragmentos, como nas fraturas da patela ou do olécrano, a aplicação de uma banda

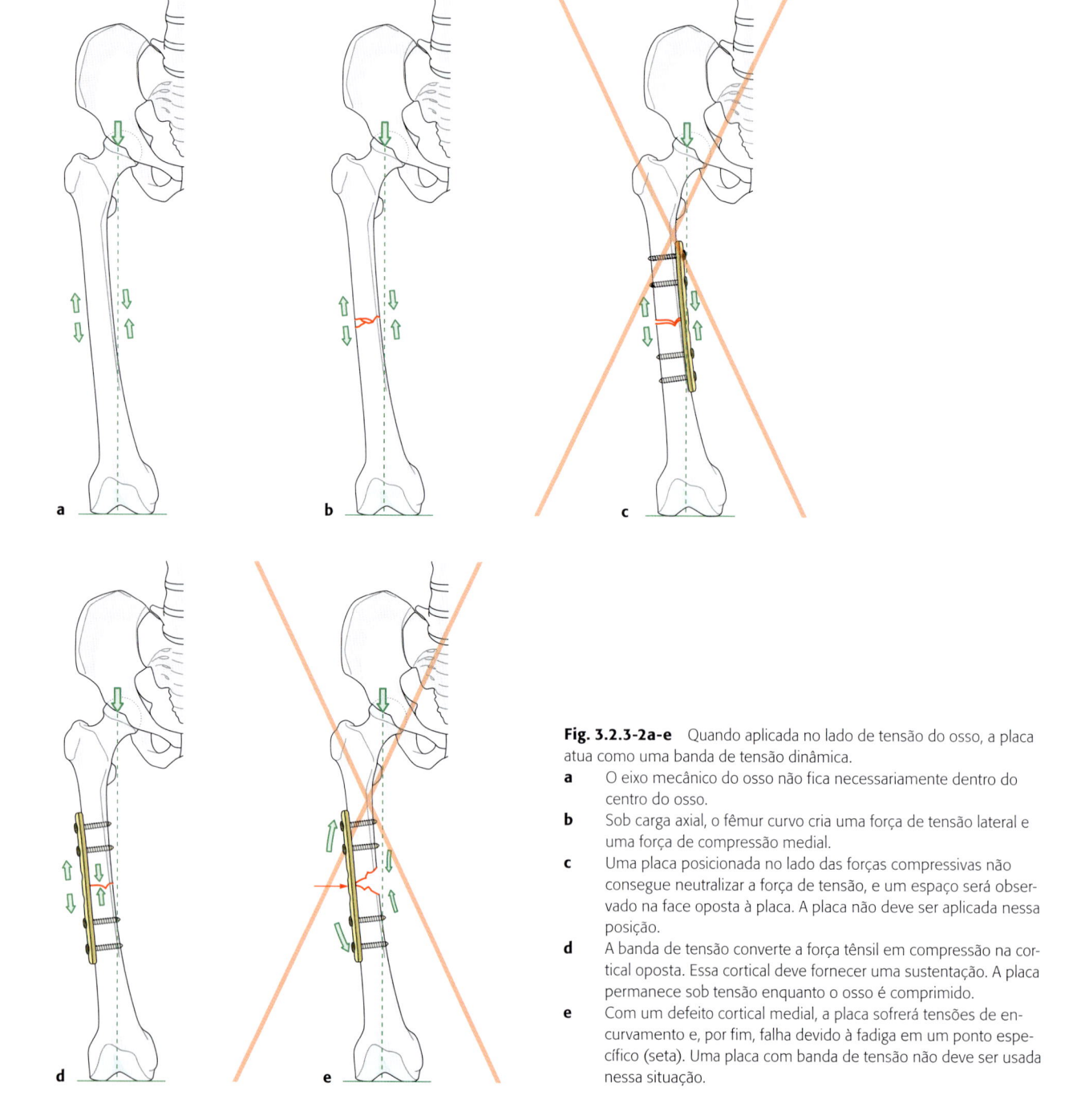

**Fig. 3.2.3-2a-e** Quando aplicada no lado de tensão do osso, a placa atua como uma banda de tensão dinâmica.

- **a** O eixo mecânico do osso não fica necessariamente dentro do centro do osso.
- **b** Sob carga axial, o fêmur curvo cria uma força de tensão lateral e uma força de compressão medial.
- **c** Uma placa posicionada no lado das forças compressivas não consegue neutralizar a força de tensão, e um espaço será observado na face oposta à placa. A placa não deve ser aplicada nessa posição.
- **d** A banda de tensão converte a força tênsil em compressão na cortical oposta. Essa cortical deve fornecer uma sustentação. A placa permanece sob tensão enquanto o osso é comprimido.
- **e** Com um defeito cortical medial, a placa sofrerá tensões de encurvamento e, por fim, falha devido à fadiga em um ponto específico (seta). Uma placa com banda de tensão não deve ser usada nessa situação.

Princípios AO do tratamento de fraturas
Volume 1

de tensão neutralizará essas forças e até as converterá em compressão quando a articulação for flexionada (**Fig. 3.2.3-3a-b**). Isso é obtido pela criação de uma "dobradiça" no lado da fratura ocupada pela montagem da banda de tensão. A aplicação subsequente de forças de tração roda a fratura ao redor dessa dobradiça, produzindo uma força de compressão oposta a ela. Similarmente, um fragmento ósseo pode ser avulsionado na inserção de um tendão ou ligamento, como no tubérculo maior do úmero (**Fig. 3.2.3-3c**), no trocanter maior do fêmur, ou no maléolo medial (**Fig. 3.2.3-3d**). Aqui, também, a banda de tensão pode reinserir o fragmento avulsionado, convertendo as forças de tensão geradas pela tração ligamentar em forças de compressão na superfície da fratura.

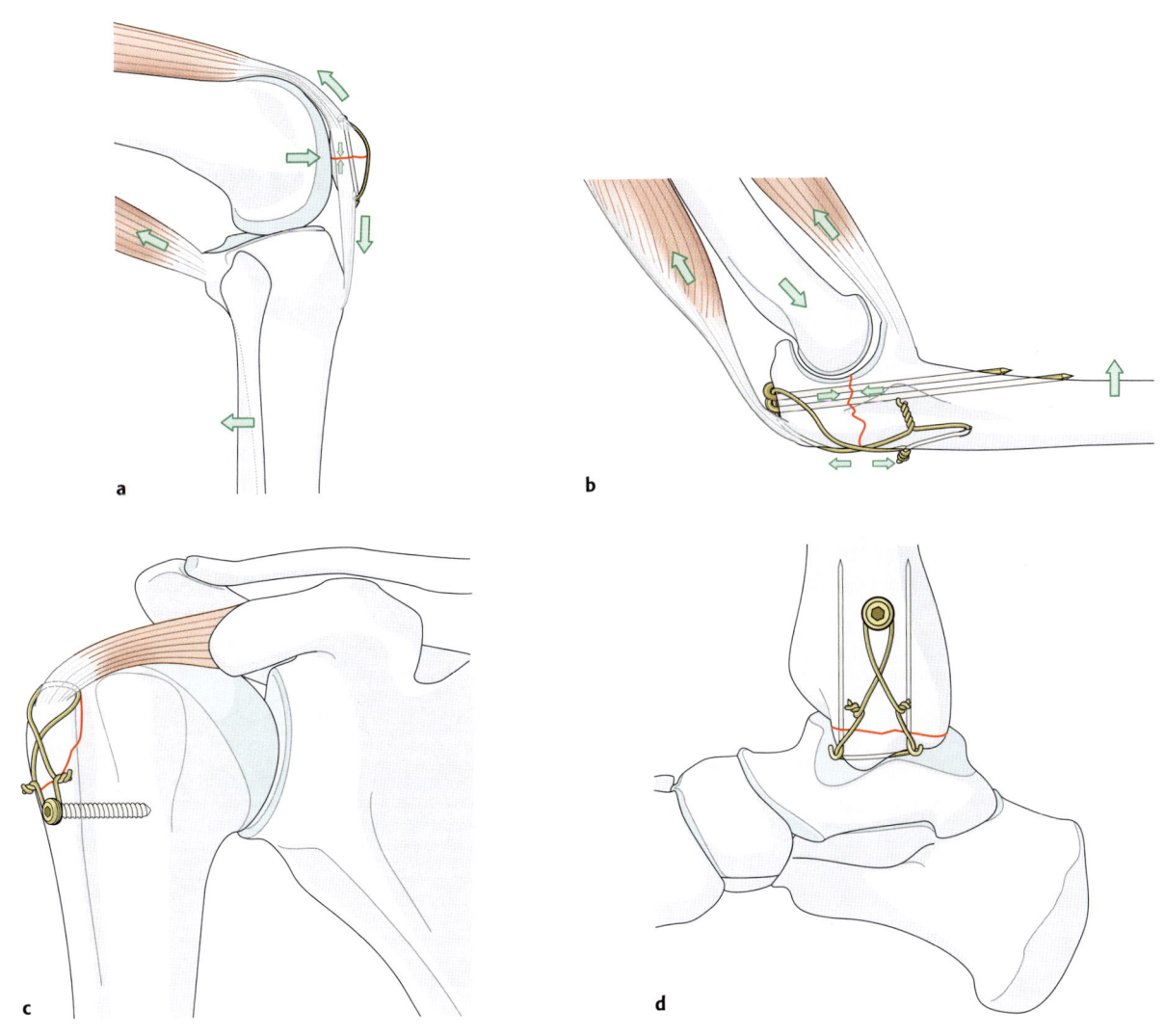

**Fig. 3.2.3-3a-d**
a  Princípio da banda de tensão aplicado a uma fratura da patela. A laçada em figura de oito fica anterior à patela e à fratura. Na flexão do joelho, a força tênsil (entre o músculo quadríceps e a tuberosidade da tíbia) é convertida em compressão na superfície articular.
b  Na fratura do olécrano, a laçada com fio de aço em figura de oito age como uma banda de tensão durante a flexão do cotovelo. Este é um exemplo de uma banda de tensão dinâmica.
c  Aplicação do princípio da banda de tensão na região proximal do úmero para avulsão do tubérculo maior. A laçada de arame está ancorada ao úmero por um parafuso cortical de 3,5 mm.
d  Aplicação do princípio da banda de tensão ao maléolo medial. A laçada do fio de aço pode ser ancorada na tíbia por um parafuso cortical de 3,5 mm. Este é um exemplo de uma banda de tensão estática.

Redução, vias de acesso e técnicas de fixação
### 3.2.3 Princípio da banda de tensão

## 2 Conceitos de aplicação

O princípio da banda de tensão com laçadas de fio é frequentemente aplicado às fraturas articulares da patela e do olécrano, convertendo a tensão da contração muscular em força compressiva no lado articular da fratura. Além disso, as pequenas fraturas de avulsão podem se beneficiar dos princípios de fixação da banda de tensão (**Fig. 3.2.3-3c-d**).

O princípio da fixação com banda de tensão com placa também pode ser aplicado nas fraturas diafisárias de ossos curvos, como na diáfise femoral. A aplicação de uma montagem de banda de tensão no lado de tensão do osso neutraliza a tração nesse local, ao mesmo tempo em que promove compressão no lado oposto do osso.

> Em ossos longos curvos, o lado convexo da diáfise indica o lado de tensão.

Similarmente, no retardo de consolidação ou na não união, onde a presença de uma deformidade angular cria um lado de tensão no osso, a adesão aos princípios mecânicos da banda de tensão é extremamente importante.

> Sempre que for possível, qualquer dispositivo de fixação interna ou externa deve ser aplicado no lado da tensão [2].

A consolidação óssea, então, ocorrerá consistentemente. Laçadas de fios ou cabos de aço, bem como material de sutura absorvível ou inabsorvível, podem funcionar como uma banda de tensão. Quando apropriadamente posicionadas, as hastes intramedulares, placas e fixadores externos também podem cumprir a função de uma banda de tensão (**Fig. 3.2.3-4**).

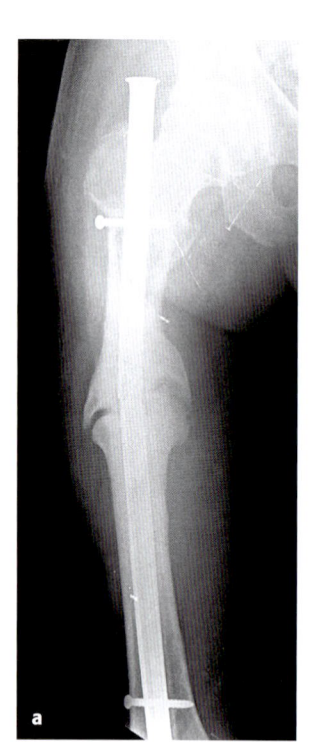

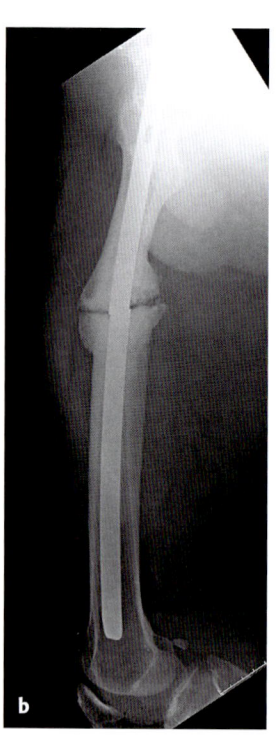

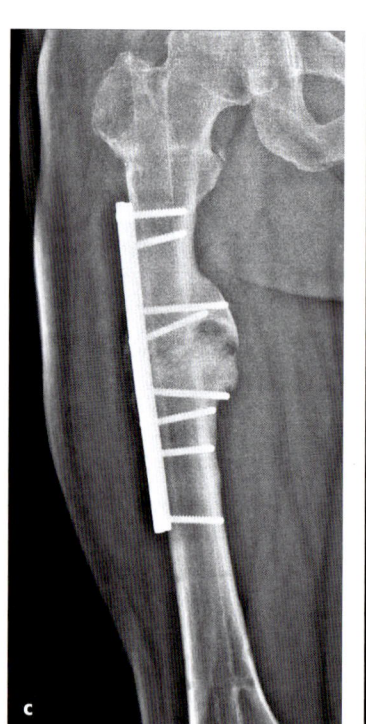

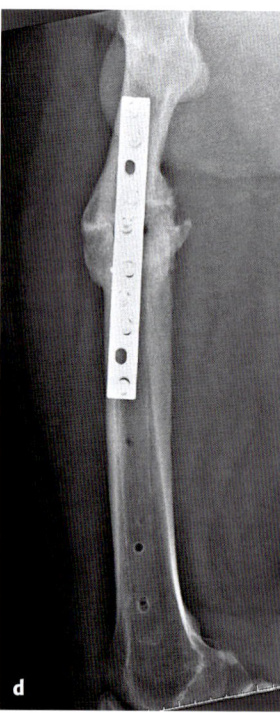

**Fig. 3.2.3-4a-d**  Exemplo clínico de uma placa agindo como uma banda de tensão em uma não união depois do encavilhamento intramedular femoral.
**a-b**  Não união sintomática com haste quebrada – note a área hipertrófica em torno do local da fratura.
**c-d**  Depois da remoção da haste intramedular, uma placa foi aplicada como banda de tensão no lado lateral ou convexo do fêmur sem enxertia óssea, e a carga foi encorajada. A não união consolidou.

A banda de tensão que produza compressão na hora da aplicação é chamada de banda de tensão estática, já que as forças no local da fratura permanecem relativamente constantes durante o movimento.

A aplicação da banda de tensão no maléolo medial é um exemplo de uma banda de tensão estática (**Fig. 3.2.3-3d**).

Se a força de compressão aumentar com o movimento, a banda de tensão passa a ser dinâmica.

Um bom exemplo é a aplicação do princípio da banda de tensão em uma fratura da patela. Com a flexão do joelho, a força tênsil aumentada é convertida em força de compressão (**Fig. 3.2.3-3a**, **Fig. 3.2.3-5**).

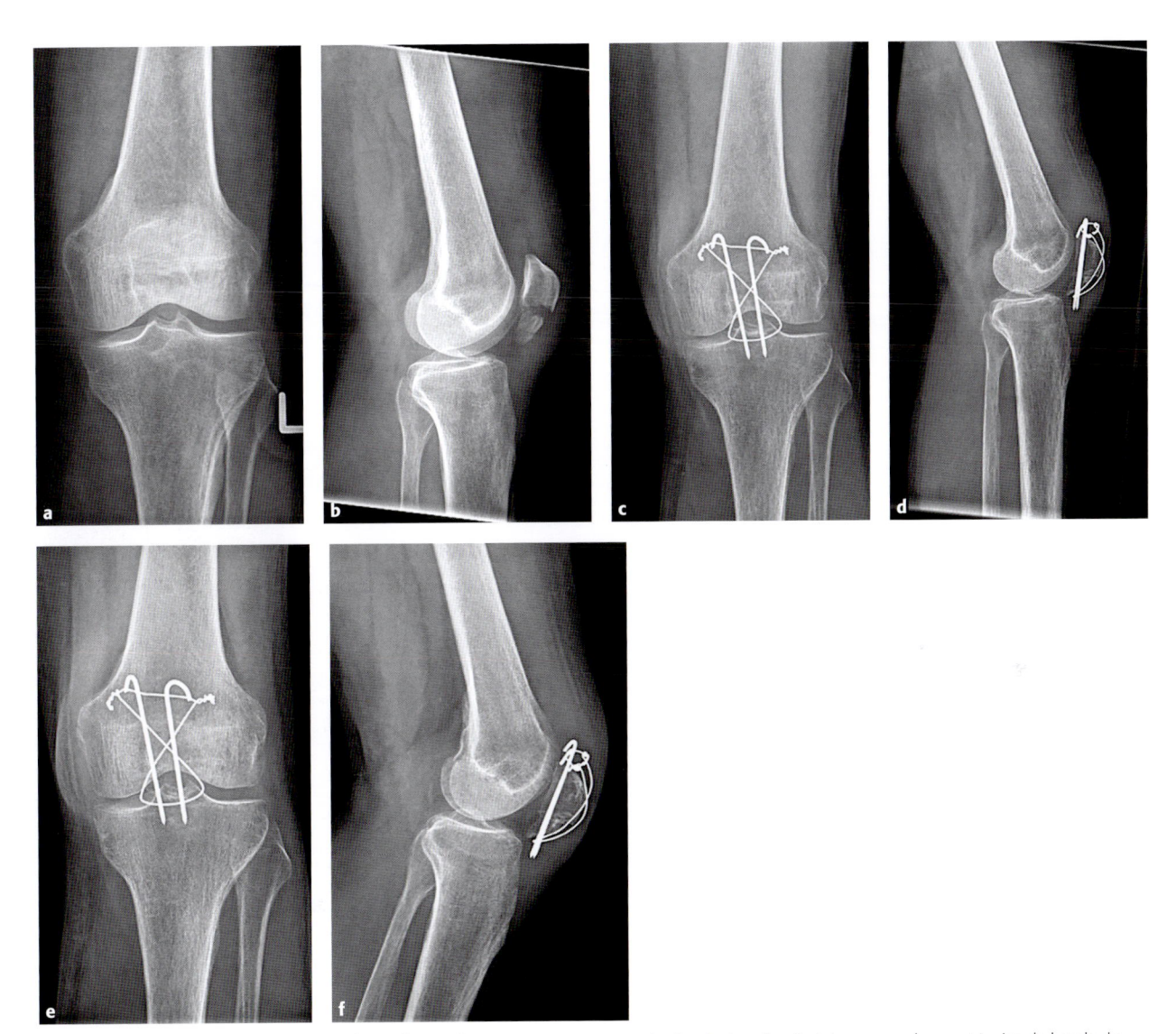

**Fig. 3.2.3-5a-f** Uma fratura transversa da patela tratada com sucesso com a redução aberta e fixação interna usando uma técnica de banda de tensão modificada.
- **a-b** Incidências pré-operatórias AP e lateral de uma fratura da patela transversa passível de fixação com banda de tensão.
- **c-d** Radiografias pós-operatórias iniciais da montagem da banda de tensão. Note a colocação dos fios de Kirschner paralelo e perto da superfície articular. A banda de tensão foi apertada com uma torção dupla para assegurar tensão equivalente em ambos os lados da montagem.
- **e-f** Radiografias pós-operatórias tardia demonstrando consolidação da fratura. O paciente obteve um retorno completo da força do joelho e da amplitude de movimento.

Redução, vias de acesso e técnicas de fixação
3.2.3 Princípio da banda de tensão

## 3 Técnica cirúrgica

As fraturas sujeitas às forças de tração têm risco de desvio se houver movimento; por exemplo, a patela na flexão do joelho ou o tubérculo maior do úmero durante a contração do músculo supraespinal. A partir da aplicação de uma figura de oito ou uma laçada simples na face anterior da patela, com a obtenção de boa pega dentro das inserções dos tendões em qualquer extremidade da patela, é criado um excelente mecanismo de banda de tensão, que comprime a fratura sob carga dinâmica (**Fig./Animação 3.2.3-6**). O fio de aço de 1,0 ou 1,2 mm deve ser ancorado tão perto do osso quanto possível. Pode ser passado através da inserção dos tendões com uma agulha de grosso calibre (**Fig. 3.2.3-3a**). Os parafusos canulados também podem ser usados na aplicação de um fio de banda de tensão na patela. Nesse caso, dois parafusos canulados fornecem compressão interfragmentar e uma via transóssea para os braços verticais da banda de tensão (**Fig. 3.2.3-7**).

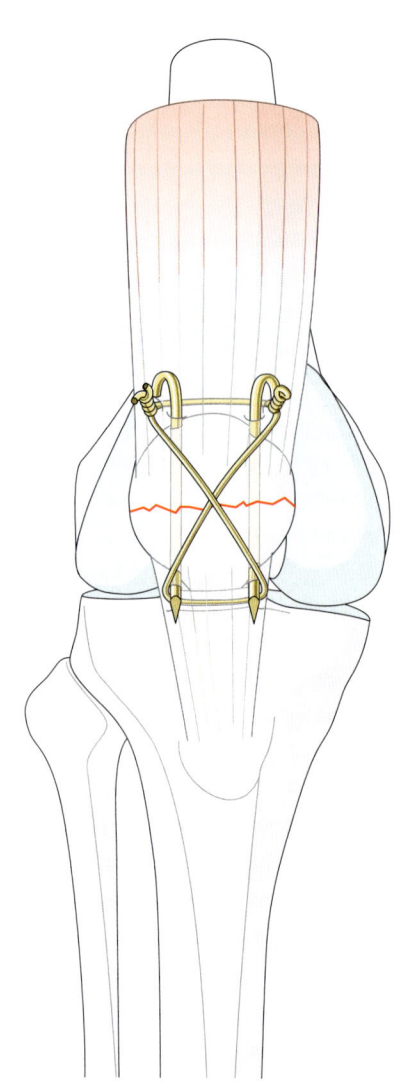

**Fig./Animação 3.2.3-6** Técnica de banda de tensão da patela. O fio é colocado através do tendão do quadríceps, tão perto da patela quanto possível. O fio é cruzado em uma figura de oito sobre a patela e colocado sob o tendão patelar para completar a banda de tensão. A montagem é apertada por torções simultâneas do fio em ambos os lados da patela.

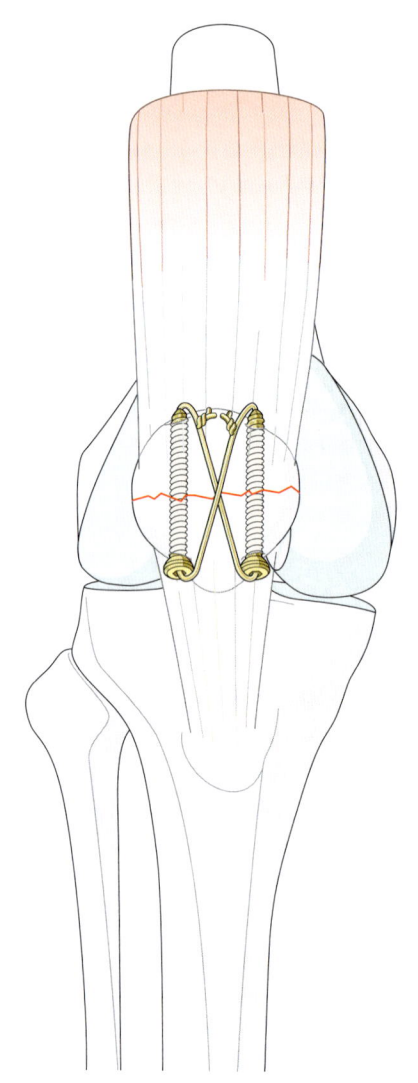

**Fig. 3.2.3-7** Parafusos canulados usados na aplicação do fio de banda de tensão na patela.

Nas fraturas do olécrano, a laçada da banda de tensão é colocada através de um orifício de 2 mm perfurado na região proximal da ulna (**Fig. 3.2.3-3b**) enquanto, na porção proximal do úmero ou medial da tíbia, a cabeça do parafuso pode servir como uma âncora (**Fig. 3.2.3-3c-d**). A placa ou fixador externo que funcionem de acordo com o princípio da banda de tensão devem ser aplicados no lado de tensão do osso, ou no lado convexo de uma deformidade ou de uma não união (**Fig. 3.2.3-4**).

Os seguintes pré-requisitos são essenciais para uma fixação com banda de tensão:
- Padrão de fratura ou osso que seja capaz de resistir à compressão
- Cortical oposta à banda capaz de suportar carga
- Montagem de fixação que resista às forças de tensão

Tradicionalmente, o fio de aço inoxidável tem sido usado para a fixação da banda de tensão; os fios metálicos trançados também se tornaram populares por causa de sua resistência e facilidade de aperto. O uso de sutura de poliéster trançado não reabsorvível tem sido estudado e é o equivalente mecânico do fio de aço inoxidável de 1,25 mm de diâmetro, com taxas similares de consolidação e menos complicações com o material de síntese [3, 4]. Os implantes biodegradáveis têm sido aplicados com sucesso e potencialmente minimizam a complicação de incômodo com o material de síntese e diminuem a necessidade da remoção do implante [5]. Por outro lado, os materiais biodegradáveis podem produzir uma reação inflamatória aguda de partes moles que pode se assemelhar a uma infecção.

## 4 Problemas e complicações

As complicações mais comuns incluem o afrouxamento do fio de Kirschner, proeminência do material de síntese, falha do implante e desvio precoce da fratura [6-8].

> O fio sob tensão é forte; contudo, se forem adicionadas forças de flexão, ele quebrará devido à fadiga. Esse princípio da falha por fadiga também é verdadeiro para as placas.

Nas fraturas da patela tratadas com técnicas de cerclagem com banda de tensão, o desvio precoce da fratura tem sido atribuído ao posicionamento não paralelo dos fios de Kirschner, técnicas deficientes no tensionamento do fio, e fios de cerclagem posicionados muito longe do osso para atingir uma fixação sólida [9, 10]. Esses fatores permitem o desvio da fratura com o movimento precoce do joelho. A "migração" do fio de Kirschner na fixação da patela pode ser prevenida ao dobrar a extremidade proximal e impactando-a na cortical proximal da patela. A cerclagem com banda de tensão com parafusos canulados tem demonstrado vantagens em relação à banda de tensão modificada, incluindo a redução do *gap* da fratura, necessidade de maior carga para falha, e taxas mais baixas de remoção do material de síntese [9, 11].

Nas fraturas diafisárias simples submetidas à fixação com placa, esta deve ser colocada no lado de tensão do osso, assumindo que a cortical oposta seja capaz de resistir às forças de compressão (**Fig. 3.2.3-2c-d**). Quando a cortical oposta à placa tiver cominuição, a placa é exposta a repetidas tensões de encurvamento, que invariavelmente levarão à quebra da placa, se a fratura não consolidar rapidamente. A enxertia óssea precoce pode ser necessária para criar suficiente resistência para resistir às forças de compressão ao longo da cortical oposta à placa.

## 3.2.3 Princípio da banda de tensão

| Referências clássicas | Referências de revisão |

## 5 Referências

1. **Pauwels F.** *Biomechanics of the Locomotor Apparatus.* 1st ed. Berlin Heidelberg New York: Springer-Verlag; 1980.
2. **Stoffel K, Klaue K, Perren SM.** Functional load of plates in fracture fixation in vivo and its correlate in bone healing. *Injury.* 2000 May;31 Suppl 2:S-37-50.
3. **Patel VR, Parks BG, Wang Y, et al.** Fixation of patella fractures with braided polyester suture: a biomechanical study. *Injury.* 2000 Jan;31(1):1–6.
4. **Chen C, Huang H, Wu T, et al.** Transosseous suturing of patellar fractures with braided polyester: a prospective cohort with a matched historical control study. *Injury.* 2013 Oct;44(10):1309–1313.
5. **Chen A, Hou C, Bao J, et al.** Comparison of biodegradable and metallic tension-band fixation for patella fractures: 38 patients followed for 2 years. *Acta Orthop Scand.* 1998 Feb;69(1):39–42.
6. **Hung L, Chan K, Chow Y, et al.** Fractured patella: operative treatment using the tension band principle. *Injury.* 1985 Mar;16(5):343–347.
7. **Kumar G, Mereddy PK, Hakkalamani S, et al.** Implant removal following surgical stabilization of patella fracture. *Orthopedics.* 2010 May;33(5).
8. **Smith S, Cramer K, Karges D, et al.** Early complications in the operative treatment of patella fractures. *J Orthop Trauma.* 1997 Apr;11(3):183–187.
9. **Carpenter J, Kasman R, Patel N, et al.** Biomechanical evaluation of current patella fracture fixation techniques. *J. Orthop Trauma.* 1997 Jul; 11(5):351–356.
10. **Schneider M, Nowak T, Bastian L, et al.** Tension band wiring in olecranon fractures: the myth of technical simplicity and osteosynthetical perfection. *Int Orthop.* 2014 Apr; 38(4):847–855.
11. **Hoshino C, Tran W, Tiberi III J, et al.** Complications following tension-band fixation of patellar fractures with cannulated screws compared with Kirschner wires. *J Bone Joint Surg.* 2013 Apr 3;95(7):653–659.

## 6 Agradecimentos

Agradecemos a David Hak, Steven Sylvester e Rena Stewart por sua contribuição para este capítulo na 2ª edição de *Princípios AO do tratamento de fraturas*.

# 3.3.1 Encavilhamento intramedular

*Martin H. Hessmann*

## 1 Tipos de encavilhamento intramedular

O encavilhamento intramedular das fraturas da diáfise do fêmur, tíbia e úmero é geralmente aceito como o tratamento-padrão. A redução e fixação indireta sem a abertura do local de fratura, a inserção do implante ao longo do eixo de carga mecânica do osso, a boa interface osso-implante e o compartilhamento precoce da carga para permitir a marcha são vantagens claras do encavilhamento intramedular. O desenho e aplicação das hastes intramedulares têm evoluído rapidamente desde o trabalho pioneiro de Küntscher, na Segunda Guerra Mundial.

### 1.1 Haste clássica de Küntscher (encaixe justo, fresada, sem bloqueio)

A haste de Küntscher era uma haste reta de seção aberta, com uma fenda longitudinal e nenhum orifício de bloqueio. Seu uso era restrito a fraturas mediodiafisárias relativamente simples, porque a estabilização dependia do contato justo entre o implante elástico e o osso rígido (princípio do encavilhamento intramedular) (**Vídeos 3.3.1-1-2**). A fresagem da cavidade medular aumenta a área de contato entre a haste intramedular e o osso, e permite a inserção de uma haste de maior diâmetro. Isso estende a indicação a fraturas que sejam mais complexas ou mais proximais ou distais ao istmo na diáfise.

Entretanto, o processo de fresagem em si tem algumas desvantagens biológicas inerentes, especialmente quando executado excessivamente. Essas incluem uma subida considerável na pressão e na temperatura intramedular, aumentando o risco de necrose óssea e infecção. No passado, essas desvantagens limitavam o uso do encavilhamento fresado apenas a fraturas com lesões pequenas de partes moles.

### 1.2 Haste universal (encaixe justo, fresada, bloqueada)

A adição de parafusos bloqueados na haste intramedular, introduzida por Grosse e Kempf, melhorou as propriedades mecânicas do implante intramedular. Também aumentou a amplitude de indicações, incluindo as fraturas mais proximais ou distais, bem como os padrões mais complexos e instáveis de fraturas. Entretanto, se a fratura for mais distal, mais proximal ou mais complexa, a sua fixação dependerá principalmente dos parafusos de bloqueio e muito menos do princípio de encaixe circular justo. O comprimento da montagem osso-implante ainda ficará mantido efetivamente, porque os parafusos de bloqueio previnem o encurtamento e a rotação. Entretanto, a fenda longitudinal na haste universal tubular resulta em menor rigidez rotacional e pode levar à instabilidade rotacional, especialmente com as hastes intramedulares de menor diâmetro.

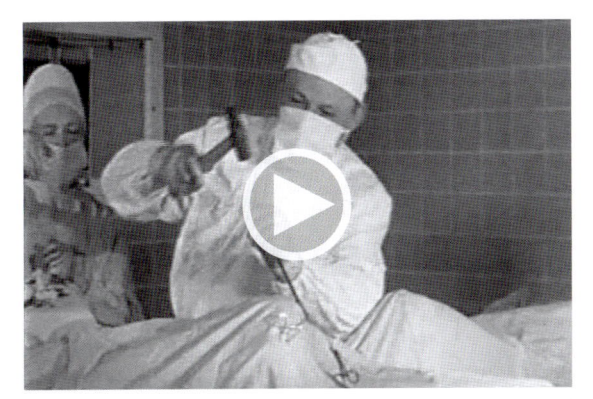

**Vídeo 3.3.1-1** Encavilhamento de Küntscher conforme executado na metade do século XX.

**Vídeo 3.3.1-2** Tipos de hastes e mecânica da fixação intramedular da fratura.

### 1.3 Encavilhamento intramedular sem fresagem ou bloqueio

Diversos grupos na Europa e na América do Norte têm tratado as fraturas da diáfise associadas a lesões de partes moles significativas usando hastes intramedulares sólidas e de menor diâmetro, introduzidas sem fresagem e, por conseguinte, de encaixe frouxo. Uma vez que esses implantes (haste de Ender, haste de Lottes e pinos de Rush) são finos e não podem ser bloqueados proximal ou distalmente, resultam em instabilidade axial e rotacional, especialmente nas fraturas complexas. Desse modo, uma desvantagem relevante era a necessidade frequente de estabilizadores externos adicionais, como aparelhos em gesso.

### 1.4 Encavilhamento intramedular sem fresagem mas com bloqueio obrigatório (hastes não fresadas sólidas ou canuladas)

Havia uma necessidade óbvia para uma haste intramedular de pequeno diâmetro que pudesse ser bloqueada. A ausência de uma fenda longitudinal aumenta consideravelmente a rigidez em torção do implante tubular, e reduz a capacidade para se adaptar ao formato do osso. Se o local da inserção não for o ideal, ou se o formato e o raio do canal intramedular divergirem da geometria da haste intramedular, o encaixe adequado pode ser um problema. Com um diâmetro menor (p. ex., 9 mm) no fêmur, a resistência do material da haste intramedular deve ser reforçada para manter tão baixo quanto possível o risco de falha do implante. Essas duas demandas (baixa rigidez e alta resistência à fadiga) foram propiciadas por uma mudança do material, de aço inoxidável para a liga de titânio. As hastes de titânio parecem ter um efeito benéfico na força, mineralização e consolidação da fratura em 12 semanas [1]. A resistência maior do material permite o uso de parafusos de bloqueio de maior diâmetro, de 4,2/4,9 mm. A secção transversal sólida da haste intramedular não adiciona muito às suas propriedades mecânicas de encurvamento, mas tem vantagens biológicas. Os resultados nas experiências com animais indicam que a suscetibilidade para infecção é mais baixa com a haste intramedular sólida em comparação à haste intramedular tubular, com seu espaço morto interno [2]. Entretanto, um sistema oco ou canulado permite o uso de um fio-guia, o que torna mais fácil a inserção da haste intramedular.

### 1.5 Sistema bloqueado estável angular (ASLS)

As hastes intramedulares com opções padronizadas de bloqueio fornecem estabilidade adequada nas fraturas da diáfise de ossos longos. Nas fraturas metafisárias e segmentares, contudo, o diâmetro largo do canal medular e a morfologia da fratura podem causar problemas com a redução e fixação estável do fragmento curto proximal ou distal, porque o encaixe justo do implante na cavidade medular larga pode não ser obtido. A consolidação viciosa e/ou a não união são comuns. O desenho tridimensional melhorado do bloqueio proximal e distal tem expandido o espectro de indicações do encavilhamento intramedular para fraturas metafisárias e mesmo articulares simples do fêmur, da tíbia e do úmero [3]. Esses implantes são canulados e a instrumentação é modular. O movimento relativo dos fragmentos principais é reduzido de forma eficaz por parafusos de bloqueio de ângulo fixo. A estabilidade angular é produzida por um acoplamento mecânico entre os parafusos de bloqueio e a haste. Isso pode ser alcançado pelo rosqueamento dos parafusos de bloqueio ou pelo uso de brechas reabsorvíveis inseridas nos orifícios de bloqueio da haste (ASLS) [4].

## 2 Fisiopatologia do encavilhamento intramedular

### 2.1 Encavilhamento intramedular com fresagem

#### 2.1.1 Resposta local

A fresagem da cavidade medular causa dano ao suprimento sanguíneo cortical arterial e venoso interno que, em experimentos animais, demonstrou ser reversível dentro de 8-12 semanas [5]. Existe uma correlação direta entre a extensão de fresa e o grau da redução no fluxo sanguíneo cortical. A fresagem também gera calor e pode causar necrose térmica do osso. As fresas grandes e as cabeças de fresagem sem fio não devem ser usadas na prática clínica. O suprimento sanguíneo reduzido e o dano térmico no osso durante as semanas iniciais após trauma e fresagem poderiam contribuir para um risco aumentado de infecção, especialmente em fraturas expostas da tíbia. Uma vez que o fêmur tem um bom envelope de partes moles, as fraturas da diáfise do fêmur são frequentemente mais fechadas do que expostas, e o tratamento pelo encavilhamento intramedular é mais direto e menos arriscado do que para a tíbia. As taxas de infecção do encavilhamento femoral intramedular com fresagem para as fraturas expostas do tipo I e II de Gustilo são de 1-2%, enquanto para as fraturas expostas com extensa lesão de partes moles (tipo III de Gustilo) as taxas de infecção são de 4-5%.

Existem algumas vantagens biológicas da fresagem intramedular, já que reforça o processo de consolidação óssea por:

- Perfusão e oxigenação aumentadas nos tecidos moles adjacentes
- O produto da fresagem tem propriedades osteogênicas e osteoindutoras
- A "autoenxertia" local de fragmentos ósseos no local de fratura estimula a osteogênese
- Liberação sistêmica de fatores de crescimento
- Possibilidade de inserção de haste com maior diâmetro (mecanicamente mais estável)

Os estudos clínicos [7] demonstram um possível benefício para o encavilhamento intramedular fresado em pacientes com fraturas fechadas, enquanto a técnica de encavilhamento ideal para as fraturas expostas permanece incerta.

### 2.1.2 Resposta sistêmica

Os efeitos sistêmicos da fresagem intramedular são a embolização pulmonar, as reações humorais, neurais, imunológicas e inflamatórias, além das alterações do sistema de coagulação relacionadas à temperatura. As pressões intramedulares que excederem a pressão arterial diastólica resultam em extravasamento do conteúdo da medula óssea no sistema vascular venoso (embolia gordurosa). A ecocardiografia transesofágica (ETE) mostra a passagem de trombos para dentro da circulação pulmonar. A embolização pulmonar pode causar obstrução vascular mecânica. Os ácidos graxos sistêmicos liberados e os fragmentos ósseos adicionalmente induzem a vasculite dos vasos dentro do pulmão [8]. A liberação de mediadores inflamatórios, como tromboxano, serotonina e prostaglandinas, causa espasmos bronquiais e vasoconstrição. Devido a sistemas de desvio dentro do pulmão, a embolia gordurosa pode também conseguir acesso à circulação sistêmica, provocando embolia cerebral.

> Qualquer dispositivo introduzido no canal medular (furador, fio-guia, fresa, haste intramedular) atua como um pistão e força o conteúdo da cavidade medular pelo *gap* da fratura para dentro do tecido adjacente e também do sistema venoso. Os pacientes politraumatizados com lesão torácica têm um risco particular, já que os pulmões são sensíveis a qualquer estresse adicional no período imediatamente após o trauma.

A descompressão distal do fêmur demonstrou reduzir a pressão intramedular durante a fresagem em 50-90%. A eficácia clínica dessa técnica, contudo, ainda não foi documentada em ensaios randomizados prospectivos.

Há controvérsia contínua entre aqueles que recomendam o encavilhamento intramedular fresado para todos os pacientes com trauma grave e aqueles com preocupações acerca do seu papel no prejuízo pulmonar dos pacientes com lesões múltiplas [9]. Estudos clínicos recentes [10] encontraram taxas similares de embolia pulmonar e nenhuma diferença significativa na taxa de resposta pulmonar entre o encavilhamento femoral fresado e o não fresado, desde que a cirurgia fosse retardada até que o paciente estivesse completamente reanimado (cuidado apropriado precoce). A comparação entre o encavilhamento femoral fresado com a fixação com placa em pacientes politraumatizados com trauma craniano mostrou que o encavilhamento não aumenta o risco de complicações neurológicas [11].

### 2.1.3 Fresagem, irrigação e aspiração (RIA, *reamer, irrigator, aspirator*)

O sistema de fresagem, irrigação e aspiração (RIA) foi desenvolvido para reduzir a quantidade de liberação de gordura sistêmica durante o procedimento de fresagem [12]. A irrigação durante o procedimento de fresagem reduz a viscosidade da medula óssea e permite a sucção do conteúdo intramedular. A fresagem usando a técnica de RIA diminui a temperatura máxima de fresagem e causa aumentos menos duradouros nas pressões intramedulares em comparação à fresagem convencional [8]. Uma redução significativa de embolização gordurosa em comparação à fresagem convencional pode ser demonstrada em fêmures de porco [12]. Entretanto, os valores ainda eram mais altos do que com a fixação externa. A demonstração de que a técnica de RIA, de fato, reduz as complicações sistêmicas durante o encavilhamento de fraturas de fêmur em pacientes politraumatizados ainda requer investigação adicional.

O sistema de RIA também é usado para encavilhamento de fraturas patológicas e para o debridamento em pacientes com osteomielite aguda e crônica. Uma aplicação adicional de RIA é a colheita de osso pela aspiração do produto da fresagem através de um filtro para procedimentos cirúrgicos, como o tratamento de defeitos ósseos e não união. Foram relatadas taxas de consolidação similares, com significativamente menos dor no local doador em comparação com a coleta na crista ilíaca [13]. Entretanto, o afilamento extenso da cortical interna de mais de 2 mm pode ser um fator de risco para a fratura pós-operatória no local doador, e as equipes cirúrgicas e anestésicas devem estar cientes de que esse procedimento pode resultar em perda sanguínea considerável.

## 2.2 Encavilhamento intramedular sem fresagem

Implantes de pequeno diâmetro são usados para a inserção da haste intramedular sem fresagem. Os benefícios incluem a menor produção de calor e, embora a inserção de implantes mais finos certamente perturbe o suprimento sanguíneo endosteal, isso ocorre em menor grau. Existe também menos necrose óssea, que é um dos fatores de risco para o desenvolvimento de infecção pós-operatória. Entretanto, ainda não foi demonstrado um benefício clínico explícito do encavilhamento intramedular não fresado em comparação ao encavilhamento fresado.

Uma metanálise comparando o encavilhamento fresado contra o não fresado nas fraturas fechadas da tíbia mostrou um risco significativamente mais baixo de não união, quebra de parafuso e troca de implante no grupo do encavilhamento fresado [14]. O encavilhamento fresado das fraturas fechadas parece estar associado a maior consolidação de fraturas [7, 8].

## 2.3 Aspectos atuais do encavilhamento intramedular femoral

### 2.3.1 Fraturas isoladas da diáfise do fêmur

Ambos os métodos de encavilhamento intramedular (fresado e não fresado) estão associados à geração similar de êmbolos. Um estudo clínico prospectivo e randomizado [15] não encontrou nenhuma diferença significativa na resposta fisiológica pulmonar ou no desfecho clínico entre pacientes tratados com encavilhamento femoral fresado ou não fresado.

Outros estudos clínicos demonstraram benefícios significativos do encavilhamento femoral fresado em comparação ao não fresado. Em um ensaio multicêntrico, prospectivo e randomizado [16], o encavilhamento intramedular das fraturas da diáfise do fêmur sem fresagem resultou em uma taxa significativamente mais alta de consolidação viciosa em comparação ao encavilhamento intramedular com fresagem. Além disso, a fresagem levou à consolidação mais rápida e a uma taxa reduzida de retardo de consolidação.

> O encavilhamento femoral com fresagem permanece o padrão-ouro para o tratamento das fraturas isoladas do fêmur.

### 2.3.2 Fraturas da diáfise do fêmur em pacientes politraumatizados

Em pacientes politraumatizados, especialmente na presença de trauma torácico, a haste femoral fresada tem sido implicada como uma causa de distúrbio significativo da função pulmonar. O uso de uma haste não fresada reduz, mas não elimina, as sequelas pulmonares. Em adição às consequências pulmonares do encavilhamento intramedular, efeitos sistêmicos no sistema de coagulação e na resposta inflamatória com níveis aumentados de interleucina 6 e proteína C-reativa foram relatados em estudos clínicos e experimentais, tanto na haste femoral fresada quanto na não fresada [17]. Nenhuma diferença significativa na incidência de síndrome de angústia respiratória aguda (SARA) foi observada após o encavilhamento fresado ou não fresado em uma série de 315 pacientes politraumatizados com fraturas do fêmur e tratados com haste dentro de até 24 horas após a lesão [18].

A fim de limitar a agressão fisiológica resultante do tratamento cirúrgico depois do trauma, tem ocorrido um movimento de cuidado total precoce (CTP) para a cirurgia de controle de danos (CCD) nos pacientes com lesões múltiplas. O controle de danos ortopédicos começa com a fixação externa inicial das fraturas da diáfise do fêmur, e a conversão tardia para uma haste intramedular [19]. Esse conceito tem sido considerado uma alternativa viável para obter a estabilização temporária da fratura nos pacientes politraumatizados, especialmente naqueles com lesões concomitantes na cabeça, tórax ou com uma pontuação excepcionalmente alta no escore de gravidade da lesão (ISS) [17, 20].

> A estabilização primária definitiva do fêmur por encavilhamento intramedular impõe risco considerável em um paciente politraumatizado com trauma não penetrante. Os princípios do tratamento incluem a ressuscitação adequada com o momento apropriado da fixação definitiva dependendo da resposta fisiológica do paciente.

Vallier e colaboradores [10] definiram as condições clínicas que autorizariam o retardo para a fixação definitiva da fratura em um estudo retrospectivo de 1.442 pacientes com fraturas pélvicas, vertebrais, e/ou da diáfise do fêmur. A lesão torácica foi identificada como o maior preditor de complicações pulmonares. Os autores enfatizaram a importância da ressuscitação adequada e da correção da acidose antes do encavilhamento. Eles recomendaram a fixação definitiva precoce de fraturas instáveis do esqueleto axial e dos ossos longos dentro de 36 horas em pacientes que demonstraram resposta à ressuscitação. Lactato < 4,0 mmol/L, pH > 7,25, e excesso de base (EB) > 5,5 mmol/L constituíram indicadores para prosseguir com a fixação definitiva da fratura.

Pape e colaboradores [21] descreveram quatro cascatas fisiopatológicas associadas ao desenvolvimento de disfunção imune pós-traumática e dano endotelial. Eles recomendaram avaliar o choque hemorrágico, a hipotermia, a coagulopatia e a lesão de partes moles em todos os pacientes com trauma múltiplo penetrante e fraturas de ossos longos. Os parâmetros clínicos que caracterizam um paciente instável (em oposição ao paciente estável ou limítrofe) incluem a pressão arterial < 90 mmHg, temperatura corporal < 33°C, plaquetas < 90.000, e trauma significativo de partes moles (lesões maiores nas extremidades, trauma por esmagamento, fratura pélvica grave, trauma torácico e abdominal com AIS > 2).

Mesmo quando a agressão inicial do trauma (o "primeiro golpe") é moderada, um "segundo golpe" resultante dos procedimentos cirúrgicos com momento inapropriado pode agravar a quantidade global de dano e pode levar a um aumento na morbidade e mortalidade [9]. Pape e colaboradores [21] sugeriram categorizar os pacientes em uma de quatro categorias (estáveis, limítrofes, instáveis, extremos), adaptando consequentemente a abordagem terapêutica. Em pacientes que estejam instáveis ou extremos, é recomendada a CCD, incluindo a fixação externa rápida de fraturas dos ossos longos, seguida pela estabilização secundária definitiva da fratura, geralmente após 5-7 dias.

Em pacientes com retardo da fixação definitiva da fratura (> 2 semanas) ou em caso de haver infecção local no orifício do Schanz, a conversão da fixação externa provisória para o encavilhamento intramedular deve incluir um curto intervalo livre de fixador (sem nenhum Schanz)

[19] de 2-3 dias, durante o qual os pacientes são colocados em tração esquelética para reduzir o risco de infecção.

## 2.4 Aspectos atuais do encavilhamento intramedular da tíbia

As hastes intramedulares são o tratamento de escolha para a maioria das fraturas instáveis da diáfise da tíbia. A incidência de intravasamento do conteúdo intramedular e embolia pulmonar depois das fraturas da tíbia é significativamente mais baixa do que após as fraturas da diáfise do fêmur (tíbia 19% vs. fêmur 78%), já que o sistema de drenagem venosa da tíbia é menos extenso que o do fêmur.

O uso das hastes intramedulares com fresagem para o tratamento das fraturas da tíbia fechadas resulta em menor tempo para consolidação, sem um aumento das complicações pós-operatórias [22]. Foi relatada uma taxa mais alta de consolidação viciosa depois do encavilhamento intramedular não fresado do que depois do encavilhamento intramedular fresado [22]. O procedimento fresado para estabilização da tíbia não aumenta o risco de complicações nas fraturas expostas da tíbia de tipos I-IIIA de Gustilo [22].

O ensaio randomizado cego SPRINT [7] comparou as taxas de consolidação e as complicações depois do encavilhamento intramedular fresado e não fresado das fraturas expostas da tíbia e fechadas em uma série grande de 1.319 adultos. O estudo demonstrou um benefício possível para o encavilhamento fresado em fraturas fechadas, com menos quebras de parafuso, embora não houvesse nenhuma diferença significativa entre ambos os procedimentos nos pacientes com fraturas expostas. A taxa de reoperação em resposta à infecção não foi significativamente diferente entre ambos os grupos [7].

## 2.5 Conclusão

O impacto sistêmico do encavilhamento intramedular das fraturas da diáfise do fêmur parece ser significativamente mais alto quando comparado às fraturas da tíbia. Existe boa evidência de que o encavilhamento intramedular femoral fresado é o método de escolha para as fraturas isoladas da diáfise do fêmur. Nos pacientes politraumatizados, a ressuscitação adequada antes do encavilhamento é essencial. A estabilização intramedular definitiva precoce do fêmur não deve ser executada em pacientes extremos ou que não respondam à ressuscitação e que continuam a ter acidose não corrigida, coagulopatia ou hipotermia grave. A abordagem preferida é a CCD, com fixação externa temporária.

A estabilização das fraturas da tíbia é principalmente influenciada por fatores locais das partes moles. Para as fraturas da tíbia fechadas, o encavilhamento intramedular fresado é o método de escolha. Nas fraturas expostas, o método de escolha permanece controverso.

## 3 Implantes

### 3.1 Fêmur

A haste femoral universal é uma haste intramedular curva e sulcada feita de aço inoxidável, que ainda é amplamente usada em muitas partes do mundo. Ela tem uma opção de bloqueio estático e dinâmico proximalmente, e duas opções de bloqueio estático distalmente. A versão femoral da haste universal simplificada (HUS) é uma versão tubular não sulcada da haste femoral universal. Tanto a HUS quanto a SIGN foram projetadas para os hospitais sem um intensificador de imagem, com um dispositivo direcionador mecânico simples para permitir o bloqueio sem orientação de imagem.

A haste femoral não fresada é uma haste de titânio sólida com uma variedade de opções de bloqueio proximal (estático, dinâmico, lâmina espiral, passado pela haste). Ela é curva e requer um ponto de entrada alinhado com a cavidade medular. A haste femoral canulada permite a inserção ao longo de um fio-guia. O ponto de entrada na fossa piriforme tem sido criticado por ser tecnicamente difícil, com um risco possível de comprometimento do suprimento sanguíneo à cabeça do fêmur. Isso levou ao desenvolvimento da haste femoral anterógrada, que tem uma curvatura na parte proximal que permite a inserção na ponta do trocanter maior. A haste femoral lateral tem um ponto de partida ainda mais lateral que a ponta do trocanter maior. O ponto de entrada mais lateral facilita a inserção da haste. A haste tem um desenho helicoidal e roda aproximadamente 90 graus durante a inserção. As opções de bloqueio padrão e de reconstrução fornecem estabilidade em fraturas diafisárias, bem como em fraturas subtrocantéricas e segmentares. A haste femoral de adolescente é usada em pacientes de pequena estatura (adolescentes) com diâmetros pequenos na cavidade medular.

A haste femoral distal é especificamente projetada para a inserção retrógrada. O bloqueio proximal é executado anteriormente nas hastes longas e de lateral para medial nas hastes curtas. Como parte do novo sistema de haste especial, a haste femoral retrógrada/anterógrada pode ser introduzida por um ponto de entrada tanto anterógrado quanto retrógrado. Ela é canulada e permite o bloqueio opcional com lâmina espiral no nível da inserção quando esta for retrógrada.

Para as fraturas proximais do fêmur (subtrocantéricas ou intertrocantéricas), as combinações haste intramedular-parafuso estão disponíveis em dimensões diferentes para indicações diferentes. A haste femoral proximal original com dois parafusos paralelos de tamanhos diferentes na cabeça femoral tem sido usada principalmente fora dos Estados Unidos, enquanto nos Estados Unidos a haste femoral trocantérica é popular. A haste femoral

### 3.3.1 Encavilhamento intramedular

trocantérica tem uma configuração de lâmina espiral dupla para melhor estabilidade rotacional na área da cabeça femoral/colo. Esse desenho agora foi integrado na haste femoral proximal, resultando na haste femoral proximal antirrotacional. Tanto a haste femoral proximal antirrotacional quanto a haste femoral trocantérica avançada de tamanho proximalmente menor podem ser usadas com uma lâmina ou com um parafuso de cabeça-colo. As perfurações na ponta da lâmina ou no parafuso permitem o reforço com cimento, visando reduzir as taxas de falha no osso osteoporótico, pelo aumento da área de contato de superfície óssea com o implante.

Cada haste específica tem seu próprio ponto de entrada específico. Cada ponto de entrada tem vantagens e potenciais complicações. O ponto de entrada piriforme, que é colinear com o eixo do canal medular femoral, é apropriado para as hastes que sejam retas no plano anteroposterior (AP) (p. ex., haste femoral não fresada). As hastes de entrada piriforme são melhores para prevenir a deformidade em varo e oferecem excelente estabilidade, especificamente nas fraturas subtrocantéricas. Fraturas ocasionais do colo do fêmur foram descritas depois do encavilhamento através da fossa piriforme. Há preocupação em pacientes jovens com a placa de crescimento femoral proximal aberta com relação ao potencial risco de necrose avascular, resultante do dano intraoperatório da artéria femoral circunflexa medial [23].

As hastes com uma inclinação lateral têm um ponto de entrada mais lateral, habitualmente no nível ou apenas lateral à ponta do trocanter maior. A inserção da haste através de um ponto de entrada lateral é mecanicamente estável, tecnicamente mais fácil de se executar, e causa menos dano aos músculos e estruturas vasculares [24].

> As fresas para hastes inseridas a partir da ponta do trocanter tendem a lateralizar o centro do ponto de entrada quando o osso lateral estiver mais mole. Isso pode resultar em mau alinhamento em varo quando a haste for inserida, e essas hastes devem ser usadas com cautela em fraturas subtrocantéricas.

Em um ensaio randomizado prospectivo, Stannard e colaboradores [25] compararam o desfecho funcional do ponto de entrada na fossa do piriforme e no trocanter maior para o tratamento de fraturas da diáfise femoral. O ponto de entrada na ponta do trocanter resultou em um desfecho melhor aos 6 meses, mas a função foi igual em 1 ano. Os valores da escala de dor foram iguais em ambos os grupos [25]. Da perspectiva técnica, o tempo de uso do intensificador de imagem e o tempo operatório foram significativamente menores e o comprimento de incisão será também menor com o ponto de entrada no trocanter, indicando que encavilhamento com entrada a partir da ponta do trocanter é um procedimento mais simples.

### 3.2 Tíbia

A haste universal da tíbia é uma haste intramedular com sulco e tubular feita de aço inoxidável, que é ainda amplamente usada em muitas partes do mundo. Ela tem opção de bloqueio estático e dinâmico proximalmente, e duas opções de bloqueio estático distalmente. Existe uma HUS para a tíbia, que é uma versão oca e não sulcada da haste universal para tíbia. A haste HUS, bem como a haste SIGN, é projetada para os hospitais onde intensificador de imagem não está disponível, com um dispositivo direcionador mecânico simples que permite o bloqueio sem irradiação. A haste tibial não fresada é uma haste de titânio sólida com uma variedade de opções de bloqueio proximal (oblíquo, dinâmico, estático). A haste tibial canulada permite a inserção ao longo de um fio-guia. O sistema de haste tibial "expert" oferece opções adicionais e melhoradas de bloqueio proximal e distal, com uma configuração tridimensional, o que torna essa haste apropriada para a fixação de fraturas metafisárias proximais e distais, bem como fraturas segmentares.

### 3.3 Úmero

A haste umeral não fresada é uma haste intramedular bloqueada, que fornece o menor diâmetro (6,9 mm) e o uso de uma lâmina espiral para dentro da cabeça do úmero. A curvatura proximal permite a inserção anterógrada e retrógrada. A haste umeral proximal é uma haste umeral não fresada e curta, especificamente projetada para as fraturas proximais do úmero. A haste umeral "expert" é canulada e tem a opção de inserção tanto anterógrada quanto retrógrada. Hastes umerais mais novas com opções múltiplas de bloqueio estão disponíveis em uma versão curta e uma longa com possibilidades de bloqueio angular tridimensional estável, e a opção de inserir parafusos secundários (técnica do parafuso sobre parafuso) para reforçar a estabilidade da fixação proximal. A haste é apropriada para as fraturas simples tipo A, como também para os tipos complexos B e C [26]. Como o implante é reto, ele é inserido no eixo do úmero e a extremidade proximal da haste atua como um quinto ponto de ancoragem em adição aos quatro parafusos de bloqueio. Na sua versão longa, a haste permite compressão opcional; é apropriada para a fixação de fraturas tanto diafisárias quanto segmentares.

### 3.4 Antebraço

A fixação intramedular das fraturas da diáfise do antebraço é limitada à haste de titânio elástico. Ela tem indicações excepcionais em adultos, porque a rotação em torno da haste não pode ser prevenida. Os sistemas de encavilhamento bloqueado para o antebraço estão em desenvolvimento. A haste curta do olécrano é principalmente usada para a fixação cirúrgica das osteotomias do olécrano, bem como para as fraturas articulares simples proximais da ulna.

## 3.5 Clavícula

As fraturas simples do terço médio da clavícula são – como uma alternativa à fixação com placa – abordadas com êxito pelo encavilhamento intramedular estável elástico. As hastes elásticas de titânio com um diâmetro de 2,0-3,0 mm são inseridas de medial para lateral. A redução de fratura é feita de uma forma fechada ou minimamente aberta. O uso de encavilhamento intramedular estável elástico em fraturas cominutivas ainda está sendo debatido, uma vez que a técnica pode ser associada a complicações, como encurtamento, telescopagem e perfuração da pele [27].

## 3.6 Maléolo lateral

Foram desenvolvidas hastes bloqueadas para a fixação de fraturas maleolares laterais em pacientes com osteoporose ou com fraturas multifragmentadas com a opção de colocar um parafuso de sindesmose (ver Cap. 6.9).

# 4 Técnicas gerais

## 4.1 Planejamento pré-operatório e tratamento

### 4.1.1 Posicionamento do paciente

A mesa de tração ou uma mesa operatória padrão radiotransparente, com ou sem o uso do distrator femoral, são as alternativas para o posicionamento do paciente no encavilhamento femoral. O encavilhamento pode ser feito na posição lateral ou na posição supina. O uso de uma mesa de tração manterá a redução definida ao longo do procedimento, o que pode ser útil na colocação das hastes intramedulares fresadas. Muito depende da experiência e da preferência da equipe, como também do ambiente na sala de cirurgia. Com a haste intramedular não fresada, a manutenção da redução precisa é apenas requerida durante o curto período necessário para passar a haste intramedular do fragmento proximal ao fragmento distal principal. No encavilhamento intramedular fresado, contudo, a preservação da redução da fratura é um requisito para qualquer passagem da fresa e, por fim, para a inserção da haste também. Os pacientes politraumatizados com fraturas ipsilaterais e/ou bilaterais da tíbia e/ou do fêmur podem ser tratados em uma mesa de cirurgia comum sem a necessidade de mudar a posição do paciente ou dos campos. Isso parece ser mais seguro e mais rápido. O controle intraoperatório do alinhamento rotacional é mais fácil quando ambas as pernas são preparadas.

### 4.1.2 Sequência de estabilização em fraturas múltiplas das extremidades

A ordem recomendada para o tratamento das fraturas fechadas é:

1. Fêmur
2. Tíbia
3. Pelve ou coluna vertebral
4. Membro superior

Para seguir essa sequência, métodos alternativos foram desenvolvidos para o tratamento das fraturas ipsilaterais e/ou bilaterais concomitantes do membro inferior. Em fraturas múltiplas do membro inferior, protocolos padronizados de estabilização têm sido úteis para a sequência e método de estabilização, de acordo com a condição do paciente (estável, limítrofe, instável ou extrema). As técnicas mais recentes para estabilização intramedular não são mais baseadas em uma mesa ortopédica, mas mostram uma preferência para o uso temporário de um distrator ou pela tração manual. Isso permite um único procedimento de posicionamento e colocação de campos para a estabilização de múltiplas fraturas.

### 4.1.3 Seleção correta do implante

**Seleção pré-operatória do comprimento da haste intramedular**

Os gabaritos são comumente recomendados para o planejamento pré-operatório do encavilhamento intramedular. A exatidão dos gabaritos, contudo, e depende da magnificação das radiografias. Infelizmente, não existe no momento nenhum padrão aceito para os ossos longos, e a magnificação varia de 10-20%. Como consequência, os gabaritos são altamente incertos para selecionar o comprimento correto da haste. A seleção do implante deve ser baseada em uma radiografia do osso contralateral intacto, em medidas clínicas intraoperatórias ou em medidas baseadas no intensificador de imagem com o uso de réguas opacas. A comparação clínica com o membro não lesionado é outra opção confiável, mas requer a colocação de campos separados no membro não atingido.

Redução, vias de acesso e técnicas de fixação

## 3.3.1 Encavilhamento intramedular

Medir o comprimento da haste intramedular no intraoperatório, com uma régua especial sob controle fluoroscópico, é um método preciso para a seleção do implante. Se as extremidades proximal e distal do osso estiverem centradas no feixe de raios X, e a régua for colocada em paralelo à diáfise, o erro de comprimento do implante induzido pela projeção é minimizado (**Fig. 3.3.1-1**).

Uma forma alternativa de selecionar o comprimento da haste intramedular é traçar as referências sobre a pele usando uma caneta estéril e medir com uma régua. O marco proximal do fêmur é a ponta do trocanter maior, que é identificada por palpação. As referências distais são o espaço articular lateral do joelho e/ou a borda superior da patela. Nos padrões simples de fratura, uma imagem do local da fratura reduzida, feita com o intensificador de imagens, permite a medida correta e a escolha de uma haste intramedular de tamanho apropriado.

As referências proximais para a tíbia são ambos os espaços articulares medial e lateral do joelho; o ponto distal é a parte anterior da articulação do tornozelo, com um pé em flexão dorsal.

### Selecionando o diâmetro da haste intramedular

Uma régua especial permite a medida do diâmetro do implante (**Vídeo 3.3.1-3**). Um truque técnico para a seleção do diâmetro da cavidade durante o encavilhamento intramedular é o uso da cabeça da fresa como uma sonda.

**Vídeo 3.3.1-3** Planejamento pré-operatório do comprimento da haste e do diâmetro do fêmur com uma régua especial.

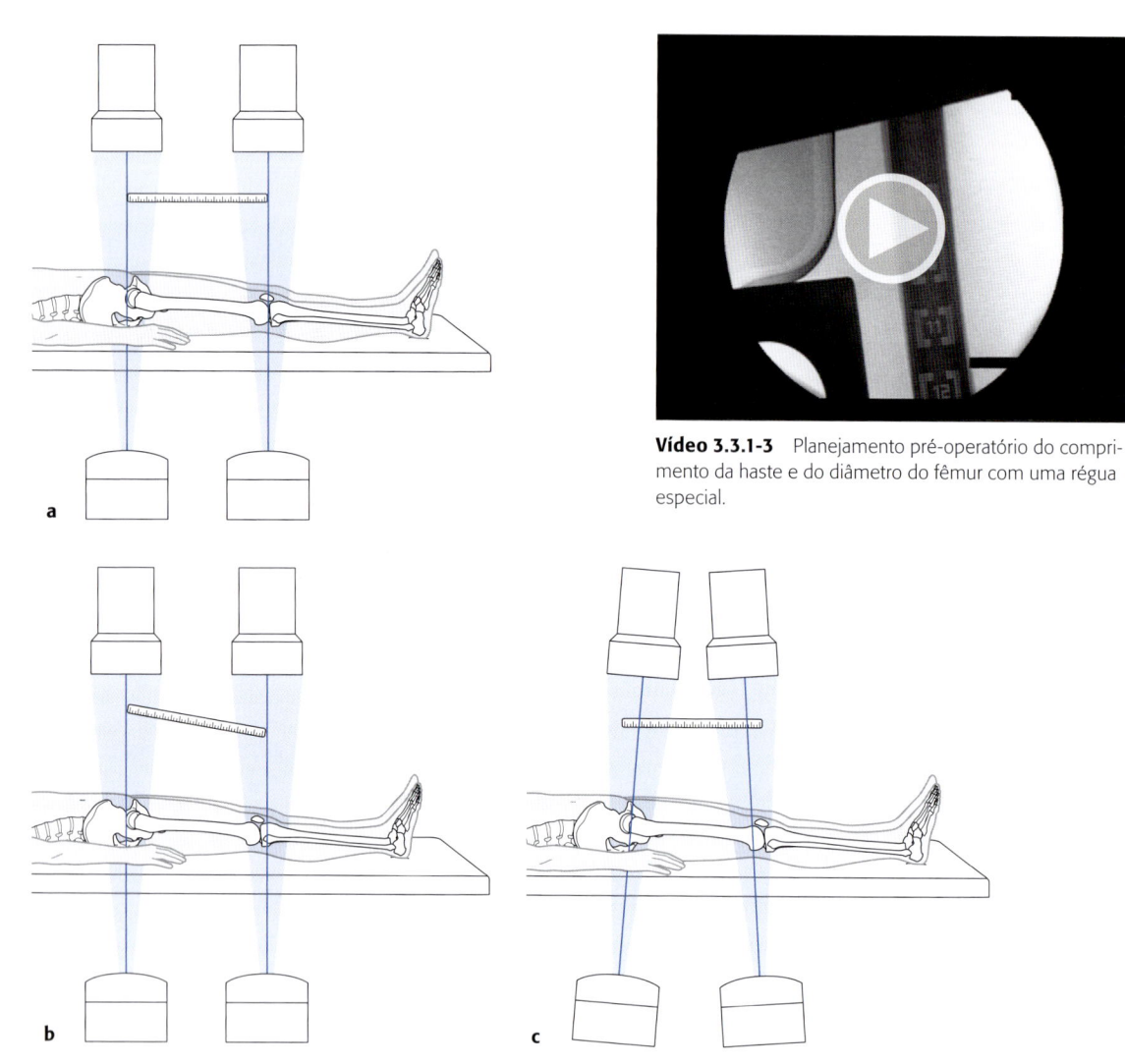

**Fig. 3.3.1-1a-c** Determinação intraoperatória do comprimento da haste com o uso do intensificador de imagem. Note que erros podem ocorrer em várias combinações, produzindo padrões diferentes de erro.
**a** Posição correta do paciente, fluoroscópio e régua paralela ao fêmur.
**b** Erro: A posição não paralela da régua resulta em uma medida muito longa.
**c** Erro: A posição excêntrica do fluoroscópio resulta em uma medida muito curta.

Princípios AO do tratamento de fraturas
**Volume 1**

## 4.2 Técnicas de inserção

### 4.2.1 Abordagem cirúrgica e preparação do ponto de entrada

Foram desenvolvidas técnicas de incisão mínima para o fêmur e para a tíbia. Em ambos os ossos, deve haver cuidado para fazer as incisões na linha com o eixo da cavidade medular e não muito perto do ponto de entrada escolhido no osso (**Figs. 3.3.1-2-3**). As abordagens menores reduzem a perda sanguínea como também o risco de ossificação heterotópica na ponta do trocanter maior do fêmur.

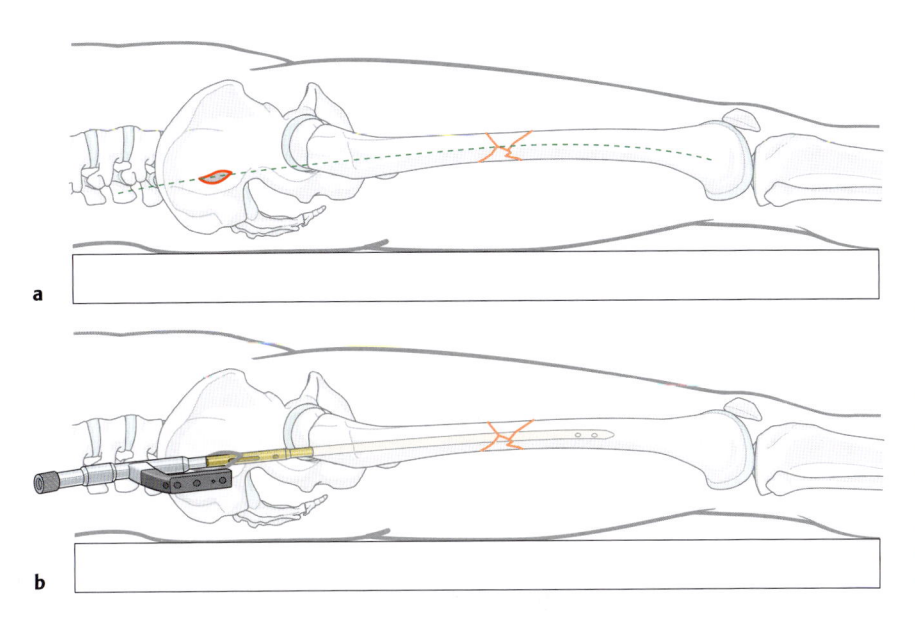

**Fig. 3.3.1-2a-b** Abordagem cirúrgica para o encavilhamento femoral anterógrado. Ao planejar a incisão mínima, que fica aproximadamente 10 cm proximal à ponta do trocanter maior, o antecurvato natural do fêmur deve ser considerado. Antes de fazer a incisão, é útil identificar com o intensificador de imagem e uma régua de metal e marcar a posição de referências anatômicas fundamentais com uma caneta marcadora de pele.

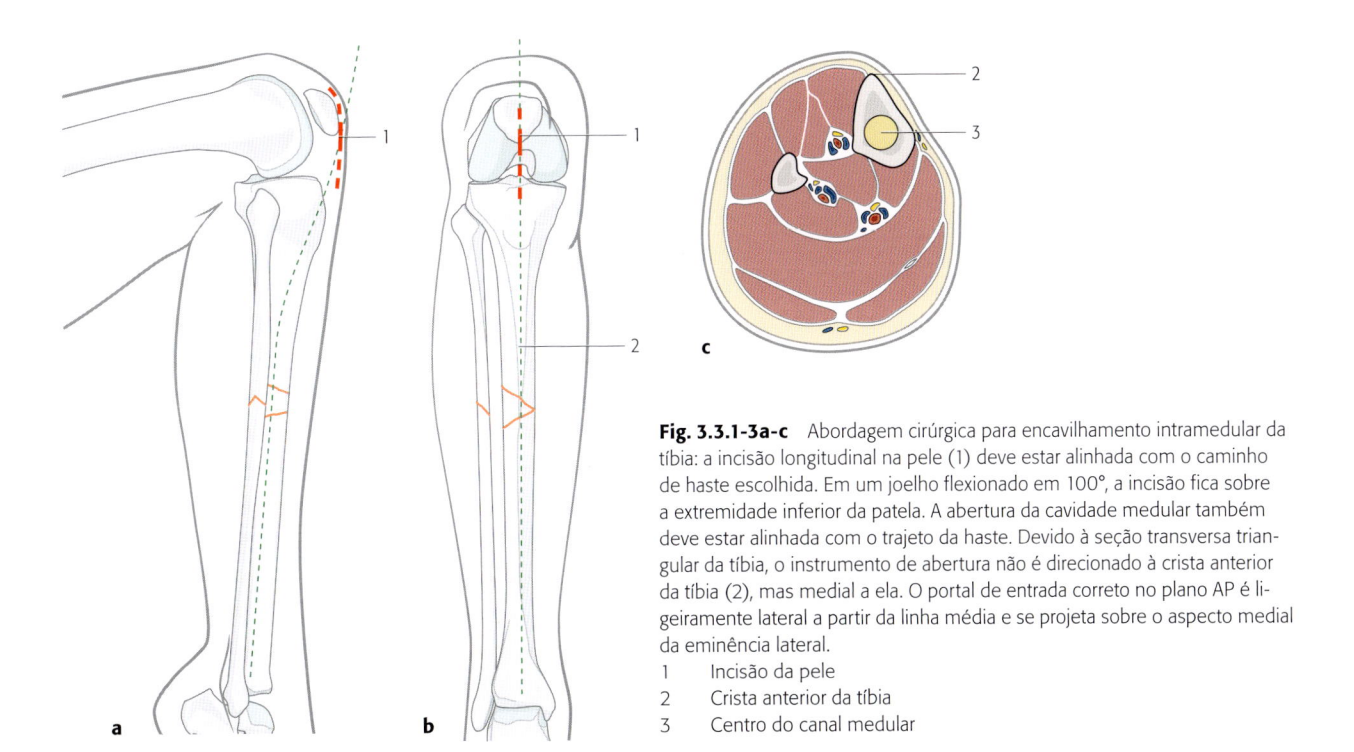

**Fig. 3.3.1-3a-c** Abordagem cirúrgica para encavilhamento intramedular da tíbia: a incisão longitudinal na pele (1) deve estar alinhada com o caminho de haste escolhida. Em um joelho flexionado em 100°, a incisão fica sobre a extremidade inferior da patela. A abertura da cavidade medular também deve estar alinhada com o trajeto da haste. Devido à seção transversa triangular da tíbia, o instrumento de abertura não é direcionado à crista anterior da tíbia (2), mas medial a ela. O portal de entrada correto no plano AP é ligeiramente lateral a partir da linha média e se projeta sobre o aspecto medial da eminência lateral.
1   Incisão da pele
2   Crista anterior da tíbia
3   Centro do canal medular

Redução, vias de acesso e técnicas de fixação
### 3.3.1 Encavilhamento intramedular

#### 4.2.2 Preparação do ponto de entrada no encavilhamento femoral anterógrado

O ponto de entrada correto é crucial em qualquer encavilhamento intramedular. Um ponto de entrada errado leva ao mau alinhamento e pode criar fraturas iatrogênicas durante a inserção do implante.

O cirurgião deve sempre visualizar o ponto de entrada na imagem em AP e lateral antes de abrir o osso.

No fêmur, a flexão e a adução da articulação do quadril facilitam a abordagem ao trocanter para o encavilhamento femoral anterógrado. Isso diminui o comprimento da incisão, especialmente em pacientes obesos. O trocanter maior, o côndilo femoral lateral e, se possível, a diáfise do fêmur são palpadas e, se necessário, identificados com um marcador. Uma linha é traçada em uma direção proximal, correspondendo à curvatura do fêmur. Uma pequena incisão com cerca de 3-5 cm é feita aproximadamente a 10 cm proximais à ponta e dirigida ao trocanter maior (**Fig. 3.3.1-2**). Isso permite a inserção de um dedo para palpar ao longo do implante (**Vídeo 3.3.1-4**). As incisões não devem ser feitas muito posteriormente, uma vez que a fraqueza muscular dos abdutores tem sido registrada depois do encavilhamento intramedular. A escolha do ponto de entrada correto é crucial e o cirurgião deve estar ciente que existe considerável variação na anatomia normal [28]. Um ponto de entrada muito posterior pode levar à perda da redução; um ponto de entrada muito anterior gera forças enormes e pode levar ao estouro do fêmur. Dependendo do desenho da haste intramedular, recomendam-se pontos de entrada diferentes (fossa piriforme, ponta do trocanter maior, etc.). Isso deve ser considerado em todos os casos (**Fig. 3.3.1-4**).

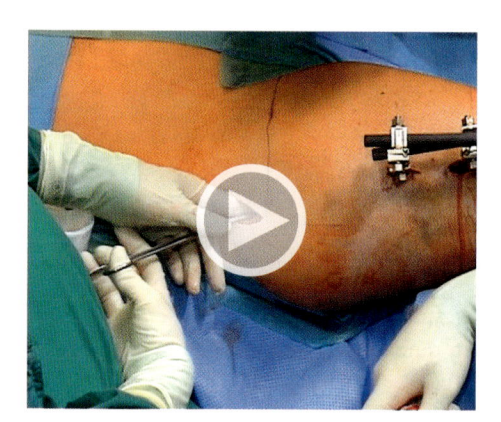

**Vídeo 3.3.1-4** Vídeo da via de acesso cirúrgica para o encavilhamento femoral anterógrado.

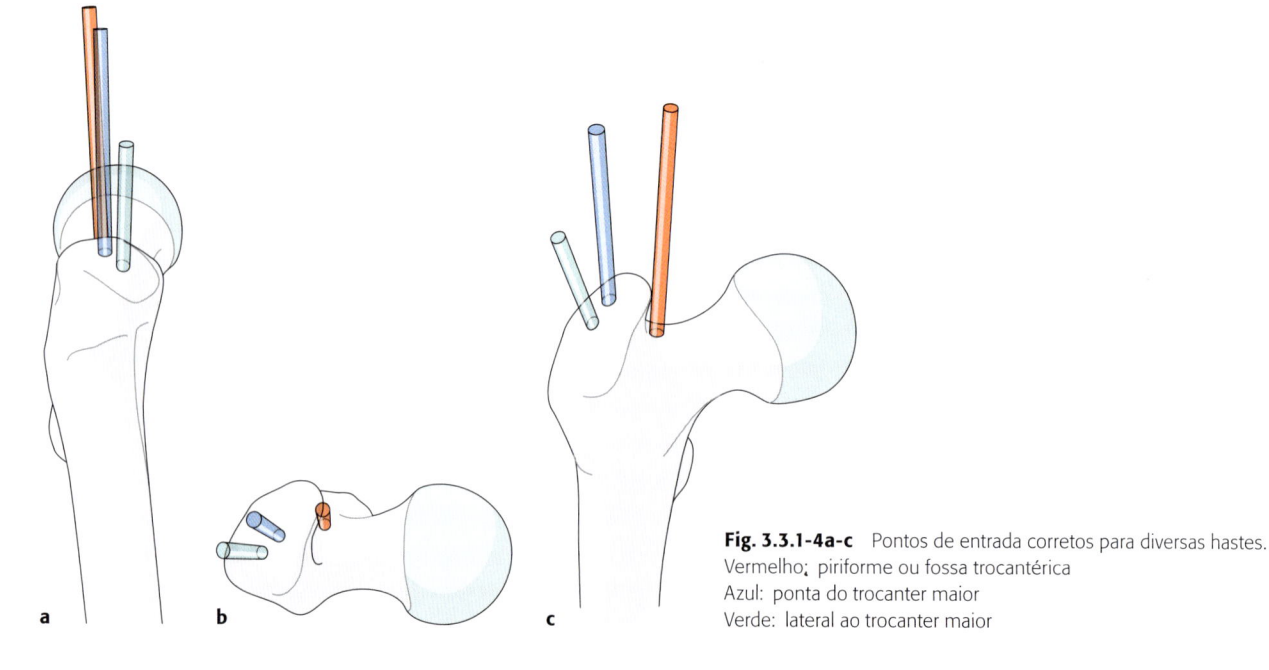

**Fig. 3.3.1-4a-c** Pontos de entrada corretos para diversas hastes.
Vermelho: piriforme ou fossa trocantérica
Azul: ponta do trocanter maior
Verde: lateral ao trocanter maior

A posição perfeita do fio-guia em ambos os planos é raramente alcançada na primeira tentativa, especialmente no fêmur. Nesses casos, um segundo fio correto é introduzido, usando o fio inicial como uma referência. Um guia de múltiplos orifícios é um instrumento útil, que permite a inserção de um segundo fio-guia na posição corrigida. Uma camisa protege os abdutores de quadril da broca canulada de 3,0 mm usada para abrir o ponto de entrada.

### 4.2.3 Preparação do ponto de entrada no encavilhamento femoral retrógrado

Para o encavilhamento retrógrado do fêmur, o joelho é flexionado em aproximadamente 30 graus. Um fio-guia é alinhado com a linha média da cavidade medular da diáfise femoral, usando um intensificador de imagem. A pequena incisão é posicionada nessa linha e um fio de Kirschner com uma camisa de proteção é empurrado através ou medial ao ligamento patelar na região distal do fêmur. A posição do fio de Kirschner também é verificada pela vista lateral. Deve haver cuidado para que a origem do ligamento cruzado posterior não seja lesionada. O marco importante na incidência lateral é a linha de Blumensaat, uma linha radiodensa que representa o osso cortical do teto da incisura intercondilar do fêmur.

### 4.2.4 Encavilhamento tibial anterógrado

Na tíbia, com o joelho completamente fletido, uma incisão pequena de 15-20 mm é feita em linha com a cavidade medular. A incisão começa no polo inferior da patela e passa através do tendão patelar (ou logo medial a ele) e por todas as camadas até o osso (**Fig. 3.3.1-3**). A borda anterior e proximal da tíbia pode ser facilmente identificada com a ponta afiada do fio-guia.

O fio-guia de 4,0 mm, montado em um mandril universal com cabo em T, é forçado através da cortical fina em direção ao centro do canal medular. A posição é conferida com um intensificador de imagem nas incidências em AP e lateral. A posição exata é importante (ver Cap. 6.8.2). A camisa de proteção para o cortador canulado é colocada através da pequena incisão e através do ligamento patelar, diretamente sobre o osso. O cortador canulado ("cortador de queijo") para o canal medular corta um cilindro de osso corticoesponjoso. Isto pode ser usado como enxerto ósseo. Para prevenir o mau alinhamento, é essencial posicionar o ponto de entrada exatamente em linha com o centro da cavidade medular.

As alternativas para a via de acesso patelar transtendínea são a via parapatelar medial e a via suprapatelar. A via de acesso suprapatelar tem a grande vantagem que o encavilhamento pode ser feito em uma posição de semiextensão, que é especialmente benéfica nas fraturas proximais da tíbia e nas fraturas segmentares (**Vídeo 3.3.1-5**). A posição estável da perna e menos força de deformação do tendão patelar facilitam a redução e a instrumentação da fratura. Para evitar lesão à cartilagem do joelho, é obrigatório utilizar uma camisa de proteção mole durante a passagem de instrumentos e implantes pela articulação [29].

### 4.2.5 Joelho flutuante

Nos casos onde o encavilhamento femoral retrógrado e tibial anterógrado for planejado, a inserção da haste intramedular pode ser executada através da mesma incisão cutânea. Nessa situação, o cirurgião deve garantir que a incisão seja suficientemente proximal para permitir a inserção da haste retrógrada (perto da patela).

### 4.2.6 Técnica de fresagem

Para as fraturas recentes, as fresas motorizadas são mais convenientes e mais rápidas que as fresas manuais. Entretanto, para as situações mais difíceis (p. ex., não união com esclerose da cavidade medular), as fresas manuais especialmente projetadas são mais seguras e mais efetivas. O desenho e a condição da fresa (pontas cortantes, geometria e diâmetro da diáfise da fresa, afiação, etc.) são importantes.

> As fresas sem fio, as pás pequenas, as grandes forças axiais e os grandes diâmetros da haste da fresa causam um aumento na pressão e na temperatura.

Foram observados casos de necrose térmica do istmo tibial depois da fresagem. O aumento na temperatura está principalmente relacionado à quantidade de fresagem executada no osso cortical duro. Alguns cirurgiões recomendam que um torniquete não seja usado durante a fresagem da tíbia, mas um ensaio randomizado sugere que isso seja uma técnica aceitável [30].

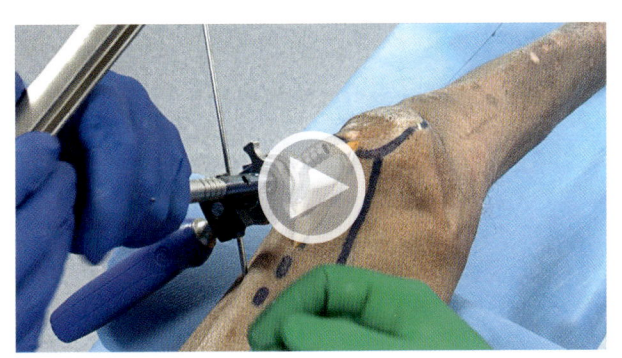

**Vídeo 3.3.1-5** Via de acesso suprapatelar para encavilhamento tibial anterógrado.

Redução, vias de acesso e técnicas de fixação
## 3.3.1 Encavilhamento intramedular

O uso de um orifício distal para reduzir a pressão intramedular durante a fresagem depende do diâmetro do orifício. Esse método não é geralmente usado para fraturas, mas um orifício distal é essencial se um osso intacto for fresado para o encavilhamento profilático de uma fratura patológica iminente.

### 4.3 Técnicas de redução

#### 4.3.1 Redução das fraturas do fêmur

Por várias razões, as fraturas do fêmur são mais difíceis de reduzir que as fraturas da tíbia:

- Envelope de partes moles mais espesso e menos acesso direto ao osso.
- Mais força muscular deformante.
- O ponto de entrada na extremidade proximal está parcialmente escondido.
- O trato iliotibial tende a encurtar a fratura se o membro estiver aduzido.

#### 4.3.2 Redução das fraturas da tíbia

Os instrumentos mais efetivos e gentis para reduzir as fraturas da tíbia recentes são as nossas mãos. Em contraste com o fêmur, grande parte da tíbia é facilmente palpada. Uma vez que a maioria das fraturas é do tipo A ou B da diáfise média ou distal, elas são apropriadas para a redução manual simples durante a inserção do implante. A supercorreção temporária da zona de fratura durante a passagem da haste intramedular é, algumas vezes, vantajosa e útil nas fraturas oblíquas.

#### 4.3.3 Auxílio na redução

A redução das fraturas recentes para o encavilhamento intramedular fechado é raramente um problema, mas o encavilhamento intramedular retardado com frequência requer ferramentas adicionais para superar o encurtamento e para controlar o alinhamento axial. A mesa de tração é segura e reprodutível para alguns cirurgiões, mas alguns preferem o membro livre em uma mesa radiolucente.

As técnicas de tração com campos e dos coxins são modos fáceis, não invasivos e baratos de se manipular os fragmentos maiores. Entretanto, são bastante imprecisos e não são apropriados para ajustar o comprimento. Na tíbia, a pinça de redução com ponta é mais adequada, uma vez que pode ser aplicada percutaneamente ou através de uma ferida aberta, sem trauma adicional de partes moles.

O uso de parafusos de Schanz temporários é uma forma efetiva para obter contato direto com o osso. Isso é especialmente útil nas fraturas do fêmur ou da tíbia retardadas. Três princípios têm que ser respeitados:

- O posicionamento do Schanz deve ser tão perto da fratura quanto possível.
- A inserção monocortical é usada no fragmento proximal de forma a não interferir na inserção do implante.
- Um mandril universal com cabo em T é usado para facilitar a manipulação.

Existem dois planos nos quais a redução tem que ser controlada:

- Plano coronal (AP)
- Plano sagital (lateral)

O uso do intensificador de imagem pode ser reduzido fixando mandris universais com cabo em T aos parafusos de Schanz e analisando a sua posição relativa entre si. Além disso, o controle tátil dos fragmentos principais também pode diminuir a necessidade de exposição à radiação (**Fig. 3.3.1-5**).

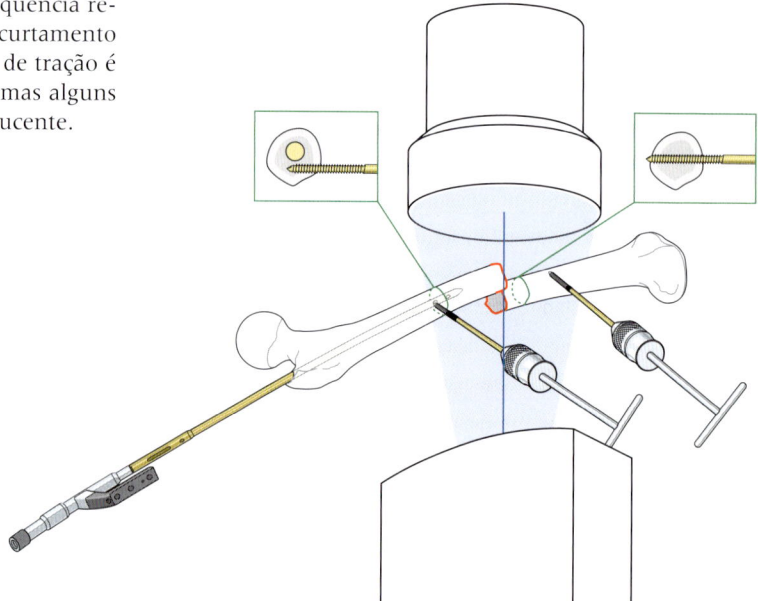

**Fig. 3.3.1-5**  O uso de parafusos de Schanz para redução. Os parafusos de Schanz são colocados em uma cortical no fragmento proximal e em duas corticais no fragmento distal. Com dois mandris universais com cabo em T, os fragmentos podem ser manipulados sob controle fluoroscópico (vista AP). A orientação no plano sagital é obtida ao se sentir os fragmentos se tocando.

Nos casos de encavilhamento intramedular retardado com encurtamento do membro, o uso de um distrator grande pode ser essencial para a restituição do comprimento e do eixo. É preciso ter cuidado, uma vez que o parafuso de Schanz único tende a se dobrar e rodar sob tração. Se um distrator não estiver disponível, um fixador externo tubular e uma ferramenta de tração podem ser usados para o mesmo propósito (**Fig. 3.3.1-6**). Armações modulares específicas de redução de fraturas, incluindo as armações circulares, também são usadas.

O encavilhamento intramedular das fraturas na metáfise está associado com uma taxa mais alta de mau alinhamento. A tração muscular forte e um canal medular largo podem levar à má posição, mesmo com bloqueio. Os parafusos colocados adjacentes à haste intramedular podem prevenir a translação lateral ou medial, tanto na tíbia quanto no fêmur. Esses parafusos de bloqueio, também chamados parafusos *Poller*, diminuem a largura do canal medular metafisário, forçando a haste intramedular para o centro da cavidade medular e também

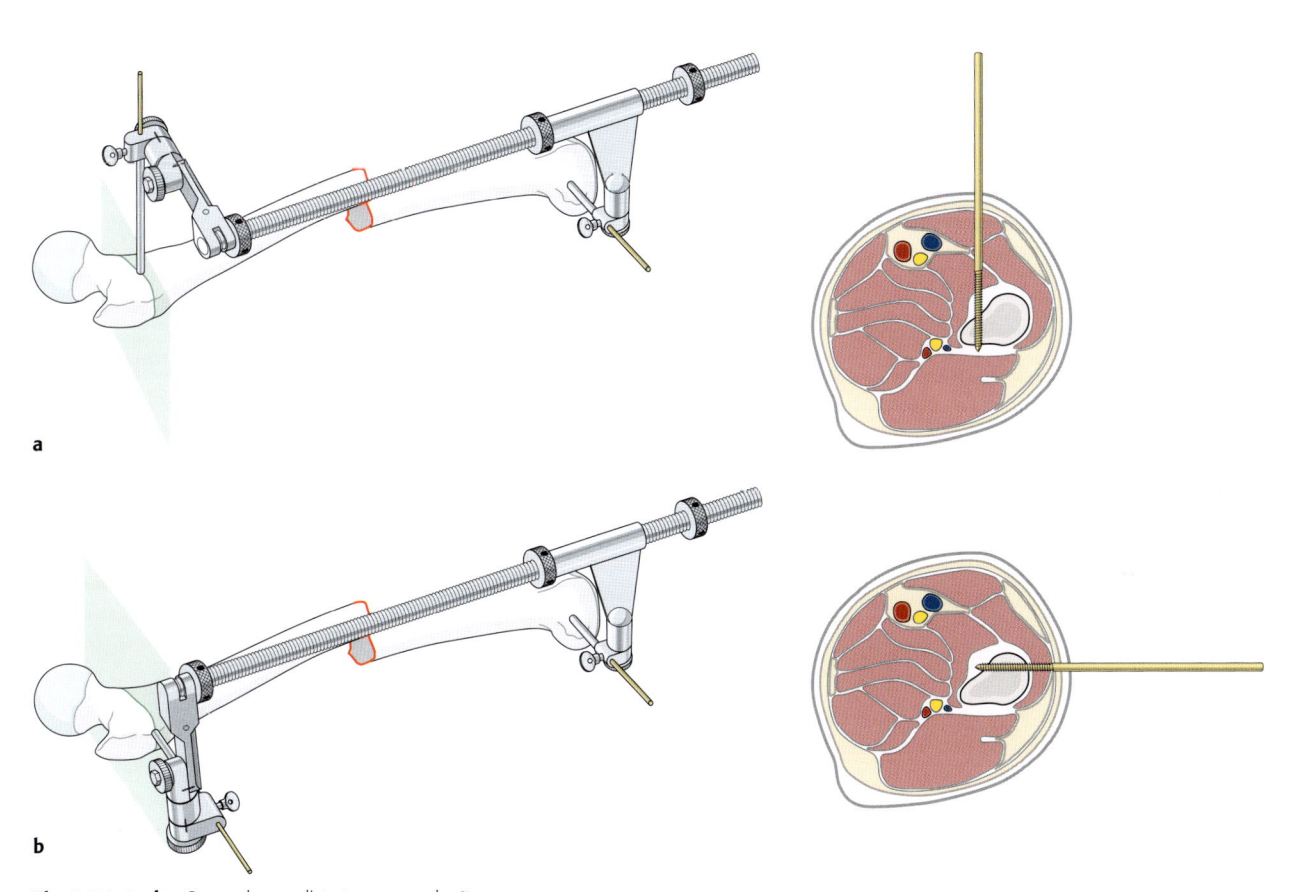

**Fig. 3.3.1-6a-b** O uso de um distrator para redução.
a   Aplicação padrão do distrator grande. O parafuso de Schanz AP é introduzido logo proximalmente ao trocanter menor, medialmente ao canal medular e lateralmente à cortical medial. Na seção transversal, pode ser apreciada a distância segura desse parafuso de Schanz em relação às estruturas neurovasculares no triângulo femoral.
b   Aplicação alternativa, com ambos os parafusos de Schanz aplicados lateralmente. O parafuso de Schanz proximal habitualmente interfere na manopla de inserção da haste intramedular; assim, o distrator deve ser removido antes de a haste ser completamente introduzida.

Redução, vias de acesso e técnicas de fixação
## 3.3.1 Encavilhamento intramedular

aumentando a rigidez mecânica da montagem osso-implante. Eles também podem ser aplicados para estreitar o diâmetro AP do canal medular para prevenir deformidade no plano coronal. Os parafusos *Poller* podem ser usados para alinhamento, estabilização e manipulação. O parafuso é colocado perpendicularmente à direção na qual o implante poderia se deslocar (**Fig. 3.3.1-7**) (**Vídeo 3.3.1-6**).

Nas fraturas metafisárias oblíquas distais da tíbia ou do fêmur, o parafuso *Poller* pode ser útil para estabilização, já que as forças de cisalhamento são transformadas em forças de compressão (**Vídeo 3.3.1-7**).

O parafuso *Poller* pode ajudar a prevenir desvio na cirurgia de revisão onde houver deformidade por causa de uma haste intramedular previamente mal posicionada. A nova haste tende a deslizar para dentro do caminho da haste antiga, mas isso pode ser prevenido por um parafuso *Poller* cuidadosamente posicionado (**Fig. 3.3.1-8**). A mesma técnica pode ser usada em situações onde o ponto de entrada para a haste foi originalmente mal escolhido, forçando o fragmento ósseo proximal em mau alinhamento: a haste intramedular deve ser temporariamente removida e o parafuso *Poller* é colocado para bloquear o caminho incorreto, enquanto a haste intramedular é reinserida.

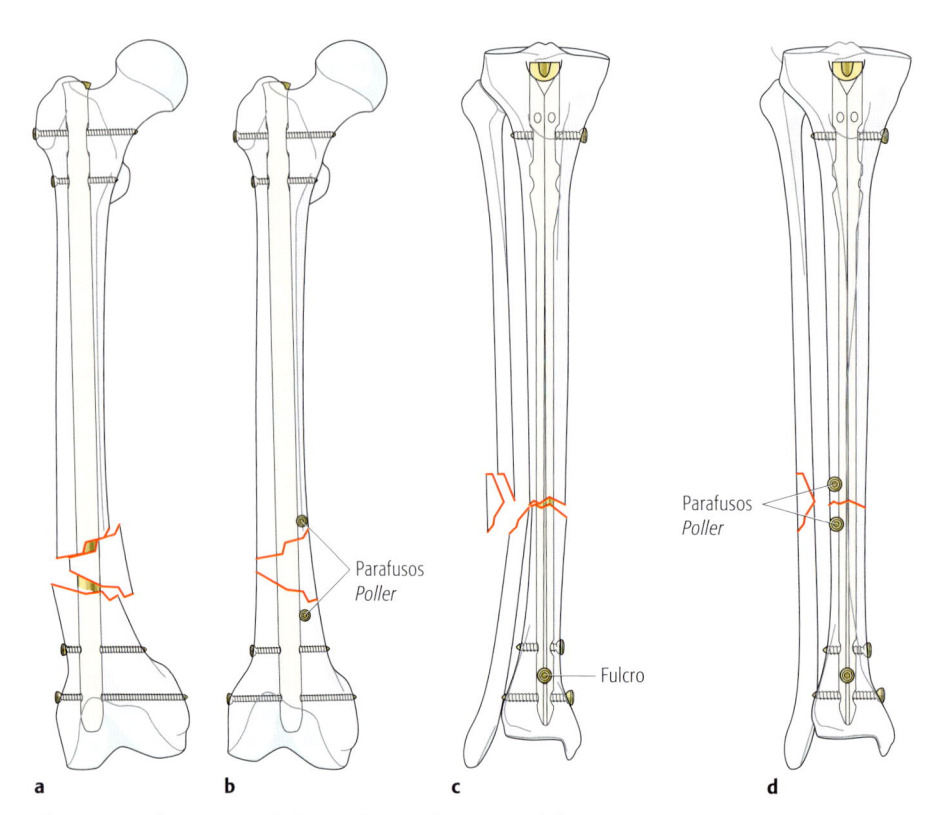

**Fig. 3.3.1-7a-d** Com a ajuda dos parafusos *Poller*, os mau alinhamentos podem ser prevenidos ou corrigidos, enquanto a estabilidade é simultaneamente aumentada.
- **a** Exemplo de uma fratura distal do fêmur: por causa da grande discrepância entre o canal medular e o diâmetro da haste, a haste intramedular pode se mover alguns milímetros lateralmente ao longo dos parafusos de bloqueio, o que resulta em deformidade de varo ou valgo.
- **b** A colocação de um (distal) ou dois (distal e proximal) parafusos *Poller* previne o mau alinhamento antes da inserção da haste e aumenta a estabilidade (**Vídeo 3.3.1-6**).
- **c** Exemplo de uma fratura distal da tíbia: apesar da presença de um parafuso AP, o deslocamento no plano coronal pode ocorrer nos casos de fragmentos distais curtos ou estoque ósseo ruim. O parafuso AP atua como um fulcro nesses casos.
- **d** A redução fechada e o suporte unilateral ou bilateral com parafusos *Poller* colocados bicorticalmente no plano sagital, antes da inserção da haste, previnem a angulação no plano coronal.

O fechamento exato do *gap* de fratura pode ser difícil nas fraturas longas oblíquas e helicoidais, especialmente em fraturas subtrocantéricas. A inserção da haste não necessariamente leva a uma redução apropriada da fratura. Em tal situação, uma minirredução aberta ou fios ou cabos de cerclagem percutaneamente aplicados podem facilitar a redução da fratura. Foi mostrado que um ou dois fios circunferenciais são seguros, desde que o osso não seja desvitalizado. Os fios devem ser retidos para prevenir a perda da redução após a fixação com haste intramedular.

### 4.3.4 Sequência de bloqueio

Em fraturas diafisárias simples, com boa redução da fratura e sem nenhum *gap*, a sequência de bloqueio não é crítica. Entretanto, as hastes intramedulares podem produzir diastase na fratura, o que pode causar um aumento significativo na pressão compartimental e/ou retardar a consolidação da fratura. Se a haste intramedular for bloqueada estaticamente, a carga é diretamente transmitida para os parafusos de bloqueio, que irão eventualmente falhar. As deformidades axiais também poderão se desenvolver,

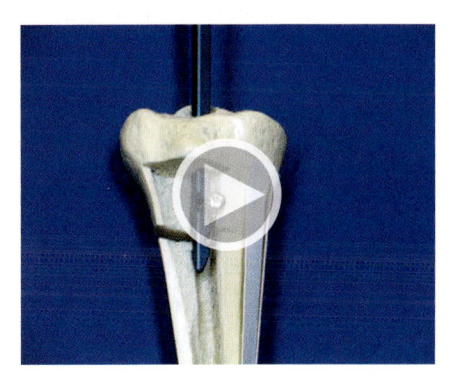

**Vídeo 3.3.1-6** Parafuso *Poller* introduzido de modo correto atua como um fulcro para redirecionar a haste intramedular.

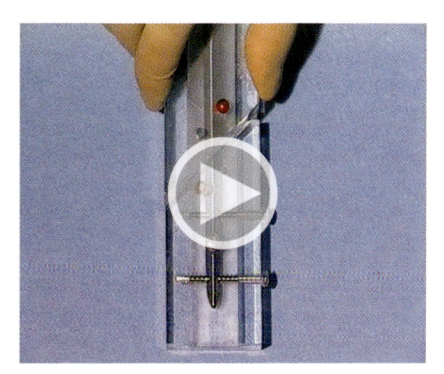

**Vídeo 3.3.1-7** O parafuso *Poller* pode ser usado para alinhamento, estabilização e manipulação.

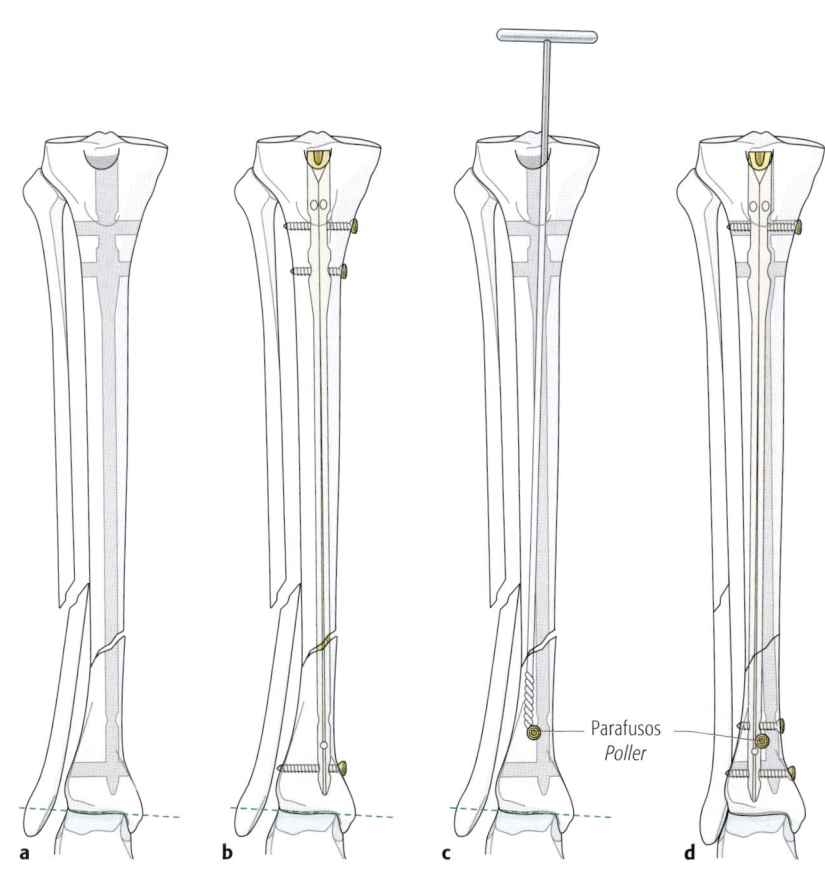

**Fig. 3.3.1-8a-d** Parafuso *Poller* como uma ferramenta de redução em uma fratura com consolidação viciosa.
- **a** A fratura consolidou com um mau alinhamento em valgo. Depois da remoção da haste, ocorreu a refratura.
- **b** Uma vez que o caminho original da haste está esclerótico, a nova haste intramedular segue o caminho preexistente com o mesmo mau alinhamento.
- **c** Esse problema pode ser resolvido usando-se um parafuso *Poller* como uma ferramenta de redução: o parafuso *Poller* é colocado no caminho antigo da haste intramedular para o seu bloqueio, enquanto um novo caminho é preparado com uma fresa manual.
- **d** Uma vez que o novo caminho da haste tenha sido preparado, a nova haste intramedular é inserida e bloqueada, enquanto o parafuso *Poller* permanece no lugar.

Redução, vias de acesso e técnicas de fixação
### 3.3.1 Encavilhamento intramedular

especialmente nas fraturas metafisárias distais. O bloqueio da extremidade distal é agora recomendado como um primeiro passo. Isso permite aplicar a técnica do contragolpe (*backstrike*) para adaptar e comprimir a fratura (**Fig. 3.3.1-9**).

Se o comprimento da haste intramedular tiver sido corretamente escolhido, não deve ocorrer nenhum problema; caso contrário, a haste intramedular pode protruir proximalmente por alguns milímetros.

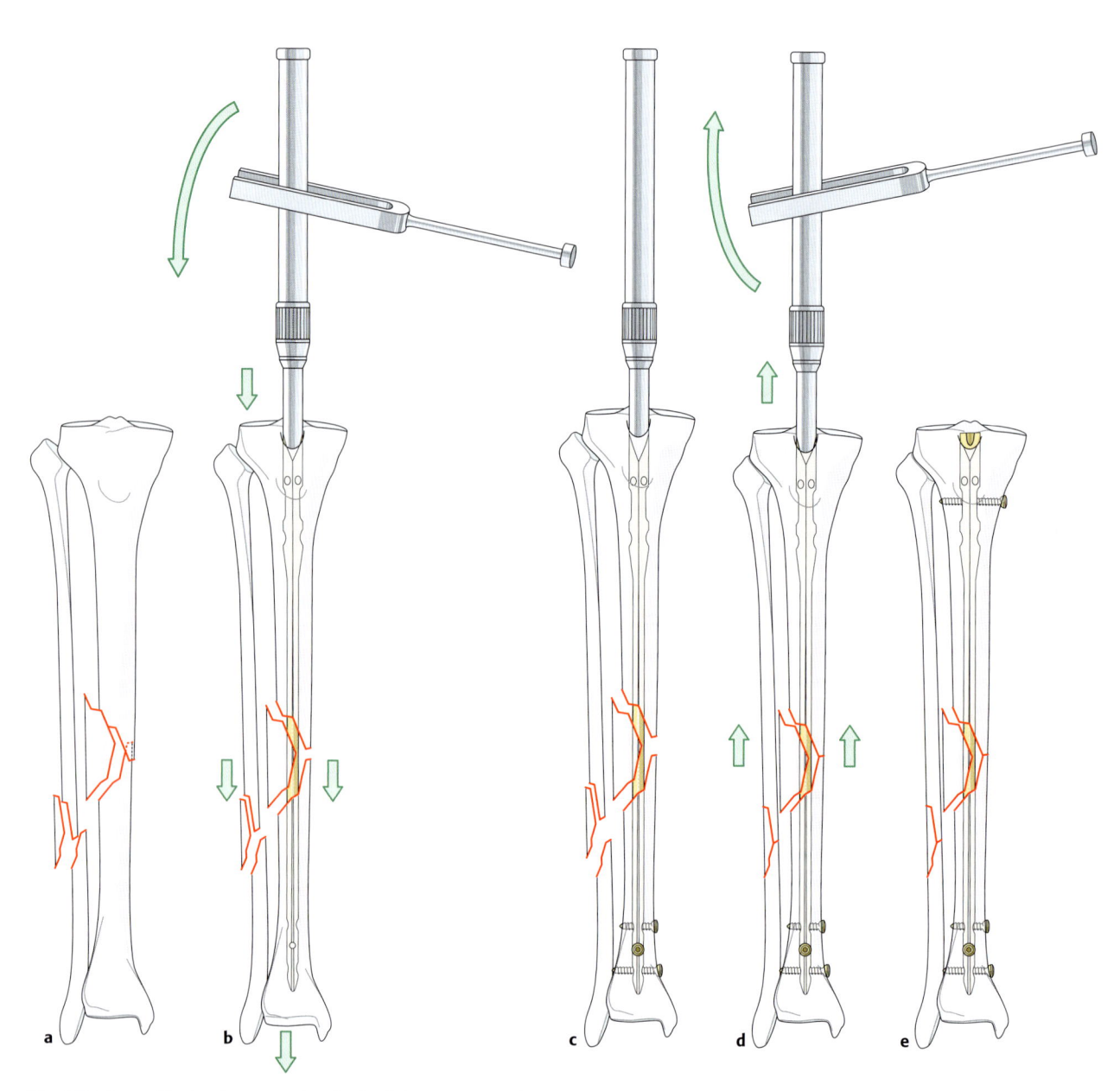

**Fig. 3.3.1-9a-e**  Técnica do contragolpe (*backstrike*) para correção da diastase da fratura.
- **a-b** A inserção da haste intramedular não fresada com frequência resulta em diastase da fratura, que pode piorar uma síndrome compartimental e retardar a consolidação.
- **c** Bloqueio distal primeiro, com três parafusos de bloqueio (aumento da resistência).
- **d** Contragolpes cuidadosos sob controle com intensificador de imagem, até que os fragmentos principais sejam reduzidos, ou que o comprimento planejado seja alcançado.
- **e** Bloqueio proximal, dinâmico ou estático, de acordo com o padrão da fratura e o local da fratura. Se a haste intramedular protruir proximalmente, uma menor deve ser escolhida.

## 4.3.5 Técnicas intraoperatórias para o controle do alinhamento

### Comprimento

A introdução dos parafusos de bloqueio distal primeiro tem a vantagem que o fragmento distal fica fixado à haste intramedular. Quaisquer manobras adicionais de redução podem ser executadas com o guia de inserção. Em todas as fraturas do tipo C e nas fraturas helicoidais (A1), a redução e especialmente o comprimento devem ser radiograficamente avaliados depois do bloqueio distal.

Para avaliar o comprimento nas fraturas do fêmur, a margem superior da cabeça femoral é alinhada com o dispositivo de mensuração sob intensificação de imagem (**Fig. 3.3.1-1**). Este tem o comprimento do fêmur contralateral marcado nele com uma pinça (cabeça femoral – côndilo femoral lateral). Subsequentemente, a articulação do joelho é visualizada e qualquer discrepância de comprimento pode ser medida entre o côndilo femoral lateral e a posição da pinça de marcação. Usando uma alavanca com uma manopla, o comprimento do membro pode ser continuamente ajustado em ambas as direções (**Fig. 3.3.1-10**). É muito mais fácil avaliar o comprimento da tíbia que o do fêmur, embora a mensuração clínica geralmente seja suficiente para ambos.

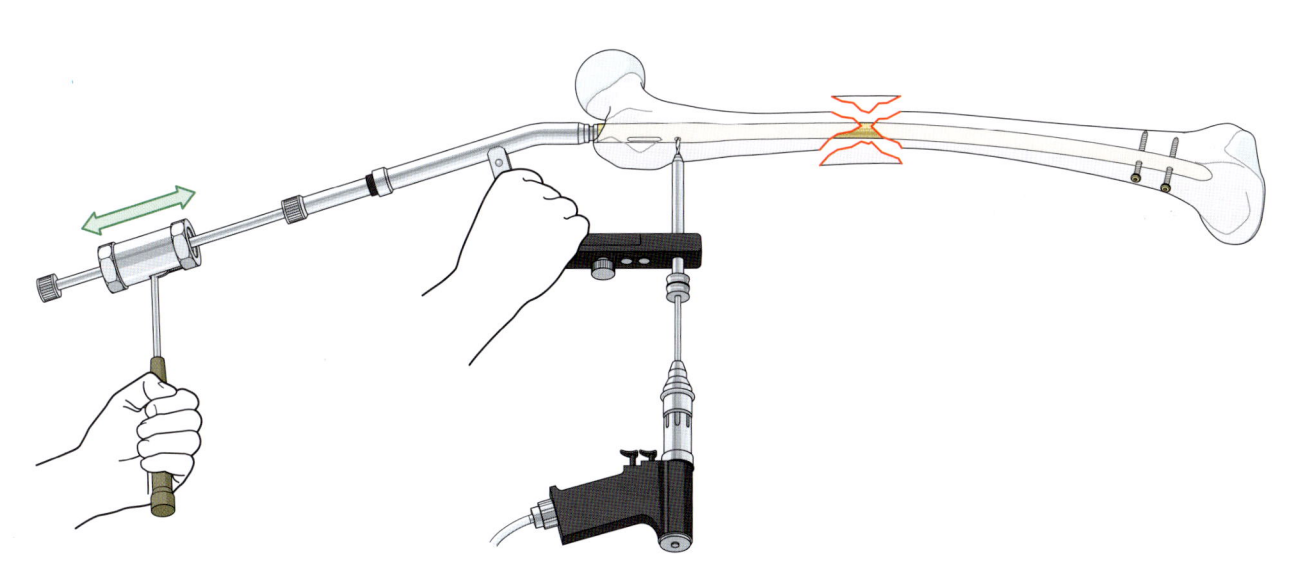

**Fig. 3.3.1-10** Controle do comprimento depois do bloqueio distal com o martelo deslizante e os instrumentos de inserção posicionados.

Redução, vias de acesso e técnicas de fixação
### 3.3.1 Encavilhamento intramedular

### Alinhamento axial

Em fraturas simples mediodiafisárias da tíbia e do fêmur, o alinhamento do plano coronal e sagital não é geralmente um problema. Uma vez que a haste passar pela fratura, a fratura permanecerá reduzida. O ângulo do colo do fêmur pode ser mensurado e verificado com o intensificador de imagem. Entretanto, a avaliação do eixo de carga correto é mais difícil, especialmente em fraturas complexas ou metafisárias. A técnica do cabo facilita muito a avaliação intraoperatória do eixo no plano coronal com o intensificador de imagem centrado na articulação do joelho. O alinhamento em varo/valgo pode então ser determinado usando a projeção do cabo (**Fig. 3.3.1-11**). O alinhamento sagital é determinado pela radiografia lateral.

### Rotação

Existem vários métodos para a avaliação intraoperatória da rotação nas fraturas do fêmur e da tíbia. O julgamento clínico não é suficientemente preciso e depende da posição do paciente e da perna durante a cirurgia. A rotação do membro intacto é estabelecida no pré-operatório com o joelho e o quadril flexionados em 90 graus. Durante a cirurgia, depois do encavilhamento intramedular e do bloqueio temporário do osso fraturado, a rotação é verificada novamente. Para fazer isso corretamente, o guia de inserção tem que ser removido. A preparação de ambos os membros facilita a avaliação intraoperatória da rotação.

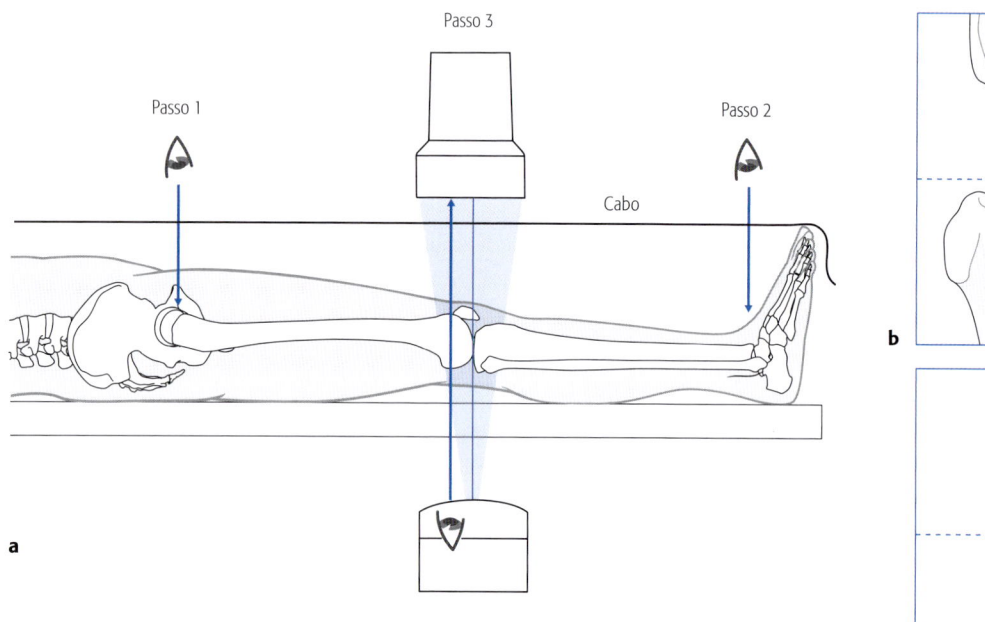

**Fig. 3.3.1-11** Técnica do cabo para verificar o alinhamento no plano coronal.
**a**   O joelho é completamente extendido e a patela deve estar virada para frente.
**b**   Passo 1: Com o raio do intensificador de imagem na vertical, o centro da cabeça do fêmur é centrado na tela. Uma caneta é então usada para marcar o centro da cabeça do fêmur na pele do paciente.
**c**   Passo 2: Da mesma forma, o centro da articulação do tornozelo é marcado. Um assistente então estabiliza o cabo do cautério entre essas duas marcações da superfície.
**d**   Passo 3: Quando a articulação do joelho é visualizada com o intensificador de imagem, o cabo deve correr ligeiramente medial ao centro do joelho. Qualquer desvio do cabo do eletrocautério projetado a partir do centro da articulação indica um desvio axial no plano frontal.

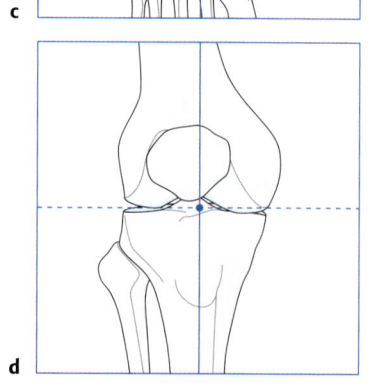

Princípios AO do tratamento de fraturas
**Volume 1**

Na tíbia, a rotação deve ser verificada com o joelho em flexão e o pé em flexão dorsal. Entretanto, além de comparar a posição dos pés, a variação e a simetria da rotação do pé também precisam ser levadas em conta.

Vários sinais radiográficos podem ser úteis para avaliar a rotação do fêmur. Eles incluem:

- Formato do trocanter menor (**Fig. 3.3.1-12**)
- Espessura das corticais dos fragmentos principais proximal e distal (sinal do passo cortical)
- Diferença nos diâmetros ósseos

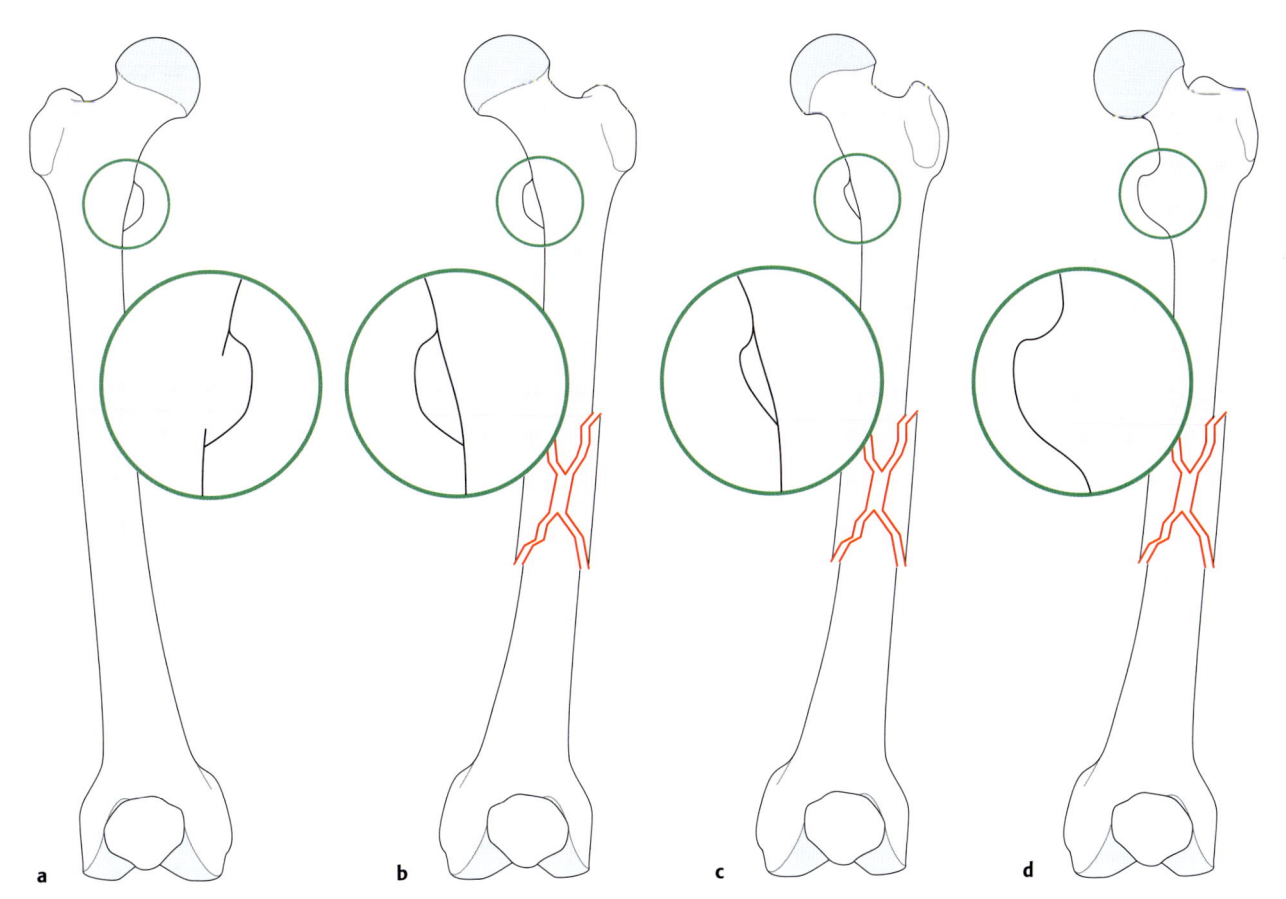

**Fig. 3.3.1-12a-d** Avaliação radiográfica intraoperatória da rotação. O formato do trocanter menor é comparado com o lado contralateral (sinal do formato do trocanter menor).
**a** Antes de posicionar o paciente, o formato do trocanter menor do lado oposto intacto (com a patela virada para frente) é armazenado no intensificador de imagem.
**b** Depois do bloqueio distal com a patela virada para frente, o fragmento proximal é rodado até que o formato do trocanter menor se combine com a imagem armazenada do lado intacto.
**c** Com a rotação externa excessiva, o trocanter menor fica pequeno e parcialmente escondido atrás da diáfise femoral proximal.
**d** Com a rotação interna excessiva, o trocanter menor parece magnificado.

Redução, vias de acesso e técnicas de fixação
## 3.3.1  Encavilhamento intramedular

O contorno radiográfico do trocânter menor em relação à diáfise femoral proximal depende da rotação do osso. Pré-operatoriamente, o formato do trocânter menor do membro não lesionado (com a patela virada para frente) é analisado e armazenado no intensificador de imagem.

Antes que o bloqueio proximal seja executado, o fragmento proximal pode ser rodado em torno da haste intramedular usando um parafuso de Schanz (enquanto a patela está virada para frente), até que o contorno do trocânter menor se combine com a imagem armazenada do lado não lesionado. No caso de má rotação externa, o trocânter menor fica pequeno porque está parcialmente escondido pela diáfise femoral. Com a má rotação interna, o trocânter menor parece maior (**Fig. 3.3.1-12**, **Vídeo 3.3.1-8**).

Nas fraturas transversas ou oblíquas curtas, a rotação correta pode ser julgada pela espessura das corticais dos fragmentos principais proximal e distal (sinal do degrau cortical). Isso é menos confiável, contudo, que o sinal do formato do trocânter menor (**Fig. 3.3.1-13**). Nas fraturas diafisárias simples, a interdigitação da fratura pode ser usada como uma pista para a rotação correta. Se houver diastase no local da fratura, é geralmente causada por tração ou má rotação.

Por fim, o sinal do diâmetro ósseo pode ser aplicado em níveis onde o diâmetro do osso seja mais oval que arredondado. Com a má rotação, o diâmetro transversal do fragmento proximal e do distal é projetado diferentemente. Esse sinal não é muito confiável (**Fig. 3.3.1-13**).

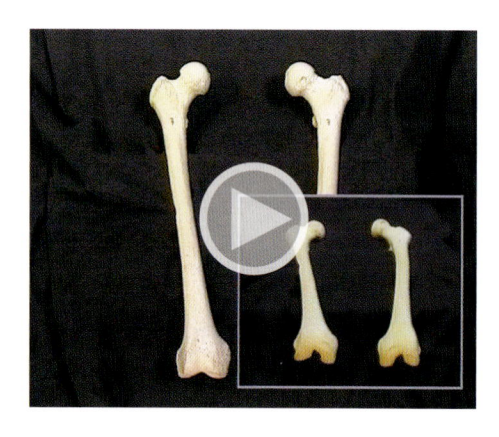

**Vídeo 3.3.1-8**  Referências anatômicas e o seu uso para julgar o alinhamento rotacional (sinal do formato do trocânter menor).

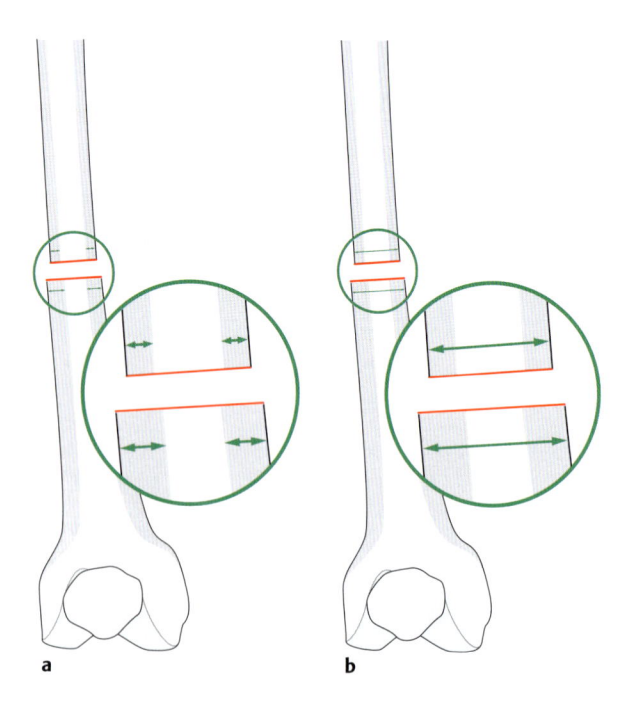

**Fig. 3.3.1-13a-b**  Sinais radiográficos de má rotação, dependendo da espessura cortical e do diâmetro ósseo.
**a**  Sinal do degrau cortical: na presença de deformidade rotacional considerável, ela pode ser diagnosticada pela diferente espessura das corticais.
**b**  Sinal da diferença do diâmetro: esse sinal é positivo em níveis onde a seção transversal do osso é oval em vez de arredondada. Com a má rotação, os diâmetros dos fragmentos principais proximal e distal parecem ser de tamanhos diferentes.

### 4.3.6 Técnicas de redução para casos retardados e tratamento da não união

Em casos retardados, e dependendo do intervalo de tempo, o cirurgião enfrenta os seguintes problemas:

- Deformação axial (encurtamento, angulação, e/ou translação)
- Deformidade rotacional
- Crescimento de tecido e a formação precoce de calo que tornam difícil a redução
- Esclerose no local da fratura com um canal medular obliterado
- Osteoporose dos fragmentos principais

Essas condições tornam o encavilhamento intramedular difícil, porque os fios-guia, as fresas e as hastes intramedulares são facilmente defletidos e podem penetrar a cortical na direção errada. As deformidades angulares podem ser corrigidas com o uso de um distrator, mas um desvio devido à translação de um fragmento é muito mais difícil de superar.

Nessas situações, o uso de parafusos *Poller*, como anteriormente descrito neste capítulo, ajuda a guiar os instrumentos e os implantes na direção desejada. Uma placa de redução temporária também pode ser uma opção útil.

A não união hipertrófica depois do encavilhamento intramedular das fraturas da diáfise do fêmur requer a troca da haste, com a inserção de uma haste fresada de maior diâmetro. A estabilidade aumentada produzida é geralmente suficiente para alcançar a consolidação. A troca do encavilhamento requer o bloqueio estático para obter a máxima estabilidade. A compressão intraoperatória pode fornecer uma estabilidade adicional. Como alternativa, a haste pode ser deixada *in situ* e a fixação de reforço com placa, com ou sem enxertia óssea, pode ser usada [31]. A aplicação de uma placa adicional no aspecto lateral do fêmur aumenta a estabilidade rotacional enquanto o alinhamento é mantido pela haste.

### 4.3.7 Prevenção do mau alinhamento

A seleção do ponto de entrada correto no fragmento proximal e uma posição central da haste intramedular no fragmento distal são os pontos mais importantes para evitar as deformidades coronais e sagitais. Nas fraturas metafisárias proximais ou distais, o contato relativamente frouxo entre os parafusos de bloqueio e a haste é uma fonte comum de mau alinhamento. Novos implantes com melhores opções de bloqueio tridimensional (hastes "*expert*") são muito mais capazes de manter a redução estável da fratura [3]. O aumento da estabilidade na montagem osso-implante pode ser obtida pela adição temporária de dispositivos de fixação externa, parafusos *Poller*, ou placas (**Fig. 3.3.1-8**).

### 4.4 Técnicas de fixação/bloqueio

#### 4.4.1 Parafusos de bloqueio

O bloqueio é fortemente aconselhável no encavilhamento intramedular fresado e é obrigatório nos procedimentos de encavilhamento não fresados, já que as hastes são mais finas. Os padrões de fratura estável são tratados com uma haste intramedular dinamicamente bloqueada, que permite compressão axial, mas que previne a instabilidade rotacional. O bloqueio distal pode ser feito com a técnica à mão livre, usando um intensificador de imagem (**Fig./Animação 3.3.1-14**). O bloqueio proximal é executado através de um guia preso ao guia de inserção.

Distalmente, pelo menos dois parafusos bloqueados são recomendados, porque pode ocorrer alternância, já que não há estabilidade angular entre os parafusos e a haste. Isso pode levar à instabilidade e mau alinhamento, especialmente no plano coronal. A inserção de dois ou mais reduz a instabilidade.

A quebra do parafuso de bloqueio está relacionada ao material do implante, ao desenho, ao diâmetro, ao acabamento da superfície, à quantidade de carga aplicada e ao número de ciclos.

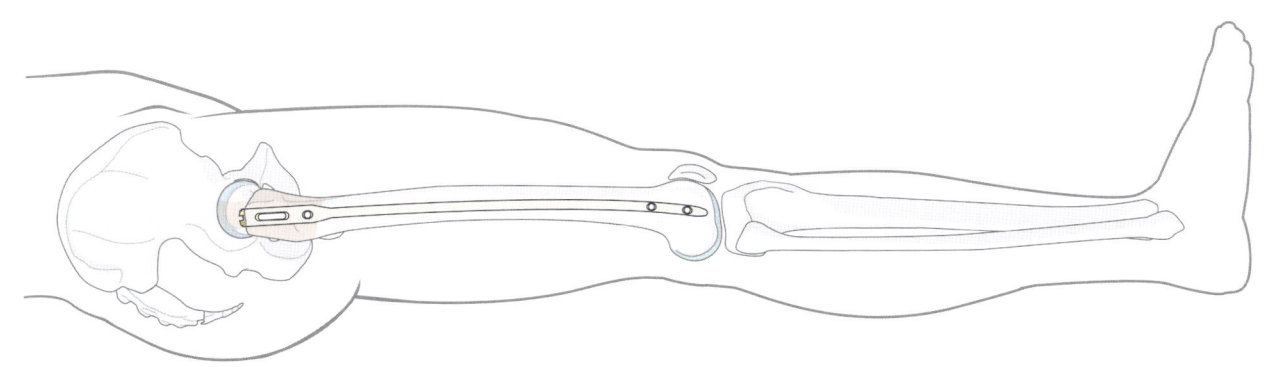

**Fig./Animação 3.3.1-14**   Técnica à mão livre do bloqueio distal com um guia radiolucente.

Redução, vias de acesso e técnicas de fixação
### 3.3.1 Encavilhamento intramedular

Uma vez que os parafusos de bloqueio distal são geralmente a parte mais fraca na montagem da haste intramedular, nós recomendamos usar a variação completa de opções de bloqueio, especialmente na fratura distal da tíbia. Os dados biomecânicos demonstram que a resistência à fadiga de uma montagem de haste intramedular é proporcional ao diâmetro dos parafusos de bloqueio. O aumento do número de parafusos de bloqueio, bem como o seu diâmetro, reduzirá o risco de falha do material de síntese [4].

#### 4.4.2 Dinamização

A dinamização de uma haste intramedular permite o encurtamento axial (impacção) controlado de uma fratura, com a carga para acelerar a velocidade de consolidação da fratura. Ela é feita pela remoção dos parafusos de bloqueio estático (de orifício redondo), enquanto um parafuso dentro do orifício oval controla o alinhamento e a rotação, mas permite alguma impacção da fratura. No fêmur, a dinamização das hastes intramedulares estaticamente bloqueadas é raramente aconselhada, exceto nos padrões transversais de fraturas. Na tíbia, ela pode ser usada em combinação com um enxerto ósseo para certos padrões de fratura com um alto risco de retardo de consolidação. O melhor momento parece ser 2-3 meses depois da cirurgia inicial.

A autodinamização resulta da quebra dos parafusos de bloqueio e é devido à instabilidade. Os parafusos de bloqueio de menor diâmetro são muito mais propensos a falhas que os parafusos de diâmetro maior, especialmente quando nem todas as opções de bloqueio disponíveis tiverem sido usadas. A autodinamização pode levar à compressão no local da fratura e consolidação, mas, em alguns casos, a falha do parafuso aumenta a instabilidade e pode prejudicar a consolidação sólida da fratura. Se a quebra do parafuso for observada, o paciente deve ser mantido sob revisão regular, já que pode ser um sinal de não união se desenvolvendo.

## 5 Contraindicações

O desenvolvimento de novas hastes intramedulares projetadas para diferentes indicações tem expandido muito o espectro do encavilhamento intramedular em termos de local de fratura, padrão de fratura, dano de partes moles e lesões associadas.

Persistem, contudo, vários problemas biológicos e mecânicos do encavilhamento intramedular, incluindo:

- Infecção no local de entrada, dentro do canal medular, ou nos locais dos Schanz (depois da fixação externa para controle de dano)
- Fraturas do fêmur em pacientes politraumatizados com lesão pulmonar, onde a estabilização temporária por fixação externa ou o uso de placa são preconizados por alguns
- Fraturas metafisárias onde a fixação com parafusos de bloqueio pode ser insuficiente para prevenir o mau alinhamento
- Canal medular extremamente estreito ou deformado

## 6 Referências

1. **Utvag SE, Reikeras O.** Effects of nail rigidity on fracture healing. Strength and mineralisation in rat femoral bone. *Arch Orthop Trauma Surg.* 1998;118(1-2):7–13.

2. **Melcher GA, Claudi B, Schlegel U, et al.** Influence of type of medullary nail on the development of local infection. An experimental study of solid and slotted nails in rabbits. *J Bone Joint Surg Br.* 1994 Nov;76(6):955–959.

3. **Hansen M, Mehler D, Hessmann MH, et al.** Intramedullary stabilization of extraarticular proximal tibial fractures: a biomechanical comparison of intramedullary and extramedullary implants including a new proximal tibia nail (PTN). *J Orthop Trauma.* 2007 Nov-Dec;21(10):701–709.

4. **Kaspar K, Schell H, Seebeck P, et al.** Angle stable locking reduces interfragmentary movements and promotes healing after unreamed nailing. Study of a displaced osteotomy model in sheep tibiae. *J Bone Joint Surg Am.* 2005 Sep;87(9):2028–2037.

5. **Schemitsch EH, Kowalski MJ, Swiontkowski MF, et al.** Cortical bone blood flow in reamed and unreamed locked intramedullary nailing: a fractured tibia model in sheep. *J Orthop Trauma.* 1994 Oct;8(5):373–382.

6. **Giannoudis PV, Pountos I, Morley J, et al.** Growth factor release following femoral nailing. *Bone.* 2008 Apr;42(4):751–757.

7. **Bhandari M, Guyatt G, Tornetta P 3rd, et al.** SPRINT Trial Randomized trial of reamed and unreamed intramedullary nailing of tibial shaft fractures. *J Bone Joint Surg Am.* 2008 Dec;90(12):2567–2578.

8. **Pfeifer R, Barkatali B, Giannoudis P, et al.** *Physiological Effects Associated With Intramedullary Reaming.* Rommens PM, Hessmann MH, eds. London Heidelberg New York: Springer; 2015.

9. **White T, Petrisor BA, Bhandari M.** Prevention of fat embolism syndrome. *Injury.* 2006 Oct;37 Suppl 4:S59–67.

10. **Vallier HA, Wang X, Moore TA, et al.** Timing of orthopaedic surgery in multiple trauma patients: development of a protocol for early appropriate care. *J Orthop Trauma.* 2013 Oct;27(10):543–551.

11. **Bhandari M, Guyatt GH, Khera V, et al.** Operative management of lower extremity fractures in patients with head injuries. *Clin Orthop Relat Res.* 2003 Feb(407):187–198.

12. **Schult M, Kuchle R, Hofmann A, et al.** Pathophysiological advantages of rinsing-suction-reaming (RSR) in a pig model for intramedullary nailing. *J Orthop Res.* 2006 Jun;24(6):1186–1192.

13. **Dawson J, Kiner D, Gardner W, et al.** The reamer-irrigator-aspirator as a device for harvesting bone graft compared with iliac crest bone graft: union rates and complications. *J Orthop Trauma.* 2014 Oct;28(10):584–590.

14. **Xia L, Zhou J, Zhang Y, et al.** A meta-analysis of reamed versus unreamed intramedullary nailing for the treatment of closed tibial fractures. *Orthopedics.* 2014 Apr;37(4):e332–338.

15. **Anwar IA, Battistella FD, Neiman R, et al.** Femur fractures and lung complications: a prospective randomized study of reaming. *Clin Orthop Relat Res.* 2004 May(422):71–6.

16. **Canadian Orthopedic Trauma Society.** Nonunion following intramedullary nailing of the femur with and without reaming. Results of a multicenter randomized clinical trial. *J Bone Joint Surg Am.* 2003 Nov;85-A(11):2093–2096.

17. **Pape HC, Hildebrand F, Pertschy S, et al.** Changes in the management of femoral shaft fractures in polytrauma patients: from early total care to damage control orthopedic surgery. *J Trauma.* 2002 Sep;53(3):452-61; discussion 61–62.

18. **Canadian Orthopedic Trauma Society.** Reamed versus unreamed intramedullary nailing of the femur: comparison of the rate of ARDS in multiple injured patients. *J Orthop Trauma.* 2006 Jul;20(6):384–387.

19. **Nowotarski PJ, Turen CH, Brumback RJ, et al.** Conversion of external fixation to intramedullary nailing for fractures of the shaft of the femur in multiply injured patients. *J Bone Joint Surg Am.* 2000 Jun;82(6):781–788.

20. **Scalea TM, Boswell SA, Scott JD, et al.** External fixation as a bridge to intramedullary nailing for patients with multiple injuries and with femur fractures: damage control orthopedics. *J Trauma.* 2000 Apr;48(4):613–21; discussion 21–23.

21. **Pape HC, Giannoudis PV, Krettek C, et al.** Timing of fixation of major fractures in blunt polytrauma: role of conventional indicators in clinical decision making. *J Orthop Trauma.* 2005 Sep;19(8):551–62.

22. **Larsen LB, Madsen JE, Hoiness PR, et al.** Should insertion of intramedullary nails for tibial fractures be with or without reaming? A prospective, randomized study with 3.8 years' follow-up. *J Orthop Trauma.* 2004 Mar;18(3):144–149.

23. **Dora C, Leunig M, Beck M, et al.** Entry point soft tissue damage in antegrade femoral nailing: a cadaver study. *J Orthop Trauma.* 2001 Sep-Oct;15(7):488–493.

24. **Linke B, Ansari Moein C, Bosl O, et al.** Lateral insertion points in antegrade femoral nailing and their influence on femoral bone strains. *J Orthop Trauma.* 2008 Nov-Dec;22(10):716–22.

25. **Stannard JP, Bankston L, Futch LA, et al.** Functional outcome following intramedullary nailing of the femur: a prospective randomized comparison of piriformis fossa and greater trochanteric entry portals. *J Bone Joint Surg Am.* 2011 Aug 3;93(15):1385–91.

26. **Hessmann MH, Nijs S, Mittlmeier T, et al.** Internal fixation of fractures of the proximal humerus with the Multiloc nail. *Oper Orthop Traumatol.* 2012 Sep;24(4-5):418–431.

27. **Smekal V, Irenberger A, Struve P, et al.** Elastic stable intramedullary nailing versus nonoperative treatment of displaced midshaft clavicular fractures-a randomized, controlled, clinical trial. *J Orthop Trauma.* 2009 Feb;23(2):106–12.

28. **Farhang K, Desai R, Wilber JH, et al.** An anatomical study of the entry point in the greater trochanter for intramedullary nailing. *Bone Joint J.* 2014 Sep;96-B(9):1274–1281.

29. **Sanders RW, DiPasquale TG, Jordan CJ, et al.** Semiextended intramedullary nailing of the tibia using a suprapatellar approach: radiographic results and clinical outcomes at a minimum of 12 months follow-up. *J Orthop Trauma.* 2014 Aug;28 Suppl 8:S29–39.

30. **Giannoudis PV, Snowden S, Matthews SJ, et al.** Friction burns within the tibia during reaming. Are they affected by the use of a tourniquet? *J Bone Joint Surg Br.* 2002 May;84(4):492–496.

31. **Hakeos WM, Richards JE, Obremskey WT.** Plate fixation of femoral nonunions over an intramedullary nail with autogenous bone grafting. *J Orthop Trauma.* 2011 Feb;25(2):84–89.

## 7  Agradecimentos

Agradecemos a Christian Krettek por sua contribuição para este capítulo na 2ª edição de *Princípios AO do tratamento de fraturas*.

# 3.3.2 Placa em ponte
*Friedrich Baumgaertel*

## 1 Introdução

A fixação das fraturas com placa é uma forma de estabilização com o potencial para propriedades tanto de suporte de carga quanto de compartilhamento de carga. O tratamento funcional do membro para preservação da força muscular, coordenação e mobilidade articular depende da estabilidade fornecida pela montagem placa-osso. A consolidação da fratura deve ser esperada se a mecânica da fixação e a biologia da fratura forem compatíveis e mutuamente benéficas.

> A placa em ponte biológica usa a placa como um tutor fixo extramedular para os dois fragmentos principais, sustentando a zona de fratura, que é deixada praticamente intocada. O comprimento, o alinhamento e a rotação são restaurados, mas a redução anatômica de cada fragmento não é tentada.

Esse conceito produz estabilidade relativa e preserva a biologia natural da fratura para alcançar a rápida formação de calo e a consolidação da fratura.

> As técnicas de placa em ponte são aplicáveis a todas as fraturas multifragmentadas de ossos longos e onde o encavilhamento intramedular ou a fixação com placa convencional não forem apropriados (**Fig. 3.3.2-1**).

Com a redução direta da fratura e a fixação por placa com estabilidade absoluta, a viabilidade dos tecidos moles e dos fragmentos ósseos é colocada em risco. Esse risco existe em um grau menor nas fraturas simples (com menos lesão de partes moles e menos dissecção) e, assim, tem menos impacto sobre a consolidação da fratura. A cirurgia deve manter a vascularização no local de fratura. Isso pede o uso de técnicas em ponte nos padrões de fratura com fragmentação significativa.

As fraturas diafisárias simples tipo A podem ser tratadas com sucesso por encavilhamento intramedular, uma técnica de estabilidade relativa, ou pela redução anatômica e fixação com placa de compressão, fornecendo estabilidade absoluta.

Desenvolvimentos recentes no desenho da placa, incluindo a estabilidade angular da montagem placa-parafuso com parafusos bloqueados, têm estendido a indicação para a placa em ponte nas fraturas com menos fragmentação. As placas submusculares inseridas com abordagens minimamente invasivas e o uso de parafusos de cabeça bloqueada colocados bem longe das fraturas simples pode fornecer estabilidade relativa e consolidação óssea subsequente, com formação de calo similar à fixação intramedular.

> O uso de placa em ponte nas fraturas diafisárias simples do tipo A para produzir estabilidade relativa pode levar ao retardo de consolidação ou não união e falha da placa. Se os tecidos moles permitirem ao cirurgião alcançar a estabilidade absoluta com segurança, tal opção permanece o método de escolha para o uso de placa nos padrões de fratura simples.

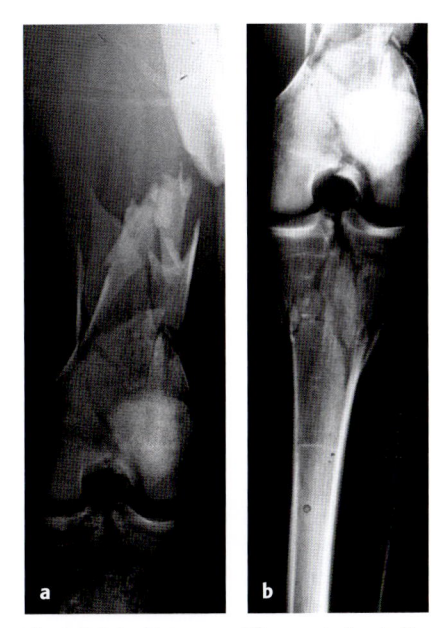

**Fig. 3.3.2-1** Fraturas multifragmentadas do fêmur e da tíbia (33C3 e 41C2). Há também grave lesão de partes moles.

Redução, vias de acesso e técnicas de fixação
### 3.3.2 Placa em ponte

A placa em ponte nos padrões de fratura simples deve ser evitada, porque o *strain* no local de fratura estará acima da tolerância do tecido dentro do local da fratura e, assim, a consolidação da fratura não acontecerá (**Fig./Animações 3.3.2-2-5**). Nas fraturas diafisárias multifragmentadas tipo C com múltiplos fragmentos, a placa em ponte permite o micromovimento entre os diferentes fragmentos, e o *strain* fica dentro da tolerância de tensão do tecido em cicatrização, permitindo a formação normal do calo (**Fig./Animação 3.3.2-5**) [1]. Se uma fratura complexa multifragmentada for imobilizada com um gesso ou com uma placa em ponte, haverá algum movimento entre os fragmentos. Entretanto, o sistema como um todo irá tolerar uma quantidade significativa de deformação, uma vez que ela é distribuída ao longo de toda a extensão da zona de fratura. Deste modo, o *strain* será baixo, permitindo o progresso da diferenciação do tecido. A formação de calo entre os fragmentos intermediários pode ocorrer rapidamente, mesmo na presença de movimento (controlado). Isso é a base da teoria do *strain* de Perren (**Fig./Animações 3.3.2-2-5**). Os pré-requisitos para a consolidação óssea bem-sucedida nessa situação incluem a preservação ideal da vascularização do fragmento e um ambiente mecânico e celular favorável para a produção do calo (**Fig. 3.3.2-6**) (**Vídeo 3.2.2-7**).

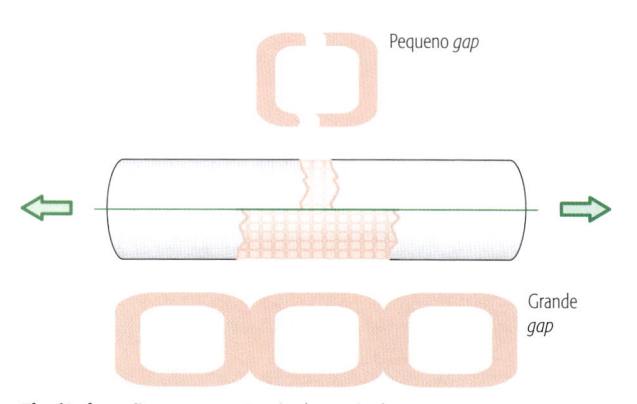

**Fig./Animação 3.3.2-2**  Teoria do *strain* de Perren. O movimento na fratura resulta em deformação que produz *strain* no tecido de granulação no local da fratura.

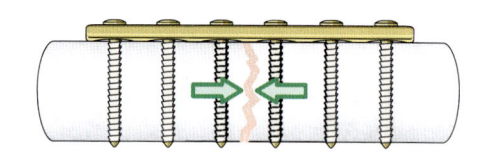

**Fig./Animação 3.3.2-3**  Teoria do *strain* de Perren. Uma fratura simples perfeitamente reduzida (*gap* pequeno), estabilizada sob compressão (estabilidade absoluta e baixo *strain*), consolida sem calo externo (consolidação direta).

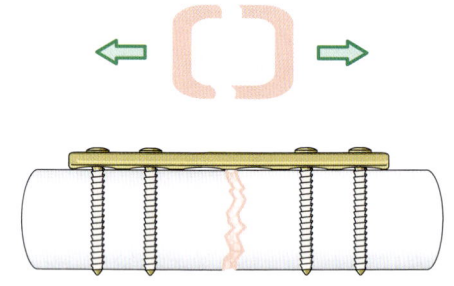

**Fig./Animação 3.3.2-4**  Teoria do *strain* de Perren. Uma fratura simples (*gap* pequeno) fixada com uma placa em ponte (estabilidade relativa) fica exposta ao movimento (alto *strain*). A consolidação da fratura será retardada ou mesmo não ocorrerá. A placa eventualmente irá falhar.

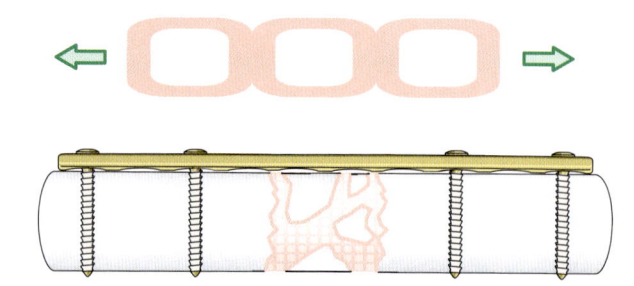

**Fig./Animação 3.3.2-5**  Teoria do *strain* de Perren. Em uma fratura complexa (*gap* grande) fixada com uma placa em ponte (estabilidade relativa), o *strain* será baixo apesar do movimento, e a consolidação da fratura ocorrerá com a formação de calo (consolidação óssea indireta).

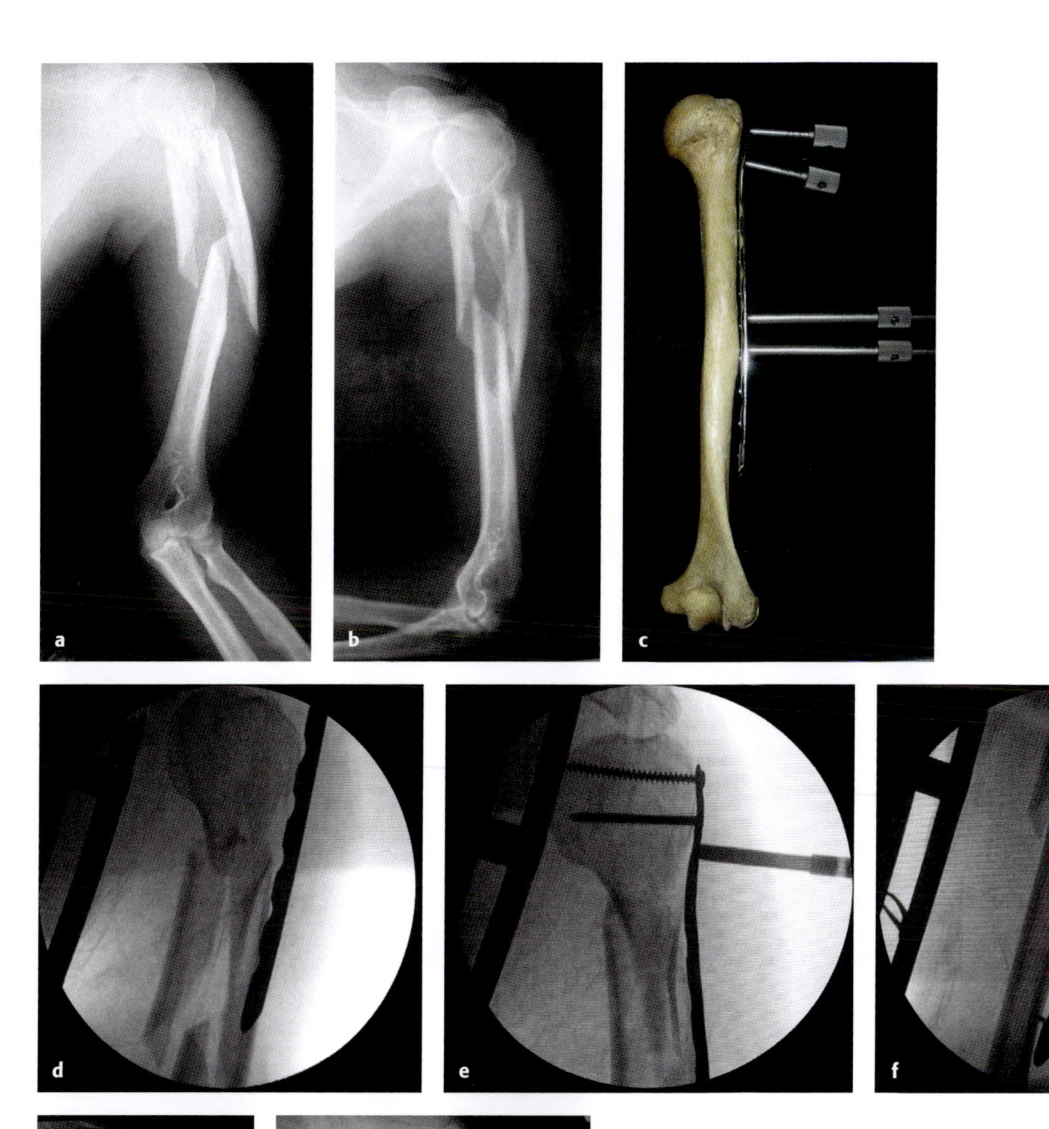

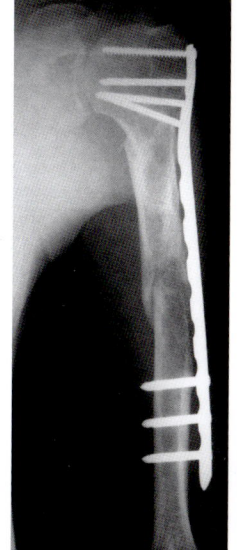

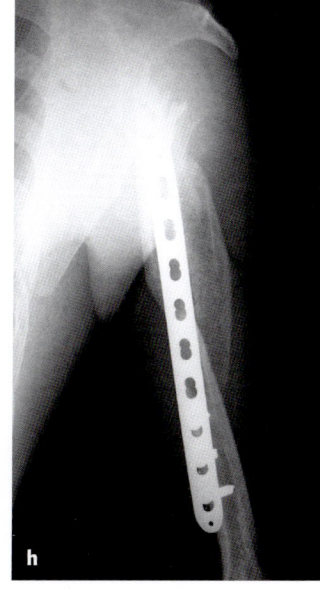

Princípios AO do tratamento de fraturas
**Volume 1**

**Fig. 3.3.2-6a-h**
**a-b** Fratura multifragmentada do úmero (12C1), incidências AP e lateral.
**c** Tática para placa em ponte minimamente invasiva, conforme demonstrado em modelo plástico. Os guias de broca são usados como suporte da placa.
**d** Inserção percutânea e submuscular da placa junto à face lateral do úmero. O nervo radial foi visualizado via exposição diminuta.
**e** Fixação transcutânea da extremidade proximal da placa.
**f** Redução e fixação da extremidade distal da placa usando guia da broca para manipulação.
**g-h** Fratura fixada em ponte e consolidação em 1 ano.
(Com permissão de Theerachai Apivatthakakul).

243

## 3.3.2 Placa em ponte

Os fragmentos ósseos, uma vez que tenham sido desnudados de suas inserções de partes moles (periósteo, músculos, etc.), não serão incorporados no calo inicial, uma vez que eles primeiro precisam ser revascularizados.

Nas fraturas diafisárias do tipo C, o suprimento sanguíneo endosteal do fragmento fica, via de regra, interrompido. A preservação da vitalidade óssea conta com a vascularização periosteal, que também contribui para a consolidação da fratura. Na ausência de continuidade mecânica entre os dois principais fragmentos, a manutenção de estabilidade se baseia completamente na placa em ponte. A técnica de exposição ampla com desnudamento periosteal para permitir a precisa redução e fixação do fragmento por compressão interfragmentar e uso de placa deve ser considerada obsoleta e deve ser evitada, já que aumenta o risco de complicações na consolidação óssea das fraturas do tipo C [2-3]. A má aplicação e a falta de compreensão dos princípios de fixação interna são responsáveis pela maioria das falhas e complicações nessa situação.

As fraturas metafisárias simples (tipo A) que requerem fixação com placa são mais adequadamente tratadas com as técnicas de estabilidade absoluta, com redução anatômica e compressão interfragmentar. Em geral, o mesmo princípio deve ser aplicado às fraturas metafisárias simples com fraturas articulares simples (C1). Entretanto, essa técnica não é apropriada para as fraturas metafisárias complexas (A3) ou aquelas associadas com fraturas articulares (C2 e C3). A reconstrução anatômica e a estabilidade absoluta da superfície articular são fundamentais. O osso metafisário, dado seu melhor suprimento sanguíneo e boas qualidades de consolidação, resistirá a um grau mais alto de lesão iatrogênica por dissecção cirúrgica do que a diáfise. A área crítica não é a metáfise, mas sua junção com o osso mais compacto da diáfise. Essas regiões de transição permanecem sob significativas cargas de flexão e mostram uma tendência ao retardo ou falha na consolidação da fratura. No passado, o uso liberal de enxertia óssea era preconizado nas tentativas de restaurar a atividade biológica que estava comprometida pela lesão e pelo tratamento subsequente.

Os conceitos atuais do uso de placa favorecem o princípio de se obter o correto ambiente biomecânico enquanto se mantém a biologia. As placas que incorporam a estabilidade angular têm facilitado muito o suporte de segmentos metafisários multifragmentados do osso.

Este desenvolvimento permite uma abordagem mais flexível e individualizada à fixação interna, com base na personalidade da lesão. A estabilização cirúrgica de uma fratura multifragmentada complexa requer a redução da fratura sem interferir com o suprimento sanguíneo e um dispositivo de fixação que mantenha o comprimento, o alinhamento e a rotação para produzir um ambiente biológico e mecânico que estimule a rápida consolidação por calo (ver Cap. 3.1.3).

## 2 Técnicas de redução indireta

O uso da placa em ponte ou biológica é geralmente aplicado após alguma forma de redução indireta (ver Cap. 3.1.3).

A meta da redução indireta é manipular os fragmentos para a posição correta sem abrir o local da fratura, minimizando o dano adicional ao suprimento sanguíneo do osso [4-6]. O princípio mecânico subjacente da redução indireta é a tração. Esse princípio se aplica ao osso diafisário bem como ao osso metafisário. O envelope muscular que circunda a diáfise dos ossos longos fornece o ambiente mecânico para a redução indireta, uma vez que a tração muscular controlada e as inserções periosteais de qualquer fragmento frequentemente produzem o alinhamento correto. O envelope muscular sob tração exerce pressão concêntrica (hidráulica) na diáfise, facilitando o posicionamento dos fragmentos. Isso também é verdadeiro para o osso metafisário e periarticular, embora a tração necessária para alinhar os fragmentos seja transferida pelos tecidos capsulares, ligamentos, tendões e inserções musculares. Esse fenômeno, regularmente visto como parte do tratamento não cirúrgico das fraturas, é descrito pelo termo de "ligamentotaxia", cunhado por Vidal [7]. A tração aplicada por uma mesa de tração a todo o membro produz a redução indireta de uma fratura. Entretanto, o uso de um implante ou distrator grande aplicado a um único osso controla a redução de forma mais eficaz e permite ajustes sutis (**Vídeo 3.3.2-1**). As técnicas de redução indireta podem usar um distrator, fixador externo ou placa como ferramentas de redução, às vezes em combinação. Outras

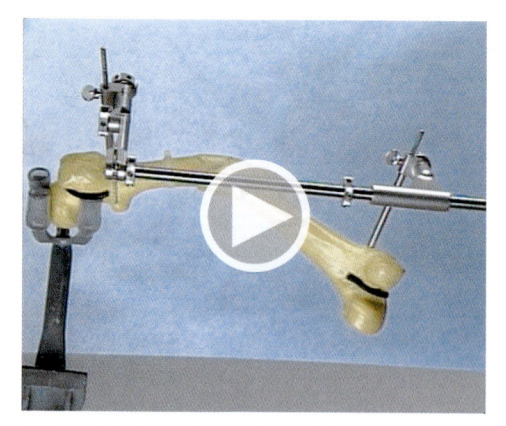

**Vídeo 3.3.2-1** O distrator femoral é uma ferramenta excelente para a redução indireta da fratura.

ferramentas para a redução indireta incluem as placas em conjunto com o dispositivo de tensão articulado, afastadores ósseos ou parafusos (**Fig./Animação 3.3.2-7**).

## 3 Considerações sobre implantes

No uso da placa biológica ou em ponte, o cirurgião deve estudar a morfologia da fratura, planejar cuidadosamente a redução e, por fim, escolher uma placa apropriada ao local anatômico e à configuração da fratura.

Novas placas projetadas para distintas localizações anatômicas têm diferentes espessuras, formatos e larguras dentro do implante em si. Os orifícios combinados que recebem cabeças bloqueadas ou convencionais de parafusos e/ou orifícios individuais que somente aceitam parafusos de cabeça bloqueada fornecem as funções da placa conforme ditado pelo padrão de fratura. A estabilidade angular na extremidade metafisária de uma placa bloqueada permite que ela funcione como um dispositivo de ângulo fixo, enquanto os parafusos de cabeça bloqueada em ambas as extremidades da placa permitem que ela funcione como um fixador interno. Ambas as técnicas permitem o implante agir como uma placa em ponte.

A maioria das placas podem funcionar como uma placa em ponte, sejam elas convencionais (placa de compressão dinâmica de baixo contato [LC-DCP]) ou bloqueadas (LCP).

O denominador comum em qualquer placa em ponte é o uso de uma placa longa como tutor no lado de fora de um osso, da mesma forma que uma haste imobiliza o osso por dentro, ou um fixador externo mantém a fratura e imobiliza o osso por fora. A imobilização das fraturas complexas tem sido um princípio aplicado por cirurgiões por muitos anos, mas só recentemente tem sido aceito como um princípio de fixação por placa (**Fig. 3.3.2-8**).

A placa em ponte original era uma placa de compressão dinâmica (DCP) usada como uma placa em "onda", com um segmento central curvado deixando espaço para um enxerto ósseo. A placa em onda reduz a interferência com o suprimento vascular do local da fratura ao evitar o contato com o osso, mas as forças de flexão na placa, que funciona como um implante suporte de carga, são consideráveis. O suporte de fraturas com uma DCP convencional usada na osteossíntese com placa minimamente invasiva (OPMI) carece da vantagem mecânica da estabilidade angular alcançada por uma placa com parafusos bloqueados (LCP).

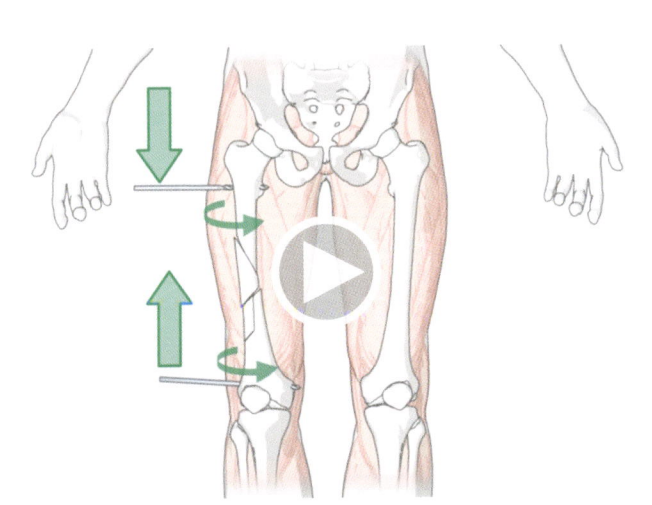

**Fig./Animação 3.3.2-7** Encurtamento e angulação da fratura do fêmur e redução indireta por distração entre os parafusos de Schanz.

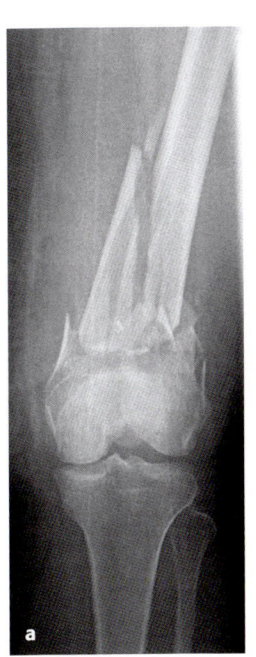

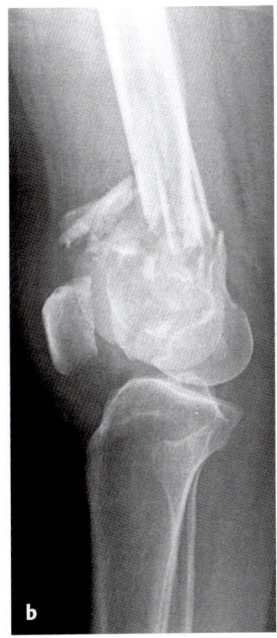

**Fig. 3.3.2-8a-k** Uma mulher de 54 anos de idade foi atingida por um veículo automotor enquanto caminhava.
**a-b** Fratura multifragmentada distal do fêmur envolvendo os côndilos femorais medial e lateral no plano coronal (fraturas de Hoffa bicondilar).

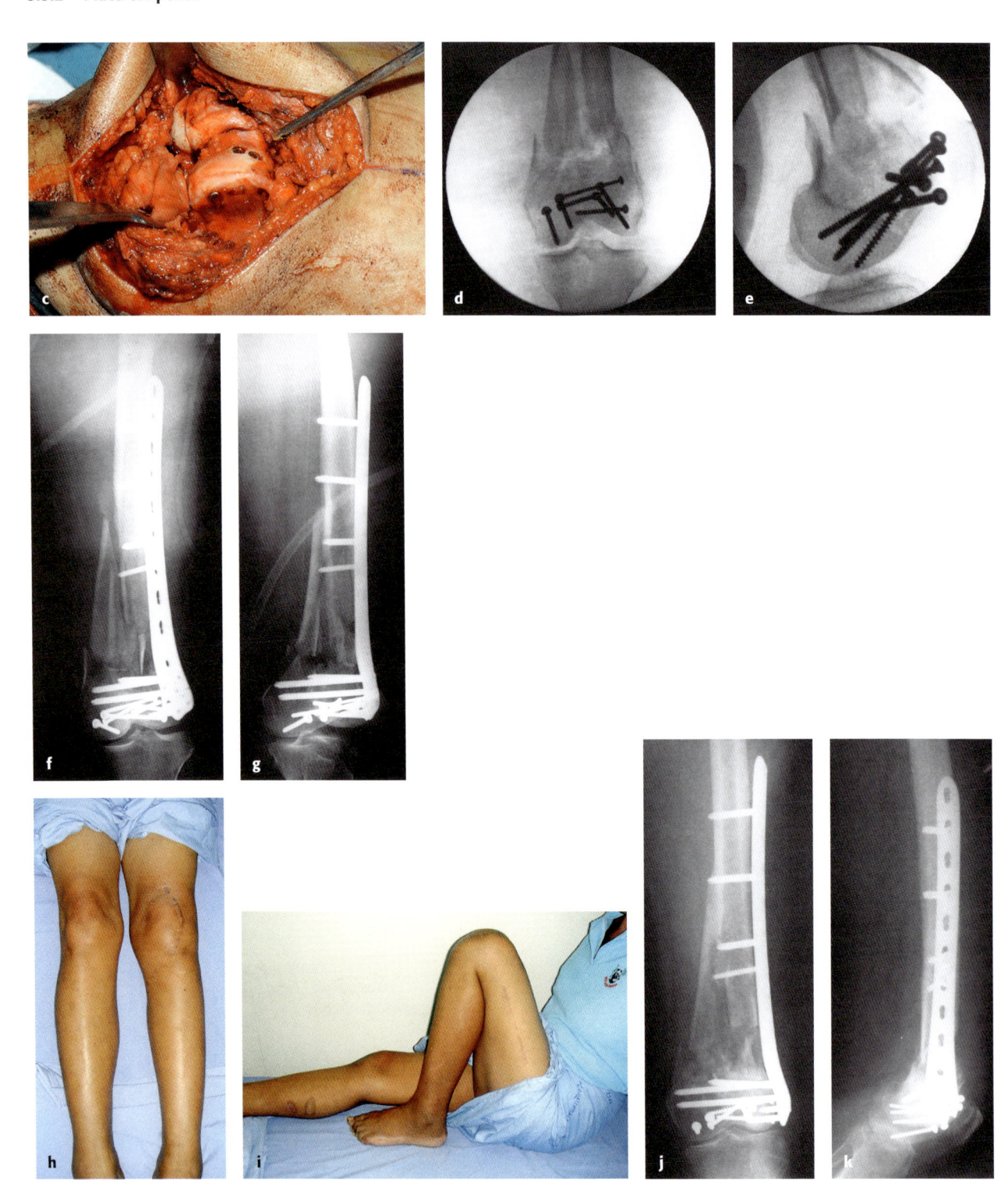

Redução, vias de acesso e técnicas de fixação
### 3.3.2 Placa em ponte

**Fig. 3.3.2-8a-k (cont.)** Uma mulher de 54 anos de idade foi atingida por um veículo automotor enquanto caminhava.
**c-e** Os fragmentos articulares foram fixados com parafusos de tração sepultados de 3,5 mm.
**f-g** As radiografias pós-operatórias imediatas demonstraram o eixo mecânico correto, embora a parte superior da placa não estivesse bem adaptada ao osso devido a uma variação da anatomia óssea.
**h-k** Aos 6 meses de pós-operatório a paciente tinha boa amplitude de movimento, e as radiografias mostravam consolidação óssea.

As placas longas com um comprimento de trabalho longo permitem a distribuição dos estresses de flexão sobre um segmento longo da placa, e o estresse por unidade de área é correspondentemente baixo. Isso evita um *strain* alto no local da fratura e reduz o risco de falha da placa (**Fig./Animação 3.3.2-9**).

Nas fraturas simples (tipo A), os estresses de flexão repetitivos são concentrados e centrados em um segmento curto da placa, com um risco alto de falha. Se o estresse estiver concentrado em um orifício do parafuso, pode quebrar mais facilmente devido à fadiga. A incidência da falha mecânica pode ser consideravelmente reduzida se placas mais longas forem usadas, apesar de zonas curtas de cominução, de forma que as tensões sejam deliberadamente distribuídas sobre uma seção proporcionalmente mais longa da placa. Isso é realizado fixando-se a extremidade da placa sobre segmentos mais longos, bem longe da fratura, e espaçando os parafusos. Isso produz uma construção elástica [8, 9]. Menos parafusos são necessários, especialmente quando são usados parafusos bloqueados, uma vez que a força de tração do parafuso aumenta com a distância da zona de fratura (ver Cap. 3.3.4) (**Fig. 3.3.2-10**). Esse princípio de fixador interno é baseado nos parafusos de cabeça bloqueada que fornecem estabilidade angular e minimizam a área de contato entre a placa e o osso, interferindo menos com o suprimento sanguíneo periosteal e realçando a estabilidade axial. A LCP também exibe uma distribuição de força mais uniforme ao longo da placa, reduzindo a concentração de tensão em um orifício de parafuso [10].

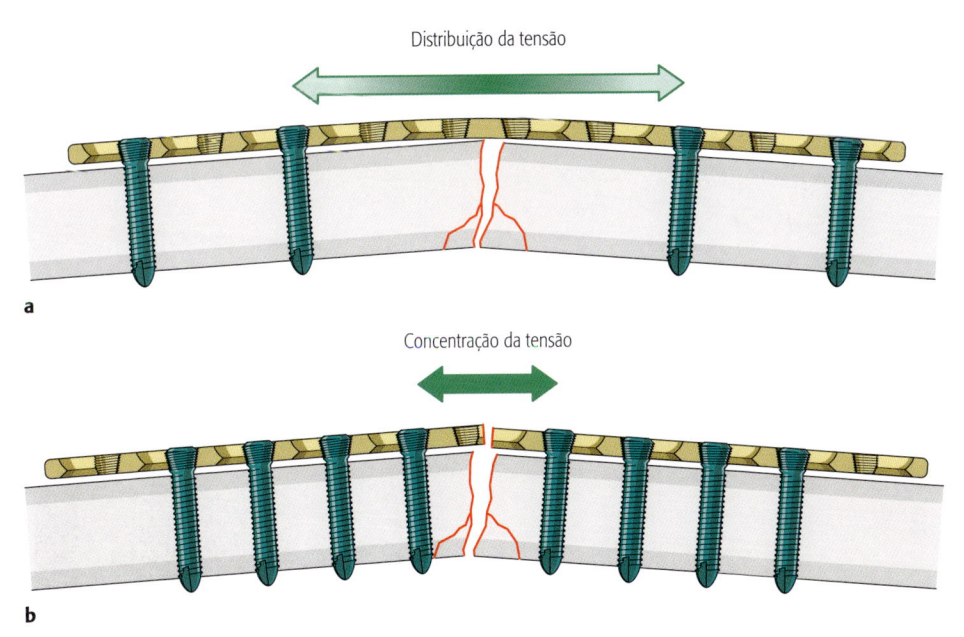

**Fig./Animação 3.3.2-9a-b**  Se houver um *gap* de fratura, a concentração de tensão em um orifício do parafuso pode levar à falha por fadiga.

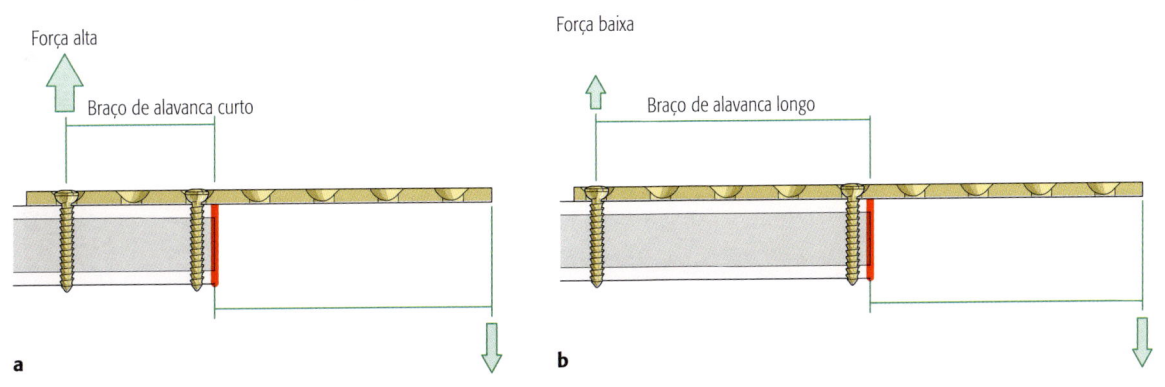

**Fig. 3.3.2-10a-b**  Braços de alavanca longos diminuem a carga no parafuso.
**a**  Um braço de alavanca curto leva a uma alta força de tração no parafuso.
**b**  Aumentando o braço de alavanca reduz a força de tração.

### 4 Considerações sobre partes moles

O uso da placa biológica fornece estabilidade relativa, preserva a vascularização em torno da fratura e permite o micromovimento controlado, resultando em formação de calo mais rápido e mais abundante, tal como observado no encavilhamento intramedular ou no tratamento não cirúrgico das fraturas. Entretanto, o sucesso dessa via de acesso cirúrgica depende muito de como o cirurgião manuseia os tecidos moles e no quão bem as características anatômicas de qualquer fratura tenham sido levadas em consideração durante o planejamento e a execução da cirurgia. As vias de acesso anatômicas mais recentes refletem a tendência à exposição mínima do osso (ver Cap. 3.1.3).

O envelope muscular sobre o local da fratura é raramente elevado a partir do septo intermuscular. O periósteo é deixado intacto e a ligadura dos vasos perfurantes deve ser evitada, se for possível. A placa é gentilmente inserida através de um túnel entre o músculo e o osso, e sobre o periósteo.

> É muito importante não danificar o envelope de partes moles em torno do local da fratura.

A exposição pode ser estendida com segurança para controlar a posição da placa, centrar a placa no osso e ajustar o alinhamento da fratura em qualquer extremidade das placas longas em ponte. A tração excessiva da ferida, para evitar uma incisão mais longa, é uma técnica cirúrgica deficiente [11].

Na tíbia, a placa pode ser introduzida via subcutânea pelo lado medial. Entretanto, deve haver cuidado para não ocorrer tensão excessiva na delicada pele sobrejacente: os parafusos bloqueados podem deixar a placa elevada, causando tensão cutânea e problemas na cicatrização da ferida [12]. Para um posicionamento lateral à crista tibial, é necessário um pouco mais de dissecção com um descolador afiado na metáfise proximal. Os parafusos são facilmente introduzidos por pequenas incisões, mas os cirurgiões devem estar cientes da anatomia e do potencial para lesionar nervos cutâneos.

Outras áreas de aplicação para o uso de placa com acesso mínimo incluem o úmero, a distal do fêmur e a proximal e distal da tíbia [11]. Esses locais têm características anatômicas distintas, requerendo o posicionamento exato da placa. As placas anatomicamente projetadas, em combinação com parafusos de cabeça bloqueada, têm melhorado a capacidade de aplicar essas técnicas. O cirurgião pode achar necessário combinar a redução aberta direta dos componentes articulares com a redução indireta e o posicionamento submuscular da placa para fraturas metafisárias ou diafisárias associadas (**Fig. 3.3.2-11**). Se ocorrerem dificuldades, uma abordagem convencional é aconselhável, o que ainda permite o manuseio cuidadoso de partes moles e a exposição mínima do osso em si. Mesmo ao usar técnicas biológicas, o cirurgião deve sempre estar atento ao dano de partes moles causado pelo trauma inicial. Os afastadores de partes moles e as ferramentas de redução como a pinça para segurar a placa não devem ser usados, já que deixam trajetos grandes e podem causar significativo desnudamento e esmagamento de partes moles. Recomendamos o uso de pinças de redução com ponta, pinças com ponta esférica, cinzel e *joysticks* como instrumentos para a manipulação óssea, em combinação com instrumentos de tração.

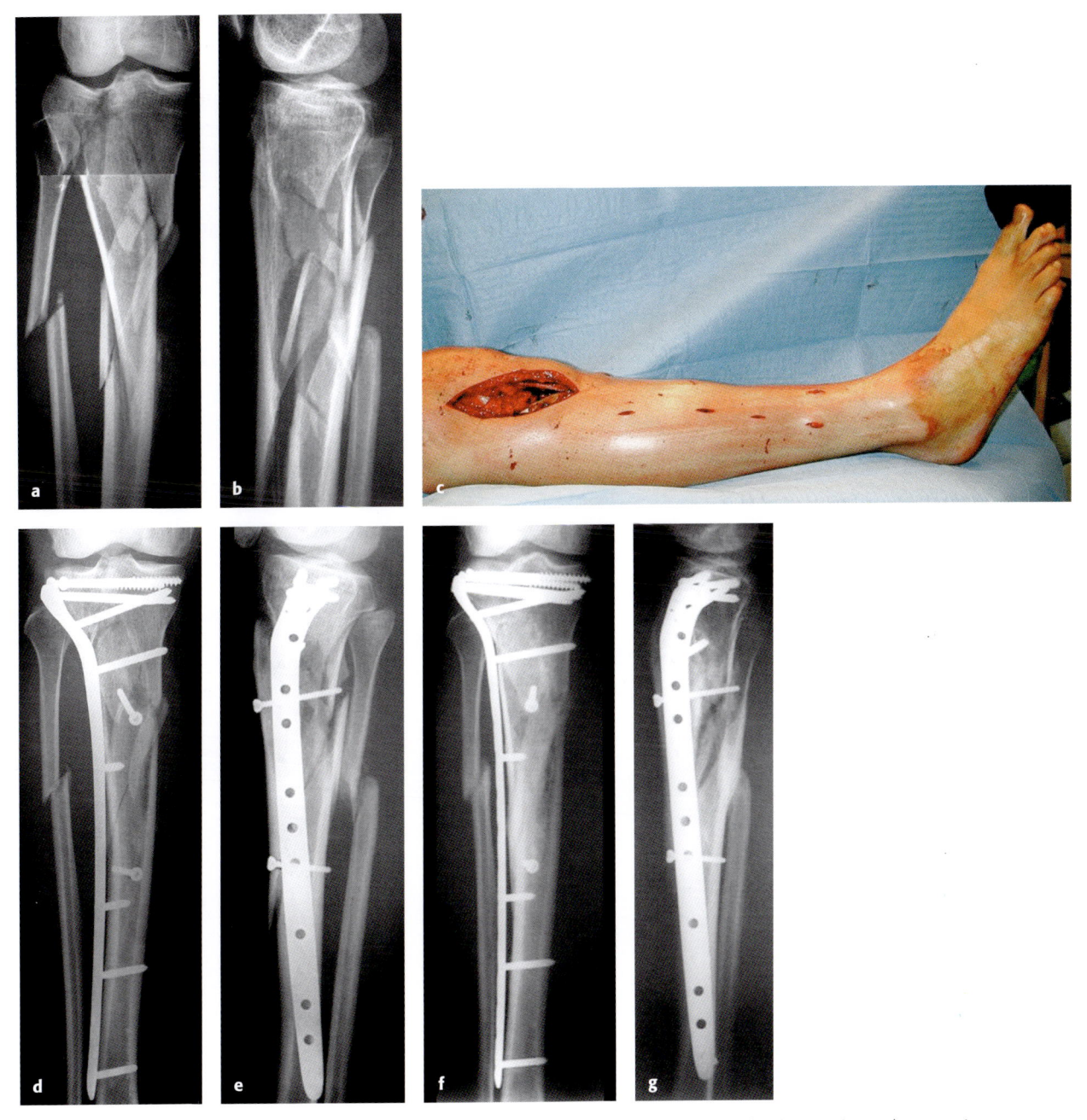

**Fig. 3.3.2-11a–g** Placa em ponte com o sistema de estabilização menos invasivo lateral proximal da tíbia (LISS-LPT) usando osteossíntese com placa minimamente invasiva (OPMI).

**a-b** Fratura proximal articular multifragmentada da tíbia (41C3) estendendo-se para dentro da diáfise.

**c** Fotografia intraoperatória demonstrando a exposição limitada para a reconstrução articular e a inserção submuscular da placa, bem como as pequenas incisões para os parafusos de cabeça bloqueada mais distais. Os cirurgiões devem estar cientes da posição do nervo fibular superficial.

**d-e** Reconstrução aberta dos componentes articulares com parafusos de tração independentes. Suporte da zona de fratura meta/diafisária da tíbia com LISS de 14 orifícios fixada com parafusos de cabeça bloqueada ao fragmento principal distal. O grande fragmento intermediário em asa-de-borboleta foi reduzido por dois parafusos de tração adicionais na direção AP.

**f-g** O paciente foi imediatamente liberado para mover livremente o membro e iniciar a carga parcial de 15-30 kg depois de 3 semanas. Radiografias de seguimento depois de 1 ano.
(Com permissão de Christoph Sommer.)

### 3.3.2 Placa em ponte

Nas fraturas expostas grau III ou lesões fechadas com considerável contusão de partes moles, a placa em ponte não é a primeira escolha para fixar uma fratura multifragmentada em uma situação de emergência. Aqui, podem ser indicados um fixador externo ou o uso do encavilhamento intramedular (ver Caps. 3.3.3 e 3.3.1). As técnicas de placa em ponte são frequentemente aplicadas mais tarde, quando a lesão de partes moles tiver estabilizada (**Fig. 3.3.2-12**).

A técnica de Masquelet, descrita em 1986 para o tratamento de defeitos ósseos, usa uma placa para sobrepor um defeito ósseo (causado por lesão ou debridamento), que é preenchido por um espaçador de cimento com antibiótico. A reação de corpo estranho resulta em uma vascularizada membrana (induzida), que serve como uma bolsa para a enxertia óssea autógena esponjosa em 6-8 semanas mais tarde [13].

O tratamento das fraturas difíceis é trabalhoso e requer experiência, bem como o planejamento cuidadoso das opções e passos táticos. As principais dificuldades são o alinhamento axial e rotacional correto, já que eles só podem ser julgados indiretamente.

## 5 Resumo

As técnicas de redução indireta em combinação com a placa em ponte têm provado, experimental e clinicamente, que otimizam a cicatrização nas fraturas multifragmentadas complexas. A redução anatômica direta e a compressão interfragmentar para fornecer estabilidade absoluta devem ficar reservadas às fraturas simples com lesões mínimas de partes moles. Com as placas bloqueadas, continua a tendência da cirurgia minimamente invasiva, de forma que a tunelização submuscular e a introdução da placa serão facilitadas por novas ferramentas de redução e instrumentos para visualização radiográfica e endoscópica e cirurgia com navegação.

> Um pré-requisito para o uso bem-sucedido da placa biológica é o conhecimento abrangente apoiado pela experiência prática na arte e habilidade do uso da placa de compressão convencional.

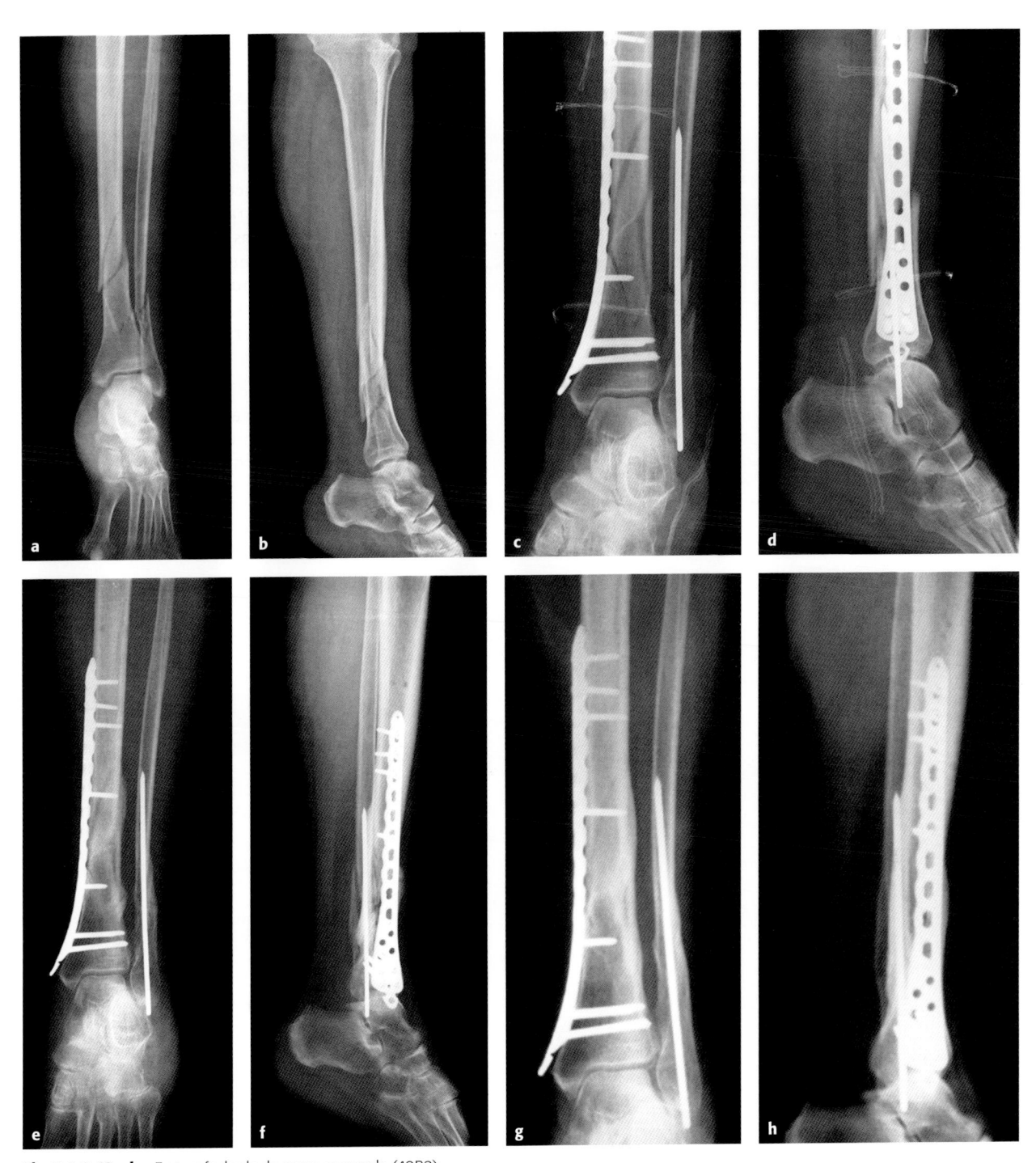

**Fig. 3.3.2-12a–h** Fratura fechada da perna esquerda (42B2).
**a-b** Radiografias pré-operatórias em AP e lateral. O comprimento e o alinhamento do osso eram satisfatórios. Existe pequena má rotação.
**c-d** Radiografias pós-operatórias em AP e lateral. Usando o distrator para redução indireta, foram executadas a placa em ponte percutânea da tíbia e a fixação intramedular da fíbula. Nenhuma tentativa foi feita para obter a redução anatômica. Os parafusos intermediários foram colocados apenas nos fragmentos principais. Houve grande cuidado com o fechamento da pele no maléolo medial para evitar tensão a partir da placa subjacente.
**e-f** Vistas AP e lateral aos 5 meses. A fratura curou por consolidação óssea indireta. O comprimento e o alinhamento estavam corretos.
**g-h** Vistas AP e lateral em 1 ano. A remodelação estava completa.

## 3.3.2 Placa em ponte

| Referências clássicas | Referências de revisão |

## 6 Referências

1. **Perren SM.** The concept of biological plating using the limited contact-dynamic compression plate (LC-DCP). Scientific background, design and application. *Injury.* 1991;22(Suppl 1):1–41.
2. **Lies A, Scheuer I.** Die mediale Abstützung—Bedeutung und Möglichkeiten der Wiederherstellung bei Osteosynthesen. *Hefte Unfallheilkunde.* 1981;153:243–248. German.
3. **Bolhofner BR, Carmen B, Clifford P.** The results of open reduction and internal fixation of distal femur fractures using a biologic (indirect) reduction technique. *J Orthop Trauma.* 1996; 10(6):372–377.
4. **Baumgaertel F, Gotzen L.** [The "biological" plate osteosynthesis in multi-fragment fractures of the para-articular femur. A prospective study]. *Unfallchirurg.* 1994;97(2): 78–84. German.
5. **Baumgaertel F, Perren SM, Rahn B.** [Animal experiment studies of "biological" plate osteosynthesis of multi-fragment fractures of the femur]. *Unfallchirurg.* 1994 Jan;97(1):19–27. German.
6. **Mast, J, Jakob R, Ganz R.** *Planning and Reduction Technique in Fracture Surgery.* Berlin Heidelberg New York: Springer; 1989.
7. **Tepic S, Remiger AR, Morikawa K, et al.** Strength recovery in fractured sheep tibia treated with a plate or an internal fixator: an experimental study with a two-year follow-up. *J Orthop Trauma.*1997 Jan; 11(1):14–23.
8. **Vidal J.** External fixation: current state of the art. In: Brooker HS, Edward CC, eds. *Treatment of Articular Fractures by "Ligamentotaxis" With External Fixation.* Baltimore: Williams & Walkins; 1979.
9. **Schmidtmann U, Knopp W, Wolff C, et al.** [Results of elastic plate osteosynthesis of simple femoral shaft fractures in polytraumatized patients. An alternative procedure]. *Unfallchirurg.* 1997 Dec; 100(12):949–956. German.
10. **Hunt SB, Buckley RE.** Locking plates: a current concepts review of technique and indications for use. *Acta Chir Orthop Traumatol Cech.* 2013; 80(34):185–191.
11. **Krettek C, Schandelmaier P, Miclau T, et al.** Transarticular joint reconstruction and indirect plate osteosynthesis for complex distal supracondylar femoral fractures. *Injury.* 1997; 28 Suppl 1:A31–A41.
12. **Krettek C, Schandelmaier P, Miclau T, et al.** Minimally invasive percutaneous plate osteosynthesis (MIPPO) using the DCS in proximal and distal femoral fractures. *Injury.* 1997; 28(Suppl 1):A20–A30.
13. **Helfet DL, Shonnard PY, Levine D, et al.** Minimally invasive plate osteosynthesis of distal fractures of the tibia. *Injury.* 1997; 28 Suppl 1:A42–A47; discussion A47–48.
14. **Giannoudis P, Faour O, Goff T, et al.** Masquelet technique for the treatment of bone defects: tips-tricks and future directions. *Injury.* 2011 Jun; 42(6):591–598.

## 7 Agradecimentos

Agradecemos a John H. Wilbur por sua contribuição para este capítulo na 2ª edição de *Princípios AO do tratamento de fraturas*.

# 3.3.3 Fixador externo

*Dankward Höntzsch*

## 1 Introdução

O fixador externo é um dos métodos principais de tratamento cirúrgico das fraturas. Ele permite o "controle do dano local" para fraturas com graves lesões de partes moles e pode ser usado para o tratamento definitivo de muitas fraturas. Ele fornece estabilidade relativa que resulta em consolidação pela formação de calo. A fixação externa é uma parte essencial da cirurgia de controle de danos no politraumatismo, já que permite a rápida estabilização das fraturas com mínima lesão (cirúrgica) adicional. Outra indicação principal é a fixação óssea nos casos de infecção do osso. A correção de deformidade e o transporte ósseo também são possíveis com a fixação externa.

## 2 Por que utilizar o fixador externo?

### 2.1 Vantagens

Existem vários métodos de fixação interna para o tratamento das fraturas, mas, em certos momentos, é inadequado executar a fixação interna como um tratamento primário. A fixação externa tem as seguintes vantagens:

- Menos dano para o suprimento sanguíneo do osso
- Interferência mínima na cobertura de partes moles
- Aplicação rápida em uma situação de emergência
- Estabilização de fraturas expostas e contaminadas
- Ajuste da redução e estabilidade da fratura sem cirurgia
- Corpo estranho mínimo na presença de infecção
- Menos experiência e habilidade cirúrgica necessárias que na redução aberta e fixação interna (RAFI)
- Possibilidade de transporte ósseo e correção de deformidades

### 2.2 Indicações para a fixação externa

#### 2.2.1 Fraturas expostas

A fixação externa é uma opção para a estabilização esquelética temporária ou definitiva das fraturas expostas, em particular daquelas com lesão grave de partes moles [1].

Também é útil nos casos onde exista um risco mais alto de infecção, como, por exemplo, no tratamento retardado e/ou com contaminação da ferida. Há muito tempo tem sido um dispositivo útil para tratar tais lesões e permanece o padrão-ouro por várias razões.

A fixação externa pode ser aplicada com um trauma mínimo, evitando dano adicional aos tecidos moles e à vascularização óssea.

#### 2.2.2 Fraturas fechadas

Nas fraturas fechadas, a fixação externa está indicada para a fixação temporária no politraumatismo grave [2, 3] e nas contusões graves fechadas de partes moles ou desenluvamentos.

A redução aberta retardada é recomendada para algumas fraturas fechadas com lesão grave de partes moles e politraumatismo. Nesses casos, um fixador externo temporário pode ser aplicado fora da zona de lesão e, de preferência, fora da zona potencial de cirurgia para manter o alinhamento do membro durante o tratamento das partes moles.

#### 2.2.3 Politraumatismo

A fixação externa deve ser considerada para a cirurgia de controle de danos no politraumatismo. Pode ser feita rapidamente e, por ser uma técnica minimamente invasiva, reduzirá qualquer agressão cirúrgica adicional ao paciente [2, 3].

A fixação externa pode ser usada para quase qualquer fratura de osso longo ou de grande articulação. A vantagem principal dessa abordagem é a rápida obtenção da estabilidade relativa que ajuda a controlar a dor, diminuir o sangramento, reduzir a síndrome da resposta inflamatória sistêmica [3] e facilitar os cuidados de enfermagem.

#### 2.2.4 Fraturas articulares

A reconstrução articular perfeita com compressão interfragmentar e estabilidade absoluta, permitindo o movimento precoce e sem dor, é a meta terapêutica nas fraturas articulares. Essa meta pode ser alcançada pela RAFI ou, nos padrões de fratura mais simples, por uma combinação

Redução, vias de acesso e técnicas de fixação
### 3.3.3 Fixador externo

de fixação interfragmentar com parafuso de tração ou com um fixador externo. É geralmente uma medida temporária, feita para proteger a delicada cobertura de partes moles associada a uma fratura articular instável ou complexa, ou para lidar com as luxações articulares que não permitam a fixação interna definitiva primária ou o reparo ligamentar. Qualquer articulação importante pode ser transposta desse modo [4, 5], mas é mais comum no punho, no joelho e no tornozelo.

#### 2.2.5 Perda de osso ou de partes moles

Os fixadores externos fornecem ao cirurgião a oportunidade ímpar de tratar a perda importante de partes moles e osso pelo encurtamento primário do membro, seguido pela osteogênese por tração secundária, para restaurar o comprimento do membro. Em alguns casos, isso evita a necessidade de uma reconstrução com cirurgia plástica de grande proporção.

#### 2.2.6 Fixador externo como uma ferramenta para redução indireta

O fixador externo pode ser usado como uma ferramenta para executar a redução indireta durante a osteossíntese minimamente invasiva [6]. Uma vez que a fratura tenha sido reduzida, a posição é mantida bloqueando o fixador externo enquanto a placa de fixação interna ou a haste intramedular é inserida e fixada. Em algumas situações, quando a fixação interna não oferecer a estabilidade adequada, o fixador externo pode ser deixado *in situ* por um período curto de tempo para fornecer suporte adicional.

> Uma forma de alcançar a redução intraoperatória minimamente invasiva é pela aplicação do fixador externo modular como um dispositivo de redução externa.

Os fixadores externos ou distratores femorais têm provado o seu valor no encavilhamento intramedular da tíbia. Os fios de Steinmann são inseridos na porção proximal da tíbia, posteriores ao ponto de entrada para a haste intramedular, e no calcâneo, e unidos por tubos longos. Isso alcança uma tração local bem equilibrada na qual o comprimento, o alinhamento e a rotação podem ser ajustados;

o encavilhamento intramedular pode ser executado sem obstrução, com a articulação do joelho em flexão ou em extensão (**Vídeo 3.3.3-1**).

## 3 Princípios da fixação externa

### 3.1 Aspectos biomecânicos

O cirurgião deve entender os princípios biomecânicos para aplicar corretamente um dispositivo de fixação externa e obter a estabilidade adequada. Pelo menos dois Schanz devem ser inseridos em cada fragmento principal através de uma zona anatômica segura. Os Schanz devem ficar tão separados quanto possível. Se a situação de partes moles permitir, os Schanz são introduzidos tão perto do foco da fratura quanto possível, mas não devem penetrar no hematoma da fratura ou em áreas desenluvadas. Se a fixação interna retardada for planejada, os Schanz devem evitar as potenciais incisões e abordagens cirúrgicas (a zona da cirurgia). O tubo de conexão deve ser colocado tão perto quanto possível do osso para aumentar a estabilidade.

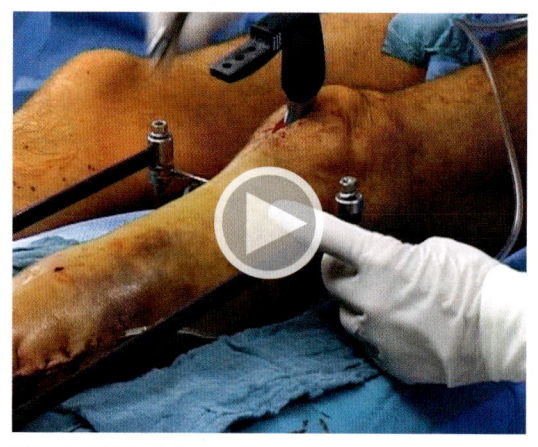

**Vídeo 3.3.3-1** Aplicação de uma armação de tração com encavilhamento da tíbia.

A rigidez da armação depende dos seguintes fatores (**Fig. 3.3.3-1**):

- Distância dos pinos/parafusos de Schanz do foco de fratura: mais perto significa mais rígido
- Distância entre os pinos/parafusos de Schanz inseridos em cada fragmento principal: quanto maior a distância, maior a rigidez
- Distância do tubo/barra de conexão longitudinal do osso: mais perto significa mais rígido
- Número de barras/tubos: dois são mais rígidos do que um
- Configuração (em rigidez crescente): uniplanar/moldura em A/biplanar
- Combinação de fixação interna limitada (parafuso de tração) com fixação externa: apenas raramente indicada, já que a mistura de fixação elástica com a rígida é somente para uso temporário
- Diâmetro dos parafusos de Schanz ou fios de Steinmann – 6 mm *versus* 5 mm (rigidez de dobra dupla)

A fixação externa instável retardará a consolidação da fratura. Entretanto, a rigidez excessiva na montagem do fixador externo também pode retardar a consolidação da fratura.

Pode ser necessário dinamizar uma configuração estável do fixador e aumentar a carga através do local de fratura pela carga parcial ou completa e/ou modificando a montagem da armação [7].

### 3.2 Técnica de inserção

Ao inserir um fio de Steinmann ou parafuso de Schanz é importante:

- Conhecer a anatomia e evitar nervos, vasos e tendões
- Não posicionar fios ou parafusos em uma articulação
- Evitar o foco de fratura e o hematoma
- Evitar pele desenluvada e contundida
- Pré-perfurar a cortical para evitar a queima do osso (um sequestro em anel é produzido)
- Inserir parafuso de Schanz do comprimento correto para permitir a montagem apropriada da armação

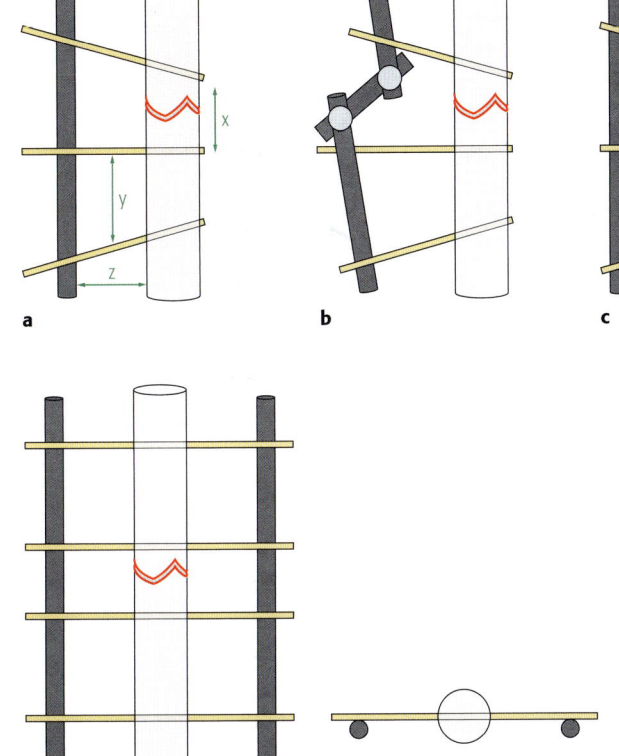

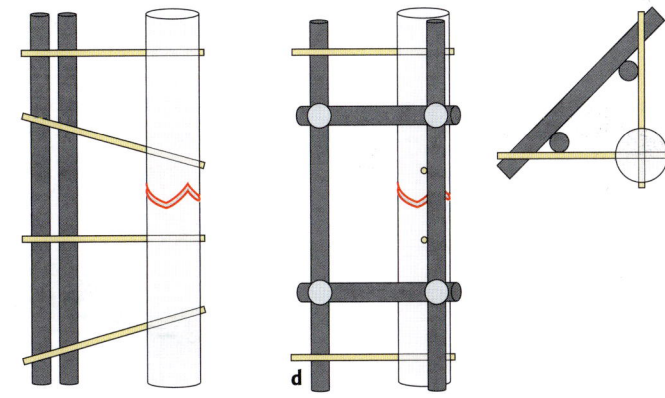

**Fig. 3.3.3-1a-e** Diferentes construções do fixador externo tubular que produzirão níveis crescentes de estabilidade.

- **a** Fixador uniplanar unilateral de tubo único. Distância dos fios/parafusos de Schanz do foco de fratura (x): mais perto significa mais rígido. Distância entre os fios/parafusos de Schanz inseridos em cada fragmento principal (y): quanto maior a distância, maior a rigidez. Distância do tubo/barra de conexão longitudinal do osso (z): mais perto significa mais rígido.
- **b** Fixador uniplanar unilateral modular com três tubos: uma configuração útil com uma grande variedade de aplicações, incluindo técnicas de redução.
- **c** Fixador uniplanar unilateral de tubo duplo.
- **d** Armação biplanar unilateral (armação delta).
- **e** Armação bilateral com fios transfixantes, que é agora raramente usada.

### 3.2.1 Diáfise

**É essencial evitar o dano térmico ao osso durante a introdução de um fio ou parafuso de Schanz na cortical óssea endurecida.**

Quanto mais afiada for a broca ou os parafusos, menos calor é gerado. A temperatura sobe conforme aumenta a velocidade de inserção. A queimadura do osso pode ser um problema sério e pode resultar em afrouxamento precoce devido à formação de sequestro anelar e/ou infecção. Um fio ou Schanz corretamente introduzido deve ter pega na cortical oposta, mas não protruir muito além dela.

### 3.2.2 Metáfise

No osso metafisário, a geração de calor não é um problema. Pode ser mais seguro usar parafusos autoperfurantes, já que é fácil errar o orifício pré-perfurado. A penetração articular deve ser evitada por causa do risco de disseminação articular de uma infecção no trajeto do Schanz. O cirurgião deve estar ciente da inserção da cápsula articular.

### 3.2.3 Zonas seguras

Para evitar lesões em nervos, vasos, tendões e músculos, o cirurgião deve estar familiarizado com a anatomia das diferentes seções transversais [8] do membro e utilizar as zonas seguras para o posicionamento dos Schanz (**Fig. 3.3.3-2**).

Na tíbia, não é necessário colocar os parafusos de Schanz na crista tibial anterior em uma aplicação uniplanar. A estabilidade na crista tibial é alta devido à cortical espessa. Entretanto, a pega excessiva na cortical não é geralmente necessária, por causa da espessura adequada da parede tibial anteromedial e da ancoragem bicortical dos parafusos de Schanz. A perfuração de um orifício na espessa crista tibial pode estar associada à geração de calor excessivo e subsequente necrose do osso. A inserção de um parafuso de Schanz na crista tibial pode ser difícil, já que a ponta da broca pode deslizar medial ou lateralmente, danificando os tecidos moles. Na região distal da tíbia, existe um risco de dano aos tendões dos músculos tibial anterior e extensor dos dedos, e os locais dos Schanz mais distais também têm uma taxa de infecção mais alta. Existe, contudo, uma zona segura no aspecto anteromedial da tíbia, onde os parafusos de Schanz podem permanecer por um período longo sem infecção.

Princípios AO do tratamento de fraturas
**Volume 1**

**a**

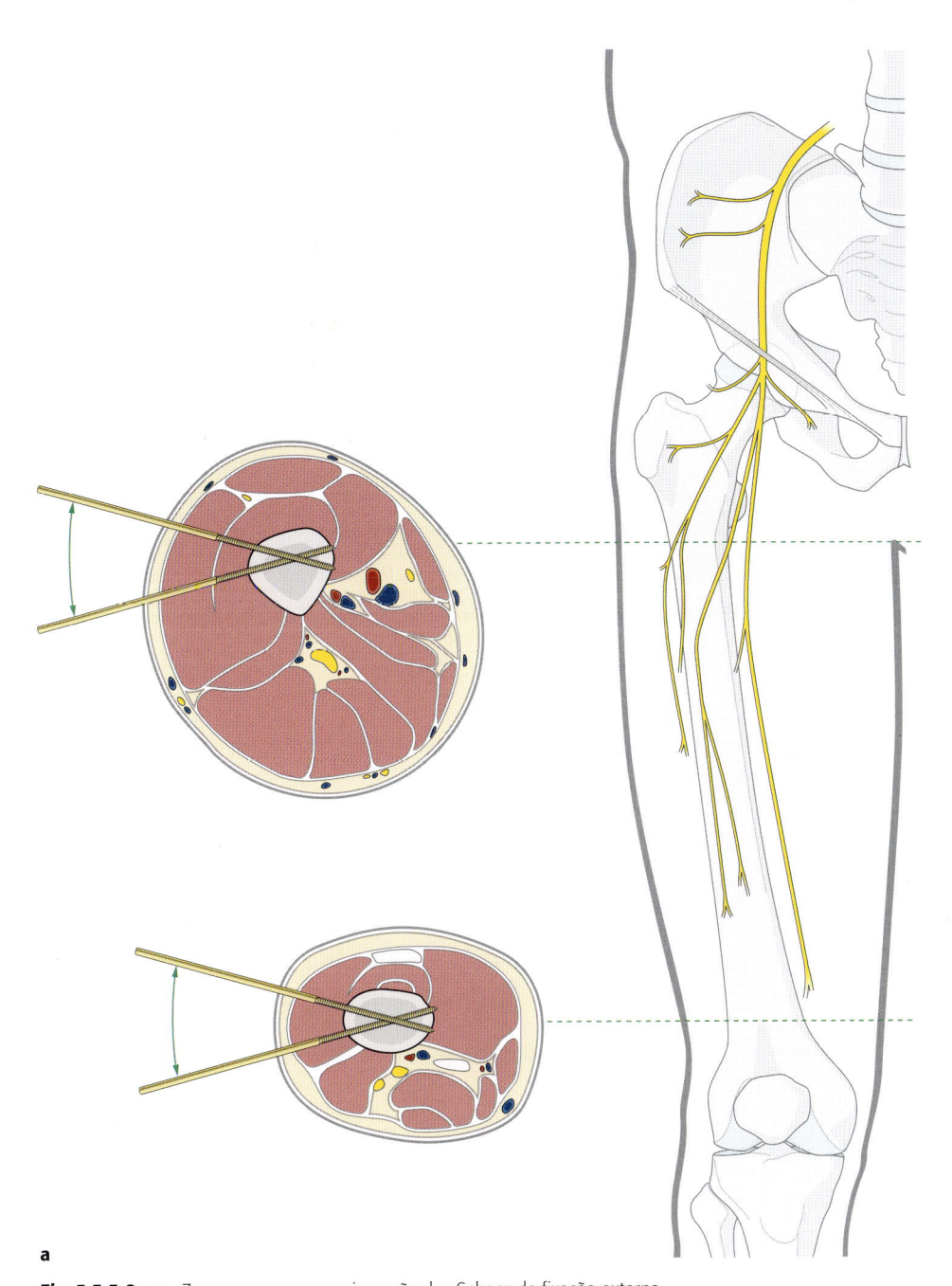

**Fig. 3.3.3-2a-c** Zonas seguras para a inserção dos Schanz de fixação externa.
a   Fêmur

Redução, vias de acesso e técnicas de fixação
### 3.3.3 Fixador externo

**b**

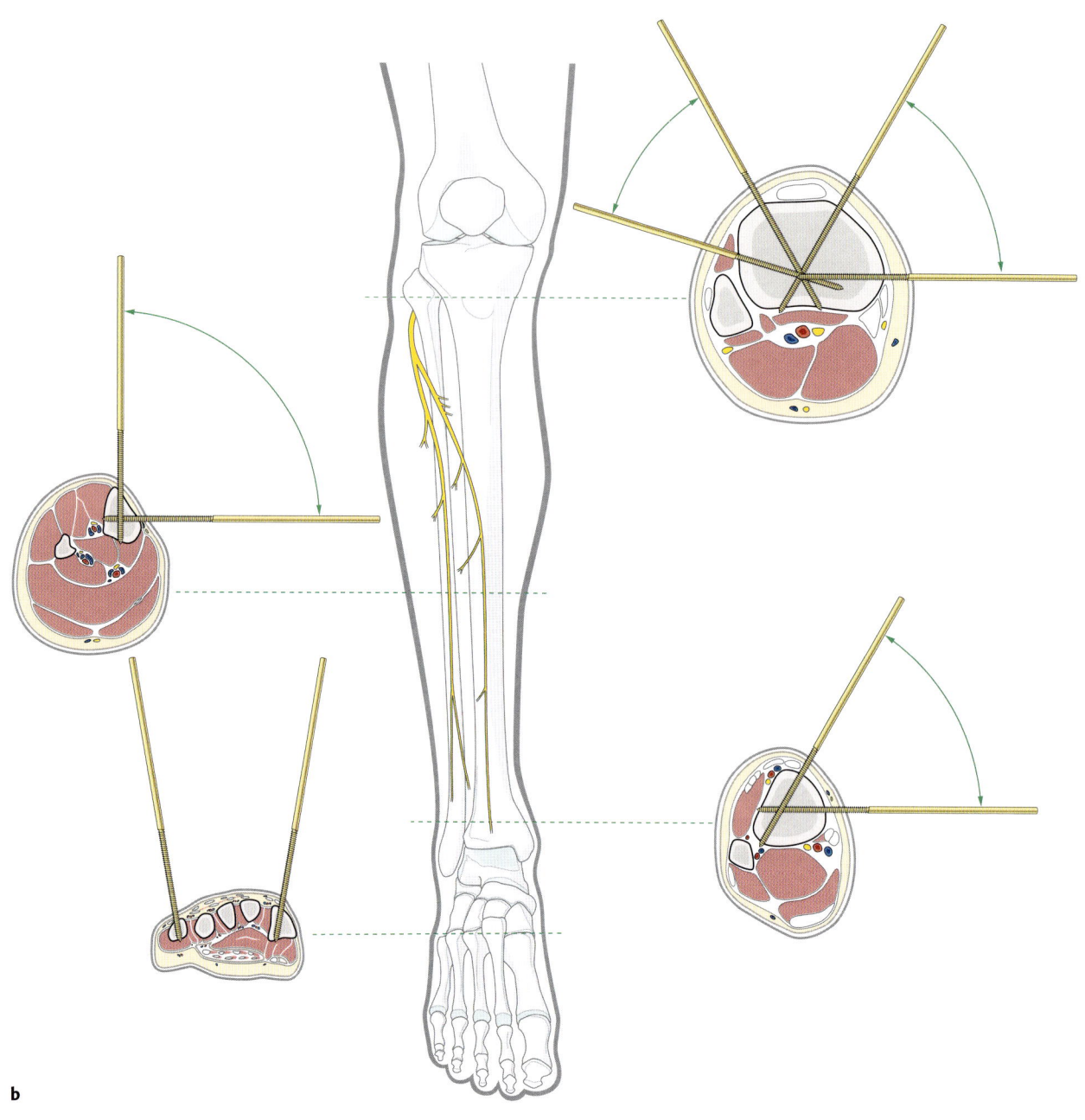

**Fig. 3.3.3-2a-c** (**cont.**)  Zonas seguras para a inserção dos Schanz de fixação externa.
**b**  Tíbia

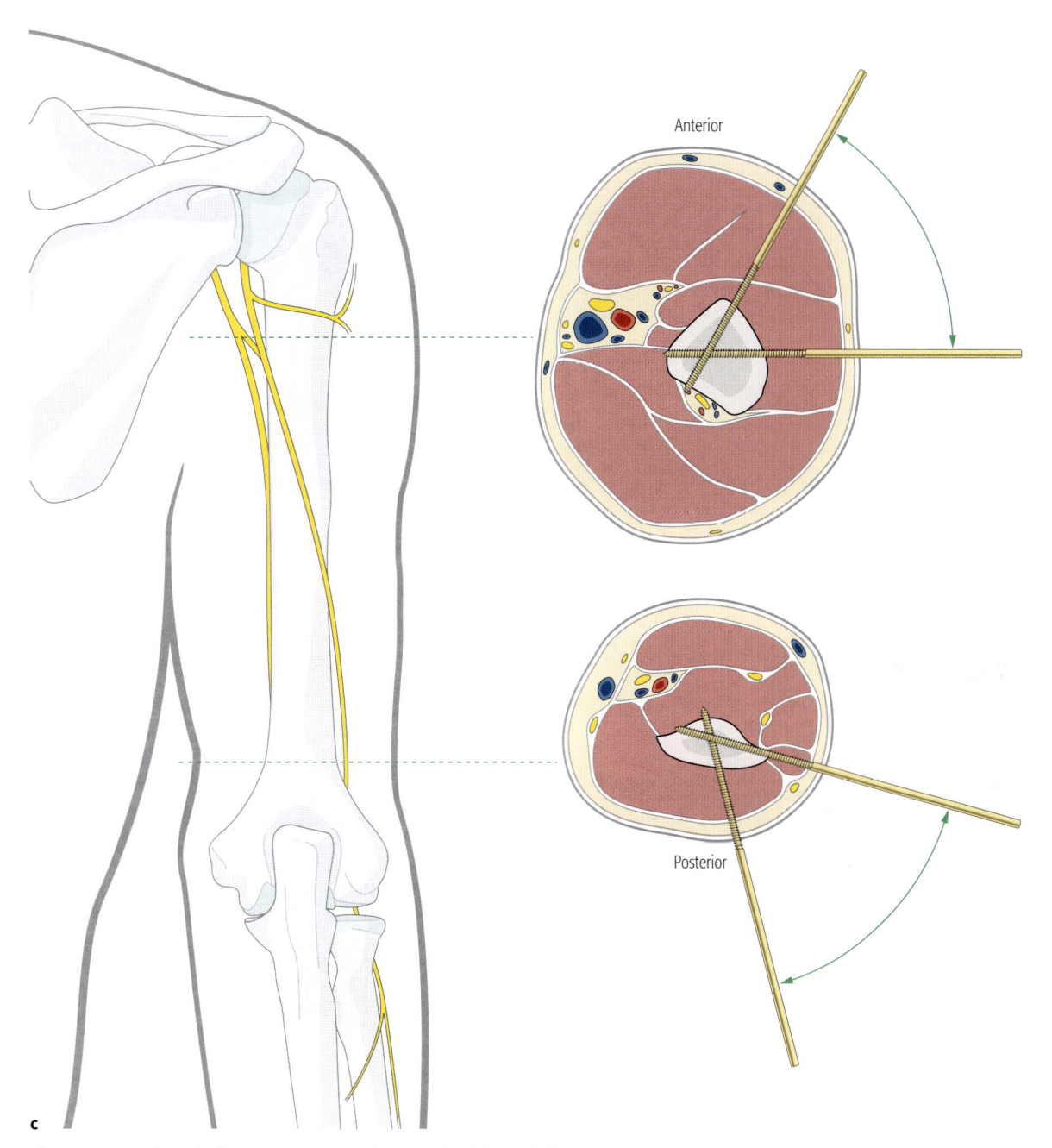

**Fig. 3.3.3-2a-c** (**cont.**)  Zonas seguras para a inserção dos Schanz de fixação externa.
c   Úmero, vista posterior

## 4 Elementos

### 4.1 Sistema de tubo e haste

#### 4.1.1 Parafusos de Schanz

Os parafusos de Schanz são pinos parcialmente rosqueados. Eles estão disponíveis em diferentes diâmetros e comprimentos (diáfise, parte rosqueada) e com pontas diferentes. Os parafusos padrão de Schanz têm pontas em forma piramidal (**Fig. 3.3.3-3a**). Eles requerem pré-perfuração.

Os parafusos de Schanz autoperfurantes e automacheantes têm uma ponta afiada e especialmente projetada para perfurar e cortar a rosca em uma passada: eles são projetados para o uso no osso metafisário (**Fig. 3.3.3-3b**). Os parafusos de Schanz estão disponíveis em aço, titânio, ou com revestimento de hidroxiapatita. A hidroxiapatita permite o crescimento ósseo direto até o Schanz (osteointegração) e reduz a incidência de afrouxamento. Esses Schanz são usados nos casos onde o fixador externo provavelmente ficará por um período prolongado.

#### 4.1.2 Fios de Steinmann

Os fios de Steinmann são usados como fios transósseos. Eles têm uma ponta piramidal, e a inserção requer a pré-perfuração do osso cortical.

#### 4.1.3 Hastes/tubos

As armações consistem em sistemas em quatro tamanhos, dependendo do tamanho da haste (**Fig. 3.3.3-4**):

- **Grande:** tubos/hastes de 11 mm com parafusos de Schanz de 4 até 6 mm
- **Médio:** tubos/hastes de 8 mm com parafusos de Schanz de 3 até 6 mm
- **Pequeno:** tubos/hastes de 4 mm com parafusos de Schanz de 1,8 até 4 mm
- **Mini:** sistema de 2 mm para os dedos; está no momento disponível no desenho convencional e inclui braçadeiras multipinos para fios de Kirschner e hastes longitudinais de 2 mm.

Esses sistemas são compatíveis entre si. O sistema grande de 11 mm contém tanto tubos de aço quanto hastes de fibra de carbono. Os outros sistemas incluem hastes de fibra de carbono (médio) ou hastes de aço e de fibra carbono (pequeno e mini). Os módulos do sistema são suplementados por hastes de fibra de carbono pré-moldadas e curvadas. Combinações adicionais em forma de T estão disponíveis para regiões difíceis, como o punho.

#### 4.1.4 Braçadeiras

As braçadeiras fornecem a conexão entre os tubos ou hastes e os Schanz. As hastes ou tubos podem ser conectados entre si usando as braçadeiras apropriadas (tubo a tubo). Se uma braçadeira permitir a conexão de ambos os tubos e hastes, elas são chamadas de braçadeiras combinadas. Estão disponíveis tanto braçadeiras de Schanz único quanto para múltiplos Schanz. As braçadeiras mais novas e mais usadas estão ilustradas na **Figura 3.3.3-5**. Elas estão disponíveis em três tamanhos, com idênticos desenho e técnica de aplicação. A característica principal da nova braçadeira é ser aberta em um dos lados, podendo ser "encaixada". Isso significa que, uma vez encaixada sobre uma haste, ela pode ser movida axial e lateralmente sem a necessidade de ser reapertada. Isso facilita muito a manipulação, especialmente na técnica de redução modular. As configurações descritas mais adiante neste capítulo também podem ser construídas com outras braçadeiras que tenham funções semelhantes ou com modelos mais antigos.

**Fig. 3.3.3-3a-b**   Parafusos de Schanz.
**a**   Ponta de trocarte padrão
**b**   Ponta autoperfurante

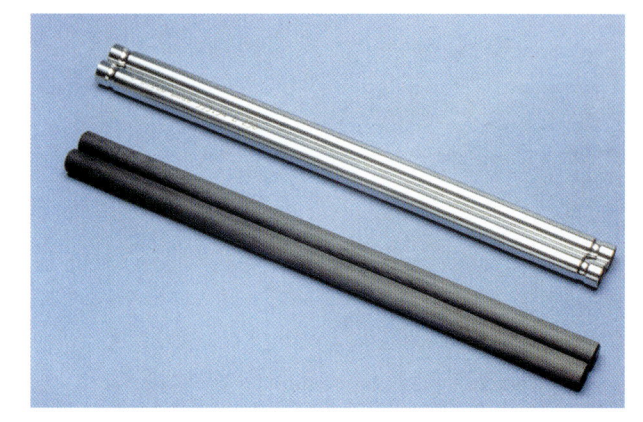

**Fig. 3.3.3-4**   Tubos de aço inoxidável e hastes de fibra de carbono para o sistema grande (11 mm).

## 4.2 Sistema de fixação externa monolateral

Esse é um sistema para traumatologia e ortopedia (**Fig. 3.3.3-6**), onde os fragmentos ósseos são mantidos por braçadeiras em plataforma ou por braçadeiras especiais. Um corpo central para tração e compressão ou um componente rosqueado central podem ser fixados para procedimentos de alongamento e/ou transporte segmentar.

## 4.3 Fixador externo híbrido

O fixador externo híbrido é usado em fraturas perto de uma articulação. É chamado de "híbrido" porque combina a fixação com fio fino tensionado e um anel externo na articulação, com a fixação por Schanz na diáfise (**Fig. 3.3.3-7**). Ele requer fios de Kirschner tensionados para o anel e parafusos de Schanz convencionais para a diáfise. Geralmente, são usados anéis de 3/4 de circunferência. Os fixadores híbridos em anel têm sido principalmente usados em fraturas proximais e distais da tíbia (**Vídeo 3.3.3-2**).

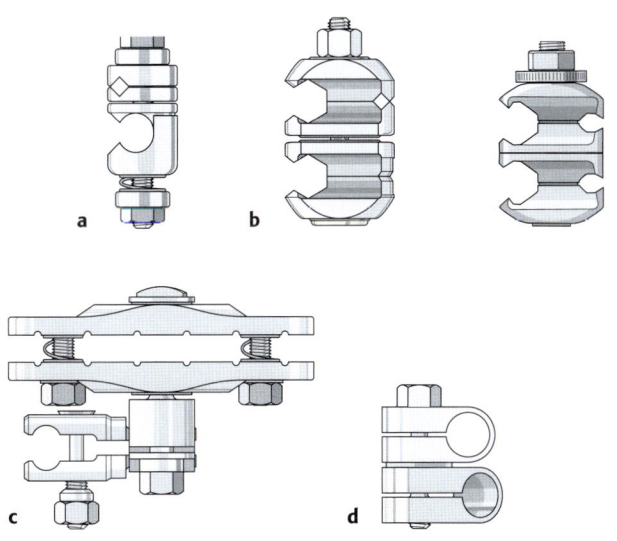

**Fig. 3.3.3-5a-d** Braçadeiras.
**a** Braçadeira inserível autostática usada para combinar um parafuso de Schanz com um tubo ou haste.
**b** Braçadeira combinada inserível usada para combinar duas hastes ou tubos ou parafusos de Schanz.
**c** Braçadeira multipino universal.
**d** Braçadeira tubo a tubo fechada usada para combinar duas hastes ou tubos.

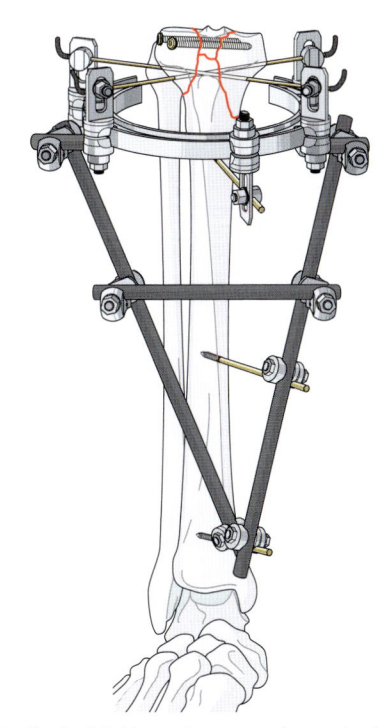

**Fig. 3.3.3-7** Fixador híbrido usado em uma fratura do planalto tibial. É também útil para as fraturas periarticulares distais da tíbia. A armação em V fornece boa estabilidade.

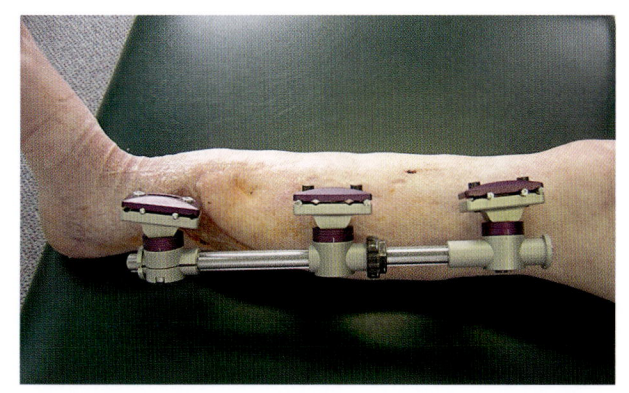

**Fig. 3.3.3-6** Sistema de fixação externa monolateral para o transporte segmentar na tíbia.

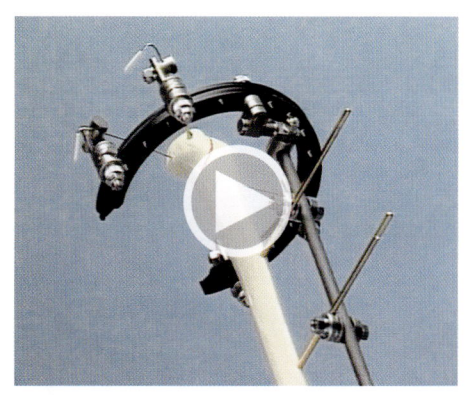

**Vídeo 3.3.3-2** Aplicação do fixador híbrido. Tensionamento de um fio fino.

### 4.4 Fixador circular em anel

Os sistemas de anel completo oferecem a vantagem que o eixo de carregamento e o eixo de correção passam simultaneamente através do centro do sistema do anel e no eixo longitudinal do osso [9]. Com os sistemas circulares em anel, é possível o alongamento, o transporte segmentar, e o tratamento das fraturas simples e especialmente das complexas (**Fig. 3.3.3-8-9**), e essa técnica permite a carga precoce. Para o tratamento das fraturas agudas, preferimos métodos unilaterais mais simples. O transporte segmentar e os procedimentos de alongamento são possíveis com os sistemas unilaterais, mas a correção contínua complexa em vários planos é difícil de alcançar, de forma que um fixador em anel é recomendado.

Como o fixador em anel é um fixador externo, ele fornece estabilidade relativa. Quando os fios são inseridos através de planos diferentes na fixação multiplanar, a montagem fornece grande estabilidade. A rigidez da montagem pode variar, dependendo da configuração da fixação, do número de anéis usados, e do uso de tipos diferentes de fios, como os fios de Kirschner ou os parafusos de Schanz. Dependendo da montagem, a fratura pode ser tracionada ou comprimida, e as deformidades podem ser corrigidas. Um uso comum para o fixador em anel é a osteogênese por tração óssea para corrigir a perda, encurtamento e deformidade do osso.

Um reforço para o cuidado dos pacientes é a conexão dos anéis com um sistema hexagonal. Um programa de computador calcula o movimento das seis barras oblíquas para permitir a redução de qualquer mau alinhamento. As indicações para os sistemas em anel e hexagonal são especiais. Para mais informações sobre os sistemas em anel e hexagonal, livros-texto e material de ensino especializados estão disponíveis.

### 4.5 Fixador externo articulado

Os fixadores externos articulados mantêm a redução das luxações ou fraturas-luxações articulares e permitem algum movimento (controlado) na articulação para ajudar a prevenir a rigidez articular. Eles são mais comumente usados no cotovelo (ver Seção 6.5 neste capítulo).

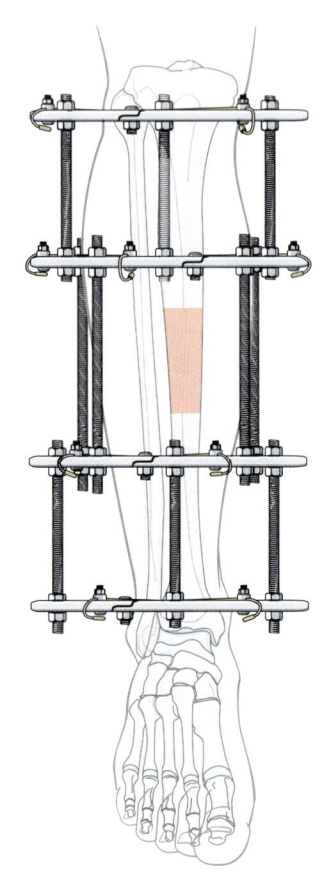

**Fig. 3.3.3-8**  Uma armação circular na tíbia.

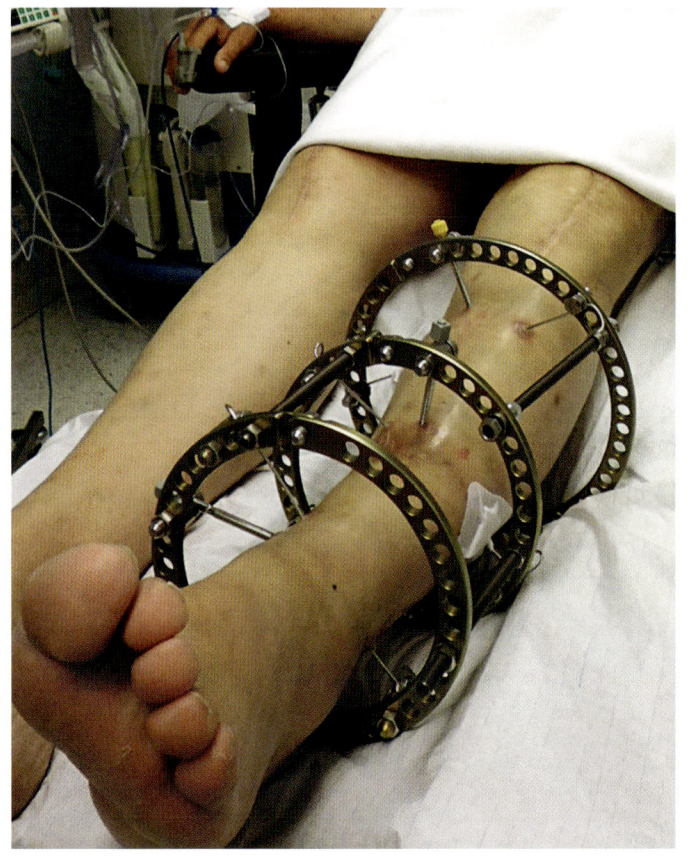

**Fig. 3.3.3-9**  Fotografia clínica de um sistema circular na tíbia.

## 5 Montagem da armação

### 5.1 Terminologia da montagem da armação

Existem formas diferentes para classificar a montagem da armação, dependendo de:

- Função
- Desenho
- Plano no qual é aplicada
- Indicação

#### 5.1.1 Armação unilateral

> Uma armação unilateral é a forma mais comum para estabilizar as fraturas diafisárias agudas com um fixador externo.

A armação é aplicada em um plano, como, por exemplo, anteromedial ou medial para a tíbia, e anterolateral ou lateral para o fêmur (**Fig. 3.3.3-1c**). Os Schanz são inseridos através da pele em um lado e penetram as duas corticais, proximal e distal. Os Schanz devem ser inseridos longe das articulações e estar do lado de fora das reflexões da cápsula articular para evitar o risco de sepse articular. Duas barras são montadas, sendo ambas em um plano ou em dois planos diferentes, e, então, unidas.

#### 5.1.2 Armação bilateral ou armação em A

Um fio de Steinmann é introduzido através da pele em um lado, penetra ambas as corticais, e emerge pela pele no lado oposto. Não é recomendado para o tratamento definitivo das fraturas, mas podem ser uma fixação temporária útil.

#### 5.1.3 Armação de fixação externa transarticular (ponte articular)

> A fixação externa transarticular está indicada para a cirurgia de controle de danos quando o paciente (politraumatizado), ou o membro, ou a fratura não puderem receber o tratamento definitivo imediatamente.

É usada para estabilizar áreas com lesão grave de partes moles ou fraturas articulares e fraturas-luxações complexas (**Fig. 3.3.3-10**). A estabilidade dá tempo para os tecidos moles se recuperarem enquanto são feitos os exames de tomografia computadorizada (TC) e o planejamento pré-operatório. As armações unilaterais são mais frequentemente usadas, e os Schanz devem ser colocados fora da zona de lesão e fora da zona da (futura) cirurgia definitiva.

#### 5.1.4 Armação de alongamento

O fixador externo pode ser modificado para permitir a osteogênese por tração. Ilizarov introduziu essa técnica com o fixador de anel. O mesmo princípio de tração lenta pode ser aplicado com o fixador externo tubular e os sistemas monolaterais, com a limitação de que as correções angulares e rotacionais não podem ser simultaneamente executadas, a menos que o alongamento seja efetuado por meio de uma haste intramedular.

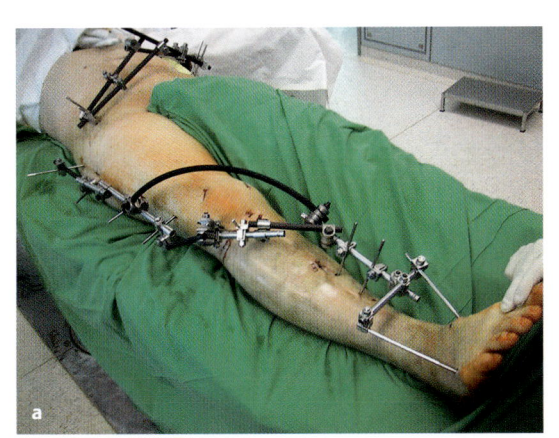

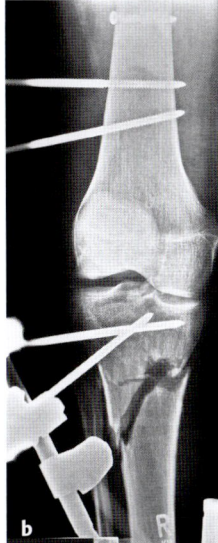

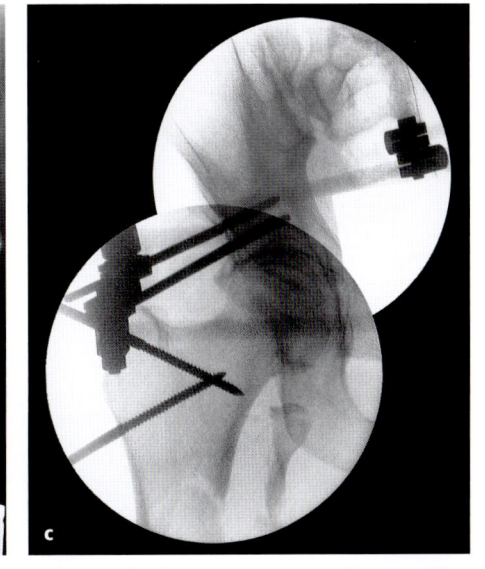

**Fig. 3.3.3-10a-c** Fraturas do anel pélvico, da proximal do fêmur e da proximal da tíbia, todas fixadas com fixadores externos temporários, estabilizando as articulações do joelho e do tornozelo.

Redução, vias de acesso e técnicas de fixação
### 3.3.3 Fixador externo

## 5.2 Técnica de redução modular

A modularidade do fixador externo o torna versátil e permite que ele seja usado tanto como uma ferramenta de redução indireta quanto como um dispositivo de fixação.

### 5.2.1 Princípio

Os parafusos de Schanz são introduzidos em cada fragmento principal, com o Schanz perto da fratura colocado em um plano levemente diferente ou, no caso de configurações de suporte articular, em cada um dos dois ossos que sustentam a ponte (em alguns casos, possivelmente mais de dois) (**Fig. 3.3.3-11**) [10].

> Se forem usadas braçadeiras de Schanz único, existe a grande vantagem de que a posição e a orientação dos parafusos de Schanz sejam irrestritas.

Os parafusos de Schanz dentro de um fragmento são então firmemente conectados a um tubo ou haste. Isso produz uma armação parcial para cada fragmento principal/osso afetado. As duas armações parciais são então conectadas por meio de braçadeiras tubo a tubo. Desde que as conexões tubo a tubo sejam abertas, a redução pode ser feita em todos os planos. A redução desejada, uma vez obtida, pode ser verificada clinicamente e/ou radiograficamente, as braçadeiras tubo a tubo podem ser apertadas, e o sistema ficará estável (**Vídeos 3.3.3-4** e **Fig./Animação 3.3.3-12a-c**).

### 5.2.2 Modificações

Os dois parafusos de Schanz em qualquer fragmento principal podem ser mantidos no lugar por braçadeiras de plataforma ou multipinos. Essas braçadeiras duplas ou multipinos podem ser aplicadas em um lado ou em ambos os lados da fratura. A armação parcial também pode ser formada por um anel ou por um sistema de anel parcial (fixador híbrido).

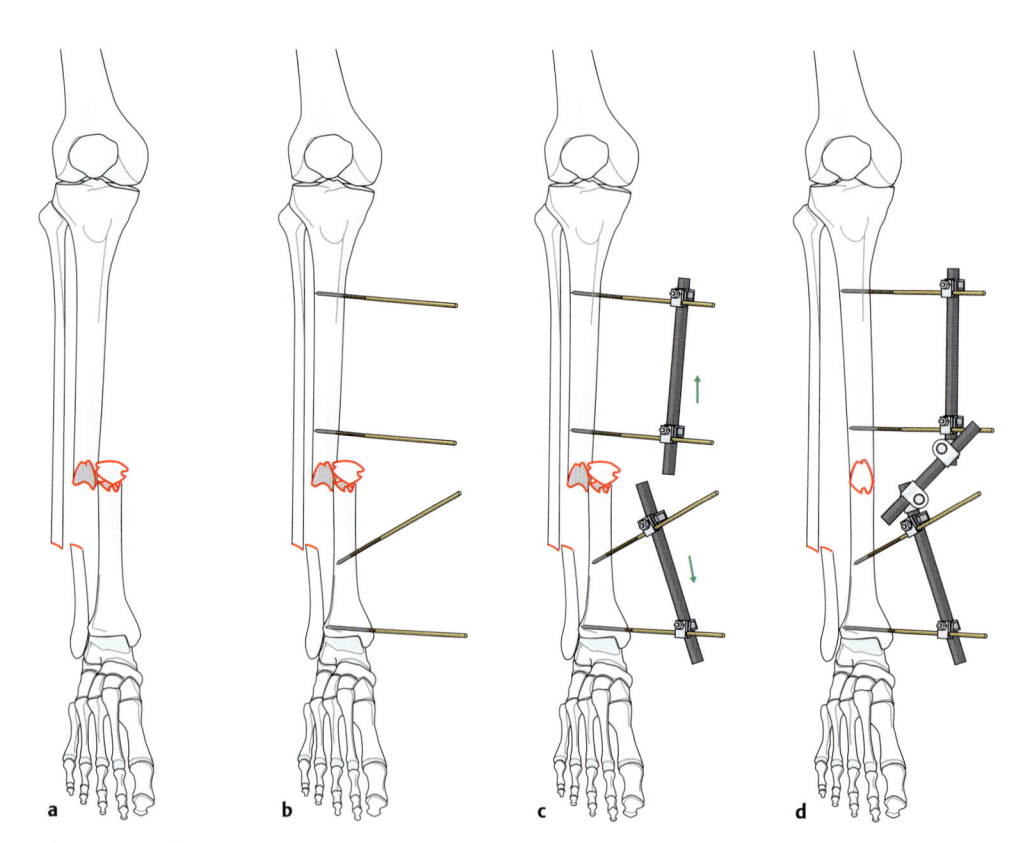

**Fig. 3.3.3-11a-d**   A técnica de redução modular.
a   Fratura diafisária tipo B da tíbia.
b   Dois Schanz são introduzidos em cada fragmento principal, fora da zona de lesão.
c   Fixadas a uma barra por braçadeiras universais, duas manoplas são criadas para ajudar na redução.
d   Depois da redução, as braçadeiras tubo a tubo do terceiro tubo são apertadas.

### 5.2.3 Vantagens

A vantagem da fixação externa modular é que todos os ossos longos, as áreas adjacentes às articulações e as articulações em si (ponte articular) podem ser reduzidos, sustentados e estabilizados.

Os parafusos de Schanz podem ser livremente posicionados, permitindo o local de inserção anatômico mais favorável para os parafusos de Schanz e a zona mais favorável para o padrão de fratura ou para a lesão de partes moles. A manipulação dos fragmentos principais é facilitada por técnicas de alavancagem e de redução indireta que preservam a vascularização do osso e das partes moles. Os ajustes primários e secundários para a redução podem ser executados a qualquer momento com essa técnica.

## 6 Aplicações especiais

### 6.1 Artrodese

Uma das aplicações especiais da fixação externa tem sido a fusão articular, aplicando-se compressão por meio de uma armação bilateral. Esse princípio é usado para a artrodese do tornozelo, do joelho e do cotovelo, especialmente na presença de infecção [11]. O sistema de haste rosqueada ou o dispositivo de compressão removível para o sistema tubular permitem a aplicação repetida da compressão axial, que aumenta a estabilidade no osso menos denso da metáfise.

### 6.2 Infecção

A fixação externa pode ser o modo definitivo para estabilizar uma fratura agudamente infectada ou uma não união infectada, porque os Schanz de fixação em geral podem ser introduzidos distantes do foco de infecção.

A fixação externa pode ser o único método a fornecer estabilidade, o que é essencial para o tratamento bem-sucedido nessa situação. Depois do debridamento e da remoção de todo tecido ósseo morto e necrótico, as técnicas para aplicação do fixador externo são essencialmente as mesmas que aquelas nas fraturas agudas.

### 6.3 Osteotomias corretivas

A fixação externa de osteotomias para a correção de deformidades é geralmente usada nos casos de cobertura de partes moles ruim ou comprometida, como, por exemplo, quando a fixação interna estiver associada a um alto risco (ver Cap. 5.2). A outra indicação é para as osteotomias combinadas com transporte ósseo.

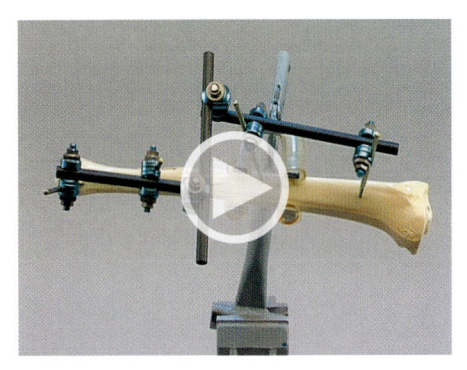

**Vídeo 3 3.3-3** Fixação externa modular da tíbia.

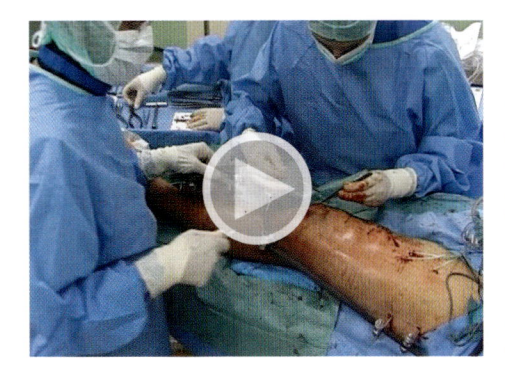

**Vídeo 3.3.3-4** Fixador externo modular em uma tíbia com dano de partes moles ao redor da articulação do joelho. Tratamento final de uma fratura da tíbia mostrada no pré-operatório, a técnica operatória e depois do tratamento com fixador externo e consolidação com o uso desse dispositivo.

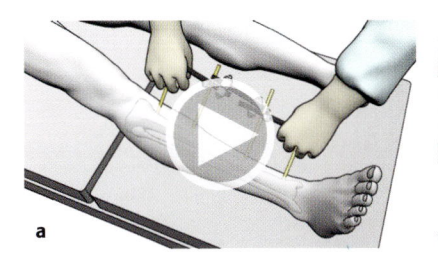

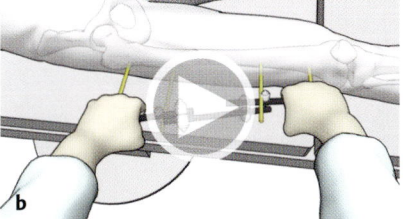

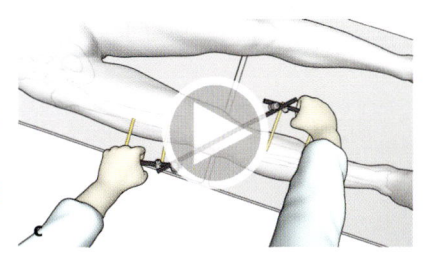

**Fig./Animação 3.3.3-12a-c** Fixador externo modular mostrado em:
a  Tíbia
b  Fêmur
c  Transarticular do joelho

A combinação de tecidos moles ruins e uma deformidade complexa irá geralmente demandar a correção com o uso de um sistema de armação circular.

### 6.4 Transporte ósseo – osteogênese por tração

A tração do calo é baseada no princípio descrito por Ilizarov [9]. Ao preservar o periósteo, o osso cuidadosamente osteotomizado pode ser vagarosamente tracionado (0,5-1 mm/dia) e um novo osso se formará no *gap*. As velocidades mais lentas de tração resultam em consolidação óssea, enquanto velocidades mais rápidas excedem a tolerância de *strain* do tecido, e o osso não se forma. O calo de transporte ou de tração, tal como o calo da fratura, passa por todas as fases de maturação até que a união óssea completa seja alcançada. Esse princípio pode ser usado para três indicações, que podem ocorrer em combinação:

- Alongamento
- Transporte de segmento em um defeito ósseo
- Osteotomia corretiva

Os fixadores mais adequados para essas aplicações são os fixadores de anel com ou sem combinações de anéis parciais, bem como os fixadores unilaterais.

### 6.5 Redução articular e manutenção do movimento

A fixação externa articulada é um complemento importante para a RAFI e o reparo ligamentar para algumas lesões complexas e instáveis do cotovelo, incluindo a luxação crônica ou inveterada do cotovelo. Quando o reparo cirúrgico não fornecer estabilidade adequada, pode ocorrer nova luxação ou subluxação, com ou sem um gesso ou tala. A fixação externa com um dispositivo articulado manterá o cotovelo reduzido, enquanto permite algum movimento controlado. A manutenção da redução é a principal prioridade. A instabilidade é mais difícil de salvar que a perda do movimento. A localização do eixo do fio deve ser determinada com precisão, usando o intensificador de imagem. Um leve mau posicionamento da dobradiça afeta significativamente o seu comportamento (**Fig. 3.3.3-13**).

## 7 Cuidados pós-operatórios

### 7.1 Cuidado no trajeto do Schanz

A reação no local de inserção do Schanz depende da sua posição e estabilidade [12] e dos cuidados subsequentes pela equipe de enfermagem e pelo paciente.

A técnica de redução modular é favorável por esse ponto de vista, porque permite que o melhor local anatômico seja selecionado em relação ao padrão de fratura [10]. Se houver um "estado de equilíbrio" no local de inserção do Schanz, sem sinais de infecção, o fixador externo pode ser deixado por um tempo prolongado.

É importante que os hospitais tenham protocolos claros para o cuidado dos locais dos Schanz, com enfermeiros experientes que ensinem os pacientes a cuidar sozinhos dos locais.

A infecção e o afrouxamento dos Schanz podem ser significativamente reduzidos ao serem evitados o dano térmico e a formação de hematoma local durante a inserção, e, se nos cuidados subsequentes, for incluído o uso de antisséptico alcoólico para limpar os locais dos Schanz junto com curativos oclusivos de pressão [13].

### 7.2 Infecção do trajeto do Schanz

O cuidado com o trajeto do Schanz começa com a sua inserção correta. A pré-perfuração é sempre recomendada para o parafuso de Schanz convencional, que deve ser sempre introduzido à mão para reduzir a necrose térmica.

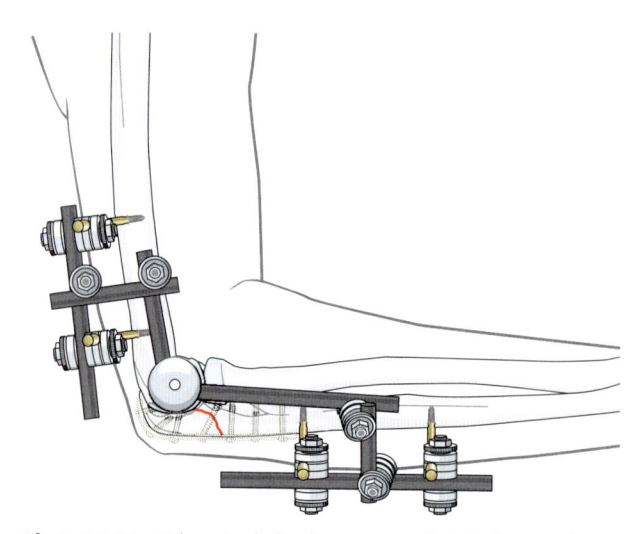

**Fig. 3.3.3-13** Colocação do fixador externo articulado de cotovelo.

A tensão imprópria das partes moles em torno dos Schanz deve ser liberada durante a cirurgia. O cuidado correto dos trajetos dos Schanz é importante para reduzir o risco de complicações. Em casos de infecção persistente no trajeto do Schanz, este geralmente terá perdido a firmeza da sua pega no osso. Uma orla de reabsorção óssea pode ser vista nas radiografias, e mecanicamente o Schanz parece estar frouxo. Esse problema pode ser resolvido pela remoção do Schanz frouxo e pela colocação um novo em outro local.

### 7.3 Dinamização

Com algumas exceções (suporte, emergências, tensionamento), as montagens do fixador externo podem ser parcialmente carregadas desde o início. Conforme a consolidação progride, a carga é aumentada até que seja alcançada a sua totalidade. As observações por muitos anos têm demonstrado que não é necessário construir elementos adicionais de dinamização no sistema fixador. A carga parcial e total sob fixação externa é o melhor e mais efetivo método de dinamização.

## 8 Por quanto tempo o fixador externo deve ser usado?

### 8.1 Mudança de procedimento

Existem três escolhas básicas de tratamento:

- Tratamento definitivo com o fixador externo até a consolidação óssea sólida
- Conversão precoce para fixação interna
- Conversão para um tratamento não cirúrgico, como, por exemplo, gesso, órtese, andador

> Se for decidida uma troca para fixação interna, esta deve ser feita precocemente – dentro de duas semanas – já que assim resulta em uma taxa de complicações notavelmente mais baixa do que uma troca em um estágio mais tardio.

Qualquer cirurgia que seja planejada junto ou depois da fixação externa temporária deve seguir algumas regras:

1. Todos os locais dos Schanz devem ser limpos se a nova fixação interna for colocada ao redor de locais antigos de fixação externa. Às vezes, isso requer procedimentos cirúrgicos de 2 estágios para primeiramente limpar os locais antigos dos Schanz, seguido do procedimento de fixação definitiva.
2. Quaisquer locais de Schanz com mais de 10-14 dias são pressupostos como estando colonizados, devendo haver um procedimento de limpeza estéril e debridamento antes que a fixação definitiva seja colocada próxima a esses locais.
3. Se houver qualquer dúvida sobre o caráter estéril de tais locais dos Schanz, ou se eles tiverem estado francamente infectados, então um "intervalo" de pelo menos 10 dias é usado – depois de um procedimento de debridamento estéril – antes de colocar a nova fixação interna.
4. Os antibióticos profiláticos devem ser administrados e devem cobrir as bactérias responsáveis por quaisquer infecções prévias nos locais dos Schanz.
5. Acompanhamento atento do curso pós-operatório é feito durante as primeiras 6 semanas.

Se houver alguma evidência de problemas no trajeto dos Schanz, pode ser melhor identificar o microrganismo, administrar antibióticos, fazer uma troca do Schanz e do seu local, e continuar o tratamento usando um fixador externo. O cuidado com o local do Schanz deve ser revisado com o paciente para assegurar que esteja bem executado. Se a remoção tardia do fixador e a mudança para uma fixação interna forem necessárias, um "intervalo" é recomendado. Isso significa que o fixador externo é removido, os locais dos Schanz são limpos e debridados, e o membro é, então, imobilizado com uma tala; a cirurgia é retardada até que os locais dos Schanz tenham cicatrizado. Antibióticos apropriados são administrados.

### 8.2 Fixação definitiva

A aplicação inicial de um fixador externo na emergência fornece a estabilização temporária do membro, permitindo que os tecidos moles se recuperem. Tão logo os tecidos moles pareçam estáveis, o fixador externo pode ser substituído por uma fixação interna definitiva. Isso deve ocorrer de preferência dentro de 10 dias. O procedimento de conversão não é obrigatório se a armação ainda estiver estável e não houver sinais de complicações.

> Em casos de cobertura cutânea ruim ou preocupações críticas sobre partes moles, a redução aberta estará associada a um risco alto de infecção. Por conseguinte, o fixador externo pode ser mantido como o tratamento definitivo da fratura.

O progresso da consolidação da fratura deve ser monitorado cuidadosamente, e, caso não haja nenhum progresso, uma abordagem alternativa deve ser considerada.

### 3.3.3 Fixador externo

Referências clássicas    Referências de revisão

## 9 Referências

1. **Perren S.** Basic aspects of internal fixation. In: Müller ME, Allgöwer M, Schneider R, eds. *Manual of Internal Fixation*. Berlin Heidelberg New York: Springer-Verlag; 1990: 1–112.
2. **Pape HC, Krettek C.** [Damage control orthopedic surgery]. *Unfallchirurg.* 2003 Feb; 106(2):85–86. German.
3. **Giannoudis PV.** Surgical priorities in damage control in polytrauma. *J Bone Joint Surg Br.* 2003 May; 85(4):478–483.
4. **Jakob RP, Fernandez DL.** The treatment of wrist fractures with the small AO external fixation device. In: Uhthoff HK, ed. *Current Concepts of External Fixation of Fractures*. Berlin Heidelberg New York: Springer-Verlag; 1982; 307–314.
5. **Fernandez DL.** Treatment of articular fractures of the distal radius with external fixation and pinning. In: Saffar P, Cooney WP, eds. *Fractures of the Distal Radius*. London: Martin Dunitz Ltd; 104–117.
6. **Schütz M, Müller M, Regazzoni P, et al.** Use of the less invasive stabilization system (LISS) in patients with distal femoral (AO 33) fractures: a prospective multicenter study. *Arch Orthop Trauma Surg.* 2005 Mar; 125(2):102–108.
7. **Lazo-Zbikowski J, Aguilar F, Mozo F, et al.** Biocompression external fixation. Sliding external osteosynthesis. *Clin Orthop Relat Res.* 1986 May; (206):169–184.
8. **Faure C, Merloz PH.** Zugänge für die Fixatuer-externe-Osteosynthese. Atlas anatomischer Querschnitte. Berlin Heidelberg New York: Springer-Verlag; 1987. German.
9. **Ilizarov GA.** [Basic principles of transosseous compression and distraction osteosynthesis]. *Ortop Travmatol Protez.* 1971 Nov;32(11):7–15. Russian.
10. **Fernandez Dell'Oca AA.** External fixation using simple pin fixators. *Injury.* 1992;23 Suppl 4:S1–54.
11. **Mears D.** Clinical techniques in the lower extremity. In: Mears D, ed. *External Skeletal Fixation*. Baltimore London: Williams & Wilkins; 1983; 210–338.
12. **Green S.** Complications of external fixation. In: Uhthoff HK ed. *Current Concepts of External Fixation of Fractures*. Berlin Heidelberg New York: Springer-Verlag; 1982.
13. **Davies R, Holt N, Nayagam S.** The care of pin sites with external fixation. *J Bone Joint Surg Br.* 2005 May; 87(5):716–719.

## 10 Agradecimentos

Agradecemos a Suthorn Bavonratanavech e Alberto Fernandez por suas contribuições para este capítulo.

## 3.3.4 Placas bloqueadas
*Christoph Sommer*

### 1 Introdução

A introdução das placas bloqueadas foi feita objetivando maximizar o suprimento sanguíneo para a fratura. Ao se usar placas e parafusos convencionais, a estabilidade da montagem osso-implante fica dependendo da fricção entre a placa e o osso. Isso somente pode ser alcançado pressionando a placa para baixo sobre a superfície óssea pelo aperto dos parafusos convencionais.

Ocorrem alterações estruturais consideráveis na cortical diretamente sob uma placa. Essas alterações foram primeiramente atribuídas à "proteção da tensão" por um implante metálico que era muito mais rígido que o osso. A pesquisa adicional [1, 2] originou a teoria de que o fluxo sanguíneo alterado dentro do osso cortical era responsável pelo intenso processo de remodelação observado debaixo de qualquer placa que fosse pressionada contra o osso por parafusos.

A superfície inferior da placa de compressão dinâmica de baixo contato (LC-DCP) foi projetada para reduzir a área de contato entre a placa e o osso e diminuir significativamente as alterações vasculares causadas pela pressão na cortical. Entretanto, a LC-DCP também é apertada contra o osso para criar fricção (**Fig./Animação 3.3.4-1a**). Para eliminar os efeitos danosos de qualquer contato da placa com o osso, uma abordagem completamente diferente foi escolhida. Os parafusos que rigidamente se bloqueiam no orifício da placa quando apertados significam que a placa não está mais sendo pressionada contra o osso subjacente (**Fig./Animação 3.3.4-1b**) [3]. De princípio similar ao fixador externo, essa técnica diferente de aplicação da placa foi chamada de princípio do fixador interno, pois o implante funciona mais como um fixador do que como uma placa, com os tecidos moles e pele cobrindo toda a montagem. Uma vez que esses dispositivos são projetados para evitar a desvascularização associada ao uso da placa convencional, teoricamente devem oferecer resistência mais alta à infecção. Contudo, essa hipótese ainda não foi comprovada.

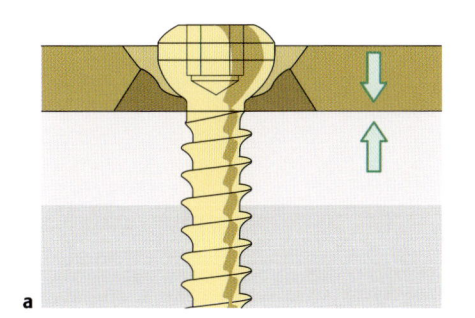

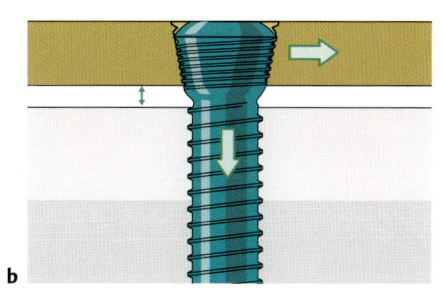

**Fig./Animação 3.3.4-1a-b**  A interface placa-osso.
a   As placas convencionais ganham estabilidade pela fricção conforme o parafuso comprime a placa contra a cortical. O periósteo é esmagado, resultando em áreas avasculares.
b   Os parafusos de cabeça bloqueada se acoplam mecanicamente à placa, que não é pressionada contra o osso. O periósteo e o suprimento sanguíneo são, por conseguinte, preservados.

Redução, vias de acesso e técnicas de fixação
### 3.3.4 Placas bloqueadas

A história do desenvolvimento da tecnologia da placa bloqueada está ilustrada na **Fig. 3.3.4-2**.

O conceito de placas bloqueadas não é novo, e a primeira patente conhecida foi feita em 1931 pelo cirurgião francês Paul Reinhold. O primeiro implante moderno projetado para preencher os novos requisitos foi o pequeno PC-Fix (fixador de contato puntiforme) para ossos do antebraço. O PC-Fix é um implante estreito tipo placa, com uma superfície inferior projetada especialmente para ter apenas pequenos pontos em contato com o osso. Os parafusos eram automacheantes, unicorticais e estavam disponíveis somente em um comprimento. A cabeça do parafuso cônico se bloqueava firmemente no orifício cônico correspondente da placa quando apertado. O resultado dos desenvolvimentos adicionais foi o sistema de estabilização menos invasivo (LISS) [4]. Esse implante, em contraste com o PC-Fix, foi concebido para as fraturas em áreas metafisárias – inicialmente para a fratura distal do fêmur e, mais tarde, para a proximal da tíbia. O seu formato se ajusta aos contornos anatômicos da área específica do osso, de forma que implantes separados são necessários para os lados direito e esquerdo. A moldagem adicional não é necessária, já que o fixador com "placa" não necessariamente precisa tocar o osso. Os parafusos de cabeça bloqueada (LHSs) têm uma cabeça cônica com uma rosca fina que se ajusta perfeitamente ao orifício cônico rosqueado correspondente da placa. A estabilidade alcançada usando o LHS se baseava em um par estável entre a cabeça de parafuso e o orifício da placa, e não dependia da fricção entre a placa e o osso (**Fig./Animação 3.3.4-1**). Inicialmente, o sistema consistia de parafusos unicorticais, autoperfurantes e automacheantes, que são inseridos percutaneamente usando um bloco-guia. Entretanto, as taxas de falhas eram altas na aplicação clínica, e hoje os parafusos bicorticais e automacheantes são recomendados. Esse implante foi projetado e instrumentalizado para a aplicação via uma abordagem submuscular minimamente invasiva.

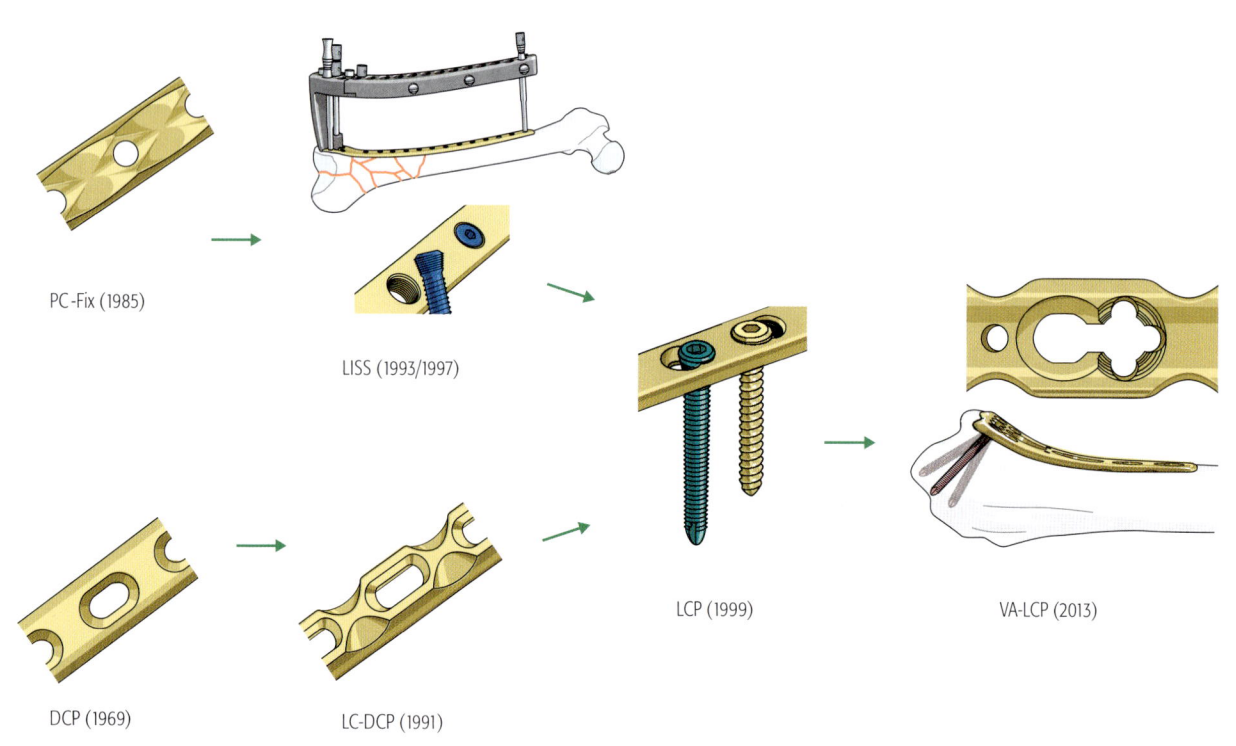

**Fig. 3.3.4-2** A evolução dos sistemas de placas.
O desenvolvimento das placas convencionais nos anos 1960 a 1980 foi seguido pelo desenvolvimento da placa bloqueada na década de 1990, até que foram integradas para produzir a placa de compressão bloqueada (LCP). O passo mais recente foi a introdução da tecnologia de ângulo variável (VA).

A placa de compressão bloqueada (LCP) foi desenvolvida em 1999. Esse implante é uma combinação da LC-DCP e do LISS [5, 6]. Os orifícios de ambas as placas foram "fundidos" em um orifício combinado (*combi-hole*), permitindo a inserção de parafusos convencionais ou bloqueados (**Fig. 3.3.4-3**). Após alguns anos, a tecnologia da LCP foi implementada em placas existentes, desde as grandes até os conjuntos de minifragmentos, substituindo os antigos orifícios da unidade de compressão dinâmica velha pelos novos orifícios combinados da LCP. No mundo todo, os cirurgiões familiarizaram-se com essa nova tecnologia e suas vantagens, bem como com suas desvantagens [7].

O desenvolvimento mais recente foi a tecnologia do ângulo variável (VA) (**Fig. 3.3.4-4**). A cabeça esférica junto com o orifício de placa especialmente sulcada permite a angulação da direção do parafuso (máximo 15 graus) em relação ao ângulo normal de 90 graus (perpendicular) à superfície da placa. A força de pega do parafuso com VA no orifício da placa é mais ou menos 70% do LHS não VA, mas ainda suficientemente forte para alcançar a estabilidade quando as diretrizes para aplicação forem seguidas.

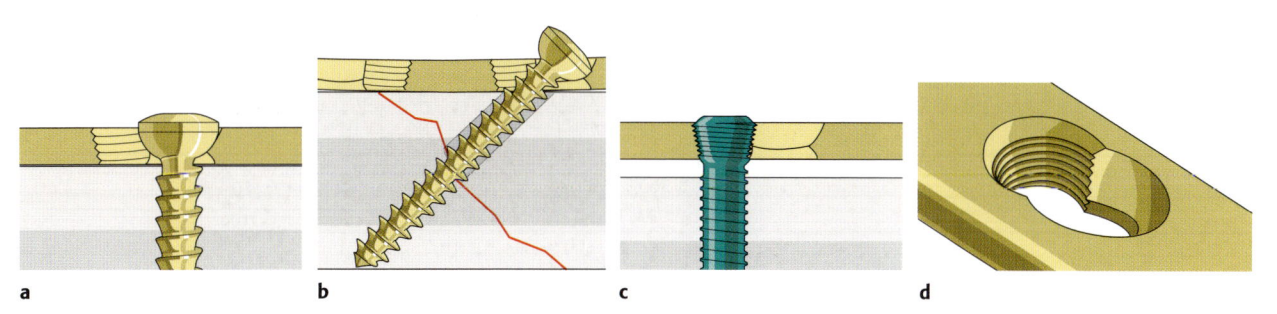

**Fig. 3.3.4-3a-d** Placa de compressão bloqueada com orifício combinado incorporando dois elementos comprovados:
**a-b** Metade do orifício tem o desenho-padrão DCP/LC-DCP (unidade de compressão dinâmica: UCD) para parafusos convencionais (incluindo parafusos de tração).
**c-d** A outra metade é cônica e rosqueada para aceitar o pareamento da rosca do parafuso de cabeça bloqueada para fornecer estabilidade angular.

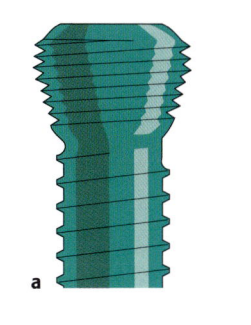

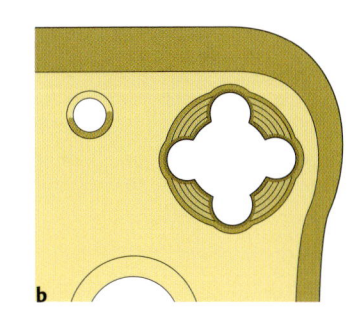

**Fig. 3.3.4-4a-c** Tecnologia de ângulo variável (VA). A cabeça rosqueada do parafuso LCP de VA é arredondada para facilitar vários ângulos dentro do orifício de bloqueio (**a**). Quatro colunas da rosca no orifício bloqueado de VA fornecem quatro pontos de bloqueio rosqueado entre a placa LCP de VA e o parafuso bloqueado, formando uma montagem de ângulo fixo no ângulo desejado do parafuso (**b-c**).

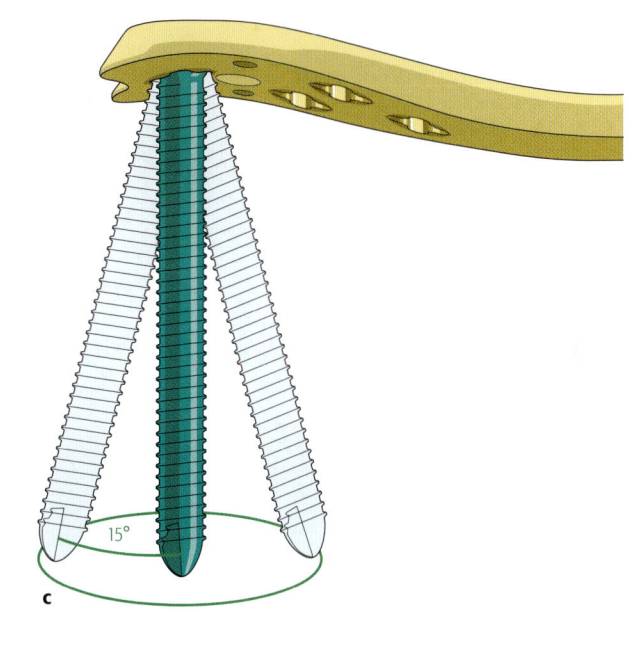

## 2 Indicações

### 2.1 Considerações gerais

A diferença essencial entre uma placa convencional e uma placa bloqueada não está na placa em si, mas no fato de que os parafusos são bloqueados na placa e, por conseguinte, a placa e os parafusos funcionam juntos como uma unidade.

Isso significa que a montagem é menos dependente da interface entre as roscas do parafuso e o osso. Assim, existem duas situações fundamentais onde uma placa bloqueada deve fornecer uma vantagem considerável sobre uma placa convencional: na qualidade óssea ruim, como a encontrada na osteoporose; e nas situações onde a morfologia da fratura reduza a quantidade óssea disponível para fixação (**Tab. 3.3.4-1**). O exemplo clássico inclui as fraturas metafisárias multifragmentadas perto da superfície articular.

### 2.2 Estoque ósseo deficiente

A principal indicação para usar parafusos bloqueados é o estoque ósseo deficiente.

**Fraturas no osso osteoporótico (ou patológico):** No osso deficiente, um parafuso convencional pode facilmente ser apertado em demasia durante a inserção, danificando a rosca na cortical, de forma que o parafuso tenha uma pega ruim. Isso pode resultar em instabilidade precoce, ou até mesmo primária, da fratura (**Fig. 3.3.4-5**). O osso cortical mais fino em adultos mais velhos também oferece resistência baixa à tração e oscilação, mesmo que a fixação inicial tenha sido obtida. O uso de placa convencional tem uma taxa de falha mais alta no osso osteoporótico, classicamente vista com afrouxamento sequencial e migração do parafuso (**Figs. 3.3.4-6-7**, **Vídeos 3.3.4-1-2**). Em contraste, um parafuso bloqueado nunca pode ser excessivamente apertado no osso por causa da parada automática pelo processo de bloqueio no final da inserção do parafuso. As placas bloqueadas, por definição, não podem falhar no nível da interface individual parafuso-osso (**Fig. 3.3.4-8**, **Vídeos 3.3.4-3-4**); todos os parafusos têm que sair junto com a placa (**Fig. 3.3.4-9**).

**Tabela 3.3.4-1** Indicações para o uso de parafusos de bloqueio e justificativa clínica

| Indicações | Desvantagens dos parafusos convencionais (placas) | Vantagens dos parafusos bloqueados | Efeito positivo com o uso de parafusos bloqueados |
|---|---|---|---|
| Osso osteoporótico (ou osso patológico, como na cirurgia de revisão) | Fácil aperto excessivo durante a inserção que destrói a rosca no osso. | O aperto excessivo (no osso) não é possível devido ao mecanismo de bloqueio, mesmo quando houve aperto em excesso no orifício da placa, que é evitado usando o ALT e técnica correta. | Risco reduzido de perda primária da redução. |
| | Afrouxamento fácil do parafuso sob carga (axial, flexão, ou de torção) antes da fratura consolidar. | Afrouxamento do parafuso no orifício da placa é improvável se corretamente colocado (ângulo correto de 90°, ALT). | Risco reduzido de perda secundária da redução. |
| Fratura metafisária | Pode-se angular facilmente nos orifícios da placa, até no osso de boa qualidade. | O LHS não pode angular no orifício da placa. Os parafusos atuam como múltiplas pequenas "lâminas" de uma placa-lâmina angulada. | Risco reduzido de perda secundária da redução (angulação). |
| | Um segmento ósseo curto com uma placa curta cria um braço de alavanca curto. Os parafusos convencionais não conseguem resistir a forças grandes de tração ou de flexão. Alto risco de afrouxamento sequencial de parafuso e migração. | As placas bloqueadas por definição não podem falhar no nível da interface parafuso individual-osso. Todos os parafusos têm que ser puxados junto e com a placa. | Risco reduzido de perda secundária da redução com instabilidade. |
| | Os parafusos convencionais não se ajustam de maneira perfeita nas placas periarticulares anatomicamente moldadas e não é obtido suficiente contato placa-osso. | A estabilidade da fixação não se baseia em um perfeito ajuste da placa ao osso e, por conseguinte, a estabilidade é suficiente com o uso de parafusos bloqueados em placas pré-moldadas. | Estabilidade primária perfeita; risco reduzido de perda secundária da estabilidade. |
| Osteossíntese com placa minimamente invasiva | O osso é puxado para a placa criando mau alinhamento (angulação ou torção) se a placa não estiver precisamente moldada à superfície óssea (não é possível porque a superfície não é visualizada). | A fratura bem reduzida permanece reduzida ao se usar parafusos bloqueados (a distância entre a placa e o osso não muda). | Risco reduzido de perda primária da redução. |
| Fratura periprotética | Aplicação monocortical não é suficiente. | Os parafusos monocorticais podem ser adicionados. | Risco reduzido de perda secundária da redução. |
| | As placas convencionais não podem ser combinadas com a LAP ou botões para ancoragem do fio. | É possível a combinação com LAP ou botões para ancoragem do fio. | |

Siglas: LHS, parafuso de cabeça bloqueada; ALT, acessório limitador de torque; LAP, *locking attachment plate*.

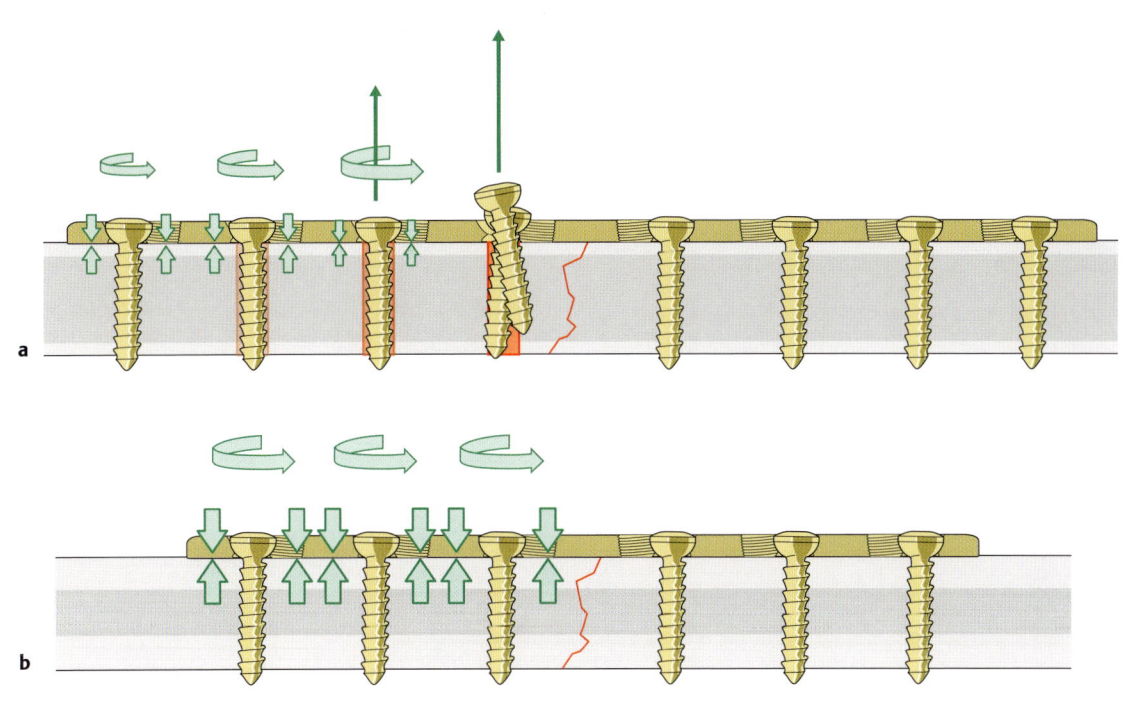

**Fig. 3.3.4-5a-b** (Sobre)aperto do parafuso convencional no osso osteoporótico e normal.
a   No osso osteoporótico com cortical fina na diáfise, o torque oferecido ao parafuso durante a inserção (para alcançar fricção suficiente entre a placa e o osso) frequentemente excede a estabilidade da interface parafuso-osso, resultando em uma destruição primária da rosca no osso. O parafuso não tem nenhuma pega e afrouxa precocemente no orifício do parafuso.
b   No osso de boa qualidade, os parafusos convencionais podem ser completamente apertados criando a fricção necessária entre a placa e o osso para uma fixação estável.

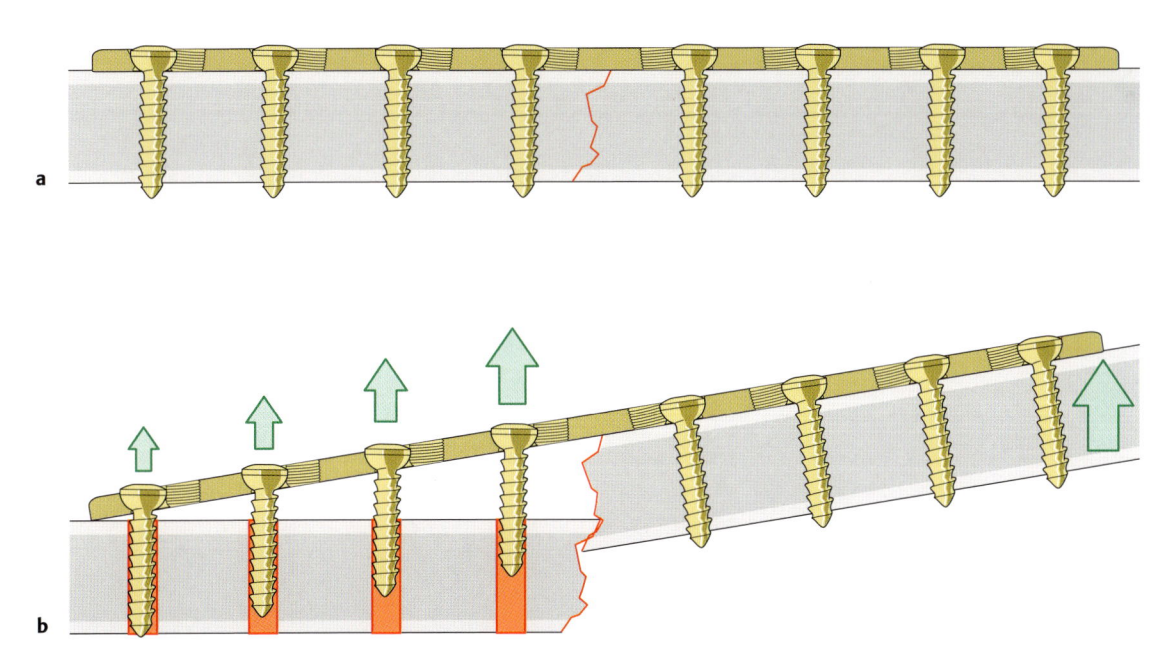

**Fig. 3.3.4-6a-b**   Afrouxamento sequencial do parafuso convencional no osso osteoporótico. Mesmo com o aperto correto, os parafusos convencionais podem se afrouxar no osso osteoporótico sob carregamento cíclico. Os momentos de flexão na placa são transferidos para forças axiais de tração nos parafusos. Isso é mais intenso nos parafusos perto da fratura, levando à perda precoce da redução.

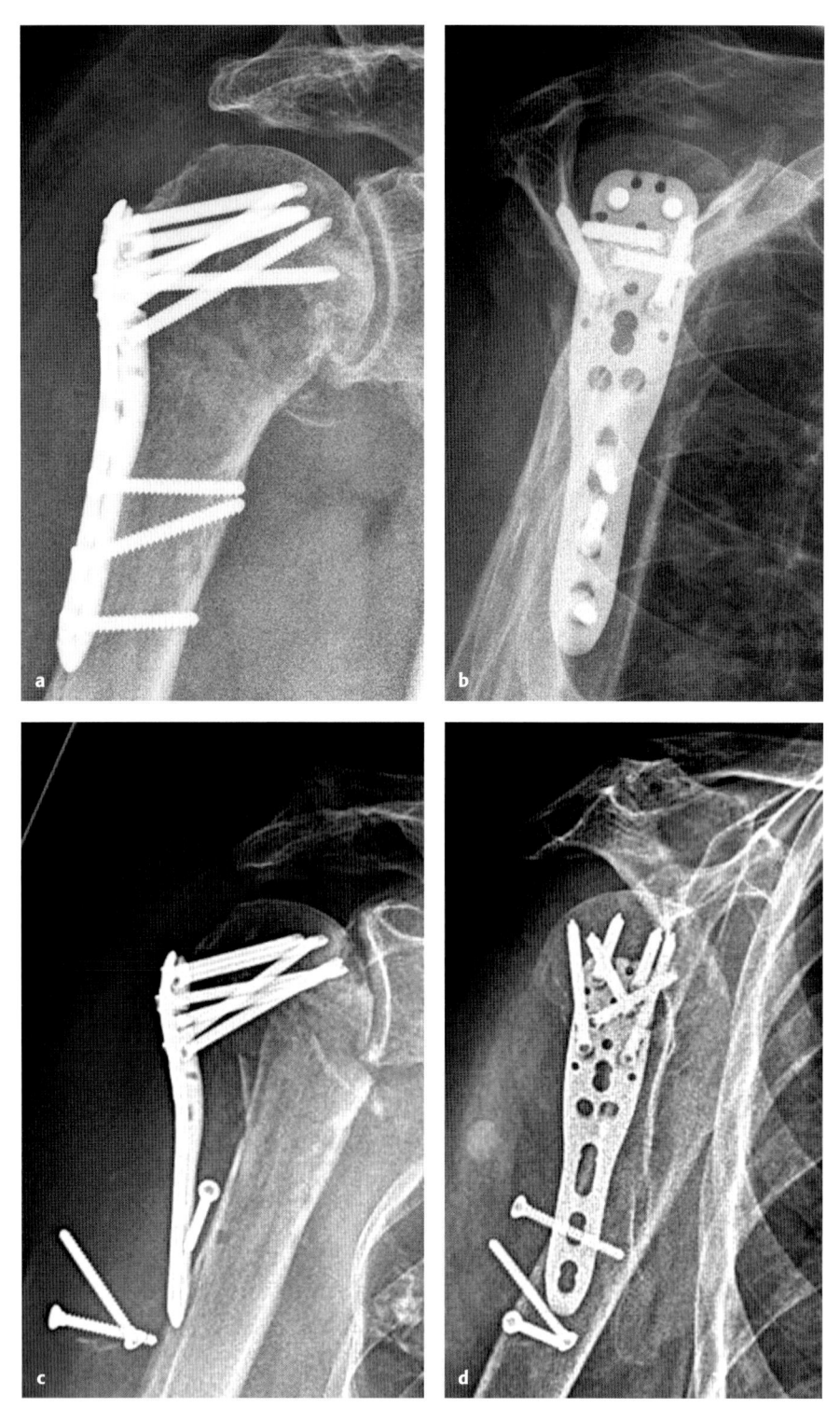

Redução, vias de acesso e técnicas de fixação
### 3.3.4 Placas bloqueadas

**Fig. 3.3.4-7a-d** Afrouxamento precoce dos parafusos convencionais na diáfise do úmero osteoporótica. Os parafusos convencionais no osso osteoporótico podem afrouxar precocemente, mesmo sob carga mínima. Os parafusos de cabeça bloqueada nesta placa (ou em uma placa mais longa e mais parafusos convencionais) poderiam ter prevenido essa falha do implante.

Princípios AO do tratamento de fraturas
Volume 1

**Vídeo 3.3.4-1**
a  Falha dos parafusos convencionais – arrancamento sequencial.
b  Falha nos parafusos convencionais – placa curta.
c  Resistência da placa mais longa com parafusos convencionais.

**Vídeo 3.3.4-2**  Falha dos parafusos convencionais sob tensão repetitiva.

**Vídeo 3.3.4-3**  Resistência melhorada com parafusos bloqueados – nenhum arrancamento.

**Vídeo 3.3.4-4**  Resistência melhorada (nenhum arrancamento) com parafusos bloqueados sob tensão repetitiva.

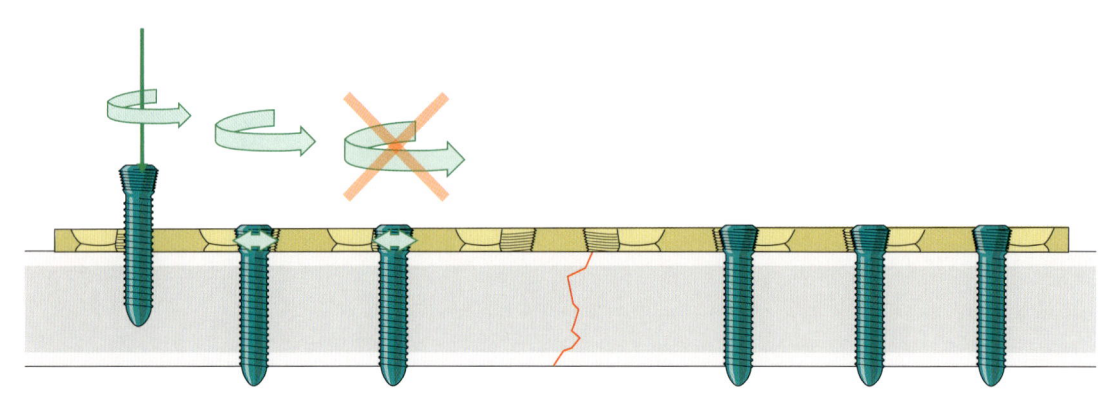

Redução, vias de acesso e técnicas de fixação
### 3.3.4 Placas bloqueadas

**Fig. 3.3.4-8** Inserção do parafuso bloqueado sem aperto em demasia no osso osteoporótico. Devido ao mecanismo de bloqueio entre a cabeça do parafuso e o orifício de placa, o LHS nunca pode ser apertado em demasia no osso. Um LHS, quando implantado, sempre avança seguindo a rosca criada no osso até que a cabeça cônica do parafuso bloqueia automaticamente o giro adicional do parafuso. Os parafusos de cabeça bloqueada podem ser apertados em excesso no orifício da placa causando deformação das roscas e emperramento, criando dificuldades para a remoção do implante mais adiante.

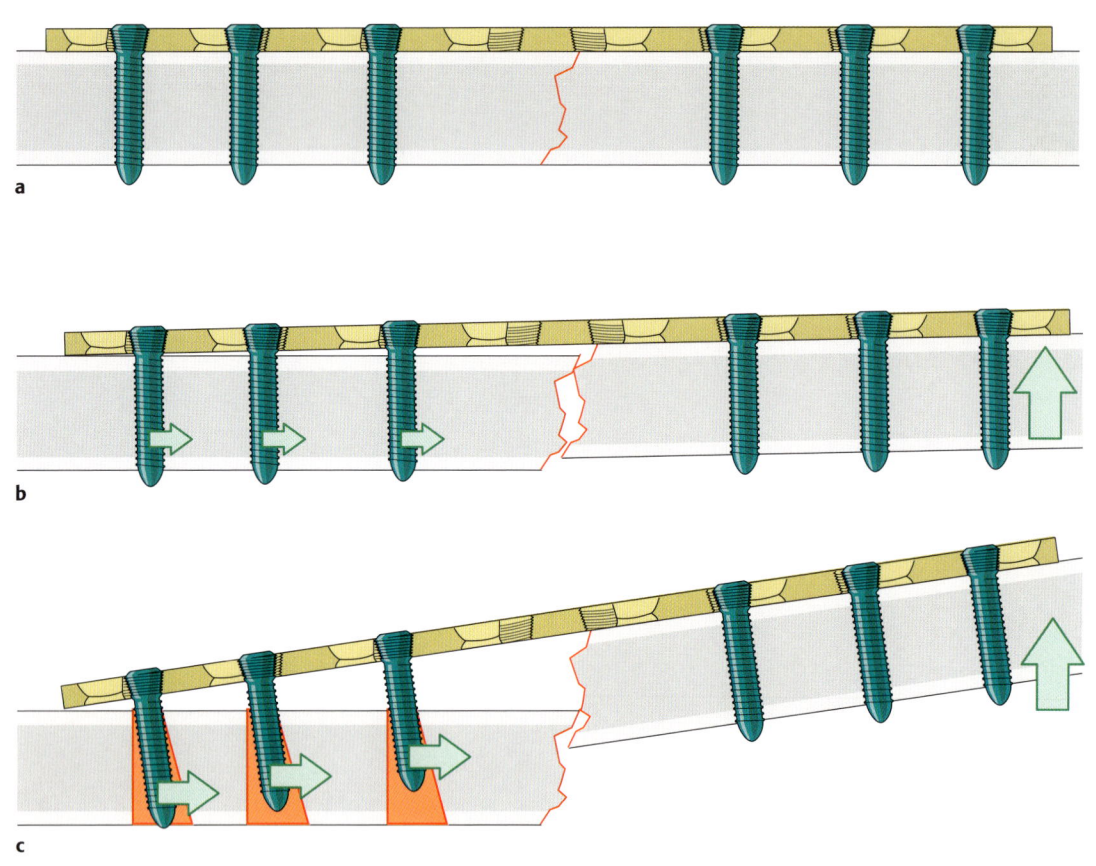

**Fig. 3.3.4-9a-c** Arrancamento em bloco e corte dos parafusos bloqueados no osso osteoporótico. Uma placa fixada ao osso com LHS fornece resistência muito mais alta contra os momentos de flexão (e de torção). Os parafusos não podem angular nos orifícios da placa e, por conseguinte, uma grande quantidade de substância óssea precisa ser destruída antes que ocorra o arrancamento por flexão. A vantagem é que a perda da redução é menos provável. A desvantagem é que a perda da redução resulta em mais perda óssea (osteólise) que a vista com as placas convencionais.

**Fraturas periprotéticas/peri-implantes:** Parafusos monocorticais especiais sem a ponta (parafuso periprotético) (**Fig. 3.3.4-10**) e outros dispositivos, como a *locking attachment plate* (LAP), foram desenvolvidos para permitir a inserção do parafuso quando o canal intramedular estiver ocupado por uma haste ou prótese. Os parafusos de bloqueio de VA também fornecem essa opção.

**Fraturas em ossos pequenos ou moles** requerem estabilização cirúrgica, como as fraturas de esterno, das costelas (**Fig. 3.3.4-11**), da escápula, da face ou do crânio.

**Cirurgia de revisão depois de falha na osteossíntese com placa/parafuso:** Após a falha da osteossíntese com placa e parafusos, o osso frequentemente se encontra debilitado pelos orifícios dos parafusos e pela osteólise existente, de forma que frequentemente há espaço limitado para a aplicação de novos parafusos. Os parafusos bloqueados podem, mesmo assim, fornecer estabilidade com a inserção monocortical ou em uma posição excêntrica no osso.

**Fig. 3.3.4-10** Parafuso periprotético de cabeça bloqueada. A ponta deste LHS monocortical curto é achatada para a colocação nas redondezas de uma haste protética. As roscas avançam tão perto da haste quanto possível, maximizando o comprimento de trabalho do parafuso.

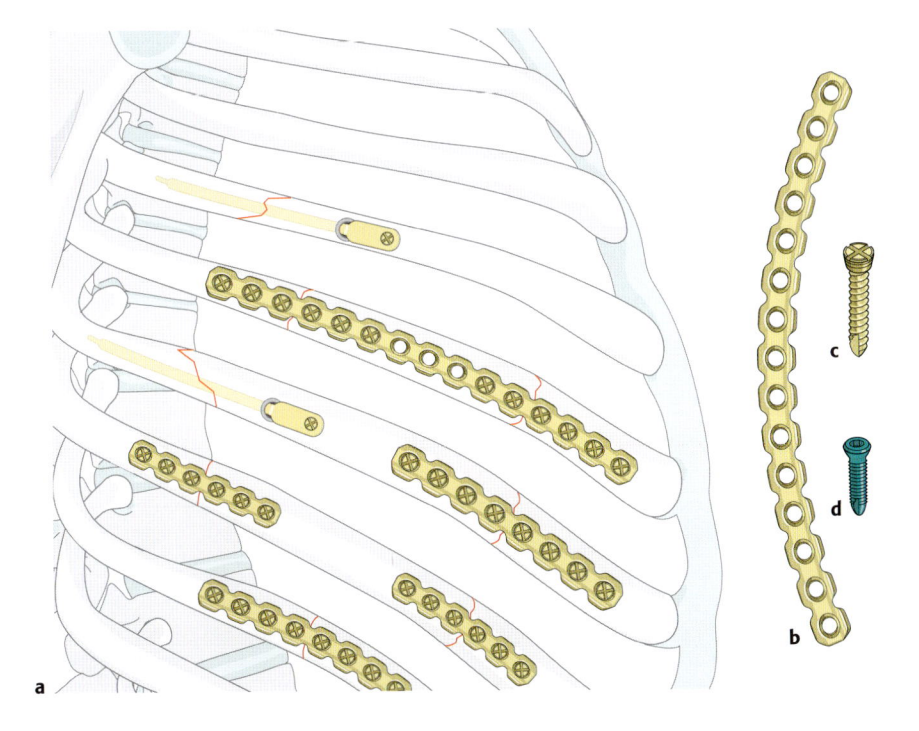

**Fig. 3.3.4-11a-d** Placas bloqueadas para as fraturas de costelas. A fixação das fraturas de costela é mantida com um sistema de placa bloqueada. O osso fino e a diversidade anatômica óssea das costelas é uma indicação perfeita para a tecnologia de bloqueio.
a  Hemitórax com múltiplas costelas quebradas e um segmento instável. Fixação com placas de compressão bloqueadas (LCP) pré-moldadas e hastes intramedulares.
b  LCP curva pré-moldada.
c  Parafuso automacheante de cabeça bloqueada.
d  Parafuso automacheante convencional. Estes não são comumente usados, já que o afrouxamento do parafuso pode resultar em migração intratorácica do parafuso solto.

Redução, vias de acesso e técnicas de fixação
3.3.4 Placas bloqueadas

## 2.3 Fraturas periarticulares

**A segunda principal indicação para o uso de parafusos bloqueados é a fratura perto de uma articulação.**

O curto segmento ósseo periarticular somente pode ser fixado com a parte curta da placa. A fixação é melhorada aumentando o número de parafusos com uma placa em T ou em L, mas existe ainda um braço de alavanca curto que cria grandes forças de arrancamento e flexão nos parafusos. Os parafusos convencionais podem soltar e retroceder ou angular dentro dos orifícios da placa, até mesmo com boa qualidade óssea. Isso resulta em perda precoce da redução e instabilidade (**Fig. 3.3.4-12**). Nesses segmentos ósseos curtos, os implantes com estabilidade angular são essenciais. Isso pode ser provido por uma placa-lâmina angulada ou parafusos bloqueados quando a placa, junto com os parafusos periarticulares, funcionar como uma placa-lâmina angulada "modular" (**Fig. 3.3.4-13**). A qualidade óssea mais pobre nas fraturas por fragilidade geralmente está na metáfise, e os pacientes adultos mais velhos com fraturas nessas regiões se beneficiam do uso das placas bloqueadas. Já foram desenvolvidas placas "periarticulares" anatomicamente pré-moldadas para quase todas as regiões no corpo humano. Os orifícios da placa periarticular permitem a inserção de parafusos convencionais ou bloqueados, mas é vantajoso utilizar parafusos bloqueados na metáfise, especialmente se a placa não se ajustar perfeitamente à superfície óssea.

## 2.4 Osteossíntese com placa minimamente invasiva

**A osteossíntese com placa minimamente invasiva (OPMI) é uma terceira indicação para as placas bloqueadas, pois estas placas são mais fáceis de inserir e fixar se comparadas com as placas convencionais, e a moldagem precisa da placa não é necessária. Quando efetuar OPMI, pode ser difícil posicionar a placa no lugar ideal sobre o osso.**

As placas mal moldadas e/ou excentricamente posicionadas usando parafusos convencionais podem resultar em uma perda precoce da estabilidade devido ao contato deficiente entre o osso e a placa, ou pela má redução, quando o osso é tracionado sobre a placa mal moldada durante o aperto dos parafusos convencionais. Isso pode resultar em mau alinhamento axial ou deformidade rotacional ao tracionar o osso para uma placa excentricamente colocada na diáfise (**Figs. 3.3.4-14-15**). O uso de parafusos bloqueados nessas situações pode prevenir a perda primária da redução (**Fig. 3.3.4-16**).

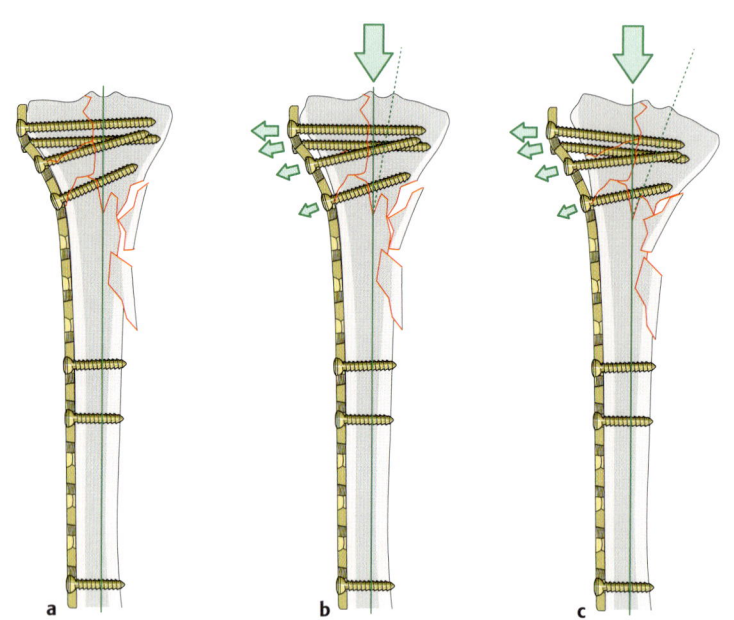

**Fig. 3.3.4-12a-c** Perda secundária da redução com parafusos convencionais. Nos segmentos curtos de extremidades, o braço de alavanca da placa é curto, criando grandes forças de arrancamento nos parafusos convencionais. Eles tendem a afrouxar precocemente em uma maneira sequencial, a fricção entre a placa e o osso é perdida, e a placa se solta do osso. Isso ocorre porque o bloco articular pode ser angulado no plano coronal e os parafusos não são bloqueados nos orifícios da placa.

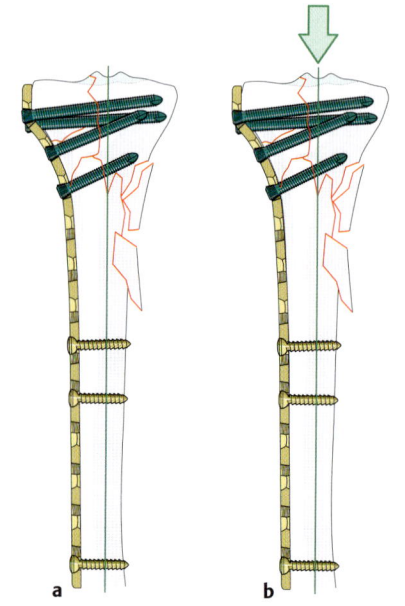

**Fig. 3.3.4-13a-b** Nenhuma perda secundária da redução ocorre com o LHS, que fornece estabilidade angular e, por conseguinte, não pode angular nos orifícios de placa. A placa e todos os LHS se combinam em uma unidade que fica estável, mesmo em curtos segmentos da extremidade do osso, e quando não houver nenhuma estabilidade inerente da cortical distal pela fragmentação.

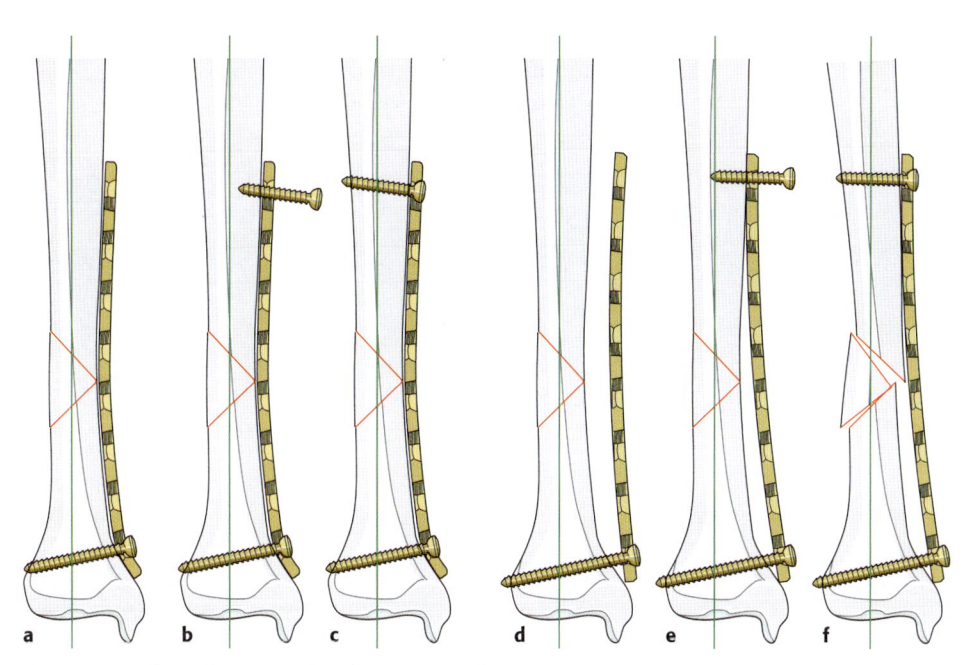

**Fig. 3.3.4-14a-f**  Perda primária da redução com parafusos convencionais. Para a placa distal medial da tíbia, é frequentemente necessário inserir um parafuso convencional perto do maléolo medial; caso contrário, a placa pode ficar saliente e resultar em tensão cutânea quando a ferida for fechada.

**a-c**  Se a placa estiver perfeitamente moldada (o que é difícil com as técnicas de OPMI), a inserção dos parafusos convencionais manterá a redução.

**d-f**  Entretanto, se a placa não for moldada perfeitamente, a inserção de parafusos convencionais desviará a fratura já reduzida, criando um mau alinhamento axial ou de torção (ou ambos).

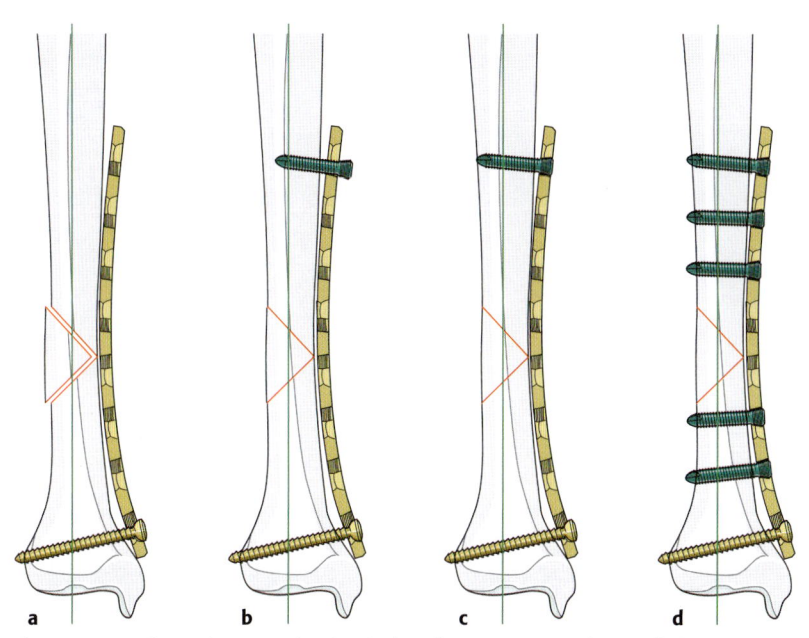

**Fig. 3.3.4-15a-d**  Nenhuma perda primária de redução com LHS. A fixação da fratura com uma placa imperfeitamente moldada (que acontece durante o uso da placa minimamente invasiva sem visão direta da superfície óssea) e o LHS não desviará a fratura já alinhada. Ao usar parafusos convencionais (para a redução e/ou aproximação da placa ao osso), eles devem ser primeiramente inseridos.

Redução, vias de acesso e técnicas de fixação
### 3.3.4 Placas bloqueadas

## 3 Princípios da aplicação do parafuso bloqueado

### 3.1 Características gerais

O LHS é projetado para travar firmemente na placa. Isso fornece estabilidade axial e angular do parafuso em relação à placa. A fixação da fratura com uma placa bloqueada depende menos da qualidade óssea ou da região anatômica para ancoragem (**Fig./Animação 3.3.4-17**). Diferentemente do parafuso convencional, essa combinação de parafuso-placa não requer fricção entre a placa e o osso para estabilizar a fratura. Se usada como um fixador interno, ou seja, LHS em ambos os lados da fratura, a força será transferida de um segmento ósseo até outro pela montagem placa-parafuso. Nessa situação, o LHS é exposto à carga de flexão em vez de às forças de tensão (**Fig./Animação 3.3.4-18**). Além disso, a placa bloqueada não precisa ser moldada com precisão para o formato do osso, já que o aperto do LHS não pressiona o implante contra o osso (**Fig./Animação 3.3.4-19**). Isso evita a má redução durante o aperto do LHS e ajuda a preservar a vascularização periosteal debaixo do implante (**Fig./Animação 3.3.4-20**).

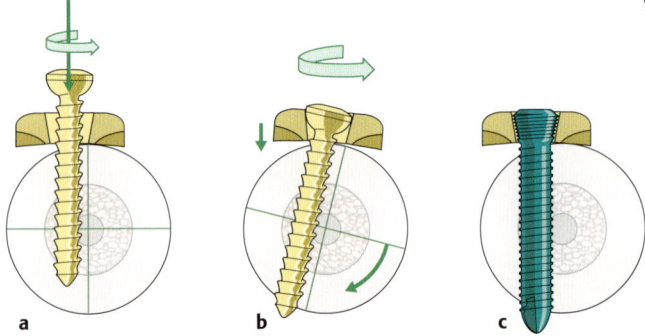

**Fig. 3.3.4-16a-c** Perda primária da rotação com o parafuso convencional contra o LHS.
**a-b** Uma placa em posição ligeiramente excêntrica, que acontece principalmente no uso da placa minimamente invasiva, rodará diretamente uma fratura já corrigida e alinhada quando o parafuso convencional for apertado.
**c** Isso não ocorre ao se usar um LHS.

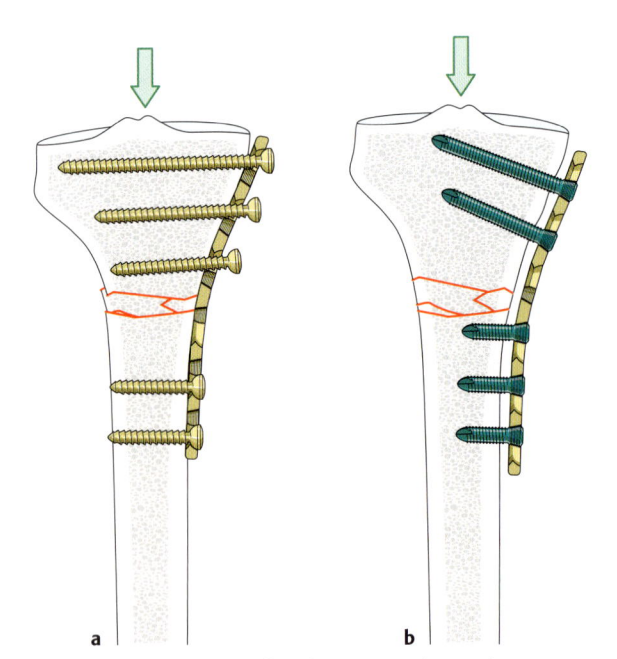

**Fig./Animação 3.3.4-17a-b** Afrouxamento dos parafusos convencionais da placa ocorre sequencialmente, mas não ocorre com os parafusos de cabeça bloqueada.

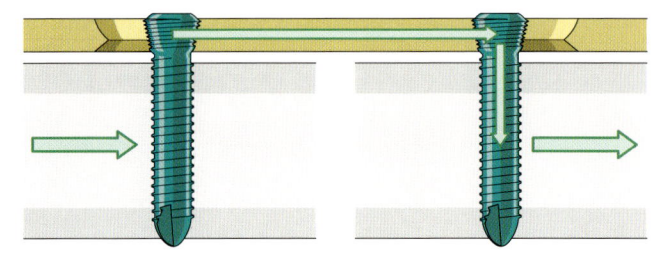

**Fig./Animação 3.3.4-18** Com os parafusos de cabeça bloqueada, a transmissão de carga ocorre através dos parafusos e da placa. Ambos estão, por conseguinte, expostos à carga de flexão.

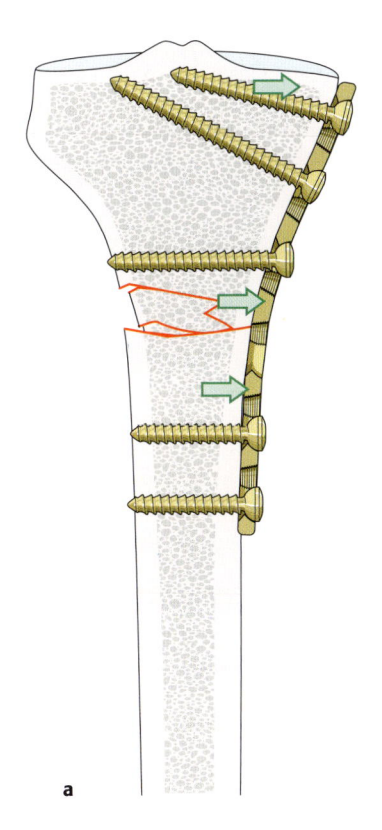

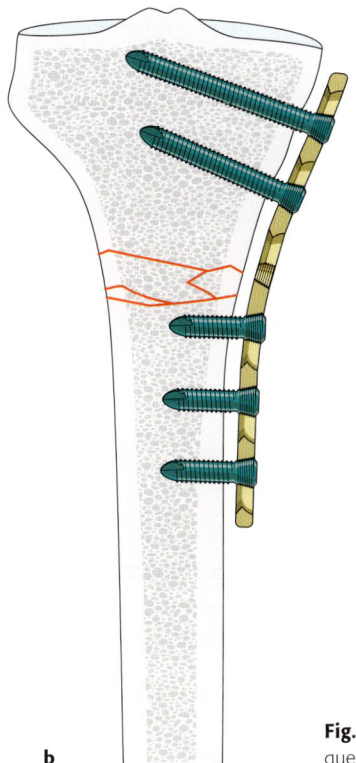

Princípios AO do tratamento de fraturas
**Volume 1**

**Fig./Animação 3.3.4-19a-b**  A LCP com LHS não requer moldagem precisa.

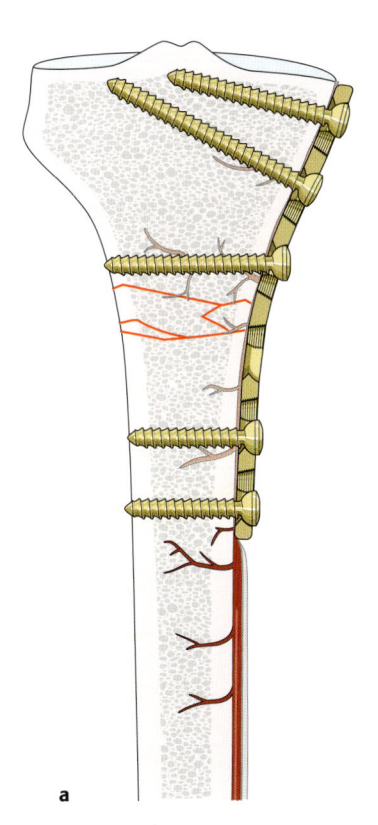

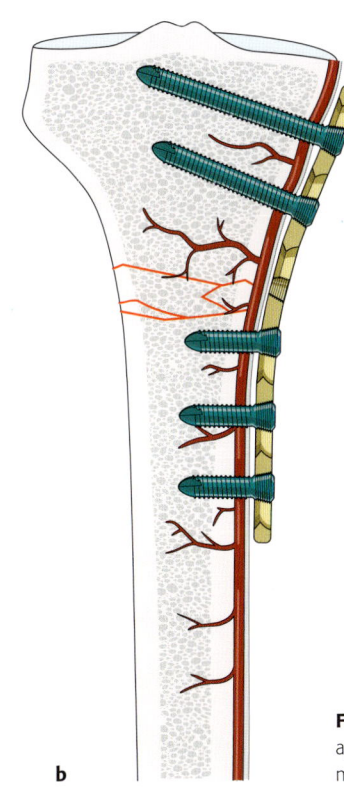

**Fig./Animação 3.3.4-20a-b**  A LCP com LHS não é apertada contra o osso. Isso ajuda a preservar o suprimento sanguíneo periosteal.

281

Redução, vias de acesso e técnicas de fixação
### 3.3.4 Placas bloqueadas

## 3.2 Tipos e funções de parafusos de cabeça bloqueada

Há várias regras para a aplicação do LHS (**Tab. 3.3.4-2**):

- Eles devem ser usados com uma placa bloqueada.
- Nunca usar um LHS como um parafuso de tração.
- Não cruzar uma fratura não reduzida com um LHS, exceto em um defeito articular central em uma fratura articular multifragmentada (tipo C3).

O modo correto de aplicação é:

- Centrado no orifício rosqueado da placa e no ângulo correto usando um guia de broca rosqueado precisamente colocado (para LHS) ou guia cônico de broca (somente para parafusos de VA) ou guia de bloco periarticular (p. ex., placa PHILOS).
- O uso do acessório limitador de torque (ALT) correto para o aperto do parafuso é obrigatório. Isso pode ser parte da chave de fenda ou do acessório motorizado. O excesso de aperto pode levar ao emperramento do parafuso na placa devido à deformação da rosca da cabeça do parafuso ou do orifício da placa. Pode haver também dano primário ao recesso da chave de fenda na cabeça do parafuso. Tudo isso leva a uma grande dificuldade para remover o parafuso e a placa.

Tipos diferentes de parafusos (**Fig. 3.3.4-21**):

- LHS automachante
- LHS autoperfurante e automachante
- LHS de ângulo variável (parafusos VA) e automachante (**Fig. 3.3.4-4**)

Funções diferentes dos parafusos bloqueados (**Fig. 3.3.4-22**):

- Parafuso de fixação à placa: fixação da placa ao osso. Geralmente aplicado em um ou em ambos os fragmentos principais da fratura.
- Parafuso de posição: mantém dois (ou mais) fragmentos articulares ou metafisários bem reduzidos, na correta posição anatômica entre si. Essa função é sempre combinada com a função de um parafuso de fixação da placa.

**Tabela 3.3.4-2** Diferentes funções e regras para os parafusos

| Função | Tipo de parafuso | Efeito | Pré-requisitos |
|---|---|---|---|
| Parafuso de tração<br>• Livre, independente da placa<br>• Parafuso de tração na placa | Parafuso para osso cortical*<br>Parafuso para osso cortical (diafisário)[†]<br>Parafuso para osso esponjoso[†] | Compressão interfragmentar | Orifício de deslizamento, orifício rosqueado para um parafuso totalmente rosqueado ou um parafuso parcialmente rosqueado |
| Parafuso excêntrico<br>= parafuso de compressão axial | Parafuso para osso cortical<br>Parafuso para osso esponjoso | Compressão interfragmentar | Unidade de compressão dinâmica e cabeça de parafuso hemisférica do parafuso convencional |
| Fixação com placa | Parafuso para osso cortical<br>Parafuso para osso esponjoso | Fricção entre o osso e a placa | Qualidade óssea adequada e ajuste preciso da placa na superfície óssea |
|  | LHS | Bloqueio na placa, estabilidade angular, afrouxamento de parafuso menos comum | Trajetória precisa do parafuso usando guia de broca ou guia rosqueado, aperto adequado usando o acessório limitador de torque |
| Parafuso de posição<br>• Livre, independente da placa<br>• Através de um orifício da placa | Parafuso para osso cortical<br>Parafuso para osso esponjoso totalmente rosqueado<br>LHS (somente através de uma placa) | Manutenção da posição relativa entre dois ossos ou fragmentos ósseos | Fixação temporária de dois ossos/fragmentos durante o machamento e inserção do parafuso |
| Parafuso de redução | Parafuso para osso cortical<br>Parafuso para osso esponjoso | Redução sobre a placa<br>Redução de um fragmento em borboleta no lado oposto da placa | Nenhuma compressão interfragmentar, somente adaptação dos fragmentos ósseos |
|  | LHS | Redução sobre a placa | Chave de fenda com camisa para segurar o parafuso cobrindo a cabeça do parafuso |

\* O uso de parafusos automachantes como parafusos de tração não é recomendado.
[†] Parafuso de titânio parcialmente rosqueado.
Sigla: LHS, parafuso de cabeça bloqueada.

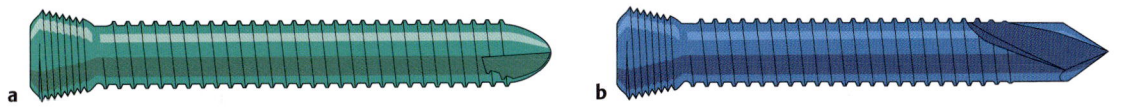

**Fig. 3.3.4-21a-b**   Tipos diferentes de LHS.
a   O LHS convencional é verde – automacheante, mas não autoperfurante – comumente usado em uma aplicação bicortical.
b   Raramente, um parafuso de cor azul autoperfurante e automacheante pode ser usado em um modo monocortical (tradicionalmente usado para o LISS quando inserido através das guias de broca do dispositivo direcionador). Esse parafuso não é aconselhado para a aplicação bicortical, porque a ponta deve penetrar ainda mais através da cortical distal e pode causar dano nas partes moles (**Fig. 3.3.4-18**).

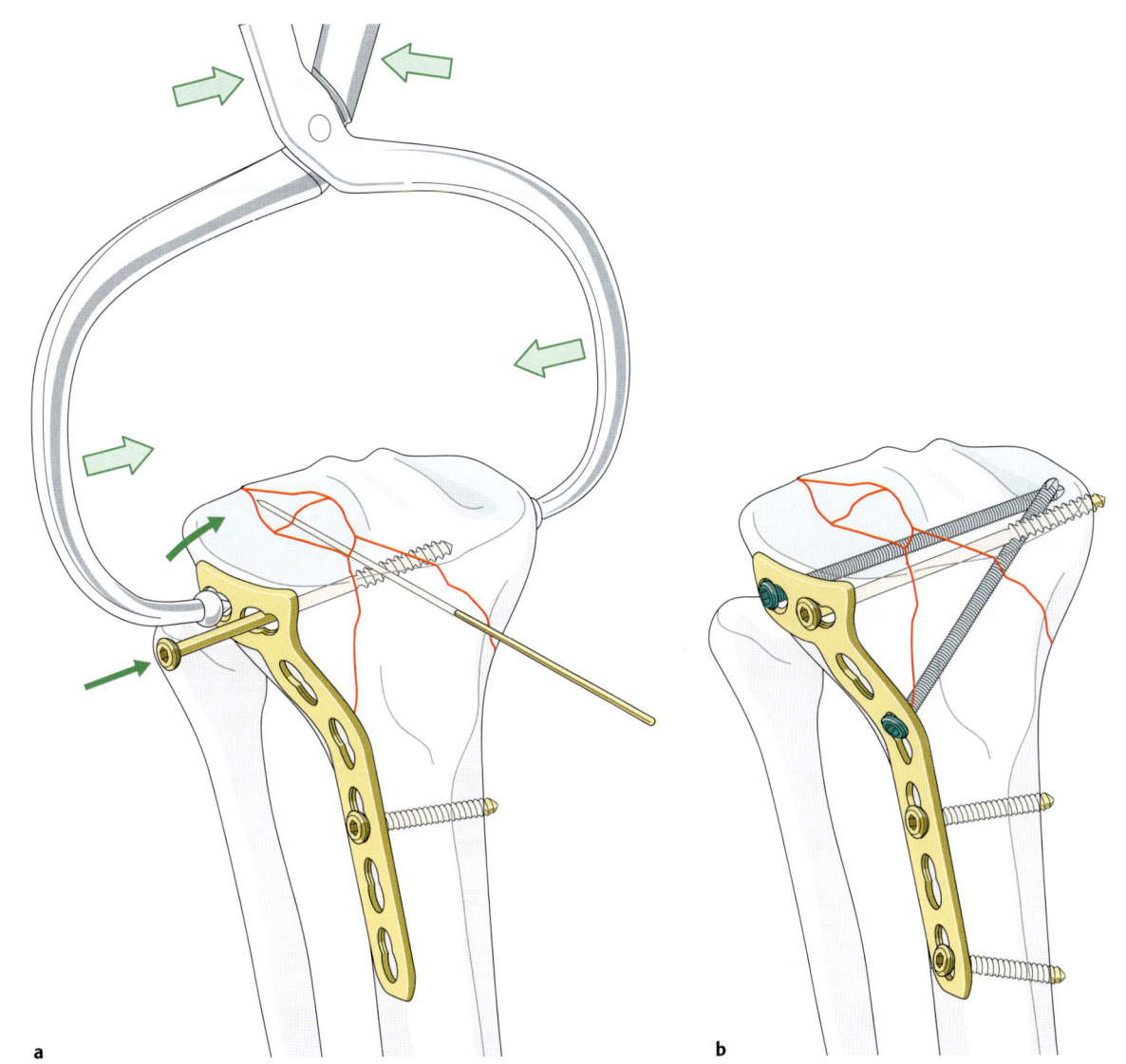

**Fig. 3.3.4-22a-b**   Fixação de uma fratura proximal da tíbia mostrando as diferentes funções dos parafusos.
a   A fratura é reduzida e mantida com uma combinação de pinças e fios de Kirschner. Os parafusos comuns são usados para fixar a placa e fornecer compressão através da fratura articular.
b   Os parafusos de cabeça bloqueada são então usados para completar a fixação e atuar como um parafuso de posição através da fratura articular multifragmentada e como parafusos da placa.

Redução, vias de acesso e técnicas de fixação
**3.3.4 Placas bloqueadas**

## 3.3 Parafusos monocorticais ou bicorticais de cabeça bloqueada

O LHS bicortical é recomendado na maioria das situações na diáfise, já que o parafuso tem um comprimento de trabalho muito mais longo. Ele é especialmente preconizado no osso osteoporótico (**Fig. 3.3.4-23**). Somente o LHS automacheante é usado para a aplicação bicortical. Os parafusos autoperfurantes e automacheantes em aplicação bicortical não são recomendados, já que podem irritar e causar danos às estruturas de partes moles com a sua ponta afiada (**Fig. 3.3.4-24**).

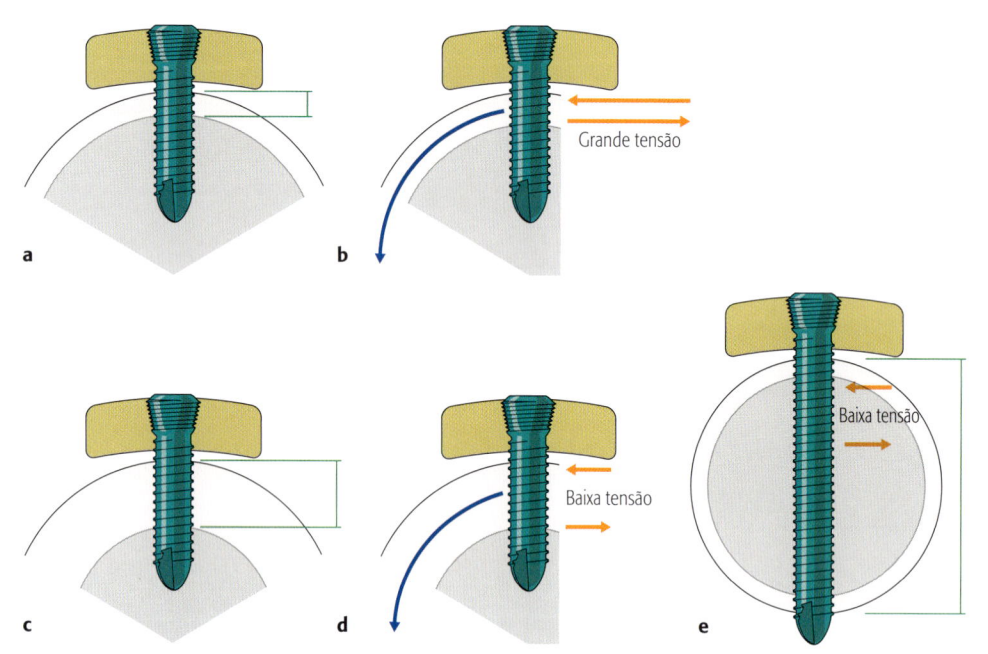

**Fig. 3.3.4-23a-e** Comprimento de trabalho dos parafusos de cabeça bloqueada. O comprimento da rosca do parafuso em contato com o osso influencia as tensões na interface parafuso-osso. Existe um comprimento de trabalho curto quando houver uma cortical óssea fina ou a inserção de parafuso monocortical. Isso resulta em grande tensão na interface (**a-b**). Existe um comprimento de trabalho longo quando houver uma cortical óssea espessa ou a inserção de parafuso bicortical. Isso resulta em baixa tensão na interface (**c-e**).

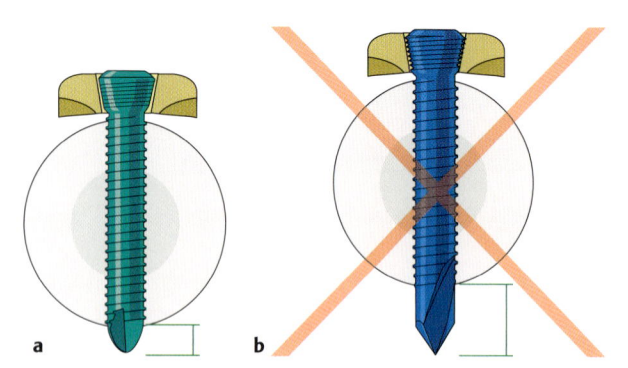

**Fig. 3.3.4-24a-b** Parafusos bicorticais autoperfurantes e automacheantes de cabeça bloqueada (LHS). A aplicação bicortical é reservada ao LHS automacheante (**a**) e deve ser evitado o uso de um LHS autoperfurante e automacheante (**b**).

Os LHSs "sub-bicorticais" periarticulares são usados perto de articulações e atravessam toda a distância do osso esponjoso, mas não penetram na cortical oposta (**Fig. 3.3.4-25**). Isso garante o comprimento de trabalho mais longo, mas previne:

- Irritação de partes moles no lado oposto do osso (p. ex., tendões extensores no punho ao usar uma placa distal volar no rádio, ou a origem femoral do LCM ao usar uma placa distal lateral no fêmur) (**Fig. 3.3.4-26**)
- Penetração intra-articular da ponta do parafuso no lado oposto do osso (p. ex., no côndilo lateral da porção proximal ou distal do úmero)
- Penetração da ponta do parafuso para dentro da sindesmose tibiofibular no uso de placa na porção distal da tíbia ou fíbula

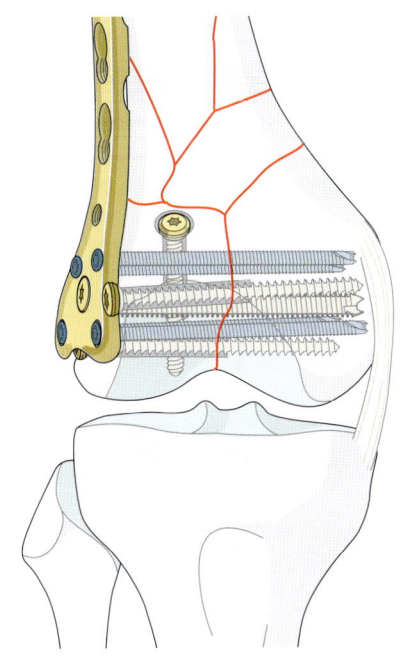

**Fig. 3.3.4-25** Comprimento correto dos parafusos de cabeça bloqueada (LHS) na metáfise distal do fêmur. Especialmente no osso de qualidade ruim, o LHS na metáfise deve ter o maior comprimento de trabalho possível. Entretanto, as pontas do parafuso não devem penetrar na cortical oposta, irritando estruturas de partes moles, como ligamentos ou tendões. Eles não são nem monocorticais nem bicorticais, mas o que poderia ser chamado de "sub-bicortical" (= quase bicortical).

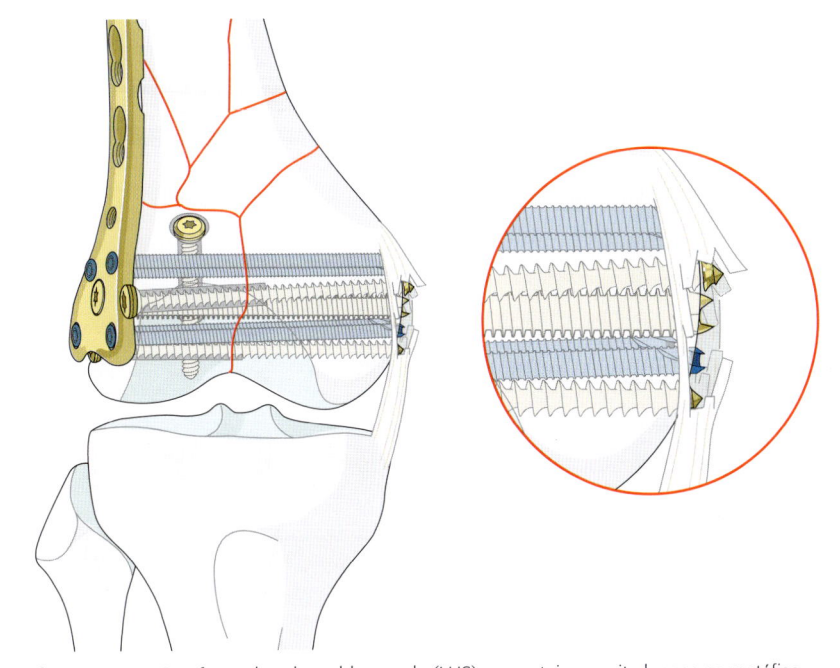

**Fig. 3.3.4-26** Parafusos de cabeça bloqueada (LHS) que estejam muito longos na metáfise distal do fêmur. O LHS bicortical em certas localizações, como na distal do fêmur (ou na distal do rádio) pode irritar estruturas importantes de partes moles e, por conseguinte, deve ser evitado nessas regiões.

Redução, vias de acesso e técnicas de fixação
### 3.3.4 Placas bloqueadas

Os parafusos que sejam muito curtos no osso ruim resultam na perda precoce da redução e em deformidade (**Fig. 3.3.4-27**).

Os parafusos monocorticais são ocasionalmente usados nas seguintes circunstâncias:

- Fratura periprotética: o parafuso periprotético (ponta plana do parafuso) (**Fig. 3.3.4-10**) aumenta o comprimento de trabalho do parafuso em comparação ao LHS normal.
- Placas de redução temporária: placas pequenas (2,4, 2,7 ou 3,5) podem ser usadas para segurar a redução durante a fixação definitiva com uma haste ou placa maior. Os parafusos monocorticais são úteis e não bloqueiam fresas, hastes ou parafusos no canal medular.
- Fixação adicional no osso diafisário bom (fixação que conta somente com parafusos monocorticais não é aconselhada).
- Fratura helicoidal longa: pode reforçar a fixação para permitir o uso de uma placa mais curta (**Fig. 3.3.4-28**).

### 3.4 Número de parafusos

Regras para o uso de LHS bicortical:

- Dois parafusos bicorticais em cada fragmento principal podem ser usados com uma placa mais longa em osso de boa qualidade e com um tempo curto esperado para consolidação (boa vascularização, boa redução e uma lesão de baixa energia). A posição dos parafusos deve ser perfeitamente centrada ao osso (não tangencial). Há pouco espaço para erro, e cirurgiões menos experientes devem sempre considerar o uso de mais de dois parafusos.
- Três parafusos bicorticais em cada fragmento principal devem ser normalmente usados.
- Quatro (ou mais) parafusos bicorticais são aconselhados no osso osteoporótico, especialmente em ossos com forças de torção (p. ex., o úmero).
- O uso de um parafuso bloqueado no último orifício na extremidade da placa pode produzir alteração brusca de tensão e pode ser associado a um risco aumentado de fratura peri-implante, particularmente no osso osteoporótico. Os cirurgiões devem considerar o uso de um parafuso convencional bicortical nessa posição. Se for inserido depois do LHS, deve haver cuidado para não apertar o parafuso em demasia [8].

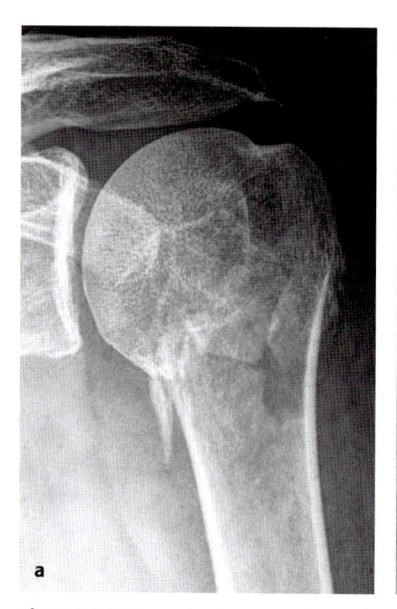

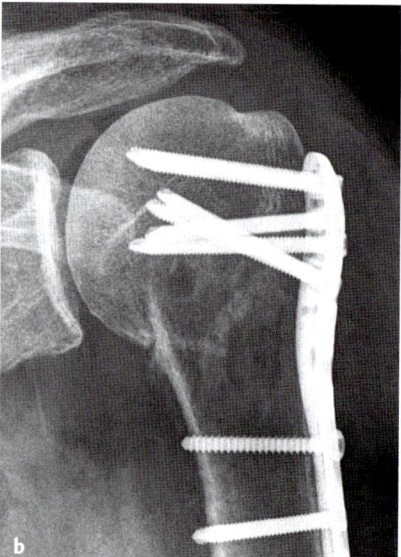

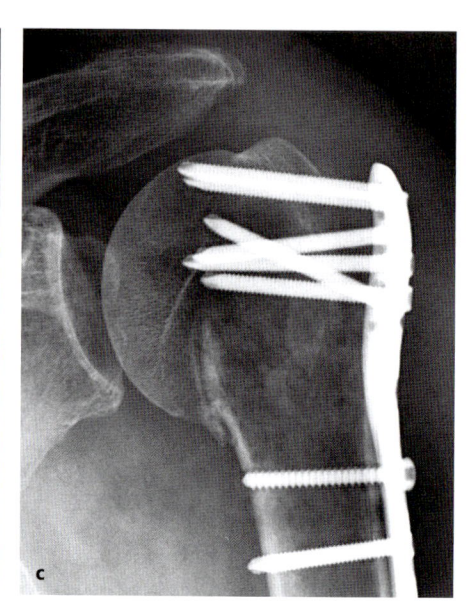

**Fig. 3.3.4-27a-c**  Parafusos de cabeça bloqueada curtos na cabeça do úmero, com perda precoce em varo.
**a-b** Em um úmero osteopênico, o osso que tiver qualidade adequada para fornecer uma interface estável entre o parafuso e o osso fica perto da cartilagem, próximo à região subcondral. Os LHSs inseridos na cabeça umeral devem ser suficientemente longos para ancorar as pontas dos parafusos nesse osso mais sólido.
**c** Se forem muito curtos, como neste caso depois de 6 semanas, pode ocorrer instabilidade precoce com colapso em varo.

## 4 Placa de compressão bloqueada

### 4.1 Características gerais

A característica ímpar da LCP é o orifício combinado, que pode acomodar um parafuso convencional ou um LHS. A primeira parte do orifício combinado tem o desenho do orifício convencional de compressão DCP/LC-DCP (unidade de compressão dinâmica) que aceita um parafuso convencional para produzir compressão axial ou a colocação de um parafuso de tração angulado através da placa. A segunda parte é cônica e rosqueada para aceitar o LHS, e sua posição fica perto do centro da placa nas placas retas ou perto da localização de fratura nas placas periarticulares (**Fig. 3.3.4-8**).

Todas as placas convencionais dos diferentes sistemas (4,5, 3,5, 2,7 e menores) (LC-DCP, placas em L e placas em T, como também as placas de reconstrução) são feitas com o orifício combinado, mas sem qualquer alteração nas dimensões globais da placa. A porção periarticular da maioria das LCPs anatomicamente moldadas consiste em orifícios redondos, cônicos e rosqueados para a inserção dos LHSs, mas também podem aceitar parafusos convencionais se for o caso.

Em alguns novos sistemas de placas, a tecnologia VA é incorporada aos orifícios da placa para permitir a inserção dos parafusos de bloqueio de ângulo variável em 15 graus em relação à trajetória perpendicular do parafuso.

### 4.2 Aplicação "híbrida" da placa de compressão bloqueada

Quando forem usados parafusos convencionais e bloqueados em uma placa, isso pode ser chamado de aplicação "híbrida" [9]. Nos últimos 10 anos, esse método de aplicação tem sido cada vez mais praticado. Vários estudos biomecânicos e clínicos em ossos grandes mostraram que a combinação de parafusos bloqueados e convencionais é efetiva. A capacidade para resistir a forças de torção é significativamente mais alta quando a placa bloqueada for aplicada com a técnica híbrida na região lateral distal do fêmur [10]. Primeiro é fixada distalmente nos côndilos com um ou mais parafusos convencionais, e, então, reforçada com parafusos bloqueados. Isso pode ser porque a parte mais alargada e anatomicamente pré-moldada da placa fornece estabilidade adicional à torção quando apertada contra o osso. Se houver bom estoque ósseo, os parafusos convencionais podem ser usados para fixar a placa à diáfise.

Resultados similares foram relatados em pacientes submetidos a uma osteotomia tibial medial alta com o uso de placa híbrida lateral [11]. Entretanto, a aplicação incorreta de sistemas de placa híbrida pode criar o risco de não obter a estabilidade absoluta ou relativa. Isso pode criar um ambiente com *strain* alto. O resultado será a falha do implante e o retardo de consolidação ou não união [12].

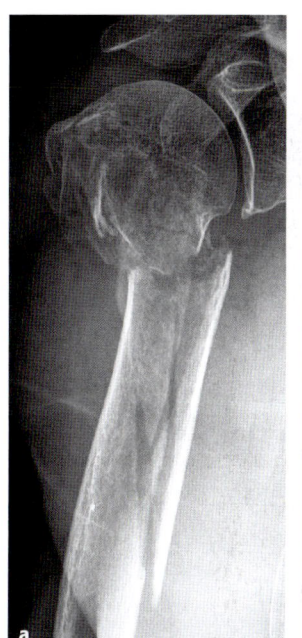

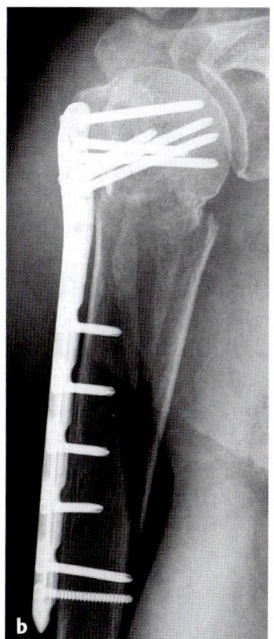

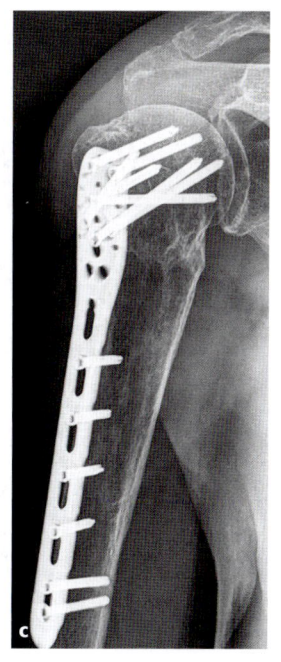

**Fig. 3.3.4-28a-c** Parafuso de cabeça bloqueada (LHS) monocortical em uma fratura helicoidal longa (**a**). Usando parafusos monocorticais para suplementar o LHS bicortical, o comprimento total ofertado – bem como o comprimento de trabalho da placa – pode ser reduzido até o comprimento desejado (**b**). Seguimento radiográfico de 4 anos (**c**).

### 3.3.4 Placas bloqueadas

É essencial o planejamento pré-operatório cuidadoso para produzir estabilidade absoluta ou relativa ao usar uma LCP como um sistema de placa híbrido. A compressão ideal interfragmentar ou da placa no osso deve ser alcançada antes da aplicação dos parafusos bloqueados (primeiro a tração, depois o bloqueio).

## 4.3 Biomecânica da placa de compressão bloqueada

A LCP pode ser usada para fornecer as seis funções-padrão de uma placa:

- Compressão
- Proteção
- Suporte
- Banda de tensão
- Ponte
- Redução

Todas essas funções podem ser fornecidas com parafusos convencionais ou com fixação híbrida usando uma combinação de parafusos bloqueados e convencionais. Com parafusos bloqueados apenas, uma LCP pode funcionar como uma proteção, suporte, banda de tensão ou placa em ponte, mas não pode ser usada como uma placa de compressão ou ferramenta de redução.

Em qualquer caso, uma das diferentes funções da placa deve ser ideal, e o cirurgião deve planejar de acordo com a localização da fratura, o padrão da fratura, a qualidade do osso e a situação de partes moles. A execução correta do plano pré-operatório depende de muitos fatores, incluindo o método e a qualidade da redução, o comprimento da placa, o número e o tipo de parafusos, e sua sequência de inserção (**Tab. 3.3.4-3**). Para produzir as diferentes funções da placa, podem ser usados somente parafusos convencionais, somente parafusos bloqueados ou ambos os tipos de parafusos (aplicação "híbrida").

**Tabela 3.3.4-3** Diretrizes para a fixação com placa em fraturas diafisárias e metafisárias simples e multifragmentadas

| | Fratura simples (tipo A e tipo B2) | | Fratura multifragmentada (tipo B3 e tipo C) |
|---|---|---|---|
| **Princípio biomecânico** | **Compressão interfragmentar** | **Tutor ± parafuso de tração de redução** | **Tutor** |
| **Técnica de redução** | Principalmente direta | Indireta ou percutânea direta* | De preferência indireta |
| **Inserção** | Pelo menos parcialmente aberta | Aberta, menos invasiva, OPMI | Fechada, minimamente invasiva |
| **Moldagem da placa** | Deve ser precisa à superfície do osso | Moldagem exata não necessária com LHS | Moldagem exata não necessária com LHS |
| **Proporção da placa**[†] | 8-10 (na fratura transversa ou oblíqua curta), 2-3 (na fratura helicoidal longa) | 2-3 (na zona de fratura longa), 4-8 (em fratura curta) | |
| **Tipo de parafuso** | Para compressão: parafusos para osso cortical em posição excêntrica ou parafuso de tração<br><br>Para fixação da placa: parafuso para osso cortical em posição neutra ou LHS[‡] | Parafusos para osso cortical ou LHS[‡] | Parafusos para osso cortical ou LHS[‡] |
| **Parafusos monocorticais/bicorticais** | Parafusos para osso cortical: bicorticais<br><br>LHS: bicorticais. Parafusos monocorticais ao redor de implantes em fraturas periprotéticas | | |
| **LHS na diáfise** | Parafusos bicorticais, automacheantes<br><br>Parafusos "periprotéticos" monocorticais e autoperfurantes para fraturas periprotéticas<br><br>Parafusos monocorticais autoperfurantes/automacheantes são opcionais na diáfise de osso bom (p. ex., LISS com dispositivo direcionador) | | |
| **LHS na metáfise** | Parafusos automacheantes (tão longos quanto possível, mas sem perfurar a superfície óssea oposta) | | |
| **Densidade parafuso-placa** | ≤ 0,6-0,8 | ≤ 0,4-0,5 | ≤ 0,4-0,5 |
| **Parafusos por fragmento principal (n)** | ≥ 3 (2 excepcionalmente) | ≥ 3 (2 excepcionalmente) | ≥ 3 (2 excepcionalmente) |
| **Corticais por fragmento principal (n)** | ≥ 5-6 | ≥ 4 | ≥ 4 |
| **Posição do parafuso** | Junto à fratura, buscando a estabilidade absoluta | Segmento médio (≥ 2 orifícios da placa) sem parafusos, nenhum parafuso de tração (método de tutor) | Zona de fratura sem parafusos, mas parafusos perto da fratura |
| **Orifícios da placa vazios sobre a fratura (= comprimento de trabalho da placa)** | 0-2 | ≥ 2 | ≥ 2 |

Siglas: LHS, parafuso de cabeça bloqueada; LISS, sistema de estabilização menos invasivo; OPMI, osteossíntese com placa minimamente invasiva.

* Tutor em fraturas simples, a redução deve ser precisa: sem *gap* ou *gap* pelo menos < 1-2 mm (= quase anatômica).

[†] Proporção da placa = comprimento da placa/comprimento da fratura.

[‡] Na epífise/diáfise e/ou em osso ruim e/ou na técnica OPMI.

O método de tratamento da fratura e o tipo de estabilidade produzida levam a tipos diferentes de consolidação, e a LCP permite ao cirurgião selecionar o ambiente biomecânico correto para a fratura, produzindo estabilidade absoluta ou relativa. Com o uso adequado, a LCP pode contribuir significativamente para a melhoria do desfecho clínico após o tratamento cirúrgico das fraturas. Os primeiros resultados publicados sobre o uso da LCP são promissores, mas identificaram dificuldades e complicações [5], muitas das quais foram devidas a erros de aplicação [13], apesar da publicação das diretrizes para o uso correto da LCP [6]. A experiência clínica com o uso das LCPs está aumentando [14-17].

### 4.4 Estabilidade absoluta com a placa de compressão bloqueada

A redução anatômica e a compressão interfragmentar de padrões de fratura simples (tipo A ou tipo B2) podem ser alcançadas com a LCP. A redução não deve resultar em nenhum *gap* no local da fratura e a placa é colocada no lado de tensão do osso. Essa técnica de colocação da placa é atualmente reservada para os segmentos articulares das fraturas ou em fraturas diafisárias simples onde a consolidação anatômica é necessária. A fixação com placa de fraturas de ambos os ossos do antebraço é um exemplo comum. Com boa qualidade óssea e redução direta e anatômica, não há necessidade de usar parafusos bloqueados [18], e a fratura pode ser fixada com parafusos convencionais seguindo princípios da AO. Entretanto, os cirurgiões experientes sabem que a estabilidade absoluta pode ser perdida no estágio precoce da consolidação óssea, levando a alguma instabilidade com formação de calo (calo irritativo). Em um estudo retrospectivo recente [19] de fraturas simples (tipo A e tipo B2) da diáfise do úmero tratadas com o uso de placa de compressão, mais de 40% dos casos consolidados mostraram a formação de calo com consolidação óssea secundária. Isso demonstrou que a estabilidade absoluta planejada foi alcançada em apenas 60% dos casos e que a estabilidade absoluta não é obrigatória para a consolidação adequada das fraturas simples da diáfise do úmero. O fator mais importante e estatisticamente significativo para a consolidação foi o tamanho do *gap* da fratura nas radiografias [19] ($p = 0,001$) e isso enfatiza que a redução anatômica e compressão são essenciais se o cirurgião almejar a estabilidade absoluta.

A LCP usando tanto parafusos convencionais quanto bloqueados pode ser usada em várias situações:

**Fraturas metafisárias simples em osso osteoporótico:** A fratura é reduzida e mantida por um ou mais parafusos de tração, cuidadosamente apertados devido ao osso deficiente. A LCP funciona como uma placa de suporte e é fixada com um ou dois parafusos convencionais para cada fragmento principal da fratura para aproximar a placa ao osso. A fixação adicional da placa é executada adicionando LHSs bicorticais seguindo as diretrizes (**Tab. 3.3.4-3**). Alternativamente, a placa de suporte é aproximada ao osso por força manual (em vez de primeiramente os parafusos convencionais) e, então, fixada na totalidade com LHS em ambos os lados (**Fig. 3.3.4-29**).

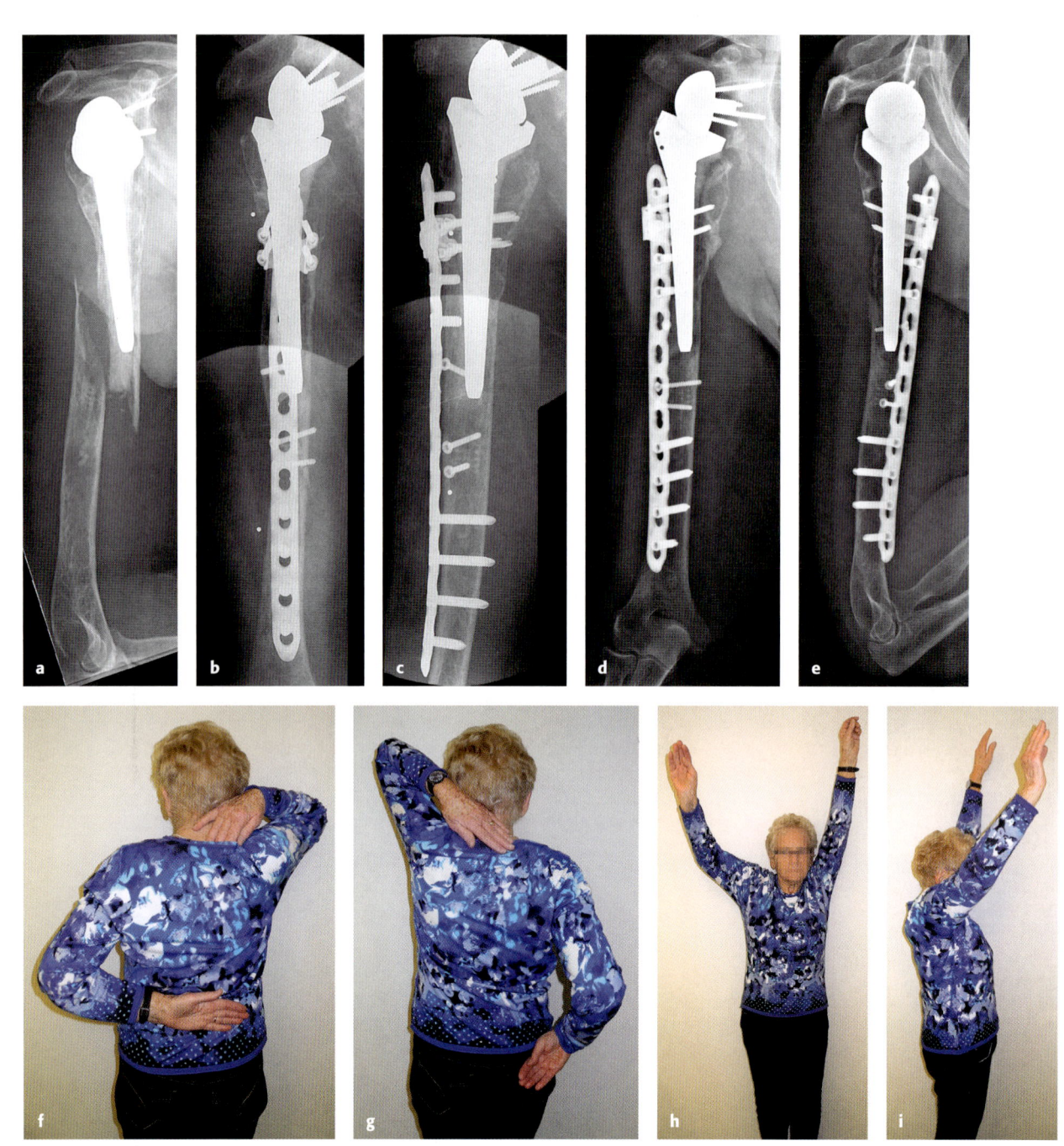

Redução, vias de acesso e técnicas de fixação
### 3.3.4 Placas bloqueadas

**Fig. 3.3.4-29a-i** Fratura periprotética 12A1 em osso osteoporótico tratado com uma técnica de compressão usando uma placa de compressão bloqueada (LCP) com parafuso de cabeça bloqueada (LHS) para a fixação de toda a placa.

- **a** Uma mulher de 85 anos de idade com uma fratura periprotética simples abaixo de uma prótese de ombro, e osteoporose grave com osso cortical fino.
- **b-c** A fratura é abordada com uma incisão aberta, anatomicamente reduzida e mantida por três parafusos de tração de 3,5 mm cuidadosamente apertados. Esses parafusos reduzem a fratura até a aplicação da placa, mas não fornecem uma compressão interfragmentar forte por causa da qualidade óssea ruim. As forças são neutralizadas com uma LCP estreita e longa de 4,5 que é fixada ao osso apenas com LHSs. Na porção proximal, parafusos periprotéticos monocorticais curtos são usados, e a fixação é reforçada por uma *locking attachment plate*. Para reduzir o risco de fratura peri-implante distal, um parafuso monocortical é usado na extremidade da placa.
- **d-i** Imagens de seguimento em 1 ano.

**Fraturas periarticulares (com ou sem envolvimento articular):** A placa anatomicamente pré-moldada é fixada à parte articular com LHSs para fornecer estabilidade angular. A compressão interfragmentar é alcançada usando um parafuso de tração ou com a placa usando um parafuso convencional em um orifício de parafuso dinâmico ou pelo dispositivo de tensionamento articulado. A fixação definitiva para o fragmento diafisário principal é feita inteiramente com parafusos convencionais no caso de o osso ser de boa qualidade (**Fig. 3.3.4-30**), ou com um ou dois parafusos convencionais seguidos por 2-3 LHSs bicorticais no caso de osso de qualidade ruim (**Fig. 3.3.4-31**).

Se houver uma fratura articular, ela é reduzida primeiro e comprimida por parafusos de tração independentes ou parafusos através da placa. Ocasionalmente, a fratura articular está comprimida com pinça de redução aplicada sobre a placa, usando-a como uma "arruela". Alguns sistemas de uso de placas são instrumentalizados com os dispositivos especiais de compressão que se prendem sobre a placa. Após redução e compressão, os LHSs são inseridos e funcionam simultaneamente como parafusos de posição para segurar a redução da fratura articular e os parafusos de fixação da placa (**Fig. 3.3.4-32**).

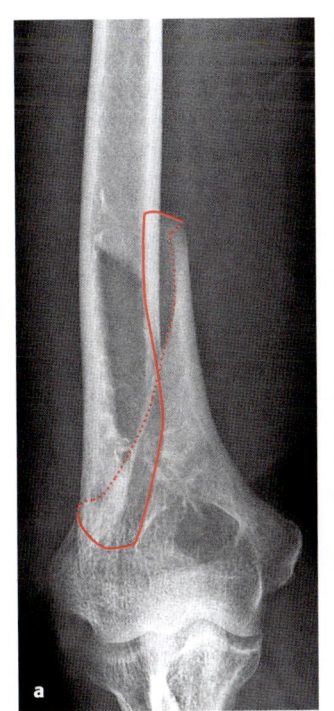

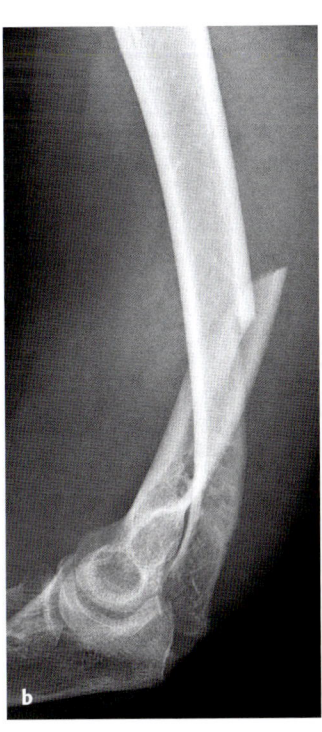

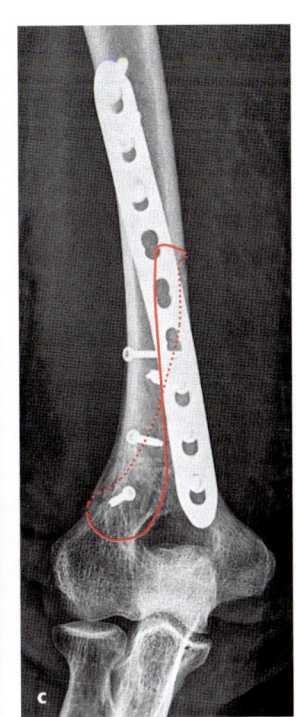

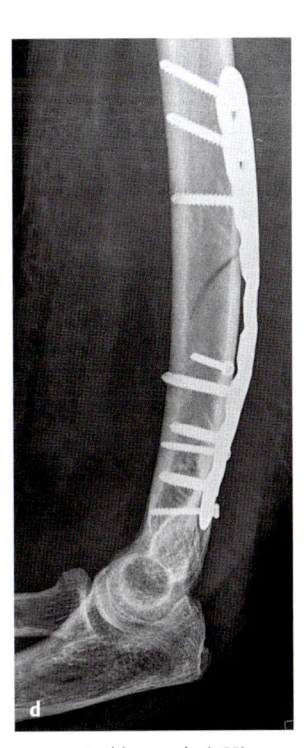

**Fig. 3.3.4-30a-d** Uma fratura distal do úmero 12A1 tratada por uma técnica de compressão com uma placa de compressão bloqueada (LCP) e parafusos de cabeça bloqueada (LHS) na metáfise e parafusos convencionais na diáfise.
**a-b** Uma mulher de 75 anos de idade com fratura por torção simples na metadiáfise distal do úmero, com qualidade óssea razoável.
**c-d** A redução anatômica aberta e fixação por três parafusos de tração de 3,5 mm é seguida pela fixação distal da LCP pré-moldada e LCP torcida estreita de 4,5 com três LHSs bicorticais. A fratura principal é adicionalmente comprimida pela inserção de um parafuso convencional na extremidade proximal da placa em posição excêntrica, seguido por dois outros parafusos convencionais para finalizar a fixação.

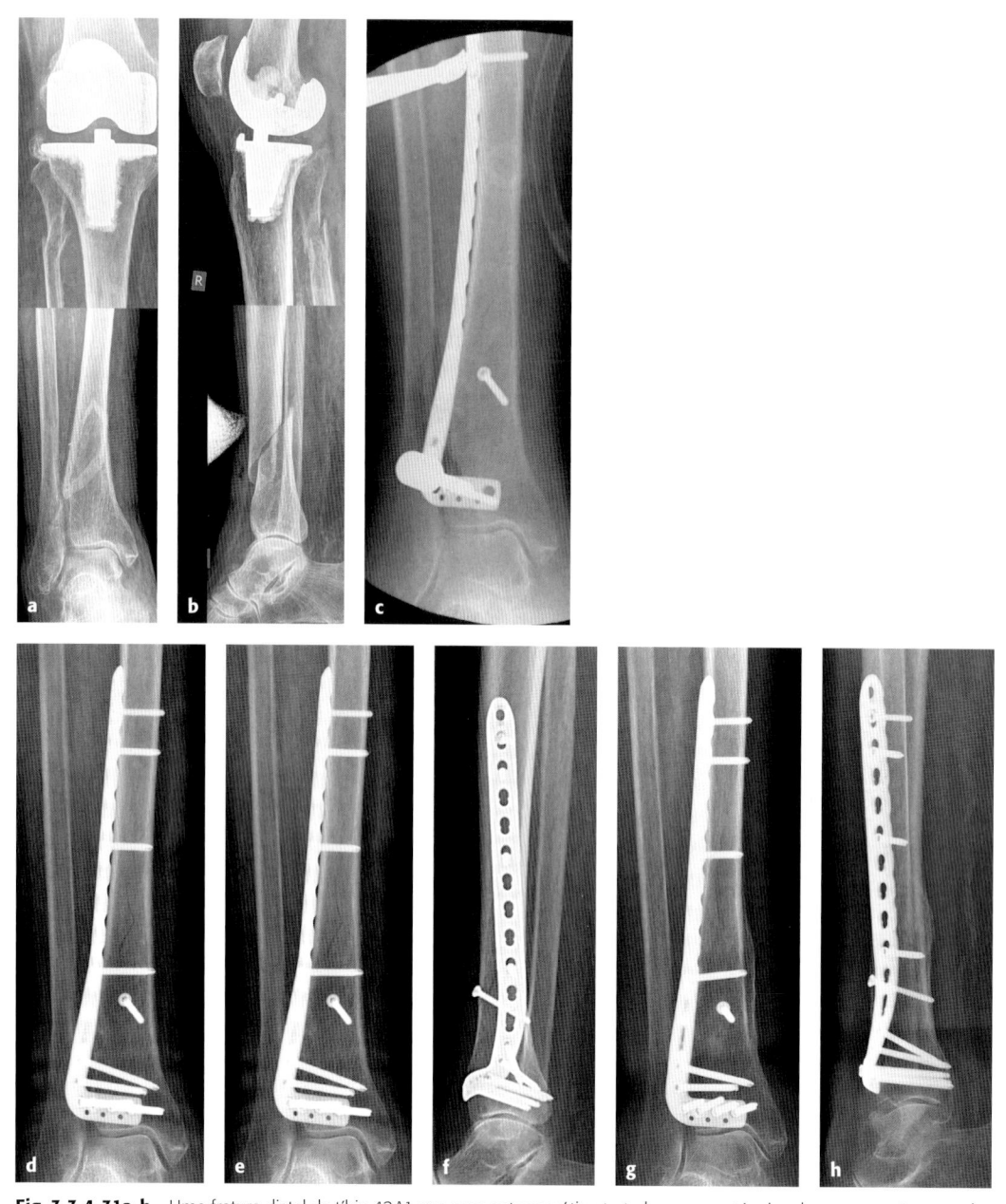

Redução, vias de acesso e técnicas de fixação
### 3.3.4 Placas bloqueadas

**Fig. 3.3.4-31a–h** Uma fratura distal da tíbia 42A1 em osso osteoporótico tratada por uma técnica de compressão com placa de compressão bloqueada (LCP) em aplicação "híbrida".

**a-b** Uma mulher de 76 anos de idade sofreu um trauma de baixa energia com fratura de torção simples na metadiáfise distal da tíbia. A artroplastia total de joelho na região torna impossível o encavilhamento intramedular.

**c** A abordagem anterolateral distal é executada; a fratura na parte distal é visualizada e anatomicamente reduzida com pinça de redução. Um parafuso de redução (princípio do parafuso de tração, cuidadosamente apertado neste osso ruim) mantém a posição até que a placa seja inserida através da abordagem distal submuscular na extremidade proximal. A fixação preliminar é alcançada distalmente, e então um parafuso cortical convencional é inserido percutaneamente no orifício mais proximal da placa para levá-la bem centrada junto ao osso.

**d-f** A fixação final é executada com parafusos de cabeça bloqueada somente por causa da má qualidade do osso. Sempre que possível, as fraturas periprotéticas devem ter todo o osso fixado, como é o caso aqui. A fixação da fratura funcionou, mas as diretrizes devem ser seguidas.

**g-h** Depois de 1 ano, a consolidação ocorre de maneira indireta com a formação de calo, apesar de ter sido aplicada a técnica de compressão. Essa montagem com um parafuso de tração independente (da placa) "protegido" por essa LCP bastante flexível e longa com poucos, mas bem separados, parafusos na diáfise fornece estabilidade absoluta somente por pouco tempo (ou mesmo nenhum). Com carga parcial, mesmo quando protegido com um gessado ou imobilizador para marcha, tal estabilidade absoluta é perdida. A estabilidade relativa resulta em micromovimento no local da fratura e consequente formação de calo, principalmente no lado oposto da placa (posteromedial).

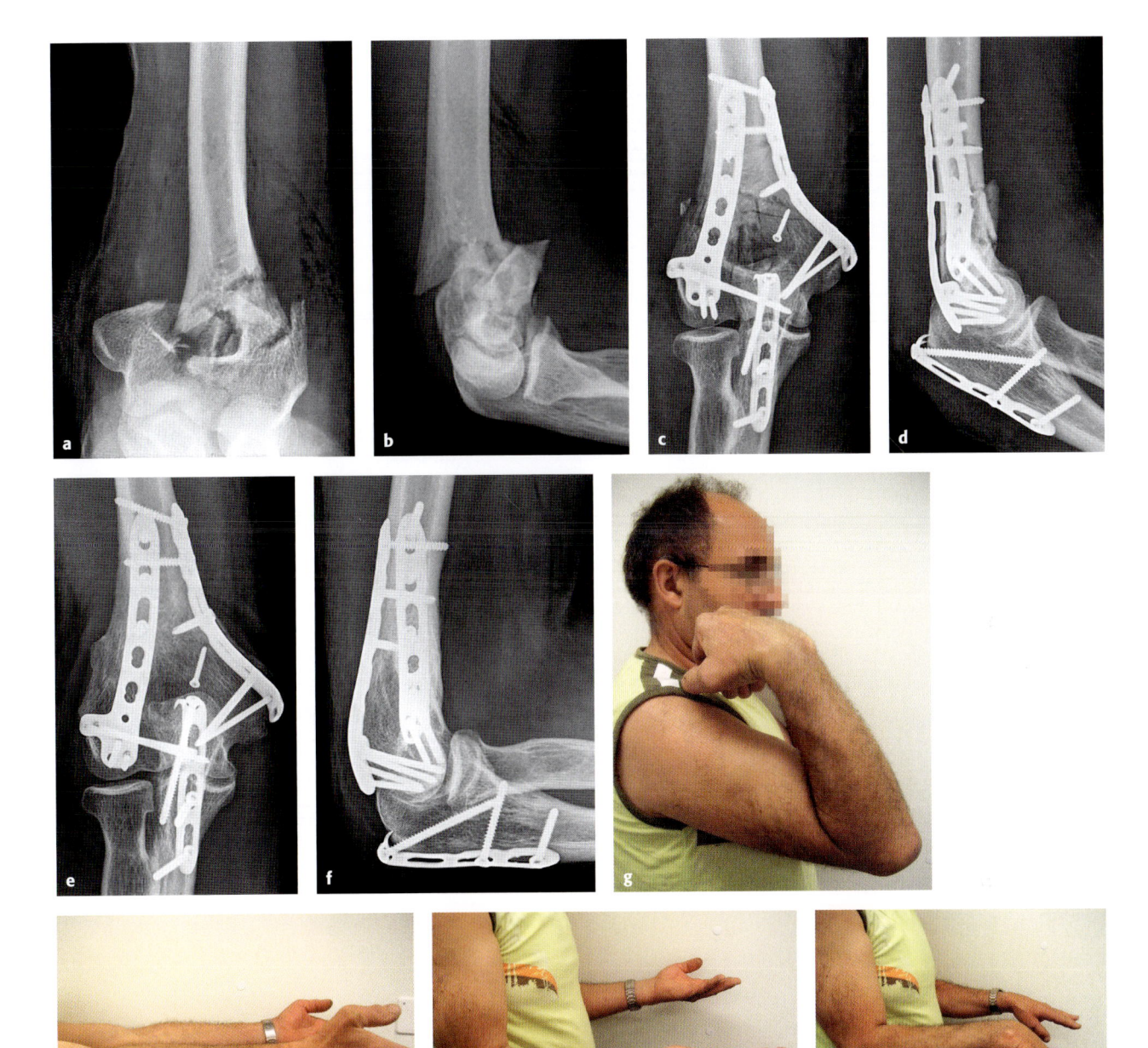

**Fig. 3.3.4-32a-j**  Uma fratura 13C3 tratada com uma técnica de compressão com placa de compressão bloqueada (LCP).
a-b  Um homem de 54 anos de idade caiu de motocicleta, sofrendo uma fratura dorsal distal exposta de grau 2, intra-articular e multifragmentada, do úmero.
c-d  A abordagem dorsal foi usada, com osteotomia do olécrano. A parte articular anatomicamente reduzida e comprimida é fixada com parafusos de cabeça bloqueada (LHS), funcionando como parafusos de posição para os fragmentos articulares e também como parafusos de fixação para a placa, fornecendo estabilidade angular para superar o colapso secundário em flexão. Os aspectos dorsal e ulnar da metáfise (linhas simples de fratura) são comprimidos sobre a placa usando um parafuso cortical convencional em ambos os orifícios mais proximais da placa. A fixação definitiva da placa na diáfise é feita com parafusos convencionais no lado ulnar, onde a placa se ajusta perfeitamente ao osso, e dois LHSs no lado radial, onde a placa tinha uma pequena distância da superfície óssea.
e-f  Depois de 6 meses, a consolidação ocorreu de maneira direta (parte articular) e indireta com calo na metáfise anterior.
g-j  Imagens de seguimento em 1 ano.

Redução, vias de acesso e técnicas de fixação

## 3.3.4 Placas bloqueadas

**Uso de placa minimamente invasiva (OPMI) em fratura simples tipo A:** As fraturas metafisárias e diafisárias com padrões simples podem ser tratadas com sucesso usando OPMI (**Fig. 3.3.4-33**). O comprimento das incisões nos tecidos moles pode ser minimizado para preservar o suprimento sanguíneo da pele e tecidos subjacentes tanto quanto possível. É crucial alcançar uma redução perfeita e anatômica da fratura simples. Várias técnicas de redução podem ser úteis para alcançar essa meta. A pinça de redução com ponta corretamente colocada por pequenas incisões, em combinação com parafusos de tração percutâneos, ajuda a obter uma redução livre de *gaps* antes da inserção e fixação da placa. Os parafusos convencionais, um em cada extremidade da placa, são inicialmente usados para aproximar a placa ao osso. Os parafusos de cabeça bloqueada são adicionados percutaneamente para a fixação definitiva. Uma técnica alternativa é reduzir a fratura, mas não usar parafusos de tração. Uma placa mais longa e menos parafusos são usados para fornecer uma fixação mais flexível, produzindo estabilidade relativa e consolidação óssea secundária com formação de calo.

> A experiência com OPMI tem mostrado que a qualidade da redução é o fator mais importante para a consolidação bem-sucedida e oportuna.

> A combinação de parafusos convencionais e LHSs em um (e no mesmo) fragmento de fratura (aplicação "híbrida") deve seguir uma regra simples: não apertar um parafuso convencional se um LHS já tiver sido inserido e bloqueado.

Isso significa que ou os parafusos convencionais são inseridos primeiro, seguidos pelo LHSs, ou um LHS já inserido e bloqueado deve ser solto (voltado até que a cabeça do parafuso não esteja encaixada no orifício rosqueado da placa) antes que um parafuso convencional seja adicionado no mesmo fragmento. Essa técnica é usada na OPMI para aproximar uma placa inserida e fixada (com LHSs) que esteja afastada do osso, colocando tensão sobre os tecidos moles adjacentes ou na ferida.

### 4.5 Estabilidade relativa com a placa de compressão bloqueada

As fraturas multifragmentadas metafisárias e diafisárias são mais adequadamente tratadas usando estabilidade relativa porque:

- A redução anatômica e a compressão interfragmentar não podem ser obtidas.
- A redução direta danifica a vascularização local do osso e tecidos moles.
- A estabilidade relativa permite a reabilitação funcional e resulta em consolidação das fraturas multifragmentadas por formação de calo.

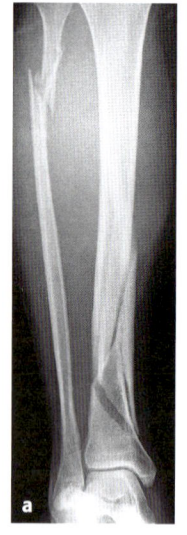

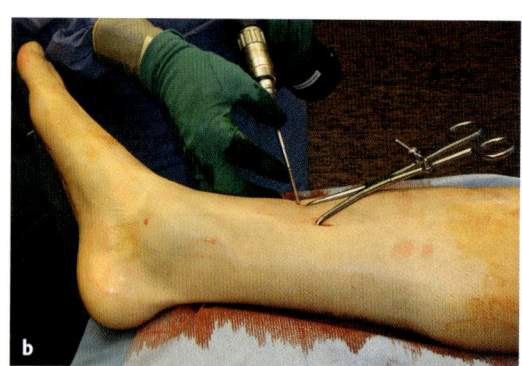

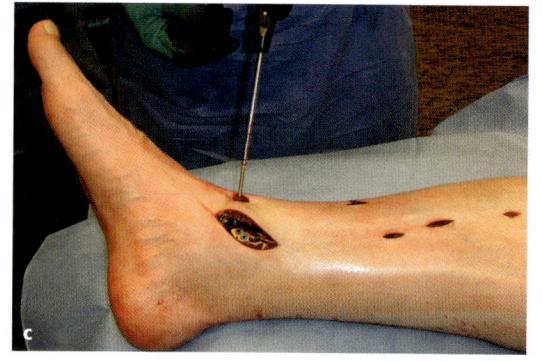

**Fig. 3.3.4-33a-o**  Uma fratura distal 42B2 tratada com uma técnica de compressão com placa de compressão bloqueada (LCP) em aplicação "híbrida".
a   Um homem de 55 anos de idade sofreu uma lesão fechada em um acidente enquanto esquiava. Uma fratura metadiafisária distal da tíbia estava presente perto da articulação.
b-c   Uma técnica de osteossíntese com placa minimamente invasiva manteve o dano iatrogênico aos tecidos moles em níveis mínimos.

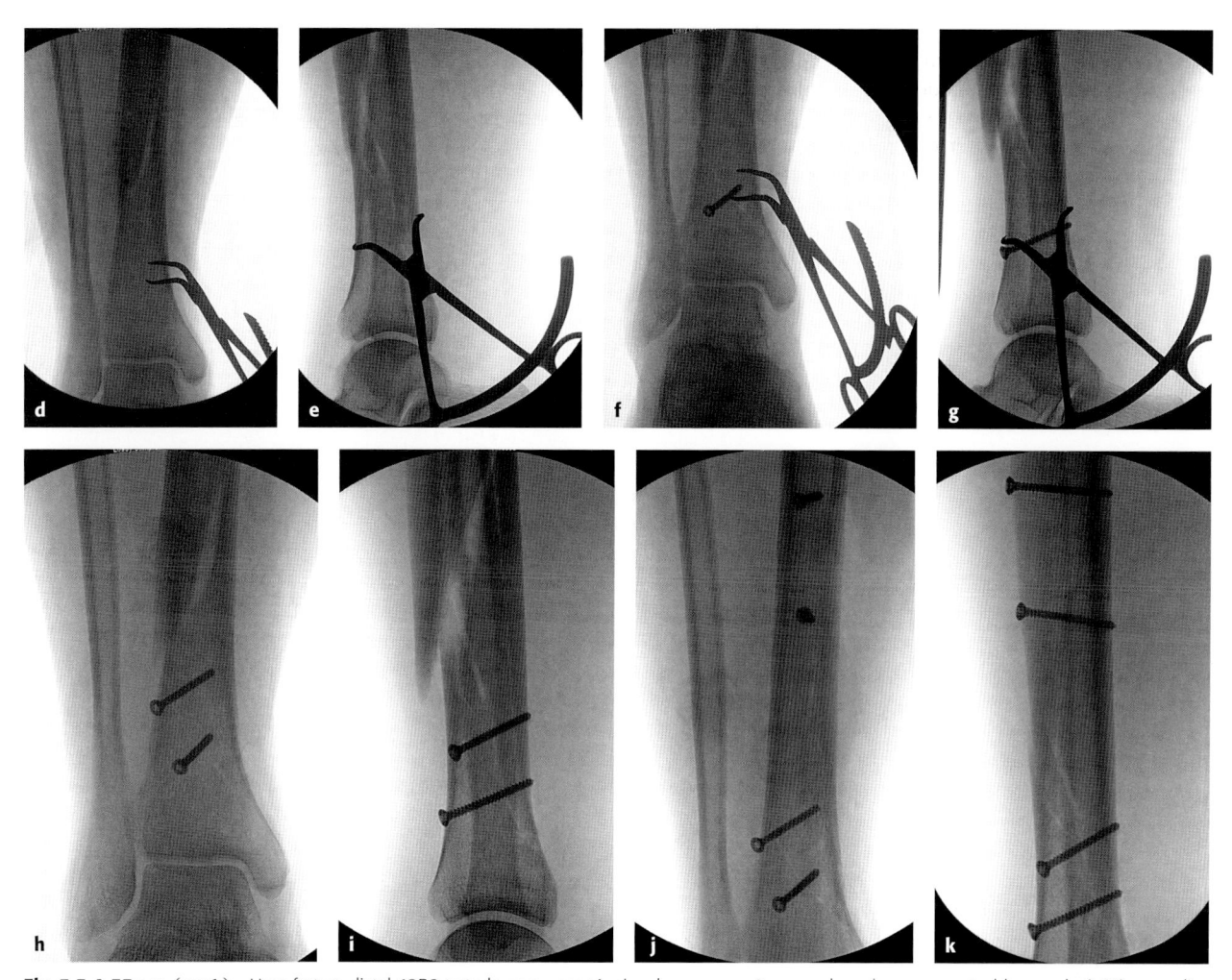

**Fig. 3.3.4-33a-o** (**cont.**)   Uma fratura distal 42B2 tratada com uma técnica de compressão com placa de compressão bloqueada (LCP) em aplicação "híbrida".
**d-g**   Mais importante foi a redução dos dois planos da fratura simples entre os dois fragmentos principais e o longo em borboleta. Uma opção é usar uma pinça de redução com ponta, inserida na posição ideal por duas pequenas incisões.
**h-k**   A redução livre de *gaps* (idealmente, anatômica) pode ser mantida por parafusos de "retenção" percutaneamente aplicados, pelo menos um por plano de fratura. Esses parafusos permitem a remoção da pinça de redução, que será um impedimento para a inserção da placa.

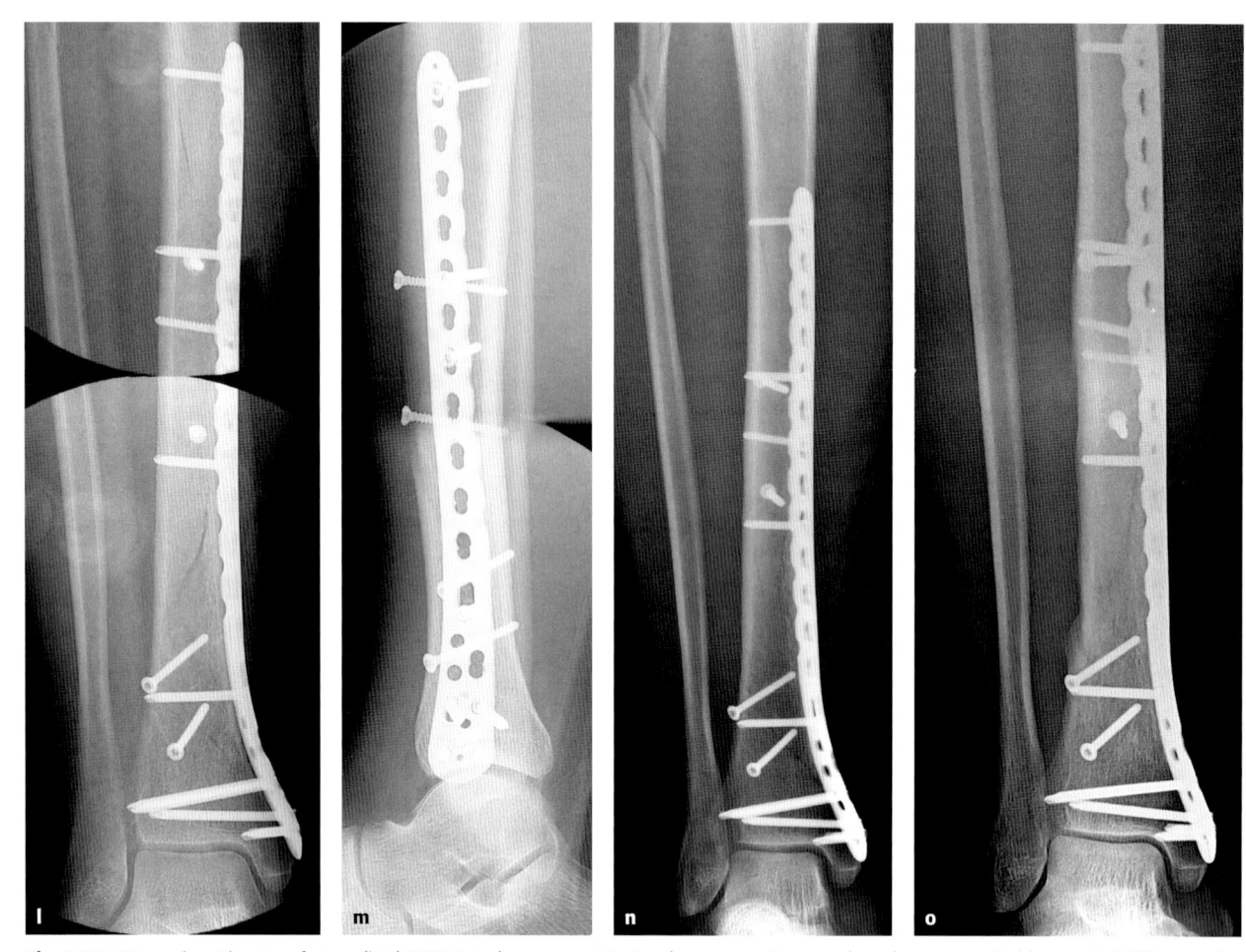

Redução, vias de acesso e técnicas de fixação
### 3.3.4 Placas bloqueadas

**Fig. 3.3.4-33a-o (cont.)**  Uma fratura distal 42B2 tratada com uma técnica de compressão com placa de compressão bloqueada (LCP) em aplicação "híbrida".

**l-n** Então a placa inserida é fixada distalmente com parafuso convencional para aproximar a placa ao osso. A seguir, outro parafuso convencional é aplicado na extremidade proximal da placa, que tem que ser centrada perfeitamente na incidência lateral. A placa bem alinhada então é definitivamente fixada ao osso usando LHS distalmente ("sub-bicortical" na região da sindesmose) e proximalmente (bicortical). O parafuso convencional na extremidade proximal da placa é preferível a um LHS, porque garante um ajuste apertado da placa ao osso, não irritando os tecidos moles e reduz o estresse local ao osso, diminuindo, assim, o risco de uma fratura peri-implante mais adiante.

**o** Imagem de seguimento em 1 ano.

Ao estabilizar fraturas com placas, três fatores principais influenciam a estabilidade da fixação e as condições de carregamento da montagem placa-osso (**Tab. 3.3.4-3**, **Fig. 3.3.4-34**):

- Comprimento da placa
- Comprimento de trabalho da placa
- Número, posição e desenho dos parafusos [6, 20]

### 4.5.1 Comprimento da placa

As montagens de placa em ponte são frequentemente feitas com placas longas e poucos parafusos, usados para produzir estabilidade relativa. Uma placa longa melhora o braço de alavanca dos parafusos. Isso leva a uma baixa força de tração que atua em cada parafuso, o que é especialmente útil no osso osteoporótico (**Vídeo 3.3.4-1b-c**). Utilizando uma técnica minimamente invasiva com a inserção de placa subcutânea ou submuscular, uma placa longa pode ser usada sem a necessidade de dissecção de partes moles e desvascularização adicionais. Em geral, o comprimento de uma placa depende do comprimento da zona de fratura.

> Empiricamente, o comprimento da placa deve ser 2 a 3 vezes o comprimento global nas fraturas multifragmentadas e de 8 a 10 vezes mais longo em fraturas helicoidais, oblíquas ou transversas.

### 4.5.2 Comprimento de trabalho da placa

Para evitar falha prematura de uma placa bloqueada, o comprimento de trabalho (distância entre os dois parafusos próximos à zona de fratura) deve ser otimizado [20]. Para um padrão de fratura simples, quando o tamanho de *gap* for pequeno (< 1 mm) o aumento do comprimento de trabalho de uma placa minimizará as chances de falha da placa, já que a deformação da placa sob carga (*strain*) será pequena e distribuída ao longo de uma área maior, e haverá compartilhamento de carga com a fratura (**Fig. 3.3.4-35**). Em uma situação com um curto comprimento de trabalho da placa (nenhum orifício livre no nível da fratura), a montagem é rígida e o osso não faz contato no lado oposto da placa, mesmo sob carga moderada. O compartilhamento da carga não ocorre e a tensão máxima se desenvolve no meio da placa (**Fig. 3.3.4-36**, **Vídeo 3.3.4-5**). Um comprimento de trabalho mais longo da placa diminui a rigidez da montagem e permite fechar o *gap* de fratura pequena no lado oposto da placa, mesmo com carga moderada. Isso leva os segmentos ósseos principais ao contato direto (**Vídeo 3.3.4-6**). Pela carga adicional, as forças axiais serão diretamente transmitidas de um até o outro fragmento principal sem *strain* adicional sobre a placa (compartilhamento de carga) (**Fig. 3.3.4-37**).

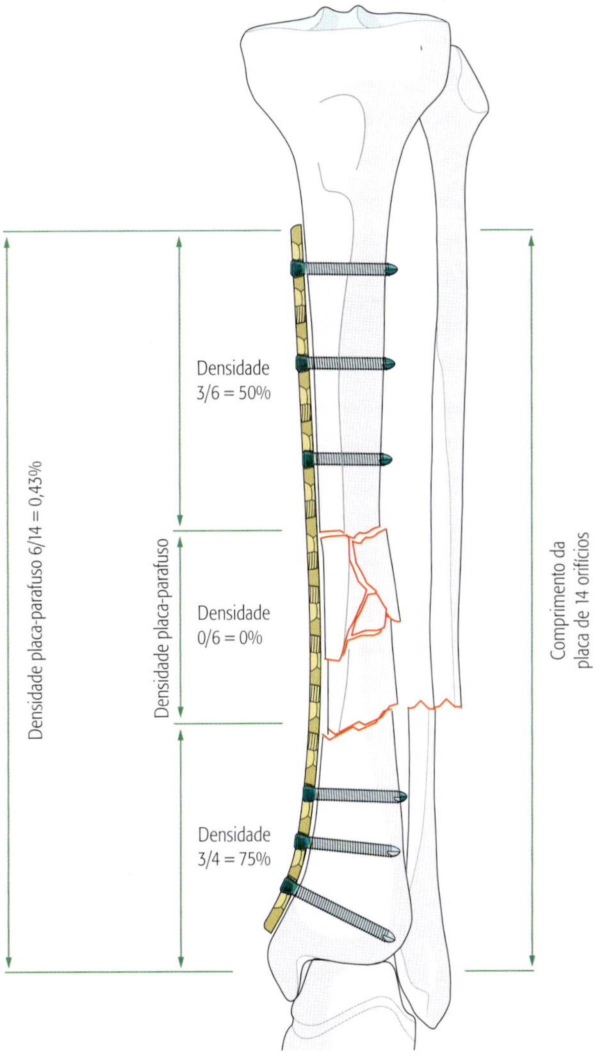

**Fig. 3.3.4-34** Importância da proporção da placa e da densidade placa-parafuso na técnica da placa em ponte. O desenho esquemático mostra uma fixação mecanicamente adequada de uma fratura diafisária multifragmentada na perna. A relação entre o comprimento da placa e o comprimento da fratura é conhecida como a relação placa-fratura. Nesse caso, a relação é suficientemente alta, ou seja, aproximadamente 3, indicando que a placa é três vezes mais longa que o segmento total da fratura. A densidade placa-parafuso é mostrada para todos os três segmentos ósseos. O fragmento principal proximal tem uma densidade placa-parafuso de 0,5 (3 de 6 orifícios ocupados); o segmento acima da fratura tem uma densidade de 0 (nenhum de 4 orifícios ocupados); e o fragmento principal distal tem uma densidade de 0,75 (3 de 4 orifícios ocupados). A densidade mais alta placa-parafuso no fragmento principal distal tem que ser aceita uma vez que, por razões anatômicas, não existe nenhum modo de reduzi-la. A densidade global placa-parafuso para a montagem neste exemplo é de 0,43 (6 parafusos em uma placa de 14 orifícios).

Redução, vias de acesso e técnicas de fixação
### 3.3.4 Placas bloqueadas

100 megapascais

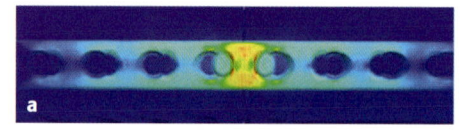

80 megapascais

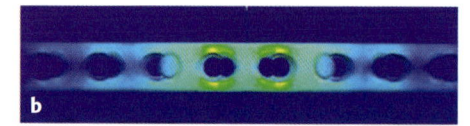

60 megapascais

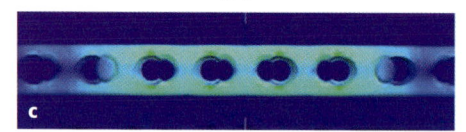

**Fig. 3.3.4-35a-c** Comprimento de trabalho de uma placa curta e uma longa em um modelo de *gap* de 1 mm. Tensão máxima média de von Mises em uma LCP de 12 orifícios de 4,5 como uma função do comprimento de ponte (0-4 orifícios livres) em um modelo de *gap* de 1 mm em situação de compartilhamento de carga (Karl Stoffel, MD, comunicação pessoal em 2003) [21].

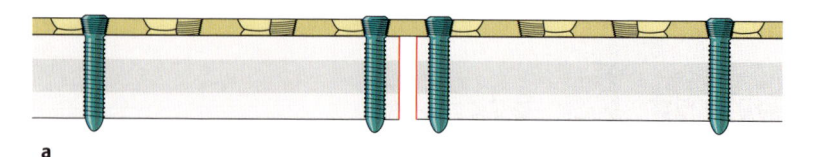

*Strain* médio

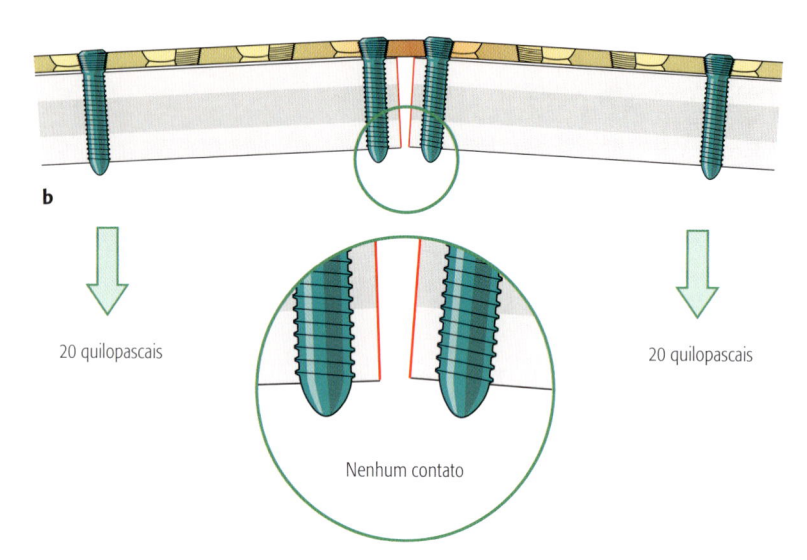

20 quilopascais

Nenhum contato

20 quilopascais

*Strain* alto

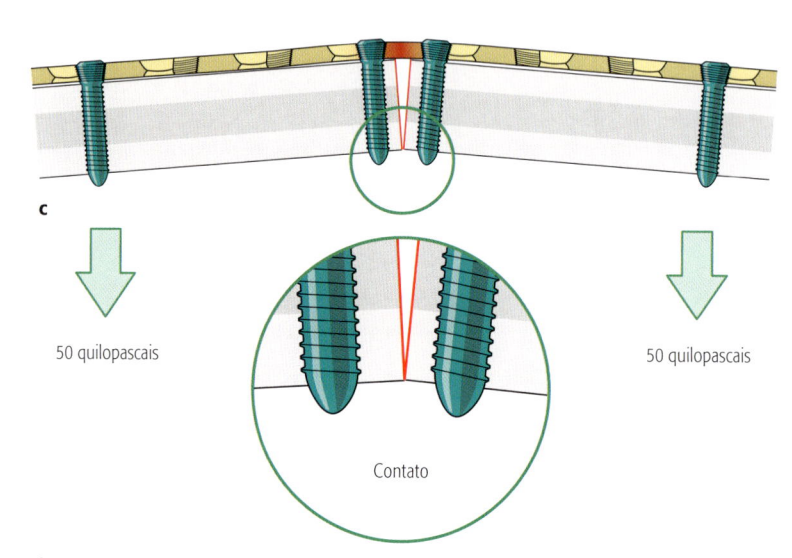

50 quilopascais

Contato

50 quilopascais

**Fig. 3.3.4-36a-c** Comprimento curto de trabalho da placa em um modelo de *gap* pequeno.
**a** Em uma situação com o mais curto comprimento de trabalho da placa (nenhum orifício livre no nível da fratura) a montagem é rígida.
**b** Por conseguinte, nenhum contato do osso no lado oposto da placa ocorrerá, mesmo com carga moderada.
**c** O compartilhamento da carga ocorre somente com *strain* elevado. Essa situação deve ser evitada, por ser provável a falha da placa antes da união da fratura.

Princípios AO do tratamento de fraturas
Volume 1

**Vídeo 3.3.4-5** Ambiente de *strain* alto com pequeno *gap* de fratura.

**Vídeo 3.3.4-6** Ambiente de *strain* baixo com pequeno *gap* de fratura.

a

*Strain* médio

b

20 quilopascais — 20 quilopascais

Contato

*Strain* médio

c

Compartilhamento de carga

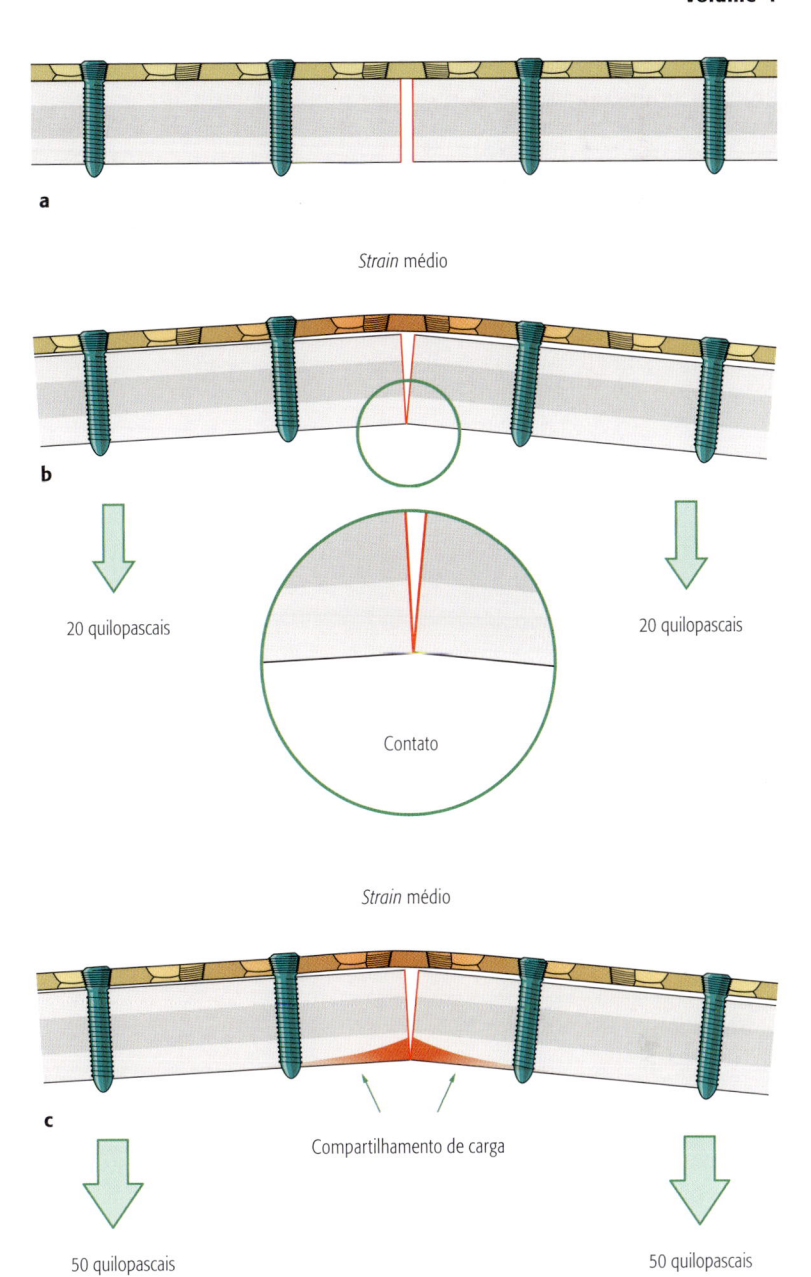

50 quilopascais — 50 quilopascais

**Fig. 3.3.4-37a-c** Comprimento de trabalho longo da placa em um modelo de *gap* pequeno.
a   O segmento do comprimento de trabalho mais longo no nível da fratura diminui a rigidez da montagem.
b   Mesmo com carga moderada, o pequeno *gap* de fratura é facilmente fechado no lado oposto da placa, o que leva os segmentos ósseos principais ao contato direto.
c   Com carga adicional, as forças axiais serão transmitidas diretamente de um para o outro fragmento principal, sem *strain* adicional sobre a placa (compartilhamento de carga).

## 3.3.4 Placas bloqueadas

Quando o tamanho do *gap* é grande, o que ocorre em fraturas multifragmentadas ou fraturas simples mal reduzidas, nenhum contato ósseo direto ocorre mesmo sob carga elevada. Por conseguinte, não ocorre o compartilhamento da carga, que ajuda a proteger a placa contra falha. O *strain* na placa é alto sob carga e fica até mais elevado quando o comprimento de trabalho da placa for aumentado, deixando mais orifícios da placa livres no nível da fratura (**Fig. 3.3.4-38**). O *strain* mais baixo na placa ocorre quando os parafusos estiverem tão perto quanto possível à fratura [21] (**Fig. 3.3.4-39**). Colocando os parafusos mais distantes da fratura, ocorre *strain* mais elevado no segmento livre da placa, como também nos parafusos (especialmente perto da fratura) e na interface parafuso-osso (**Fig. 3.3.4-40**). A falha do implante se torna mais comum.

### 4.5.3 Técnica da aplicação da placa em ponte usando placa de compressão bloqueada

Parafusos convencionais ou bloqueados podem ser usados com sucesso com a LCP para produzir uma placa em ponte e estabilidade relativa. Na extremidade superior, especialmente no úmero, onde elevadas cargas de torção são esperadas, os LHSs podem ser adicionados para uma melhor resistência contra as forças rotacionais. Nas lesões da

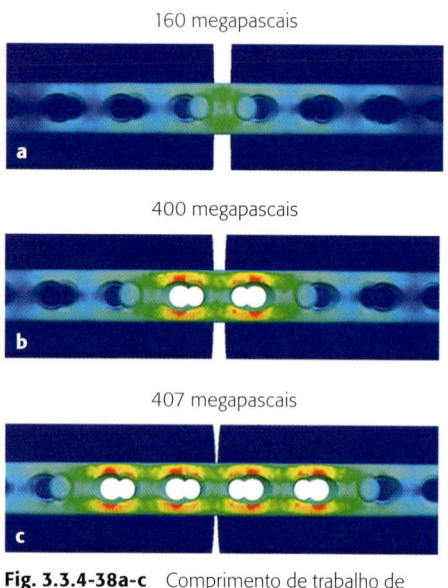

**Fig. 3.3.4-38a-c** Comprimento de trabalho de uma placa curta e uma longa em um modelo de *gap* de 6 mm. A tensão máxima média de von Mises em uma LCP de 12 orifícios de 4,5 como uma função do comprimento de transposição (0-4 orifícios livres) em um modelo de *gap* de 6 mm. Nenhuma situação de compartilhamento de carga (Karl Stoffel, MD, comunicação pessoal em 2003) [21].

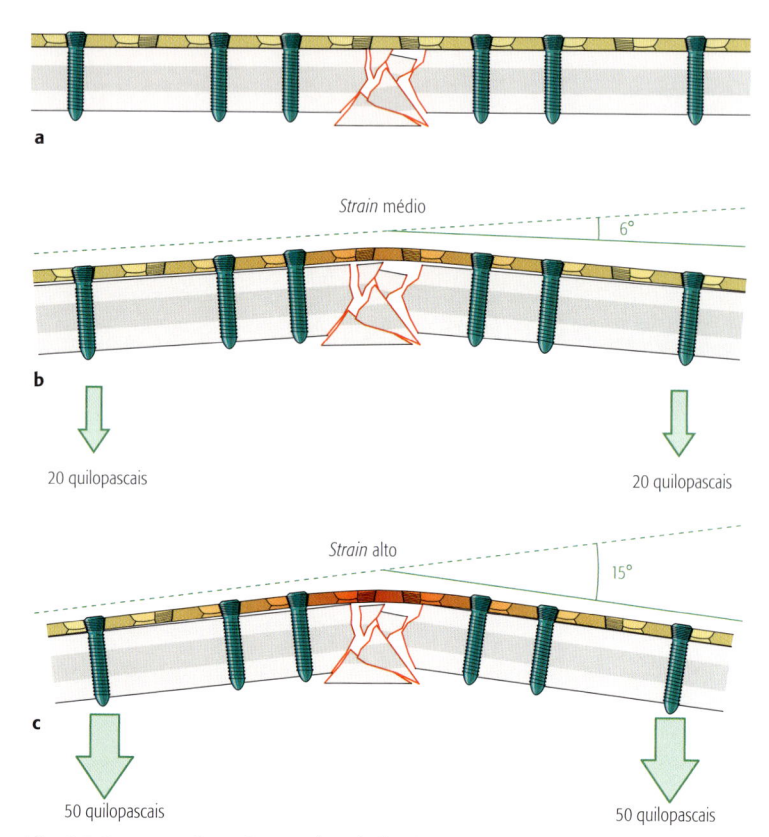

**Fig. 3.3.4-39a-c** Comprimento de trabalho de uma placa curta em uma fratura cominutiva ou modelo de *gap* grande. Os ângulos traçados estão intencionalmente exagerados para melhor demonstração gráfica e compreensão.
a  Em fraturas cominutivas nunca haverá contato direto dos fragmentos principais no lado oposto da placa (nenhum compartilhamento de carga). A colocação dos parafusos tão perto da fratura quanto possível reduzirá a flexibilidade da montagem a um limite desejado.
b  Sob carga mínima (10 kg, simulando carga de peso parcial), a placa experimenta deformação mínima.
c  Sob carga mais elevada (25 kg, simulando metade do peso corporal), a placa experimenta mais deformação.

extremidade inferior, as técnicas minimamente invasivas para o uso de placas têm se tornado o padrão nas últimas duas décadas.

Os parafusos de cabeça bloqueada fornecem várias vantagens quando segmentos curtos de osso precisam ser fixados e a qualidade do osso for ruim, reduzindo a resistência de arrancamento dos parafusos convencionais. Para fixação metafisária, alguns dos novos sistemas de placa fornecem um guia de bloqueio para a parte periarticular da placa. Isso garante a trajetória perfeita do parafuso (importante para bloqueio justo) no osso metafisário mole e um direcionador para a aplicação percutânea mais fácil do parafuso no osso diafisário. No osso diafisário de boa qualidade, os parafusos convencionais são habitualmente efetivos (**Fig. 3.3.4-41**). Com uma zona multifragmentada extremamente longa, mesmo quando os parafusos são colocados tão perto da fratura quanto possível, a fixação pode ser muito flexível com apenas placa única. Isso resulta em um ambiente de *strain* elevado que leva à deformação da placa, retardo de consolidação, ou não união. Em tal situação, pode ser necessário adicionar uma segunda placa no lado oposto do osso (ou, alternativamente, um fixador externo até a consolidação) (**Fig. 3.3.4-42**).

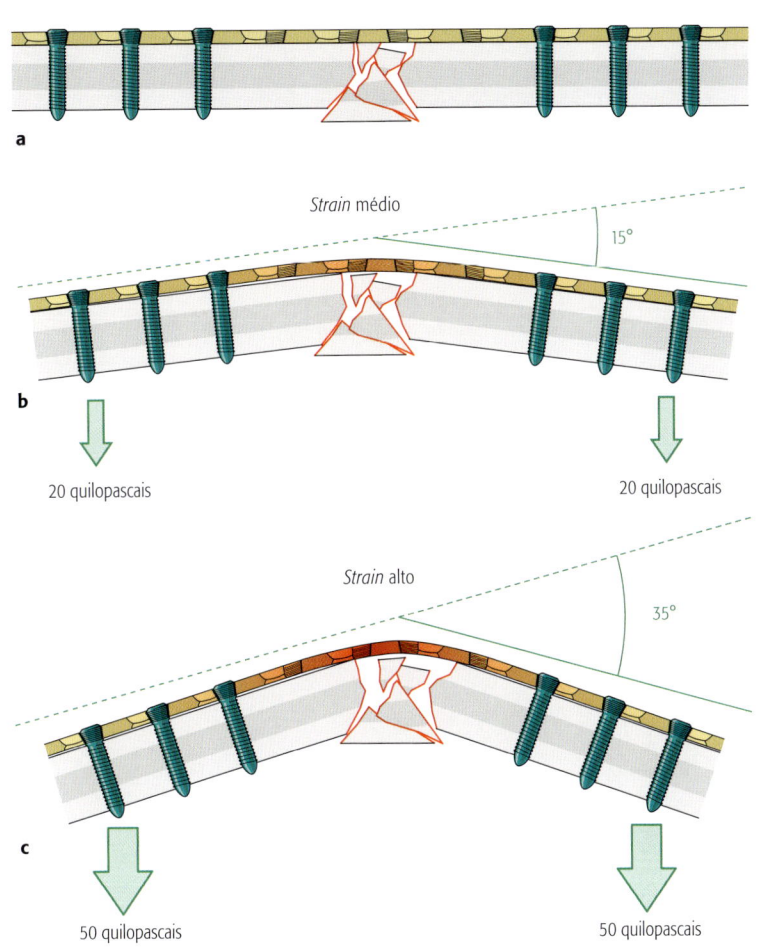

**Fig. 3.3.4-40a–c** Comprimento de trabalho de uma placa longa em uma fratura cominutiva ou modelo de *gap* grande. Os ângulos traçados estão intencionalmente exagerados para melhor demonstração gráfica e compreensão.

a    Ao colocar os parafusos mais distantes da fratura (em comparação com a **Fig. 3.3.4-39**), a montagem se torna mais flexível.
b    Sob carga mínima (10 kg, simulando a carga parcial), a placa se torna mais elasticamente deformada se comparada a uma situação com parafusos mais próximos. Será similarmente deformada como em uma situação com parafusos mais próximos e carga mais elevada, como mostrado em **Fig. 3.3.4-39b**.
c    Sob carga mais elevada (25 kg, simulando metade do peso corporal), a placa será deformada muito mais e o eixo mecânico ficará até mais separado da placa, resultando em carga mais excêntrica. Isto resulta em estresse muito mais elevado no segmento livre da placa, bem como nos parafusos (especialmente aqueles próximos da fratura) que não pode ser compensado com o aumento do comprimento da ponte. A falha do implante se torna mais comum. Por conseguinte, os parafusos devem ser inseridos tão próximos quanto possível à cominução.

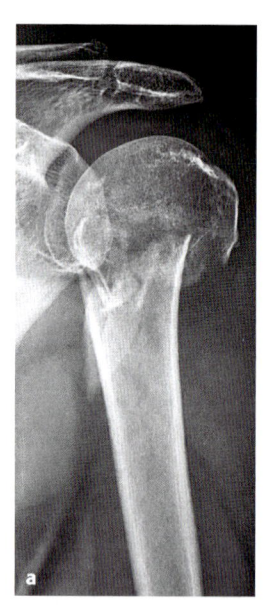

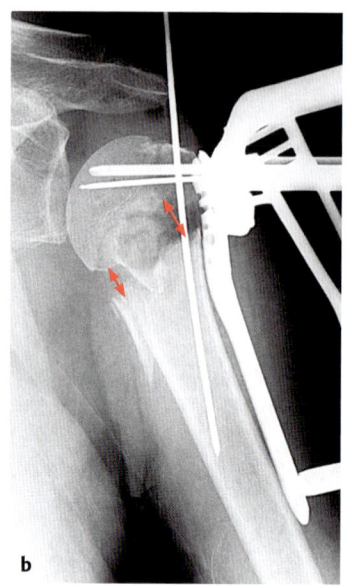

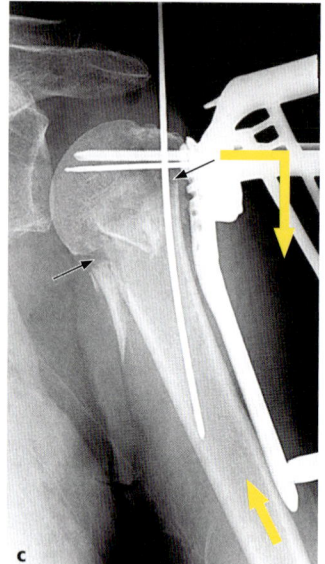

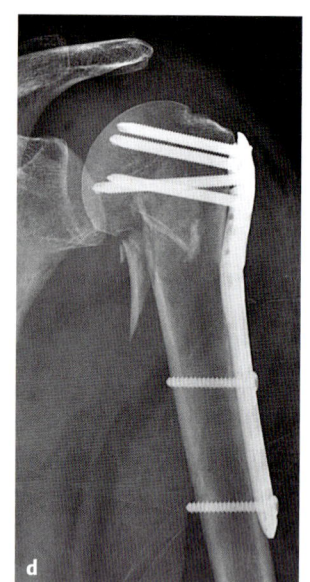

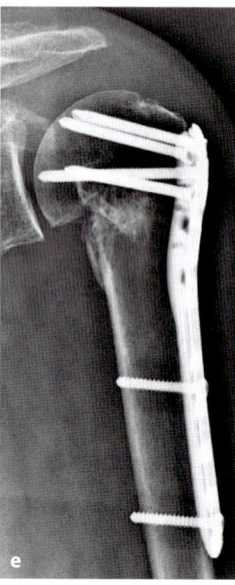

Redução, vias de acesso e técnicas de fixação
### 3.3.4 Placas bloqueadas

**Fig. 3.3.4-41a-e**  Uma fratura 11A3 tratada com uma técnica em ponte com placa PHILOS (OPMI).
a   Uma mulher de 84 anos de idade caiu enquanto esquiava e teve uma fratura subcapital do úmero com cominução medial.
b   Depois do alinhamento axial e fixação com fio de Kirschner, uma PHILOS (placa de 5 orifícios) foi inserida através de abordagem pela divisão do deltoide com o bloco guia. A fixação proximal preliminar é executada usando um fio de Kirschner e um parafuso de cabeça bloqueada. É importante não fixar a fratura em diastase (setas vermelhas).
c   Ela deve ser reduzida fazendo um leve encurtamento do membro de forma manual, acima do bloco guia e do cotovelo (setas amarelas largas). Apesar da cominução medial, algum suporte (anterior, posterior e/ou central) pode ser alcançado por essa manobra de redução (setas pretas).
d   Somente então são colocados os parafusos diafisários. Em osso de boa qualidade, como nesse caso com a espessura adequada da cortical, os parafusos convencionais são suficientes. O uso de uma placa de 5 orifícios com um braço de alavanca mais longo permitirá que o cirurgião utilize somente dois parafusos na diáfise. Um parafuso adicional perto da fratura no fragmento distal fornecerá mais estabilidade e reduzirá o risco de arrancamento do parafuso.
e   Imagem de seguimento em 1 ano.

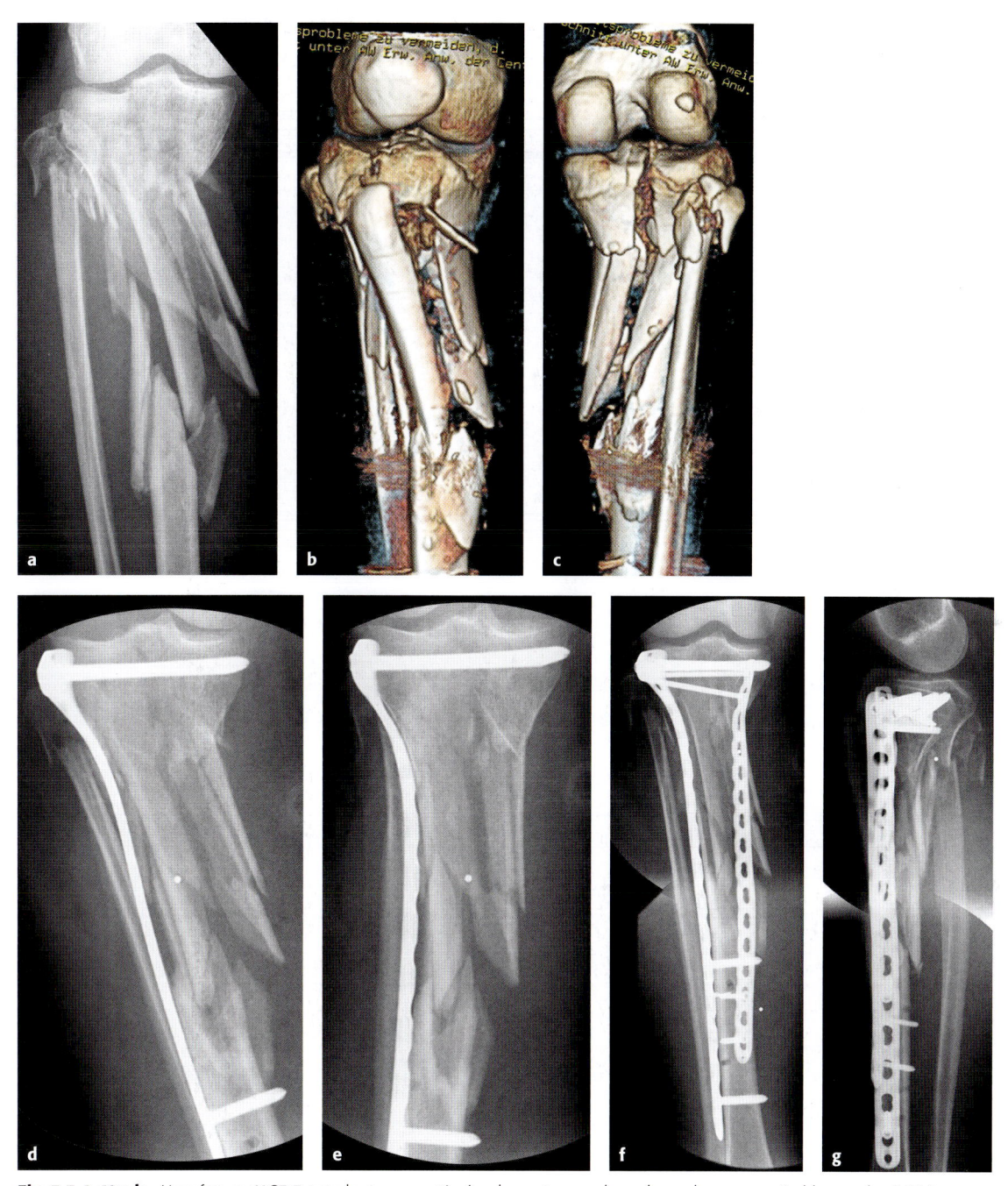

**Fig. 3.3.4-42a-k**  Uma fratura 41C3.3 tratada com uma técnica de ponte com duas placas de compressão bloqueadas (LCPs).
a   Uma mulher politraumatizada de 36 anos de idade com fraturas intra-articulares proximais bilaterais das tíbias após pular de uma ponte em uma tentativa de suicídio. Ela tem uma fratura fechada que também apresenta uma síndrome compartimental.
b-c   Um fixador externo transarticular do joelho e fasciotomia imediata foram seguidos por imagens adicionais com tomografia computadorizada. Estabilização definitiva no oitavo dia com acesso proximal extra-articular mínimo, medial e lateral.
d-g   Depois da redução da extremidade do bloco articular com fios de Kirschner como *joysticks* e uma pinça de redução, uma placa LCP longa em L foi inserida via submuscular lateralmente e fixada percutaneamente com LHS proximal e distalmente, tão perto quanto possível da zona de cominução. Esta montagem é muito flexível. Isso é capturado intraoperatoriamente e documentado sob intensificador de imagem manualmente, aplicando momentos de flexão em varo e valgo. Essa placa lateral isolada nunca poderia resistir aos momentos de flexão fisiológica durante a fase de consolidação. Uma segunda placa de suporte medial (LCP 3,5 reta, levemente moldada) é inserida percutaneamente também para proteger a fratura do colapso em varo. Devido ao longo comprimento de trabalho dessas duas placas e da zona de cominução, a estabilidade relativa é fornecida pela consolidação indireta com a formação de calo.

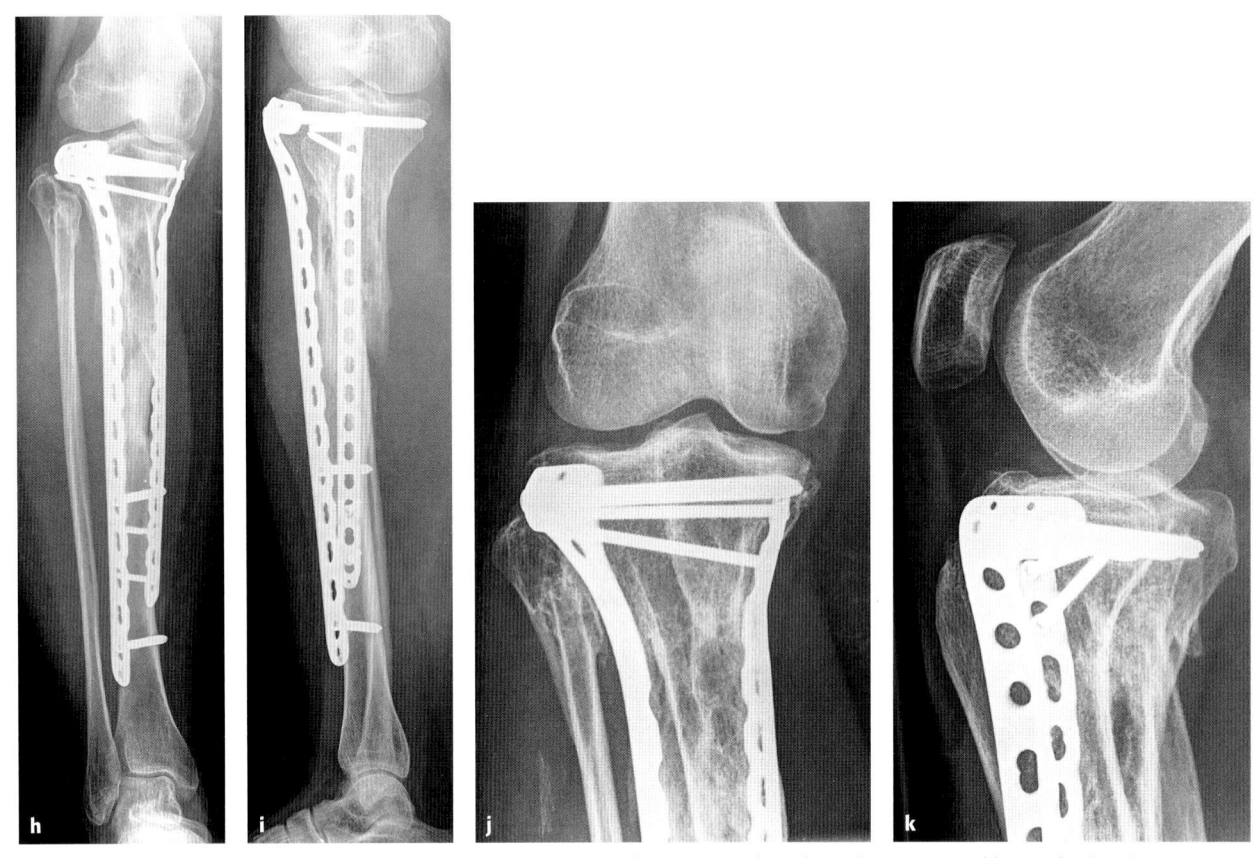

Redução, vias de acesso e técnicas de fixação
### 3.3.4 Placas bloqueadas

**Fig. 3.3.4-42a-k** (**cont.**) Uma fratura 41C3.3 tratada com uma técnica de ponte com duas placas de compressão bloqueadas (LCPs).
**h-k** Imagens de seguimento em 2 anos.

### 4.6 Placa de compressão bloqueada para estabilidade absoluta e relativa

A combinação de dois princípios com uma placa é reservada às fraturas do tipo combinado em um osso, onde uma fratura é fixada de preferência com estabilidade absoluta, e a outra fratura é mais adequadamente tratada com estabilidade relativa. Duas situações típicas incluem:

- Fratura articular em combinação com uma fratura metafisária multifragmentada. Essas fraturas tipo C2 ou tipo C3 requerem redução anatômica da fratura articular e fixação com estabilidade absoluta, enquanto o componente multifragmentada metafisário (ou diafisário) é fixado de preferência com mínima dissecção de partes moles e fixado com estabilidade relativa. Dependendo da qualidade do osso, da via de acesso e da técnica de redução, podem ser usados apenas LHSs ou em combinação com parafusos convencionais (**Fig. 3.3.4-43**).
- Fratura diafisária metafisária segmentar com uma fratura simples e uma fratura multifragmentada em um osso único. A fratura simples requer redução anatômica e fixação com estabilidade absoluta, enquanto a mesma placa é usada para fixar a parte multifragmentada, fornecendo estabilidade relativa (**Fig. 3.3.4-44**).

Os dois princípios diferentes – estabilidade absoluta e relativa – são incompatíveis na mesma zona de fratura, então tais casos requerem cuidadoso planejamento pré-operatório e aplicação dos princípios da AO. A adaptabilidade da LCP a torna um excelente implante para esse tipo de fixação de fratura complexa.

### 4.7 Modos de falha das placas bloqueadas

A LCP é um implante bem-sucedido quando usado corretamente, mas nenhum implante tem uma taxa de sucesso de 100% e nenhuma fratura tem uma taxa de consolidação de 100%. O cirurgião deve estar ciente de que, por causa do acoplamento mecânico entre a placa e o parafuso, a LCP tem um modo diferente de falhar que as placas fixadas com parafusos convencionais. O afrouxamento dos parafusos do osso é menos comum e o risco dessa complicação pode ser reduzido ainda mais pela aplicação cuidadosa da placa usando os princípios e técnicas anteriormente descritas. Em geral, os parafusos monocorticais devem ser evitados, como também o posicionamento excêntrico da placa na diáfise.

Se houver retardo de consolidação da fratura, pode haver carga prolongada através do implante, levando à fadiga do metal com flexão ou quebra da placa e/ou quebra dos parafusos. Os parafusos tipicamente quebram na junção entre a placa e parafuso. Pelo fato de todos os parafusos precisarem falhar simultaneamente, o afrouxamento dos parafusos é menos comum. Entretanto, no osso osteoporótico ou em pacientes com neuropatia – como, por exemplo, aqueles com diabetes –, a falha simultânea de todos os parafusos na interface osso-parafuso pode resultar em instabilidade grave, movimento grosseiro no foco de fratura e osteólise maciça devido à destruição óssea a partir dos parafusos fixos que se movem como um "limpador de para-brisa" pelo osso. Os cirurgiões devem estar cientes desse modo de falha, já que a cirurgia de revisão pode ser difícil por causa da perda óssea. Se houver sinais precoces de falha, com osteólise em torno dos parafusos bloqueados, os pacientes devem ser acompanhados com revisão ambulatorial atenta, e a cirurgia de revisão precoce deve ser considerada.

O segundo modo de falha, que é menos comum com parafusos convencionais, é a penetração das pontas do parafuso na articulação. A fixação das fraturas periarticulares no osso osteoporótico, é a difícil, e a LCP é frequentemente o melhor implante. Entretanto, é comum algum afrouxamento do implante, perda de redução e impacção (colapso) no osso osteoporótico metafisário. Nessa situação, os parafusos convencionais colocados no osso subcondral frequentemente se soltam. Contudo, isso pode não acontecer com os LHSs e, então, as pontas dos parafusos podem penetrar a articulação. Porção proximal do úmero e distal do rádio são os dois locais mais comuns para essa complicação. Frequentemente, as pontas dos parafusos penetram apenas 1-2 mm e permanecem dentro da cartilagem articular, não resultando em nenhum dano. Entretanto, esses casos devem ser seguidos atentamente e, se o paciente desenvolver sintomas como dor ou estalidos, ou se houver sinais radiográficos de condrólise, é necessária a remoção urgente do parafuso. Lembrar que os pacientes com neuropatia podem não reclamar de dor.

Os cirurgiões devem também estar cientes que a remoção do implante pode ser mais difícil se o LHS estiver emperrado no orifício rosqueado da placa. O risco desse problema pode ser reduzido pelo uso de uma chave de fenda com limitador de torque (que é obrigatório) e assegurando que os guias corretos sejam usados, de forma que o parafuso se junte à placa no ângulo correto. O problema com os parafusos emperrados parece ser muito mais comum com implantes de titânio, já que a sua biocompatibilidade permite crescimento ósseo entre a rosca do parafuso e a rosca da placa. Os cirurgiões que planejam remover LCPs devem estar cientes das diferentes técnicas disponíveis para remover parafusos emperrados e ter à disposição instrumentos apropriados antes da cirurgia.

Redução, vias de acesso e técnicas de fixação
### 3.3.4 Placas bloqueadas

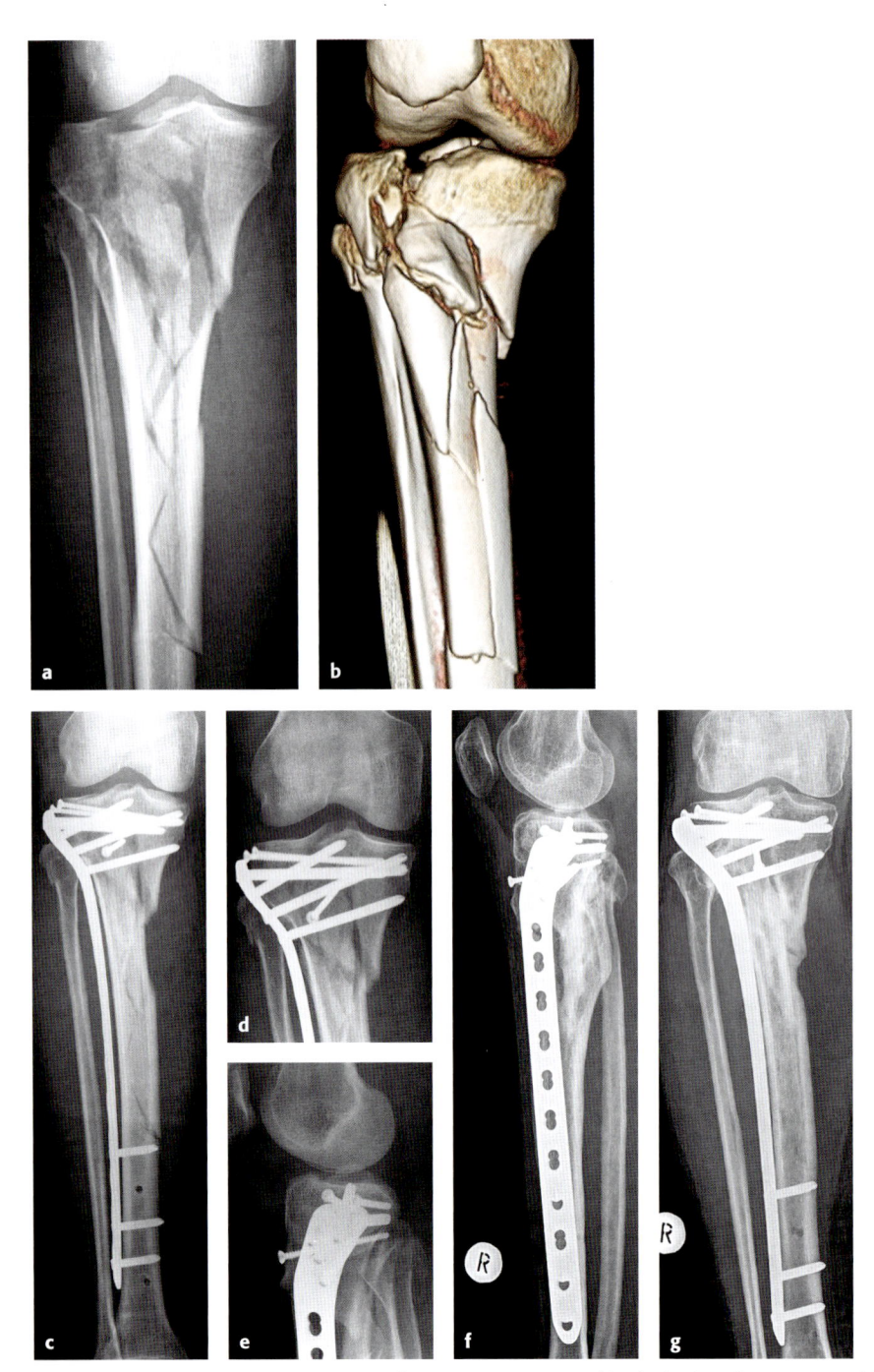

**Fig. 3.3.4-43a-g**  Uma fratura 41C3.3 tratada com uma técnica combinada de placa de compressão bloqueada (LCP).
- **a-b**  Um corredor de esqui de 39 anos de idade sofreu uma lesão de alta velocidade, com fratura cominutiva proximal e fechada da tíbia, com extensão para a diáfise média. O paciente também apresentou uma síndrome compartimental. O passo inicial foi um fixador externo transarticular do joelho e fasciotomia.
- **c-e**  Reconstrução principal com redução anatômica e fixação por compressão da parte proximal (articular) usando uma abordagem lateral padrão, seguida pela inserção submuscular de uma LCP-LPT longa. Fixação proximal com parafuso longo "sub-bicortical" de cabeça bloqueada (LHS) mantendo os fragmentos articulares em posição, como também fornecendo estabilidade angular para prevenir colapso medial mais tardio com deformidade em varo. Distalmente, os LHS foram aplicados percutaneamente depois de ser verificado o alinhamento final de torção e axial no plano sagital, clinicamente e sob intensificador de imagem. A consolidação óssea primária ocorreu rapidamente na parte articular; a consolidação secundária foi retardada, mas se completou sem intervenção adicional.
- **f-g**  Depois de 15 meses, o processo de remodelação estava quase terminado.

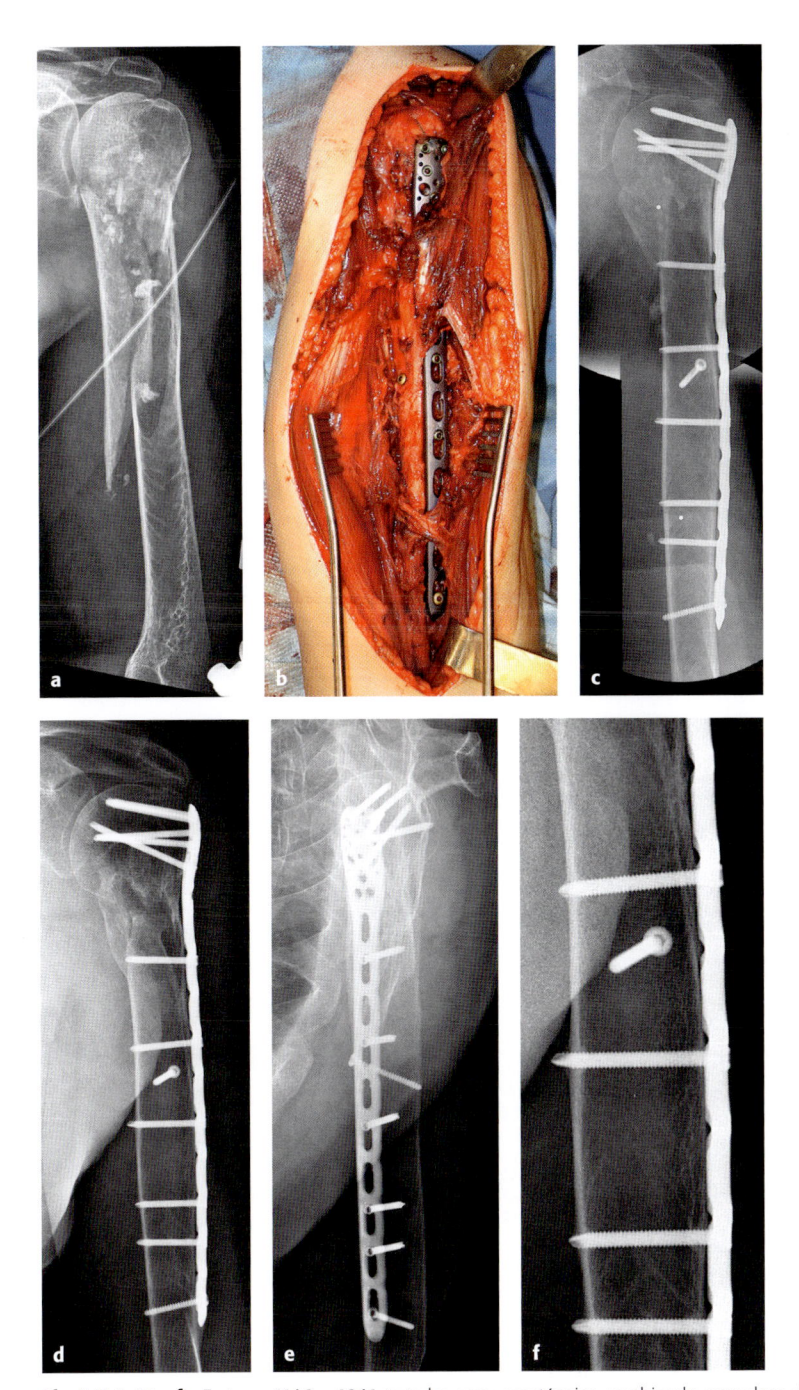

Princípios AO do tratamento de fraturas
**Volume 1**

**Fig. 3.3.4-44a-f**   Fraturas 11A2 e 12A1 tratadas com uma técnica combinada com placa de compressão bloqueada (LCP).
a   Um homem de 67 anos de idade em uma bicicleta foi atingido por um carro, e teve uma fratura segmentar do úmero: uma fratura subcapital multifragmentada combinada com uma fratura mediodiafisária de torção simples. A osteoporose grave era visível nas radiografias.
b-c   Grande estabilidade foi dada pela redução perfeita dessa fratura helicoidal longa, levando a uma montagem de compartilhamento de carga. Uma abordagem aberta foi escolhida, preservando a inserção do deltoide e alguns vasos perfurantes no músculo braquial. Uma redução anatômica foi alcançada distalmente, retenção por um parafuso de tração (cuidadosamente apertado), e foi executada a neutralização por uma placa PHILOS longa. Devido à cortical fina, a maioria dos parafusos usados eram de cabeça bloqueada bicortical (LHS), exceto os mais distais. Esse parafuso cortical deve reduzir a tensão sobre o osso naquele nível, prevenindo uma futura fratura peri-implante. O bloco multifragmentada da fratura proximal estava biologicamente alinhado e foi estabilizado com a placa usando LHSs longos na cabeça.
d-f   Depois de 2,5 anos, a consolidação foi tranquila, com consolidação primária distal e osteopenia secundária abaixo da placa (remodelação adaptativa) e consolidação óssea secundária com calo no nível subcapital.

## 5 Resumo

O desenvolvimento e a introdução de tecnologia da placa bloqueada nos últimos 20 anos revolucionou os cuidados cirúrgicos das fraturas. O uso de LCPs requer uma compreensão clara dos princípios que regem a sua função. O uso de estabilidade angular, técnicas de OPMI e parafusos híbridos permitem aplicações que fornecem a estabilidade ideal para a consolidação das fraturas. O planejamento pré-operatório cuidadoso e a execução cirúrgica precisa com as LCPs, usando parafusos convencionais e LHSs, fornecem o comprimento correto da placa, o comprimento de trabalho e o tipo de parafuso para os melhores desfechos de consolidação das fraturas [22].

Referências clássicas     Referências de revisão

## 6 Referências

1. **Perren SM.** Basic aspects of internal fixation. In: Müller ME, Allgöwer M, Schneider R, et al. eds. *Manual of Internal Fixation*. Berlin Heidelberg New York: Springer Verlag; 1991:1–112.
2. **Perren SM, Buchanan J.** Basic concepts relevant to the design and development of the point contact fixator (PC-Fix). *Injury*. 1995;26(Suppl 2):1–4.
3. **Tepic S, Perren SM.** The biomechanics of the PC-Fix Internal fixator. *Injury*. 1995; 26(Suppl 2):5–10.
4. **Schütz M, Südkamp NP.** Revolution in plate osteosynthesis: new internal fixator systems. *J Orthop Sci*. 2003;8(2):252–258.
5. **Sommer C, Gautier E, Müller M, et al.** First clinical results of the Locking Compression Plate (LCP). *Injury*. 2003 Nov;34 Suppl 2:B43–54.
6. **Gautier E, Sommer C.** Guidelines for the clinical application of the LCP. *Injury*. 2003 Nov;34 Suppl 2:B63–76.
7. **Wagner M, Frigg R.** *AO Manual of Fracture Management, Internal Fixators, Concept and Cases Using LCP and LISS*. 1st ed. Stuttgart: Thieme; 2006.
8. **Bottlang M, Doornink J, Byrd GD, et al.** A nonlocking end screw can decrease fracture risk caused by locked plating in the osteoporotic diaphysis. *J Bone Joint Surg Am*. 2009 Mar 01;91(3):620–627.
9. **Gardner MJ, Griffith MH, Demetrakopoulos D, et al.** Hybrid locked plating of osteoporotic fractures of the humerus. *J Bone Joint Surg Am*. 2006 Sep;88(9): 1962–1967.
10. **Stoffel K, Lorenz KU, Kuster MS.** Biomechanical considerations in plate osteosynthesis: the effect of plate-to-bone compression with and without angular screw stability. *J Orthop Trauma*. 2007 Jul;21(6): 362–368.
11. **Staubli AE, De Simoni C, Babst R, et al.** TomoFix: a new LCP-concept for open wedge osteotomy of the medial proximal tibia—early results in 92 cases. *Injury*. 2003 Nov;34 Suppl 2:B55–B62.
12. **Egol KA, Kubiak EN, Fulkerson E, et al.** Biomechanics of locked plates and screws. *J Orthop Trauma*. 2004 Sep;18(8):488–493.
13. **Sommer C, Babst R, Müller M, et al.** Locking compression plate loosening and plate breakage: a report of four cases. *J Orthop Trauma*. 2004 Sep;18(8):571–577.
14. **Haidukewych GJ, Ricci W.** Locked plating in orthopaedic trauma: a clinical update. *J Am Acad Orthop Surg*. 2008 Jun;16(6):347–355.
15. **Tan SL, Balogh ZJ.** Indications and limitations of locked plating. *Injury*. 2009 Jul;40(7):683–691.
16. **Hunt SB, Buckley RE.** Locking plates: a current concepts review of technique and indications for use. *Acta Chir Orthop Traumatol Cech*. 2013;80(3):185–191.
17. **Bonyun M, Nauth A, Egol KA, et al.** Hot topics in biomechanically directed fracture fixation. *J Orthop Trauma*. 2014;28 Suppl 1:S32–S35.
18. **Takemoto RC, Sugi MT, Kummer F, et al.** The effects of locked and unlocked neutralization plates on load bearing of fractures fixed with a lag screw. *J Orthop Trauma*. 2012 Sep;26(9):519–522.
19. **Yi JW, Oh JK, Han BS, et al.** Healing process after rigid plate fixation of humeral shaft fractures revisited. *Arch Orthop Trauma Surg*. 2013 Jun;133(6):811–817.
20. **Claes L.** Biomechanical principles and mechanobiologic aspects of flexible and locked plating. *J Orthop Trauma*. 2011 Feb;;2 (Suppl 1:S4–S7.
21. **Stoffel K, Dieter U, Stachowiak G, et al.** Biomechanical testing of the LCP—how can stability in locked internal fixators be controlled? *Injury*. 2003 Nov;34 Suppl 2:B11-19.
22. **Ricci WM.** Use of locking plates in orthopaedic trauma surgery. *JBJS Rev*. 2015 Mar 17;3(3):pii: 01874474-201503030-00003.

## 7 Agradecimentos

Agradecemos a vários líderes em cirurgia pelo auxílio na compreensão e na aplicação da tecnologia da placa bloqueada: Thomas Rüedi, Martin Altmann, Röbi Frigg, Emanuel Gautier e Karl Stoffel. Agradecemos a Michael Wagner e Michael Schütz por suas contribuições para este capítulo na 2ª edição de *Princípios AO do tratamento de fraturas*.

# Seção 4

## Tópicos gerais

# Seção 4
# Tópicos gerais

| | | |
|---|---|---|
| 4.1 | **Politraumatismo: fisiopatologia, prioridades e tratamento**<br>*Peter V. Giannoudis* | 311 |
| 4.2 | **Fraturas expostas**<br>*Rami Mosheiff* | 331 |
| 4.3 | **Perda de partes moles: princípios do tratamento**<br>*Yves Harder* | 357 |
| 4.4 | **Fraturas pediátricas**<br>*Theddy Slongo, James Hunter* | 379 |
| 4.5 | **Profilaxia com antibióticos**<br>*Susan Snape* | 421 |
| 4.6 | **Profilaxia do tromboembolismo**<br>*Hans J. Kreder* | 429 |
| 4.7 | **Cuidados pós-operatórios: considerações gerais**<br>*Liu Fan, John Arraf* | 437 |
| 4.8 | **Fraturas por fragilidade e cuidados ortogeriátricos**<br>*Michael Blauth, Markus Gosch, Thomas J. Luger, Hans Peter Dimai, Stephen L. Kates* | 451 |
| 4.9 | **Riscos relacionados aos exames de imagem e à radiação**<br>*Chanakarn Phornphutkul* | 481 |

# 4.1 Politraumatismo: fisiopatologia, prioridades e tratamento

*Peter V. Giannoudis*

## 1 Definição

O politraumatismo tem sido definido como "uma síndrome de lesões múltiplas que excedem o escore de gravidade da lesão (*Injury Severity Score, ISS*) de 16, com reações sistêmicas sequenciais que podem levar à disfunção ou falência de órgãos remotos e sistemas vitais, que não tenham sido diretamente lesados". Entretanto, um consenso internacional em 2014 [1] sugeriu que o politraumatismo seja redefinido como a presença de duas lesões que sejam maiores ou iguais a 3 na escala abreviada de lesão (*Abbreviated Injury Scale, AIS*) e uma ou mais das seguintes condições adicionais:

- Hipotensão (pressão arterial sistólica ≤ 90 mmHg)
- Inconsciência (escore da escala de coma de Glasgow [GCS] ≤ 8)
- Acidose (déficit de base ≤ 6,0)
- Coagulopatia (tempo de tromboplastina parcial ≥ 50 segundos ou razão normalizada internacional, INR ≥ 1,4)
- Idade (≥ 70 anos)

## 2 Importância das fraturas

No princípio do século XX, a estabilização cirúrgica das fraturas de ossos longos em pacientes politraumatizados não era executada rotineiramente. A principal razão por trás dessa abordagem era o medo da síndrome de embolia gordurosa (liberação de gordura e conteúdo intramedular [IM] na circulação periférica). Hoje, acredita-se que as consequências dessa síndrome sejam secundárias à degradação de gordura em ácidos graxos livres, à liberação de mediadores tóxicos e subsequentes reações imunoinflamatórias que levam a uma permeabilidade vascular aumentada. Isso resulta em hemorragia alveolar, edema, extravasamento de leucócitos polimorfonucleares e o desenvolvimento de insuficiência respiratória (síndrome da angústia respiratória do adulto [SARA]) [2].

A primeira evidência para os efeitos benéficos da estabilização das fraturas de ossos longos ficou disponível a partir da Primeira Guerra Mundial, com uso da tala de Thomas para o tratamento das fraturas da diáfise do fêmur, resultando em melhores taxas de sobrevida. Subsequentemente, o advento de antibióticos junto com os avanços nos cuidados intensivos e anestesia, desenho dos implantes e a implementação de técnicas de fixação de fraturas padronizadas pela AO apoiaram uma abordagem mais operatória para a fixação das fraturas. Entretanto, por muitas décadas, prevaleceu a filosofia de que o paciente politraumatizado está "muito doente para ser operado" e os pacientes eram tratados com tração esquelética e obrigados ao repouso no leito. Contudo, no início dos anos 1980, um estudo prospectivo randomizado de Bone e colaboradores [3] demonstrou os benefícios da fixação precoce da fratura do fêmur, com uma redução na incidência de insuficiência respiratória, levando a uma redução da permanência nos cuidados intensivos e no hospital. Esse estudo criou a base para a filosofia do cuidado total precoce (CTP), que subsequentemente prevaleceu. Consequentemente, a crença previamente mantida entre os cirurgiões de que o paciente estaria muito doente para ser operado foi agora substituída pela visão oposta, em que o paciente estava "muito doente para não ser operado". O cuidado total precoce se tornou o tratamento ideal na cirurgia para fixação de fraturas, e os desenvolvimentos adicionais na medicina de cuidados intensivos reforçaram a fixação precoce das fraturas em pacientes com politraumatismo.

A estratégia CTP era amplamente usada, mas vários relatos na literatura descreveram um desfecho adverso depois do CTP em alguns grupos de pacientes, com uma incidência aumentada de SARA e falência de múltiplos órgãos. Em resposta a essas observações, foi desenvolvido o conceito de controle de danos ortopédicos (CDO) para o tratamento de pacientes com múltiplas lesões. Essa abordagem foi baseada no princípio de "limitação do dano" [4].

Tópicos gerais
### 4.1 Politraumatismo: fisiopatologia, prioridades e tratamento

O CTP e o CDO se tornaram um tópico de discussão calorosa entre os cirurgiões europeus e norte-americanos sobre se um paciente com múltiplas lesões se beneficiaria mais de uma ou de outra estratégia cirúrgica.

> Recentemente, o conceito de cuidado apropriado precoce foi introduzido para enfatizar que a fixação da fratura não deve ocorrer durante a ressuscitação, mas deve ser retardada por um curto tempo até que o paciente esteja completamente ressuscitado, com retorno aos parâmetros fisiológicos normais. O cuidado apropriado precoce também considera a fixação cirúrgica de fraturas pélvicas e vertebrais instáveis durante essa fase. Assim, está agora reconhecido que o CTP e o CDO são complementares entre si e usados para grupos diferentes de pacientes [5].

Embora o CTP e o CDO tenham causado um impacto relevante nos cuidados do trauma, foi preciso muito tempo para levar em consideração o fato de que o tratamento não estruturado dos pacientes de trauma está associado a morte e incapacidade evitáveis. A introdução dos centros de trauma nos Estados Unidos e o desenvolvimento mais recente das redes de trauma regional (RTR) na Austrália e na Inglaterra tem demonstrado o efeito benéfico dos sistemas organizados de cuidado ao trauma nos desfechos. A estrutura do sistema nacional na Inglaterra é baseada nos componentes fundamentais sugeridos pelo Comitê de Trauma da American College of Surgeons, que consistem em:

- Liderança (em todos os níveis de atendimento ao politraumatizado)
- Triagem pré-hospitalar e hospitalar
- Instalações dedicadas e aprovadas de cuidados ao trauma (centros principais de trauma [nível I], unidades de trauma [nível II], hospitais locais de emergência [nível III], serviços de transporte, unidades de reabilitação)
- Recursos humanos (planejamento e desenvolvimento, trabalho de equipe administrativa e clínica)
- Consciência pública de educação na prevenção, boa comunicação (em todos os níveis do sistema de trauma)
- Reabilitação e coleta de dados
- Auditoria e pesquisa com monitoração da garantia de qualidade [6]

As fraturas têm um impacto importante na gravidade da reação sistêmica ao trauma por:

- Hemorragia: estados prolongados de choque, bem como a hemorragia exsanguinante, são frequentemente associados a lesões instáveis do anel pélvico, fraturas da diáfise do fêmur, fraturas múltiplas de ossos longos e lesões expostas.
- Contaminação: as fraturas expostas devem ser sempre consideradas como contaminadas. Se uma ferida somente puder ser debrida depois de algum tempo ou se o debridamento não for suficientemente radical, a ferida se tornará um meio de cultura perfeito para bactérias, resultando em infecção local e, às vezes, sistêmica.
- Tecido morto e isquêmico com uma zona hipóxica na margem: em fraturas instáveis, desviadas e expostas, especialmente depois de trauma de alta energia, o debridamento radical de partes moles é necessário tão logo quanto possível para remover essa fonte de mediadores pró-inflamatórios.
- Lesão por isquemia-reperfusão: o choque hipovolêmico prolongado e a síndrome compartimental relacionada a fraturas com ou sem lesões vasculares têm propensão à lesão por isquemia-reperfusão, com dano microvascular devido aos radicais de oxigênio. As contusões não penetrantes de tecido podem ativar a xantina-oxidase; a isquemia produzirá o substrato xantina/hipoxantina, e a reperfusão adicionará o cossubstrato oxigênio, resultando na formação de destrutivos radicais livres de oxigênio. Uma tríade perigosa é estabelecida.
- Estresse e dor: as fraturas instáveis causam dor e estresse que, pelas vias aferentes ao sistema nervoso central, estimulam arcos reflexos neuroendócrinos, neuroimunológicos e metabólicos [7].
- Interferência com cuidados intensivos: as fraturas instáveis evitam a postura adequada do paciente (p. ex., tórax erguido) e o movimento indolor do paciente.

> Em termos gerais, os objetivos principais do tratamento das fraturas no paciente politraumatizado são:
> - Controle da hemorragia
> - Controle das fontes de contaminação
> - Prevenção da lesão por isquemia-reperfusão
> - Alívio da dor
> - Facilitação da ventilação, dos cuidados de enfermagem e da fisioterapia

Esses objetivos podem ser alcançados pela hemostasia, debridamento, fasciotomia ou revascularização, fixação da fratura e cobertura sem tensão da ferida.

Para a estabilização dos ossos longos, a fixação externa e a interna são opções, dependendo das circunstâncias.

## 3 Fisiopatologia

O trauma inicia uma série de reações fisiológicas envolvendo os sistemas cardiovascular, imune e de coagulação, com o objetivo de manter a homeostasia e sobrevivência. O sistema cardiovascular inicialmente exibe um fluxo hipodinâmico secundário ao choque hipovolêmico, que fica hiperdinâmico quando a ressuscitação tiver sido completada com sucesso [8]. A ativação do sistema imune inflamatório resulta no desenvolvimento da síndrome da resposta inflamatória sistêmica (SIRS) e da síndrome da resposta anti-inflamatória compensatória (SRAC). Sob circunstâncias ideais, um equilíbrio fino entre as duas reações imunes é mantido, e a recuperação é tranquila. Uma

SIRS exagerada pode levar à SARA, síndrome da disfunção de múltiplos órgãos (SDMO) ou até morte, enquanto uma SRAC descompensada poderia contribuir para a imunossupressão e o desenvolvimento da sepse precoce [9]. A resposta do sistema de coagulação ao trauma e hemorragia é complexa e envolve uma interação controlada entre a vascularização, plaquetas circulantes, proteínas de coagulação e o mecanismo fibrinolítico. A coagulação é iniciada por reações entre os componentes isolados do sangue (a via intrínseca) ou por reações que também envolvem componentes de tecidos (a via extrínseca). Normalmente, o equilíbrio tênue é mantido entre a manutenção do sangue em um estado fluido e o desenvolvimento de coágulos.

### 3.1 Resposta primária ao trauma grave

As reações locais e sistêmicas são iniciadas como resultado imediato ao trauma grave. Fraturas, lesão de partes moles, dano de órgãos (pulmão, fígado, intestino, etc.), hipoxia, acidose e estímulos dolorosos contribuem para essas reações. A principal resposta fisiológica objetiva cessar a hemorragia e manter o fluxo sanguíneo para órgãos vitais.

A primeira resposta à lesão é caracterizada pela liberação de adrenocorticosteroides e catecolaminas pelo sistema neuroendócrino, induzindo um aumento da frequência cardíaca e da frequência respiratória, junto com leucocitose e febre. Os estímulos de receptores aórticos e carotídeos ativam o sistema renina-angiotensina, em um esforço para manter a pressão arterial por vasoconstrição. Ao mesmo tempo cai a taxa metabólica para minimizar o gasto de energia [10].

A primeira prioridade clínica é cessar a hemorragia, prevenir a hipoxia e a hipercarbia (que resulta em acidose) e evitar a hipotermia. Todas resultam em dano secundário a órgãos fundamentais, como o cérebro, e são consideradas precursoras da SIRS.

Após o trauma, ocorrem numerosas adaptações nas funções inflamatórias e imunológicas. Mediadores pró-inflamatórios e anti-inflamatórios são liberados, regulando respostas celulares e vasculares. Granulócitos polimorfonucleares (PMN), monócitos e linfócitos são ativados e produzem respostas moleculares locais associadas à aderência endotelial vascular. Esse processo de aderência é mediado pela expressão das moléculas de aderência e é vital para o extravasamento subsequente de leucócitos PMN. Se isso ocorrer sistemicamente, em vez de no local da lesão, os leucócitos PMN perdem sua autorregulação e liberam enzimas tóxicas, causando lesões de órgão remoto na forma de SARA ou SDMO. A falha em restaurar rapidamente os parâmetros fisiológicos normais pode levar à desregulação do sistema imune, abrindo caminho para uma resposta inflamatória sistêmica exagerada e, em um estágio mais tardio, paralisia imunológica. Desse modo, muitas das complicações sérias e precoces do politraumatismo, como SARA, SDMO, sepse e tromboembolismo, são agora consideradas como associadas à disfunção imunológica. Acredita-se que a interleucina 6 (IL-6) seja um marcador útil para avaliar essas alternações do sistema imunológico, já que tem sido encontrado um padrão consistente de expressão e meia-vida plasmática. Um valor de corte de 200 pg/dL demonstrou ser significativamente diagnóstico de um "estado de SIRS". Correlações significativas entre eventos adversos e o nível de IL-6 e SIRS têm sido observadas [11].

Recentemente, a busca continuada para identificar biomarcadores das respostas imunes após o trauma levou ao reconhecimento de uma grande família de mediadores, os chamados padrões moleculares associados ao dano (DAMPs). Alarminas e padrões moleculares associados ao patógeno (PAMPs) são parte dos DAMPs e representam sinais de perigo capazes de ativar respostas imunes inatas depois do trauma. Sua contribuição fisiopatológica na ativação sistêmica induzida relacionada ao trauma está atualmente sob investigação adicional e ainda não está completamente entendida [12].

Tópicos gerais
4.1 Politraumatismo: fisiopatologia, prioridades e tratamento

### 3.2 Coagulopatia do trauma

A coagulopatia é comum depois de trauma grave* e se desenvolve precocemente, com frequência antes de o paciente chegar ao hospital.

Ocorre devido a uma combinação de fatores, incluindo:

- Choque hipovolêmico devido ao sangramento
- Lesão do endotélio vascular
- Geração complexa de trombina-trombomodulina dentro dos tecidos lesados
- Diminuição da proteína C ativada
- Ativação das vias anticoagulantes e fibrinolíticas
- Hipotermia

Além disso, a hemodiluição resultante da ressuscitação com alto volume de cristaloides também pode levar à coagulação defeituosa [13].

A coagulopatia junto com a presença de acidose e hipotermia é chamada de "tríade letal" e está associada a uma taxa de mortalidade aumentada (Fig. 4.1-1). O reconhecimento e tratamento precoces da coagulopatia induzida pelo trauma são essenciais para alcançar com sucesso os desfechos da ressuscitação.

### 3.3 Resposta à cirurgia: "o segundo impacto"

A resposta primária ao trauma envolve a estimulação de vários processos imunes fisiológicos para manter a homeostasia e a sobrevivência. A liberação de mediadores e a indução de SIRS depende principalmente da gravidade do trauma sofrido (os "fenômenos do primeiro impacto"). Qualquer ativação subsequente das várias cascatas moleculares durante as intervenções terapêuticas ou diagnósticas, procedimentos cirúrgicos, e complicações pós-traumáticas ou pós-operatórias são chamadas de "segundo" ou "terceiro" impactos (Fig. 4.1-2) [14].

---

*Vários nomes têm sido usados para descrever esse distúrbio da coagulação, como coagulopatia traumática aguda, coagulopatia precoce do trauma, coagulopatia aguda de trauma-choque, coagulopatia induzida pelo trauma e coagulopatia associada ao trauma.

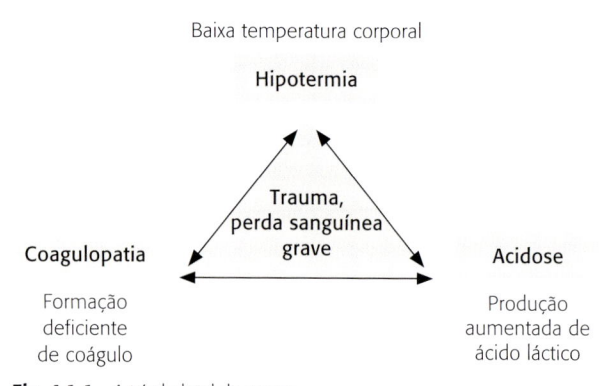

**Fig. 4.1-1** A tríade letal da morte.

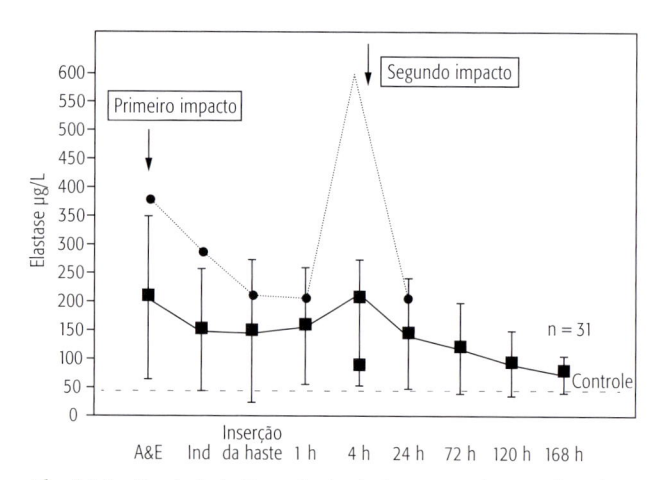

**Fig. 4.1-2** Os níveis de liberação de elastase em pacientes submetidos ao encavilhamento femoral em diferentes pontos de tempo (dados do autor). O gráfico demonstra o fenômeno do segundo impacto. O paciente com a linha pontilhada demonstra o aumento excessivo em 4 horas depois do encavilhamento em comparação com o resto da população de pacientes (n = 31). A&E, acidente e emergência.

Foi claramente demonstrado que as intervenções cirúrgicas precoces e prolongadas (segundo impacto) estão associadas ao aumento de risco de sangramento e a estímulos estressantes, capazes de magnificar a SIRS já em evolução. Em alguns casos, isso pode ficar fora de controle e levar ao desenvolvimento de SARA e SDMO. Embora não possamos influenciar a resposta ao primeiro impacto, o cirurgião com a ressuscitação organizada e o cuidadoso momento e planejamento das intervenções cirúrgicas pode reduzir as respostas fisiológicas endógenas desse segundo impacto, minimizando o risco de complicações [15]. A aplicação do conceito de cirurgia de controle de danos (CCD) nesse contexto é útil e salva vidas. Ambos os marcadores, convencionais e imunológicos, podem quantificar a presença de SIRS na admissão. A **Tabela 4.1-1** inclui os parâmetros convencionais que definem a SIRS. Alternativamente, nos dias 0 e 1 depois de um trauma significativo, níveis de IL-6 > 200 pg/dL estão associados a um estado de SIRS [11].

## 4 Ressuscitação

A hemorragia é a causa mais comum da morte evitável após o trauma. Os protocolos de ressuscitação enfatizam o controle precoce da hemorragia, incluindo o controle imediato da hemorragia externa – o cABC é fundamental para a sobrevida do paciente.

É fundamental que o médico avalie clinicamente a gravidade da hemorragia traumática usando a combinação da fisiologia do paciente, do padrão da lesão anatômica, do mecanismo de lesão e da resposta do paciente à ressuscitação inicial. Tem sido estimado que mais de 50% de pacientes de politraumatismo são transfundidos, e mais de 15% deles recebem transfusões significativas [16].

Um paciente em choque hemorrágico com uma fonte não identificada de sangramento deve receber uma avaliação imediata do tórax, da cavidade abdominal e do anel pélvico, que representam as fontes principais de perda sanguínea aguda e oculta no trauma.

Atualmente, em sistemas organizados de cuidados do trauma, os dispositivos de tomografia computadorizada (TC) têm substituído as técnicas de imagens radiográficas convencionais (radiografia simples e ultrassonografia) durante a avaliação primária. A TC do corpo inteiro (TCCI) no trauma permite a identificação da fonte de hemorragia e direciona a cirurgia ou radiologia intervencionista para cessar o sangramento. O número para tratar é apenas 17: para todos os 17 pacientes com um ISS > 16 submetidos a uma TC de trauma, haverá um sobrevivente adicional e, quanto mais grave estiver o paciente, mais ele provavelmente irá se beneficiar da TC precoce [17].

Entretanto, é importante notar que deve haver uma clara indicação clínica para a TCCI, já que envolve uma dose significativa de radiação. A TCCI não deve ser usada como uma "ferramenta de rastreamento" com base apenas no mecanismo da lesão.

As medidas do lactato sérico ou do déficit de base são testes sensíveis para estimar e monitorar a extensão do sangramento e o choque. A quantidade de lactato venoso produzido pela glicólise anaeróbica é um marcador indireto da deficiência de oxigênio e da hipoperfusão tecidual; a gravidade dos valores de déficit de base do sangue arterial oferece uma estimativa indireta da acidose tecidual global devido à perfusão diminuída. A monitoração padrão da coagulação inclui a determinação inicial e repetida do tempo de protrombina (TP), tempo de tromboplastina parcial ativada (TTPa), contagem de plaquetas e fibrinogênio.

A detecção de anormalidades da coagulação com teste viscoelástico foi introduzida recentemente. Tem sido relatado que as variáveis precoces da firmeza do coágulo, avaliadas pela prova viscoelástica, são bons preditores para a necessidade de transfusão maciça e para a mortalidade em pacientes de trauma [18]. Os coagulômetros portáteis e a tromboelastometria permitem o teste no "ponto de cuidado" na sala de atendimento ao trauma, cuidados críticos ou sala de cirurgia, e fornece dados em tempo real sobre a coagulopatia para guiar o tratamento do paciente.

A pressão arterial sistólica de 80-90 mmHg deve ser a meta até que o sangramento relevante tenha sido parado na fase inicial após o trauma sem lesão encefálica.

Na presença de uma lesão traumática do encéfalo (GCS ≤ 8), a manutenção da pressão arterial média ≥ 90 mmHg é recomendada. Isso é mais adequadamente obtido pela administração intravenosa de pequenos *bolus* (250 mL em um adulto) de cristaloide aquecido e evitando-se grandes volumes desses fluidos, se possível, já que estão associados à coagulopatia por diluição e SDMO.

Deve-se enfatizar que essa abordagem de "hipotensão permissiva" tem que ser limitada. É essencial o rápido controle da hemorragia.

| Tabela 4.1-1 | Parâmetros que definem a síndrome da resposta inflamatória sistêmica (SIRS) (cada parâmetro, quando presente, vale 1 ponto). Mais de 2 pontos definem um paciente em estado de SIRS |
|---|---|
| Temperatura corporal | > 38 ou < 36°C |
| Frequência cardíaca | > 90 bpm |
| Frequência respiratória | > 20/min ou $PaCO_2$ < 32 mmHg |
| Leucograma | > 12.000 ou < 4.000 células/mm$^3$ |

Tópicos gerais
### 4.1 Politraumatismo: fisiopatologia, prioridades e tratamento

A aplicação precoce de medidas para reduzir a perda de calor e manter o paciente hipotérmico aquecido é essencial para restaurar e manter a normotermia.

Em pacientes com sangramento contínuo, os protocolos de transfusão maciços foram desenvolvidos para permitir a administração rápida de hemácias, plasma fresco congelado (PFC) e plaquetas. O objetivo é substituir a perda sanguínea e fatores de coagulação que estejam sendo consumidos. A evidência mais recente sugere que a relação ideal de sangue, PFC e plaquetas é de 1:1:1, e isso está associado a melhores taxas de sobrevida [19]. A tromboelastografia e os níveis de fibrinogênio, junto com testes-padrão da coagulação, podem ser usados para guiar a administração de concentrado adicional de fibrinogênio ou crioprecipitado. O hematologista se tornou um membro integral da equipe de trauma.

> A transfusão maciça é definida como a reposição do volume sanguíneo total do paciente dentro de 24 horas ou, na administração aguda, de mais da metade do volume sanguíneo estimado do paciente por hora.

A meta do tratamento é restaurar prontamente o volume sanguíneo e preservar a composição do sangue no que se relaciona à capacidade de coagulação e transporte de oxigênio, bioquímica e pressão osmótica. No início da ressuscitação, devem ser feitos tipagem, testes de coagulação, hemograma completo e bioquímica. Os hospitais que recebem pacientes com trauma grave devem ter um protocolo ativo de transfusão maciça. Estes irão variar de acordo com os recursos locais, mas devem permitir a transfusão imediata de sangue do grupo O negativo com disponibilidade rápida de sangue (concentrado de hemácias), PFC e plaquetas em uma proporção de 1:1:1. Todas as transfusões devem ser aquecidas.

Os agentes farmacológicos também têm sido usados como adjuntos para o controle do sangramento. O ensaio CRASH-2 demonstrou que o ácido tranexâmico, uma droga antifibrinolítica com um bom perfil de segurança, administrada dentro de 3 horas de um trauma não penetrante ou penetrante, reduz significativamente as necessidades de transfusão e a mortalidade. A administração precoce é essencial e deve ser dada de preferência no contexto pré-hospitalar ou logo após a chegada ao hospital. Uma dose de ataque de 1 g de ácido tranexâmico é administrada, seguida por uma infusão de 1 g durante 8 horas [20].

Ultimamente, o conceito de ressuscitação de controle de danos (RCD) foi introduzido no contexto do trauma civil. A origem do RCD vem da experiência militar no tratamento de hemorragias relevantes durante os conflitos recentes no Afeganistão e no Iraque. A RCD foi definida como "uma abordagem sistemática ao trauma grave, combinando controle imediato da hemorragia externa com uma série de técnicas clínicas, desde o momento do ferimento até o tratamento definitivo, para minimizar a perda sanguínea, maximizar a oxigenação tecidual e otimizar o desfecho" [21]. Os componentes principais da RCD são o controle da hemorragia externa, a hipotensão permissiva limitada, a limitação da administração de cristaloides com o uso precoce de sangue e derivados sanguíneos (protocolos de transfusão maciça), o uso precoce de ácido tranexâmico, a prevenção da hipotermia, e a CCD precoce.

> Uma abordagem multidisciplinar ao tratamento do paciente politraumatizado permanece como base do atendimento ideal ao paciente.

O desenvolvimento e a implementação de protocolos de tratamento baseados em evidência reduzem a variação e melhoram tanto os processos quanto o desfecho.

## 5 Momento e prioridades da cirurgia

Duas fases importantes caracterizam o tratamento inicial dos pacientes com lesões múltiplas: a fase pré-hospitalar e a fase hospitalar. As decisões apropriadas e oportunas e as intervenções durante essas duas fases são essenciais para um desfecho ideal.

O objetivo primário é a sobrevivência, que requer via aérea segura e oxigenação suficiente para manter a função dos órgãos vitais. O protocolo de suporte avançado de vida no trauma tornou-se o padrão-ouro para a avaliação e tratamento inicial de pacientes com politraumatismo, mas tem sido adaptado em muitos sistemas de trauma para permitir que a avaliação e o tratamento ocorram em paralelo, em vez de consecutivamente. A ressuscitação primária inclui intervenções para salvar a vida (**Fig. 4.1-3**). Elas podem incluir:

- Descompressão de cavidades corporais (pneumotórax hipertensivo, tamponamento cardíaco, hematoma epidural)
- Controle de hemorragia exsanguinante (hemotórax ou hemoperitônio maciços, pelve esmagada; amputação de membro, extremidade mutilada)

> Após completar a avaliação inicial e as intervenções iniciais, os pacientes devem ser estratificados em relação ao seu estado fisiológico, em 1 de 4 categorias:
> - Estável
> - Limítrofe
> - Instável
> - Extremo

Isso guiará a estratégia subsequente para o seu tratamento (**Tab. 4.1-2**). Qualquer deterioração no estado clínico do paciente ou nos parâmetros fisiológicos deve instar a uma rápida reavaliação e ajuste da abordagem estratégica. O alcance dos desfechos da ressuscitação é fundamental para a estratificação do paciente na categoria apropriada. Os desfechos da ressuscitação incluem a hemodinâmica e a saturação de oxigênio normais, o nível de lactato abaixo de 2 mmol/L, nenhum distúrbio da coagulação, temperatura normal, débito urinário acima de 1 mL/kg por hora e nenhuma necessidade de suporte inotrópico.

## 5.1 Indicações para a cirurgia de controle de danos

Se houver resposta ruim à ressuscitação, e os parâmetros fisiológicos não retornarem ao normal, a cirurgia definitiva deve ser evitada e o conceito de controle de danos deve ser aplicado. A razão por trás desse conceito é salvar vidas, adiando a cirurgia prolongada e traumática definitiva, e focando na restauração da fisiologia [22]. A CCD está indicada em 10-20% dos pacientes politraumatizados (**Tab. 4.1-3**).

De forma abreviada, existem três condições diferentes para a seleção da CCD:

- Critérios fisiológicos: hipotermia, coagulopatia e acidose
- Padrão complexo de lesões graves, como lesão torácica, fraturas da pelve, fraturas bilaterais do fêmur, fraturas complexas das extremidades, pacientes mais velhos com politraumatismo: expectativa de perda sanguínea volumosa e prolongados procedimentos de reconstrução que provavelmente estarão além da reserva fisiológica do paciente.
- Vítimas em massa: quando o número de pacientes a serem tratados, durante um evento com vítimas em massa, supera os recursos disponíveis para os cuidados totais precoce, de forma que a cirurgia limitada para salvar a vida e o membro é feita, permitindo que tantas vítimas quanto possível recebam os cuidados.

O controle de danos pode ser utilizado em duas circunstâncias:

- Reativamente: cirurgia de "escape", que significa o abortamento de procedimentos invasivos em um paciente com risco iminente de morte.
- Preemptivamente: a decisão precoce calculada para realizar o reparo definitivo em procedimentos sequenciais estadiados devido a uma ressuscitação inadequada ou um alto risco de deterioração fisiológica.

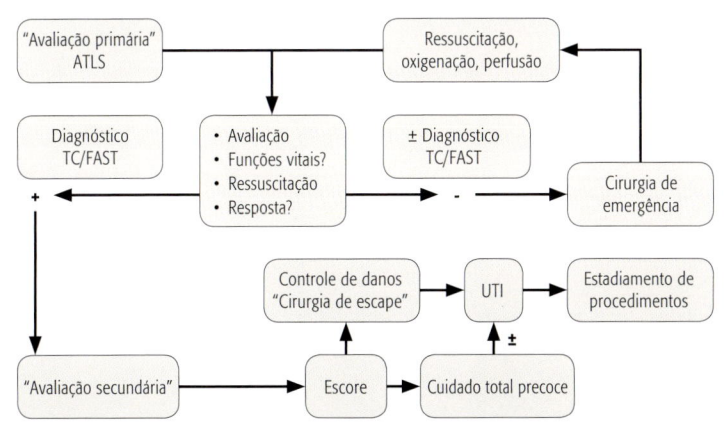

**Fig. 4.1-3** Avaliação e via de tratamento inicial para pacientes politraumatizados. Siglas: ATLS, suporte avançado de vida no trauma; TC, tomografia computadorizada; FAST, avaliação focada com ultrassom no trauma; UTI, unidade de terapia intensiva.

Tópicos gerais
## 4.1 Politraumatismo: fisiopatologia, prioridades e tratamento

**Tabela 4.1-2** Critérios e estratificação das quatro categorias de um paciente politraumatizado com base no seu estado fisiológico

|  | Parâmetro | Estável/seguro | Limítrofe/em risco | Instável | Extremo |
|---|---|---|---|---|---|
| **Choque** | Pressão arterial, mmHg | ≥ 100 | 80-100 | 60-90 | < 50-60 |
|  | Unidades de sangue, 2 horas | 0-2 | 2-8 | 5-15 | > 15 |
|  | Nível de lactato | Faixa normal | ~ 2,5 | > 2,5 | Acidose grave |
|  | Déficit de base, mmol/L | Faixa normal | Sem dados | Sem dados | > 6-8 |
|  | Classificação ATLS | I | II-III | III-IV | IV |
| **Coagulação** | Contagem de plaquetas, µg/mL | > 110.000 | 90.000-110.000 | < 70.000-90.000 | < 70.000 |
|  | Fatores II e V, % | 90-100 | 70-80 | 50-70 | < 50 |
|  | Fibrinogênio, g/dL | > 1 | ~ 1 | < 1 | CIVD |
|  | D-dímeros | Faixa normal | Anormal | Anormal | CIVD |
| **Temperatura** |  | > 34°C | 33-35°C | 30-32°C | ≤ 30°C |
| **Lesões de partes moles** | Função pulmonar; $PaO_2/FiO_2$ | 350-400 | 300-350 | 200-300 | < 200 |
|  | Escore de trauma torácico; AIS | AIS I ou II | AIS 2 ou mais | AIS 2 ou mais | AIS 3 ou mais |
|  | Escore de trauma torácico; TTS | 0 | I-II | II-III | IV |
|  | Trauma abdominal (Moore) | ≤ II | ≤ III | III | III ou > III |
|  | Trauma pélvico (Classificação AO/OTA) | Tipo A (AO) | B ou C | C | C (esmagamento, capotamento, abd.) |
|  | Extremidades | AIS I-II | AIS II-III | AIS III-IV | Esmagamento, capotamento, extrem. |
| **Estratégia cirúrgica** | Controle de danos (CDO) ou | CTP | CDO se incerto | CDO | CDO |
|  | Cirurgia definitiva (CTP) |  | CTP se estável |  |  |

Siglas: AIS, escala abreviada de lesão; ATLS, suporte avançado de vida no trauma; CDO, controle de danos ortopédicos; CIVD, coagulação intravascular disseminada; CTP, cuidado total precoce.

**Tabela 4.1-3** Critérios de seleção de pacientes para a cirurgia de controle de danos

| |
|---|
| Hipotermia: < 34°C |
| Acidose: pH < 7,2 |
| Lactato: > 4 mmol/L |
| Coagulopatia |
| Pressão arterial < 70 mmHg |
| Transfusão perto de 15 unidades |
| Escore de gravidade da lesão > 36 |

Os procedimentos de controle de danos incluem o controle da hemorragia por ligadura ou compressão, a imobilização de fraturas de ossos longos e da pelve (com fixadores externos ou talas) e a redução do risco de infecção pelo desvio do trânsito fecal, irrigação e debridamento da ferida. A CCD deve ser limitada ao tempo de completar todo o procedimento necessário e levar o paciente para a unidade de terapia intensiva assim que possível para a estabilização dos sistemas fisiológicos. Depois da restauração fisiológica na unidade de terapia intensiva, a cirurgia estadiada definitiva pode ocorrer sob circunstâncias planejadas e controladas.

Após a CCD existe uma janela de oportunidade entre o dia 5 e o dia 10 depois do trauma para a estabilização definitiva das fraturas (**Tab. 4.1-4**). Durante esse período, existe uma janela imunológica de oportunidade entre a fase de hiperinflamação (SIRS) e o período de imunossupressão (SRAC). O período de imunossupressão dura aproximadamente 2 semanas, de forma que os procedimentos secundários de reconstrução podem ser planejados para a terceira semana após o trauma.

### 5.2   Indicações para o cuidado total precoce

A osteossíntese definitiva das fraturas de ossos longos no dia 1 somente será recomendada quando todos os desfechos de ressuscitação tiverem sido alcançados.

**O cuidado total precoce não significa cuidado total imediato: as fraturas devem ser temporariamente imobilizadas e deve ser dado tempo para garantir a ressuscitação adequada do paciente.**

Isso significa um retorno à normalidade da oxigenação, sinais vitais, temperatura, coagulação e microcirculação, resultando em metabolismo aeróbico, conforme medido pelo pH, déficit de base e lactato venoso. Em alguns casos, isso pode levar 24 ou até 36 horas para ser alcançado, mas ainda deixará uma janela segura para a cirurgia das fraturas. Essa abordagem tem sido chamada de "cuidado apropriado precoce" [23]. Nessa situação, o tipo apropriado de osteossíntese deve ser selecionado com base na personalidade da fratura e na experiência do cirurgião. A **Tabela 4.1-5** ilustra os critérios para o cuidado total precoce. Com essa abordagem, a fixação definitiva inicial da fratura será possível na maioria dos pacientes politraumatizados. A evidência da experiência clínica, como também na literatura [2, 3, 24], sustenta a visão de que a fixação precoce das fraturas no politraumatismo é benéfica em termos de mortalidade e morbidade, já que:

- Reduz a incidência de SARA, embolia gordurosa, pneumonia, SDMO, sepse e complicações tromboembólicas
- Facilita os cuidados de enfermagem e intensivos: posição vertical do tórax, mobilização inicial, menos analgesia

**Tabela 4.1-4**   Momentos de intervenção cirúrgica no paciente politraumatizado

| Momento | Estado da ressuscitação/estado fisiológico | Intervenção cirúrgica |
|---|---|---|
| Dia 1 | Normal, sem flutuação | Cuidado total precoce |
| | Resposta transitória | Controle de danos |
| | Sem resposta-inotrópicos | Cirurgia de emergência |
| Dias 2-3 | Hiperinflamação (↑SIRS) | "Revisão cirúrgica" somente |
| Dias 4-10 | Janela segura de oportunidade | Cirurgia definitiva |
| Dias 11-21 | Imunossupressão (↑SRAC) | Evitar cirurgia |
| Dia 22+ | Fisiologia normal | Cirurgia reconstrutora secundária |

Siglas: SRAC, síndrome da resposta anti-inflamatória compensatória; SIRS, síndrome da resposta inflamatória sistêmica.

**Tabela 4.1-5**   Critérios para a seleção de pacientes para o cuidado total precoce

| |
|---|
| Hemodinâmica estável |
| Nenhuma necessidade para estimulação vasoativa/inotrópica |
| Sem hipoxemia, sem hipercapnia |
| Lactato < 2 mmol/L |
| Coagulação normal |
| Normotermia |
| Débito urinário > 1 mL/kg/h |

Tópicos gerais
4.1 Politraumatismo: fisiopatologia, prioridades e tratamento

## 6 Padrões específicos de lesão

Vários padrões específicos de lesão devem ser considerados para a CCD. A tomada de decisão pode ser difícil e é mais adequadamente feita com a consultoria das várias especialidades fundamentais (cirurgia geral, medicina de cuidados intensivos, anestesia, etc.) e quando ocorre à cabeceira do leito, onde todos os fatores podem ser levados em conta (**Figs. 4.1-4-7**) [25]. Não é o momento para o tratamento remoto do paciente.

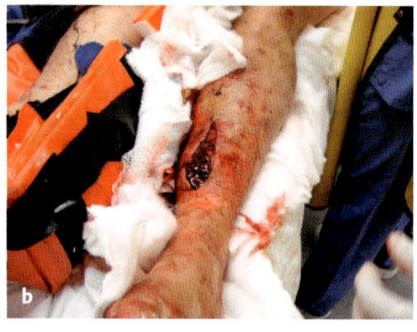

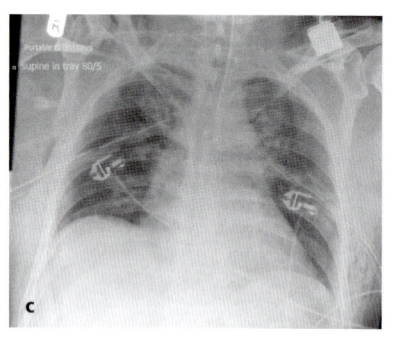

**Fig. 4.1-4a-c** Homem de 40 anos de idade envolvido em um acidente automobilístico. Na cena: escala de coma de Glasgow: 7; pressão arterial (PA): 70/30 mmHg; frequência cardíaca (FC): 120/min; frequência respiratória: 40/min; e Sat: 72% em ar corrente. O homem tinha lesões óbvias nas extremidades inferiores (**a-b**) e dificuldade para respirar. Ele foi intubado e ventilado no local. Um acesso intravenoso periférico grande + 1,5 L de cristaloide foram dados imediatamente. Ele foi transferido de ambulância para o hospital local. O resgate levou 30 minutos.

Ressuscitação:
- Descompressão com agulha da cavidade torácica esquerda e drenos de tórax bilateral (**c**)
- Acesso IV e monitoração arterial e exames de sangue
- Ressuscitação com fluidos (protocolo de transfusão maciça)
- O perfil bioquímico era PA 115/70 mmHg; FC: 112/bpm; saturação de oxigênio: 98-100% (com $O_2$ a 50%); hemoglobina 10,6; plaquetas 130.000; e lactato 5,8
- Respondeu bem e a TC foi executada

Achados de trauma na TC
- Tórax instável bilateral, laceração do fígado (pequena), fratura exposta do rádio e ulna à esquerda (grau I)
- Fratura do acetábulo esquerdo – coluna posterior e luxação pela parede posterior do quadril, fratura exposta da tíbia e fíbula esquerda (grau IIIA)
- Fratura exposta do fêmur direito (grau IIIa), fratura exposta da tíbia e fíbula direita (grau IIIB), fratura exposta cominutiva do tálus direito; escala de gravidade de lesão = 50

Quando o paciente retornou da TC, o nível da PA baixou para 95/65 mmHg; lactato 3,1 e a ressuscitação continuou.

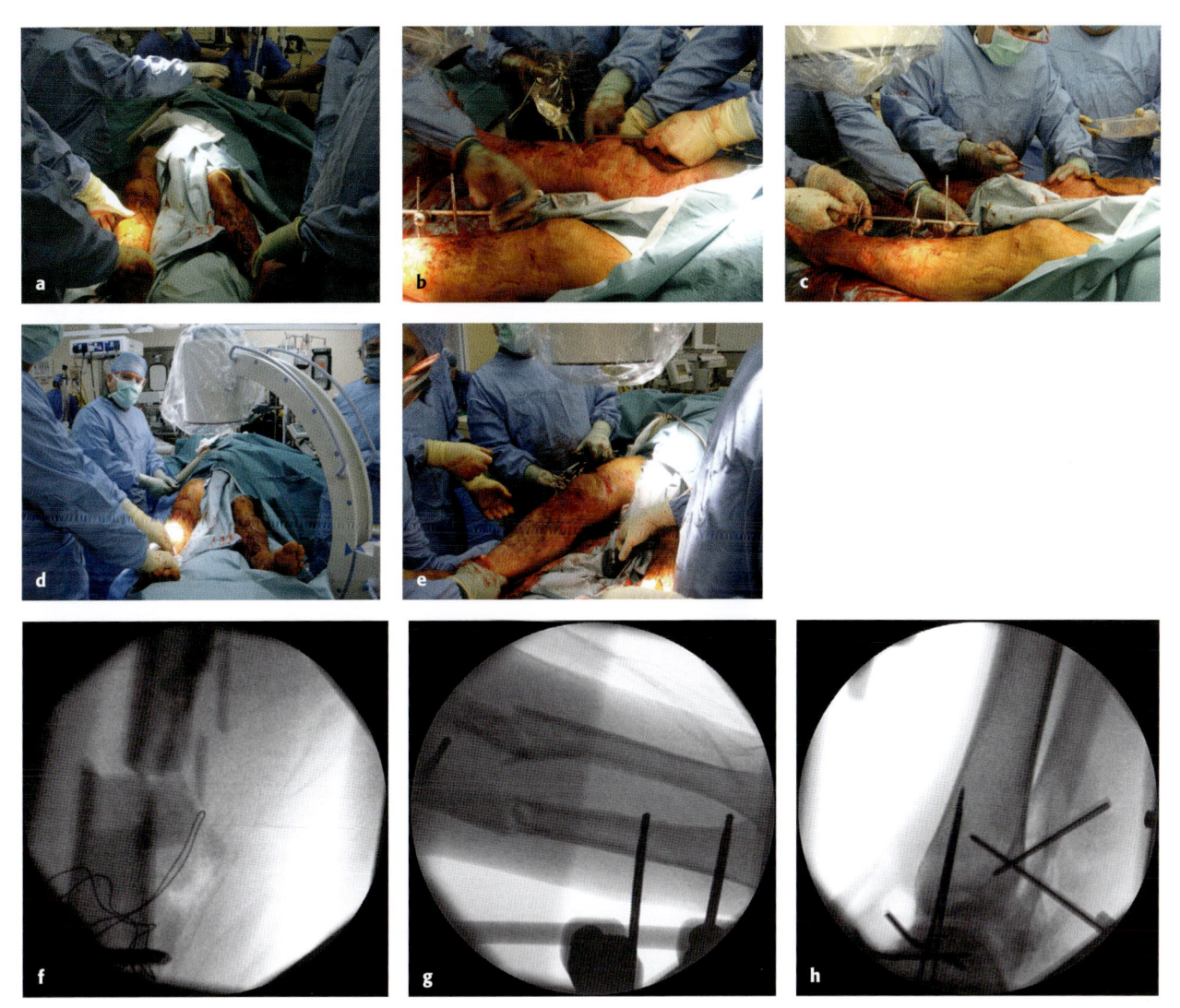

**Fig. 4.1-5a–h** O paciente foi levado para a sala de cirurgia (SC) para a cirurgia de controle de danos. Duas equipes cirúrgicas trabalhando juntas para debridar e estabilizar as fraturas do membro superior e inferior com fixadores externos. Ele foi mantido na SC por 2 horas e, então, transferido para a unidade de terapia intensiva para cuidados de suporte.

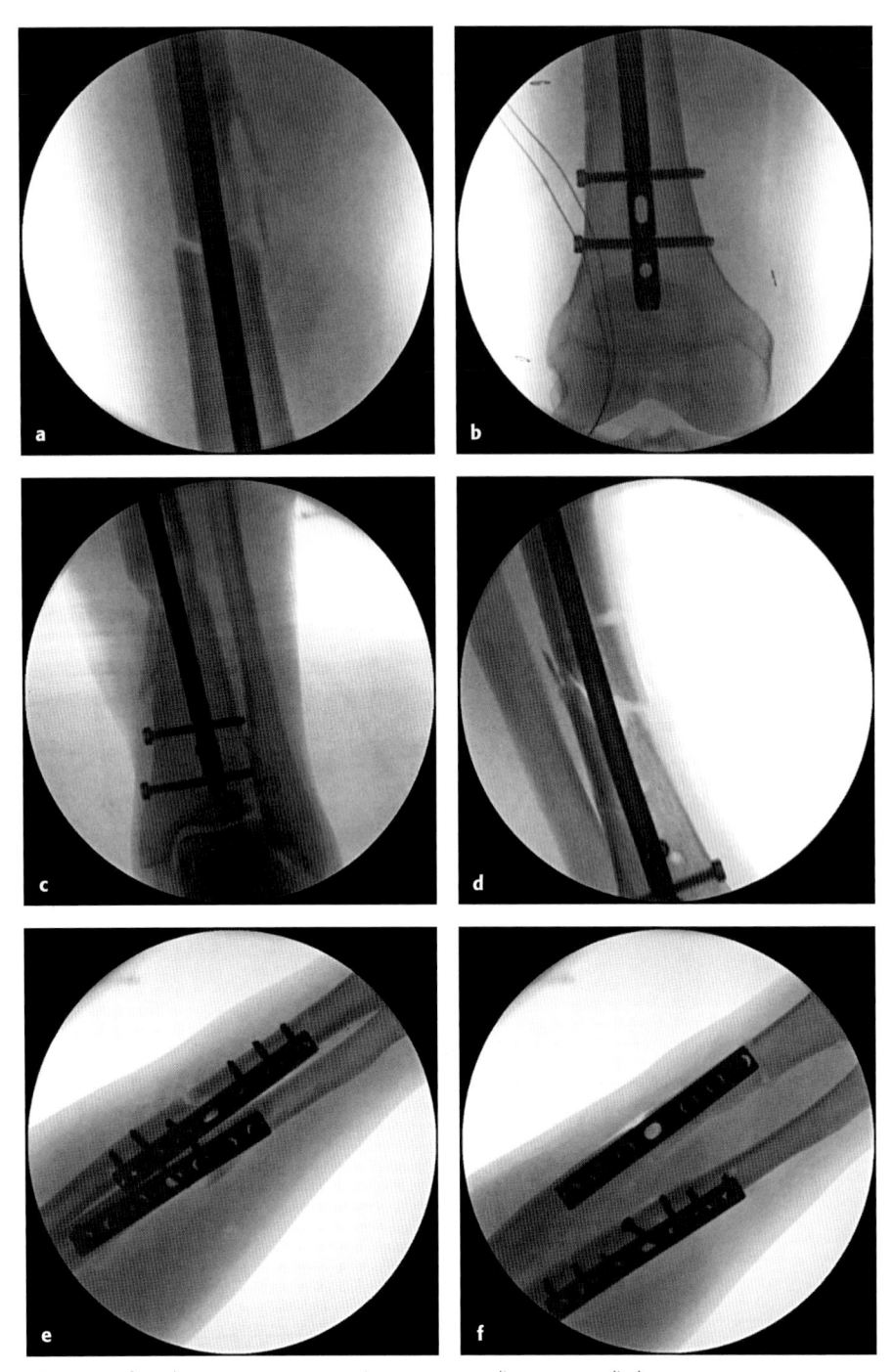

Tópicos gerais
4.1   Politraumatismo: fisiopatologia, prioridades e tratamento

**Fig. 4.1-6a-f**   Subsequentemente, o paciente teve procedimentos estadiados:
- Dia 4: fixadores externos removidos e hastes intramedulares colocadas no fêmur direito e na tíbia direita; redução aberta e fixação interna foram executadas no antebraço esquerdo; debridamento adicional e aplicação de terapia por pressão negativa (TPN) para as feridas nas pernas esquerda e direita. Imagens no intensificador de imagem da estabilização definitiva da fratura da diáfise femoral direita (**a-b**), da fratura da tíbia esquerda (**c-d**) e do antebraço (**e-f**), obtidos no 4º dia.
- Dia 6 pós-admissão: retalho de gastrocnêmio medial direito para a ferida anterior da perna direita com TPN para ambas as feridas das pernas.

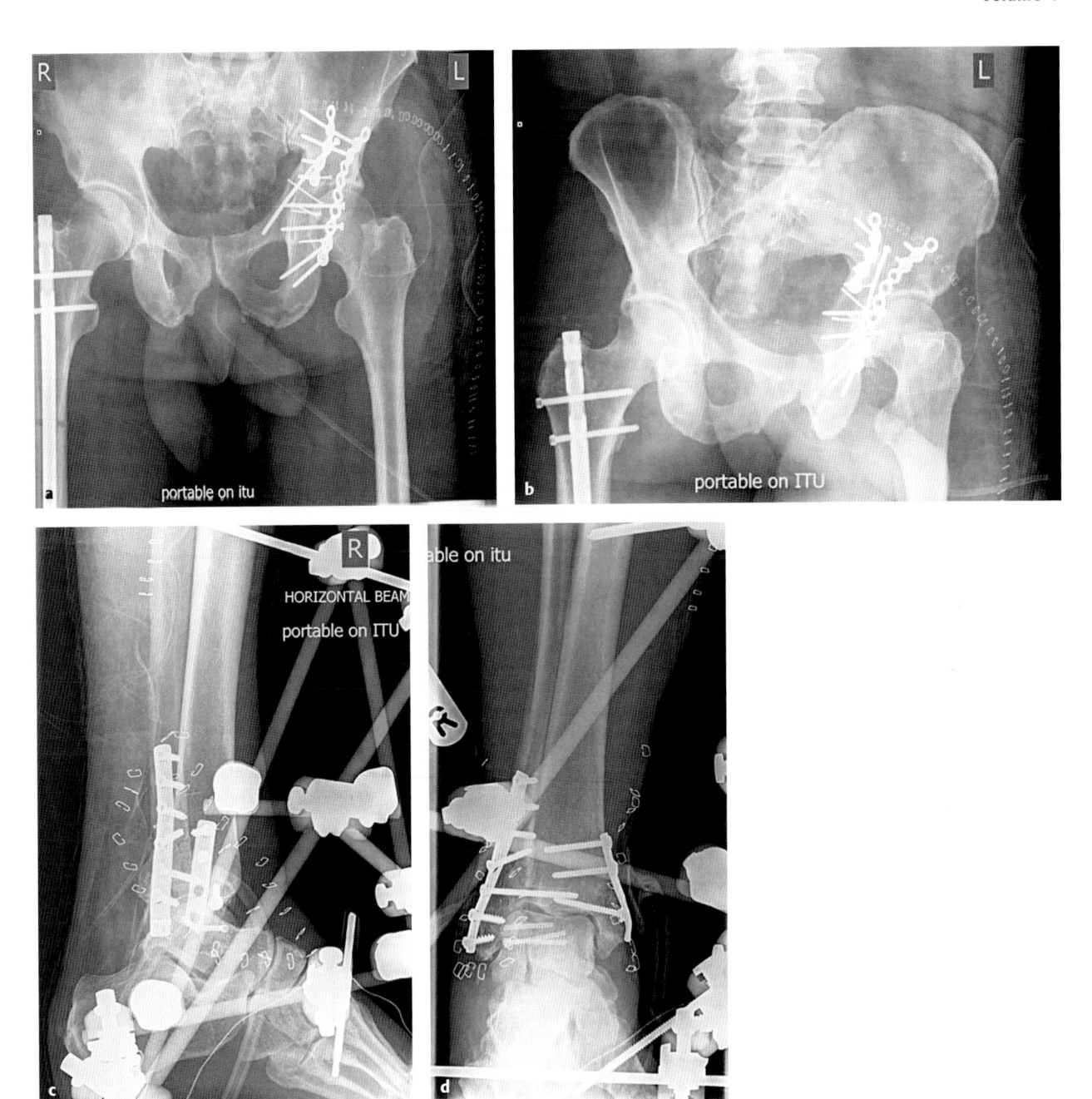

**Fig. 4.1-7a-d** Dia 7 pós-admissão: fios de Kirschner removidos do tornozelo direito; redução aberta e fixação interna feita no tálus direito, do acetábulo esquerdo e no joelho direito, com enxerto de pele superficial no joelho direito. Radiografias mostrando a estabilização definitiva da fratura do acetábulo (**a-b**) e da fratura do tornozelo e tálus à direita (**c-d**).

Tópicos gerais
## 4.1 Politraumatismo: fisiopatologia, prioridades e tratamento

### 6.1 Fraturas graves da pelve e controle da hemorragia

As fraturas desviadas da pelve expostas ou fechadas podem produzir hemorragia exsanguinante no retroperitônio, na cavidade peritoneal ou nos tecidos moles quando houver uma lesão por desenluvamento (p. ex., lesão de Morel-Lavallée). Esses pacientes se beneficiam com a aplicação de um imobilizador ou cinta pélvica na cena da lesão. A ressuscitação agressiva com um protocolo de transfusão maciça é essencial e deve incluir a administração inicial de ácido tranexâmico. A redução e fixação precoce do anel pélvico com um fixador externo ou uma pinça de compressão pélvica (pinça em C) podem ser feitas conforme indicado, depois da avaliação inicial e das intervenções na sala de emergência. Entretanto, um fixador pélvico (cinta) bem aplicado pode fornecer uma excelente imobilização circunferencial da pelve e eliminar a necessidade de fixação pélvica precoce. Se a resposta hemodinâmica for boa, a investigação diagnóstica pode ser completada e a reconstrução pélvica pode ser feitas como uma cirurgia estadiada.

Se o paciente permanecer instável, a fonte de hemorragia precisa ser identificada e cessada. Duas opções estão disponíveis: controle cirúrgico direto por compressão pélvica ou radiologia intervencionista e embolização. A escolha será determinada por fatores múltiplos, incluindo as instalações, a experiência e os locais de hemorragia. Se a laparotomia for necessária, a possibilidade de síndrome compartimental abdominal deve ser lembrada [26]. Depois da recuperação na unidade de terapia intensiva, um ou dois procedimentos de "revisão cirúrgica" são frequentemente necessários, seguidos pela estabilização definitiva da pelve e fechamento da parede abdominal.

### 6.2 Trauma craniencefálico com fraturas de ossos longos

> Após o trauma craniencefálico, é fundamental prevenir lesão cerebral adicional (secundária) [27] por hipotensão e hipoxemia e manter a perfusão cerebral adequada.

Os hematomas epidurais ou subdurais agudos requerem drenagem cirúrgica e hemostasia urgente. Os pacientes com trauma craniencefálico e GCS < 9 após a craniotomia podem precisar de monitoração da pressão intracraniana depois da cirurgia de emergência [28]. Dada uma boa resposta à ressuscitação, a fixação precoce da fratura tem um efeito positivo nos pacientes com lesão do encéfalo, já que facilita os cuidados de enfermagem, reduz os estímulos dolorosos (via aferente), e diminui a necessidade para sedação e analgesia.

> Não são baseadas em evidências as considerações que a fixação precoce das fraturas de ossos longos em pacientes com trauma craniencefálico poderia, nas circunstâncias recém-descritas, aumentar a taxa de mortalidade [29].

Independente do protocolo de tratamento seguido, a lesão secundária do cérebro deve ser evitada, por isso muitos neurocirurgiões recomendam o monitoramento da pressão intracraniana na UTI e durante os procedimentos cirúrgicos, visto que o cuidado agressivo da pressão intracraniana pode se relacionar com melhores desfechos. Os protocolos de tratamento devem ser baseados na avaliação clínica de cada paciente em lugar das políticas obrigatórias de tempo para a fixação das fraturas de ossos longos.

### 6.3 Lesão torácica grave com fraturas de ossos longos

O encavilhamento IM bloqueado continua sendo o padrão-ouro de tratamento para as fraturas fechadas e expostas da diáfise do fêmur. Entretanto, a instrumentação da cavidade IM aumenta a pressão IM, levando à liberação de mediadores e intravasamento de gordura (êmbolos) na circulação periférica e nos pulmões. Isso tem sido claramente demonstrado pela ecocardiografia transesofágica. O encavilhamento IM é bem tolerado por pacientes com fraturas isoladas que tenham sido completamente ressuscitados, mas pode causar mais problemas no paciente sub-ressuscitado e naqueles com lesões múltiplas, onde pode ocorrer a deterioração rápida na função pulmonar. A tomada de decisão e a escolha da técnica cirúrgica para estabilizar os ossos longos são controversas nessa situação.

Dois estudos prospectivos randomizados recentes [30, 31] foram feitos para investigar esse tópico. Em um estudo [30] feito na América do Norte, três dos 63 pacientes politraumatizados que receberam a haste fresada desenvolveram SARA, em comparação com dois de 46 pacientes no grupo não fresado. Essa diferença não foi estatisticamente significante ($p = 0,42$). Entretanto, a potência para essa diferença foi de 5% e foi calculado que 39.817 pacientes seriam necessários em cada grupo para detectar uma diferença. Os autores [30] concluíram que a incidência global de SARA era baixa com a estabilização primária das fraturas da diáfise femoral com o encavilhamento IM. Não houve diferença na incidência de SARA entre os grupos fresado e não fresado, dado o tamanho da amostra.

Em outro estudo [31] feito na Europa, pacientes politraumatizados com fraturas da diáfise femoral foram randomizados para o encavilhamento IM femoral ou fixação externa precoce (< 24 horas) e conversão mais tardia para a haste IM. Dos 165 pacientes recrutados, 94 foram submetidos ao encavilhamento IM e 71 à fixação externa. Cento e vinte e um pacientes estavam estáveis, e 44 pacientes estavam em condição limítrofe. Depois de ajustar para diferenças na gravidade da lesão inicial entre os dois grupos de tratamento, as chances de desenvolver lesão pulmonar aguda foram 6,69 vezes mais altas nos pacientes limítrofes submetidos ao encavilhamento IM em comparação com aqueles submetidos à fixação externa, $p < 0,05$. Os autores [31] concluíram que a estabilização IM da fratura do fêmur pode afetar o desfecho nos pacientes com lesões múltiplas. Em pacientes estáveis, o encavilhamento femoral primário está associado a um menor tempo de ventilação. Nos pacientes limítrofes, está associado a uma incidência mais alta de disfunção pulmonar em comparação àqueles submetidos à fixação externa e que tiveram uma conversão mais precoce para uma haste IM (**Fig. 4.1-8**) [2, 5].

### 6.3.1 Fixação da fratura de costela

O tórax instável (fratura de 3 ou mais costelas consecutivas em múltiplas localizações) é uma lesão grave do tórax, e as investigações recentes apontam que tal lesão pode ser auxiliada pela estabilização da parede torácica. A fixação das fraturas de costelas por cirurgiões ortopedistas, de trauma ou torácicos para as lesões instáveis do tórax está na atualidade sendo estudada em vários ensaios randomizados multicêntricos. A estabilização de um segmento instável com placas bloqueadas pequenas pode melhorar a função pulmonar, com menor necessidade de tempo de ventilador, UTI e controle da dor no paciente com um tórax instável. Novas pesquisas, ao longo dos próximos anos, ajudarão a dirigir os cuidados aos pacientes com tal condição potencialmente fatal [32, 33].

### 6.4 Lesões por explosão

As lesões por explosão são menos comuns que as feridas por tiro, mas seu número é cada vez maior, tanto no contexto civil quanto militar. As lesões por explosão são diferentes daquelas oriundas por tiros principalmente por causa de seus múltiplos mecanismos de lesão [34]. Elas tendem a envolver mais regiões de corpo, e geralmente tendem a apresentar mais altos escores de gravidade de lesão. Embora o tratamento cirúrgico das lesões individuais possa ser similar àquele dos outros tipos de trauma, o tratamento global de tais pacientes como indivíduos, bem como no contexto de um evento com vítimas em massa, merece consideração.

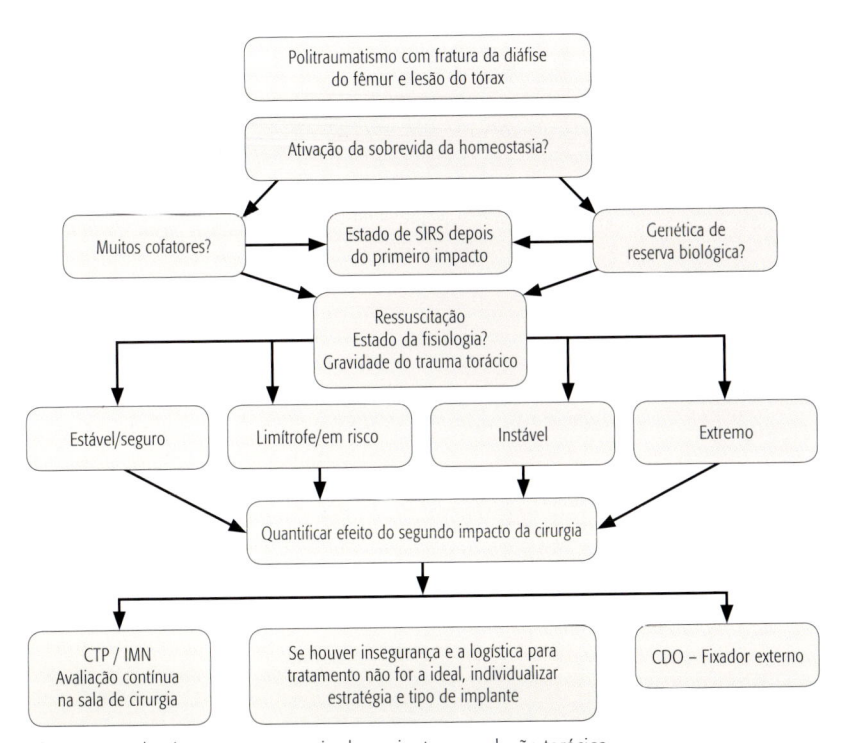

**Fig. 4.1-8** Algoritmo para o manejo de pacientes com lesão torácica.
SIRS, síndrome da resposta inflamatória sistêmica; CTP, cuidado total precoce; IMN, haste intramedular; CDO controle de danos ortopédicos.

Tópicos gerais
### 4.1 Politraumatismo: fisiopatologia, prioridades e tratamento

O efeito primário da explosão é relacionado à rápida onda de pressão criada durante a detonação de um explosivo. O local da cena e o tipo de explosivo usado têm um efeito direto sobre a gravidade das lesões. A lesão pulmonar é comum devido aos diferenciais de pressão pela interface alveolar-capilar causando ruptura, hemorragia, contusão pulmonar, pneumotórax, hemotórax, pneumomediastino e enfisema subcutâneo [35]. O segundo tipo mais comum de lesão primária por explosão é nas vísceras ocas. Os intestinos, mais comumente o cólon, são afetados pela onda de detonação. A isquemia ou o infarto mesentérico podem causar ruptura retardada do intestino grosso ou delgado; essas lesões são difíceis de detectar inicialmente. Ruptura, infarto, isquemia e hemorragia de órgãos sólidos, como fígado, baço e rim, estão geralmente associadas a forças muito altas de explosão ou proximidade do paciente com o centro da explosão [35].

Os efeitos secundários da explosão incluem o núcleo das lesões ortopédicas observadas na guerra [36] e também em ataques civis [37]. Os efeitos secundários da explosão estão relacionados a lesões penetrantes causadas por fragmentos ejetados dos explosivos e/ou por corpos estranhos impregnados dentro deles. A extensão desse efeito depende da distância do indivíduo do centro de detonação, do formato e tamanho dos fragmentos e do número de corpos estranhos implantados ou criados pelo explosivo. Em contraste com a maioria das lesões de guerra, os explosivos improvisados usados em contextos civis têm múltiplos fragmentos adicionados, incluindo parafusos, porcas, pregos e outros objetos que podem aumentar o dano causado pelas lesões penetrantes. As fraturas expostas, lesões graves de tecidos moles e lesões múltiplas penetrantes de órgãos constituem o padrão mais comum visto na vítima gravemente ferida [38].

A lesão terciária da explosão se refere ao componente traumático não penetrante da explosão. Objetos voadores ou caídos podem causar elementos traumáticos adicionais àqueles descritos acima. Quando acontece um colapso estrutural, ocorre um evento com alto nível de vítimas e de mortalidade [39].

O efeito quaternário da explosão é um recentemente adicionado, e inclui o dano térmico e químico causado pelo fogo e substâncias nocivas que ocorrem nas imediações da explosão. As explosões em espaço confinado aumentam significativamente esses tipos de lesões (**Fig. 4.1-9**) [40].

### 6.5 Salvação do membro *versus* amputação

O desenvolvimento das técnicas microcirúrgicas para transferência de tecido vascularizado livre aumentou as chances de salvar extremidades esmagadas ou membros quase amputados. No politraumatismo, tais procedimentos de salvação estão raramente indicados, já que procedimentos complexos de reconstrução demandam tempo e resultam em um significativo "segundo impacto" nos pacientes, com relevante comprometimento imune e fisiológico.

O escore de gravidade da extremidade esmagada pode ajudar na tomada de decisão [34]. Existem somente algumas raras indicações para as tentativas heroicas de salvação. Elas requerem um conceito de tratamento estagiado com debridamento inicial, revascularização, fasciotomias e fixação da fratura, seguido por debridamentos repetidos e reconstrução precoce das partes moles durante a "janela de oportunidade".

Quando a decisão for de amputar, ela deve ser feita em um nível de tecido saudável, combinada com o tratamento primário da ferida aberta. A amputação primária é um debridamento da ferida e qualquer tecido saudável deve ser preservado; o cirurgião não deve tentar adaptar retalhos nesse estágio inicial. A cirurgia retardada para construir o coto com função ideal é feita alguns dias mais tarde, quando a condição do paciente tiver se estabilizado.

### 7 Resumo

O tratamento dos pacientes politraumatizados está evoluindo e melhorando [35]. Pacientes tratados dentro de redes organizadas de trauma regional demonstram melhores desfechos. O estado fisiológico dos pacientes deve ser avaliado rapidamente, ao mesmo tempo em que é feita a ressuscitação, e a estratégia de tratamento para fraturas é agora baseada na resposta fisiológica do paciente à lesão e à ressuscitação. O CDO e o CTP devem ser complementares, e a base é selecionar a estratégia certa para o paciente certo, no tempo certo.

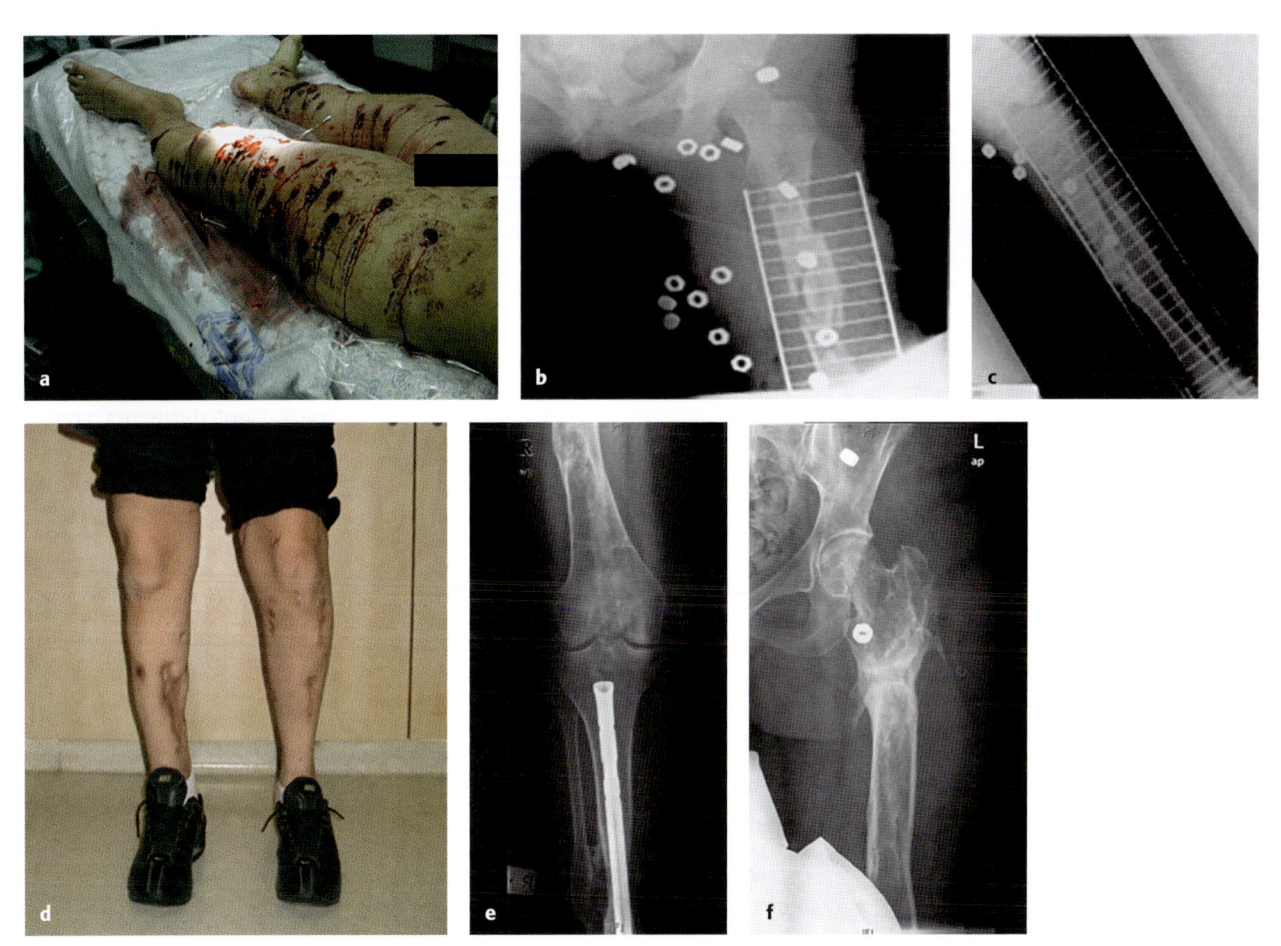

**Fig. 4.1-9a-f** As fraturas expostas intra-articulares criam dilemas de tratamento. Essas lesões estão associadas a morbidade significativa, devido a riscos aumentados de infecção, não união, consolidação viciosa, rigidez articular e possibilidade de amputação. Apesar da natureza aberta da lesão, tal como em outras fraturas articulares, a reconstrução articular e a fixação estável devem ser uma meta primária do tratamento.

a   Lesão por explosão com feridas penetrantes múltiplas de estilhaços.
b   Fratura do fêmur subtrocantérica exposta tipo IIIA de Gustilo.
c   Fratura da diáfise da tíbia exposta tipo IIIA de Gustilo.
d-f Seguimento de 2 anos; as fraturas estão consolidadas depois da redução aberta e fixação interna de ambas.

Tópicos gerais
## 4.1 Politraumatismo: fisiopatologia, prioridades e tratamento

Referências clássicas    Referências de revisão

## 8 Referências

1. **Pape HC, Lefering R, Butcher N, et al.** The definition of polytrauma revisited: an international consensus process and proposal of the new 'Berlin definition'. *J Trauma Acute Care Surg.* 2014 Nov;77(5): 780–786.

2. **Balogh ZJ, Reumann MK, Gruen RL, et al.** Advances and future directions for management of trauma patients with musculoskeletal injuries. *Lancet.* 2012 Sep 22;380(9847):1109–1119.

3. **Bone LB, Johnson KD, Weigelt J, et al.** Early versus delayed stabilization of fractures: a prospective randomized study. *J Bone Joint Surg Am.* 1989 Mar; 71(3)A:336–340.

4. **Giannoudis PV.** Surgical priorities in damage control in polytrauma. *J Bone Joint Surg Br.* 2003 May;85(4):478–483.

5. **D'Alleyrand JC, O'Toole RV.** The evolution of damage control orthopedics: current evidence and practical applications of early appropriate care. *Orthop Clin North Am.* 2013 Oct;44(4):499–507.

6. **American College of Surgeons Committee on Trauma.** Resources for the Optimal Care of the Injured Patient. Chicago: American College of Surgeons; 2006.

7. **Lord JM, Midwinter MJ, Chen YF, et al.** The systemic immune response to trauma: an overview of pathophysiology and treatment. *Lancet.* 2014 Oct 18;384(9952): 1455–1465.

8. **Giannoudis PV, Dinopoulos H, Chalidis B, et al.** Surgical stress response. *Injury.* 2006 Dec;37 Suppl 5:S3–9.

9. **Lasanianos NG, Kanakaris NK, Dimitriou R, et al.** Second hit phenomenon: existing evidence of clinical implications. *Injury.* 2011 Jul; 42(7):617–629.

10. **Sears BW, Stover MD, Callaci J.** Pathoanatomy and clinical correlates of the immunoinflammatory response following orthopaedic trauma. *J Am Acad Orthop Surg.* 2009 Apr;17(4):255–265.

11. **Giannoudis PV, Harwood PJ, van Griensven M, et al.** Correlation between IL-6 levels and the systemic inflammatory response score: can an IL-6 cutoff predict a SIRS state? *J Trauma.* 2008 Sep;65(3):646–652.

12. **Giannoudis PV, Mallina R, Harwood P, et al.** Pattern of release and relationship between HMGB-1 and IL-6 following blunt trauma. *Injury.* 2010 Dec; 41(12):1323–1327.

13. **Schöchl H, Grassetto A, Schlimp CJ.** Management of hemorrhage in trauma. *J Cardiothorac Vasc Anesth.* 2013 Aug;27(4 Suppl):S35–43.

14. **Morley JR, Smith RM, Pape HC, et al.** Stimulation of the local femoral inflammatory response to fracture and intramedullary reaming: a preliminary study of the source of the second hit phenomenon. *J Bone Joint Surg Br.* 2008 Mar;90(3): 393–399.

15. **Giannoudis PV, Tan HB, Perry S, et al.** The systemic inflammatory response following femoral canal reaming using the reamer-irrigator-aspirator (RIA) device. *Injury.* 2010 Nov;41 Suppl 2:S57–61.

16. **Patel SV, Kidane B, Klingel M, et al.** Risks associated with red blood cell transfusion in the trauma population, a meta-analysis. *Injury.* 2014 Oct;45(10):1522–1533.

17. **Huber-Wagner S, Lefering R, Qvick LM, et al.** Effect of whole-body CT during trauma resuscitation on survival: a retrospective, multicentre study. *Lancet.* 2009 Apr 25;373(9673):1455–1461.

18. **Kunio NR, Differding JA, Watson KM, et al.** Thrombelastography-identified coagulopathy is associated with increased morbidity and mortality after traumatic brain injury. *Am J Surg.* 2012 May;203(5):584–588.

19. **Ball CG.** Damage control resuscitation: history, theory and technique. *Can J Surg.* 2014 Feb;57(1):55–60.

20. **CRASH-2 collaborators, Roberts I, Shakur H, et al.** The importance of early treatment with tranexamic acid in bleeding trauma patients: an exploratory analysis of the CRASH-2 randomized controlled trial. *Lancet.* 2011 Mar 26;377(9771):1096–1101, 1101.e1–2.

21. **Hodgetts TJ, Mahoney PF, Kirkman E.** Damage control resuscitation. *J R Army Med Corps.* 2007 Dec;153(4):299–300.

22. **Moran CG, Forward DP.** The early management of patients with multiple injuries: an evidence-based, practical guide for the orthopedic surgeon. *J Bone Joint Surg Br.* 2012 Apr;94(4):446–453.

23. **Vallier HA, Wang X, Moore TA, et al.** Timing of orthopaedic surgery in multiple trauma patients: development of a protocol for early appropriate care. *J Orthop Trauma.* 2013 Oct;27(10):543–551.

24. **Goris RJ, Gimbrère JS, van Niekerk JL, et al.** Early osteosynthesis and prophylactic mechanical ventilation in the multi-trauma patient. *J Trauma.* 1982 Nov; 22(11):895–903.

25. **Giannoudis PV, Pape HC.** Damage control orthopedics in unstable pelvic ring injuries. *Injury.* 2004 Jul;35(7):671–677.

26. **Ertel W, Oberholzer A, Platz A, et al.** Incidence and clinical pattern of the abdominal compartment syndrome after "damage control" laparotomy in 311 patients with severe abdominal and/or pelvic trauma. *Crit Care Med.* 2000 Jun;28(6): 1747–1753.

27. **Chesnut RM, Marshall LF, Klauber MR, et al.** The role of secondary brain injury in determining outcome from severe head injury. *J Trauma.* 1993 Feb;34(2):216–222.

28. **Stocker R, Bernays R, Kossmann T, et al.** Monitoring and treatment of acute head injury. In: Goris RJA, Trentz O, eds. *The Integrated Approach to Trauma Care.* Berlin Heidelberg New York: Springer-Verlag;1995;96–210.

29. **Brundage ST, McGhan R, Jurkovich GT, et al.** Timing of femur fracture fixation: effect on outcome in patients with thoracic and head injuries. *J Trauma.* 2002 Feb;52(2):299–307.

30. **Canadian Orthopaedic Trauma Society.** Reamed versus unreamed intramedullary nailing of the femur: comparison of the rate of ARDS in multiple injured patients. *J Orthop Trauma.* 2006 Jul;20(6):384–387.

31. **Pape HC, Rixen D, Morley J, et al.** Impact of the method of initial stabilization for femoral shaft fractures in patients with multiple injuries at risk for complications (borderline patients). *Ann Surg.* 2007 Sep;246(3):491–499.
32. **Ollivere B.** Current concepts in rib fracture fixation. *Bone Joint.* 2016;5(5):2–7.
33. **Swart E, Laratta J, Slobogean G, et.al.** Operative treatment of rib fractures in flail chest injuries: a meta-analysis and cost-effectiveness analysis. *J Orthop Trauma.* 2017;31(2):64–70.
34. **Weil YA, Peleg K, Givon A, et al.** Penetrating and orthopaedic trauma from blast versus gunshots caused by terrorism: Israel's National Experience. *J Orthop Trauma.* 2011 Mar;25(3):145–149.
35. **Wightman JM, Gladish SL.** Explosions and blast injuries. *Ann Emerg Med.* 2001 Jun;37(6):664–678.
36. **Covey DC.** Blast and fragment injuries of the musculoskeletal system. *J Bone Joint Surg Am.* 2002 Jul;84-a(7):1221–1234.
37. **Barham M.** Blast injuries. *N Engl J Med.* 2005 Jun;352(25):2651–2653; author reply–3.
38. **Ad-El DD, Eldad A, Mintz Y, et al.** Suicide bombing injuries: the Jerusalem experience of exceptional tissue damage posing a new challenge for the reconstructive surgeon. *Plast Reconstr Surg.* 2006 Aug;118(2):383–387; discussion 388-389.
39. **Teague DC.** Mass casualties in the Oklahoma City bombing. *Clin Orthop Relat Res.* 2004 May(422):77–81.
40. **Leibovici D, Gofrit ON, Stein M, et al.** Blast injuries: bus versus open-air bombings—a comparative study of injuries in survivors of open-air versus confined-space explosions. *J Trauma.* 1996 Dec;41(6):1030–1035.
41. **Johansen K, Daines M, Howey T, et al.** Objective criteria accurately predict amputation following lower extremity trauma. *J Trauma.* 1990 May;30(5):568–572; discussion 572–573.
42. **Hildebrand F, van Griensven M, Huber-Lang M, et al.** Is there an impact of concomitant injuries and timing of fixation of Major fractures on fracture healing? A focused review of clinical and experimental evidence. *J Orthop Trauma.* 2016;30:104–112.

## 9  Agradecimentos

Agradecemos a Otmar Trentz por sua contribuição à 2ª edição de *Princípios AO do tratamento de fraturas* e a Rami Mosheiff pela seção sobre lesões por explosão.

Tópicos gerais
**4.1 Politraumatismo: fisiopatologia, prioridades e tratamento**

# 4.2 Fraturas expostas
*Rami Mosheiff*

## 1 Introdução

As fraturas expostas implicam uma comunicação entre o ambiente externo e a fratura. Quatro componentes caracterizam a lesão:

- Fratura
- Lesão de partes moles
- Comprometimento neurovascular
- Contaminação

A extensão de cada componente deve ser individualmente avaliada para se alcançar um entendimento completo da lesão, no qual vai se basear o plano de tratamento.

A melhor compreensão da patologia da fratura exposta, das técnicas de fixação de fraturas, dos cuidados dos tecidos moles e do tratamento antimicrobiano têm resultado em uma redução significativa da morbidade e da mortalidade associadas às fraturas expostas. Ainda assim, os tipos mais graves de fraturas expostas, mesmo nas mãos de experientes cirurgiões de trauma, estão carregados de complicações e desfechos ruins.

As lesões complexas, não importando a localização e a extensão, são tratadas pelo debridamento agressivo precoce. A reconstrução definitiva precoce pode ser iniciada uma vez que a deliberação sobre o que deve ser salvo ou amputado tiver sido resolvida. Isso requer experiência e habilidades especiais, cooperação de cirurgiões plásticos, vasculares e ortopedistas, equipe e serviços de apoio e equipamentos especializados em modernos centros de trauma [1].

## 2 Perspectiva histórica

O conceito do cuidado das fraturas expostas evoluiu a partir da experiência dos cirurgiões durante as guerras, datando de vários séculos. Há apenas um século, a alta taxa de mortalidade dos pacientes com fraturas expostas nos principais ossos longos com frequência levava à amputação precoce para prevenir a morte. No início da Primeira Guerra Mundial, a taxa de mortalidade por fraturas do fêmur expostas ainda ficava em mais de 70%. A natureza das lesões apresentadas no campo de batalha levou Trueta a recomendar o "tratamento fechado das fraturas da guerra" em 1939, o que incluía o tratamento da ferida aberta e o subsequente fechamento da extremidade com imobilização gessada. Trueta foi um revolucionário em sua abordagem no tratamento das lesões de tecidos moles associadas a fraturas expostas. Ao contrário da opinião geral naquele momento, ele acreditava que o maior perigo de infecção estava no músculo e não no osso. Ele recomendava o debridamento da ferida, com excisão do tecido necrótico. O seu método de deixar as feridas abertas persistiu até que experiência adicional fosse acumulada durante a Segunda Guerra Mundial. Em 1943, o uso de penicilina no campo de batalha reduziu rapidamente a taxa de sepse das feridas. Entretanto, a confiança excessiva na eficiência dos antibióticos resultou em menos ênfase no debridamento. Devido às complicações dos ferimentos inadequadamente debridados, o conceito de fechamento retardado foi adotado. Hampton recomendava o fechamento entre o 4º e o 7º dia após a ocorrência da lesão, dependendo de o ferimento estar clinicamente limpo. Os defeitos maiores continuaram sendo deixados abertos para cicatrizar por segunda intenção.

Grandes avanços durante o último século mudaram o foco do tratamento de tais lesões além da preservação da vida e do membro, para a preservação da função e a prevenção de complicações. Não obstante, não há lugar algum para complacência. Nas fraturas da tíbia expostas mais graves associadas a lesão vascular, a taxa documentada de amputação ainda ultrapassa 50% [2].

Tópicos gerais
## 4.2 Fraturas expostas

### 3 Etiologia e mecanismo da lesão

As fraturas expostas tendem a ser causadas por traumas mais graves do que as fraturas fechadas. Entretanto, as fraturas decorrentes de trauma indireto de torção com baixa energia podem penetrar a pele a partir de dentro, particularmente onde o osso fica perto da pele e não está protegido por um envelope muscular. As fraturas expostas graves geralmente ocorrem como resultado de um trauma direto de alta energia, seja por colisões de tráfego ou por quedas de altura. O grau de trauma induzido se relaciona à energia transferida pela súbita desaceleração no momento do impacto. Um exemplo comum é a fratura exposta da extremidade superior em um motociclista (**Fig. 4.2-1**). Os incidentes de alta energia frequentemente causam lesões múltiplas e graves em outras partes do corpo (cabeça, tórax e abdome), e o tratamento pode ter precedência sobre a(s) fratura(s) exposta(s) (ver Cap. 4.1).

Apesar do progresso no tratamento das fraturas e na reconstrução cirúrgica das lesões de tecidos moles, os pacientes com defeitos traumáticos graves de tecidos moles ainda representam um desafio cirúrgico significativo, requerendo uma abordagem interdisciplinar. Devido à etiologia do trauma, a lesão de tecidos moles é com frequência mais extensa do que aparenta a princípio. Essa zona de lesão deve ser definida, e os cirurgiões inexperientes tendem a menosprezar a extensão da lesão de tecidos moles, o que pode resultar na entrada do paciente pela via terapêutica errada. A estratégia de tratamento multidisciplinar, incluindo o momento para lesões complexas das extremidades, é guiada pelo padrão da lesão, pelo tempo de isquemia e pela condição geral do paciente.

A **lesão por esmagamento** ocorre quando uma força é aplicada a uma porção imobilizada do corpo. A isquemia localizada pode ocorrer conforme os vasos são ocluídos pela pressão externa. A lesão por esmagamento de músculos é frequentemente associada a efeitos sistêmicos da isquemia e pode resultar em grave distúrbio eletrolítico e mioglobinúria. Os efeitos sistêmicos estão diretamente relacionados à gravidade e duração do dano tecidual. Eles se manifestam como uma fase isquêmica seguida por reperfusão da área lesionada, uma vez que a pressão seja aliviada (lesão de isquemia-reperfusão). Os produtos da morte celular, então, vão para a circulação, causando toxicidade direta a órgãos como cérebro, pulmões ou rins.

As **lesões penetrantes** incluem um amplo espectro de lesões de partes moles, desde punhaladas de baixa energia até a devastação sistêmica de lesões bélicas por explosão. A efetividade de qualquer arma específica conta com a sua capacidade para dissipar energia cinética ao tecido recipiente (**Fig. 4.2-2**). A gravidade da lesão está intimamente relacionada às estruturas afetadas e à sua localização, ao grau de dissipação de energia, ao comportamento do objeto penetrante dentro do tecido e ao grau e tipo de contaminação. Estes determinam a quantidade do dano, a mortalidade e a incapacidade em longo prazo. É imperativo entender os mecanismos que levam a essas lesões e à patologia associada.

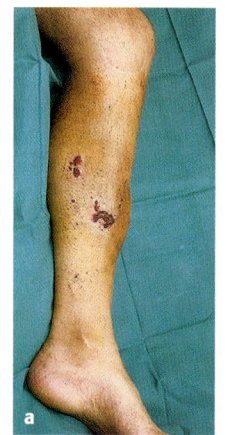

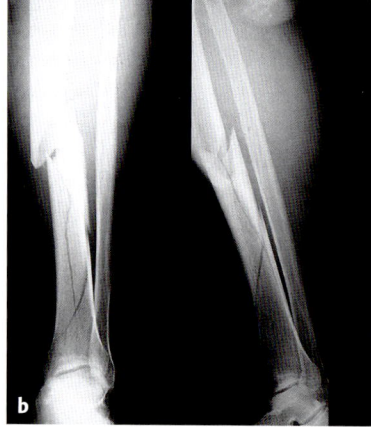

**Fig. 4.2-1a-b**  Fratura exposta da tíbia depois de lesão de alta energia por motocicleta.
**a**  Ferimento cutâneo de tamanho moderado no aspecto medial da perna com algum desenluvamento fechado da pele.
**b**  Fratura complexa da tíbia.

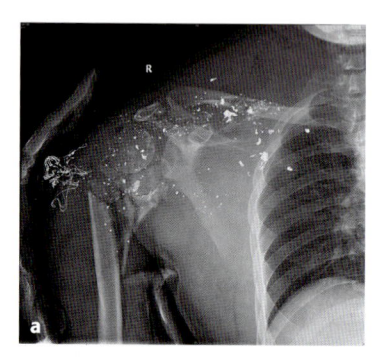

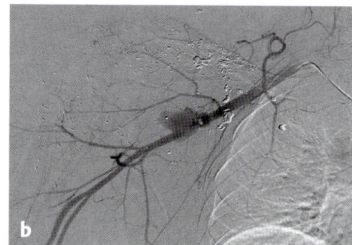

**Fig. 4.2-2a-b**  A gravidade do dano resultante de uma lesão por arma de fogo é relacionada à quantidade de energia dissipada na hora do impacto.
**a**  O tiro pode resultar em dano musculoesquelético grave, como nessa lesão no ombro por disparo à queima-roupa de rifle de velocidade alta.
**b**  As lesões vasculares são comuns nas feridas por tiro de alta energia e devem ser ativamente excluídas.

Princípios AO do tratamento de fraturas
**Volume 1**

As **explosões** resultam em alta morbidade e mortalidade. Em conflitos recentes, as lesões no sistema musculoesquelético responderam por 54-70% das lesões, e até 78% dessas eram relacionadas a explosões. A lesão ao corpo humano ocorre quando a expansão rápida de gás que circunda o ponto de explosão propaga uma onda de choque supersônica em todas as direções a partir da explosão. O espectro das lesões relacionadas a explosões é categorizado conforme o mecanismo (**Fig. 4.2-3**).

As forças de cisalhamento causam a ruptura da pele na maioria das áreas do corpo. Essas lesões são causadas pela alta energia e são frequentemente associadas a lesões nos tecidos mais profundos, incluindo fraturas, ruptura de inserções musculares, ruptura de nervos e avulsão de vasos. Esse desenluvamento multiplanar deve ser reconhecido e tratado por avaliação sistemática e debridamento de cada camada de tecido (**Fig. 4.2-4**).

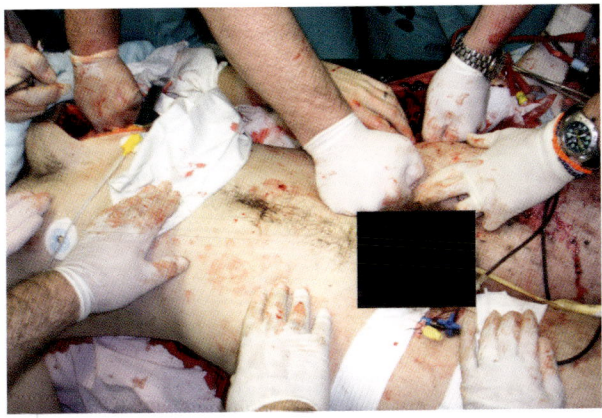

**Fig. 4.2-3** As lesões por explosão são diferentes dos tiros, principalmente por causa de seus mecanismos múltiplos de lesão. Elas tendem a envolver mais regiões do corpo e geralmente apresentam escores de gravidade mais altos.

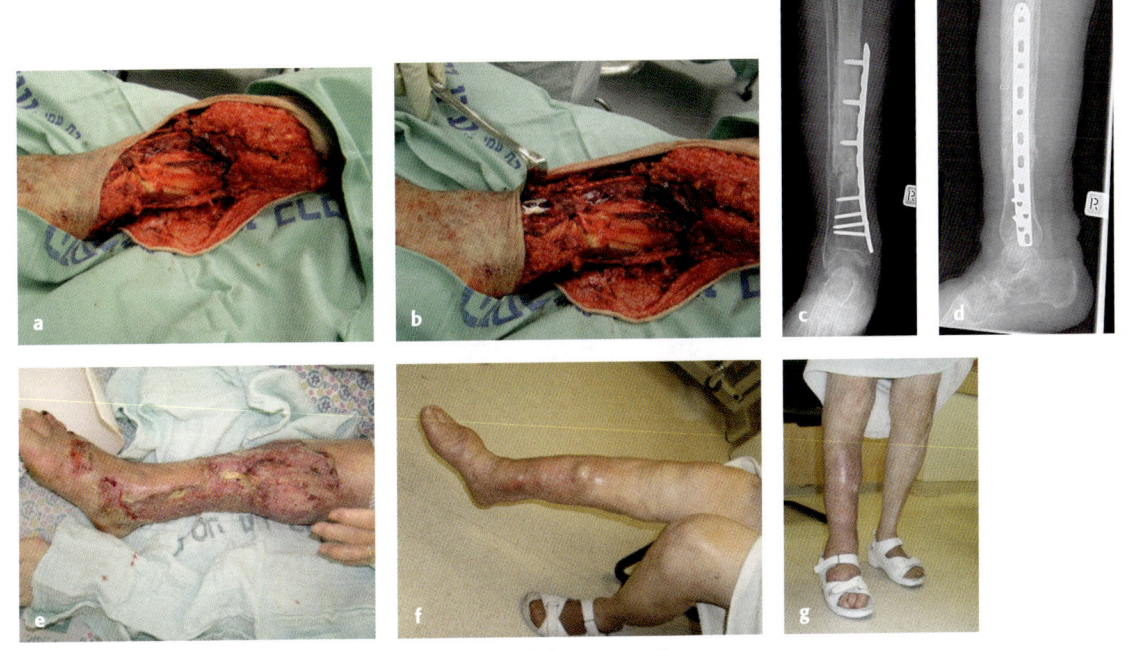

**Fig. 4.2-4a-g** Paciente de 80 anos de idade que foi atropelado por um ônibus.
**a-b** A força de cisalhamento de alta energia resultou em uma ruptura significativa de tecidos moles.
**c-e** A técnica de "fixar e cobrir" foi implementada: redução aberta e a fixação com placa de compressão bloqueada da fratura da tíbia que foi coberta por um retalho de rotação. Os repetidos debridamentos e enxertos de pele foram necessários devido à lesão grave de tecidos moles.
**f-g** Dois anos depois da lesão, a fratura consolidada e os tecidos moles cicatrizados são mostrados.

Tópicos gerais
4.2   Fraturas expostas

## 4   Epidemiologia

A frequência das fraturas expostas observadas em qualquer área varia de acordo com fatores geográficos e socioeconômicos, tamanho da população e sistema de atendimento ao trauma. A incidência de fraturas expostas em Edimburgo, na Escócia, foi documentada em detalhes [3]. Essa unidade trata todas as fraturas em uma população mista urbana e rural, e a frequência de fraturas expostas foi de 21 a cada 100.000 pessoas por ano (**Tab. 4.2-1**). A taxa mais alta de fraturas expostas diafisárias foi vista na tíbia (22%), seguida pelo fêmur (12%), rádio e ulna (9%) e úmero (6%). Nos ossos longos, as fraturas expostas foram muito mais comuns na diáfise do que na metáfise (15 vs. 1%).

Em um estudo de 15 anos depois, o mesmo grupo revisou 2.386 fraturas expostas [4]. A maioria das fraturas expostas era o resultado de lesões de baixa energia, com somente 22% causadas por acidentes de tráfego na estrada ou quedas de altura. As fraturas expostas de grande energia eram mais comuns em homens mais jovens, e as fraturas expostas de baixa energia eram mais comuns em mulheres mais velhas. Esses dados são provavelmente similares em outros países desenvolvidos, mas serão diferentes em países emergentes que apresentam diferenças em demografia e condições sociais.

O peso das fraturas expostas nos conflitos militares é muito mais alto. Em um estudo epidemiológico recente [5], um total de 1.281 soldados apresentaram 3.575 feridas por combate nas extremidades. Destas, 53% eram feridas penetrantes de tecidos moles e 26% eram fraturas. As 915 fraturas estavam uniformemente distribuídas entre as extremidades superiores (461 [50%]) e inferiores (454 [50%]), e 82% eram fraturas expostas. A fratura mais comum na extremidade superior era na mão (36%) e, na extremidade inferior, na tíbia e fíbula (48%). As munições explosivas responderam por 75% dos mecanismos de lesão.

**Tabela 4.2-1**  Frequências relativas das fraturas expostas [3]

| Localização | Total de fraturas | Fraturas expostas (n) | Fraturas expostas (%) |
|---|---|---|---|
| Membro superior | 15.406 | 503 | 3,3 |
| Membro inferior | 13.096 | 488 | 3,7 |
| Cintura escapular | 1.448 | 3 | 0,2 |
| Pelve | 942 | 6 | 0,6 |
| Coluna vertebral | 683 | 0 | 0,0 |
| Total | 31.575 | 1.000 | 3,17 |

## 5   Microbiologia

O efeito imediato de uma lesão de alta velocidade que produz uma fratura exposta é a contaminação dos tecidos moles e rígidos. Além disso, pode haver choque hipovolêmico, reduzindo ainda mais o suprimento sanguíneo para ossos e músculos. O resultado é a oxigenação deficiente de tecidos e a desvitalização de partes moles e ossos, o que produz um meio perfeito para multiplicação bacteriana e infecção.

Na prática civil, a maioria das infecções agudas após as fraturas expostas é causada por patógenos adquiridos no hospital (infecção nosocomial). Gustilo e Anderson [6] relataram em 1976 que a maior parte das infecções em seu estudo prospectivo de 326 fraturas expostas se desenvolveu secundariamente. Quando deixadas abertas por um período estendido (≥ 2 semanas), os ferimentos estavam propensos a contaminantes nosocomiais, como espécies de *Pseudomonas* e outras bactérias Gram-negativas. Patzakis e colaboradores [7] relataram que somente 18% das infecções eram causadas pelo mesmo microrganismo inicialmente isolado nas culturas transoperatórias. Isso contrasta com uma correlação de 73% em um estudo anterior [7]. Por conseguinte, não há nenhum benefício em obter culturas pré-operatórias ou intraoperatórias de feridas de fraturas expostas de tíbia. Adicionalmente, a cultura pós-debridamento das feridas falhou em isolar o microrganismo infectante em 58% dos casos [8]. Desse modo, as culturas iniciais de feridas pós-fratura também não são recomendadas. Em geral, amostras múltiplas de culturas da ferida (cinco ou mais) devem ser obtidas de tecidos profundos, usando técnicas estéreis, quando estiverem presentes sinais clínicos de infecção. Esse fenômeno das bactérias adquiridas no hospital e o seu papel proeminente na patogênese da infecção enfatiza a importância das medidas de controle da infecção e a cobertura precoce da ferida (5-7 dias).

Muitos fatores contribuem para o desfecho final de uma fratura exposta. Diabetes [9], soropositividade de HIV [10] e tabagismo [11] estão associados a retardo de consolidação e a taxas mais altas e maior gravidade das infecções. É importante considerar esses fatores no plano de tratamento e ao aconselhar os pacientes sobre seu prognóstico. Uma consultoria médica ou especializada apropriada para otimizar o controle glicêmico ou para iniciar o tratamento do HIV, bem como o aconselhamento na cessação do tabagismo, podem melhorar o desfecho.

## 6  Classificação

A classificação das fraturas expostas deve ser abrangente e baseada no mecanismo da lesão, na gravidade do dano aos tecidos moles, no padrão de fratura e no grau de contaminação.

A classificação das fraturas expostas descrita por Gustilo e Anderson [6], e mais tarde modificada por Gustilo e colaboradores [12], é o sistema mais frequentemente citado na literatura contemporânea e é usado amplamente. As fraturas expostas são divididas em três tipos, em ordem ascendente de gravidade, com base no dano cutâneo e de tecidos moles (**Tab. 4.2-2**). Uma modificação posterior subdividiu as lesões do tipo III com base no grau de contaminação, na extensão do desnudamento periosteal e na presença de lesão arterial (**Fig. 4.2-5, Tab. 4.2-3**).

Essa classificação é relativamente simples e permanece uma ferramenta útil, embora não muito precisa. Ela foi validada no que se relaciona ao tempo para consolidação, incidência de não união e na necessidade de enxerto ósseo. Sua principal desvantagem deriva da natureza subjetiva da descrição da lesão, resultando em alta variabilidade interobservador [13].

**Tabela 4.2-2**  Classificação de Gustilo e Anderson das fraturas expostas [6]

| Tipo | Descrição |
|---|---|
| I | Ferida cutânea < 1 cm |
|  | Limpa |
|  | Padrão de fratura simples |
| II | Ferida cutânea > 1 cm |
|  | Dano não extenso de partes moles |
|  | Sem retalhos ou avulsões |
|  | Padrão de fratura simples |
| III | Lesão de alta energia envolvendo extenso dano de tecidos moles |
|  | Ou fratura multifragmentada, fraturas segmentares, ou perda óssea independentemente do tamanho do ferimento da pele |
|  | Ou lesão graves por esmagamento |
|  | Ou lesão vascular necessitando de reparo |
|  | Ou contaminação grave, incluindo lesões rurais |

**Tabela 4.2-3**  Classificação de Gustilo das fraturas expostas tipo III [6]

| Tipo | Descrição |
|---|---|
| IIIA | Cobertura óssea adequada apesar de extenso dano de tecidos moles |
| IIIB | Extensa lesão de tecidos moles com desnudamento periosteal e exposição óssea |
|  | Contaminação importante da ferida |
| IIIC | Fratura exposta com lesão arterial necessitando de reparo |

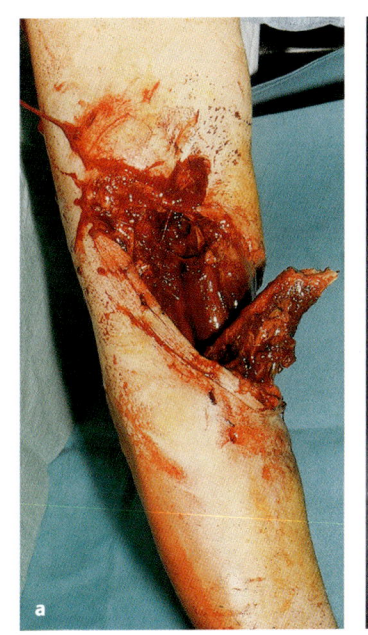

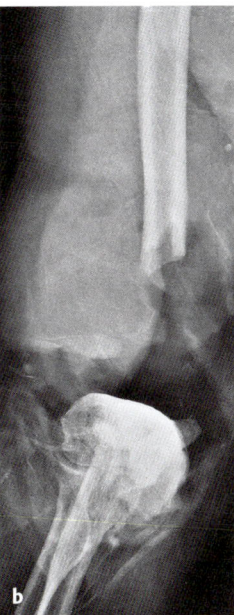

**Fig. 4.2-5a-b**  Fratura exposta distal do úmero tipo IIIC de Gustilo depois de uma colisão de alta energia em veículo automotor. Houve ruptura da artéria e da veia braquial e uma neuropraxia dos nervos mediano, radial e ulnar (12C3/PA4-MT4-NV4).

Bowen e Widmaier [14] estudaram 174 pacientes com fraturas expostas dos ossos longos e verificaram que a classificação de Gustilo e Anderson, a idade e o número de comorbidades eram preditores significativos de infecção. Os pacientes foram divididos em três classes com base na presença ou ausência de 14 fatores médicos e de imunocomprometimento, incluindo a idade de 80 anos ou mais, tabagismo, diabetes, doença maligna, insuficiência pulmonar e imunodeficiência sistêmica. As taxas de infecção foram de 4% para pacientes da classe A (sem fatores de comprometimento), 15% para pacientes da classe B (1 ou 2 fatores de comprometimento) e 31% para pacientes da classe C (3 ou mais fatores de comprometimento).

Outros sistemas de classificação têm sido propostos. A Classificação AO/OTA de Fraturas e Luxações é detalhada e incorpora a Classificação Müller AO/OTA de fraturas em ossos longos. Ela fornece sistemas de pontuação para as lesões da pele, músculos e tendões e dano neurovascular, sendo cada um dividido em cinco graus de gravidade (ver Cap. 1.4). É projetada para fornecer uma definição abrangente da lesão e permitir uma comparação acurada. Quando usada em um grande banco de dados, essa comparação permite a classificação mais acurada dos tipos de lesão, tornando-a uma ferramenta de pesquisa útil. Entretanto, a sua complexidade pode torná-la impraticável na prática clínica diária.

> A classificação das fraturas expostas é realizada mais confiavelmente na sala de cirurgia, na consumação do cuidado primário e debridamento da ferida.

## 7 Metas do tratamento

O tratamento das lesões de alta energia é direcionado à preservação da vida, do membro e da função, nessa ordem de prioridade. Os objetivos intermediários são:

- Prevenção de infecção
- Estabilização da fratura
- Cobertura de tecidos moles

Como essas metas são interdependentes, um plano de tratamento coordenado com intervenção cirúrgica precoce é necessário. A restauração da função normal é extremamente difícil de alcançar na presença de síndrome compartimental, isquemia, ou lesão nervosa ou muscular. A coordenação dos procedimentos de reconstrução com a reabilitação do membro lesionado é obrigatória para se obter a máxima função possível.

Os princípios de tratamento básico estabelecidos na segunda metade do século XX permanecem essencialmente inalterados:

- Tratamento de emergência inicial: imobilização temporária da fratura, curativo da ferida, terapia com antibióticos, imunização para o tétano
- Tratamento cirúrgico primário: debridamento, irrigação e estabilização da fratura
- Tratamento cirúrgico retardado: fechamento/cobertura da ferida dentro de uma escala de tempo apropriada
- Reabilitação e acompanhamento

Outras modalidades de tratamento adjuvantes podem ser aplicadas onde for apropriado como administração local de antibióticos, terapia auxiliada por vácuo, ou cobertura por retalho. As áreas de controvérsia incluem o momento da cirurgia definitiva, o tipo e a duração da administração de antibióticos e as indicações para o uso dos tratamentos adjuvantes mais recentes.

## 8 Cuidado da fratura exposta

Para se alcançar essas metas, é necessário uma abordagem de tratamento disciplinado, lógico e sequencial. Ele começa com um bom cuidado pré-hospitalar, seguido pela avaliação cuidadosa e julgamento clínico maduro no departamento de emergência e na sala de cirurgia. A intervenção cirúrgica primária está focada na prevenção de infecção pelo debridamento estadiado da ferida e pela estabilização da fratura. Os procedimentos cirúrgicos secundários abordam a cobertura cutânea inicial e a reconstrução de tecidos moles, junto com a reconstrução óssea. A reabilitação com movimento e mobilização precoce é iniciada assim que possível como uma parte integral desse protocolo de tratamento estadiado (**Tab. 4.2-4**).

**Tabela 4.2-4** Estágios do cuidado de fraturas expostas

| | | |
|---|---|---|
| 1 | Avaliação inicial | ABCs (de acordo com o ATLS) |
| | | Manejo no departamento de emergência |
| | | Curativo da ferida e imobilização da fratura |
| 2 | Operações primárias | Debridamento da ferida |
| | | Estabilização da fratura |
| 3 | Operações secundárias | Reconstrução de pele e de tecidos moles |
| | | Reconstrução óssea |
| 4 | Reabilitação | |

Siglas: ABC, via aérea, respiração, circulação; ATLS, suporte avançado de vida no trauma.

Para o tratamento de fraturas expostas complexas, é necessário uma equipe multidisciplinar, incluindo cirurgiões ortopedistas e plásticos [15]. Os hospitais que carecem de uma equipe com a competência requerida para tratar fraturas expostas complexas devem ter acordos para o encaminhamento imediato para o centro especializado mais próximo. O tratamento cirúrgico primário (debridamento da ferida e estabilização esquelética) de tais lesões complexas acontece no centro especializado sempre que possível. Em alguns países avançados, os centros especializados para o tratamento das fraturas expostas graves são organizados de forma regional, como parte de um sistema de trauma regional. Geralmente, esses centros também fornecem o serviço regional para os traumas significativos.

As características de uma lesão exposta que requer encaminhamento imediato a um centro especializado são:

- Padrões de fratura:
  - Fratura transversa ou oblíqua curta da tíbia, com fratura em um nível similar da fíbula
  - Fraturas multifragmentadas da tíbia com fratura(s) da fíbula em um nível similar
  - Fraturas segmentares da tíbia
  - Fraturas com perda óssea
- Padrões de lesão de partes moles:
  - Perda de pele em tal extensão que um fechamento direto e sem tensão não é possível
  - Desenluvamento
  - Lesão muscular que demanda excisão de músculo desvitalizado
  - Lesão a uma ou mais das artérias principais da perna

O centro especializado precisa:

- Fornecer instalações de cuidados intensivos e de trauma para o paciente com lesões múltiplas
- Incluir a cirurgia de trauma ortopédico com especial competência em fraturas complexas e reconstrução óssea
- Incluir cirurgia plástica e microvascular com experiência na reconstrução vascular
- Providenciar instalações para o debridamento simultâneo por equipes cirúrgicas de ortopedia e plástica
- Garantir o planejamento da estratégia de tratamento ortopédico e de cirurgia plástica para assegurar um atendimento eficiente e otimizado ao paciente
- Prover sessões de sala de cirurgia para o tratamento combinado de ortopedia e plástica
- Incluir a consultoria em microbiologia e doenças infecciosas com experiência em infecção musculoesquelética
- Incluir instalações para imagens musculoesqueléticas com angiografia e radiologia intervencionista de emergência
- Fornecer um serviço ou ter acesso a adaptações de membros artificiais e reabilitação para amputados
- Ter acesso a serviços de reabilitação física e psicossocial
- Incluir uma auditoria de desfechos como parte da rotina dos atendimentos
- Visar atingir o atendimento de 30 casos por ano para manter os níveis apropriados de habilidade e experiência
- Oferecer visitas multidisciplinares nas enfermarias e clínicas ortoplásticas combinadas

## 8.1 Avaliação inicial e tratamento

Ao avaliar um paciente com lesão de alta energia da extremidade, a primeira prioridade é identificar e tratar as lesões potencialmente fatais. A sobrevivência do paciente é a meta primordial, e mesmo uma lesão grave de membro deve ser mantida dentro dessa perspectiva do "paciente como um todo". Quando as condições potencialmente fatais imediatas tiverem sido tratadas, a avaliação da viabilidade do membro lesionado deve seguir.

A avaliação de qualquer extremidade traumatizada deve incluir:

- História e mecanismo da lesão
- Estado vascular e neurológico da extremidade
- Tamanho da ferida na pele
- Esmagamento ou perda muscular
- Desnudamento periosteal e vascularização óssea
- Padrão de fratura, fragmentação e/ou perda óssea
- Contaminação
- Síndrome compartimental

A avaliação meticulosa desses componentes permite ao cirurgião dar uma descrição precisa da lesão.

Alguns dos componentes da lesão são imediatamente evidentes; a avaliação dos outros somente pode ser executada no momento do debridamento inicial ou nos debridamentos subsequentes.

> A avaliação é um processo constante, com reavaliação contínua.

O tratamento começa na cena do trauma, onde a equipe pré-hospitalar deve imobilizar o membro e proteger o ferimento com um curativo estéril. Depois disso, para proteger o ferimento da contaminação bacteriana adicional, o curativo deve ser perturbado o mínimo possível.

A condição vascular pode ser avaliada por meio dos pulsos, enchimento capilar, cor do membro, temperatura e a presença de sangramento nos ferimentos. O sinal clínico mais importante é a presença ou a ausência de pulsos. Pode haver circulação colateral suficiente para a pele permanecer rósea, embora haja isquemia crítica dos músculos subjacentes. A avaliação com Doppler do índice

Tópicos gerais
## 4.2 Fraturas expostas

tornozelo-braquial pode ser útil (> 0,9 é normal). Uma angiotomografia pode também ser necessária, mas não deve retardar o tratamento.

No departamento de emergência, somente pode ser executada uma avaliação superficial das lesões de tecidos moles. A história, as dimensões e o local de todos os ferimentos abertos devem ser registrados. A fotografia do ferimento aberto ajuda a documentar as suas características (**Fig. 4.2-6**) e previne exames múltiplos que aumentam o risco de contaminação bacteriana.

> As fraturas expostas podem passar despercebidas se o médico examinador não elevar a extremidade para inspecioná-la circunferencialmente.

Os corpos estranhos superficiais como folhas e grama que são imediatamente acessíveis devem ser removidos do ferimento antes de ele ser coberto. O cirurgião deve usar uma técnica estéril para minimizar a contaminação do ferimento durante a fase de inspeção inicial. O curativo estéril deve ser aplicado ao ferimento e não deve ser removido até que o paciente esteja na sala de cirurgia. O membro alinhado é, então, colocado em uma tala bem acolchoada.

Os pulsos devem ser documentados antes e depois do alinhamento. Eles frequentemente melhoram com o realinhamento; pulsos persistentemente diminuídos podem indicar lesão vascular e necessidade de avaliação com Doppler ou arteriografia. A função motora e a sensibilidade do pé e da perna devem ser documentadas sempre que possível. A profilaxia do tétano deve ser fornecida em qualquer fratura exposta.

## 8.2 Antibióticos
### 8.2.1 Administração sistêmica

A maioria dos ortopedistas trata o trauma grave e exposto da extremidade com antibióticos que cobrem tanto microrganismos Gram-positivos quanto Gram-negativos. As cefalosporinas de primeira geração reduzem as taxas de infecção no tratamento das fraturas expostas [7, 16] e as diretrizes são dadas no Capítulo 4.5, mas cada instituição deve ter aconselhamento sobre a microbiologia local para o tratamento empírico apropriado, já que a resistência aos antibióticos varia de unidade para unidade. O uso de um agente adicional direcionado a microrganismos Gram-negativos (gentamicina ou equivalente) permanece controverso, exceto nos casos de ferimentos gravemente contaminados, como aqueles que ocorrem no estábulo. A administração "profilática" inicial de antibióticos não deve exceder 72 horas para evitar a seleção de cepas bacterianas resistentes.

### 8.2.2 Administração local

Em uma série de 1.085 fraturas expostas, foi demonstrado que o uso adicional local de pérolas de polimetilmetacrilato (PMMA) impregnadas de aminoglicosídeos reduziu significativamente a taxa de infecção global para 3,7% em comparação a 12% quando somente antibióticos intravenosos foram usados [17]. Quando os tipos de fraturas expostas foram separadamente analisados, a redução de infecção foi estatisticamente significante apenas nas fraturas tipo III de Gustilo (6,5 vs. 20%, respectivamente, para pérolas de PMMA e antibióticos intravenosos).

As vantagens da técnica da "pérola de cimento" incluem:

- Alta concentração local de antibióticos
- Baixa concentração sistêmica, que protege o paciente dos efeitos adversos dos aminoglicosídeos
- Necessidade reduzida de uso de aminoglicosídeos sistêmicos

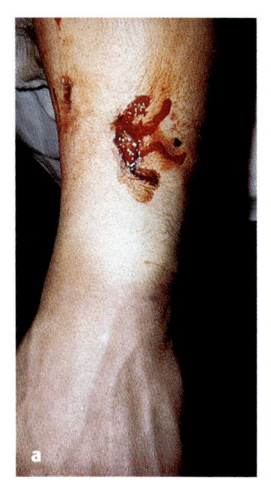

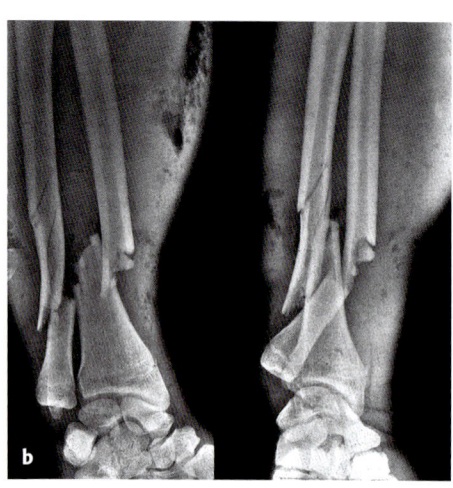

**Fig. 4.2-6a-b** É importante documentar a lesão com uma fotografia. Há uma pequena lesão após o esmagamento do antebraço com uma fratura do rádio e da ulna (2R2C3, 2U2C3). Note a mão isquêmica, distal à ferida, indicando uma lesão vascular.

O cimento de PMMA é o veículo de carga de antibiótico mais usado. Geralmente, 40 g de PMMA são misturados com 3,6 g de tobramicina, moldados em esferas de 5-10 mm, e amarradas com fio de sutura não absorvível ou aço. Alternativamente, um bloco espaçador de cimento pode ser formado para a colocação em um defeito ósseo segmentar. Mais frequentemente, os aminoglicosídeos são usados por causa de sua atividade de amplo espectro e estabilidade ao calor; entretanto a vancomicina e as cefalosporinas também têm sido usadas. Com o apoio da farmácia hospitalar, essas pérolas podem ser preparadas estéreis e em embalagens para uso imediato. Essa técnica reduz a contaminação bacteriana secundária por patógenos nosocomiais, que demonstraram ser responsáveis por muitas das infecções nas fraturas expostas do tipo III de Gustilo.

Mais recentemente, a liberação local de antibióticos por veículos bioabsorvíveis, como sulfato de cálcio, matriz óssea desmineralizada e coágulos de fibrina, tem se mostrado promissora na prevenção de infecções em modelos animais [18]. Esses veículos de aporte eliminam a necessidade de remoção do cimento com PMMA e podem reduzir o número ou o volume de autoenxertos, enquanto fornecem material osteocondutor e/ou osteoindutor para ajudar na consolidação da fratura.

### 8.3 Momento da cirurgia

Os objetivos da intervenção cirúrgica inicial são:

- Preservação da vida e do membro
- Descontaminação da ferida por debridamento e lavagem
- Avaliação definitiva da lesão
- Estabilização da fratura

Os estágios do tratamento da fratura exposta na sala de cirurgia estão demonstrados na **Tabela 4.2-5**.

O tratamento cirúrgico das fraturas expostas é geralmente considerado uma emergência cirúrgica. A maioria dos cirurgiões tenta levar os pacientes com fraturas expostas à sala de cirurgia dentro de 6-8 horas do momento da lesão. Acredita-se que essta intervenção precoce reduza o risco de infecção e de outras complicações. A regra de 6-8 horas é baseada em informações científicas básicas, que sugerem que as feridas contaminadas não tratadas dentro desse período de tempo terão apresentado multiplicação bacteriana suficiente para resultar em infecção precoce. Entretanto, faltam evidências clínicas para a "regra das 6 horas", e alguns sistemas de atendimento têm aceitado que um retardo da cirurgia pode ser aceitável se isso permitir a execução da cirurgia primária por uma equipe especializada de ortopedistas e cirurgiões plásticos que também fornecerão o tratamento definitivo [19].

### 8.4 Cirurgia primária

#### 8.4.1 Debridamento e irrigação

A avaliação definitiva da lesão é completada na sala de cirurgia, com o paciente sob anestesia. O membro é reexaminado clinicamente e raios X adicionais são obtidos conforme necessário. As imagens com tração podem ser úteis e é melhor obter radiografias formais do osso inteiro em vez de incidências cônicas com um intensificador de imagem. O membro é limpo com uma "escova de trauma". Isso envolve a escovação do membro com sabão e soro fisiológico para remover qualquer sujeira grosseira, fragmentos e contaminação. O membro é então formalmente preparado e isolado com campos.

O conceito da "zona de lesão" é importante, pois delineia as dimensões verdadeiras do ferimento, em vez da ferida cutânea, que é meramente a janela pela qual o ferimento verdadeiro se comunica com o exterior (**Fig. 4.2-7**). Em muitos casos, essa janela pode ser pequena, enquanto a zona subjacente de lesão de partes moles é grande. Isso é particularmente verdadeiro em fraturas que tenham ampla cobertura muscular (p. ex., fraturas da diáfise do fêmur ou do úmero, ferimentos posteriores com fraturas da tíbia).

| Tabela 4.2-5 | Estágios do tratamento da fratura exposta na sala de cirurgia |
|---|---|
| Avaliação | Avaliação da ferida e do membro, incluindo radiografias com tração e planejamento |
| Tratamento da ferida | Escovação do membro |
| | Preparação cirúrgica e colocação de campos |
| | Debridamento cirúrgico da ferida |
| | Lavagem da ferida |
| Tratamento da fratura | Preparação cirúrgica e colocação de campos: reescovação |
| | Estabilização da fratura |
| | Curativo da ferida e imobilização |

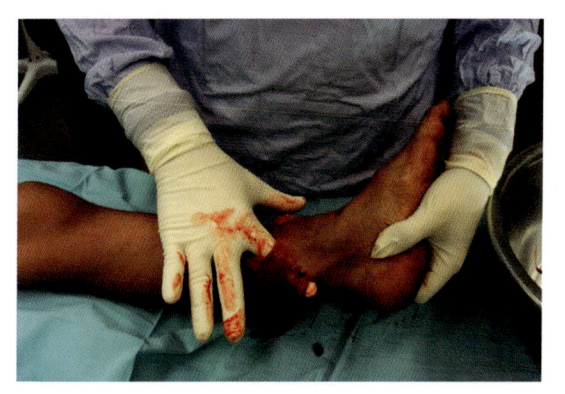

**Fig. 4.2-7** Sem a avaliação detalhada da ferida, uma análise completa da extensão verdadeira da zona de lesão torna-se impossível.

Tópicos gerais
## 4.2 Fraturas expostas

**O tratamento cirúrgico inicial deve ser feito por um cirurgião experiente: foi demonstrado que o debridamento inicial inadequado contribui para desfechos ruins das fraturas expostas.**

Isso frequentemente requer a ampliação cirúrgica da ferida, que deve ser planejada cuidadosamente para minimizar qualquer dano adicional, além de levar em conta a fixação planejada (**Fig. 4.2-8**) e os potenciais procedimentos de cirurgia plástica para a cobertura da ferida. Na tíbia, recomenda-se que as incisões sejam estendidas horizontalmente até a "linha de fasciotomia" mais próxima, com extensões verticais adicionais junto a essas linhas. Essa técnica preserva os vasos perfurantes e maximiza as opções de reconstrução para o cirurgião plástico.

A meta do debridamento cirúrgico e da irrigação da ferida é remover qualquer material estranho, todo o tecido mole desvitalizado e pedaços soltos de osso, e reduzir a carga bacteriana. O debridamento começa com a excisão cuidadosa das margens cutâneas da ferida. O tecido subcutâneo, a fáscia e o músculo são então metodicamente debridados conforme necessário para produzir uma ferida limpa e viável. O músculo de viabilidade duvidosa deve ser ressecado até o tecido saudável conforme a avaliação pela cor, consistência, capacidade de sangramento e contratilidade. As estruturas neurovasculares principais devem ser preservadas e reparadas, se necessário.

As extremidades ósseas devem ser abertas e cuidadosamente limpas e aproximadas.

O ferimento é, então, irrigado com soro aquecido ou solução de Ringer em uma tentativa adicional de reduzir a carga bacteriana. Feridas maiores se beneficiam de volumes maiores de irrigação. A recomendação tradicional de 10 L é razoável para as feridas abertas tipo III de Gustilo.

**No término do debridamento e da irrigação, a lesão deve ser reavaliada. Com a informação sobre a gravidade do ferimento agora claramente disponível, a fratura exposta pode ser precisamente classificada.**

Entretanto, pode não ser possível fazer a distinção final entre os ferimentos dos tipos IIIA e IIIB de Gustilo até o momento de cobertura da ferida. Se houver dúvida, um segundo ou terceiro debridamento depois de 24-48 horas deve ser planejado. Para as lesões por explosão, o debridamento seriado é sempre necessário por causa da penetração dos tecidos por fragmentos múltiplos. A "regra dos 90%" é útil: cada debridamento removerá 90% de contaminadores de forma que 10% são deixados depois do primeiro debridamento, 1% depois do segundo debridamento e 0,1% depois dos terceiros debridamentos.

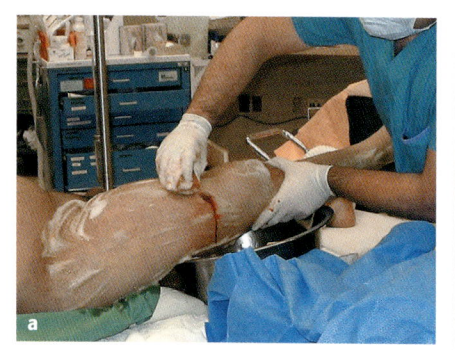

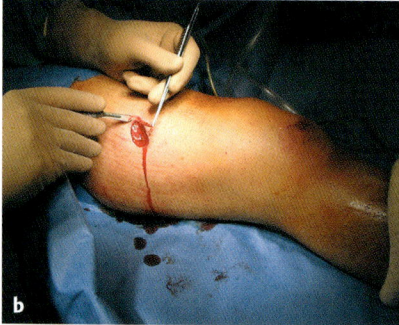

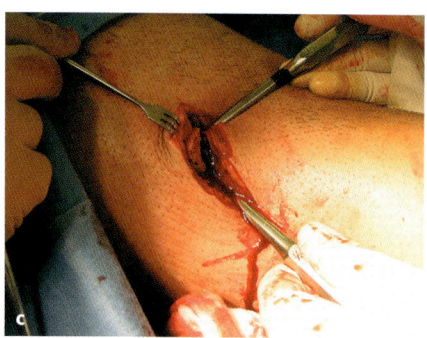

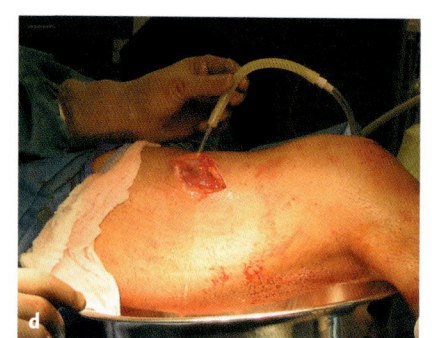

**Fig. 4.2-8a-d** Cuidado primário, na sala de cirurgia, de uma ferida pequena associada a uma fratura da diáfise do fêmur.
- **a** A escovação inicial do trauma na sala de cirurgia consiste em uma escovação do membro com sabão e soro fisiológico.
- **b** O membro é então formalmente preparado, os campos são colocados e a ferida é cuidadosamente debridada, começando com a pele e progredindo camada por camada até o osso. A ferida pode requerer ampliação cirúrgica para permitir a avaliação completa e o amplo debridamento.
- **c** As extremidades ósseas são expostas e debridadas.
- **d** O ferimento é abundantemente irrigado.

### 8.4.2 Estabilização da fratura

Pouco se discute sobre a necessidade de redução e fixação estável no tratamento das fraturas expostas. Assim que o cuidado primário do ferimento tenha sido completado, o tratamento deve prosseguir com a redução e fixação da fratura. A fratura estável previne a lesão adicional dos tecidos moles, facilita os cuidados com a ferida e com o paciente, e permite o movimento e a função precoce da extremidade. Em pacientes politraumatizados que estejam aptos ao cuidado total precoce, a fixação inicial da fratura está associada a menores riscos de complicações pulmonares e falência de múltiplos órgãos causadas pela síndrome da resposta inflamatória sistêmica. Dependendo da extensão da lesão, do padrão da fratura, do local e da condição geral do paciente, será escolhida a fixação temporária ou definitiva. A estabilização da fratura pode ser alcançada com encavilhamento intramedular (IM), fixação externa, ou fixação com placa e parafusos. A escolha do método depende do osso fraturado, da localização da fratura (p. ex., intra-articular, metafisária, diafisária), da lesão de tecidos moles e da experiência do cirurgião.

A fratura em uma lesão tipo I de Gustilo pode ser tratada da mesma forma que uma fratura fechada comparável. Na maioria dos casos, envolve fixação cirúrgica. O desfecho dessas lesões é similar ao das suas contrapartidas fechadas.

As fraturas expostas do tipo II e III de Gustilo são quase inevitavelmente desviadas e instáveis, o que habitualmente demanda fixação cirúrgica. A restauração do membro ao seu comprimento, alinhamento e rotação normais, como também a provisão da estabilidade, cria o ambiente ideal para a cicatrização dos tecidos moles e, por conseguinte, reduz o risco de infecção. O realinhamento anatômico reduz o espaço morto e o volume do hematoma. A restauração da estabilidade no local de fratura previne dano adicional por fragmentos ósseos móveis. A resposta inflamatória é diminuída, os exsudatos e o edema são reduzidos e a revascularização do tecido é estimulada.

A seleção do método de fixação permanece controversa. O planejamento pré-operatório cuidadoso é essencial, bem como a abordagem cirúrgica, os implantes ou os fixadores externos, que devem ser posicionados de uma forma que não comprometam os procedimentos ortopédicos ou de cirurgia plástica adicionais.

As fraturas articulares requerem redução anatômica e fixação com estabilidade absoluta, enquanto o segmento não articular pode ser realinhado e fixado com estabilidade relativa. As fraturas metafisárias e diafisárias podem ser tratadas com várias técnicas. O osso em si, o padrão e o local da fratura, o grau de desnudamento periosteal e a natureza do envelope de tecidos moles influenciam a tomada de decisão. Existem situações onde o uso cauteloso de um fixador externo para fixação temporária é útil. O fixador pode ser usado para manter o comprimento e o alinhamento até que o edema tenha cedido e a condição do tecido mole tenha melhorado. De preferência, o fixador deve ser colocado fora da zona de lesão e da zona da futura cirurgia. Assim que a condição de partes moles permitir, a fixação definitiva pode ser provida.

Sendo a fixação da fratura temporária ou definitiva, ela deve prosseguir imediatamente após o término do debridamento e da irrigação. O membro deve ser preparado e os campos colocados novamente, como se fosse um novo procedimento. Os cirurgiões se reescovam, colocam novos aventais e trocam as luvas. É necessário um conjunto diferente de instrumentos estéreis do que aqueles usados para o debridamento.

Tópicos gerais
## 4.2 Fraturas expostas

### Placas

As fraturas diafisárias expostas do rádio e da ulna, e também do úmero, são mais adequadamente tratadas com a fixação com placa. A fixação com placa das fraturas diafisárias da extremidade inferior em geral não é recomendada. Em particular, foi relatado que a fixação com placa das fraturas expostas da diáfise da tíbia está associada a uma alta taxa de infecção de 20-40% [20, 21]. Entretanto, o uso de placa é o tratamento de escolha para muitas fraturas periarticulares expostas, tanto nas extremidades superiores quanto nas inferiores, e placas anatômicas bloqueadas pré-moldadas em combinação com uma abordagem menos invasiva podem ser efetivas (**Fig. 4.2-9**). Os protocolos estadiados para o tratamento das fraturas expostas graves e de grande energia da região proximal da tíbia [22] envolvem o tratamento inicial com um fixador externo transarticular, seguido pela redução aberta e fixação interna retardada, uma vez que o envelope de tecidos moles esteja suficientemente cicatrizado.

O uso de placa percutânea na tíbia é um método alternativo para estabilizar as fraturas complexas com tecidos moles gravemente comprometidos, especialmente naquelas lesões com extensão periarticular.

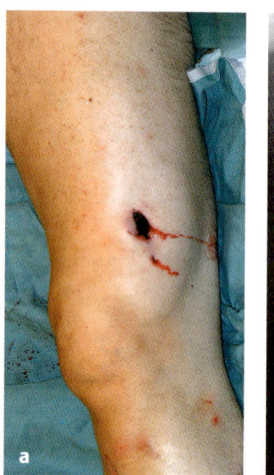

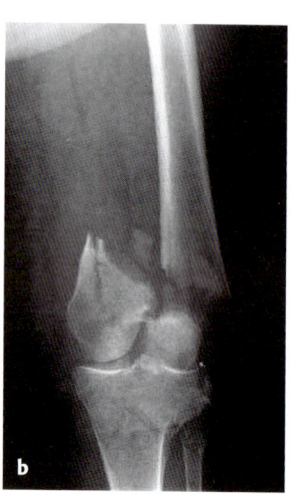

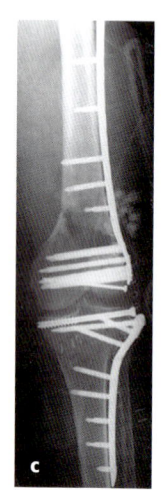

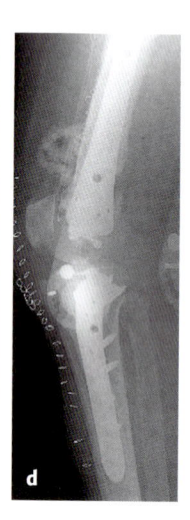

**Fig. 4.2-9a-d**
**a-b** Fratura exposta distal do fêmur tipo IIIA de Gustilo (33C2) e proximal da tíbia (41C1).
**c-d** Tratamento com cuidado da ferida, redução aberta e fixação interna, e sistema de estabilização menos invasivo para a extremidade distal do fêmur e proximal da tíbia.

## Hastes intramedulares

O encavilhamento IM bloqueado é o tratamento de escolha para a maioria de fraturas diafisárias da extremidade inferior com uma boa base de evidência [23, 24]. A técnica tem valor particular para fraturas expostas, permite o acesso irrestrito ao membro e facilita o tratamento dos tecidos moles (**Fig. 4.2-10**). As hastes IM podem ser inseridas sem lesão adicional do envelope de tecidos moles e preservam o suprimento sanguíneo extraósseo restante ao osso cortical.

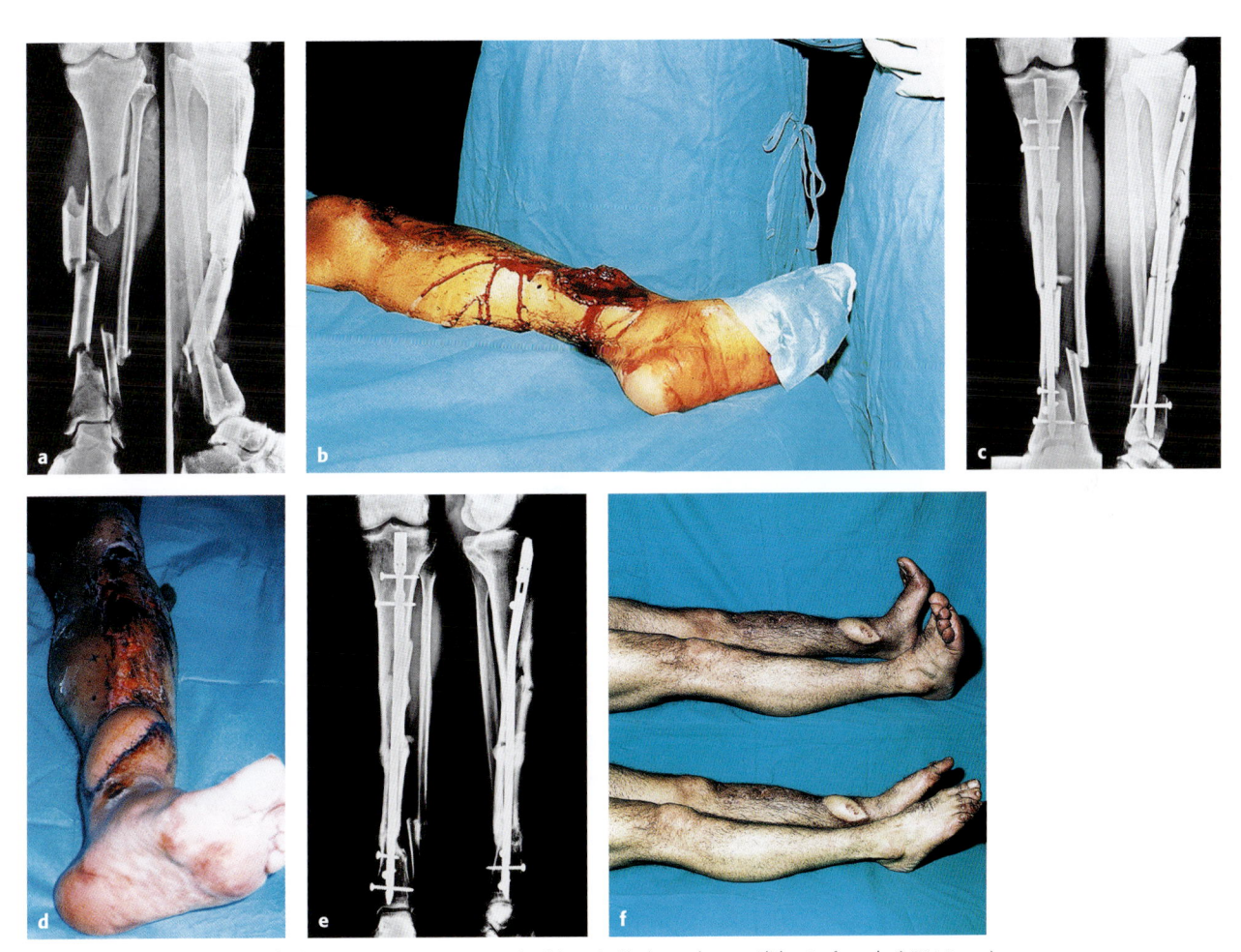

**Fig. 4.2-10a-f**   Estabilização de fratura segmentar exposta da tíbia e da fíbula por haste sólida não fresada (HTN 8 mm).
a   Um pedreiro com 30 anos de idade com uma fratura complexa da tíbia, com dois segmentos intermediários depois de uma lesão por esmagamento (42C3).
b   Uma laceração grande na extremidade distal da perna e extensas abrasões sobre a crista tibial. Condição neurovascular: intacta. Classificada como PA3-MT3-NV1.
c   Radiografia pós-operatória, após a estabilização da tíbia com uma HTN de 8 mm estaticamente bloqueada.
d   Trinta e seis horas depois da redução aberta e fixação externa, autoenxerto esponjoso foi adicionado à fratura distal e o defeito de partes moles foi coberto por um retalho musculocutâneo livre.
e   Cicatrização tranquila de partes moles e da fratura; radiografias de seguimento em 1 ano.
f   Resultado funcional excelente.

Tópicos gerais
## 4.2 Fraturas expostas

A decisão de fresar o canal antes da inserção da haste é controversa. A fresagem tem o potencial de causar dano adicional ao suprimento sanguíneo endosteal, mas sem a fresagem uma haste menor será usada, resultando em fixação menos estável e um risco aumentado de quebra do implante. Uma revisão recente de Bhandari e colaboradores, conforme relatado por Mundi e colaboradores [25], fornece as diretrizes mais recentes para o tratamento das fraturas expostas complexas da diáfise da tíbia. A evidência clínica atual não suporta a superioridade do encavilhamento fresado ou não fresado no tratamento das fraturas expostas da diáfise da tíbia (**Fig. 4.2-11**) [26].

Apesar da utilização extensa da fixação externa e do encavilhamento IM no tratamento das fraturas expostas, há uma escassez relativa de estudos de alta qualidade [27] que comparam a eficácia desses métodos de tratamento. Uma metanálise recente encontrou taxas mais altas de consolidação viciosa e reoperação para fixação externa em comparação com o encavilhamento IM não fresado, mas não demonstrou nenhuma diferença na taxa de consolidação ou de infecção profunda [27]. Embora pareça que o encavilhamento IM não leve a melhores taxas de consolidação ou infecção, ele é com frequência preferencialmente usado em relação à fixação externa porque oferece melhor manutenção do alinhamento, taxas mais baixas de cirurgia secundária e melhor tolerância pelos pacientes.

### Fixação externa

A fixação externa é útil para estabilizar as fraturas expostas e pode ser aplicada em quase qualquer situação. Historicamente, a fixação externa foi usada como a fixação definitiva das fraturas expostas, mas é agora usada mais comumente para a fixação temporária. As vantagens da fixação externa são:

- Pode ser aplicada de forma relativamente fácil e com rapidez.
- Fornece fixação relativamente estável da fratura.
- Não haverá nenhum dano adicional se corretamente aplicada.
- Evita a implantação de material de síntese na ferida aberta.
- A redução pode ser ajustada sem cirurgia de grande porte.

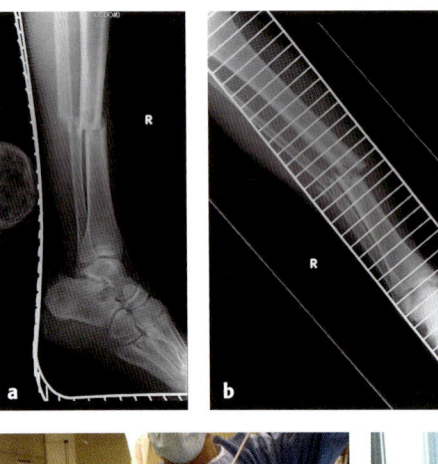

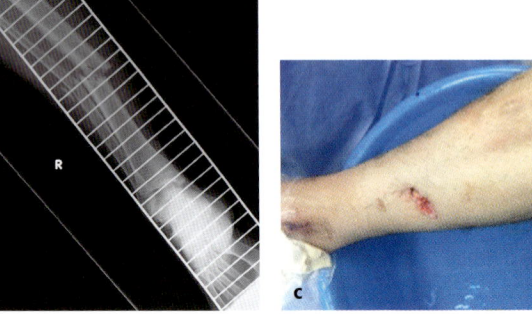

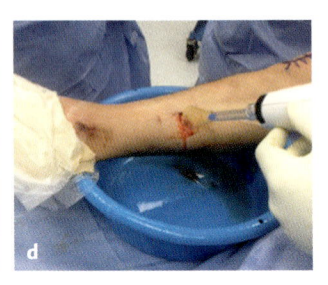

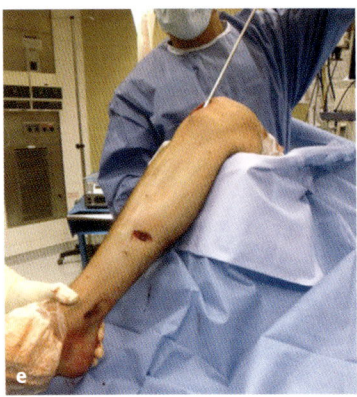

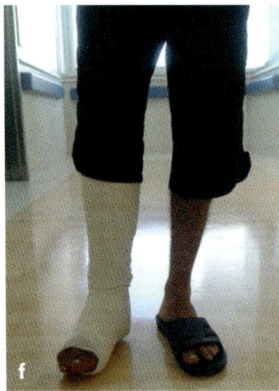

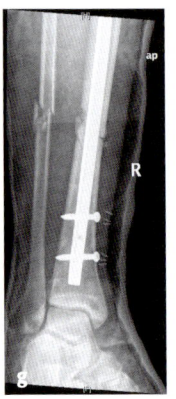

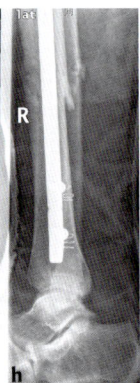

**Fig. 4.2-11a-h** A fresagem da cavidade intramedular foi considerada por algum tempo como um procedimento inseguro no tratamento das fraturas expostas devido à possibilidade de disseminação de infecção e pela destruição da circulação. Entretanto, os estudos têm mostrado taxas mais baixas de infecções, não união e falhas do implante em comparação com as hastes não fresadas [25, 26].
**a-b** Uso de encavilhamento fresado para uma fratura exposta tipo II.
**c-d** Irrigação e debridamento.
**e** Fresagem e encavilhamento.
**f-h** Carga total imediata.

Os principais problemas com a fixação externa são relacionados às infecções do trajeto do Schanz, mau alinhamento, consolidação retardada e baixa adesão do paciente.

Os fixadores externos são particularmente úteis nas fraturas com grande contaminação e lesão de tecidos moles, onde é melhor evitar os implantes metálicos, que tem maior risco de aderência bacteriana. Os ferimentos decorrentes dos conflitos militares se encaixam nesses critérios. A fixação externa pode ser uma opção nas fraturas diafisárias que não sejam passíveis de encavilhamento IM. Os fixadores em anel podem ser úteis para as fraturas periarticulares. A fixação externa articular é uma estratégia popular para a fixação temporária das fraturas proximal e distal da tíbia, como também para as fraturas ao redor do cotovelo e do punho (**Fig. 4.2-12**).

### Estabilização definitiva da fratura

A fixação externa é ainda comumente usada para a estabilização temporária em casos de dano maciço de partes moles ou como parte de um protocolo de controle de danos. A conversão para a fixação definitiva com uma haste IM deve ser feita assim que possível. Se o retardo for maior do que 14 dias, então o debridamento e "férias dos Schanz", com aparelho com gesso ou imobilização entre a remoção do fixador externo e o encavilhamento IM devem ser planejados para permitir a granulação dos locais dos Schanz. Mesmo com esse protocolo, a infecção pode ocorrer em 9% dos pacientes, com uma taxa de consolidação de 90% [28]. Uma menor duração da fixação externa (≤ 28 dias) resultou em uma taxa significativamente mais baixa de infecção do que com a fixação externa mais prolongada (> 28 dias).

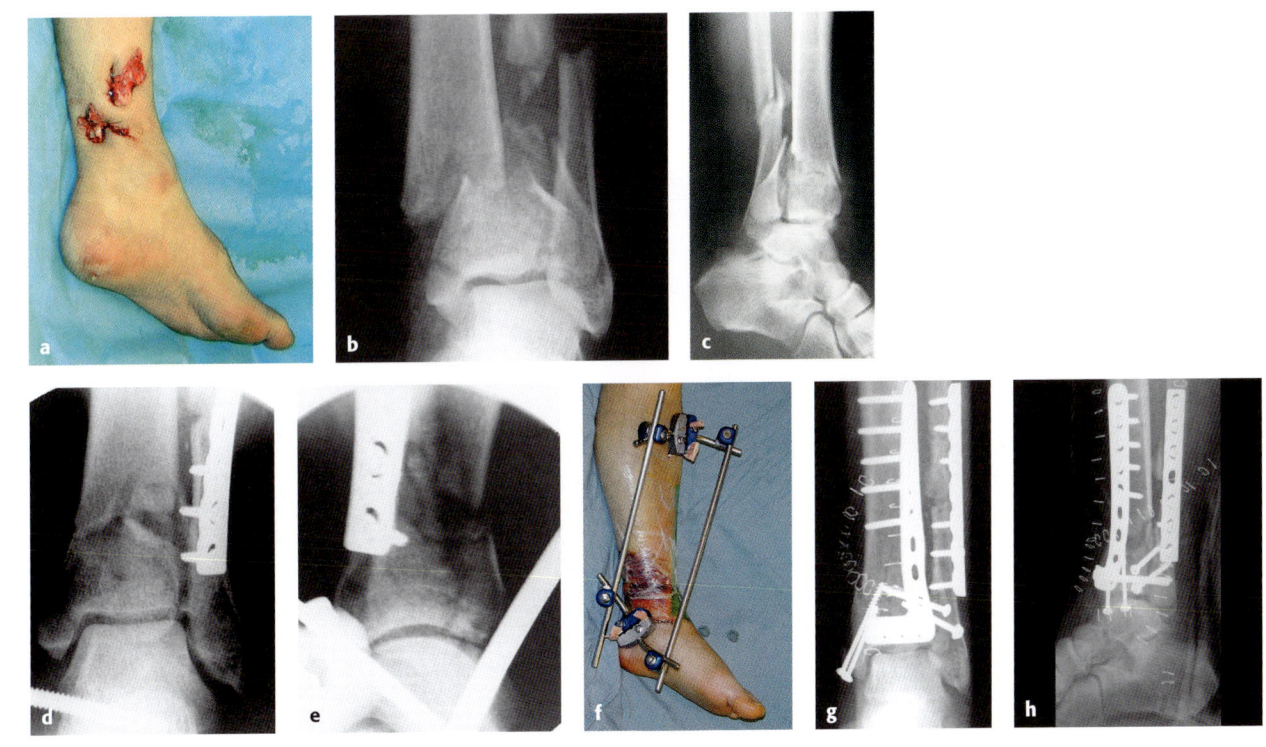

**Fig. 4.2-12a-h**
- **a-c** Fratura exposta intra-articular distal da tíbia (43C2).
- **d-f** O tratamento inicial consistiu no cuidado primário da ferida, uso de placa na fíbula, e fixação externa transarticular temporária.
- **g-h** Redução aberta e fixação interna definitiva no sexto dia, quando o edema estiver cedendo e a ferida parecer segura para uma cirurgia adicional.

Tópicos gerais
## 4.2 Fraturas expostas

A conversão para encavilhamento IM deve ser feita assim que o paciente puder tolerar o procedimento e houver cobertura adequada de tecidos moles. No tratamento das infecções do trajeto do Schanz, um "feriado" de > 10 dias deve ser usado, com debridamento, irrigação e antibióticos, para permitir a granulação do trajeto do Schanz antes do encavilhamento IM.

A fixação externa é uma opção para o tratamento definitivo das fraturas expostas da diáfise da tíbia (**Fig. 4.2-13**) e a armação circular pode ser um dispositivo útil, mas requer cuidado meticuloso no local do Schanz e acompanhamento.

## 9 Curativo da ferida

As ampliações cirúrgicas da ferida aberta podem ser fechadas primariamente, se for possível fazer isso sem tensão. A cobertura da ferida exposta é controversa em termos de momento e técnica. O princípio geralmente aceito é que a ferida aberta deve ser deixada aberta. Isso irá prevenir condições anaeróbicas no ferimento, facilitar a drenagem e permitir um debridamento repetido [29]. Recentemente, há renovado interesse no fechamento primário da ferida traumática aberta. O fechamento primário da ferida, se esta estiver limpa, pode estar associado a menor morbidade, menor permanência hospitalar e custos mais baixos, sem aumento da taxa de infecção da ferida.

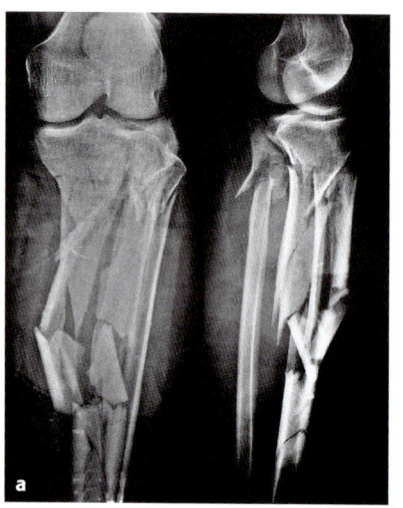

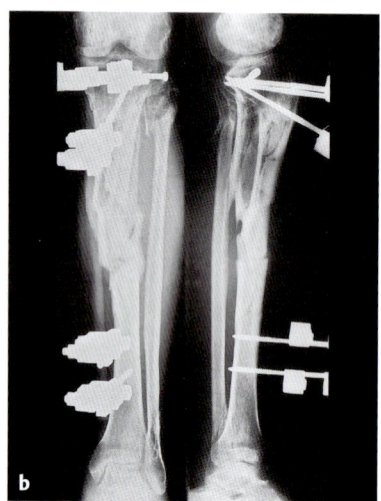

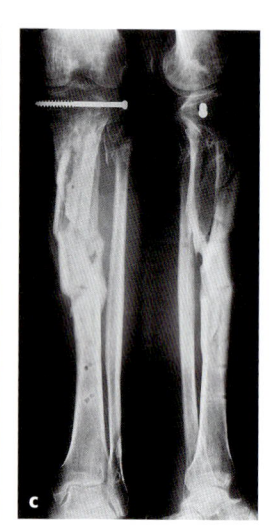

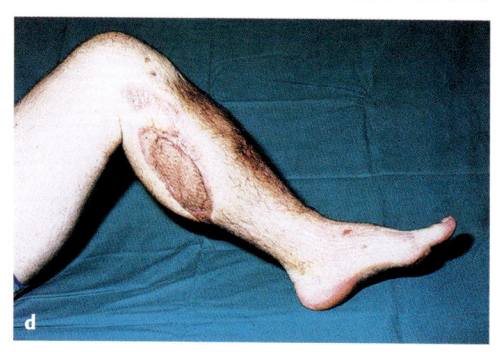

**Fig. 4.2-13a–d** Aplicação de um fixador externo em uma fratura exposta da tíbia e da fíbula, tipo IIIA de Gustilo, envolvendo o planalto tibial e a maior parte da diáfise.
a Fratura multifragmentada extensa da extremidade proximal da tíbia e fíbula estendendo até a diáfise em um homem de 47 anos de idade, esmagado sob uma pedra (41B1, 42C2, 4F1B).
b Fixação com parafuso de tração da fratura articular e fixação externa monolateral, radiografias depois de 5 meses e depois da remoção de uma barra.
c Seguimento após a remoção do fixador externo. Fratura bem consolidada.
d Aspecto clínico 8 meses depois da lesão. Boa função.

O padrão atual de cuidados para todas as feridas na fratura exposta é deixá-la inicialmente aberta. O fechamento retardado da ferida com a cobertura é realizado em 2-7 dias.

Há várias estratégias disponíveis para a cobertura temporária de uma ferida aberta depois do procedimento inicial. A terapia por pressão negativa (TPN) expõe o leito da ferida à pressão negativa em um sistema fechado. O sistema remove fluido do espaço extravascular, reduz o edema, melhora a microcirculação, diminui os níveis bacterianos no tecido e reforça a proliferação de tecido reparador de granulação, melhorando a cicatrização da ferida [30]. Um curativo espuma de poliuretano de células abertas é colocado sobre a ferida e assegura uma distribuição da pressão negativa (**Fig. 4.2-14**). Os resultados dessa técnica nos ferimentos de fraturas expostas têm sido bons. Se cobertura da ferida for retardada, a TPN pode reduzir a necessidade de transferência de tecido e retalhos muscular [31]. Entretanto, o tratamento prolongado da ferida com pressão negativa está associado a altas taxas de infecção [32] e não deve ser usado como um substituto para a cobertura definitiva precoce da ferida pela cirurgia plástica.

A técnica de pérolas de antibiótico [33] é uma alternativa, mas a eficácia de um tipo de curativo sobre o outro ainda não foi estabelecida em ensaios randomizados.

O debridamento seriado da ferida é com frequência necessário. Se houver qualquer dúvida sobre a viabilidade do ferimento, depois do debridamento inicial, um procedimento para uma revisão cirúrgica deve ser em geral executado. Em lesões de alta energia ou intensa contaminação, o debridamento seriado pode ser necessário a cada 24-48 horas, até que a viabilidade da ferida seja assegurada.

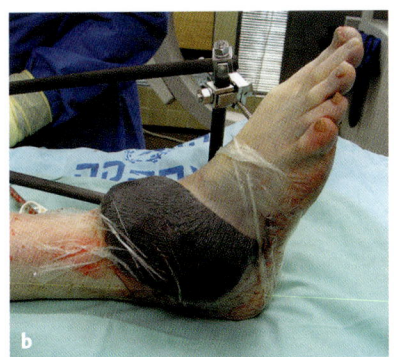

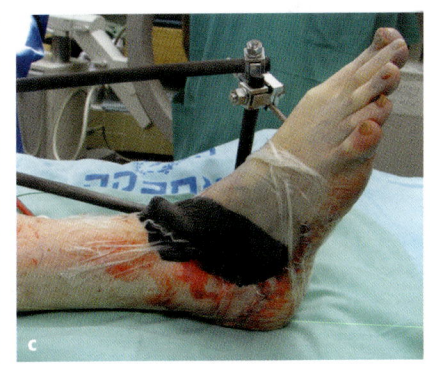

**Fig. 4.2-14a-c** Um curativo espuma de poliuretano de células abertas para cobertura temporária da ferida nas fraturas expostas bilaterais de tíbia; a drenagem de vácuo de baixa pressão (bomba de terapia por pressão negativa) é iniciada após a cirurgia.

Tópicos gerais
## 4.2 Fraturas expostas

### 10 Reconstrução de partes moles

A reconstrução de tecidos moles deve ser executada em até 7 dias após a lesão e, de preferência, dentro de 72 horas [34]. O tratamento combinado ortopédico e de plástico fornece bons resultados [35]. O planejamento cirúrgico deve seguir uma escada de reconstrução, com adoção do método menos complexo de cobertura de tecidos moles que permitirá o tratamento definitivo da ferida com um único procedimento de cirurgia plástica. A escolha da cobertura do retalho depende do tamanho e da estrutura tridimensional do defeito, dos vasos disponíveis (receptores), da disponibilidade de local doador e da condição geral do paciente (**Fig. 4.2-15**). Isso pode envolver retalhos fasciocutâneos de músculo local ou transplante de tecido livre (ver Cap. 4.3). Há alguma evidência que a aplicação de proteína morfogenética recombinante de osso humana no local da fratura, no momento da cobertura retardada da ferida, em fraturas expostas da diáfise da tíbia reduziria o risco de retardo de consolidação [36], mas isso não foi ainda seguramente estabelecido como prática de rotina clínica.

### 11 Desfechos, problemas e complicações

A meta definitiva do tratamento da fratura exposta é retornar o paciente à função normal assim que possível. O benefício de uma abordagem agressiva, envolvendo a estabilização precoce da fratura e a reconstrução precoce do tecido, é que a imobilização articular e de tecidos moles é evitada e o movimento precoce é facilitado. O paciente e a equipe de reabilitação precisam trabalhar juntos para maximizar o movimento precoce do membro ferido.

Os problemas são inúmeros. A infecção permanece um risco importante, e o retardo de consolidação e a não união ocorrem mais frequentemente após fraturas expostas do que fechadas. Em lesões graves, particularmente naquelas com perda óssea grande, a não união pode ser prevista. A intervenção cirúrgica para reconstruir defeitos ósseos e estimular a consolidação da fratura deve ser executada precocemente. A enxertia óssea, quando usada, é geralmente retardada por aproximadamente 6 semanas depois da lesão, quando os tecidos moles tiverem cicatrizado apropriadamente. A enxertia com osso esponjoso autógeno é a estratégia habitual para o tratamento dos defeitos ósseos após a técnica de Masquelet. Os defeitos complexos podem requerer técnicas que incluem a de Masquelet, fíbula vascularizada, enxerto composto livre, ou osteogênese de tração.

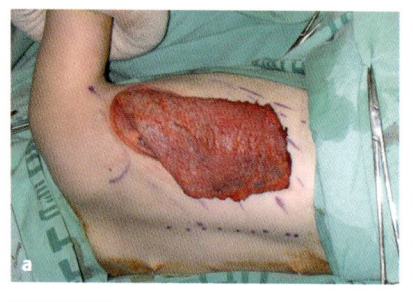

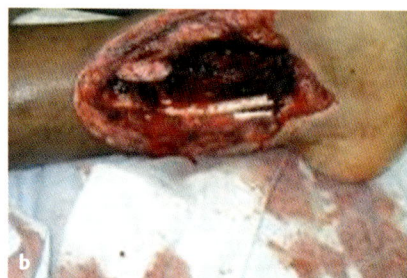

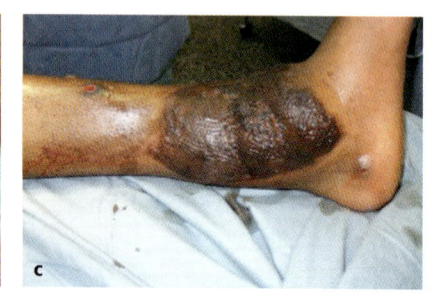

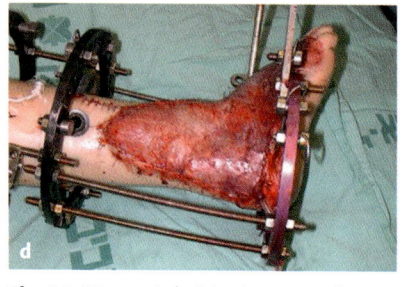

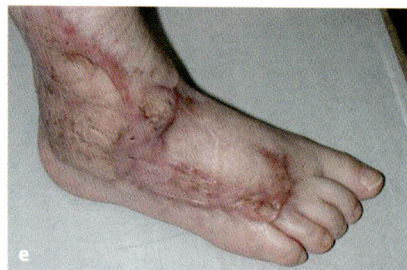

**Fig. 4.2-15a-e** A decisão de usar retalhos musculares de rotação ou retalhos livres depende da localização anatômica da ferida, da gravidade da lesão de tecidos moles e da experiência da equipe cirúrgica. Em fraturas do terço distal da tíbia, os retalhos musculares livres como do grande dorsal, do reto do abdome e do grácil são frequentemente necessários.
a    Remoção de retalho livre do grande dorsal.
b    Ferida medial e distal da tíbia que requer um retalho livre.
c    Resultado em longo prazo do retalho livre.
d    Outro retalho livre do grande dorsal em um paciente com um fixador em anel.
e    Resultado em longo prazo do retalho livre.

## 12 Situações especiais

### 12.1 Fraturas expostas com lesões vasculares

As fraturas expostas associadas a lesões arteriais que necessitam de reparo são classificadas como as lesões tipo IIIC de Gustilo. Os princípios do tratamento das fraturas expostas precisam ser combinados com os princípios do tratamento das lesões vasculares. As fraturas expostas do tipo IIIC de Gustilo estão frequentemente associadas a um dano grave ao osso e aos tecidos moles. Apesar da rígida adesão aos princípios e técnicas, os desfechos funcionais ruins são frequentes. As fraturas expostas da tíbia do tipo IIIC de Gustilo têm um prognóstico particularmente ruim por causa da grande zona de lesão e do envelope de tecidos moles relativamente frágil.

As fraturas expostas do tipo IIIC de Gustilo requerem uma avaliação extremamente cuidadosa. A decisão de salvar ou amputar depende do julgamento de consenso entre o paciente e os experientes cirurgiões ortopedistas, plásticos e vasculares. A salvação é tecnicamente possível em muitos casos. Entretanto, a salvação nem sempre é a escolha correta, particularmente para as fraturas expostas do tipo IIIC da tíbia ou em pacientes com politraumatismo, quando salvar a vida vem antes de salvar o membro.

Os cirurgiões vasculares podem geralmente revascularizar a porção distal do membro com enxerto de veia ou derivação; a sutura arterial direta é raramente possível. O membro pode ser realinhado e estabilizado pelas técnicas descritas neste capítulo. As técnicas de cirurgia plástica podem prover uma cobertura de tecidos moles. Entretanto, na tíbia, a gravidade da lesão do envelope de tecidos moles e do osso pode resultar em uma não união infectada. Se a salvação for escolhida, o paciente pode ficar sujeito a um longo curso de repetidos procedimentos cirúrgicos dolorosos e psicologicamente desafiadores. O desfecho funcional pode ser ruim e não melhor do que a amputação [37]. O problema reside em determinar quais os membros que podem ser salvos e quais devem ser amputados (**Fig. 4.2-16**). Os fatores importantes na tomada de decisão incluem:

- Condição geral do paciente (a presença de choque)
- Tempo de isquemia quente (mais de 6 horas)
- Idade do paciente (acima de 30 anos)
- Proporção entre o corte e o esmagamento (as lesões contusas têm uma grande zona de esmagamento)

Vários sistemas de escore objetivos foram propostos para ajudar na identificação de lesões adequadas para a salvação do membro, mas eles não se provaram precisos para o uso na prática clínica [38].

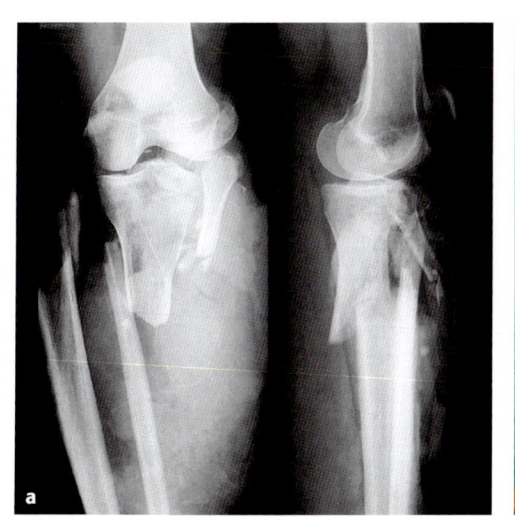

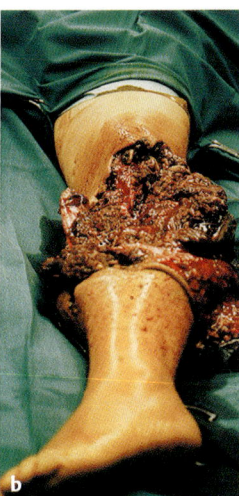

**Fig. 4.2-16a-b** Extremidade inferior mutilada em uma mulher politraumatizada de 19 anos de idade após um acidente motociclístico. Não havia nenhuma circulação ou atividade motora ou sensitiva distal à lesão (PA5-MT5-NV5). A amputação primária foi executada.

Tópicos gerais
## 4.2 Fraturas expostas

O grupo de estudo do Lower Extremity Assessment Project (LEAP) [37] acompanhou 569 pacientes para investigar o desfecho da salvação do membro contra a reconstrução no trauma grave da extremidade inferior, e para elucidar as variáveis importantes na previsão do desfecho. Os pacientes submetidos à salvação do membro e os amputados primariamente demonstraram ter desfechos similarmente ruins [39]. Talvez o mais importante, a série LEAP demonstrou que os desfechos funcionais globais eram mais afetados pelos recursos econômicos, sociais e pessoais do paciente do que pelo curso de tratamento ou por variáveis como a consolidação da fratura e a função articular. As variáveis associadas a um prognóstico ruim incluíram tabagismo, etnia não branca, pobreza, falta de seguro de saúde privado, apoio social deficiente, baixa autoeficácia e a existência de questões indenizatórias. Embora diversas dessas variáveis sejam difíceis de mudar, o auxílio do paciente precocemente no curso da recuperação, com apoio psicossocial, pode levar a melhoras na função global [40].

Nos casos adequados para uma tentativa de salvação, a revascularização urgente é a meta imediata. O retardo da angiografia deve ser evitado, a menos que o nível de lesão vascular não esteja claro. O primeiro passo é obter o controle proximal do sangramento, e os cirurgiões devem evitar o pinçamento "cego" de vasos, o que pode aumentar o dano arterial e ferir estruturas próximas. A estratégia ideal é inserir uma derivação vascular temporária, estabilizar a fratura, e então executar o reparo vascular (**Figs. 4.2-16-18**).

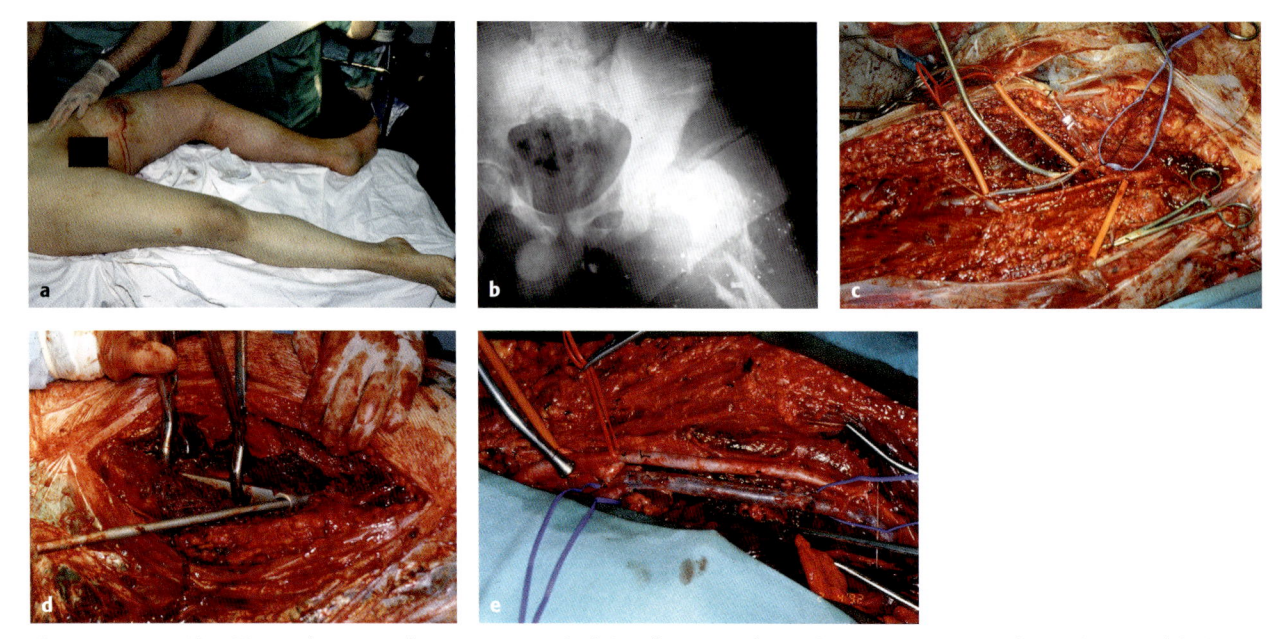

**Fig. 4.2-17a-e**   Várias táticas podem ser usadas uma vez que seja óbvio o diagnóstico de uma fratura exposta tipo IIIC de Gustilo proximal do fêmur.
**a**   Coxa esquerda com uma fratura do fêmur com alteração vascular – note o padrão matizado na perna.
**b**   Radiografia mostrando fratura grave na região proximal do fêmur.
**c**   Uma derivação temporária da artéria femoral superficial é uma boa opção para restaurar a circulação enquanto a fratura é estabilizada.
**d**   Fixação definitiva da fratura com placa.
**e**   Restauração do fluxo arterial e venoso com um enxerto de veia invertido.

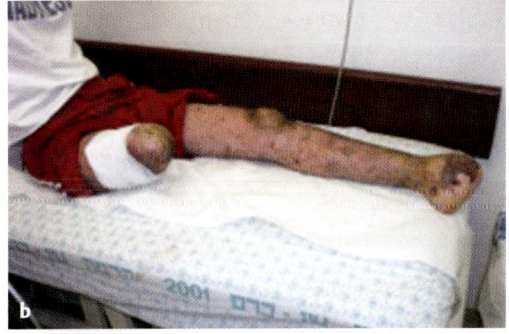

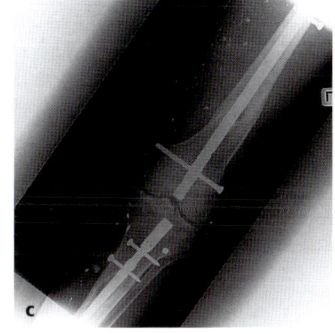

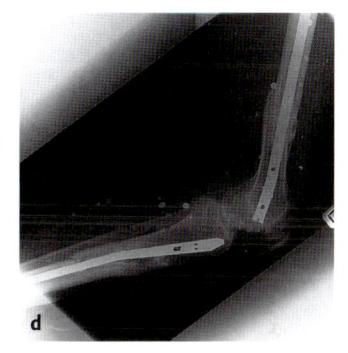

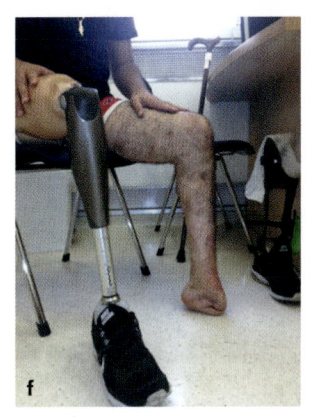

Princípios AO do tratamento de fraturas
**Volume 1**

**Fig. 4.2-18a-f** A decisão de salvar o membro depende de muitos fatores, como idade, condição prévia, lesão vascular, presença de outras lesões, entre outros. A tomada de decisão é mais problemática em pacientes com membros inferiores mutilados gravemente e feridos bilateralmente. Nesses casos, uma abordagem multiprofissional e técnicas microcirúrgicas modernas de reconstrução são utilizadas em uma tentativa de salvar pelo menos um dos membros inferiores.
a    Lesão por explosão com fraturas expostas bilaterais tipo IIIC de Gustilo.
b-d  No acompanhamento de 2 anos.
e-f  No acompanhamento de 11 anos.

351

## Tópicos gerais
### 4.2 Fraturas expostas

A fasciotomia é em geral obrigatória após o reparo arterial, já que a reperfusão resultará em edema e pode causar a síndrome compartimental. Recomenda-se a fasciotomia precocemente, já que ela facilita a exposição cirúrgica dos vasos e do osso.

### 12.2 Lesões por arma de fogo

A gravidade do dano resultante de uma lesão por arma de fogo é relacionada à quantidade de energia dissipada na hora do impacto ($E = \frac{1}{2}mv^2$). Os rifles de alta velocidade e as metralhadoras podem causar lesões devastadoras por causa da alta energia do impacto, da cavitação secundária produzida e dos efeitos balísticos secundários nos fragmentos ósseos quebrados. Esses ferimentos requerem debridamento agressivo e repetido, e a fixação externa é frequentemente o método mais seguro para a estabilização da fratura.

A maioria dos ferimentos por arma de fogo encontrados na prática civil é causada por armas de baixa velocidade e são menos graves, a menos que estruturas neurovasculares tenham sido atingidas. A cavitação não é significativa e, embora a fragmentação óssea possa ser considerável, os efeitos balísticos secundários do projétil são mínimos e os fragmentos ósseos tenham raramente arrancados as suas inserções de partes moles e o suprimento sanguíneo. Tais ferimentos podem ser tratados por debridamento, e a fratura tratada como se faria com uma fratura fechada. Os projéteis alojados em articulações devem ser removidos para evitar artropatia e intoxicação sistêmica por chumbo (**Fig. 4.2-19**).

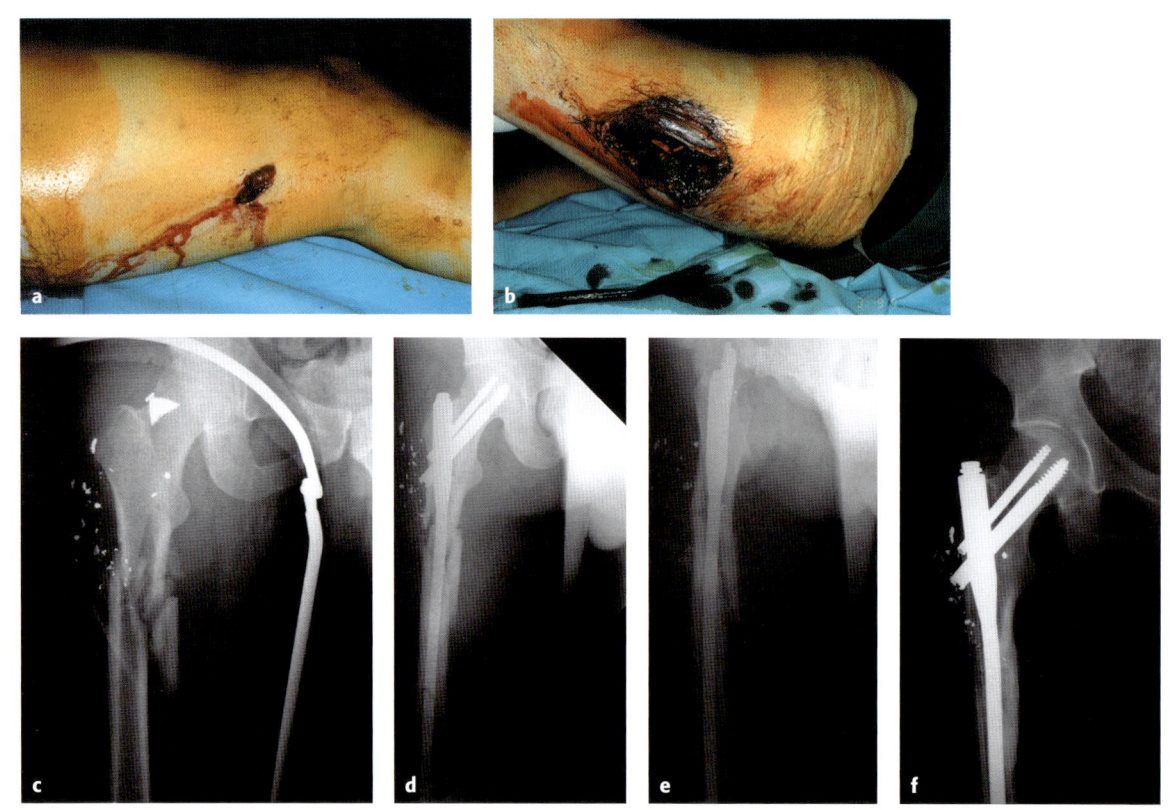

**Fig. 4.2-19a-f**
**a-b** Ferimentos de entrada e saída de um tiro de alta velocidade na coxa.
**c-f** Fratura proximal do fêmur tratada com encavilhamento intramedular estaticamente bloqueado.

## 12.3 Perda óssea

A perda óssea traumática extensa é mais adequadamente tratada em centros de trauma de maior porte. A transferência segura do paciente deve ocorrer em um estágio precoce, após a ressuscitação adequada. A perda óssea significativa está associada ao trauma extenso de tecidos moles, e é essencial uma abordagem multidisciplinar entre ortopedistas e cirurgiões plásticos. Podem ser necessários procedimentos complexos de reconstrução de tecidos moles. O tratamento deve considerar a quantidade de perda óssea, quaisquer lesões associadas de tecidos moles, e a saúde geral e os anseios do paciente. A amputação deve sempre ser considerada como uma opção. Em geral, o tratamento da perda óssea demanda tempos prolongados de tratamento, especialmente com técnicas complexas como o transporte ósseo. O paciente deve entender desde o estágio inicial que o tratamento provavelmente será longo e difícil, sendo a meta a união óssea sólida, o alinhamento mecânico aceitável, o comprimento equivalente do membro e a restauração aceitável da função.

O uso de fixadores externos circulares no tratamento da perda óssea está bem estabelecido. A técnica permite o tratamento simultâneo da perda óssea, infecção, não união e deformidades. Os resultados do tratamento inicial da perda óssea traumática podem resultar em dois cenários:

1. Transporte ósseo para manter o comprimento global do osso (com um defeito que seja geralmente > 6 cm de comprimento). Um segmento ósseo é transportado 1 mm por dia com o fixador externo, para, por fim, fazer contato com o outro segmento do osso. O defeito do transporte se preenche com osso regenerado. No momento do contato ósseo ("atracação"), enxerto ósseo local é frequentemente colocado para facilitar a consolidação nesse local [41].
2. Encurtamento ósseo (com um defeito que tem tipicamente < 6 cm de comprimento). A restauração do comprimento pode ser alcançada com um fixador externo isolado ou junto com uma haste IM e é geralmente feita por meio de uma corticotomia metafisária remota da fratura. O tecido mole de onde o osso foi perdido normalmente estará traumatizado e demandará uma reconstrução, mas o encurtamento com frequência permite retalhos locais e evita a necessidade de um transplante livre de tecido [42].

Os retalhos osteocutâneos para defeitos segmentares da tíbia podem ser usados para defeitos ósseos com > 6 cm de comprimento. Os retalhos osteocutâneos disponíveis incluem a fíbula e a crista ilíaca; entretanto a crista ilíaca é limitada a um comprimento de 10 cm. Os retalhos osteocutâneos livres têm a vantagem de preservar o suprimento sanguíneo e, assim, fornecer osso viável sem a necessidade de neoformação óssea. Os retalhos osteocutâneos livres no contexto agudo devem ser considerados para um defeito tibial com > 6 cm, com ou sem defeito de tecidos moles associado, e quando a preservação do comprimento for desejada.

O cimento com antibióticos locais também tem sido usado com sucesso no tratamento da perda óssea segmentar grande em fraturas expostas. A técnica de Masquelet [43, 44] envolve um protocolo de dois estágios em que espaçadores de cimento de PMMA impregnado com antibióticos são inseridos em defeitos segmentares para manter o comprimento do osso e induzir uma membrana de corpo estranho tipo sinóvia. Essa membrana fornece um espaço contido para a enxertia futura de osso esponjoso e foi demonstrado que secreta vários fatores de crescimento que promovem a consolidação do enxerto ósseo (**Fig. 4.2-20**). Essa técnica parece ser mais efetiva em ossos com músculo circundante, como o fêmur, do que em ossos subcutâneos, como a tíbia.

## 12.4 Articulações expostas

Como em outras fraturas articulares, são primordiais a reconstrução articular e a fixação estável para permitir o movimento precoce. A prevenção da infecção requer irrigação artroscópica ou aberta da articulação [45], e todos os contaminantes devem ser removidos. A retenção em longo prazo de corpos estranhos metálicos pode resultar em uma reação local [46] ou, em casos raros, em toxicidade sistêmica como na intoxicação por chumbo [47]. Isso determina a remoção precoce mesmo em pacientes assintomáticos.

Tópicos gerais
## 4.2 Fraturas expostas

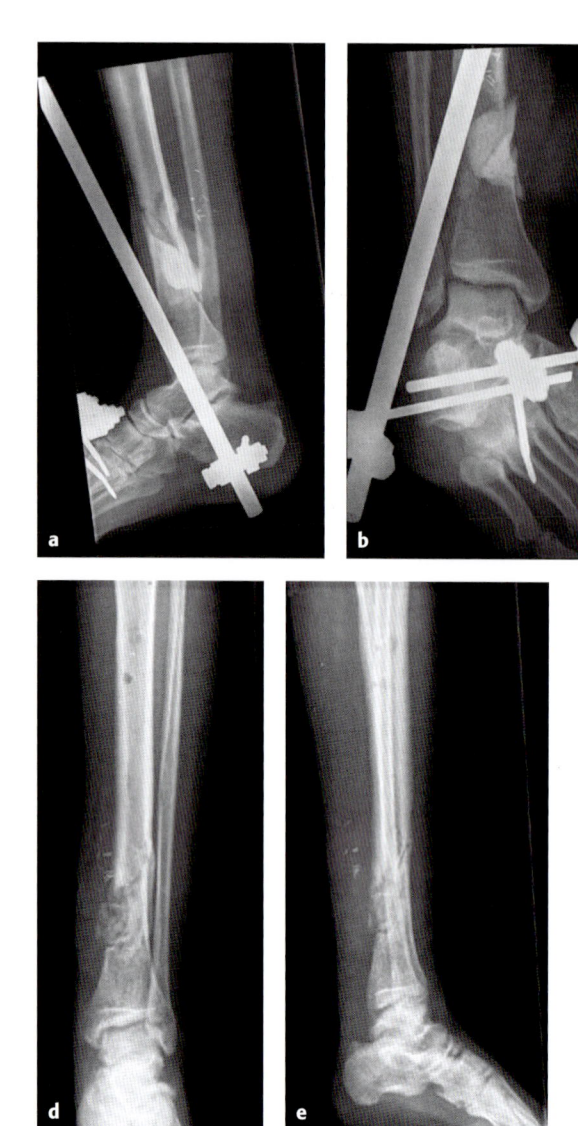

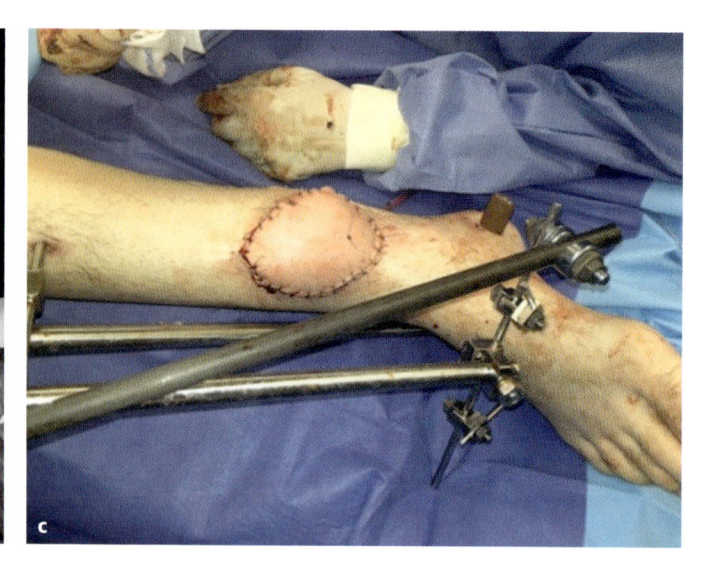

**Fig. 4.2-20a-e** A reconstrução de defeitos ósseos diafisários ainda representa um desafio clínico relevante. Recentemente, Masquelet propôs um procedimento combinando a membrana induzida e o autoenxerto esponjoso.

**a-b** Na primeira operação, o debridamento radical de tecidos moles e osso é executado, e um espaçador de cimento é implantado. Para indução ideal da membrana, o cimento deve manter o espaço de reconstrução.

**c** No primeiro estágio da técnica de Masquelet, o envelope de tecidos moles é reparado (com transferência de retalho vascularizado, se for preciso).

**d-e** No segundo estágio, aproximadamente 6-8 semanas mais tarde, o espaçador de cimento é removido e o defeito é preenchido com enxerto ósseo autógeno esponjoso.

## 13 Resumo

A fratura exposta comunica-se com o ambiente externo circundante, e isso permite a contaminação bacteriana, com risco alto de infecção. As fraturas expostas representam aproximadamente 3% de todas as fraturas de membros e ocorrem com mais frequência como resultado de trauma de alta energia. As lesões múltiplas coexistentes são comuns. A gravidade da lesão pode ser classificada, e é o fator mais importante para predizer o desfecho. A meta definitiva de tratamento é o retorno precoce da função normal do membro, evitando complicações. A técnica cirúrgica meticulosa e a boa tomada de decisão seguindo os princípios básicos do tratamento de tecidos moles e da fratura são essenciais em cada etapa. As técnicas cirúrgicas são exigentes e dependentes da disponibilidade de recursos, incluindo a experiência cirúrgica das equipes de ortopedia, plástica e microvascular. Existem muitos problemas possíveis que podem levar a complicações desastrosas. Entretanto, na maioria dos casos, esses problemas podem ser evitados pela atenção cuidadosa aos detalhes e à aplicação de julgamento clínico racional e maduro.

**Referências clássicas**   **Referências de revisão**

## 14 Referências

1. **Norris BL, Kellam JF.** Soft-tissue injuries associated with high-energy extremity trauma: principles of management. *J Am Acad Orthop Surg.* 1997 Jan;5(1):37–46.
2. **Lange RH, Bach AW, Hansen ST Jr, et al.** Open tibial fractures with associated vascular injuries: prognosis for limb salvage. *J Trauma.* 1985 Mar;25(3):203–208.
3. **Court-Brown CM, Brewster N.** Epidemiology of open fractures. In: Court-Brown CM, McQueen MM, Quaba AA, eds. *Management of Open Fractures.* London: Martin Dunitz; 1996;25–35.
4. **Court-Brown CM, Bugler KE, Clement ND, et al.** The epidemiology of open fractures in adults: a 15-year review. *Injury.* 2012 Jun;43(6):891–897.
5. **Owens BD, Kragh JF Jr, Wenke JC, et al.** Combat wounds in operation Iraqi Freedom and operation Enduring Freedom. *J Trauma.* 2008 Feb;64(2):295–299.
6. **Gustilo RB, Anderson JT.** Prevention of infection in the treatment of one thousand and twenty-five open fractures of long bones: retrospective and prospective analysis. *J Bone Joint Surg Am.* 1976 Jun;58(4):453–458.
7. **Patzakis MJ, Bains RS, Lee J, et al.** Prospective, randomized, double-blind study comparing single-agent antibiotic therapy, ciprofloxacin, to combination antibiotic therapy in open fracture wounds. *J Orthop Trauma.* 2000 Nov;14(8):529–533.
8. **Lee J.** Efficacy of cultures in the management of open fractures. *Clin Orthop Relat Res.* 1997 Jun;(339):71–75.
9. **Aderinto J, Keating JF.** Intramedullary nailing of fractures of the tibia in diabetics. *J Bone Joint Surg Br.* 2008 May;90(5):638–642.
10. **Harrison WJ, Lewis CP, Lavy CB.** Open fractures of the tibia in HIV positive patients: a prospective controlled single-blind study. *Injury.* 2004 Sep;35(9):852–856.
11. **Harvey EJ, Agel J, Selznick HS, et al.** Deleterious effect of smoking on healing of open tibia-shaft fractures. *Am J Orthop (Belle Mead NJ).* 2002 Sep;31(9):518–521.
12. **Gustilo RB, Mendoza RM, Williams DN.** Problems in the management of type III (severe) open fractures: a new classification of type III open fractures. *J Trauma.* 1984 Aug;24(8):742–746.
13. **Brumback RJ, Jones AL.** Interobserver agreement in the classification of open fractures of the tibia. The results of a survey of two hundred and forty-five orthopaedic surgeons. *J Bone Joint Surg Am.* 1994 Aug;76(8):1162–1166.
14. **Bowen TR, Widmaier JC.** Host classification predicts infection after open fracture. *Clin Orthop Relat Res.* 2005 Apr;(433):205–211.
15. **BOAST 4.** The management of severe open lower limb fractures. BOA/ BAPRAS Standards for the management of open fractures of the lower limb, 2009. Available at: http:// www.boa.ac.uk/en/publications/boast. Accessed July 2, 2011.
16. **Patzakis MJ, Harvey JP Jr, Ivler D.** The role of antibiotics in the management of open fractures. *J Bone Joint Surg Am.* 1974 Apr;56(3):532–541.
17. **Ostermann PA, Seligson D, Henry SL.** Local antibiotic therapy for severe open fractures: a review of 1085 consecutive cases. *J Bone Joint Surg Br.* 1995 Jan;77(1):93–97.
18. **Beardmore AA, Brooks DE, Wenke JC, et al.** Effectiveness of local antibiotic delivery with an osteoinductive and osteoconductive bone-graft substitute. *J Bone Joint Surg Am.* 2005 Jan;87(1):107–112.
19. **Weber D, Dulai S, Bergman J, et al.** Time to initial operative treatment following open fracture does not impact development of deep infection: a prospective cohort study of 736 subjects. *J Orthop Trauma.* 2014 Nov;28(11):613–619.
20. **Bach AW, Hansen ST Jr.** Plate versus external fixation in severe open tibial shaft fractures. A randomized trial. *Clin Orthop Relat Res.* 1989 Apr;(241):89–94.
21. **Clifford RP, Beauchamp DG, Kellam JF, et al.** Plate fixation of open fractures of the tibia. *J Bone Joint Surg Br.* 1988 Aug;70(4):644–648.
22. **Kyle JJ, Steven CL.** Staged open treatment of high-energy tibial plateau fractures. *Tech Knee Surg.* 2005;4:214–225.
23. **Court-Brown CM, Christie J, McQueen MM.** Closed intramedullary tibial nailing. Its use in closed and type I open fractures. *J Bone Joint Surg Br.* 1990 Jul;72(4):605–611.

## 4.2 Fraturas expostas

24. **Brumback RJ, Ellison PS Jr, Poka A, et al.** Intramedullary nailing of open fractures of the femoral shaft. *J Bone Joint Surg Am.* 1989 Oct;71(9):1324–1331.
25. **Mundi R, Chaudhry H, Niroopan G, et al.** Open Tibial Fractures: Updated Guidelines for Management. *JBJS Rev.* 2015 Feb 3;3(2).
26. **Study to Prospectively Evaluate Reamed Intramedullary Nails in Patients with Tibial Fractures Investigators, Bhandari M, Guyatt G, Tornetta P 3rd, et al.** Randomized trial of reamed and unreamed intramedullary nailing of tibial shaft fractures. *J Bone Joint Surg Am.* 2008 Dec;90(12):2567–2578.
27. **Giannoudis PV, Papakostidis C, Roberts C.** A review of the management of open fractures of the tibia and femur. *J Bone Joint Surg Br.* 2006 Mar;88(3):281–289.
28. **Bhandari M, Zlowodzki M, Tornetta P 3rd, et al.** Intramedullary nailing following external fixation in femoral and tibial shaft fractures. *J Orthop Trauma.* 2005 Feb;19(2):140–144.
29. **Zalavras CG, Patzakis MJ.** Open fractures: evaluation and management. *J Am Acad Orthop Surg.* 2003 May–Jun;11(3):212–219.
30. **Morykwas MJ, Simpson J, Punger K, et al.** Vacuum-assisted closure: state of basic research and physiologic foundation. *Plast Reconstr Surg.* 2006 Jun;117(7 Suppl):121S–126S.
31. **Tan Y, Wang X, Li H, et al.** The clinical efficacy of the vacuum-assisted closure therapy in the management of adult osteomyelitis. *Arch Orthop Trauma Surg.* 2011 Feb;131(2):255–259.
32. **Bhattacharyya T, Mehta P, Smith M, et al.** Routine use of wound vacuum-assisted closure does not allow coverage delay for open tibia fractures. *Plast Reconstr Surg.* 2008 Apr;121(4):1263–1266.
33. **Keating JF, Blachut PA, O'Brien PJ, et al.** Reamed nailing of open tibial fractures: does the antibiotic bead pouch reduce the deep infection rate? *J Orthop Trauma.* 1996;10(5):298–303.
34. **Godina M.** Early microsurgical reconstruction of complex trauma of the extremities. *Plast Reconstr Surg.* 1986 Sep;78(3):285–292.
35. **Tielinen L, Lindahl JE, Tukiainen EJ.** Acute unreamed intramedullary nailing and soft tissue reconstruction with muscle flaps for the treatment of severe open tibial shaft fractures. *Injury.* 2007 Aug;38(8):906–912.
36. **Govender S, Csimma C, Genant HK, et al.** Recombinant human bone morphogenetic protein-2 for treatment of open tibial fractures: a prospective, controlled, randomized study of four hundred and fifty patients. *J Bone Joint Surg Am.* 2002 Dec;84-A(12):2123–2134.
37. **Bosse MJ, MacKenzie EJ, Kellam JF, et al.** An analysis of outcomes of reconstruction or amputation after leg-threatening injuries. *N Engl J Med.* 2002 Dec 12;347(24):1924–1931.
38. **Bosse MJ, MacKenzie EJ, Kellam JF, et al.** A prospective evaluation of the clinical utility of the lower-extremity injury-severity scores. *J Bone Joint Surg Am.* 2001 Jan;83-A(1):3–14.
39. **MacKenzie EJ, Bosse MJ, Pollak AN, et al.** Long-term persistence of disability following severe lower-limb trauma: results of a seven-year follow-up. *J Bone Joint Surg Am.* 2005 Aug;87(8):1801–1809.
40. **Cannada LK, Jones AL.** Demographic, social and economic variables that affect lower extremity injury outcomes. *Injury.* 2006 Dec;37(12):1109–1116.
41. **Mekhail AO, Abraham E, Gruber B, et al.** Bone transport in the management of posttraumatic bone defects in the lower extremity. *J Trauma.* 2004 Feb;56(2):368–378.
42. **Paley D, Herzenberg JE, Paremain G, et al.** Femoral lengthening over an intramedullary nail. A matched-case comparison with Ilizarov femoral lengthening. *J Bone Joint Surg Am.* 1997 Oct;79(10):1464–1480.
43. **Masquelet AC, Fitoussi F, Begue T, et al.** [Reconstruction of the long bones by the induced membrane and spongy autograft]. *Ann Chir Plast Esthet.* 2000 Jun;45(3):346–353. French.
44. **Pelissier P, Masquelet AC, Bareille R, et al.** Induced membranes secrete growth factors including vascular and osteoinductive factors and could stimulate bone regeneration. *J Orthop Res.* 2004 Jan;22(1):73–79.
45. **Dougherty PJ, Vaidya R, Silverton CD, et al.** Joint and long-bone gunshot injuries. *J Bone Joint Surg Am.* 2009 Apr;91(4):980–997.
46. **Eylon S, Mosheiff R, Liebergall M, et al.** Delayed reaction to shrapnel retained in soft tissue. *Injury.* 2005 Feb;36(2):275–281.
47. **Linden MA, Manton WI, Stewart RM, et al.** Lead poisoning from retained bullets. Pathogenesis, diagnosis, and management. *Ann Surg.* 1982 Mar;195(3):305–313.

## 15 Agradecimentos

Agradecemos a Peter O'Brien e Rami Mosheiff por suas contribuições para a 2ª edição de *Princípios AO do tratamento de fraturas*.

## 4.3 Perda de partes moles: princípios do tratamento

*Yves Harder*

### 1 Introdução

Ao longo das últimas duas décadas, houve avanços consideráveis no tratamento de partes moles após o trauma das extremidades. Vários fatores têm contribuído para essa evolução, incluindo:

- Concentração da experiência clínica nos centros de trauma
- Melhoria nas técnicas de estabilização e nos dispositivos de implante
- Desenvolvimento e refinamento de procedimentos para reconstruir defeitos de partes moles

Entretanto, o tratamento dessas lesões permanece um desafio cirúrgico, e a lesão das partes moles é um componente fundamental do trauma de extremidade (particularmente se associado a alta energia) ditando o tratamento inicial e, às vezes, o definitivo da lesão, como também é essencial à consolidação óssea [1].

O aumento da consciência sobre a importância da lesão de partes moles e seu impacto no desfecho tem suscitado uma série de questões sobre a avaliação da lesão, os esquemas de classificação, os índices preditivos, a estabilização da fratura e o tratamento dos defeitos ósseos. As respostas definitivas a essas questões devem promover uma combinação ideal de técnicas para o reparo e/ou a reconstrução do osso e tratamento de partes moles.

A variação nos padrões da lesão dificulta a criação de um algoritmo padronizado de tomada de decisão: toda lesão com defeito significativo de partes moles é ímpar e requer uma solução personalizada que leve em conta os fatores locais no sítio da lesão (as partes moles e a fratura), os fatores do paciente e as instalações médicas disponíveis [2].

A melhor compreensão do suprimento sanguíneo para os músculos e pele, com a sua aplicação clínica para a cobertura da ferida usando retalhos customizados de vários tecidos, tem aumentado as opções disponíveis de reconstrução para o tratamento da perda de partes moles (**Fig. 4.3-1**).

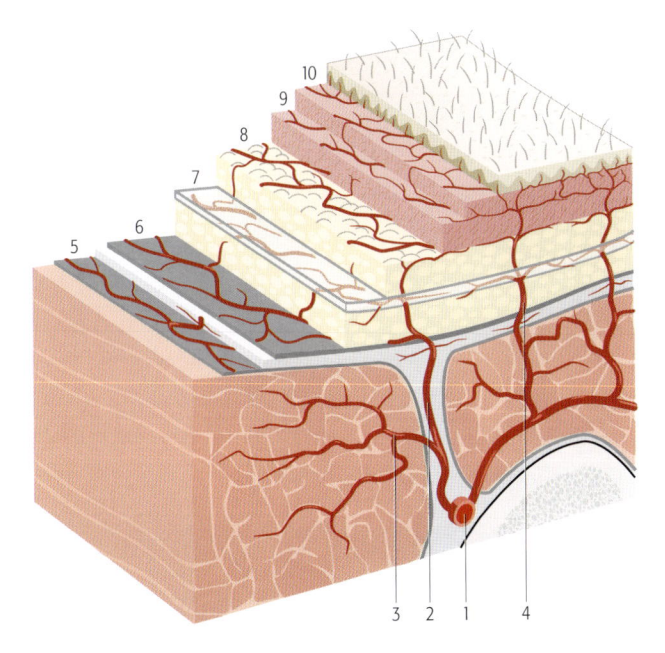

**Fig. 4.3-1** A circulação cutânea que passa através dos septos (sistema cutâneo direto) ou perfurantes musculares (sistema musculocutâneo). Subdivisão em plexos horizontais. A artéria segmentar (1) se divide em ramos septocutâneos (2), musculares (3) e musculocutâneos (4). Os vasos septocutâneos e musculocutâneos perfuram a fáscia profunda (fáscia muscular). Os vasos cutâneos consistem em vasos perfurantes (2, 4), dos quais somente os vasos que penetram no músculo são perfurantes de verdade. Depois da perfuração muscular, esses vasos continuam a correr perpendicularmente à pele. Eles dão origem a três plexos arteriais horizontais: o plexo fascial, que pode ser subfascial (5) e pré-fascial (6), o plexo subcutâneo dentro da fáscia superficial da pele (7) e o plexo cutâneo, que tem três elementos: subdérmico (8), dérmico (9) e subepidérmico (10).

Tópicos gerais
4.3 Perda de partes moles: princípios do tratamento

## 2 Avaliação dos defeitos de partes moles

A descrição a seguir detalha a avaliação clínica, radiográfica e laboratorial do paciente e da lesão de partes moles.

### 2.1 O paciente

O exame sistemático é essencial para avaliar corretamente a lesão. A história clínica completa é combinada com um exame detalhado do membro lesionado e o exame geral do paciente, que deve ser claramente registrado. O objetivo é obter rapidamente um diagnóstico que seja tão preciso quanto possível (**Fig. 4.3-2**). Entretanto, as prioridades clínicas podem, às vezes, retardar a avaliação, já que as condições potencialmente fatais precisam ser resolvidas primeiramente. A avaliação de um paciente inconsciente frequentemente é incompleta, já que certos aspectos da lesão, como o dano aos nervos, não podem ser avaliados.

A história deve incluir o mecanismo, a energia e o momento da lesão. Os fatores gerais que influenciam a tomada de decisão devem também ser avaliados, incluindo idade, sexo, trauma craniano, doença vascular, diabetes, imunização para tétano, infecção viral (p. ex., HIV, hepatite B ou C) e fatores psicossociais, como a condição cognitiva, a adesão, bem como a dependência de drogas, nicotina ou álcool.

### 2.2 As partes moles

O valor da avaliação das partes moles lesionadas e a classificação da sua gravidade dependem muito da experiência do examinador. Por conseguinte, os cirurgiões experientes devem ser envolvidos nesse processo. Com frequência, a avaliação completa da extensão da lesão de partes moles somente pode ser executada na sala de cirurgia, durante a irrigação e debridamento e/ou fixação primária. O exame permitirá ao cirurgião avaliar a gravidade da lesão de partes moles e definir a "zona da lesão". Fotografias podem ser úteis para comunicação e reduzir a necessidade para a exposição repetida de quaisquer feridas.

A avaliação das lesões de partes moles deve abordar os seguintes tópicos:

- Local, tamanho, extensão e característica da ferida (p. ex., esmagamento, abrasão, defeito, desenluvamento)
- Contaminação e/ou presença de corpos estranhos na ferida
- Condição da pele (cor, enchimento capilar, turgor e temperatura)
- Avaliação sistemática das estruturas circundantes (p. ex., nervos, vasos, músculos, tendões, osso, cartilagem)
- Condição dos tecidos adjacentes, incluindo as articulações acima e abaixo da lesão

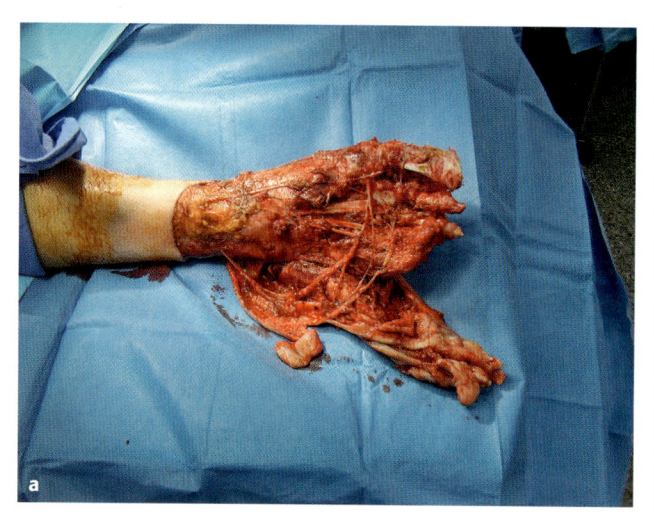

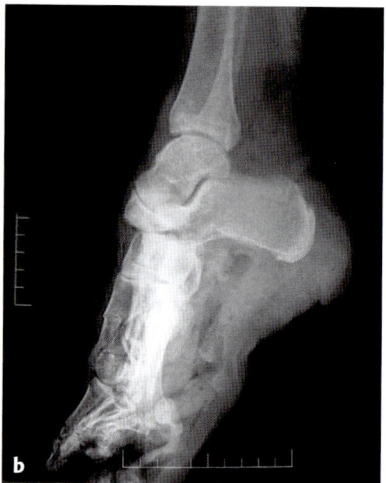

**Fig. 4.3-2a-b** Homem de 47 anos de idade com trauma grave no pé direito e distal da tíbia. Perda cutânea considerável e desenluvamento, incluindo pele, tecido subcutâneo, músculo e osso.
a Vista dorsal do pé
b Radiografia lateral

O enchimento capilar é examinado pela aplicação de pressão leve sobre a pele com o dedo ou instrumento, que é, então, rapidamente liberado (**Fig. 4.3-3**). A escarificação da pele com uma agulha afiada ou um bisturi pode às vezes ser útil para avaliar o sangramento dérmico. A perfusão é então avaliada julgando a cor (p. ex., vermelho-claro ou azulado) e o fluxo do sangramento dérmico. A ausência de sangramento capilar é sugestiva de tecido não viável. Não obstante, a pele pode se reperfundir depois do trauma.

A descoloração azulada indica alguma lesão da pele, que pode sobreviver, enquanto a descoloração acinzentada da pele indica alterações além da tolerância isquêmica da pele. Todos esses sinais clínicos devem ser usados para avaliar a perfusão da pele normal ou de um retalho (**Tab. 4.3-1**). A viabilidade muscular pode ser determinada avaliando os quatro "Cs":

- Cor
- Contratilidade (por estimulação mecânica ou elétrica)
- Consistência
- Capacidade do músculo sangrar

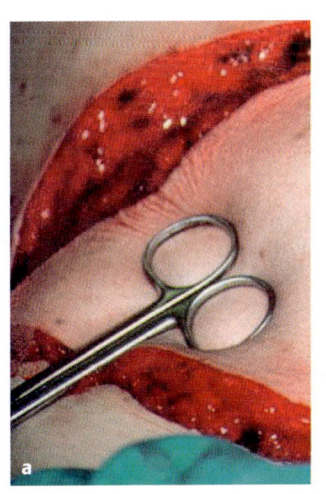

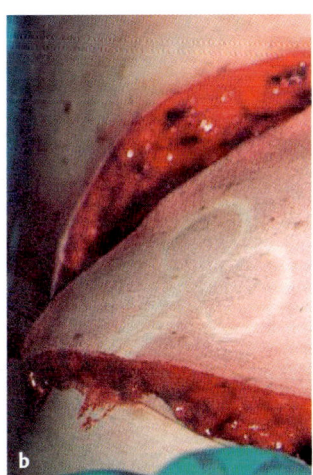

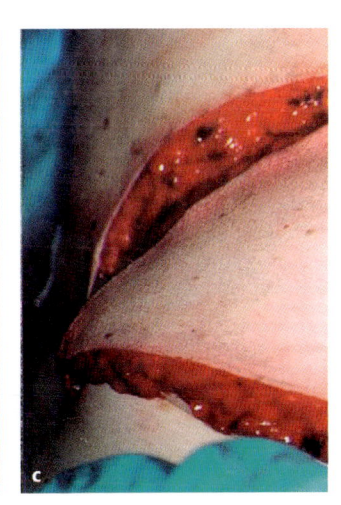

**Fig. 4.3-3a-c** Enchimento capilar.
**a** Ao pressionar suavemente com a tesoura a região de interesse, o enchimento capilar pode ser testado.
**b** Observação da impressão da tesoura.
**c** Desvanecimento da impressão. Um desvanecimento dentro aproximadamente 3 segundos é normal. O desvanecimento rápido ou lentificado pode indicar oclusão venosa ou obstrução do fluxo arterial, respectivamente.

**Tabela 4.3-1** Sinais clínicos indicando perfusão comprometida da pele

|  | Contusão | Inflamação/infecção | Insuficiência arterial | Congestão venosa |
| --- | --- | --- | --- | --- |
| **Cor** | Purpúrea | Avermelhada | Pálida | Vermelho-escura, purpúrea |
| **Enchimento capilar** | Normal | Acelerado | Lento ou ausente | Acelerado |
| **Turgescência** | Aumentada | Aumentada | Diminuída | Aumentada |
| **Temperatura da superfície** | Normal | Aumentada | Diminuída | Normal a aumentada |

Tópicos gerais
## 4.3 Perda de partes moles: princípios do tratamento

A ausência de pulsos pode sugerir uma artéria gravemente lesionada proximal à região de interesse. Esse achado clínico não pode ser ignorado e deve ser abordado imediatamente. A presença de pulso mais distalmente não garante que a vascularização esteja intacta, porque vasos colaterais podem manter o pulso palpável. Quando um ferimento estiver situado sobre um tendão, o exame deve incluir o teste ativo e passivo da função do tendão. Se houver dúvida, a exploração da ferida deve ser feita na sala de cirurgia e o cirurgião deve estar preparado para reparar o tendão. A viabilidade dos músculos e tendões nem sempre pode ser julgada em um paciente recentemente lesionado. Os tendões necróticos que tenham ficado expostos em um período de dias ficarão macerados e desenvolverão uma descoloração esverdeada. A deformidade do membro e a crepitação são típicas de um osso fraturado, que deve ser verificado por radiografias. Os seguintes sinais clínicos podem indicar lesão significativa de nervos e devem ser imediatamente avaliados:

- Dor intensa e disestesia podem ser devido à síndrome compartimental ou por um hematoma em expansão, causando compressão nervosa
- Contusão maciça ou transecção de um nervo resultando em paralisia e déficit funcional de um membro, pé, ou mão como, por exemplo, queda do pé (nervo fibular comum), queda do punho (nervo radial), mão em garra (nervo ulnar), mão sem oponência (nervo mediano), ou paresia traumática do plexo braquial
- Ausência de discriminação de dois pontos ao toque
- Falta de resposta a estímulos fortes e dolorosos e ausência de reflexos periféricos
- Ausência de sudorese na distribuição sensitiva do nervo

A avaliação plena de uma lesão de partes moles frequentemente requer investigações adicionais. Várias técnicas não clínicas estão disponíveis para avaliar a lesão e a viabilidade da pele (**Tab. 4.3-2**).

Uma vez avaliada, a lesão de partes moles deve ser classificada usando um sistema que inclua as partes moles como a classificação de Gustilo-Anderson ou a classificação AO de partes moles.

## 2.3 A fratura

A avaliação da fratura requer radiografias ortogonais, centradas na zona de lesão. O estudo radiográfico deve incluir as articulações acima e abaixo da fratura. As fraturas articulares complexas e metafisárias frequentemente requerem imagens adicionais com tomografia computadorizada (TC).

O planejamento da fixação cirúrgica é essencial e uma decisão estratégica fundamental reside na estabilização esquelética temporária ou definitiva. A técnica e o momento da reconstrução de partes moles terão um papel fundamental nessa decisão. Assim, é essencial que a equipe cirúrgica que executará a reconstrução definitiva das partes moles esteja envolvida no planejamento. As abordagens cirúrgicas, bem como os dispositivos de fixação interna ou externa, devem ser posicionados e/ou introduzidos de tal forma que não comprometam os procedimentos ortopédicos ou de cirurgia plástica seguintes.

A fixação definitiva não é obrigatória durante a intervenção cirúrgica inicial. Com frequência, a estabilização temporária de um membro é feita com o fixador externo. Essa abordagem de controle de danos fornece estabilidade esquelética para permitir que a extensão da lesão de partes moles seja demarcada e então se recupere. O fixador externo deve transpor a zona lesionada para manter o comprimento e o alinhamento. Isso pode requerer a colocação de fixadores cruzando articulações, e fixadores externos transarticulares preliminares podem ser usados para fraturas supracondilares do fêmur expostas, com ou sem fraturas do planalto tibial, fraturas expostas do pilão, bem como fraturas expostas da diáfise da tíbia. A fixação definitiva é executada em uma data posterior, quando o edema tiver reduzido e a extensão completa do ferimento de partes moles tiver sido avaliada e/ou reconstruída. A fixação definitiva pode envolver fixação interna com placas e parafusos, hastes intramedulares, ou conversão para um fixador externo definitivo, como uma armação circular.

**Tabela 4.3-2** Vantagens e desvantagens das técnicas não clínicas para avaliar o fluxo sanguíneo da pele

|  | Invasividade | Confiabilidade | Quantificação | Facilidade de manuseio |
|---|---|---|---|---|
| **Temperatura** | Não | Alguma | Alguma | Sim |
| **Oxigenação tecidual** | Sim | Sim | Sim | Alguma |
| **Doppler acústico** | Não | Alguma | Não | Sim |
| **Fluxometria com Doppler a *laser*** | Não | Alguma | Alguma | Alguma |
| **Doppler colorido duplex** | Não | Sim | Sim | Não |
| **TC** | Sim | Sim | Não | Não |
| **Contrastes fluorescentes** | Sim | Sim | Alguma | Não |

## 3 Salvação do membro *versus* amputação precoce

Em anos recentes, os tempos de resgate têm diminuído e as técnicas de reparo neurovascular melhoraram, de forma que a salvação de membros gravemente feridos com isquemia crítica tem se tornado uma opção mais frequente. Vários sistemas de classificação e pontuação foram desenvolvidos para ajudar a definir se os membros seriam possíveis de salvar ou não. Estes incluem a escala da gravidade de mutilação da extremidade (MESS) [3], o índice de preservação do membro (LSI) [4], a escala da lesão do nervo, isquemia, lesão de partes moles, lesão esquelética, choque e idade do paciente (NISSSA) [5], e a escala de fratura de Hanover [6]. Os escores enfatizam a capacidade técnica de salvar o membro, mas não abordam os desfechos funcionais ou a qualidade de vida depois da salvação do membro ou da amputação. O estudo projeto de avaliação da extremidade inferior (Lower Extremity Assessment Project, LEAP) é o único estudo grande que o fez [7]. Por conseguinte, os vários sistemas de pontuação têm sido com frequência de valor limitado no tratamento de um paciente individualmente.

Na prática clínica, existem casos que claramente não podem ser salvos (**Fig. 4.3-4**). Entretanto, o cirurgião de trauma é comumente confrontado com lesões graves de membros que tecnicamente podem ser salvos. Entretanto, limitações de capacitação, momento ou de recursos podem ser um impedimento. Quando a salvação do membro não for possível, é fundamental planejar o nível de amputação para preservar o máximo de função e garantir a melhor reabilitação protética possível. Se o membro for tecnicamente passível de salvação, a pergunta que confronta o cirurgião é se o paciente estará funcionalmente em melhor situação após a reconstrução e salvação do membro que após a amputação.

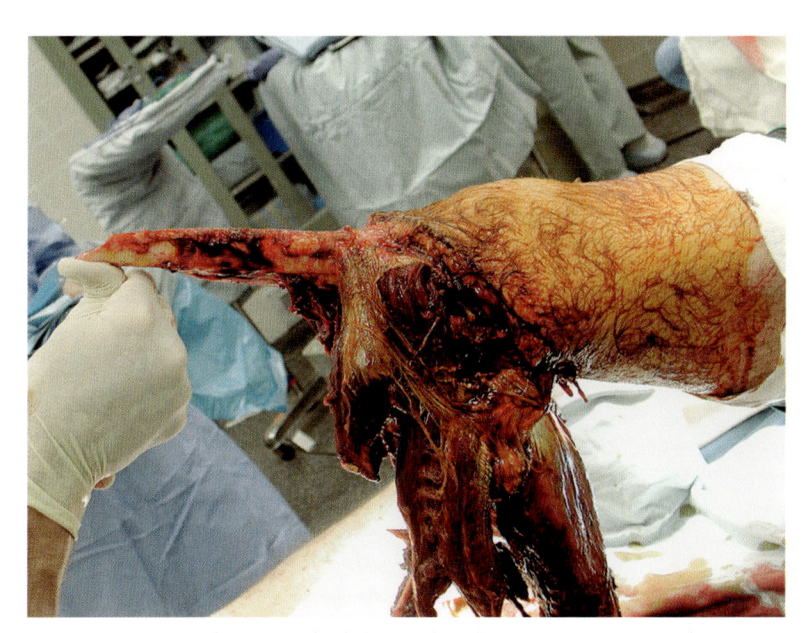

**Fig. 4.3-4** Homem de 37 anos de idade com desenluvamento maciço causado por equipamento de agricultura. O membro inferior não é passível de salvação.

Tópicos gerais
## 4.3 Perda de partes moles: princípios do tratamento

**Extremidade superior:** A opinião prevalente é que na extremidade superior qualquer tentativa deve ser feita para salvar o membro (**Fig. 4.3-5**). Infelizmente, há casos em que a amputação é ainda a melhor opção. Alguns casos claramente não são salváveis, incluindo as lesões maciças de esmagamento com perda óssea segmentar e de partes moles, bem como lesão neurovascular extensa. Outras situações são mais questionáveis, como quando houver perda traumática de ambos os compartimentos flexores e extensores do antebraço. A maioria dos pacientes prefere um membro não funcional a uma prótese na extremidade superior; assim, a reconstrução é tentada com mais frequência. Durante a avaliação inicial de uma extremidade superior lesionada, o cirurgião deve efetuar um inventário completo dos músculos, vasos e nervos intactos para facilitar o processo de tomada de decisão.

Houve um progresso técnico tremendo nas próteses em anos recentes. Consequentemente, uma mão com pouca função ou não funcional, ou uma mão que cause dor crônica e sem nenhuma sensibilidade frequentemente não são tão boas quanto um bom coto, especialmente se for o lado não dominante. Tais condições, mais frequentemente em homens jovens, dificultam a reintegração no local de trabalho e as próteses mioelétricas (i.e., um substituto "inteligente" do braço ou da mão que possa ser controlado por contração muscular seletiva) podem ser uma opção valiosa no futuro próximo. O papel do alotransplante da mão ou do braço ainda não foi estabelecido rotineiramente, e permanece um procedimento a ser executado em casos muito raros e altamente selecionados.

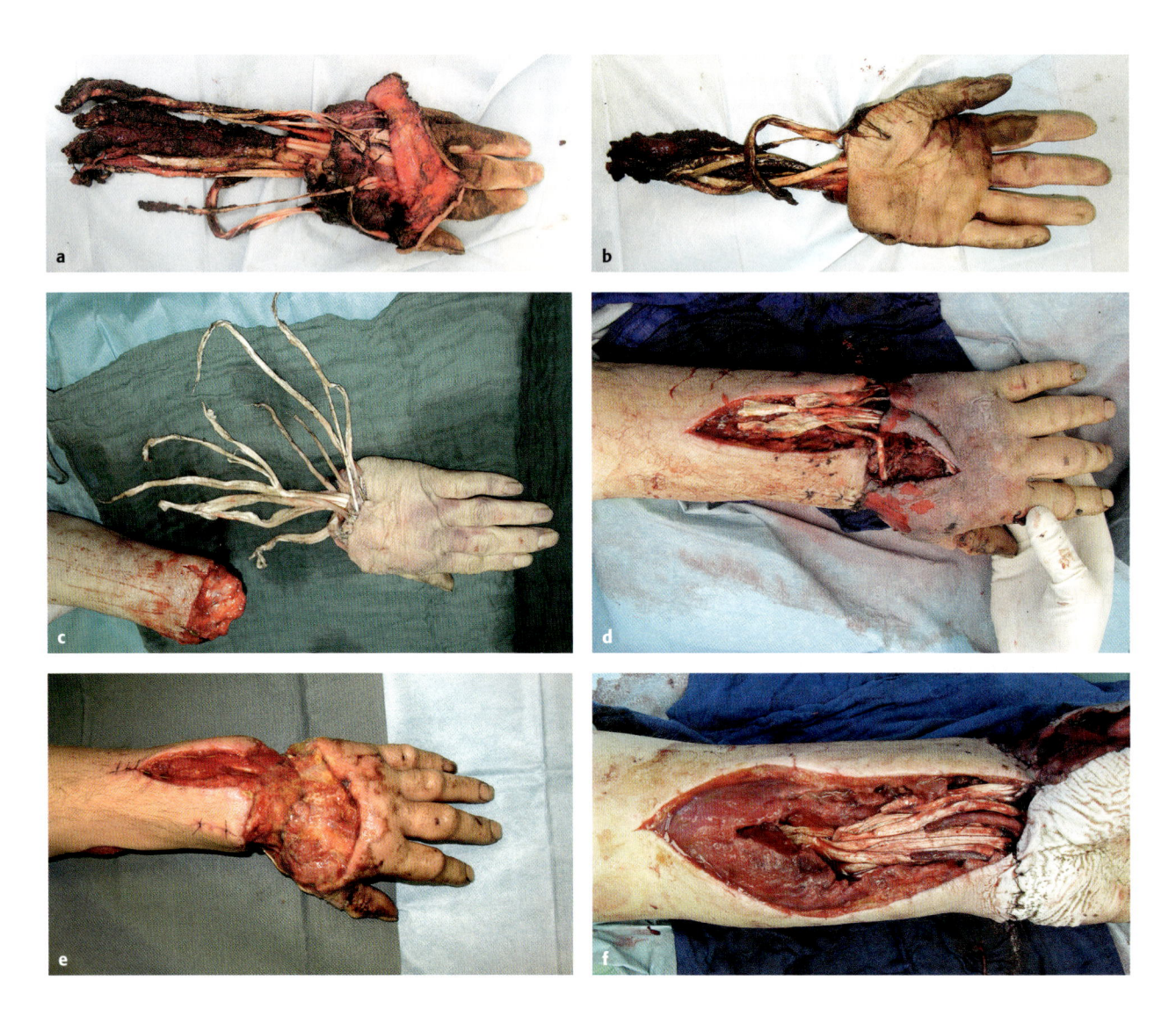

**Extremidade inferior:** O cirurgião deve abordar o trauma grave da extremidade inferior com um conjunto diferente de critérios do que na extremidade superior, por causa das diferenças na percepção da imagem corporal e em função das opções disponíveis de reconstrução. Em algumas culturas, a integridade do corpo e, especialmente, dos membros pode ser até mais importante que a função, e esse fato não deve ser ignorado. A função deve ser considerada a partir de uma perspectiva ampla. A função protética deve ser comparada com o desfecho funcional potencial de um membro salvo. Na extremidade superior é possível uma variedade de transferências de tendão ou de músculos, que pode restaurar a função da mão. Em contraste, na extremidade inferior existem menos opções. Ademais, estão disponíveis muitas substituições protéticas de pé ou tornozelo, que podem reproduzir as diferentes funções do pé.

As indicações absolutas para a amputação incluem:

- Paciente politraumatizado instável, no qual as tentativas prolongadas de salvação do membro porão sua vida em risco
- Lesão vascular sem possibilidade de reconstrução, com isquemia crítica
- Lesão por esmagamento que inclua uma zona larga da extremidade, como a lesão por prensa hidráulica
- Infecção avassaladora ou fascite necrosante
- Perda grave de músculos, nervos e/ou tendões de compartimentos múltiplos
- Falta de recursos em um país com instalações deficientes para atendimento

A idade, comorbidades e o estado geral de saúde do paciente no momento da lesão devem ser considerados como indicações relativas para amputação e discutidas em uma base individual.

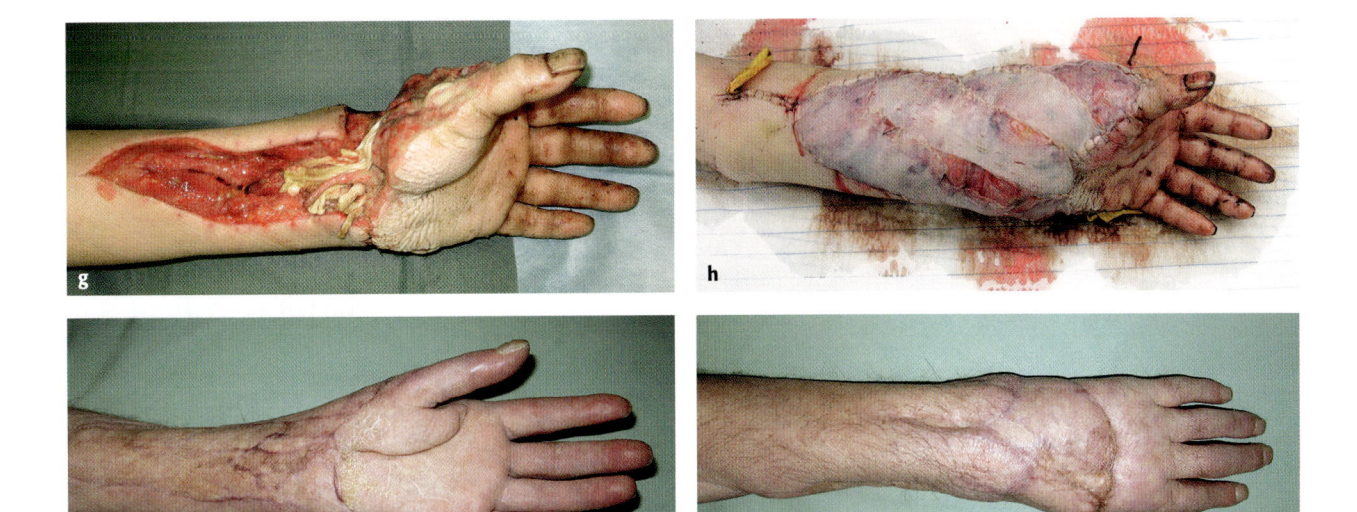

**Fig. 4.3-5a-j** Homem de 50 anos de idade que sofreu uma amputação de sua mão não dominante esquerda em uma esteira. A tentativa de salvar a mão foi bem-sucedida.
- **a** Vista dorsal da mão 45 minutos depois da amputação. Note a sujeira extensa, particularmente no nível dos tendões.
- **b** Vista palmar.
- **c** Vista dorsal da mão e do coto depois do debridamento cirúrgico minucioso.
- **d** Vista dorsal depois do reimplante da mão, incluindo a fixação interna, anastomose de duas artérias (radial e ulnar), três veias (radial e ulnar concomitante; sistema de drenagem profunda) e a veia cefálica (sistema de drenagem superficial). Note o retalho de pele azulada no dorso da mão.
- **e** Vista dorsal 2 semanas depois do reimplante. Parte do retalho de pele desenvolveu necrose e foi debridada.
- **f** Vista palmar depois do reimplante. Note o extenso defeito de pele.
- **g** Vista palmar com tendões flexores expostos.
- **h** Vista palmar 3 dias depois da cobertura do defeito com um retalho muscular quimérico livre (músculos grande dorsal e serrátil anterior) e enxerto cutâneo de espessura parcial.
- **i** Vista palmar: acompanhamento em 12 meses. Note a boa cor e a combinação de textura do retalho enxertado com pele, a leve saliência do retalho dorsalmente, e a mão bem perfundida com trofismo normal. Adução funcional dos dedos (músculos intrínsecos).
- **j** Vista dorsal: acompanhamento em 12 meses. Note a boa coloração e combinação da textura do retalho com a pele enxertada, que atrofiou significativamente.

Tópicos gerais
## 4.3 Perda de partes moles: princípios do tratamento

Se a extremidade inferior for considerada tecnicamente salvável, então deve ser decidido se a salvação deve ou não ser tentada. Na maioria das situações, o desfecho funcional deve ser o determinante primário da salvação ou amputação.

Os cirurgiões devem avaliar cuidadosamente todo o ambiente e as circunstâncias nas quais o paciente vive. Eles devem, sempre que for possível, apresentar o desfecho provável de salvação contra amputação para o paciente e seus familiares, e permitir que eles participem do processo de tomada de decisão. Os cirurgiões devem considerar o seguinte ao apresentar as opções para o paciente e/ou sua família [7]:

- Profissão e atividade do paciente
- Disponibilidade de próteses e instalações de reabilitação apropriadas
- Saúde geral, fatores psicossociais, cooperação e expectativas do paciente que pode precisar ser submetido a procedimentos múltiplos para reconstruir o membro (p. ex., idade, tabagismo, medicamentos, diabetes, estado nutricional)
- Riscos associados aos procedimentos de salvação do membro: riscos anestésicos, sangramento, oclusão vascular, infecção, degradação da ferida, não união, consolidação viciosa, dor persistente, cirurgias múltiplas, tempo de reabilitação prolongado, possibilidade de amputação secundária, longo processo de reintegração profissional e/ou social
- Riscos associados à amputação: degradação da ferida, sensibilidade fantasma, dor fantasma, e/ou custos das próteses de substituição
- Tempo para reconstruir o membro *versus* tempo de recuperação da amputação
- Função do membro se todos os esforços de reconstrução (consolidação da fratura, cobertura de partes moles, etc.) forem bem-sucedidos
- Função da prótese no contexto da profissão e atividades do paciente, como também o ambiente social e cultural do paciente (p. ex., em algumas culturas, os amputados são excluídos da sociedade)

Aos pacientes deve ser transmitido que não existe nenhuma escolha certa ou errada, somente formas alternativas de restaurar a função. Alguns pacientes e alguns médicos verão a amputação como uma falha, o que deve ser desencorajado. A restauração das atividades anteriores à lesão é a meta. Ao considerar cuidadosamente o caminho para essa meta, tanto o paciente quanto o médico podem chegar à melhor decisão.

## 4 Tratamento inicial

O trauma de partes moles, incluindo a lesão térmica, consiste em uma grande variedade de lesões, desde lesões secundárias até potencialmente fatais, que necessitam de ação imediata e coordenada por parte de todas as especialidades cirúrgicas envolvidas. A triagem pré-hospitalar deve procurar levar o paciente tão depressa e seguramente quanto possível ao hospital certo com instalações para fornecer os cuidados definitivos. Assim, a organização do sistema de saúde terá um impacto importante nos desfechos.

### 4.1 Aspectos organizacionais do cuidado inicial

A comunicação com a equipe do departamento de emergência deve começar antes da chegada do paciente ao hospital. O mecanismo de lesão (p. ex., trauma de alta energia ou de baixa energia, trauma não penetrante ou trauma penetrante) pode determinar o destino do paciente. Essa triagem inicial pode ajudar a evitar retardos desnecessários para o tratamento definitivo [8]. Em casos de lesão grave de partes moles, seja em um trauma isolado ou politraumatismo, é essencial incluir logo que possível um especialista em tecidos moles, de preferência um cirurgião plástico, ou um cirurgião com grande experiência no tratamento de partes moles e cirurgia reconstrutora [9]. Uma abordagem interdisciplinar inicial ajudará a diagnosticar e classificar corretamente a gravidade das lesões de partes moles e a planejar o tratamento apropriado [10].

## 5 Tomada de decisão interdisciplinar e estadiamento do tratamento

Os pacientes com defeitos traumáticos graves de partes moles requerem uma abordagem interdisciplinar [11]. O dano de tecido moles em muitos casos é mais extenso do que inicialmente aparente e requer uma avaliação inicial feita por cirurgiões experientes. O retardo pode resultar em cursos cirúrgicos e pós-operatórios mais complicados, tempo de hospitalização prolongado e, em última instância, custos mais altos.

### 5.1 Papel do cirurgião de trauma ou ortopedista

Não importando especialização, seja ortopedia ou trauma, é crucial que um cirurgião experiente seja responsável pela continuidade dos cuidados do paciente. As lesões da mão quase sempre requerem a consultoria primária com um cirurgião de mão ou cirurgião treinado em cirurgia de mão. A decisão de incluir um especialista no tratamento de partes moles deve com liberdade e logo que possível, para planejar as prioridades e o momento das intervenções cirúrgicas.

## 5.2 Papel do cirurgião plástico

O cirurgião plástico deve ser incluído precocemente no processo de tomada de decisão, de preferência quando o paciente estiver ainda no departamento de emergência. A formulação precoce de um plano de tratamento detalhado é de importância crucial e irá melhorar o desfecho. Mesmo com a experiência clínica apropriada e o uso dos escores relevantes, a amputação será necessária em alguns casos de lesões graves de partes moles para preservar a vida do paciente "antes do membro".

## 5.3 Tomada de decisão com membros em risco

Uma vez que uma lesão complexa tenha sido completamente avaliada e a reconstrução cirúrgica parecer possível, as prioridades terapêuticas devem ser estabelecidas em conjunto pela equipe:

- Derivação vascular temporária?
- Fixação da fratura antes do reparo vascular, ou vice-versa?
- Cobertura imediata *versus* cobertura retardada das partes moles?

Geralmente, o procedimento começará com uma inspeção meticulosa da ferida ("inventário") na sala de cirurgia. Essa também é uma oportunidade para obter radiografias de alta qualidade da fratura com tração. É feito, então, o debridamento radical de todos os corpos estranhos e do tecido necrótico, incluindo fragmentos ósseos mortos, seguido pela lavagem da ferida. Somente então será possível avaliar completamente a extensão da lesão, e essa avaliação pode resultar em modificação do plano cirúrgico provisório. A provável via de acesso e o tipo de fixação da fratura (definitiva vs. temporária; interna vs. externa) precisam ser decididos tendo em conta subsequentes procedimentos de debridamento e reconstrução (p. ex., cirurgia de retalho pediculado ou livre). As lesões nervosas são raramente tratadas nesse estágio inicial, exceto na mão. Entretanto, um especialista deve ser consultado em relação a como os cotos do nervo devem ser marcados de forma que possam ser facilmente acessados durante a cirurgia subsequente. A sua posição exata deve ser registrada na descrição cirúrgica, de preferência com um desenho (**Fig. 4.3-6**).

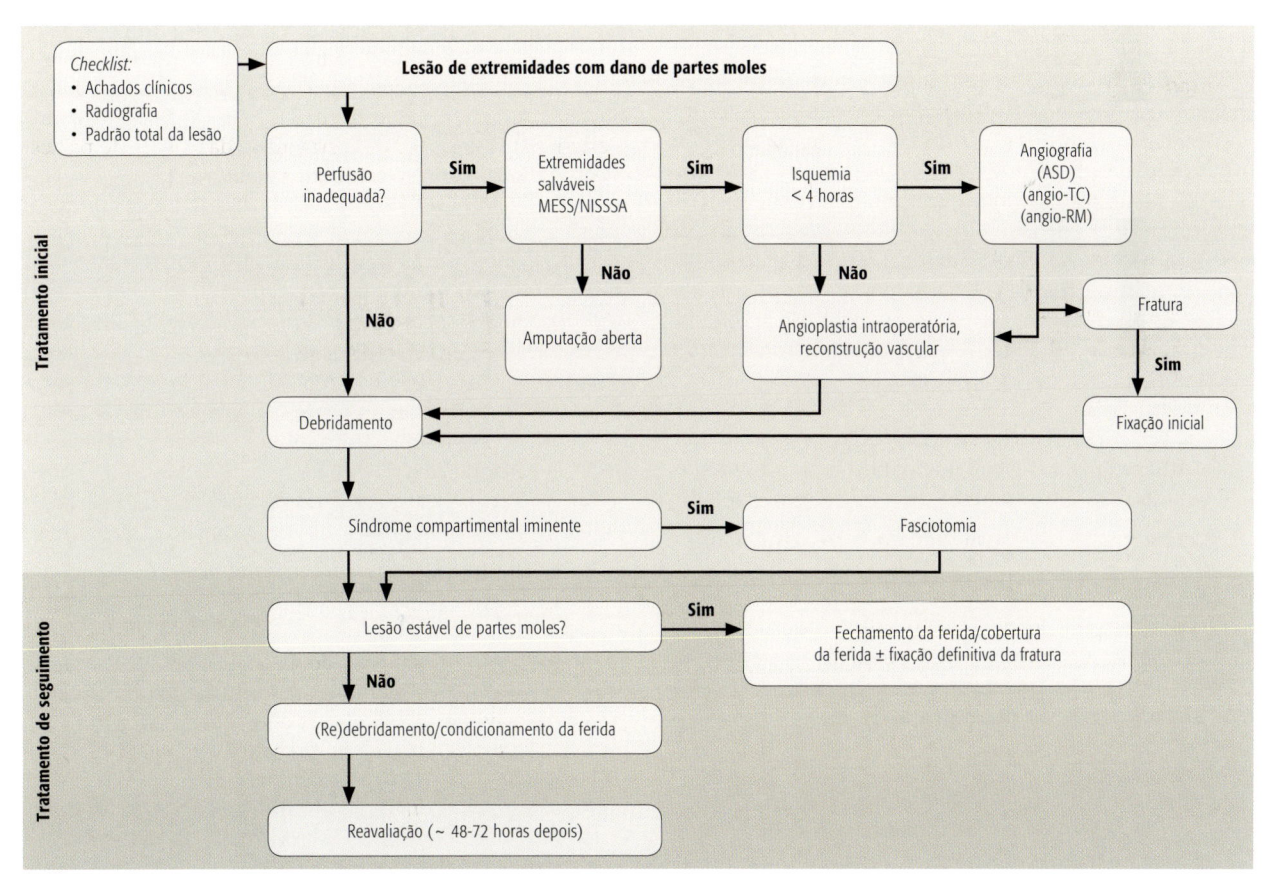

**Fig. 4.3-6** Algoritmo para o tratamento de lesões complexas de partes moles. Note que a reavaliação repetida está indicada até que seja obtida uma ferida estável.
Siglas: TC, tomografia computadorizada; ASD, angiografia por subtração digital; MESS, escala da gravidade de mutilação da extremidade; RM, ressonância magnética; NISSSA, escore de lesão do nervo, isquemia, lesão de partes moles, lesão esquelética, choque e idade do paciente.

Tópicos gerais
4.3 Perda de partes moles: princípios do tratamento

### 5.4 Estadiamento dos procedimentos terapêuticos

Várias razões podem levar a um tratamento estadiado de uma lesão complexa da extremidade:

- Gravidade da lesão óssea ou articular e/ou lesão de partes moles – o reparo definitivo primário parece muito extenso e arriscado
- Condição do paciente, em geral devido a lesões múltiplas que requerem estabilização de acordo com o princípio da cirurgia de controle de danos
- Instalações não adequadas, equipe cirúrgica experiente não disponível, equipamento inadequado na sala de cirurgia, falta de capacidade de tratamento pós-operatório, como, por exemplo, unidade de cuidados intensivos

Um plano de tratamento estadiado bem definido é necessário nessa situação. O primeiro estágio inclui a avaliação intraoperatória da lesão, o debridamento cirúrgico e a irrigação da ferida. A estabilização das fraturas será frequentemente alcançada pela fixação externa. O posicionamento dos parafusos de Schanz do fixador é crucial, já que devem estar do lado de fora da zona de lesão e não interferir com qualquer procedimento cirúrgico subsequente (fora da zona da cirurgia em potencial). Dependendo da recuperação geral do paciente, um segundo debridamento é geralmente planejado para ocorrer em 24-48 horas, embora algumas lesões complexas por explosão possam requerer isso muito mais cedo [12]. Em pacientes com trauma isolado de membro, o segundo estágio pode incluir a estabilização definitiva da fratura exposta, incluindo a substituição de osso e partes moles com tecido não vascularizado ou vascularizado (enxerto ou retalho), ou pode ser planejado para 3-5 dias depois da lesão. Se o tipo de fixação tiver que ser mudado de um fixador externo para fixação interna (p. ex., haste intramedular ou osteossíntese com placa), deve ser feito tão logo quanto possível, idealmente dentro dos primeiros 5 dias depois da lesão, já que isso reduzirá o risco de infecção. Os pacientes com politraumatismo grave e que demandam cuidados intensivos podem não estar em condições para a cirurgia reconstrutiva maior dentro daquele período de tempo. O tratamento temporário da ferida deve continuar, geralmente com curativos de pressão negativa até que o paciente esteja em condições para a cirurgia de reconstrução.

## 6 Reconstrução das partes moles

O debridamento é o pilar do tratamento cirúrgico das feridas abertas. Com o passar do tempo, as feridas associada ao trauma desenvolvem um biofilme que resulta de proliferação bacteriana e da síntese de moléculas que compõem a matriz extracelular. Esse biofilme tem um risco de infecção e deve ser incluído no debridamento cirúrgico.

O debridamento envolve a remoção cirúrgica sistemática de todos os corpos estranhos e do tecido necrótico, contaminado ou não viável de uma ferida com a meta de criar uma ferida limpa ou até estéril. Requer a ampla excisão local, deixando somente tecido saudável, similar à ressecção de um tumor.

O equilíbrio entre fornecer a fixação adequada da fratura e a preservação de partes moles deve ser individualmente avaliado em cada caso. É importante estabilizar o osso, além de prevenir o dano adicional ao suprimento sanguíneo local do osso e das partes moles. O planejamento e um bom conhecimento da anatomia vascular são essenciais. Uma incisão pequena, mas mal posicionada, para a cirurgia minimamente invasiva, pode prejudicar o suprimento sanguíneo crítico para um retalho local. Os fatores a serem considerados ao planejar a estabilização óssea incluem:

- Localização anatômica e características da fratura
- Condição da pele e partes moles, incluindo desenluvamento, como também o local e o tamanho dos ferimentos
- Grau de contaminação
- Presença de outras lesões
- Condição global do paciente

### 6.1 Princípios da reconstrução de partes moles

A reconstrução de partes moles deve fornecer uma cobertura segura dos defeitos, que também seja capaz de restaurar a forma e a função e evitar deformidades no local doador. Algumas décadas atrás, a estabilização imediata e definitiva de fraturas com fechamento primário da ferida era a meta de tratamento; a tendência atual é em direção a procedimentos estadiados com debridamento repetido, condicionamento da ferida e fechamento retardado ou reconstrução das partes moles para reduzir as complicações na cicatrização da ferida. A reconstrução adequada de partes moles é baseada no conhecimento dos cinco princípios básicos de reconstrução [13, 14]:

1. **Momento:** Uma vez que o plano cirúrgico seja estabelecido, o momento do procedimento precisa ser determinado. Uma vez que a maioria dos procedimentos de reconstrução pode esperar 1 ou 2 dias, esse tempo deve ser usado para planejar e otimizar a condição do paciente como, por exemplo, o controle glicêmico adequado em pacientes com diabetes. Uma abordagem interdisciplinar e boa comunicação entre as diferentes equipes são essenciais para estabelecer as prioridades e o melhor momento para tratamento. O momento e abordagem para a enxertia óssea secundária, por exemplo, serão influenciados pelo tipo de reconstrução de partes moles, e o cirurgião deve conhecer a localização do pedículo vascular quando ele retornar a expor a fratura e colocar um enxerto.

2. **Substituição pelo mesmo:** Ao preencher um defeito, é preferível substituir a parte perdida com o mesmo tecido, como, por exemplo, osso por osso, gordura por gordura, músculo por músculo e pele por pele para restaurar o formato e o contorno normal em termos de função, espessura e textura, bem como a cor e a sensibilidade da pele. Se não for possível, o tecido mais similar é escolhido para reconstruir o defeito, com morbidade mínima do local doador.
3. **Banco de tecido:** O corpo humano é um precioso "banco de tecido", mas com recursos limitados. A morbidade do local doador deve ser sempre incluída no plano para assegurar que o dano causado na remoção não cause mais problemas que o defeito original. No caso de amputação de um membro, a parte removida pode fornecer tecidos valiosos para reconstrução.
4. **Aspectos funcionais e estéticos:** Embora os aspectos estéticos sejam menos importantes no trauma de extremidade do que na reconstrução facial, a restauração da função na zona de carga deve ser considerada, e a posição exata das incisões deve ser planejada para evitar cicatrizes em zonas de pressão ou dificultar alguma cirurgia subsequente.
5. **Plano alternativo:** Durante a intervenção, o ajuste do plano original pode ser necessário se for encontrada uma situação inesperada. Uma vez que qualquer procedimento de reconstrução tem um risco de falha, é importante sempre ter um plano alternativo.

## 6.2 Escada de reconstrução – conceito linear *versus* nova abordagem modular

A ideia original da escada reconstrutiva era fornecer uma sequência de diferentes opções de tratamento cirúrgico que podem ser aplicadas de acordo com a sua complexidade (**Fig. 4.3-7**). Esse princípio foi primeiro aplicado para reconstruir defeitos orbitofaciais complexos, e o conceito foi adotado por ortopedistas para reconstruir os defeitos de membros [15]. O risco com essa escada reconstrutiva bastante rígida é implicar que a técnica mais simples deve ser usada primeiro, e somente prosseguir para o próximo degrau se o anterior, "mais simples", tiver falhado ou não for possível. Atualmente, ela foi modificada de forma que a solução com a melhor chance de sucesso seja aplicada, e não a mais simples. O fechamento ou cobertura da ferida com estabilidade questionável deve ser evitado, mesmo que o procedimento seja tecnicamente fácil de executar e seja o menos invasivo para o paciente, já que mais provavelmente ele apenas irá adiar a necessidade de uma cirurgia de maior porte em um ponto menos favorável de tempo, quando surgirem complicações. Como exemplo, um enxerto de pele de espessura parcial para um defeito considerável no calcanhar, a principal zona de carga, pode ser uma solução aceitável para um pessoa que não caminhe. Entretanto, um trabalhador manual com um defeito similar certamente será muito mais beneficiado com um procedimento mais extenso, tal como um retalho que se combina aos requisitos locais. Estruturas pouco vascularizadas, como osso e tendões expostos, eram indicações originalmente consideradas para a reconstrução com um retalho, uma vez que não fornecem a matriz, ou seja, a vascularização para um enxerto de pele, em contraste com músculo, fáscia, tecido subcutâneo e derme. A disponibilidade de terapia por pressão negativa combinada com um enxerto de pele tem, contudo, desafiado tal ponto de vista recentemente [16]. A decisão precisa incluir uma avaliação do potencial resultado e da estabilidade em longo prazo, da morbidade do local doador e do tempo de reabilitação, junto com a condição geral do paciente, os recursos disponíveis e a habilidade do cirurgião.

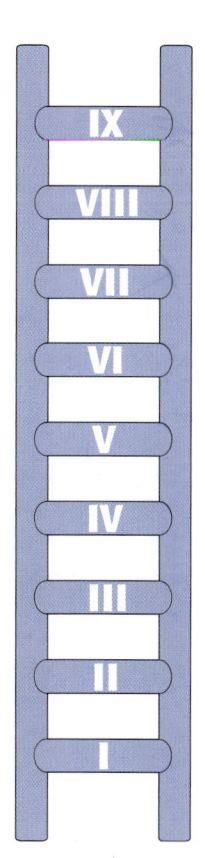

**Fig. 4.3-7** A escada reconstrutiva clássica. O método mais simples que provavelmente irá alcançar o fechamento ou cobertura estável deve sempre direcionado para evitar complicações. O próximo degrau é escalado somente se um método mais simples falhar.
I  Cicatrização por segunda intenção
II  Fechamento primário
III  Fechamento primário retardado
IV  Enxerto cutâneo de espessura parcial
V  Enxerto cutâneo de espessura total
VI  Expansão tecidual
VII  Retalho de padrão aleatório
VIII  Retalho pediculado
IX  Retalho livre

Tópicos gerais
## 4.3 Perda de partes moles: princípios do tratamento

Um degrau da escada tradicional representa, na melhor das hipóteses, uma opção dos diferentes procedimentos reconstrutores, e agora sugere-se que os degraus individuais da escada sejam substituídos por módulos reconstrutores que podem combinar técnicas diferentes de cobertura da ferida (**Fig. 4.3-8**) [17]. Todos os tipos de reconstrução de partes moles podem ser combinados, organizados e usados como módulos para fornecer uma solução individual sob medida. No futuro, a engenharia de tecidos pode se tornar um módulo também.

## 7 Tipos de reconstrução dos partes moles

### 7.1 Enxertos de pele

Os enxertos de pele são compostos de tecido cutâneo que estão completamente separados do seu suprimento sanguíneo e das inserções do local doador antes de serem enxertados em outra área do corpo. Frequentemente, eles são usados quando as feridas não puderem ser completamente fechadas depois de liberações compartimentais ou no local doador de um retalho (**Fig. 4.3-9**).

O enxerto de pele está indicado em feridas onde o fechamento primário não é uma opção, e um retalho não é nem necessário, nem possível. Os enxertos de pele são fáceis de retirar com um tempo adicional mínimo na cirurgia e permanência hospitalar pós-operatória e, se corretamente usados, podem oferecer um excelente desfecho funcional e estético. Os enxertos de pele estão indicados para qualquer defeito de partes moles que tenha um leito viável na ferida, o que gerará um suprimento sanguíneo neovascular para o enxerto, como, por exemplo, tecido de granulação, músculo, fáscia, paratendão, adventícia e periósteo.

A integração de um enxerto de pele é conhecida como incorporação. As novas conexões vasculares entre o leito da ferida do local receptor e o enxerto de pele permitem a cicatrização por primeira intenção: a pele perdida é permanentemente substituída por pele saudável com arquitetura de tecido normal da epiderme e derme. Existem quatro fases distintas para a aderência do enxerto cutâneo:

1. Aderência de fibrina
2. Embebição serosa
3. Inosculação
4. Neovascularização e revascularização

Os enxertos de pele são basicamente classificados em enxertos cutâneos de espessura parcial e enxertos cutâneos de espessura total.

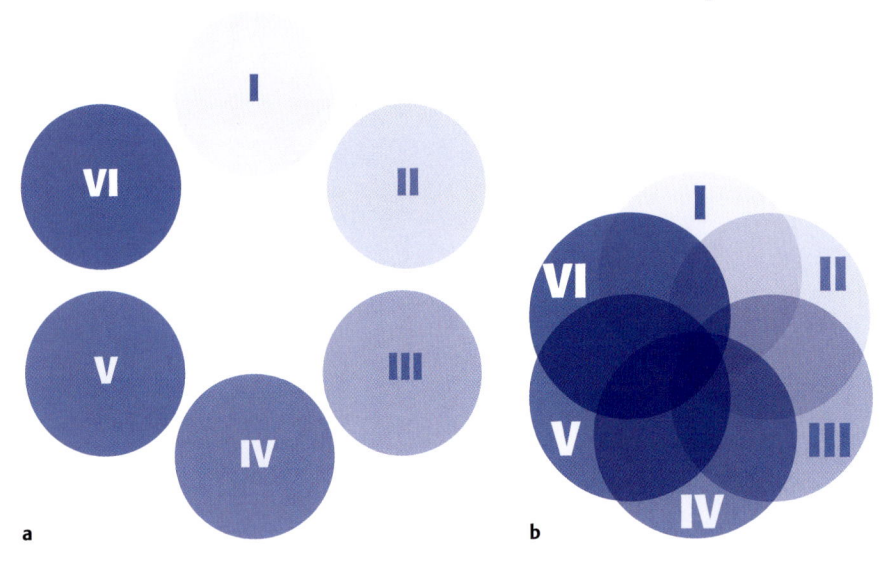

**Fig. 4.3-8a-b** Os módulos reconstrutores focam em uma interação de todos os métodos para fornecer o melhor resultado.
I   Enxerto cutâneo de espessura parcial
II  Enxerto cutâneo de espessura total
III Expansão tecidual
IV  Retalho de padrão aleatório
V   Retalho pediculado
VI  Retalho livre
**a**  As opções diferentes das alternativas reconstrutoras estão representadas como círculos.
**b**  Evolução modular: as técnicas diferentes de fechamento e cobertura da ferida interagem para fornecer o melhor resultado. Diferentes combinações são possíveis, como, por exemplo, retalho pediculado e livre, enxerto de pele de espessura parcial e retalho livre, etc.

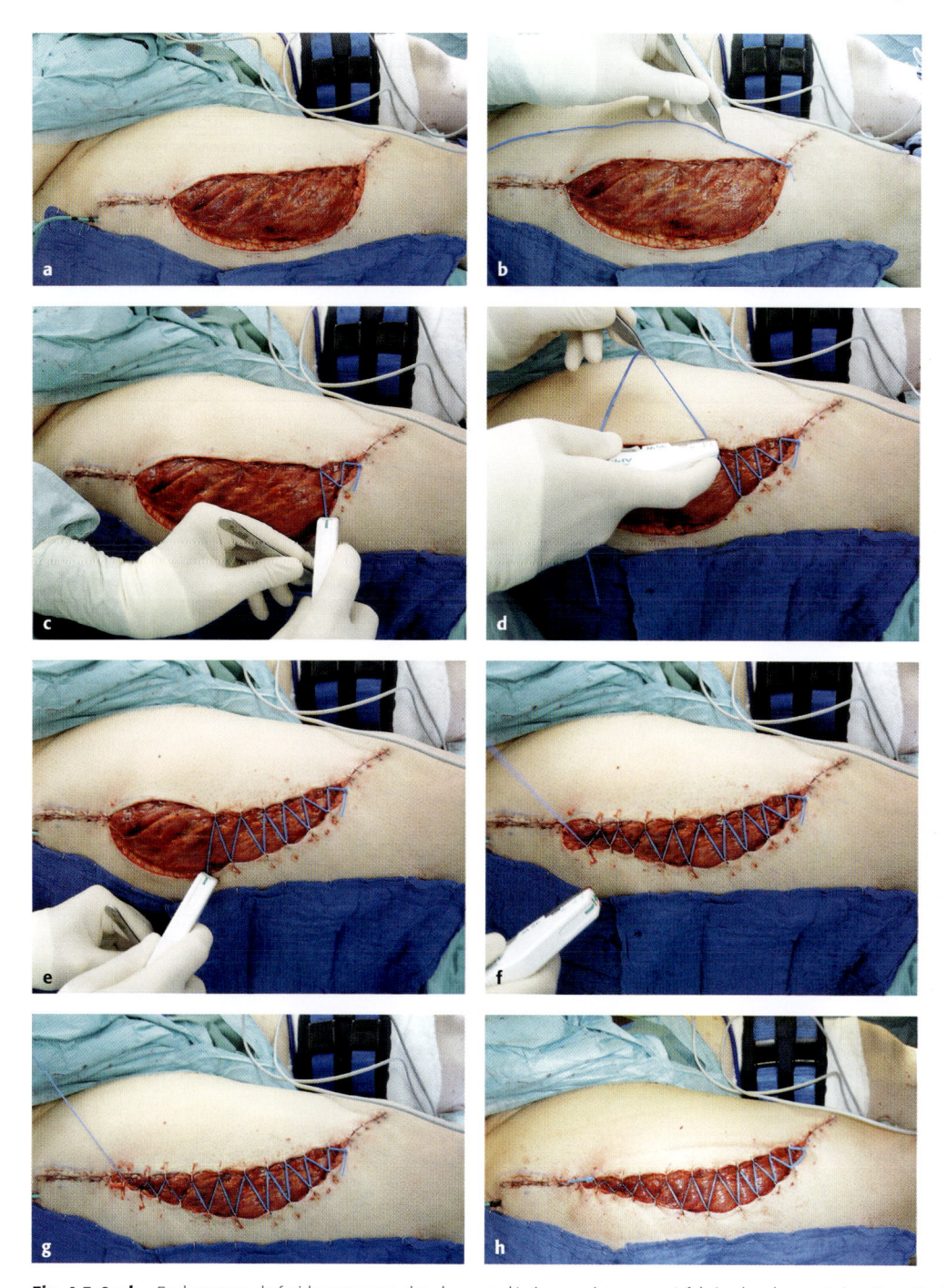

**Fig. 4.3-9a-h**  Fechamento da ferida com uma alça de vaso elástico ou sistemas pré-fabricados de uso único. Essa técnica é usada para reaproximar as bordas da ferida em feridas com edema excessivo e nenhuma perda de pele significativa. A grande alça de vaso elástico é grampeada nas bordas da ferida como um cadarço de sapato. Ao fornecer uma tração leve enquanto o edema diminui, esse método pode ajudar a fechar tais tipos de ferimentos em alguns dias.

- **a**  Ferida cirúrgica após a elevação de um retalho anterolateral de coxa. A ferida foi fechada de maneira primária proximal e distalmente.
- **b**  A extremidade da alça de vaso é atada e grampeada sobre a pele.
- **c-g**  Alternando os lados, a alça de vaso elástico é agora colocada e grampeada em forma de zigue-zague ao longo da ferida. Apesar de ser mantida no lugar por grampos, a alça de vaso elástico pode ainda deslizar através dos ilhós criados pelos grampos.
- **h**  Tendo aplicado o último grampo, a alça de vaso elástico é fixada atando a extremidade em um nó, que previne o deslizamento da alça através do último grampo. Existe a possibilidade de apertar esses "cadarços" a cada 2 dias para aproximar ainda mais as bordas da ferida.

Tópicos gerais
## 4.3 Perda de partes moles: princípios do tratamento

Os enxertos de pele de espessura total são compostos de epiderme e de toda a derme. Eles são geralmente colhidos de áreas com frouxidão suficiente para permitir o fechamento direto do local doador. Quanto mais espessa for a derme, mais facilmente alcançará a natureza da pele normal depois da enxertia, devido ao conteúdo de colágeno aumentado e ao número mais alto de plexos vasculares dérmicos e apêndices epidérmicos contidos dentro das camadas mais profundas da derme.

Os enxertos de pele de espessura parcial são compostos de epiderme, incluindo a membrana basal, e uma espessura variável de derme. Os enxertos de pele de espessura parcial são mais comumente usados quando o defeito a ser coberto é de tamanho significativo, impedindo o uso de um enxerto de pele mais espesso, o de espessura total. Assim, enxertos de pele de espessura parcial tolerarão condições menos ideais em comparação aos enxertos de pele de espessura total. Os locais doadores de enxertos de pele de espessura parcial cicatrizam espontaneamente dentro de 7-14 dias a partir de remanescentes epiteliais dentro de folículos pilosos e outros apêndices dérmicos das camadas mais profundas da derme. Os locais doadores geralmente permitem uma nova colheita uma vez que cicatrização tiver sido completa.

Os enxertos de pele de espessura parcial podem ser usados como um enxerto reticulado ou não reticulado. Em um enxerto não reticulado, o bisturi é frequentemente usado para criar pequenas fendas ou fenestrações que permitem a drenagem de fluido serossanguíneo do leito da ferida através do enxerto. O dispositivo de reticulação no enxerto é usado para gerar um enxerto cutâneo reticulado, que permite que o enxerto seja expandido e cubra até três vezes a área da superfície. Ele é útil para cobrir defeitos grandes. Entretanto, a reticulação do enxerto de pele retarda a epitelização definitiva, e é esteticamente menos atraente.

As lesões de desenluvamento fazem parte do trauma por avulsão e esmagamento e estão associadas à intensa morbidade. A pele é arrancada de seu suprimento sanguíneo subjacente e morre se não houver circulação colateral adequada a partir do plexo dérmico. Pode ser difícil, mesmo para cirurgiões experientes, determinar se a pele desenluvada é viável. Se a pele desenluvada mostrar um sangramento dérmico nas bordas da ferida antes ou depois do debridamento, ela é preservada. A ausência de sangramento dérmico torna improvável a revascularização espontânea. O uso imediato de pele desenluvada como um enxerto de pele de espessura completa (com a excisão da gordura subcutânea), ou como um enxerto de pele de espessura parcial, constitui uma opção [18]. Os enxertos são imediatamente aplicados desde que o leito da ferida esteja vascularizado e limpo. Caso contrário, os enxertos de pele colhidos são compactados em gazes estéreis e armazenados em um refrigerador a 4°C. Quando o condicionamento da ferida tiver sido alcançado, os enxertos armazenados podem ser aplicados após 2-5 dias.

O enxerto de pele deve permanecer imobilizado por um tempo suficientemente longo para permitir a revascularização bem-sucedida e a integração no leito da ferida. É essencial evitar o cisalhamento, que prevenirá a neoformação de microvasos ou romperá microvasos recentemente formados no leito da ferida. As bordas do enxerto de pele são seguradas com fios de sutura, grampos, ou adesivos de tecido.

A sustentação do enxerto na ferida é alcançada com curativos que fornecem pressão uniforme sobre o local de todo o enxerto para:

- Minimizar o espaço morto
- Reduzir a formação de hematoma e seroma – imobilizar o enxerto para diminuir o risco de forças de cisalhamento

De preferência, o curativo deve ser simples de aplicar e econômico em termos de material e equipe necessários. Muitos tipos de curativos têm sido propostos, incluindo gaze estéril simples, bolas de algodão, moldes de resina e blocos de espuma. Os curativos de suporte são úteis sobre articulações ou outras áreas onde o movimento é difícil de evitar, bem como em feridas com contornos irregulares como áreas côncavas profundas, onde fica difícil de fixar um curativo. É útil aplicar um material não aderente diretamente sobre o enxerto para agir como uma interface. O curativo de suporte é fixado com um material de curativo semioclusivo ou preso com suturas posicionadas radialmente em torno da ferida. Para feridas maiores, feridas de contorno irregular com topografia difícil, ou com níveis altos de exsudatos, a aplicação da terapia com um dispositivo de pressão negativa na ferida é útil.

### 7.2 Retalhos

Retalho é uma unidade de um ou mais tecidos que mantém a sua própria perfusão sanguínea através de um pedículo vascular. Os retalhos são necessários para cobrir defeitos de tecido que tenham vascularização deficiente ou que exponham implantes. Os retalhos variam desde um avanço simples de pele e tecido subcutâneo (retalhos pediculados) até unidades compostas que podem consistir de qualquer tipo de tecido, incluindo pele, tecido subcutâneo, músculo, osso, fáscia, e até nervo e tendão. Para o transplante a distância, os vasos do local doador são reconectados por microanastomose de uma artéria, pelo menos uma veia, e às vezes um nervo sensitivo (retalho microvascular).

Os retalhos são comumente classificados por (**Tab. 4.3-3**) [19]:

- Anatomia do suprimento vascular (p. ex., vaso de origem)
- Método de transferência (p. ex., técnica de elevação e movimento do retalho)
- Composição do tecido (p. ex., tecidos que constituem o retalho)

**Tabela 4.3-3** Classificação e nomenclatura de retalhos de acordo com diferentes características

| Parâmetro de classificação | Subdivisões | | Subdivisão adicional/comentário |
|---|---|---|---|
| Tipo de suprimento vascular | Aleatório (suprimento sanguíneo não específico dos plexos dérmicos e subdérmicos) | Componentes: pele e tecido subcutâneos, músculo raramente | Proporção largura-comprimento difere conforme a região anatômica |
| | Axial (pelo menos um sistema arteriovenoso específico) | Um ou mais dos seguintes componentes: pele, músculo, fáscia, osso | Pediculado: Unipediculado, multipediculado |
| | | | Livre (microvascular) |
| | | | Perfurante |
| Tipo de transferência | Local | Avanço | Pediculado: unipediculado, bipediculado (pediculado e microvascular) |
| | | | V-Y |
| | | | Y-V |
| | | Rotação | Ao redor de um eixo de rotação |
| | | Transposição | Ao redor de um eixo de rotação |
| | | Interpolação | Ao redor de um eixo de rotação |
| | Regional | | Base do pedículo em contiguidade com o defeito |
| | Distante | Pediculado (inserido) | Cruzado no dedo, cruzado na perna, ilhado |
| | | Livre (destacado) | Microvascular |
| Tipo de composição do tecido | Pele | – | – |
| | Tecido subcutâneo | – | – |
| | Fáscia | – | – |
| | Osso e periósteo | – | – |
| | Cartilagem | – | – |
| | Nervo | – | – |
| | Composto | Fasciocutâneo | – |
| | | Musculocutâneo | – |
| | | Osteosseptocutâneo | – |
| | | Neurocutâneo | – |
| Momento da preparação de retalho | Imediato | – | – |
| | Retardado | Atraso cirúrgico | – |
| | | Retardo causado pela expansão tecidual | – |
| | | Retardo físico | – |
| | | Retardo químico | – |
| Tipo de pedículo | Pele | Unipediculado | – |
| | | Bipediculado | – |
| | Não cutâneo | Tecido subcutâneo | – |
| | | Fáscia | – |
| | | Músculo | – |

A tabela foi modificada de acordo com Leituras Selecionadas em Plastic Surgery, Volume 9, Número 2, 1999, página 2, University of Texas, Southwestern Medical Center at Dallas, Baylor University Medical Center

Tópicos gerais
## 4.3 Perda de partes moles: princípios do tratamento

### 7.2.1 Retalhos locais (retalhos pediculados)

Os retalhos locais são usados para fechar defeitos que estejam imediatamente adjacentes ao local doador do retalho. Eles são classificados de acordo com a respectiva técnica de transferência, incluindo avanço, rotação, transposição e interpolação.

- Os retalhos de avanço são avançados ao longo do eixo longo do retalho, desde a base em direção ao defeito. O avanço em V-Y é uma modificação do retalho de avanço (p. ex., retalho posterior de coxa em VY para cobrir escara de pressão no ísquio).
- Os retalhos de rotação são rodados para o defeito (p. ex., retalho de rotação para cobrir escara de pressão no sacro).
- Os retalhos de transposição são rodados sobre um pivô até o defeito com movimento lateral (p. ex., retalho de avanço na bochecha).
- Os retalhos de interpolação são rodados sobre um eixo no defeito que esteja próximo, mas não diretamente adjacente ao local de doador, de forma que seu pedículo deve passar sobre ou sob os tecidos intervenientes (p. ex., zetaplastia).

Os retalhos locais habitualmente consistem em pele e tecido subcutâneo e carecem de qualquer alinhamento definido ou orientação axial de arteríolas nutrícias e suas respectivas veias de drenagem. A viabilidade dos retalhos transferidos depende da perfusão dentro dos plexos dérmicos e subdérmicos e do desenho do retalho (proporção comprimento-largura). Na extremidade inferior e na mão, as proporções entre comprimento e largura de 1:1 até 1:2 são aceitáveis (**Fig. 4.3-10**). Como uma opção, a proporção pode ser aumentada em favor do comprimento pelas técnicas de retardo cirúrgico ou pré-condicionamento do tecido. A distância global do avanço possível depende principalmente da elasticidade da pele. A pele do local doador deve ser bastante frouxa e o contorno do retalho deve estar integrado dentro de unidades anatômicas ou estéticas para alcançar um resultado ideal. Entretanto, no trauma agudo de extremidade que inclua partes moles, deve-se considerar que a pele e o tecido subcutâneo adjacentes às partes moles diretamente feridas estejam dentro da zona de lesão e a sua vascularização pode estar ameaçada, particularmente depois da dissecção do retalho.

Os retalhos de padrão axial são caracterizados por um pedículo vascular bem definido, que consiste em uma artéria, duas veias concomitantes, e vasos linfáticos que às vezes são acompanhados por um nervo. Esse feixe vascular corre na gordura subcutânea imediatamente acima do músculo e sua fáscia, e em paralelo à superfície da pele ou dentro do músculo. O curso longitudinal das artérias permite a elevação de uma unidade circunscrita de pele e tecido subcutâneo ou um músculo, com ou sem pele sobrejacente. Taylor [20] definiu o conceito de angiossomos, ou seja, territórios vasculares anatômicos compostos da pele que sejam supridos por vasos que se originam de artérias segmentares cutâneas (como a artéria ilíaca circunflexa superficial) ou de artérias musculares (como a artéria fibular) que estejam interconectados. Existe um número grande de potenciais retalhos de padrão axial (cerca de 400) que são baseados em vasos perfurantes de músculos (ou seja, perfurantes musculocutâneos verdadeiros), ou vasos que correm ao longo de septos (como os perfurantes septocutâneos) [21].

### 7.2.2 Retalhos regionais (retalhos pediculados)

Os retalhos regionais são caracterizados por um pedículo que permanece em continuidade com o defeito do tecido, enquanto o tecido transferido (p. ex., pele, músculo, osso) origina-se da mesma extremidade. Se o pedículo consistir do feixe vascular, e algumas vezes de um nervo acompanhante e mais ou menos do tecido adiposo circundante (p. ex., pedículo sem pele), o retalho é chamado de retalho insular. Consequentemente, esses retalhos têm um arco mais longo de rotação em comparação aos retalhos locais.

Os retalhos regionais típicos incluem o retalho lateral do braço, o retalho radial do antebraço, o retalho sural distalmente baseado, o retalho supramaleolar lateral, o retalho plantar medial (o retalho interno), o retalho do gastrocnêmio (cabeça medial e lateral) e o retalho do sóleo (**Fig. 4.3-11**).

Atualmente, não há nenhuma evidência clínica da superioridade dos retalhos musculares em relação aos retalhos fasciocutâneos na cirurgia de trauma. A dissecção de um retalho fasciocutâneo é mais trabalhosa que a dissecção de um retalho muscular e, por conseguinte, consome mais tempo. Os retalhos musculares também podem ser combinados com uma ilha de pele (retalhos musculocutâneos) ou, se um músculo isolado for usado, o retalho precisa ser coberto com um enxerto de pele (geralmente um enxerto reticulado de pele de espessura parcial). Os retalhos musculares têm uma densidade mais alta de redes microvasculares e, portanto, uma perfusão melhor, mas ainda não foi provado na prática clínica que liberam concentrações mais altas de antibióticos no local receptor ou que promovam melhor consolidação óssea. Se o defeito de partes moles estiver associado a uma cavidade, os retalhos musculares são preferidos por causa do seu volume e capacidade para preencher a cavidade. O desfecho estético de qualquer tipo de retalho pode ser satisfatório, mas os retalhos musculares podem requerer um procedimento de redução de volume quando a fratura tiver consolidado.

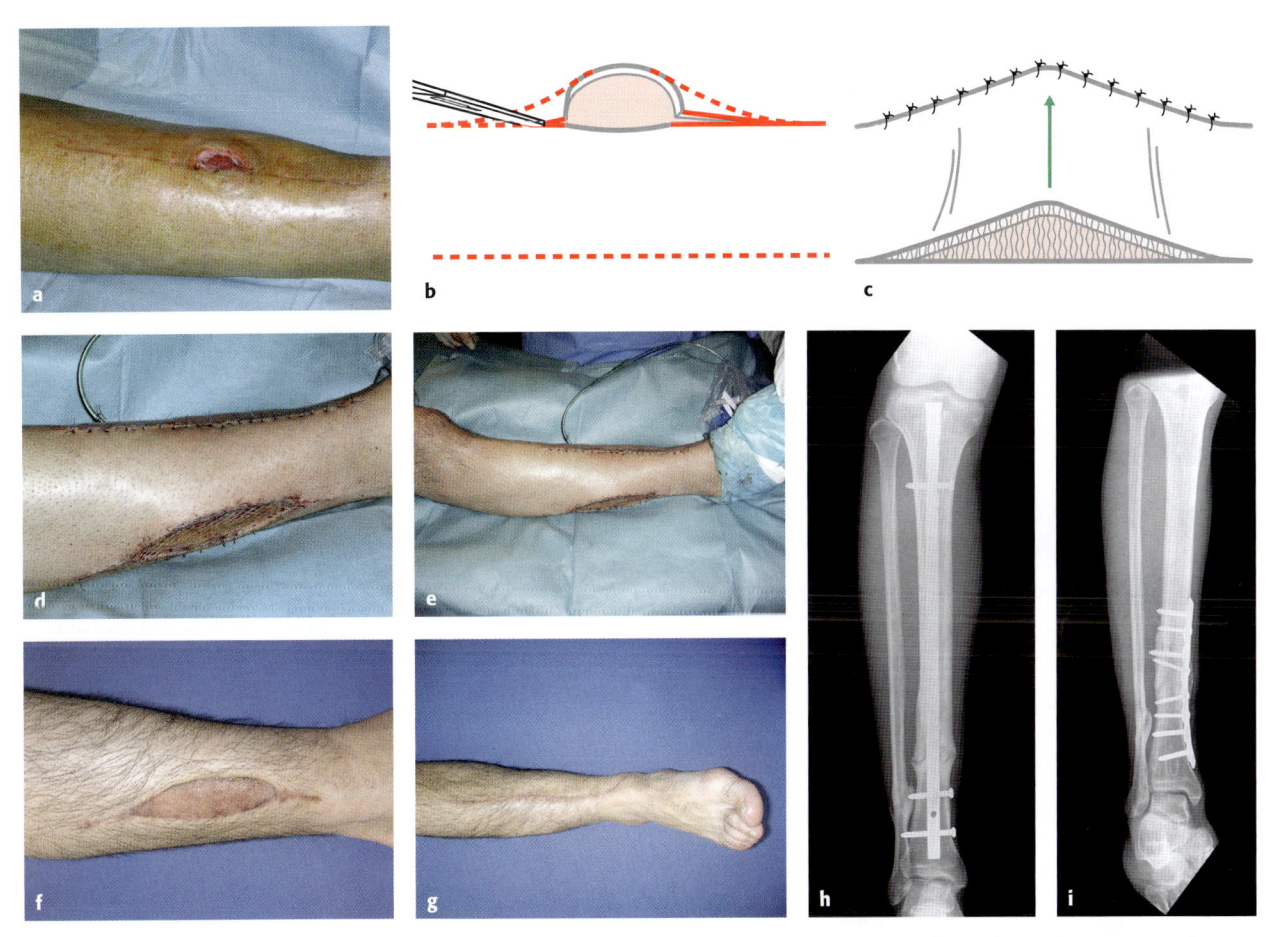

**Fig. 4.3-10a-i** Homem de 38 anos de idade com ferida crônica associada a não união hipertrófica 1,5 ano depois de uma fratura exposta do terço distal da perna direita (Gustilo IIIA).
a Vista da perna com uma cicatriz longitudinal ao longo da crista da tíbia. Na transição do terço médio para o terço distal da perna, há uma ferida supostamente bem vascularizada de cerca de 4 cm de diâmetro com tecido de granulação macroscopicamente limpo.
b-c Desenho esquemático de um retalho fasciocutâneo bipediculado (fluxo cranial e caudal) transposto medialmente para o defeito.
d Fotografia intraoperatória depois da excisão do tecido de granulação e transposição do retalho bipediculado. Fechamento livre de tensão usando pontos subdérmicos e transcutâneos.
e O local doador está coberto com um enxerto reticulado de pele de espessura parcial.
f No seguimento de 6 meses, o enxerto de pele de espessura parcial está perfeitamente integrado.
g Cicatriz tibial anterior bem cicatrizada.
h Fratura da perna direita imediatamente antes da extração da haste e fixação com placa exibindo uma não união hipertrófica.
i Consolidação completa da fratura aos 6 meses.

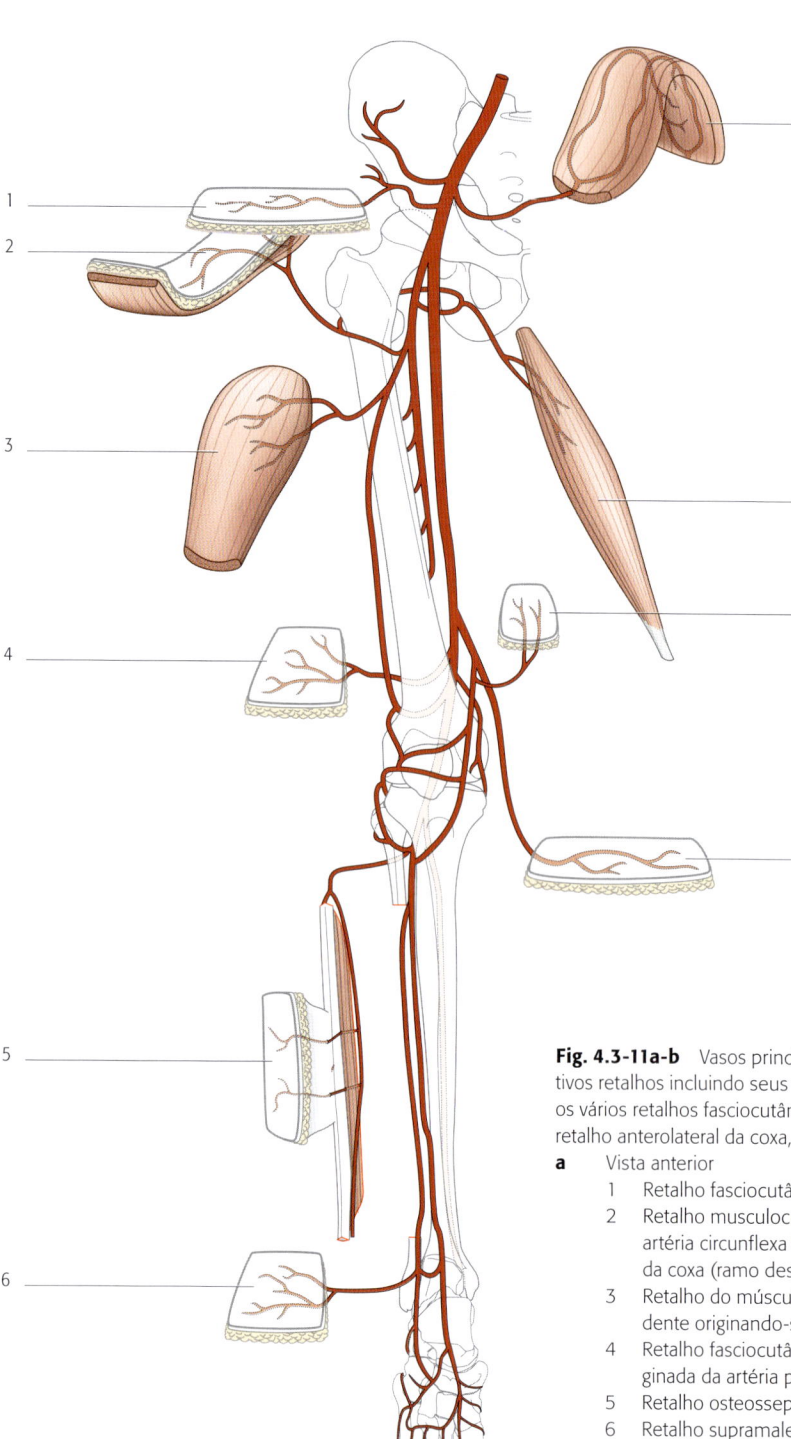

Tópicos gerais
## 4.3 Perda de partes moles: princípios do tratamento

**Fig. 4.3-11a-b** Vasos principais da extremidade inferior e esboço dos respectivos retalhos incluindo seus vasos nutrícios. Note que esse esboço não mostra os vários retalhos fasciocutâneos que são baseados em vasos perfurantes (p. ex., retalho anterolateral da coxa, retalhos perfurantes de estilo livre).

**a** Vista anterior
1. Retalho fasciocutâneo da virilha (artéria circunflexa ilíaca superficial)
2. Retalho musculocutâneo do tensor da fáscia lata (ramo transversal da artéria circunflexa femoral lateral); retalho fasciocutâneo anterolateral da coxa (ramo descendente da artéria circunflexa femorolateral)
3. Retalho do músculo vasto lateral (vasos perfurantes do ramo descendente originando-se da artéria femoral profunda)
4. Retalho fasciocutâneo lateral distal da coxa (artéria colateral lateral originada da artéria poplítea)
5. Retalho osteosseptocutâneo da fíbula (artéria fibular)
6. Retalho supramaleolar fasciocutâneo lateral (arco arterial circundando o maléolo lateral)
7. Retalho safeno fasciocutâneo (ramo terminal da artéria genicular descendente)
8. Retalho fasciocutâneo medial distal da coxa (artéria colateral medial originada da artéria poplítea)
9. Retalho muscular do grácil (ramo transversal da artéria circunflexa femoral medial)
10. Retalho do músculo reto do abdome (artéria epigástrica inferior profunda)

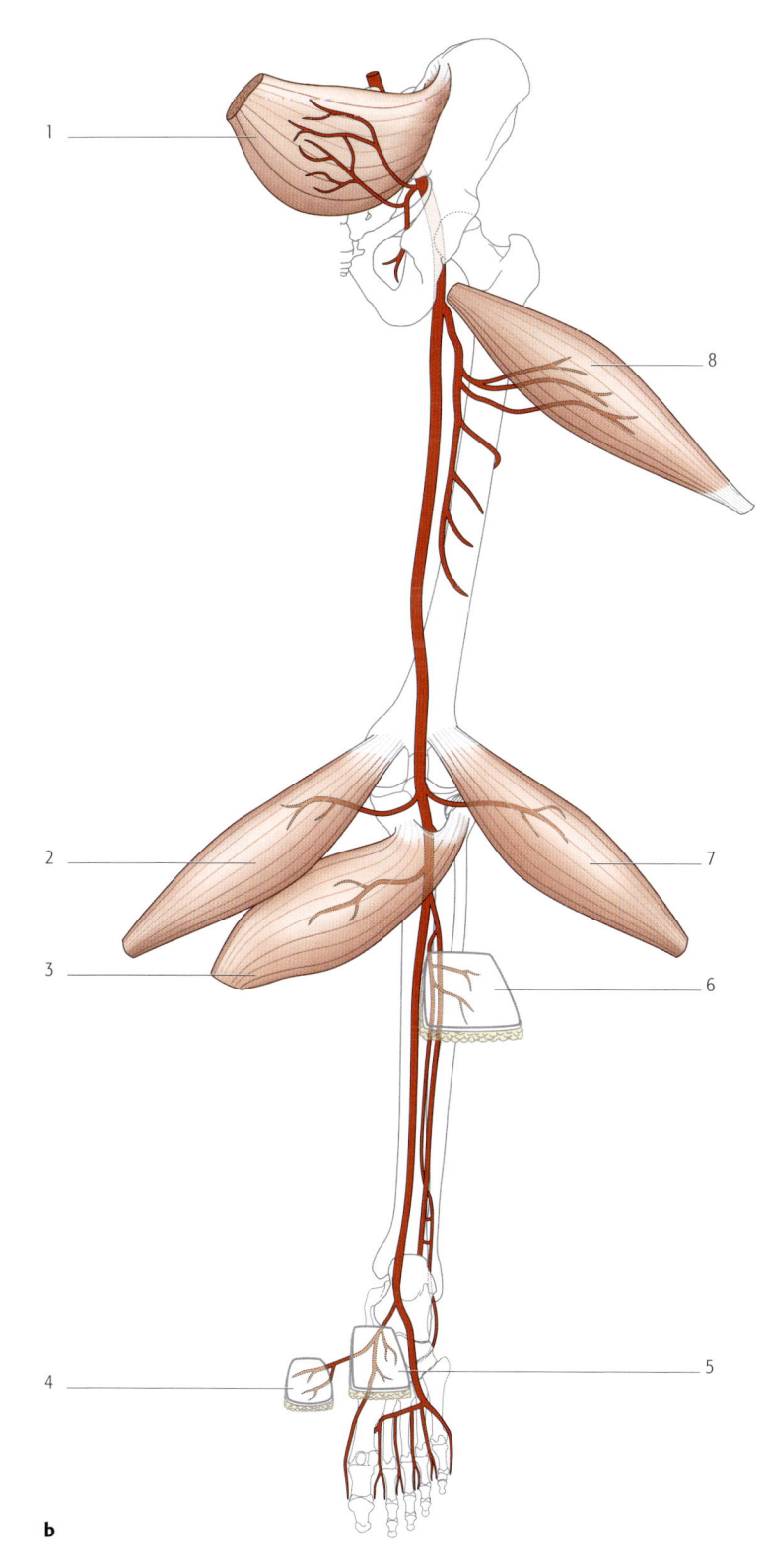

**Fig. 4.3-11a-b** (**cont.**)  Vasos principais da extremidade inferior e esboço dos respectivos retalhos incluindo seus vasos nutrícios.
Note que esse esboço não os vários retalhos fasciocutâneos que são baseados em vasos perfurantes (p. ex., retalho anterolateral da coxa, retalhos perfurantes de estilo livre).

**b**   Vista posterior
1   Retalho do músculo glúteo máximo (artéria glútea inferior e superior)
2   Retalho do músculo gastrocnêmio medial (artéria sural medial)
3   Retalho do músculo sóleo (ramos que se originam da artéria tibial e fibular)
4   Retalho fasciocutâneo medial do pé (ramo cutâneo originado da artéria plantar medial)
5   Retalho fasciocutâneo interno (artéria plantar medial)
6   Retalho fasciocutâneo sural (artéria sural com fluxo invertido)
7   Retalho do músculo gastrocnêmio lateral (artéria sural lateral)
8   Retalho do músculo bíceps femoral (ramos que se originam da artéria femoral profunda)

Tópicos gerais
### 4.3 Perda de partes moles: princípios do tratamento

#### 7.2.3 Retalhos a distância (retalhos microvasculares)

No final da década de 1980, a cirurgia de retalho microvascular se tornou um procedimento padrão. Isso facilitou a salvação de muitos membros, porque ficou possível "reparar" quase qualquer defeito em qualquer local do corpo. Os retalhos microvasculares comumente usados na cirurgia do trauma incluem retalhos musculares (p. ex., grácil, grande dorsal), retalhos musculocutâneos (p. ex., grande dorsal) e retalhos fasciocutâneos (p. ex., retalho escapular/paraescapular, retalho anterolateral da coxa, retalho lateral do braço e retalho radial do antebraço). A variação de retalhos aumentou drasticamente e agora quase qualquer músculo e/ou pele sobrejacente podem ser levantados como um retalho microvascular e adaptados ao defeito de partes moles. Refinamentos continuados na cirurgia de retalho microvascular são focados em reduzir a morbidade do local doador e adequação no local recipiente (composição, volume, textura e cor do tecido) (**Fig. 4.3-12**).

## 8 Cuidados pós-operatórios e cirurgia secundária

### 8.1 Cuidados pós-operatórios

O tratamento pós-operatório inclui curativo estéril, imobilização da extremidade envolvida, elevação (até o nível do coração) e observação atenta do estado neurovascular e perfusão do retalho. Os pacientes com feridas não complicadas com curativos adequados podem ser mobilizados logo após a cirurgia.

Para os enxertos de pele, a meta é ter a máxima aderência entre o enxerto e o leito da ferida, para permitir o crescimento vascular. Qualquer mobilização que cause forças de cisalhamento na interface enxerto-ferida deve ser evitada. O posicionamento vertical da área reconstruída e as forças verticais precisam ser evitados para prevenir danos aos microvasos recentemente formados e imaturos. De preferência, a mobilização deve ser adiada por 4-5 dias até que o enxerto de pele tenha se aderido ao leito da ferida e esteja estável. Depois disso, a mobilização cautelosa é permitida, usando um enfaixamento circular ou uma meia de compressão.

A imobilização pós-operatória do paciente geralmente será por 2 dias para os retalhos de pedículo e 5 dias para os retalhos microvasculares. Isso depende de vários fatores, incluindo o tipo e local do retalho, comorbidades e a cooperação do paciente. O membro afetado deve ser imobilizado com atadura elástica ou meia de compressão. Se um retalho livre tiver sido transferido para a extremidade inferior, recomenda-se uma fase de treinamento com intervalos progressivamente maiores de cerca de 30 minutos por dia, com a perna dependente. Em geral, a condição de carga é ditada pela fratura em vez das partes moles.

Uma vez que a cicatrização pós-operatória da ferida esteja completa depois de 2-3 semanas e o edema pós-operatório tenha cedido, as ataduras de compressão podem ser substituídas por vestimentas de compressão feitas sob medida, que devem ser usadas durante o dia para prevenir o inchaço no retalho. A atrofia dos retalhos musculares e musculocutâneos leva aproximadamente 3 meses. Os retalhos fasciocutâneos se achatam conforme a drenagem linfática melhora, e não por causa da atrofia secundária. Desse modo, a diminuição de volume leva mais tempo do que os retalhos musculares.

Se a fixação da fratura associada a reconstrução complexa das partes moles não for suficientemente estável, talas gessadas adicionais precisam ser usadas para maior proteção das partes moles. Além disso, as reconstruções de partes moles que incluam reparo de tendões, vasos e/ou nervos podem requerer uma imobilização específica temporária, estática ou dinâmica. Em geral, as talas e gessados apresentam o risco de comprimir a pele por sobre uma protuberância óssea. O retalho pediculado, como também o enxerto de pele ou retalho que tenha sensibilidade reduzida ou ausente, está em risco de escaras de pressão.

### 8.2 Cirurgia secundária

Se a cirurgia de revisão ou secundária for necessária para reconstrução de osso, tendão ou nervo, a completa cicatrização da ferida deve ser alcançada antes da cirurgia adicional. Em 6 semanas, o procedimento de enxertia óssea de Masquelet pode ser usado sob um retalho para prover osso a um local de perda óssea [22]. Isso deve ser planejado e/ou executado com o cirurgião que efetuou o retalho para assegurar que seja usado um corredor seguro para a colocação do osso. Não esquecer que os retalhos fasciocutâneos se integrarão muito melhor dentro dos tecidos circundantes em comparação com os retalhos musculares, que habitualmente permanecem dependentes do seu pedículo.

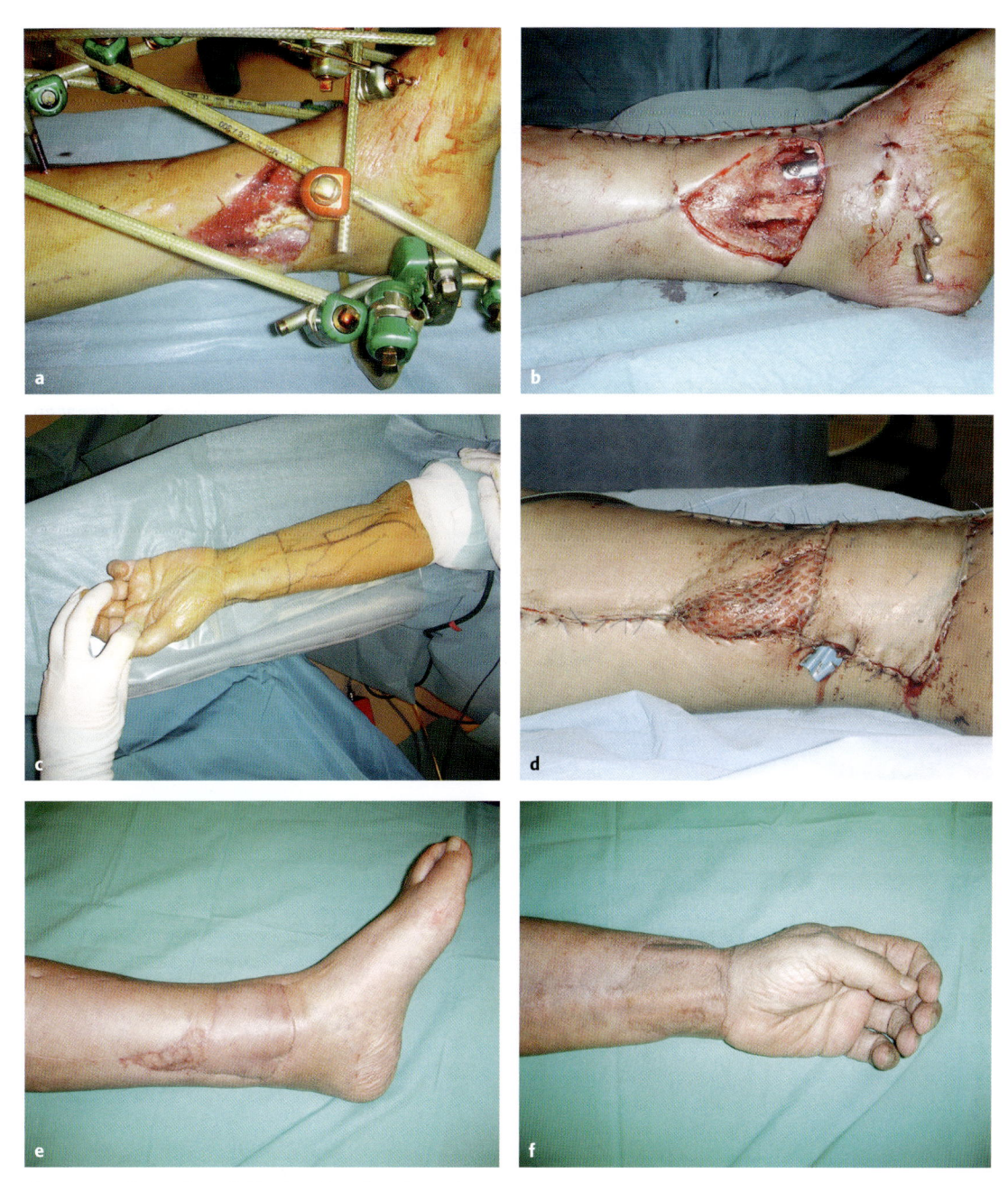

**Fig. 4.3-12a-f**  Retalho radial fasciocutâneo livre do antebraço.
**a**  Fratura bimaleolar exposta inicialmente tratada por fixação externa. Houve desenvolvimento subsequente de necrose de pele, expondo o maléolo medial.
**b**  Depois do debridamento e troca de fixação externa para redução aberta e fixação interna. Material de implante exposto e osso da tíbia desnudado.
**c**  Marcação da ilha de pele retangular proximalmente à prega do punho. As veias superficiais também são marcadas para serem incluídas dentro do pedículo vascular.
**d**  Logo depois da cobertura do defeito, usando um retalho radial fasciocutâneo livre do antebraço e um pequeno enxerto cutâneo reticulado de espessura parcial para cobrir o pedículo proximalmente e prevenir que haja tensão em demasia.
**e**  Seis meses depois da reconstrução de tecidos moles. A pele do antebraço está bem integrada dentro da pele circundante do tornozelo. A aparência do enxerto de pele de espessura parcial permanece ligeiramente hiperpigmentada e brilhante, com um padrão permanente em forma de diamante.
**f**  Seis meses depois da retirada do retalho. Depois da enxertia de pele de espessura parcial do local doador, falta o acolchoamento de tecidos moles. Os tendões do flexor radial do carpo e do palmar longo estão bem cobertos.

Tópicos gerais
## 4.3 Perda de partes moles: princípios do tratamento

Referências clássicas   Referências de revisão

## 9 Referências

1. **Norris BL, Kellam JF.** Soft-tissue injuries associated with high-energy extremity trauma: principles of management. *J Am Acad Orthop Surg.* 1997 Jan;5(1):37–46.
2. **Volgas DA, Harder Y** *Manual of Soft-tissue Management in Orthopaedic Trauma.* 1st ed. Stuttgart and New York: Thieme.
3. **Johansen K, Daines M, Howey T, et al.** Objective criteria accurately predict amputation following lower extremity trauma. *J Trauma.* 1990 May;30(5):568–573.
4. **Russell WL, Sailors DM, Whittle TB, et al.** Limb salvage versus traumatic amputation. A decision based on a seven-part predictive index. *Ann Surg.* 1991 May;213(5):473–480; discussion 480–481.
5. **McNamara MG, Heckman JD, Corley FG.** Severe open fractures of the lower extremity: a retrospective evaluation of the Mangled Extremity Severity Score (MESS). *J Orthop Trauma.* 1994;8(2):81–87
6. **Tscherne H, Oestern HJ.** [A new classification of soft-tissue damage in open and closed fractures]. *Unfallheilkunde.* 1982 Mar;85(3):111–115. German.
7. **Mackenzie EJ, Bosse MJ.** Factors influencing outcome following limb-threatening lower limb trauma: lessons learned from the lower extremity assessment project (LEAP). *J Am Acad Orthop Surg.* 2006;4(10):205–210.
8. **Sampalis JS, Denis R, Fréchette P, et al.** Direct transport to tertiary trauma centers versus transfer from lower level facilities: impact on mortality and morbidity among patients with major trauma. *J Trauma.* 1997 Aug;43(2):288–295; discussion 295–296.
9. **Pape HC, Hildebrand F, Krettek C.** [Decision making and priorities for surgical treatment during and after shock trauma room treatment]. *Unfallchirurg.* 2004 Oct;107(10): 927–936. German.
10. **Bernhard M, Becker TK, Nowe T, et al.** Introduction of a treatment algorithm can improve the early management of emergency patients in the resuscitation room. *Resuscitation.* 2007 Jun;73(3): 362–373.
11. **Schaser KD, Melcher I, Stöckle U, et al.** [Interdisciplinarity in reconstructive surgery of the extremities]. *Unfallchirurg.* 2004 Sep;107(9):732–743. German.
12. **Karanas YL, Nigriny J, Chang J.** The timing of microsurgical reconstruction in lower extremity trauma. *Microsurgery.* 2008;28(8):632–634.
13. **Mathes SJ, Nahai F.** *Reconstructive Surgery: Principles, Anatomy, and Technique.* 1st ed. St Louis London: Quality Medical Publishing, Churchill-Livingstone; 1997;3: 1193–1206.
14. **Millard DR.** *Principalization of Plastic Surgery.* 1st ed. Boston: Little, Brown & Co; 1986.
15. **Levin LS.** The reconstructive ladder. An orthoplastic approach. *Orthop Clin North Am.* 1993 Jul;24(3):393–409.
16. **Harvin WH, Stannard JP.** Negative-pressure wound therapy in acute traumatic and surgical wounds in orthopedics. *JBJS Rev.* 2014 Apr 22;2(4).
17. **Wong CJ, Niranjan N.** Reconstructive stages as an alternative to the reconstructive ladder. *Plast Reconstr Surg.* 2008 May;121(5):362e–363e.
18. **McGrouther DA, Sully L.** Degloving injuries of the limbs: long-term review and management based on whole-body fluorescence. *Br J Plast Surg.* 1980 Jan;33(1):9–24.
19. **Mathes SJ, Nahai F.** Classification of the vascular anatomy of muscles: experimental and clinical correlation. *Plast Reconstr Surg.* 1981 Feb;67(2):177–187.
20. **Taylor GI, Palmer JH.** The vascular territories (angiosomes) of the body: experimental study and clinical applications. *Br J Plast Surg.* 1987 Mar;40(2):113–141.
21. **Taylor GI.** The angiosomes of the body and their supply to perforator flaps. *Clin Plast Surg.* 2003 Jul;30(3):331–342.
22. **Gage M, Yoon R, Gaines R, et al.** Dead space management after orthopedic trauma: tips, tricks and pitfalls. *J Orthop Trauma.* 2016 Feb;30(2):64–70.

## 10 Agradecimentos

Agradecemos a Alain Masquelet e William de Haas por suas contribuições para a 2ª edição de *Princípios AO do tratamento de fraturas*, e a David Volgas, co-organizador do livro *Manual of Soft Tissue Management in Orthopedic Trauma*.

# 4.4 Fraturas pediátricas

*Theddy Slongo, James Hunter*

## 1 Introdução e epidemiologia

As lesões do sistema musculoesquelético são comuns em crianças e geralmente se relacionam a atividades normais da infância, incluindo brincadeiras e esportes. As lesões musculoesqueléticas são a segunda causa mais comum (depois do trauma craniano) de incapacidade permanente na infância. A cada 7 crianças atendidas no departamento de emergência, 1 apresenta fratura. Deve-se ter em mente que as crianças menores estão apresentando lesões mais graves por causa de novos esportes e equipamentos esportivos de alta velocidade (p. ex., patins tipo *roller*, skates, bicicletas tecnológicas). Mann e Rajimaira [1] revisaram 2.650 fraturas de ossos longos em crianças, 30% das quais envolviam a fise. Até 50% das lesões fisárias ocorrem na região distal do rádio. A segunda área mais comumente lesionada é a distal do úmero, na qual mais ou menos 50% das fraturas são tratadas cirurgicamente [2]. A incidência global das fraturas depende muito das atividades da criança. As crianças que participam de esportes têm mais probabilidade de ter fraturas diafisárias e lesões na fise.

Todos os cirurgiões ortopedistas, de trauma e pediátricos devem ter um conhecimento básico sobre fraturas em crianças.

A criança não é apenas um adulto pequeno. As principais diferenças residem nas propriedades físicas do esqueleto e na sua capacidade para crescer.

O objetivo nesse grupo etário deve ser a provisão, desde o início, de tratamento que seja efetivo, definitivo e apropriado para a lesão da infância. Repetidas manobras de redução e anestesia devem ser evitadas. As crianças, depois da lesão, devem ser capazes de retornar à atividade completa sem dor ou problemas em longo prazo.

## 2 Crescimento e desenvolvimento

O osso imaturo é resistente às forças mecânicas e pode responder rapidamente à lesão. Desde que as zonas essenciais da placa de crescimento não sejam diretamente envolvidas, o crescimento do esqueleto imaturo tem uma influência positiva sobre o reparo da fratura. Existem dois sistemas regulatórios diferentes para o crescimento:

- O crescimento longitudinal (comprimento) é regulado pelo sistema epifisário.
- O crescimento circunferencial (diâmetro e espessura) é regulado pelo sistema periosteal/endosteal.

Ambos os sistemas seguem as regras estabelecidas por Roux em 1895 [3]. Enquanto os distúrbios no crescimento circunferencial são raramente encontrados, o supercrescimento longitudinal ou a parada do crescimento prematuro podem ser observados após praticamente qualquer lesão. A lesão pode às vezes estimular um crescimento extra, mas que é geralmente temporário e raramente causa deformidade significativa. A cessação transitória do crescimento ocorre após a maioria das lesões fisárias, levando à formação das linhas de parada do crescimento, que são visíveis em radiografias. A parada permanente do crescimento é rara, mas problemática.

Em geral, pode-se assumir que:
- As fraturas pediátricas tendem a consolidar rápida e confiavelmente.
- As consolidações viciosas remodelam-se adequadamente na maioria das vezes, dependendo da idade da criança, do grau de desvio e da localização da fratura (segmento).
- Afora as lesões fisárias com parada do crescimento, somente as falhas do tratamento levam à angulação permanente do esqueleto imaturo. Isso se aplica principalmente às fraturas diafisárias.

## 2.1 Regulação do crescimento epifisário

A fise (placa de crescimento) é o centro primário responsável pelo crescimento longitudinal dos ossos. Ela pode ser dividida em duas seções: a zona epifisária, onde predomina a proliferação, e a zona metafisária, sem proliferação [4]. Na zona epifisária, a proporção da matriz ultrapassa a dos elementos celulares, enquanto o contrário vale para a zona metafisária [5]. De acordo com Trueta e Morgan [6], a placa de crescimento pode ser dividida em cinco zonas:

- Matriz óssea
- Proliferação
- Cartilagem madura e hipertrófica
- Cartilagem mineralizada
- Degeneração celular e formação óssea

A fise é circundada pelo pericôndrio, que é responsável pelo crescimento circunferencial da zona cartilaginosa e, por conseguinte, da extremidade epifisária/metafisária de um osso. O suprimento sanguíneo nessa zona é de suma importância. A epífise, a metáfise e o pericôndrio são supridos por três artérias nutrientes separadas.

A área metafisária da fise demonstra pouca resistência ao encurvamento e força de cisalhamento por causa de sua alta proporção celular. Consequentemente, a lesão em geral ocorre através dessa parte da placa de crescimento, enquanto a porção epifisária da placa de crescimento permanece intacta. Assim, o distúrbio de crescimento é raro. As lesões através da área metafisária da fise produzem fraturas tipos I e II de Salter-Harris, que são discutidas em mais detalhes mais adiante neste capítulo.

O distúrbio de crescimento após tais lesões é raro e a etiologia dessa complicação séria não é completamente entendida, mas é provavelmente relacionada a um grave esmagamento que acompanha a fratura, bem como a ondulações em algumas fises.

Outra função importante da fise dos ossos longos é a modelagem das superfícies articulares pelo crescimento modificado da cartilagem articular. Qualquer lesão da epífise deve ser considerada uma lesão articular.

## 2.2 Crescimento e remodelação na diáfise

A diáfise ganha a sua rigidez pela calcificação tubular no meio da diáfise imatura. Du Hamel [7] descreveu o crescimento circunferencial da diáfise pela justaposição periosteal acompanhada por reabsorção endosteal. A espessura e o tamanho dos tubos ossificados estão diretamente relacionados à tensão mecânica, que parece influenciar o processo de remodelação. Em direção às articulações vizinhas, a estrutura tubular se alarga e a metáfise aumenta pelo crescimento periosteal por aposição.

## 2.3 Distúrbios do crescimento

Se a placa de crescimento estiver aberta, existem dois padrões possíveis de distúrbio do crescimento. Em uma situação, o crescimento ósseo é estimulado; na outra, a atividade da fise é reduzida pelo fechamento prematuro parcial ou total. Embora a última situação seja permanente, a estimulação do crescimento é temporária e ocorre apenas durante a fase de reparo de uma lesão ou infecção óssea ou articular no osso diafisário ou metafisário adjacente [8].

> Atenção meticulosa deve ser dada a todas as lesões periepifisárias, e não somente às fraturas fisárias.

A parada do crescimento pode ocorrer depois de qualquer lesão fisária e, em circunstâncias excepcionais, pode seguir a fraturas metafisárias simples. O risco de distúrbio do crescimento deve ser comunicado aos pais ou responsáveis. A lesão secundária por causa de um tratamento muito vigoroso deve ser evitada.

## 2.4 Potencial para remodelar

Na extremidade superior, o crescimento longitudinal ocorre principalmente na extremidade proximal do úmero e distal do rádio/ulna (respectivamente, no ombro e no punho). Os centros de crescimento proximal e distal do úmero e distal do rádio e da ulna respondem pela maior parte do crescimento da extremidade. Desse modo, o potencial de remodelação nessas áreas é considerável. As fraturas ao redor do cotovelo, especialmente no aspecto distal do úmero, contudo, têm muito menos potencial de remodelação. A região proximal da ulna não tem nenhuma placa de crescimento real, é uma apófise e não é responsável pelo crescimento longitudinal, razão pela qual as lesões de Monteggia, com fratura ou encurvamento do proximal da ulna, têm uma baixa capacidade de remodelação.

O oposto é verdadeiro para o membro inferior. A maior parte do crescimento ocorre ao redor do joelho (distal do fêmur e proximal da tíbia) e é onde ocorrerá o maior grau de remodelação. Entretanto, a extensão da remodelação é menor que aquela observada no membro superior. A fratura da epífise distal do fêmur ou proximal da tíbia é sempre relacionada a um trauma de alta energia, com um risco importante de distúrbio do crescimento.

### 2.4.1 Fatores que afetam o potencial de remodelação

Quatro fatores importantes causam impacto no potencial para remodelação angular:

- Idade esquelética
- Potencial individual de uma placa de crescimento específica (p. ex., proximal do úmero > distal do úmero)
- Proximidade com a articulação
- Orientação no tocante ao eixo da articulação

### 2.4.2 Remodelação de fraturas específicas

A capacidade de remodelar uma fratura na criança depois da consolidação viciosa depende de múltiplos fatores, incluindo idade da criança, local da lesão, direção da deformidade em relação às articulações vizinhas e integridade das placas de crescimento. A deformidade rotacional não remodelará e a tolerância a esta deformidade dependerá do grau de rotação compensatória disponível no quadril ou no ombro. As diretrizes gerais para a remodelação de fraturas específicas são mostradas na **Tabela 4.4-1**.

**Tabela 4.4-1** Mau alinhamento aceitável depois do tratamento não operatório. Note que a base de evidência é fraca, e as recomendações, em particular sobre a rotação, devem ser consideradas com cautela.

| Fratura | Idade do paciente (anos) | Angulação (grau) | Má rotação (grau) | Desvio | Referência |
|---|---|---|---|---|---|
| Úmero, proximal | < 5 | 70 | – | Completo | [9] |
|  | 5-12 | 40-70 | – |  | [9] |
|  | > 12 | 40 | – | 50% | [9] |
| Úmero, diáfise | Qualquer idade | 20-30 (varo) | 15 (rotação interna) | – | [10] |
|  | Qualquer idade | 20 (sagital) | – | – | [10] |
| Antebraço, diáfise | < 9 | 15 | 45 | Completo | [11] |
|  | > 9 | 10 | 30 | Completo | [11] |
| Fêmur, diáfise | 0-2 | 30 (varo/valgo) 30 (sagital) | – | – | [12] |
|  | 3-5 | 15 (varo/valgo) 20 (sagital) | – | – | [12] |
|  | 6-10 | 10 (varo/valgo) 15 (sagital) | – | – | [12] |
|  | ≥ 11 | 5 (varo/valgo) 10 (sagital) | – | – | [12] |
| Tíbia, diáfise | < 8 | 5 (valgo) 10 (varo) | – | – | [13] |
|  | > 8 | 5 (valgo) 10 (varo) | – | – | [13] |

## 3 Exame clínico da criança lesionada

### 3.1 História do caso

O objetivo deve ser a execução de um exame clínico focado, sem causar dor, incluindo a obtenção da história, com ajuda dos pais, e exame de todos os parâmetros vitais, de acordo com o protocolo de suporte avançado de vida no trauma (ATLS), quando for apropriado. A história deve estabelecer cuidadosamente o mecanismo de lesão. A lesão não acidental deve ser excluída com o auxílio da história clínica. As manipulações desnecessárias ou dolorosas devem ser evitadas, e o alívio da dor deve ser provido antes do exame radiográfico.

### 3.2 Politraumatismo

Os algoritmos para o tratamento inicial devem seguir as diretrizes do ATLS e são similares àqueles do adulto (ver Cap. 4.1). A estabilização dos ossos longos facilita os cuidados de enfermagem e a reabilitação, mas não afeta a função pulmonar em crianças, de forma que o cuidado total precoce é com frequência apropriado. Desse modo, a estabilização precoce ou imediata de todas as fraturas dos principais ossos longos, da pelve instável e da coluna vertebral tem prioridade alta. A fixação externa permite a estabilização rápida em crianças com politraumatismo. O sistema cardiovascular da criança pode compensar a perda sanguínea por um longo tempo, seguida por um colapso circulatório súbito, que pode ser difícil de administrar.

Depois da ressuscitação bem-sucedida, a criança gravemente lesionada deve ser transferida tão rapidamente quanto possível para um centro especializado.

As lesões da coluna vertebral são infrequentes nas crianças e representam aproximadamente apenas 3% de todas as lesões pediátricas. Entretanto, os estudos de autópsia em crianças abaixo de 16 anos que morreram por um trauma de grande energia têm demonstrado que a incidência de fraturas vertebrais é de aproximadamente 12% [1]. A coluna cervical superior é a zona vertebral mais comumente acometida. Dor, torcicolo, limitação de movimento e espasmo muscular devem levantar suspeita de uma lesão na região cervical. As forças de flexão tendem a produzir lesões medulares mais graves que as forças de extensão na região cervical.

Na criança traumatizada, o anel pélvico é avaliado depois que a coluna vertebral tenha sido protegida. A maioria das fraturas pélvicas pediátricas é estável. As radiografias adequadas devem ser obtidas, e exames de tomografia computadorizada (TC) podem ser necessários para completar a avaliação.

As fraturas do acetábulo representam aproximadamente 6% de todas as fraturas pélvicas. É importante reconhecer as fraturas da cartilagem trirradiada, já que podem produzir uma parada do crescimento central, resultando em displasia acetabular com subluxação lateral da cabeça do fêmur. Isso habitualmente ocorre em crianças abaixo dos 8 anos, uma idade em que tais lesões são difíceis de reconhecer.

### 3.3 Lesões dos membros

Para evitar a dor, o exame manual deve ser sistemático e gentil.

> A criança alerta normalmente indicará onde dói. As perguntas diretas podem alertar a criança para um exame doloroso, causando angústia e tornando impossível qualquer exame adicional. Algumas vezes, o exame pode ter que ser restrito a uma observação simples somada ao exame periférico neurovascular absolutamente essencial.

Qualquer suspeita de uma possível fratura deve ser seguida por uma radiografia.

## 4 Exames de imagem em crianças

A avaliação radiográfica de cada lesão suspeitada deve incluir pelo menos duas incidências obtidas em 90 graus entre si. Ambas as projeções devem incluir a articulação acima e a articulação abaixo da área com suspeita de fratura. Diferentemente da prática com o adulto, se a primeira radiografia demonstrar com clareza uma fratura grosseiramente desviada e que necessitará tratamento formal sob anestesia, uma segunda incidência pode não ser necessária, prevenindo um posicionamento doloroso adicional. Nessa situação, um exame claro das articulações adjacentes sob intensificação de imagem é obrigatório.

Quando o diagnóstico for obscuro, as incidências de comparação com o outro lado são um último recurso e não são geralmente recomendadas, a fim de proteger as crianças de irradiação desnecessária. Todos os departamentos de emergência devem ter um atlas dos aspectos e variações normais; deve-se considerar a repetição da radiografia depois de um intervalo ou o encaminhamento a um especialista em fraturas pediátricas. As fraturas suspeitadas devem ser imobilizadas por 5-7 dias e, então, reexaminadas com radiografias adicionais conforme indicado. As radiografias de seguimento estão também indicadas nas fraturas com uma incidência alta de desvio secundário, como as do côndilo lateral do úmero.

Outras ferramentas diagnósticas, como ultrassom, TC, ou ressonância magnética (RM), devem ser apropriadamente usadas e depois de uma consultoria com um radiologista. A TC resulta em uma dose relativamente alta de radiação e deve ser usada com precaução em crianças, particularmente naquelas abaixo de 2 anos, já que pode haver um risco significativo para as glândulas tireoide e timo. Entretanto, a TC é muito útil para avaliar o crânio, a coluna vertebral e a pelve. Os riscos e benefícios para cada paciente individual devem ser considerados.

A ultrassonografia é cada vez mais usada para o diagnóstico de lesões intra-articulares na criança menor com uma massa grande de cartilagem, como, por exemplo, o côndilo lateral do úmero. A RM provê imagens excelentes, mas irá demandar anestesia em crianças pequenas.

## 5 Classificação das fraturas em crianças

**As fraturas articulares e periarticulares em crianças são lesões que inevitavelmente envolvem a fise.**

Tanto o tratamento quanto o prognóstico das lesões fisárias dependem do tipo de lesão.

### 5.1 Lesões fisárias – classificação de Salter-Harris

A classificação das lesões fisárias usada com mais frequência é a de Salter-Harris [14], que descreve cinco tipos diferentes. Ela falha, entretanto, em diferenciar as lesões da zona de Ranvier na periferia da fise. Estas podem ser devido à avulsão ligamentar ou trauma abrasivo aberto. Rang [15] propôs que essas fossem retrospectivamente incluídas na classificação de Salter-Harris como tipo VI (**Tab. 4.4-2**).

Tópicos gerais
## 4.4 Fraturas pediátricas

**Tabela 4.4-2** Classificação modificada de Salter-Harris

| | | | |
|---|---|---|---|
| **Salter-Harris tipo I** | | | A fratura passa ao longo da placa de crescimento, passando através da junção das zonas hipertróficas e de ossificação provisória. A linha de fratura não envolve as zonas de crescimento, e o distúrbio de crescimento é improvável. |
| **Salter-Harris tipo II** | | | Esta é uma lesão de cisalhamento da placa de crescimento, com uma fratura metafisária parcial (fragmento de Thurston-Holland). Este tipo responde por 70% das lesões fisárias. Como a fratura tipo I, esta lesão não envolve as zonas de crescimento, e o distúrbio de crescimento é improvável. |
| **Salter-Harris tipo III** | | | Existe uma separação fisária parcial com uma fratura epifisária intra-articular. A fratura atravessa as zonas de crescimento. Se a redução não for perfeita, o distúrbio de crescimento é altamente provável. A redução aberta é necessária. |
| **Salter-Harris tipo IV** | | | A fratura passa a partir da superfície articular por todas as camadas da fise e através da metáfise. A zona de crescimento é envolvida. A redução anatômica e a fixação são necessárias. |

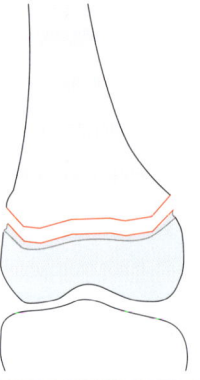

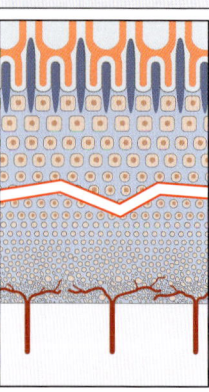

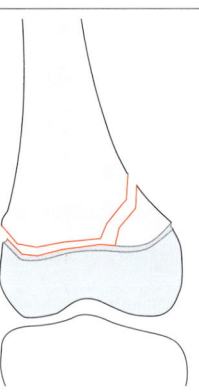

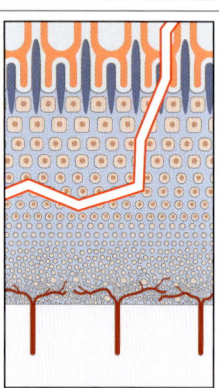

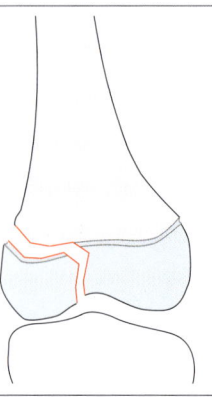

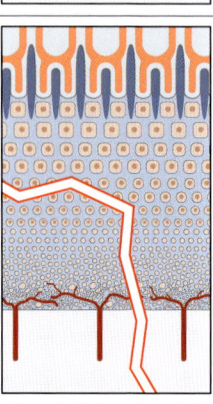

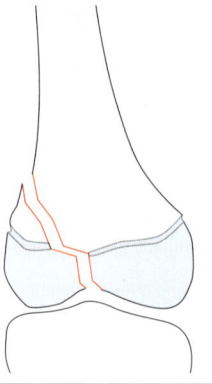

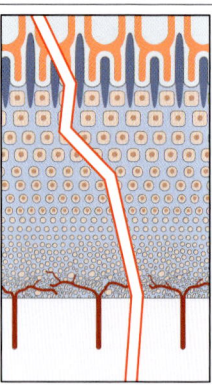

| Tabela 4.4-2 (cont.) | Classificação modificada de Salter-Harris | | |
|---|---|---|---|
| **Salter-Harris tipo V** | | | Existe impacção da superfície articular e da placa de crescimento. Esse tipo de lesão é frequentemente diagnosticado de forma retrospectiva. Ocorre uma parada parcial do crescimento. |
| **Salter-Harris tipo VI** | | | Fratura de avulsão na inserção de um ligamento, levando com ele uma porção do anel pericondral (zona de Ranvier). A redução e a fixação precisas são necessárias; não obstante, pode ocorrer um distúrbio do crescimento. |
| **Salter-Harris tipo VII** | | | Uma lesão abrasiva e aberta na periferia da placa de crescimento; com frequência causa a fusão da fise. |

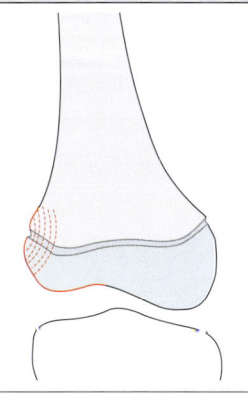

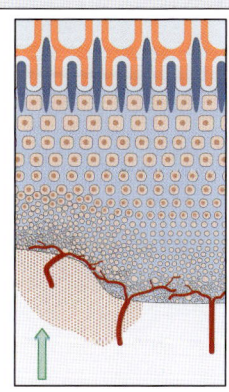

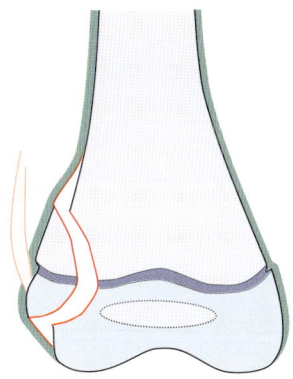

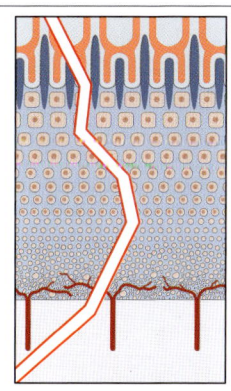

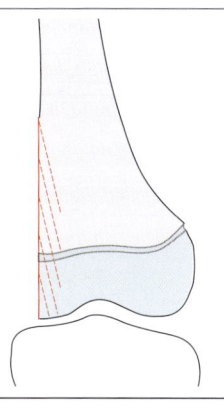

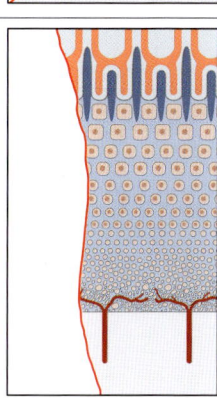

Tópicos gerais
## 4.4 Fraturas pediátricas

### 5.2 Classificação AO Completa das Fraturas Pediátricas em Ossos Longos

Pelo fato de a classificação de Salter-Harris somente descrever fraturas da zona epifisária, o Grupo de Especialistas Pediátricos da AO introduziu uma classificação especial que é apropriada para ossos imaturos e descreve todos os segmentos ósseos dos ossos longos.

Ela é construída sobre a classificação das fraturas em adultos em suas características específicas e essenciais, e também integra as classificações como a de Salter-Harris e de outros sistemas bem conhecidos (**Fig. 4.4-1**).

Esse sistema foi validado e publicado como a Classificação AO Completa das Fraturas Pediátricas de Ossos Longos e, essencialmente, inclui os elementos discutidos a seguir [16, 17].

#### 5.2.1 Osso e segmento

O osso é codificado na mesma ordem que a Classificação AO/OTA de Fraturas e Luxações em adultos:

1. Úmero
2. Rádio/ulna
3. Fêmur
4. Tíbia/fíbula

Os segmentos dos ossos também seguem um esquema de codificação semelhante:

1. Proximal
2. Diafisário
3. Distal

Entretanto, sua identificação difere dos adultos. Para as fraturas pediátricas dos ossos longos, a metáfise é identificada por um quadrado cujos lados têm o mesmo comprimento que a parte mais larga da fise em questão. Para os ossos pares (rádio/ulna e tíbia/fíbula), ambos os ossos devem ser incluídos no quadrado. Consequentemente, os três segmentos (**Fig. 4.4-2**) podem ser definidos como:

| Segmento 1 | Epífise e metáfise proximal |
| Segmento 2 | Diáfise |
| Segmento 3 | Metáfise e epífise proximal |

As fraturas maleolares pediátricas são raras e têm uma morfologia diferente daquela dos adultos. Essas estão colocadas no segmento 3.

#### 5.2.2 Tipo de fratura

O código de gravidade original (A-B-C) usado em adultos [1] é substituído por uma classificação diferente de fraturas:

| E | Epífise |
| M | Metáfise |
| D | Diáfise |

Essa terminologia é aceita mundialmente e é relevante para as fraturas pediátricas.

O uso do código E-M-D torna possível identificar as fraturas intra-articulares e extra-articulares sem ambiguidade, uma vez que as fraturas epifisárias são fraturas intra-articulares por definição. As fraturas metafisárias são identificadas pela posição do quadrado (o centro das linhas de fratura deve ser localizado no quadrado) com um lado sobre a fise.

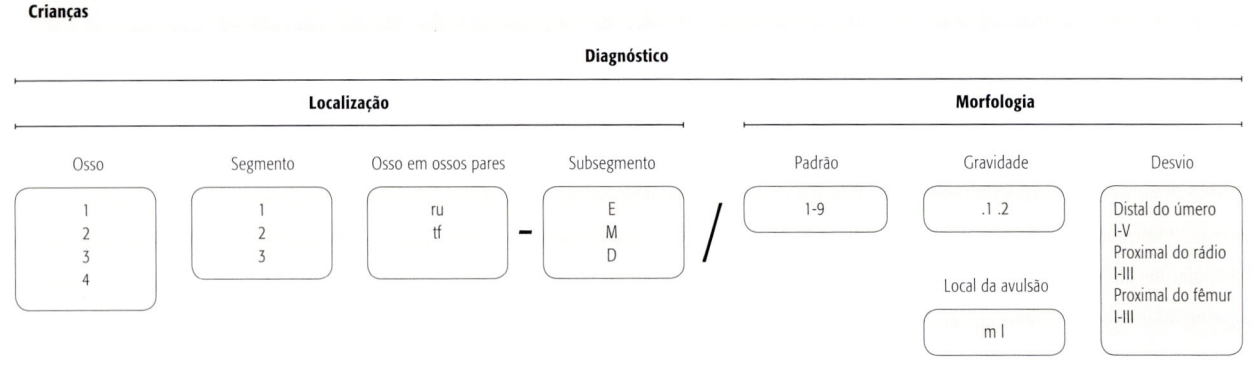

**Fig. 4.4-1** Estrutura global da Classificação AO Completa das Fraturas Pediátricas dos Ossos Longos.

### 5.2.3 Codificação na criança

As características pediátricas específicas (também chamadas padrões de criança) são designadas em um código da criança. Para reconhecimento mais fácil, esse código é precedido por uma barra "/" dentro de todo o código de classificação (**Fig. 4.4-1**). Os padrões relevantes da criança são específicos para um dos tipos de fratura, E, M ou D e, consequentemente, agrupados de acordo (**Tabs. 4.4-3-5**).

### 5.2.4 Código de gravidade da fratura

A gravidade da fratura é graduada não tanto por causa de sua influência na consolidação (como nos adultos), mas por causa da necessidade de investigar as indicações para os vários métodos de osteossíntese. O código distingue entre:

| | |
|---|---|
| .1 | Simples |
| .2 | Em cunha ou complexa (cominutiva), 2 fragmentos principais e pelo menos 1 fragmento intermediário |

### 5.2.5 Exceções e códigos adicionais

Nem todas as fraturas pediátricas podem simplesmente ser classificadas de acordo com o padrão citado, sendo necessárias mais algumas definições e regras:

- As fraturas da apófise são reconhecidas como lesões metafisárias.
- As fraturas transicionais com ou sem cunha metafisária são classificadas como fraturas epifisárias.
- As avulsões ligamentares intra-articulares e extra-articulares são lesões epifisárias e metafisárias, respectivamente.
- As fraturas supracondilares do úmero (código 13-M/3) recebem um código adicional relativo ao grau de desvio em quatro níveis (I-IV), modificado de von Laer [8]:

| | |
|---|---|
| I | Fratura incompleta: em uma incidência radiográfica estritamente lateral, a linha de Rogers ficará dentro do capítulo. A incidência AP revelará um *gap* de 2 mm no máximo na posição de valgo ou varo. |
| II | Fratura incompleta: o desvio será em antecurvato ou recurvato com cortical posterior intacta (fratura em extensão) ou cortical anterior (fratura em flexão). Em uma incidência radiográfica lateral estrita, a linha de Rogers ficará fora do capítulo. |
| III | Fratura completa: não existe continuidade da cortical, mas ainda contato entre as superfícies de fratura. |
| IV | Fratura completa: não existe continuidade da cortical e nenhum contato entre as superfícies de fratura. |

- As fraturas da cabeça do rádio (21-M/2, 21-M/3, 21-E/1 ou 21-E/2) recebem um código adicional relativo ao desvio do eixo e ao grau de desvio:

| | |
|---|---|
| I | Nenhum desvio, nenhuma angulação |
| II | Angulação e desvio de até metade do diâmetro da diáfise |
| III | Angulação e desvio de mais da metade do diâmetro do osso ou completamente desviado |

- Fraturas do colo do fêmur: a epifisiólise e a epifisiólise com uma cunha metafisária são codificadas como fraturas normais tipo Salter-Harris I epifisário E e II E/1 e E/2. As fraturas do colo do fêmur são codificadas como fraturas normais metafisárias tipo M:

| | |
|---|---|
| I | Mediocervical |
| II | Basocervical |
| III | Transtrocantérica |

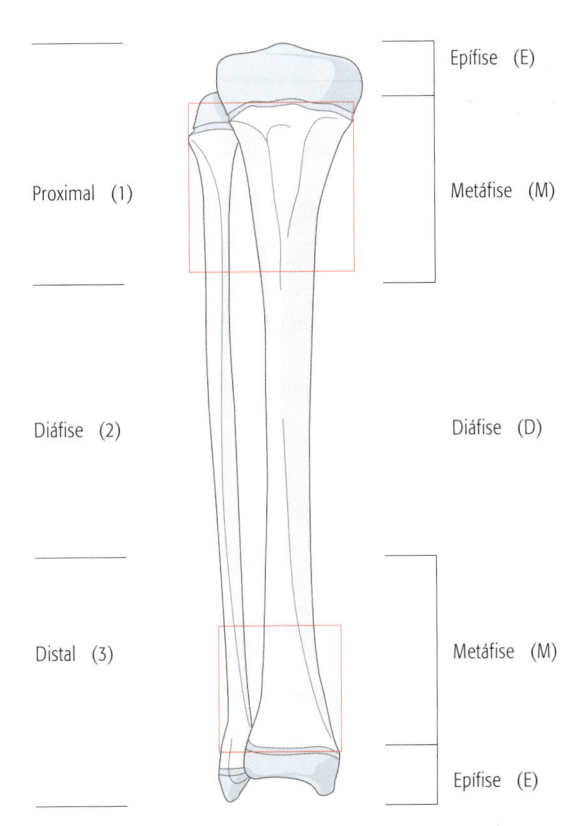

**Fig. 4.4-2** Definição de segmentos e tipos dos ossos longos.
As crianças têm um segmento metafisário maior que os adultos, e, então, o quadrado deve ser colocado sobre a parte mais larga da fise.

Tópicos gerais
## 4.4 Fraturas pediátricas

**Tabela 4.4-3** Classificação AO Completa das Fraturas Pediátricas em Ossos Longos: padrões de fraturas epifisárias em crianças

| | | | |
|---|---|---|---|
| E/1 | Salter-Harris tipo I | E/6 | Fratura triplanar |
| E/2 | Salter-Harris tipo II | E/7 | Avulsão ligamentar |
| E/3 | Salter-Harris tipo III | E/8 | Fratura em floco |
| E/4 | Salter-Harris tipo IV | E/9 | Outras fraturas, (p. ex., lesão em abrasão) |
| E/5 | Fratura de Tillaux (biplanar) | | |

**Tabela 4.4-4**  Classificação AO Completa das Fraturas Pediátricas em Ossos Longos: padrões de fraturas metafisárias em crianças

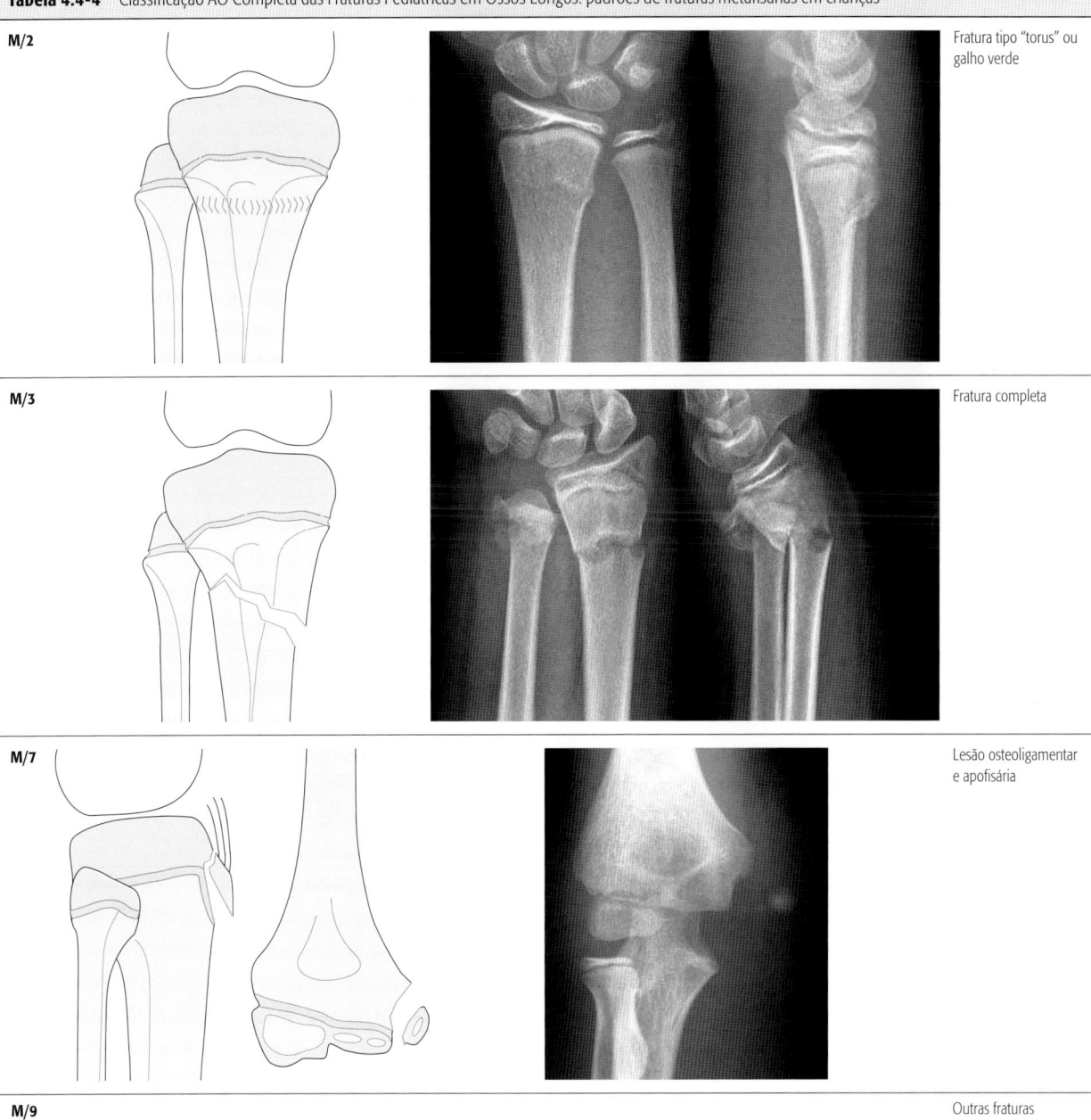

| | | |
|---|---|---|
| M/2 | | Fratura tipo "torus" ou galho verde |
| M/3 | | Fratura completa |
| M/7 | | Lesão osteoligamentar e apofisária |
| M/9 | | Outras fraturas |

Os números correspondem às lesões epifisárias equivalentes e, assim, não são sequenciais.

Tópicos gerais
## 4.4 Fraturas pediátricas

**Tabela 4.4-5** Classificação AO Completa das Fraturas Pediátricas em Ossos Longos: padrões de fraturas diafisárias em crianças

| | | | |
|---|---|---|---|
| **D/1** | Fratura com arqueamento | **D/5** | Fratura completa oblíqua/helicoidal (> 30°) |
| **D/2** | Fratura em galho verde | **D/6** | Fratura de Monteggia |
| **D/4** | Fratura transversa completa (< 30°) | **D/7** | Fratura de Galeazzi |
| | | **D/9** | Outras fraturas |

Semelhantemente às fraturas de adultos, as fraturas oblíquas são identificadas quando o ângulo entre a linha de fratura e a linha transversal ao eixo ósseo for maior ou igual a 30°. Da mesma forma, o código "/9" deve ser usado para fraturas que não pertençam a categorias bem definidas.

## 6  Tratamento das fraturas em crianças

### 6.1  Objetivos

A meta do tratamento de cada fratura deve ser:

- Alívio rápido e efetivo da dor
- Reconstrução da anatomia e função normais
- Mobilização e reassunção precoces das atividades da criança
- Evitar tentativas de redução desnecessárias e repetidas
- Evitar complicações tardias
- Tratamento apropriado para a idade da criança e para o tipo de lesão
- Alcançar o resultado ideal com um mínimo de invasão

### 6.2  Tratamento fechado

#### 6.2.1  Estabilização não operatória

A maioria das fraturas dos membros superiores em crianças e adolescentes é tratada por redução fechada e gesso. A tração fica reservada para as fraturas do fêmur em crianças abaixo dos 3 ou 4 anos, embora elas estão cada vez mais sendo estabilizadas por meios operatórios. A única forma de imobilizar e manter a redução é aplicar um gessado bem moldado. Geralmente, isso demandará um gessado circular completo, generosamente acolchoado e possivelmente fendido. Os imobilizadores e talas podem ser adequados para as fraturas não desviadas.

> O tratamento não cirúrgico está indicado somente para fraturas estáveis; se houver algum sinal potencial para instabilidade (linha de fratura oblíqua, mesmo nível em ossos pares, fraturas completamente desviadas), o tratamento cirúrgico definitivo deve ser considerado.

#### 6.2.2  Estabilização operatória

Se houver alguma indicação para estabilização, na maioria dos casos ela pode ser alcançada pelo tratamento fechado minimamente invasivo. As técnicas de osteossíntese minimamente invasiva, como hastes intramedulares elásticas estáveis (HIEEs), fios de Kirschner, parafusos canulados e às vezes até placas, devem sempre ser consideradas no tratamento das fraturas em crianças.

> As crianças não são confiáveis quanto ao relato de dor, alterações sensitivas, distúrbios circulatórios, ou outros sinais de complicações iminentes. A observação clínica regular e competente é necessária. A circulação e a condição neurológica distal à fratura devem ser verificadas com frequência e de forma completa.

### 6.3  Tratamento aberto

As fraturas que não puderem ser reduzidas ou mantidas em uma posição satisfatória devem ser abordadas operatoriamente, independentemente da idade da criança, a menos que uma remodelação satisfatória possa ser assegurada. Várias tentativas diferentes de tratamento fechado e fixação percutânea ou intramedular (p. ex., fraturas instáveis do antebraço ou fraturas de fêmur irredutíveis) devem ser evitadas. As fraturas intra-articulares desviadas devem ser tratadas com redução anatômica aberta e fixação estável.

As seguintes lesões/fraturas são amplamente aceitas como indicação para tratamento aberto/cirúrgico e estabilização interna ou externa:

- Fraturas expostas
- Politraumatismo
- Traumas cranianos e vertebrais
- Fraturas do colo do fêmur
- Lesões fisárias intra-articulares (desvio > 2 mm)
- Fraturas irredutíveis se várias tentativas não foram bem-sucedidas
- Fraturas associadas a queimaduras ou outras lesões graves de tecidos moles

Tópicos gerais
### 4.4 Fraturas pediátricas

### 6.4 Fraturas expostas

Como nos adultos, as fraturas expostas são emergências cirúrgicas e devem ser agressivamente tratadas para prevenir infecção e incapacidade permanente. As várias classificações de partes moles usadas em adultos são também aplicáveis às fraturas expostas em crianças (ver Caps. 1.5; 4.2). As lesões expostas do membro inferior do tipo IIIC estão associadas a uma alta taxa de amputação em adultos, e a salvação de membro é com frequência impraticável.

> Em crianças, todo esforço deve ser feito para salvar o membro.

A amputação precoce somente deve ser feita para salvar a vida. As crianças toleram a perda tecidual muito melhor que os adultos.

O debridamento abrangente e agressivo, incluindo a excisão de todo tecido lesionado e desvitalizado (músculo, pele, osso, etc.) é obrigatório. O ferimento deve ser abundantemente irrigado tanto antes quanto depois do debridamento.

### 6.5 Estabilização cirúrgica da fratura

Bons desfechos podem ser alcançados após a fixação das fraturas em crianças sem o uso de implantes grandes e volumosos. A propensão das crianças em mexer-se em vez de repousar é um benefício para o seu tratamento e a fisioterapia é raramente necessária. Além disso, as fraturas das crianças podem ser imobilizadas pós-operatoriamente sem medo de rigidez em longo prazo; a síndrome de dor regional crônica raramente se segue à cirurgia da fratura.

Para as fraturas diafisárias, a HIEE é o método-padrão de tratamento em de crianças até 50 ou 60 kg. Para a área epifisária, vários implantes diferentes – principalmente fios e parafusos – podem ser aplicados [18].

Os parafusos de pequenos fragmentos (excepcionalmente de 6,5 mm na região proximal do fêmur), parafusos canulados e fios de Kirschner são usados no tratamento das fraturas periarticulares e articulares. As placas são raramente aplicadas ao osso imaturo, já que a remoção é uma operação de grande porte, mas necessária para prevenir a cobertura completa por osso. A fixação externa é popular, especialmente em fraturas expostas e metafisárias e no tratamento das fraturas do fêmur. A lesão da fise deve ser evitada. Geralmente, a placa de crescimento deve ser atravessada com fios de Kirschner e não com parafusos de tração. Idealmente, os fios de Kirschner devem ser inseridos com velocidade baixa e devem cruzar a fise em um ângulo reto.

> Ao colocar fios de Kirschner através da placa de crescimento, é preciso evitar as perfurações repetidas, a saída de vários fios a partir de um único ponto e a inserção muito periférica, para minimizar o dano à zona de proliferação.

Geralmente, os fios de Kirschner podem ser removidos depois de 3-4 semanas. Se for necessário que um parafuso cruze a fise, então ele deve ser removido assim que possível.

Em fraturas articulares, os fragmentos devem ser reduzidos anatomicamente e fixados com estabilidade absoluta usando parafusos de tração interfragmentares paralelos à fise, tanto na metáfise, quanto na epífise, ou em ambas (tipo E/3 e E/4) [19]. Esses parafusos devem ser sempre removidos se restar potencial de crescimento. Os fios de Kirschner não exercem compressão, apresentam um risco aumentado de infecção e devem ser apoiados por um aparelho.

A técnica de HIEE com a haste elástica de titânio (HET) pode ser aplicada a praticamente todas as fraturas diafisárias em crianças entre as idades de 3-4 anos e na puberdade, dependendo do tamanho, do desenvolvimento físico e do peso da criança (máximo 50-60 kg). Usando o protetor terminal, a indicação para técnica de HIEE pode ser estendida a fraturas mais complexas e a crianças mais velhas (**Fig. 4.4-3**). A fixação externa é usada em aproximadamente 10-12% dos casos, principalmente em crianças mais velhas e mais pesadas, e para fraturas expostas complexas e instáveis do fêmur ou da tíbia (**Fig. 4.4-4**).

As placas são reservadas para indicações excepcionais – de preferência usando técnicas minimamente invasivas – como também para correções secundárias. Em 1993, um estudo de base populacional demonstrou que a porcentagem da aplicação de placas no trauma pediátrico caiu de 60 para 5% [19].

A remoção do implante somente deve ser feita depois da consolidação da fratura, com calo visível à radiografia. Na região diafisária, especialmente quando a técnica de HIEE for usada, a consolidação e recorticalização completas devem ser alcançadas. No antebraço, as hastes elásticas devem ser removidas em 6 meses. As refraturas ocorrem em crianças e isso é particularmente verdadeiro com o uso da fixação externa.

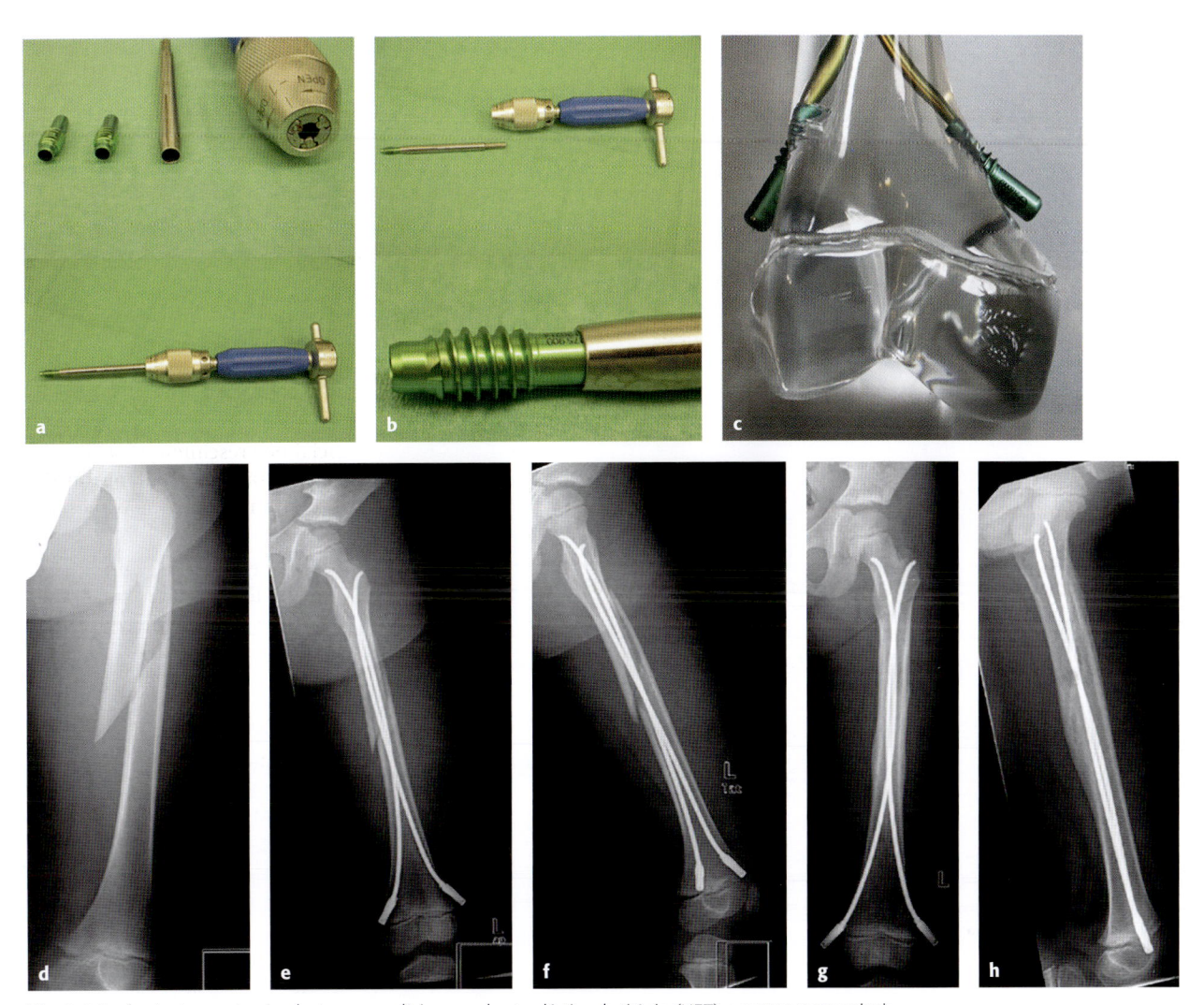

**Fig. 4.4-3a–h**  Instrumentos, implante e caso clínico com haste elástica de titânio (HET) e protetores terminais.
**a-b**  Protetor terminal automacheante e adaptador.
**c**  Protetores terminais colocados em um modelo transparente; note que apenas a parte distal da rosca terá contato com o osso.
**d-h**  Fratura femoral helicoidal longa tratada com hastes elásticas de titânio e estabilização terminal adicional com as radiografias finais mostrando consolidação.

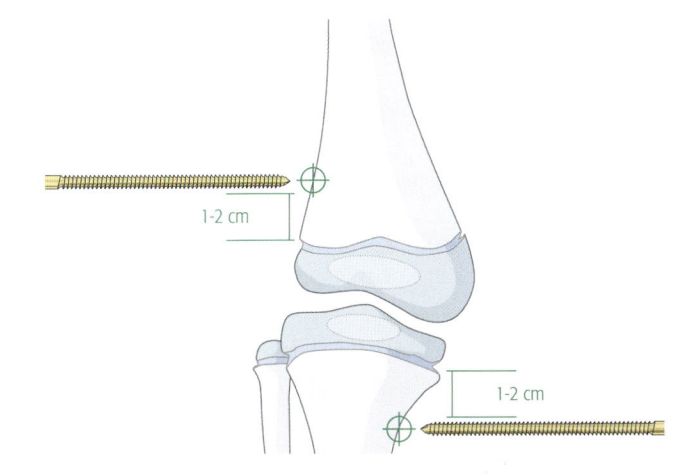

**Fig. 4.4-4**  Ao inserir os Schanz para o fixador externo, é importante lembrar que a placa de crescimento tem mais ou menos 4 mm de espessura. Para não aquecer demais a placa de crescimento, os parafusos de Schanz devem ser introduzidos na área metafisária à mão, mais ou menos 1-2 cm a partir da placa de crescimento. Na área epifisária, os fios finos e os parafusos de Schanz podem ser introduzidos à mão sem lesionar a placa de crescimento.

## 7 Fraturas específicas

### 7.1 Úmero

#### 7.1.1 Úmero, proximal

O mau alinhamento ou o déficit funcional depois das fraturas proximais do úmero são raros, já que há um grande potencial para correção da angulação (até 60° abaixo dos 12 anos) e desvio (o desvio completo pode ser aceito se ainda houver 2-3 anos de crescimento). Isso permite a remodelação completa na maioria de casos, incluindo o desvio completo com aposição em baioneta, desde que restem 2 anos de crescimento. A amplitude de movimento excepcional da articulação do ombro compensa qualquer remodelação que não ocorra, incluindo a deformidade rotacional. Essas fraturas são, por conseguinte, tratadas de forma não operatória. Entre 10 e 12 anos de idade, até 60 graus de angulação podem ser clinicamente tolerados, mas podem não ser aceitos pelos pais. Com crianças mais velhas (meninas acima de 12 e meninos acima de 14), somente 50% de desvio pode ser tolerado. Por essa razão, as fraturas totalmente desviadas devem ser reduzidas. A fixação, usando uma HIEE retrógrada, oferece excelente estabilidade e mobilização precoce. Raramente, ocorre a interposição do tendão do bíceps, que exigirá a redução aberta e fixação interna com HIEE. Depois da redução aberta da fratura proximal do úmero, a HIEE é a estabilização de escolha já que permite movimento relativamente precoce e evita as complicações da fixação com fio de Kirschner, que somente deve ser usado em casos excepcionais por causa da necessidade de imobilização adicional e os perigos dos problemas com a ferida, infecção e migração do fio.

A técnica envolve começar na região lateral e distal do úmero, cuidando para evitar e protegendo o nervo radial, e inserindo duas hastes até a linha de fratura distal. Então a redução fechada ou aberta é executada. Uma vez que a redução esteja perfeita, então as duas hastes são avançadas por meio de marteladas gentis através da fratura no fragmento proximal (**Fig. 4.4-5a-f**).

#### 7.1.2 Úmero, diáfise

As fraturas da diáfise do úmero ocorrem mais frequentemente em crianças mais velhas. A maioria de casos é tratada de forma não cirúrgica por causa do alto potencial de remodelação e da tolerância à angulação. Entretanto, em crianças mais velhas, a indicação para a estabilização com HET está rapidamente aumentando por razões socioeconômicas: conforto da criança, mobilidade precoce e retorno mais rápido à escola.

As lesões do nervo radial não são em si uma indicação para cirurgia. Tal como em adultos, a exploração é necessária se o envolvimento do nervo se seguir a intervenções que possam ter aprisionado o nervo.

Indicações para o tratamento não cirúrgico:

- Fratura estável e não desviada em qualquer grupo etário
- Fraturas estáveis com angulação < 30 graus
- Fratura estável com desvio aceitável em qualquer grupo etário

A imobilização por 3-4 semanas em uma tipoia do tipo Velpeau é recomendada. Se a redução sob anestesia for necessária, recomendamos a fixação definitiva.

Indicações para o tratamento operatório:

- Paciente politraumatizado (mesmo crianças mais jovens)
- Crianças com mais de 10-12 anos
- Fratura instável e desviada, se a redução sob anestesia for necessária

O método preferido dos autores é a HIEE. Nenhuma imobilização adicional é necessária e as hastes intramedulares são removidas depois de 3-4 meses.

#### 7.1.3 Úmero, distal

As lesões no cotovelo são comuns na infância. As fraturas extra-articulares (supracondilares) e intra-articulares (condilares) devem ser distinguidas. Para o olho inexperiente, o diagnóstico pode ser difícil devido às várias fises. Um sinal confiável e indireto de uma lesão intra-articular é o "sinal do coxim gorduroso" ou lipo-hemartrose. Os raios X comparativos devem ser evitados, já que não compensam a falta de conhecimento anatômico. Em fraturas supracondilares, a presença ou a ausência de má rotação serão decisivas para a escolha do tratamento. O algoritmo de classificação para fraturas supracondilares em ossos longos pediátricos é útil para a tomada de decisão [16, 17]. O exame com ultrassom é cada vez mais usado, especialmente para fraturas intra-articulares em crianças jovens.

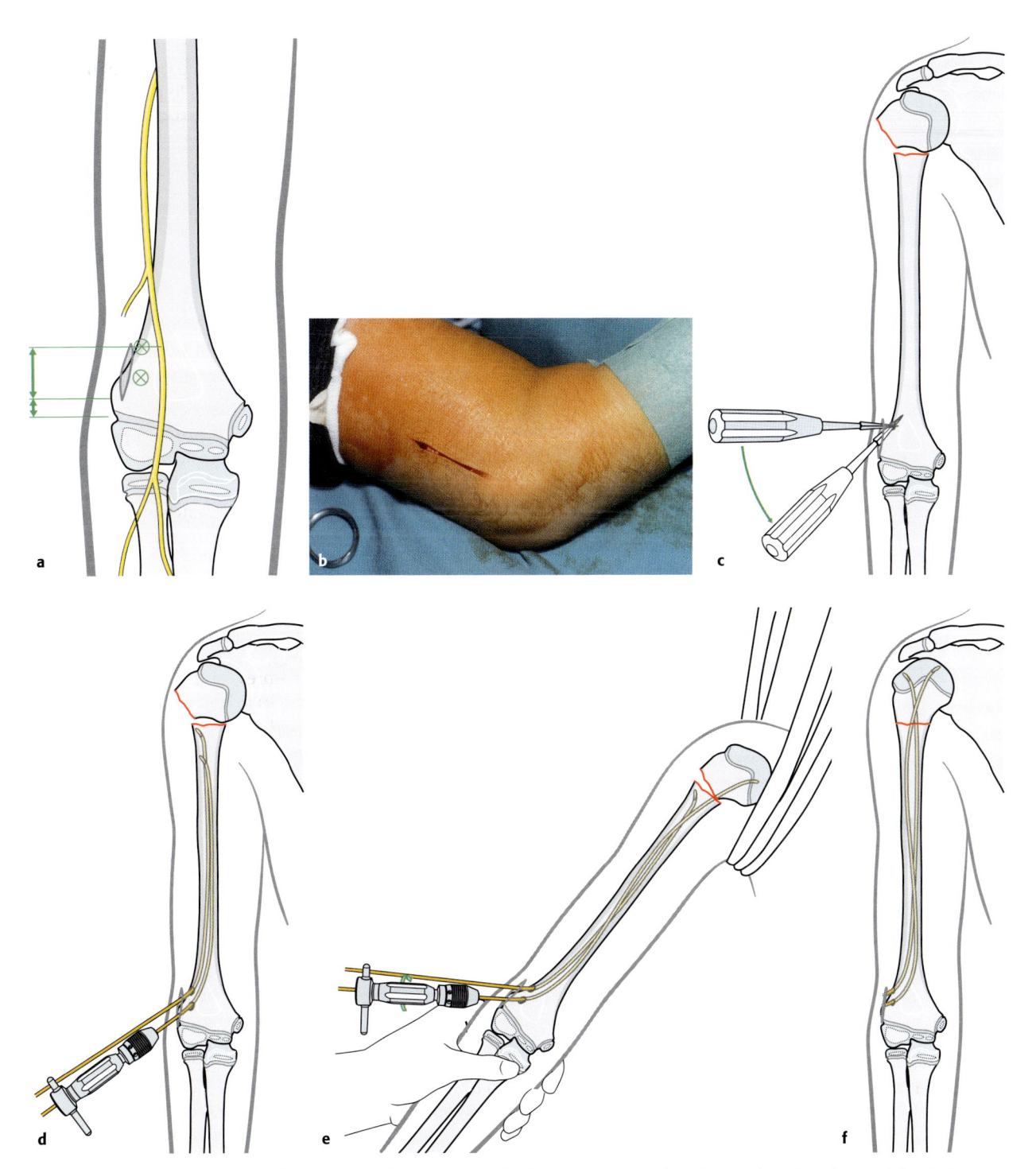

**Fig. 4.4-5a-f** As fraturas com lesão da fise proximal do úmero e metafisária proximal são tratadas pelo método da haste intramedular elástica estável; é uma técnica simples e amigável com a criança, conforme mostrado na ilustração.
a   A abordagem lateral na região distal do úmero, 1 cm acima da placa de crescimento.
b   Abordagem clínica.
c   Fratura metafisária completamente desviada e abertura do osso com um furador.
d   Uma haste é pré-moldada em um formato de C, a outra é pré-moldada em um formato de S, de acordo com a técnica monolateral.
e   Redução indireta pela manipulação do úmero e redução interna com hastes elásticas de titânio.
f   Situação final com redução perfeita.

## Tópicos gerais
### 4.4 Fraturas pediátricas

#### Fraturas supracondilares

Para as fraturas supracondilares, deve ser feita distinção entre aqueles com e sem má rotação, porque isso afeta o tratamento. As fraturas sem má rotação (13 – M/3.1 I + II) geralmente podem ser reduzidas e imobilizadas sem anestesia em um Velpeau, enquanto a maioria das fraturas com má rotação (13 – M/3.1 III + IV) deve ser reduzida de forma fechada, mas sob anestesia, e fixada com fios de Kirschner percutâneos.

Em geral, a redução deve ser seguida pela estabilização com fio de Kirschner percutâneo, já que posições extremas para manter a redução estão associadas à síndrome compartimental. A configuração dos fios pode ser cruzada ou lateral. Se forem usados apenas fios laterais, deve haver cuidado para estabilizar ambas as colunas. Os fios devem ser divergentes e devem ser usados os de maior diâmetro (pelo menos 2 mm); um terceiro fio pode ser necessário (**Fig. 4.4-6**).

Um pequeno fixador externo lateral é uma opção excelente no caso de fratura irredutível, para evitar redução aberta. Ele pode ser útil em casos com edema intenso, apresentação tardia (casos negligenciados), desvio secundário depois da pinagem, especialmente com falha rotacional, e problemas neurológicos e/ou vasculares (**Fig. 4.4-7**) [18, 19].

A redução aberta pode ser feita por uma variedade de abordagens. A exploração neurovascular requer uma via de acesso anterior. A abordagem mais superficial ao úmero é lateral e o dedo pode ser deslizado para remover tecido mole e auxiliar na redução. A abordagem medial pode ser adicionada. Muitos cirurgiões preferem uma via de acesso posterior, diretamente através do tendão do tríceps braquial; ela conduz à fratura, mas divide a dobradiça intacta de tecidos moles na maioria dos casos e deve ser evitada sempre que possível.

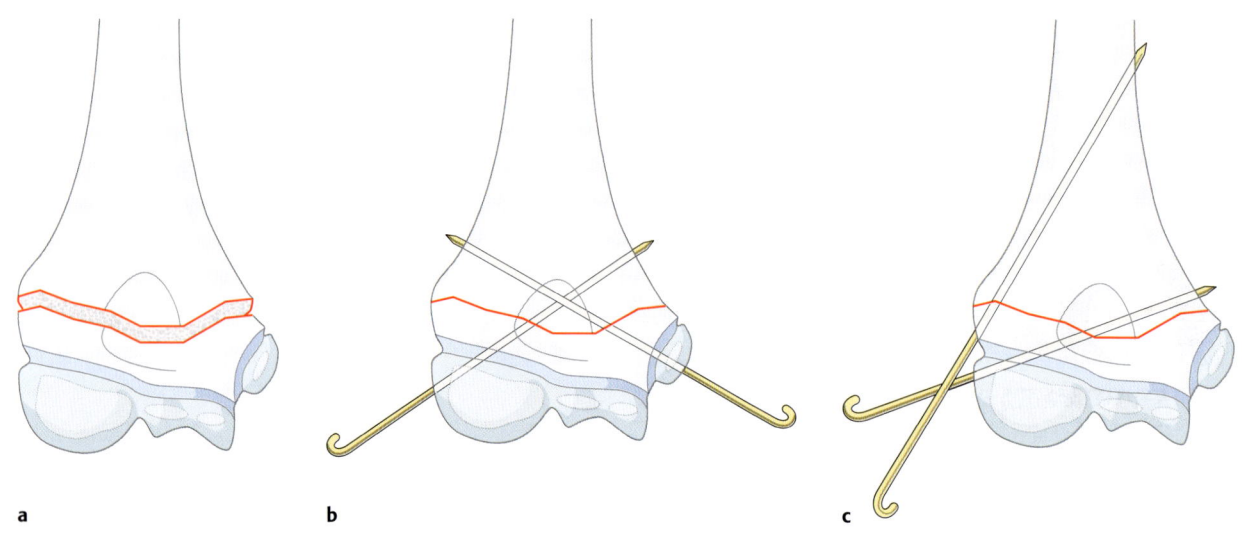

**a**  **b**  **c**

**Fig. 4.4-6a-c**
**a** Fratura supracondilar.
**b** Depois da redução fechada, a fixação percutânea com fio de Kirschner pode ser feita com fios introduzidos a partir dos lados medial e lateral. Deve-se tomar cuidado para evitar o nervo ulnar. Os fios devem cruzar dentro do osso e devem estar posicionados para atravessar a fossa olecraniana. Assim, cada fio alcança quatro corticais.
**c** Se dois fios forem usados a partir do lado lateral, devem ser usados os fios de 2,0 mm. Estes devem ser divergentes, de forma que um se fixe à coluna medial tendo cruzado a fossa olecraniana. O segundo fio deve ser mais vertical, fixando a coluna lateral. Os fios devem se cruzar fora do osso.

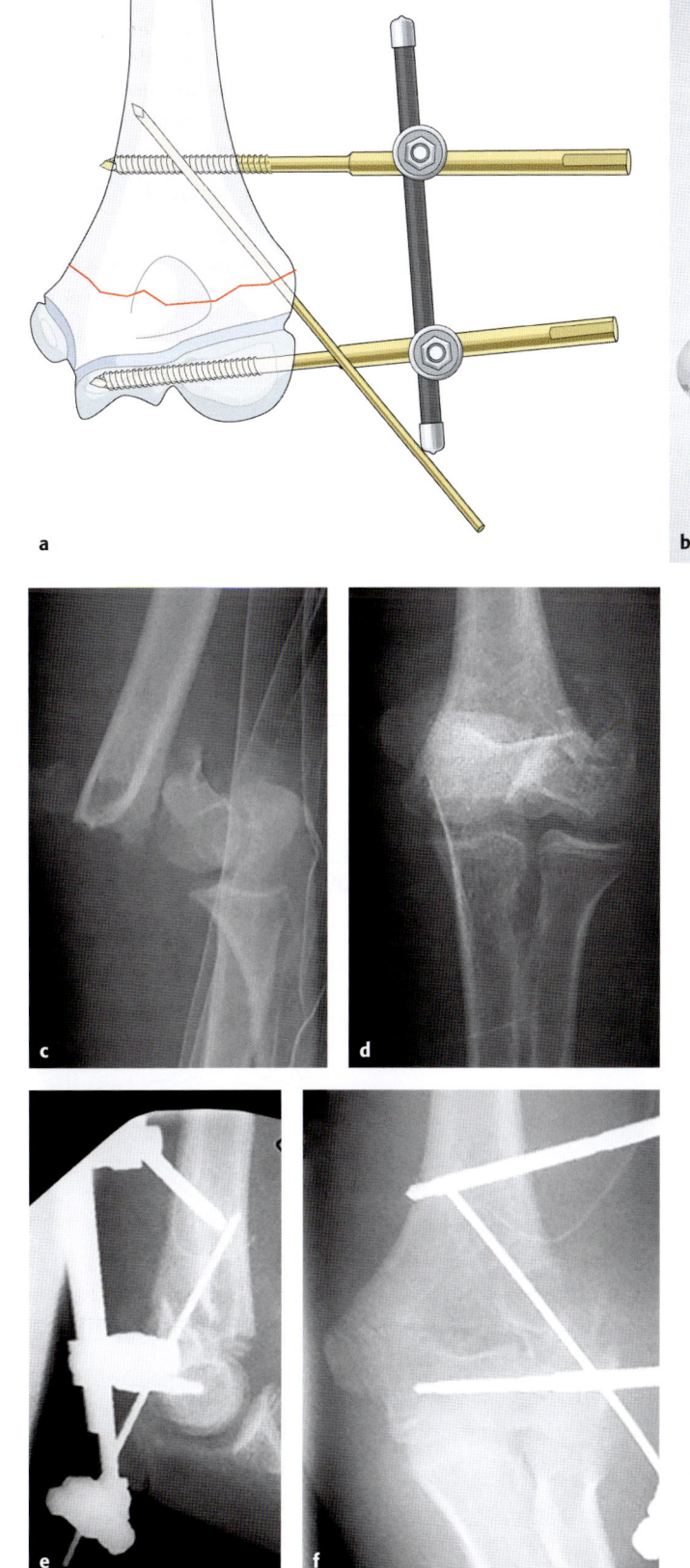

**Fig. 4.4.7a-f**
a   Configuração da estabilização com pequeno fixador externo lateral; reconhecer que apenas um parafuso de Schanz é usado por fragmento e, assim, um fio de Kirschner anti-rotatório é inserido a partir do lado lateral.
b   Situação clínica em um modelo ósseo.
c-d Fratura supracondilar cominutiva do úmero (13-M/3.2 IV) com colunas medial e lateral instáveis.
e-f Radiografia intraoperatória mostra bom alinhamento em ambas as incidências e situação estável.

## Tópicos gerais
### 4.4 Fraturas pediátricas

> A exploração da artéria braquial somente será necessária no caso de a mão estar branca e sem pulso e que persiste depois da redução.

A circulação colateral em torno do cotovelo é excelente e, ainda que a artéria braquial esteja ocluída, a perfusão distal é normalmente satisfatória. Se a mão estiver rósea e com bom enchimento capilar (a mão sem pulso, mas rosada), investigações com ultrassom e angiografia não são necessárias. Se a exploração for necessária para uma mão pálida e sem pulso, ela deve ser acompanhada por fasciotomia, já que a lesão por reperfusão e síndrome compartimental levarão à contratura isquêmica.

O cúbito varo é causado pela má redução e fixação insuficiente, em particular pela falha em corrigir a rotação. Se ambas as colunas estiverem estavelmente reduzidas, ela não ocorrerá (**Fig. 4.4-8**).

### Fraturas condilares

As fraturas do côndilo lateral do úmero são as lesões do tipo IV de Salter-Harris. Com frequência, o diagnóstico pode ser difícil, particularmente quando a linha de fratura medial avançar somente até a espessa cartilagem. Via de regra, as fraturas completamente desviadas são fáceis de reconhecer e devem ser tratadas por redução aberta e fixação interna com um parafuso metafisário de tração ou dois fios de Kirschner divergentes (**Fig. 4.4-9**). A estabilidade da articulação do cotovelo deve ser verificada depois da fixação. A abordagem pode ser lateral ou posterolateral. É imperativo assegurar que não seja destruído o suprimento sanguíneo aos fragmentos, que são em grande parte cobertos por cartilagem.

A fratura desviada que não foi percebida inevitavelmente resulta em pseudoartrose, o que pode levar ao cúbito valgo e problemas do nervo ulnar, ou a um cúbito varo por instabilidade e sobrecrescimento do côndilo lateral.

As lesões do côndilo medial são extremamente raras. A tróclea ossifica tardiamente, o que pode ser confundido com uma fratura do epicôndilo. O tratamento corresponde àquele do côndilo lateral. Uma combinação de fraturas de ambos os côndilos, lateral e medial, leva a uma fratura em Y, uma lesão que habitualmente ocorre apenas em crianças mais velhas. Em contraste com os adultos, elas raramente têm cominução intra-articular. As fraturas instáveis em T devem ser tratadas por redução aberta da maneira habitual com uma via de acesso posterior, enquanto, em crianças menores, depois da fixação de ambos os fragmentos articulares, a fixação com fio de Kirschner é suficiente. A articulação e a fise devem ser precisamente fixadas.

### Fraturas epicondilares mediais

As fraturas do epicôndilo medial são principalmente o resultado de uma luxação de cotovelo que se reduziu espontaneamente (**Fig. 4.4-10**). Nesses casos, pode ser difícil reconhecer a luxação e o epicôndilo fraturado. Ocasionalmente, ele está desviado dentro da articulação e a incongruência da articulação deve levar ao diagnóstico. O grau de desvio do epicôndilo medial que requer fixação ainda está sendo debatido. Um desvio menor que 0,5 cm pode ser aceito. Mais que 1 cm não pode ser aceito, já que pode resultar em instabilidade do cotovelo.

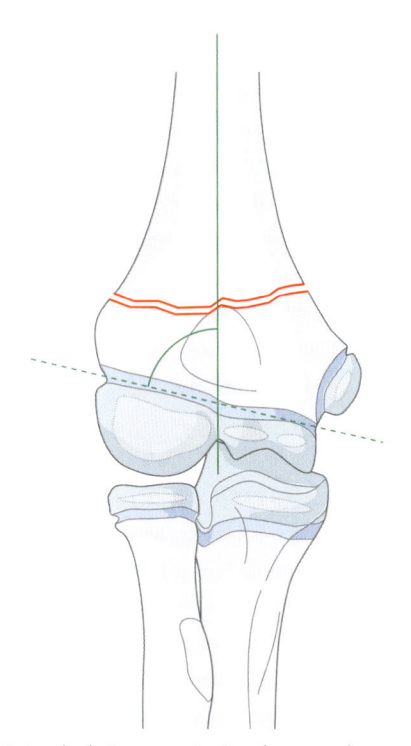

**Fig. 4.4-8** O ângulo de Baumann é o ângulo entre a fise condilar lateral e o eixo longo da diáfise do úmero. Depois da redução e da fixação, o ângulo de Baumann deve ser igual àquele do lado não lesionado (habitualmente 70-75°). Acima de 75° denota má posição em varo. O alinhamento rotacional correto é mais adequadamente avaliado com uma radiografia lateral.

## 7.2 Antebraço

### 7.2.1 Antebraço: proximal, cabeça e colo do rádio

As fraturas da extremidade proximal do rádio representam mais ou menos 10-15% das fraturas do cotovelo. Elas podem ser metafisárias ou fisárias (Salter-Harris I ou II). As fraturas verdadeiras da cabeça (Salter-Harris III ou IV) são raras e devem ser corrigidas operatoriamente, já que essas fraturas podem levar a consideráveis distúrbios de crescimento. O diagnóstico somente é difícil em crianças antes da ossificação. Os sinais indiretos nos raios X e no exame de ultrassonografia são úteis. O suprimento sanguíneo da cabeça radial é como o da cabeça femoral, estando em risco nas fraturas desviadas e no seu tratamento. Essas fraturas podem ser acompanhadas por distúrbios do crescimento e até necrose avascular.

> O colo do rádio tolera bem a angulação, mas mal o desvio.

Isso ocorre porque o pequeno desvio aumenta o raio de curvatura dentro do ligamento anular e bloqueia a rotação do antebraço. Com idades abaixo de 10 anos, 40-50 graus de angulação podem ser aceitos. Acima dessa idade, deve-se considerar corrigir a angulação acima de 30 graus.

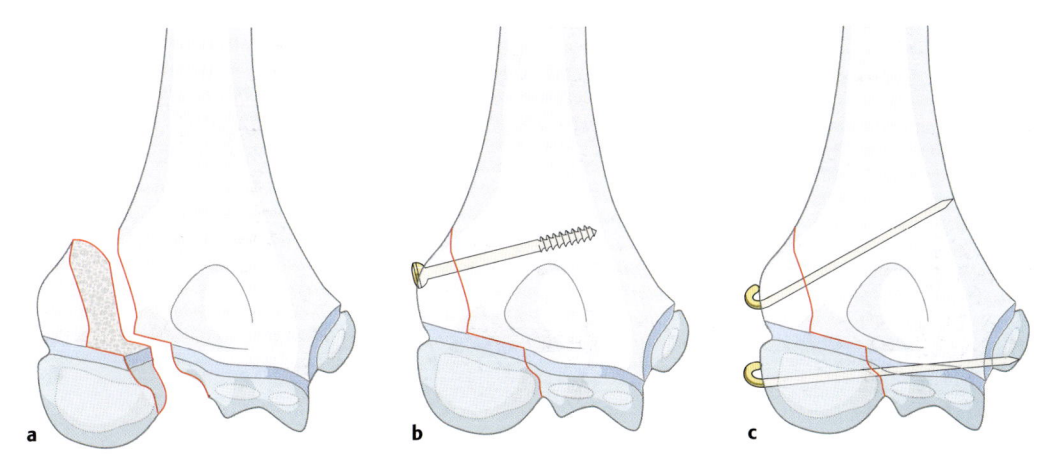

**Fig. 4.4-9a-c**
a  Fratura do côndilo lateral da porção distal do úmero (tipo IV de Salter-Harris).
b  Se o fragmento metafisário for suficientemente grande, um parafuso de tração metafisário pode ser introduzido via uma abordagem posterolateral.
c  Em crianças menores, os fios de Kirschner podem ser usados, devendo ser introduzidos exatamente como ilustrado.

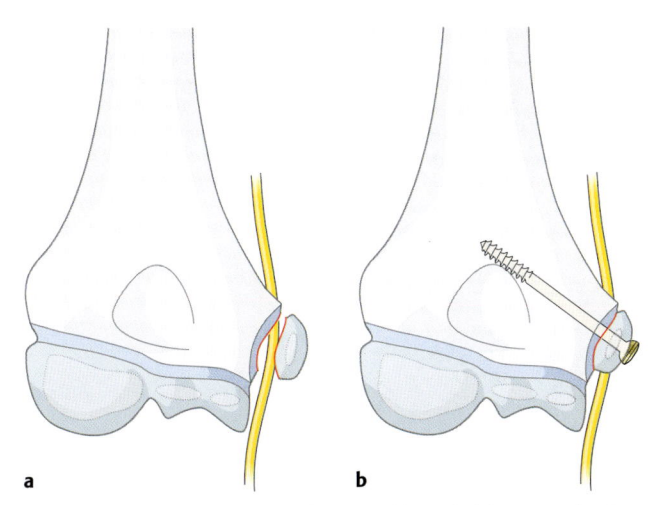

**Fig. 4.4-10a-b**  Lesão apofisária do epicôndilo medial da porção distal do úmero. Os fios de Kirschner são usados nas crianças menores, mas em uma criança perto da maturidade óssea o parafuso deve ser usado. É necessário atenção para assegurar uma superfície lisa sob o nervo ulnar.

Tópicos gerais
## 4.4 Fraturas pediátricas

A redução aberta da cabeça do rádio é raramente necessária se o método de Métaizeau for aplicado [20]. Usando uma haste elástica ou um fio de Kirschner ligeiramente curvado no final, a maior parte dessas fraturas pode ser reduzida de forma fechada e mantida naquela posição (**Fig. 4.4-11**).

As fraturas completamente desviadas requerem um fio de Kirschner grosso separado ou um fio de Steinmann usado como um *joystick* para facilitar a redução. O tratamento pós-operatório não requer gesso, e os exercícios de rotação do antebraço devem ser iniciados imediatamente.

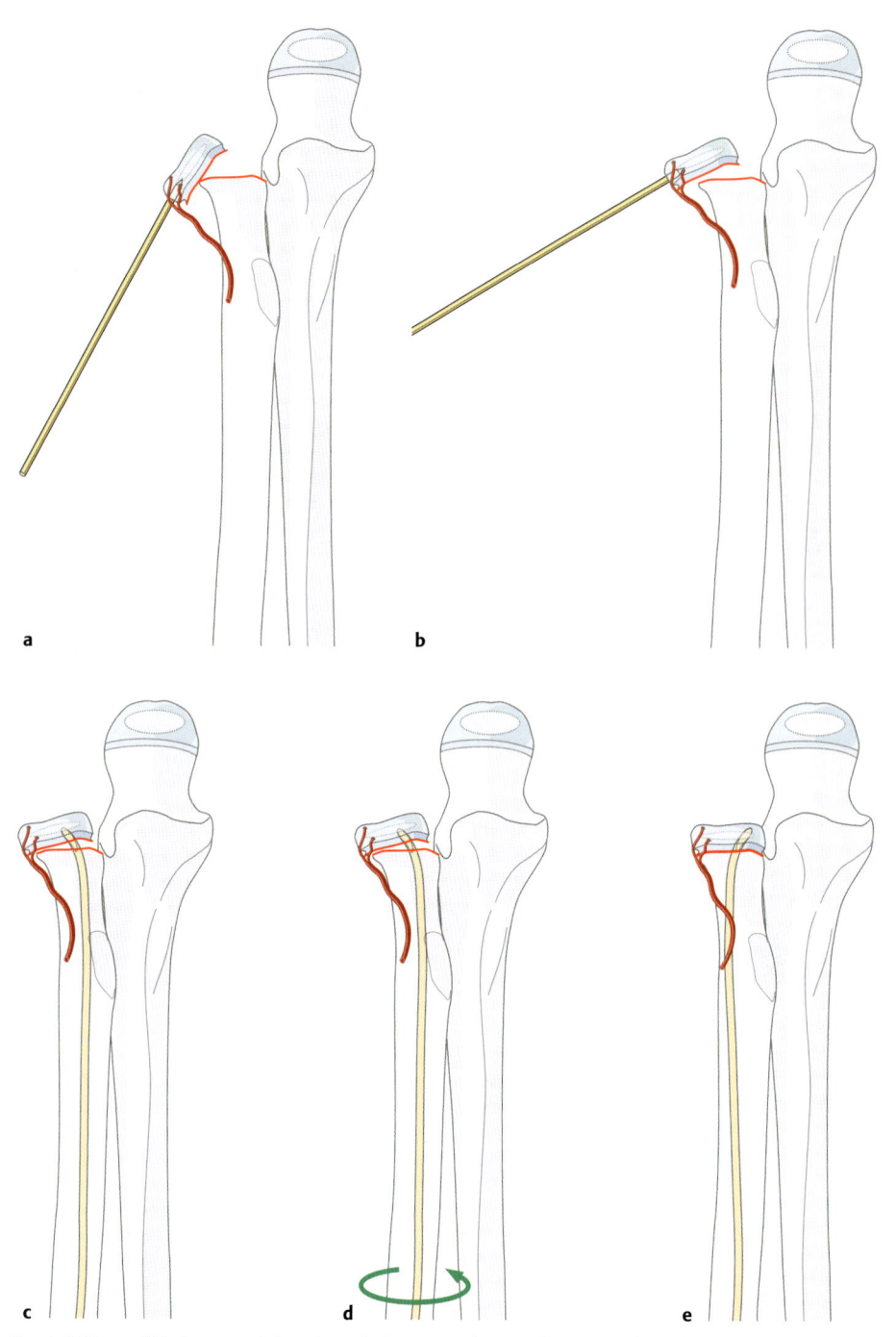

**Fig. 4.4-11a–e** Métaizeau e colaboradores [20] recomendam a redução parcial gentil com uma sonda percutânea, seguida pelo término da redução usando a rotação de uma ponta entortada de uma haste elástica de titânio, conforme ilustrado.

## 7.2.2 Lesões de Monteggia (D/6)

A fratura de Monteggia clássica é uma combinação da fratura isolada da ulna com a luxação da cabeça do rádio. Em uma criança pequena, a fratura da ulna pode ser proximal, aparecendo como um olécrano fraturado, que pode esconder a cabeça do rádio desviada.

> **O objetivo do tratamento das lesões de Monteggia é a redução exata da cabeça do rádio.**

No caso de uma fratura estável em galho verde da ulna, a redução incruenta e a imobilização com gesso (em supinação) podem ser adequadas. A radiografia de controle depois de 1 semana é necessária. Em uma situação instável, a ulna deve ser reconstruída anatomicamente, o que automaticamente reduzirá a cabeça do rádio. Isso pode em geral ser realizado pelo encavilhamento elástico, embora em casos raros uma placa pequena possa ser usada.

As lesões de Monteggia ocorrem frequentemente em crianças mais jovens. Nesse grupo etário, a lesão passa frequentemente despercebida, porque a ulna não está visivelmente fraturada, mas plasticamente deformada. O encurvamento da ulna deve ser corrigido e a redução mantida (que pode ser difícil) para a redução da cabeça do rádio (**Fig. 4.4-12**).

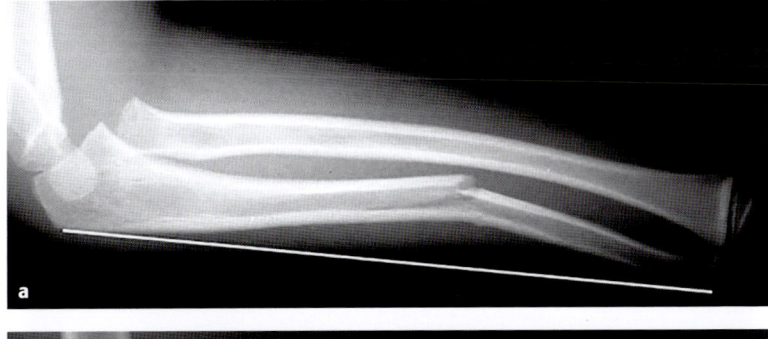

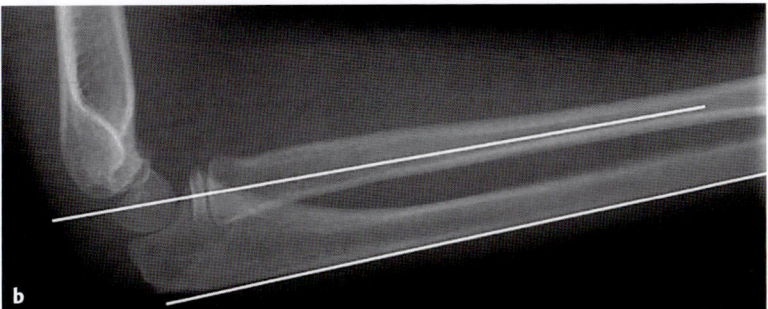

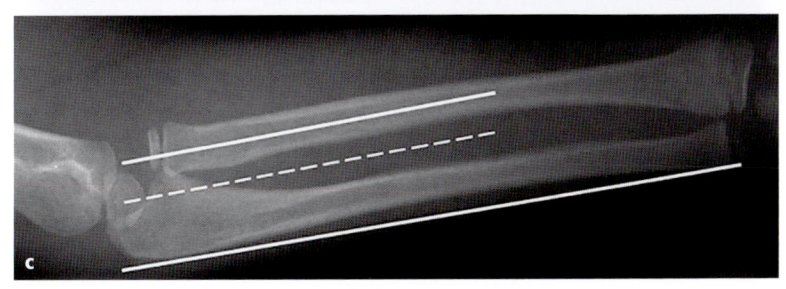

**Fig. 4.4-12** Lesões de Monteggia em crianças jovens.
a   A fratura em galho verde da ulna deve ser reconhecida. Ela leva à luxação da cabeça do rádio.
b   Radiografia normal em perfil do antebraço de uma criança jovem. A linha central da diáfise do rádio deve passar através do centro do capítulo, e também a ulna deve estar reta.
c   Fratura encurvada da ulna (deformação plástica). Reconhecer que a ulna não está reta e a linha do centro da diáfise radial está fora do centro do capítulo.

Tópicos gerais
## 4.4 Fraturas pediátricas

### 7.2.3 Antebraço, diáfise

Em pacientes acima de 6 anos, as fraturas instáveis da diáfise de ambos os ossos de antebraço devem ser abordadas cirurgicamente, já que os resultados funcionais depois do tratamento não cirúrgico são frequentemente ruins [21]. Muitos cirurgiões têm rebaixado o limite de idade para a intervenção para 4 anos (ou até mesmo 3 anos). A razão para essa indicação estendida é frequentemente a situação socioeconômica da família (ambos os pais trabalham/escola e esportes). Essa abordagem é justificável com o uso de hastes elásticas que permitam a técnica minimamente invasiva (**Fig. 4.4-13**). Esse método tem substituído o uso da placa convencional, que deve ficar reservada a adolescentes mais velhos com uma fratura instável e pouco potencial de crescimento.

### 7.2.4 Rádio, distal

As fraturas distais do rádio desviadas são de dois tipos distintos. Primeiro, as fraturas da metáfise ou na junção metafisária/diafisária. Se completamente desviada, a redução fechada e a estabilização com fio de Kirschner é o tratamento de escolha e previne o desvio e a angulação secundária (**Fig. 4.4-14**). As vantagens desse tratamento têm sido demonstradas por várias séries de casos e ensaios controlados randomizados. Outras fraturas metafisárias podem ser tratadas com redução fechada e imobilização. O segundo tipo, as fraturas fisárias, devem ser reduzidas e mantidas em um gesso. Só raramente elas são tão instáveis a ponto de necessitar um fio.

> Se as fraturas fisárias se desviarem secundariamente, elas devem ser deixadas para remodelar, já que a remanipulação está associada à parada do crescimento.

A remodelação da extremidade distal do rádio traz consistentemente bons resultados, mesmo se as coisas não forem bem. Foi relatada a remodelação confiável de 15 graus de deformidade no plano sagital e de 1 cm de encurtamento [22]. Em crianças mais jovens, 30 graus de angulação dorsal irão remodelar. Em crianças abaixo dos 10 anos, o desvio completo do rádio irá se remodelar sem déficit funcional.

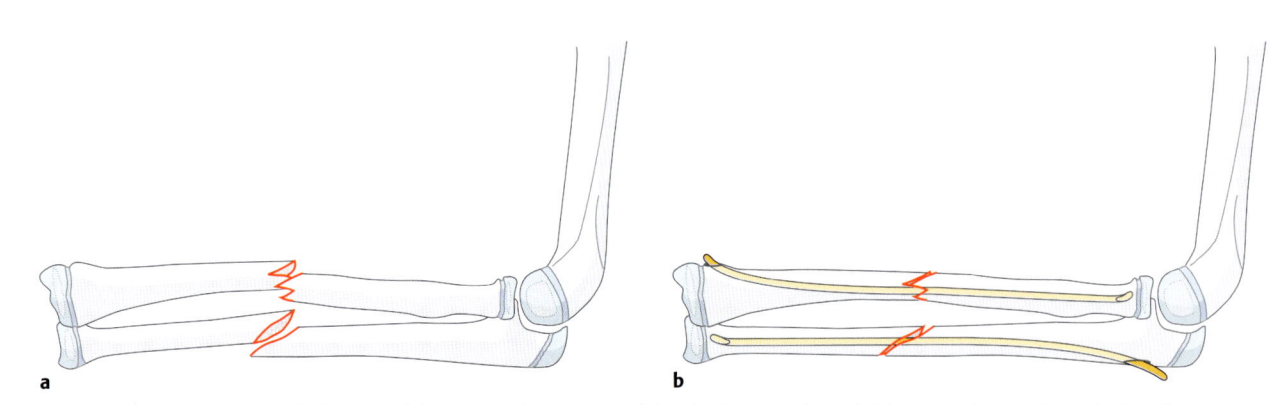

**Fig. 4.4-13a-b**   A redução fechada e a estabilização com haste intramedular elástica estável é preferida para as fraturas instáveis de ambos os ossos do antebraço. O tratamento pós-operatório é geralmente funcional sem gesso, embora uma tala antálgica possa ser indicada. A fixação com placa é raramente necessária.

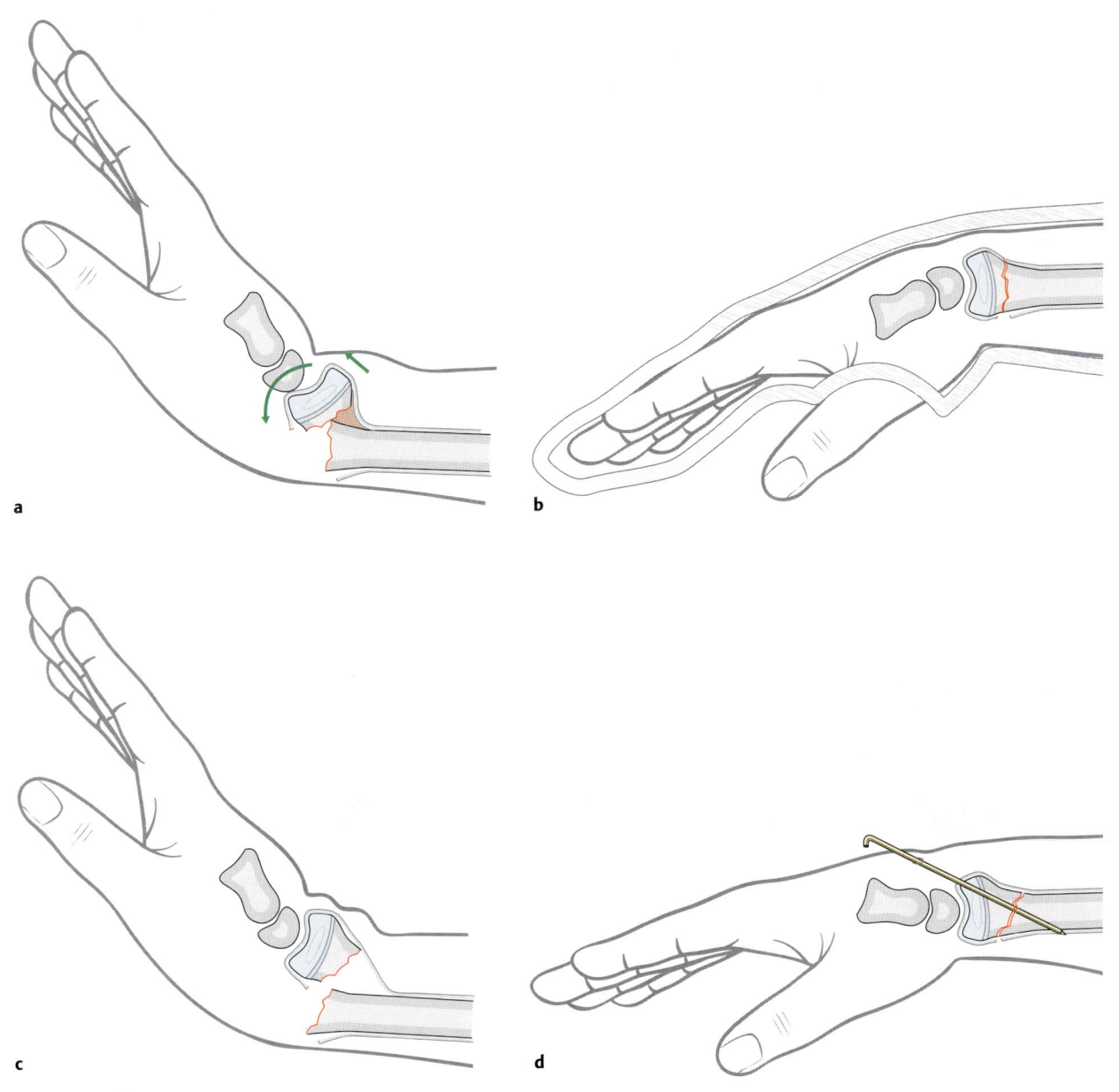

**Fig. 4.4-14a-d**
a   Fratura angulada distal do rádio, com dobradiça periosteal intacta na superfície posterior.
b   Manipulada e posta em um gesso com contato de três pontos (um gesso curvo produz um osso reto).
c   Se a fratura estiver muito desviada, então a dobradiça periosteal está rompida.
d   Essas fraturas são instáveis e requerem a fixação com fio de Kirschner.

Tópicos gerais
**4.4 Fraturas pediátricas**

## 7.3 Fêmur

### 7.3.1 Fêmur, proximal

As fraturas do colo do fêmur são uma indicação absoluta para a redução anatômica aberta e fixação interna estável como uma medida de urgência. O cirurgião deve estar ciente do suprimento sanguíneo da cabeça do fêmur (**Fig. 4.4-15**).

> Logo depois da fratura, a maior parte dos vasos retinaculares geralmente ainda permanecem intactos. O desvio da fratura leva à torção desses preciosos vasos, e acredita-se que isso leve a oclusão e trombose (**Fig. 4.4-15**).
>
> A hemartrose pode levar a um aumento de pressão dentro da articulação, o que ameaça ainda mais a vascularização epifisária.
>
> A manipulação fechada da fratura desviada do colo do fêmur deve ser evitada para prevenir um maior comprometimento de qualquer suprimento sanguíneo restante.

A fixação interna estável é alcançada pela inserção de até três parafusos para osso cortical de 3,5 ou 4,5 mm, fios de Kirschner rosqueados, ou parafusos canulados para osso esponjoso de 6,5 ou 7,0 mm. Se o segmento metafisário do fragmento da cabeça for menor que 2-3 cm, os parafusos devem cruzar a fise para obter fixação suficiente e segura. Uma fixação mais estável pode ser alcançada usando-se um dispositivo de ângulo fixo como a placa de compressão bloqueada (LCP) pediátrica de 130 graus (3,5/5,0), que fornece estabilidade angular e rotacional. A cápsula do quadril é exposta no intervalo entre os músculos glúteo médio e tensor da fáscia lata (abordagem de Watson-Jones) e, então, aberta com uma capsulotomia em forma de T. Deve-se ter bastante cuidado ao passar os afastadores ao redor do colo do fêmur para evitar lesão aos vasos retinaculares, que rumam para o osso sob o periósteo. Uma vez reduzida, a fratura é fixada com fios de Kirschner e a redução é verificada, particularmente ao nível do cálcar, flexionando e rodando o quadril. Depois da fixação definitiva, a incisão capsular nunca é completamente fechada para evitar o perigo de tamponamento articular recorrente. O uso de parafusos ósseos esponjosos canulados facilita muito esse tipo de fixação. A técnica preferida pelo autor para fixação de fraturas abaixo do colo é a LCP pediátrica de 130 graus para fratura (**Fig. 4.4-16**).

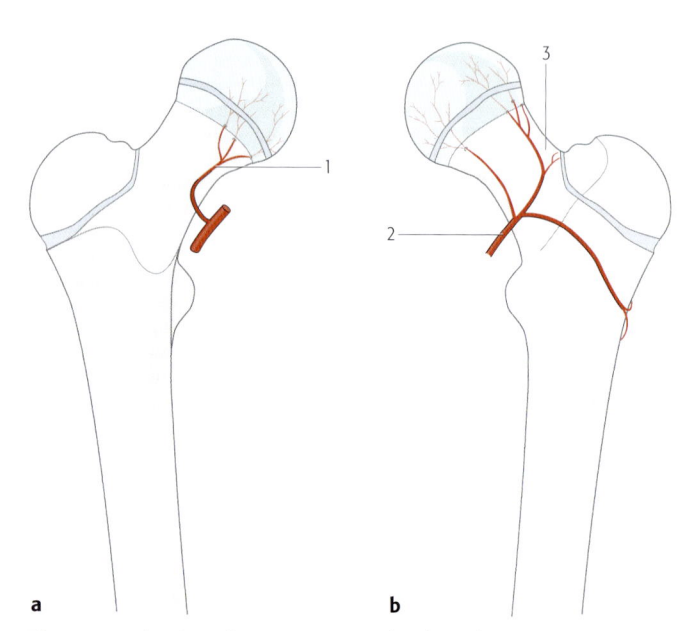

**Fig. 4.4-15a-b**  O suprimento sanguíneo da cabeça do fêmur.
**a** Os vasos anteriores da artéria circunflexa femoral lateral (1) suprem somente a parte anterior e inferior da cabeça do fêmur.
**b** Os vasos posteriores suprem 5/6 da cabeça a partir de ramos da artéria circunflexa medial (2). Note que os vasos superiores atravessam o colo perto da fossa piriforme (3). A lesão desses vasos resultará em necrose avascular em crianças; portanto, as hastes intramedulares do tipo adulto são contraindicadas na infância.

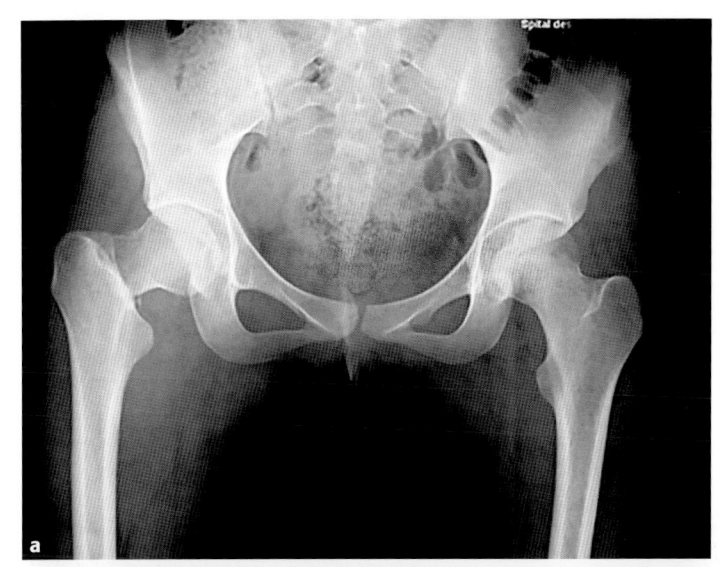

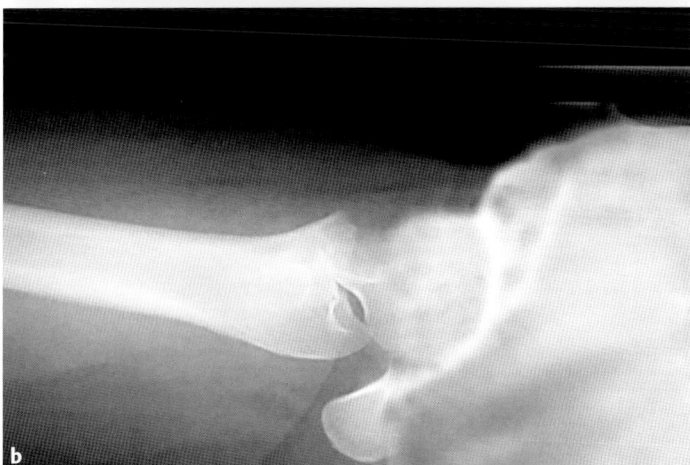

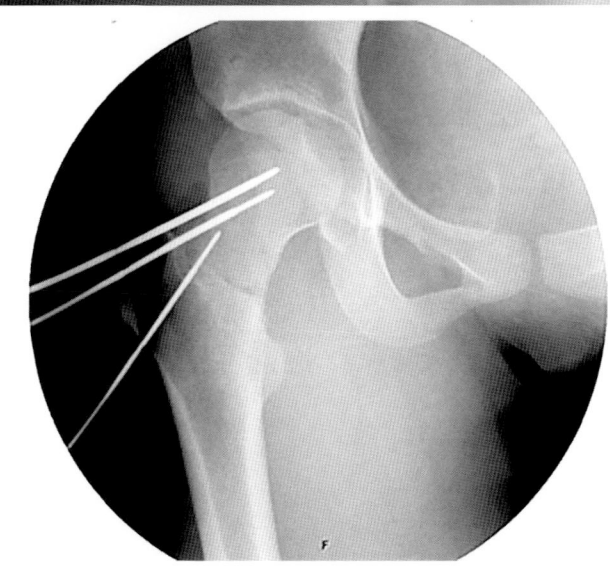

**Fig. 4.4.16a-f** Fratura basocervical completamente desviada do colo do fêmur em um menino de 14 anos de idade.
a    Incidência anteroposterior (AP) da pelve.
b    Incidência axial *"cross table"*.
c    Demonstra a técnica de redução intraoperatória por uma abordagem lateral transglútea, usando a técnica de *joystick*.

Tópicos gerais
4.4 Fraturas pediátricas

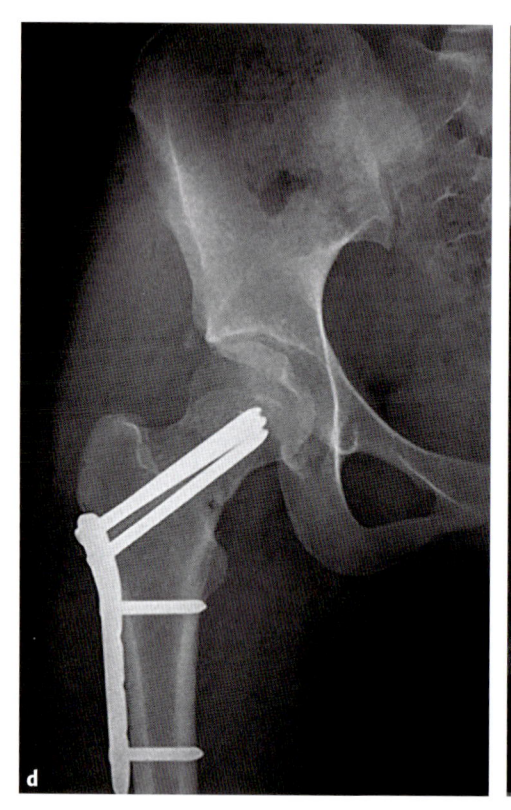

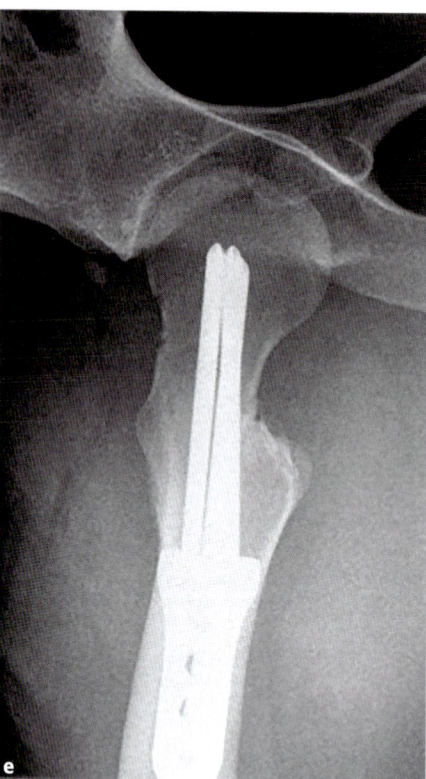

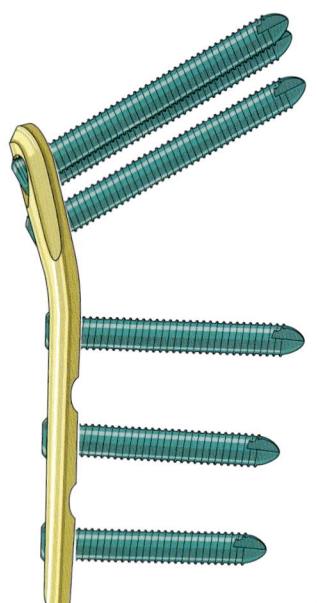

**Fig. 4.4.16a–f (cont.)** Fratura basocervical completamente desviada do colo do fêmur em um menino de 14 anos de idade.
**d–e** Incidências AP e axial pós-operatórias em 4 semanas após a estabilização, com uma boa redução. Foi permitida a carga parcial.
**f** Para estabilização da fratura proximal, uma placa LCP de 130° pediátrica de 3,5 e 5,0 para quadril está disponível.

Os cirurgiões devem estar preparados para cruzar a fise com a sua fixação, se for preciso (**Fig. 4.4-17**). É improvável que 2 ou 3 parafusos que cruzem essa fise grande causem uma parada do crescimento. Somente as fraturas basocervicais podem ser fixadas sem cruzar a fise.

As fraturas intertrocantéricas e subtrocantéricas são mais bem tratadas por osteossíntese com placa, de preferência com um dispositivo de ângulo fixo (LCP pediátrica de 130 graus com 5, 7 ou 9 orifícios). Essas fraturas também podem ser tratadas por HIEE, especialmente nas fraturas patológicas conectadas com cistos. Nessa situação, a haste intramedular medial deve ser dirigida além do cálcar até a fise da cabeça do fêmur, e a haste lateral deve ser ancorada no trocanter maior. Ocasionalmente, pode ser útil usar três hastes intramedulares finas, colocando duas delas medial ou lateralmente, dependendo do tipo e da posição da fratura. Esses procedimentos são tecnicamente difíceis e não se prestam para uso ocasional.

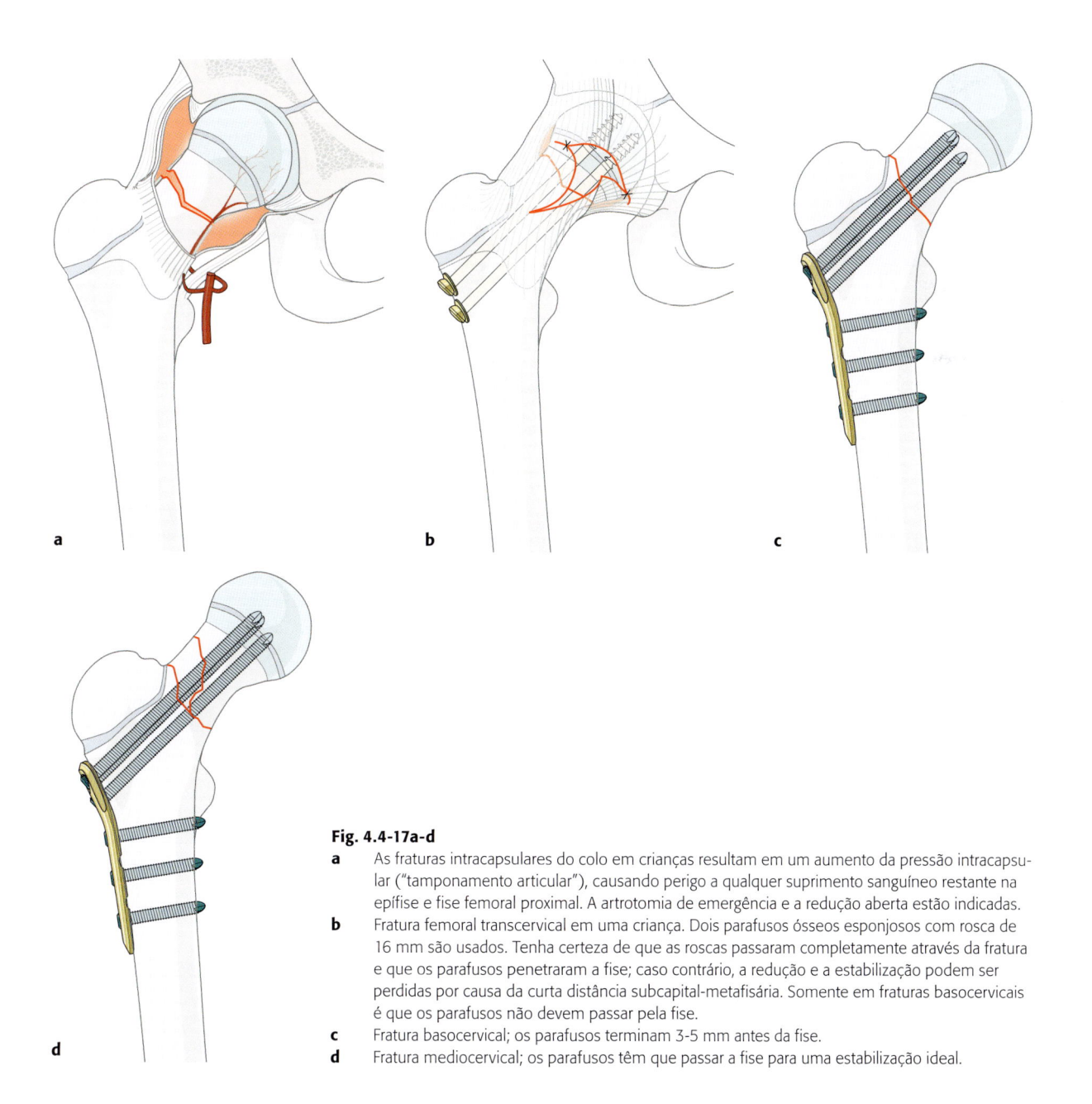

**Fig. 4.4-17a-d**

**a** As fraturas intracapsulares do colo em crianças resultam em um aumento da pressão intracapsular ("tamponamento articular"), causando perigo a qualquer suprimento sanguíneo restante na epífise e fise femoral proximal. A artrotomia de emergência e a redução aberta estão indicadas.

**b** Fratura femoral transcervical em uma criança. Dois parafusos ósseos esponjosos com rosca de 16 mm são usados. Tenha certeza de que as roscas passaram completamente através da fratura e que os parafusos penetraram a fise; caso contrário, a redução e a estabilização podem ser perdidas por causa da curta distância subcapital-metafisária. Somente em fraturas basocervicais é que os parafusos não devem passar pela fise.

**c** Fratura basocervical; os parafusos terminam 3-5 mm antes da fise.

**d** Fratura mediocervical; os parafusos têm que passar a fise para uma estabilização ideal.

Tópicos gerais
## 4.4 Fraturas pediátricas

O tratamento de fraturas intertrocantéricas e subtrocantéricas com hastes femorais proximais projetadas para adultos é contraindicado por causa do significativo risco de necrose avascular da cabeça do fêmur, por causa do dano ao suprimento sanguíneo durante a inserção da haste.

Além disso, o osso esponjoso duro pode ser quebrado pela inserção desse tipo de implante.

### 7.3.2 Fêmur, diáfise

Com a introdução das hastes flexíveis pelo grupo de Nancy, o tratamento das fraturas da diáfise do fêmur em crianças mudou completamente nos últimos 30 anos [20-22]. Atualmente, a maior parte dos pacientes entre os 5 anos e a puberdade é tratada com o método da HIEE. As fraturas simples transversas, oblíquas curtas e as helicoidais são as mais apropriadas (**Fig. 4.4-18**, **Vídeo 4.4-1**) para esse procedimento. Com experiência, mais fraturas complexas multifragmentadas (tipo 32-D/5.2) podem também ser tratadas com esse método (**Fig. 4.4-19**). O uso dos protetores terminais é recomendado para a estabilização adicional e segura dessas fraturas, particularmente em crianças mais pesadas e com mais idade. Esse implante adicional simples aumenta a estabilidade axial e previne o colapso da fratura. As fraturas transversas, contudo, são uma contraindicação para os protetores terminais [23].

Embora o fixador externo seja uma alternativa [24], mesmo na infância a taxa de refratura é alta. O encavilhamento intramedular elástico conta com o fato que crianças curam rapidamente e alguns tecidos moles estão intactos para atuar como amarras [21].

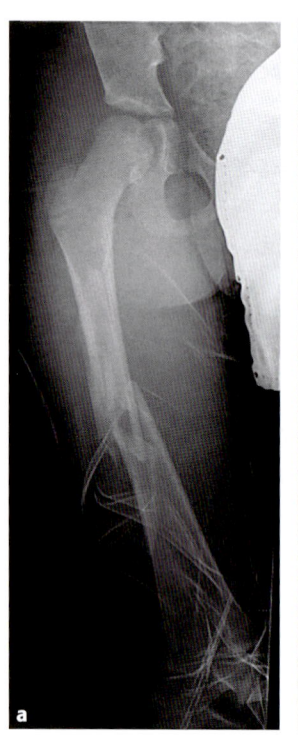

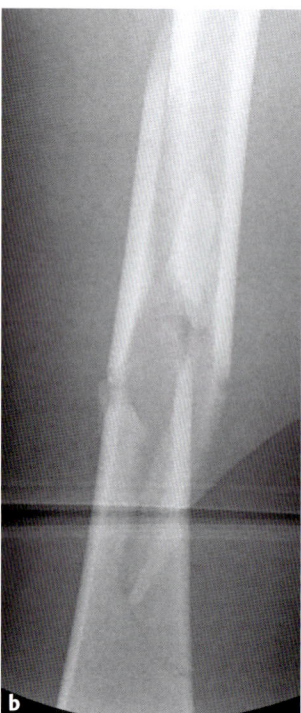

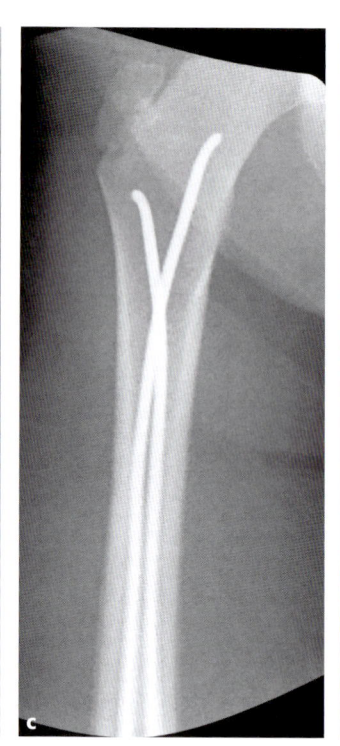

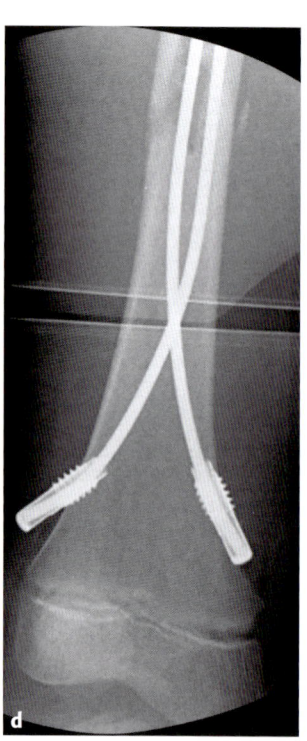

**Fig. 4.4-18a-h** Um menino de 9 anos de idade com fratura multifragmentada da diáfise do fêmur.
a   Imagem da lesão.
b   Imagem pré-operatória na tração sob intensificação de imagem.
c-d Documentação intraoperatória da redução e da fixação com haste elástica de titânio. Reconhecer o adequado e amplo afastamento das hastes em uma distância longa por causa da pressão das proteções terminais.

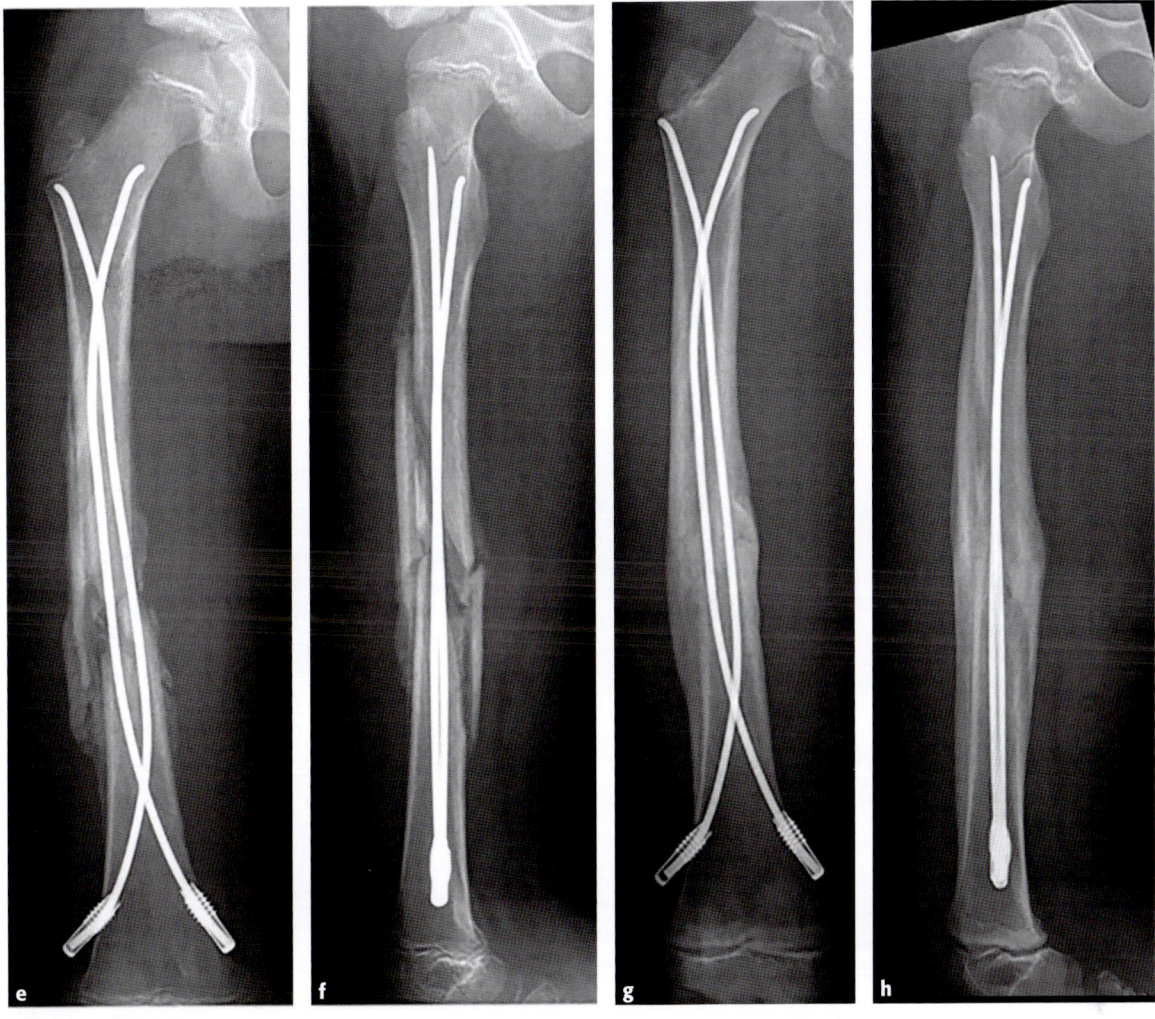

Princípios AO do tratamento de fraturas
**Volume 1**

**Fig. 4.4-18a-h** (**cont.**)  Um menino de 9 anos de idade com fratura multifragmentada da diáfise do fêmur.
**e-f**  No seguimento de 4 semanas com bom alinhamento e boa formação de calo, a carga foi permitida.
**g-h**  Consolidação completa depois de 4 meses.

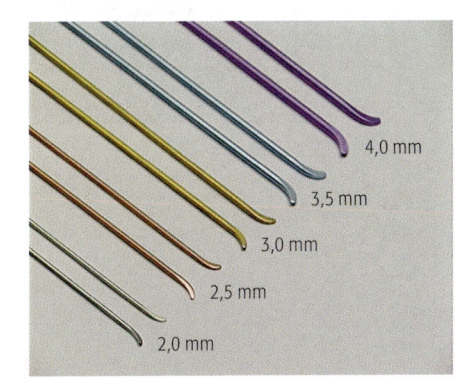

4,0 mm
3,5 mm
3,0 mm
2,5 mm
2,0 mm

**Vídeo 4.4-1**  Hastes elásticas de titânio.

409

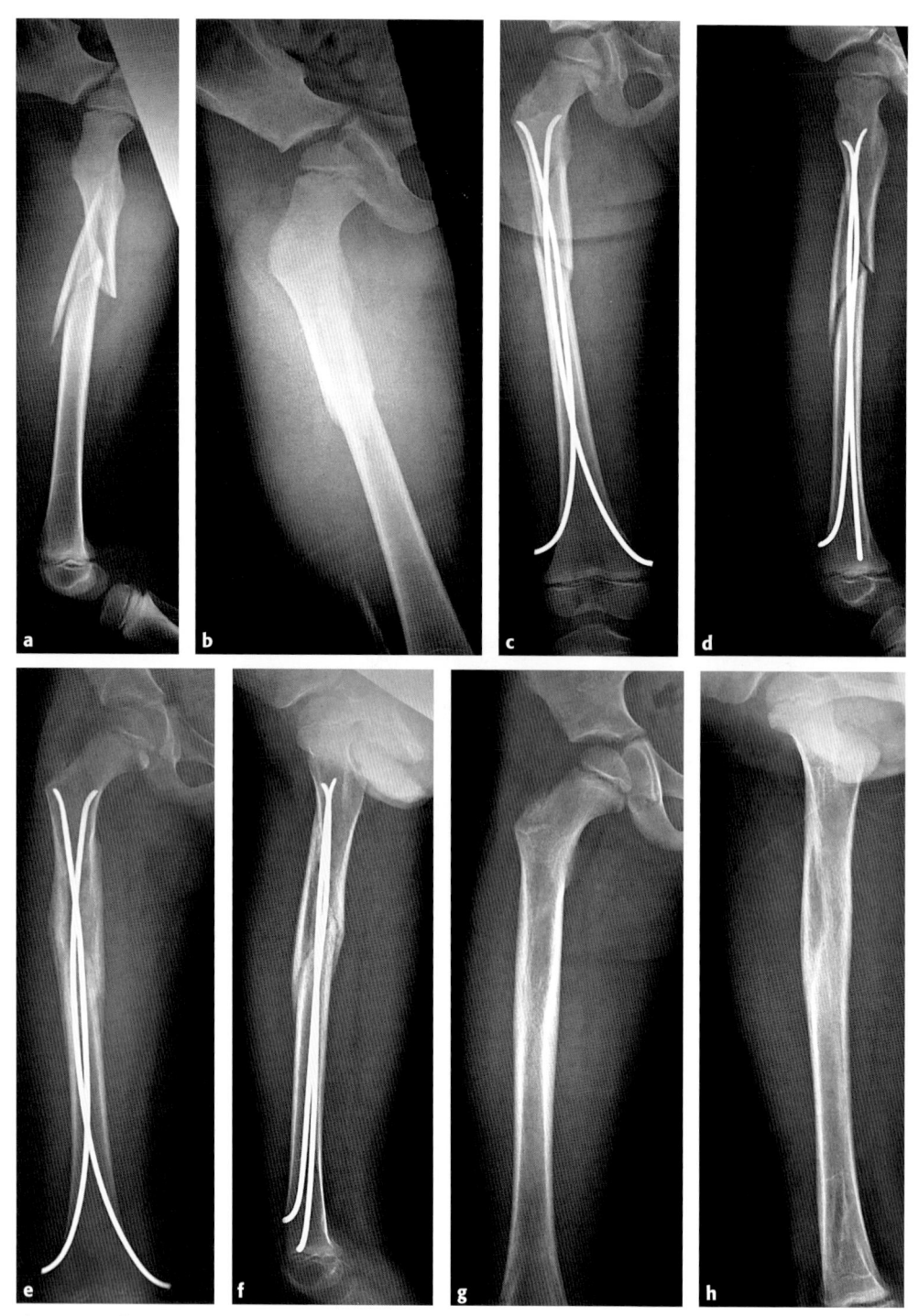

Tópicos gerais
## 4.4 Fraturas pediátricas

**Fig. 4.4-19a-h**
- **a-b** Fratura femoral subtrocantérica helicoidal, instável e desviada em um adolescente jovem.
- **c-d** Tratamento com encavilhamento intramedular estável elástico: redução fechada na mesa de tração e estabilização com hastes elásticas de titânio de 3,5 mm.
- **e-f** Radiografia pós-operatória obtida com 8 semanas, carga total depois de 6 semanas.
- **g-h** Radiografia pós-operatória aos 6 meses, depois da remoção do implante.

Nas crianças ao redor da puberdade ou em crianças mais pesadas e acima de 12-13 anos, o método da HIEE tem seus limites por causa do canal medular estreito. Nesse grupo etário e especialmente em fraturas transversas e oblíquas, bem como nas fraturas multifragmentadas, a haste femoral lateral do adolescente (HFLA) com um ponto de entrada trocantérico lateral é o implante de escolha (**Fig. 4.4-20a-i**). O diâmetro da haste de 8,2 ou 9 mm, em adição ao formato helicoidal/anatômico, respeitam a anatomia especial do fêmur nesse grupo etário [25].

A osteossíntese com placa deve ficar reservada para situações excepcionais (i.e., crianças mais velhas e como tratamento secundário). No adolescente mais velho que seja muito pesado para o encavilhamento intramedular elástico, o uso da placa é uma opção no tratamento da fratura da diáfise do fêmur. Se possível, deve ser usada a técnica de osteossíntese com placa minimamente invasiva (OPMI).

O encavilhamento intramedular anterógrado clássico a partir da fossa piriforme, com ou sem fresagem, não deve ser executado na criança ou adolescente em crescimento, já que a introdução da haste pode causar necrose avascular da cabeça do fêmur.

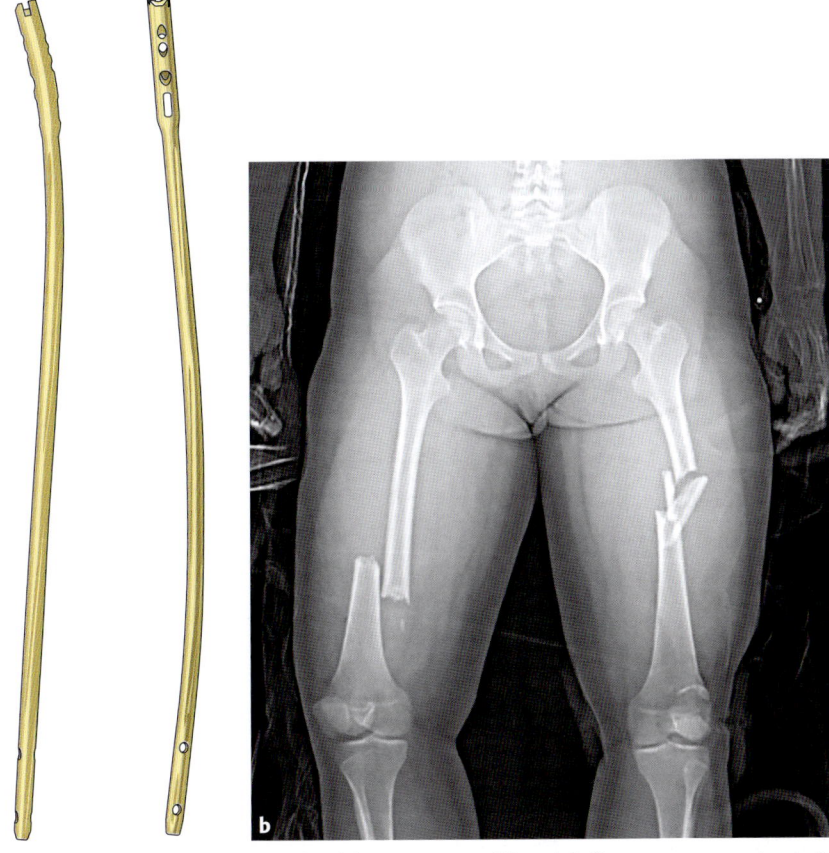

**Fig. 4.4-20a-i** Haste femoral lateral do adolescente. Fratura bilateral do fêmur em uma menina de 14 anos de idade, lado direito transversal, lado esquerdo multifragmentada.
a    Desenho da haste femoral pediátrica.
b    Imagem da lesão com as fraturas bilaterais do fêmur.

Tópicos gerais
4.4 Fraturas pediátricas

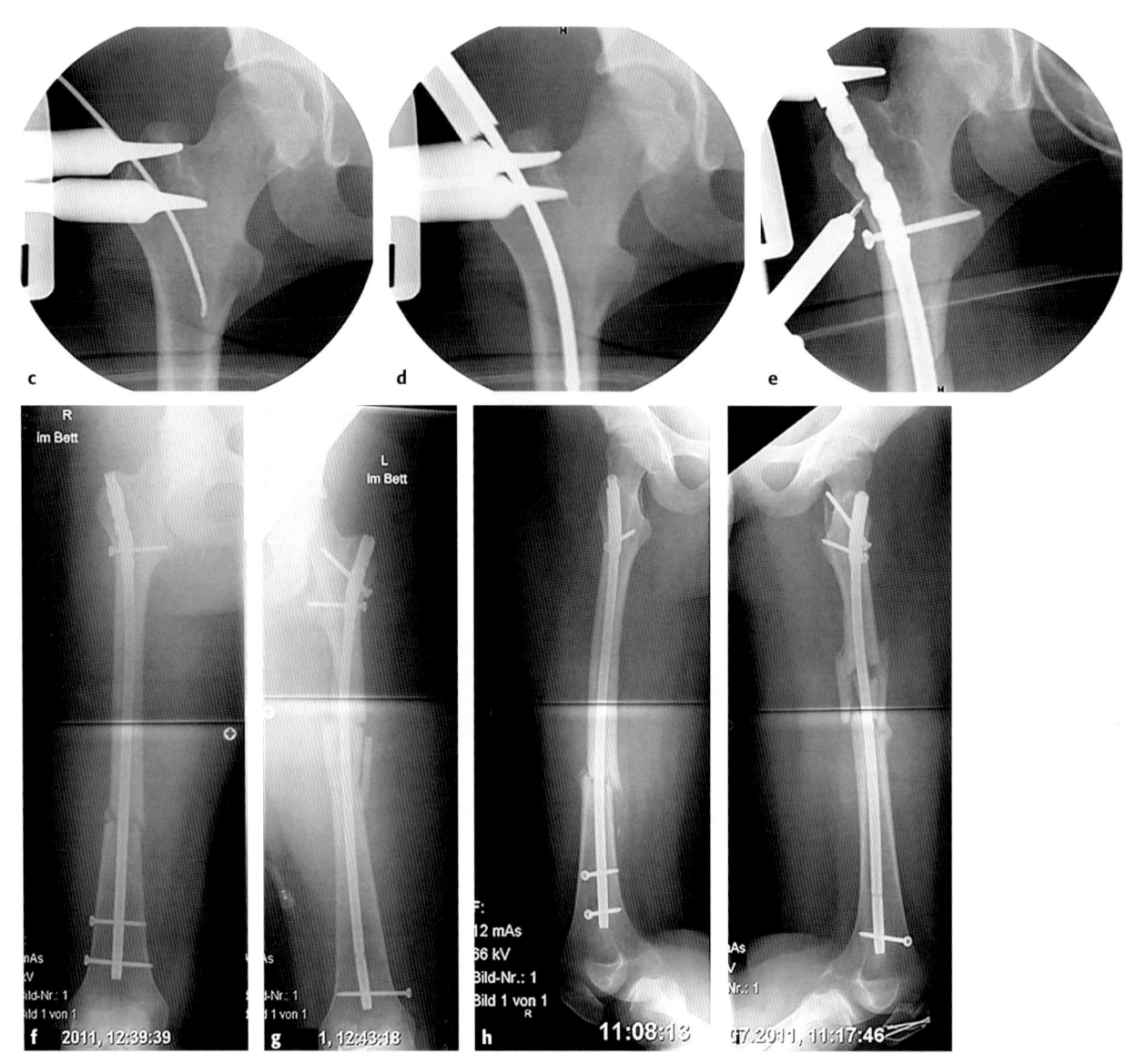

**Fig. 4.4-20a-i (cont.)** Haste femoral lateral do adolescente. Fratura bilateral do fêmur em uma menina de 14 anos de idade, lado direito transversal, lado esquerdo multifragmentada.
c-e Etapas diferentes da entrada lateral da haste.
f-g Incidência AP pós-operatória.
h-i Incidência lateral pós-operatória, ambas com bom alinhamento e comprimento.

### 7.3.3 Fêmur, distal

As fraturas distais do fêmur são principalmente as fraturas do tipo II de Salter-Harris (33-E/1.II). A redução e a fixação podem ser difíceis e frequentemente requerem um procedimento aberto. A fixação definitiva pode ser obtida por fios de Kirschner rosqueados e cruzados, que podem atravessar a fise, ou por parafusos ósseos esponjosos, introduzidos paralelamente à fise no fragmento metafisário. O uso de parafusos canulados pode facilitar esse procedimento (**Fig. 4.4-21**). As tentativas repetidas para redução fechada danificarão a placa de crescimento. A parada do crescimento geralmente se segue a essa fratura, apesar de ser uma lesão Salter-Harris II que deveria ter uma baixa incidência. Essa lesão tende a ser de energia muito alta e as ondulações na placa de crescimento significam que a camada proliferativa foi trazida até a zona de lesão.

Em crianças muito jovens, uma fratura nesse segmento ósseo pode ser um sinal de lesão não acidental.

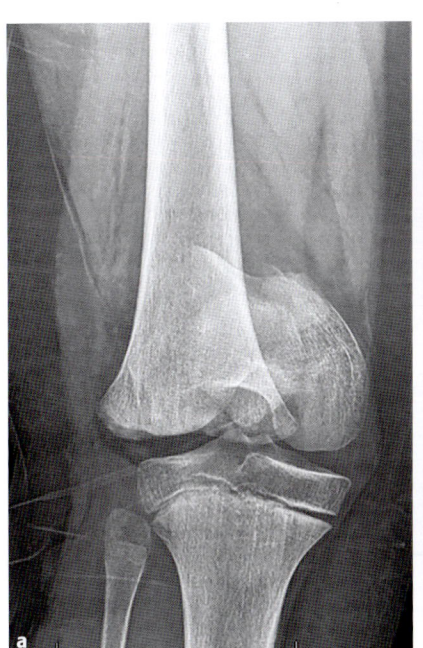

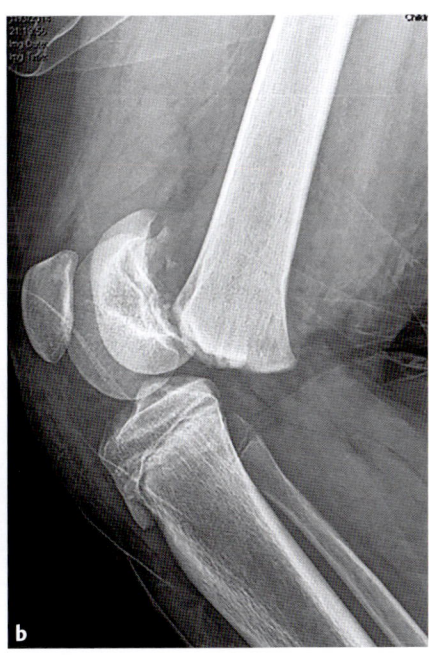

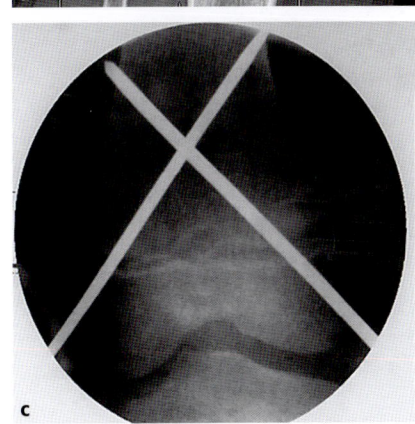

**Fig. 4.4-21a-h** Fratura tipo I de Salter-Harris distal do fêmur em um menino de 12 anos de idade. Essa fratura é como uma luxação de joelho e pode resultar em lesão nervosa e vascular.

**a-b** Incidência AP e lateral da lesão.

**c** Imagem intraoperatória da redução e fixação com fios de Kirschner. Nessa técnica, os fios permanecem intra-articulares durante a consolidação, criando um portal para infecção articular. A consolidação na região distal do fêmur leva duas vezes mais que na distal do úmero.

Tópicos gerais
### 4.4 Fraturas pediátricas

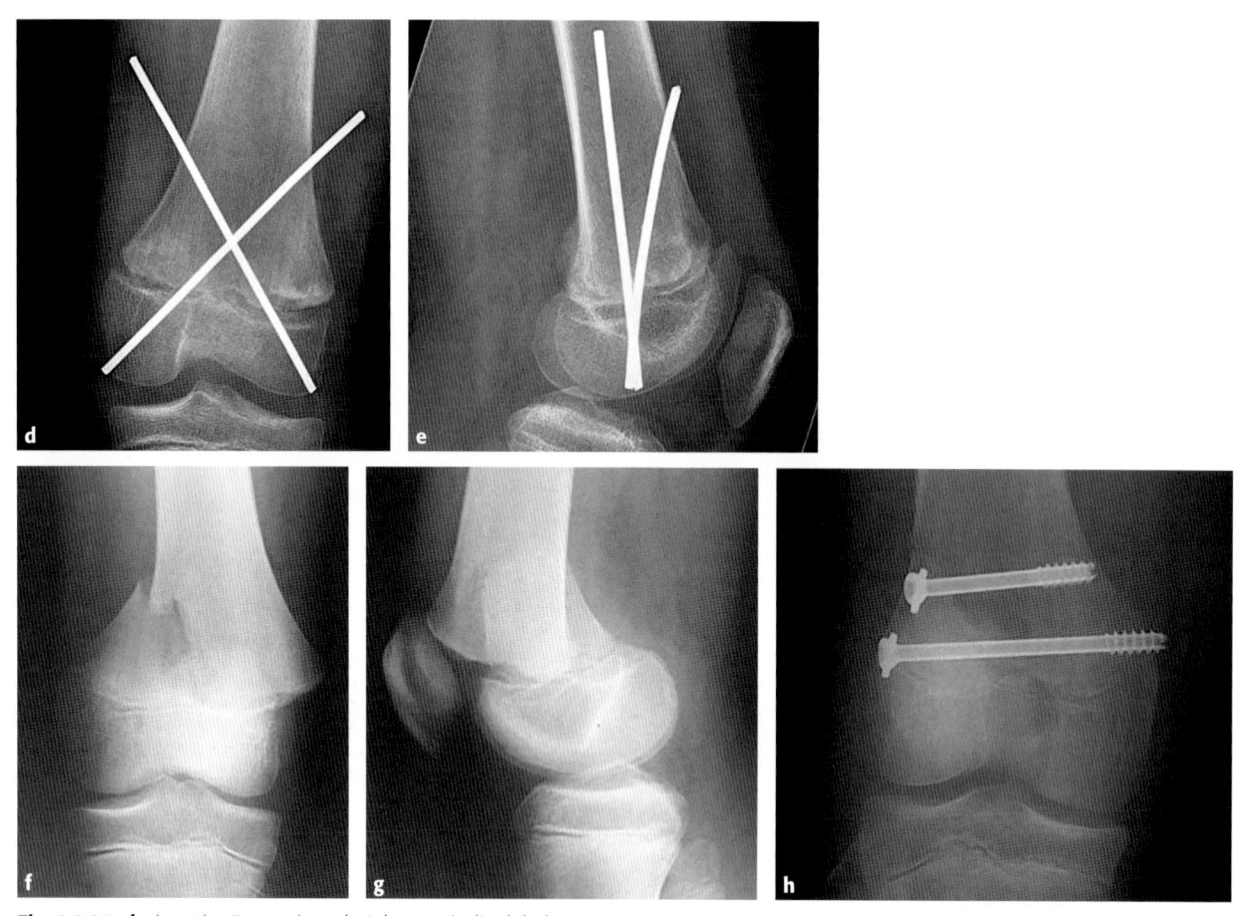

**Fig. 4.4-21a-h (cont.)** Fratura tipo I de Salter-Harris distal do fêmur em um menino de 12 anos de idade. Essa fratura é como uma luxação de joelho e pode resultar em lesão nervosa e vascular.
- **d-e** Técnica alternativa; os fios são avançados proximalmente de forma que as extremidades distais fiquem no osso. Isso previne a infecção articular (lembrar-se dos vasos no lado medial).
- **f-g** Imagem da lesão de uma fratura tipo II de Salter-Harris em uma menina de 13 anos de idade com uma cunha metafisária curta.
- **h** Radiografia depois da redução fechada e fixação com parafuso de tração canulado percutâneo.

## 7.4 Tíbia

### 7.4.1 Tíbia, epífise proximal

As fraturas da tuberosidade da tíbia são raras e ocorrem por trauma direto. Essas lesões passam facilmente despercebidas, especialmente na criança pequena, o que pode levar a uma progressiva deformidade de *genu recurvatum*. As fraturas visíveis devem, por conseguinte, ser fixadas por parafusos de tração (canulados) (**Fig. 4.4-22a-d**); em crianças muito pequenas, um fio com banda de tensão pode bastar (**Fig. 4.4-22e**).

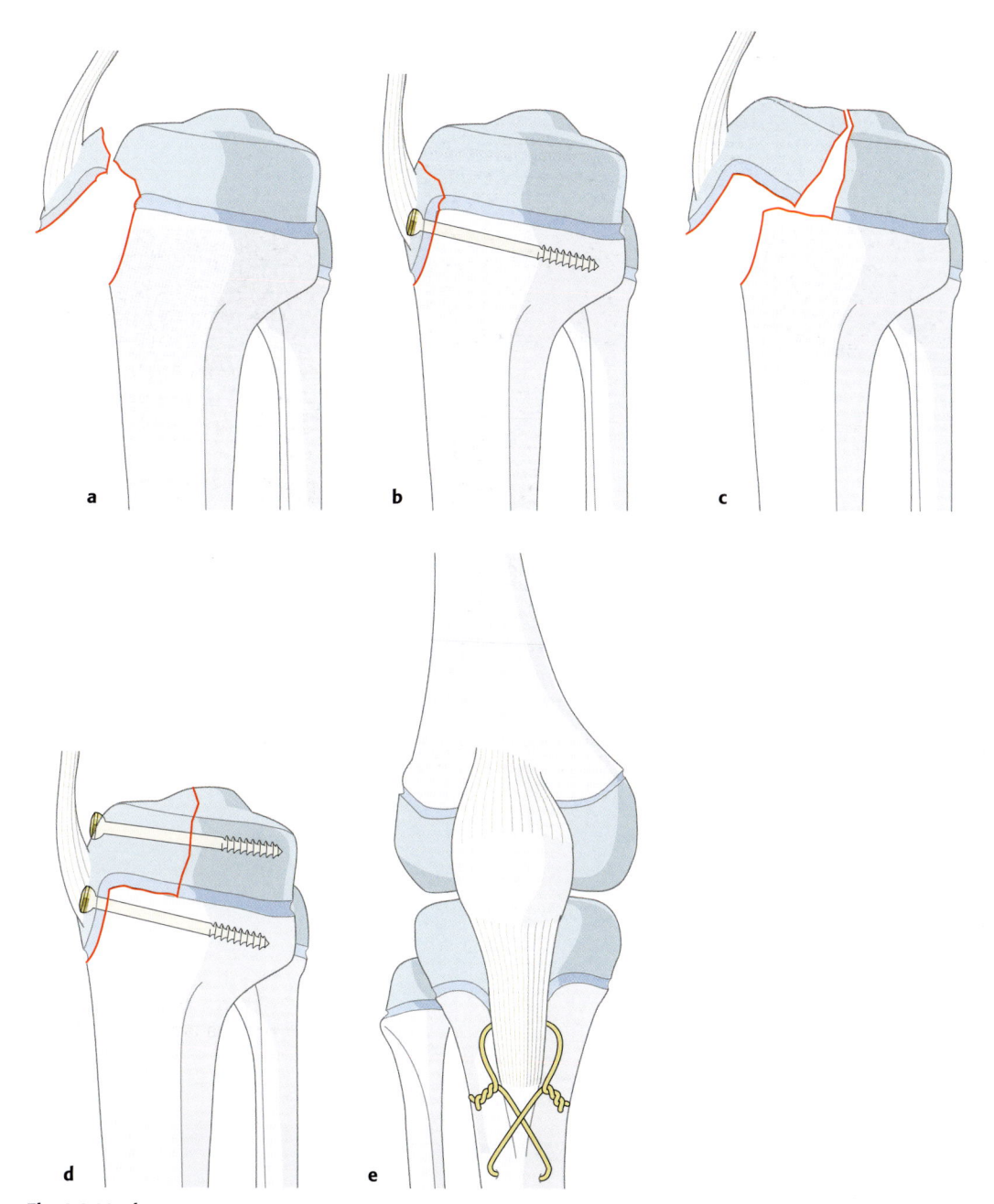

**Fig. 4.4-22a-i**
**a-d** Avulsão da tuberosidade da tíbia em um adolescente, requerendo redução anatômica e fixação com parafuso de tração.
**e** Em uma criança menor, uma amarração ou técnica de sutura estão indicadas.

Tópicos gerais
## 4.4 Fraturas pediátricas

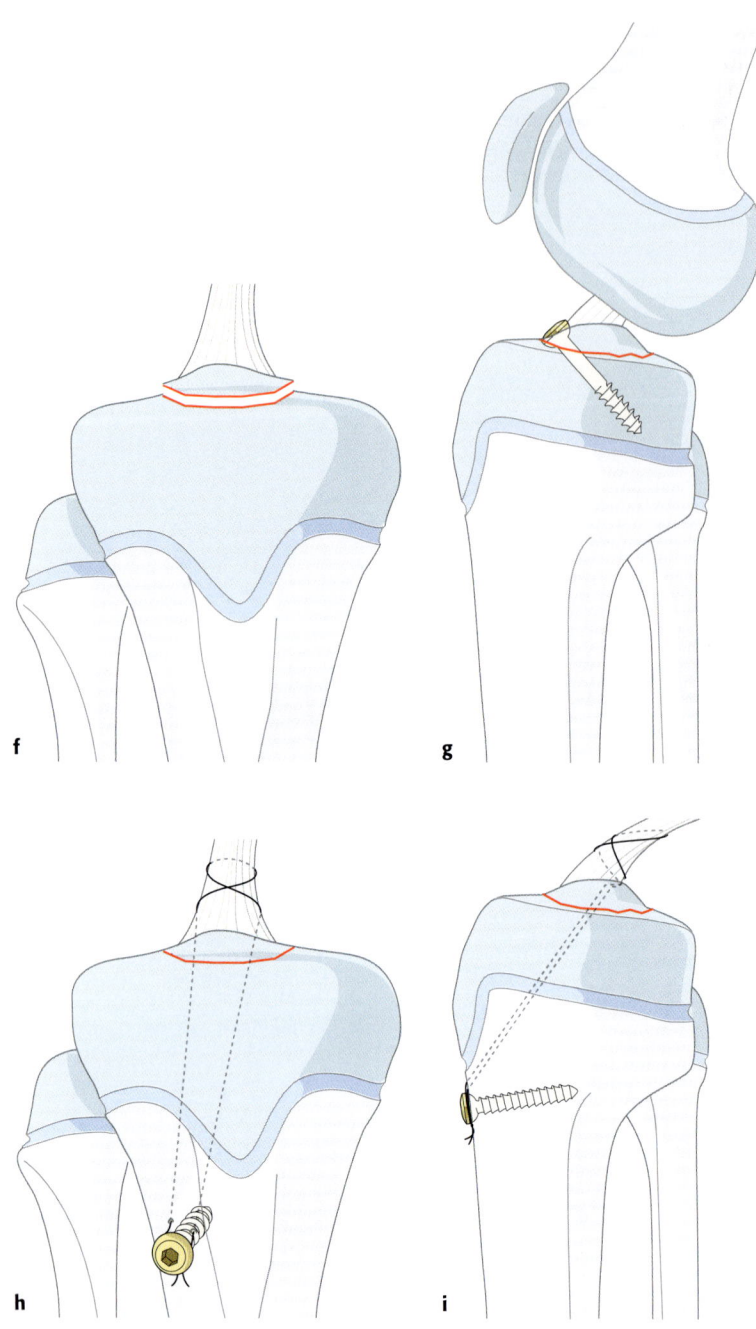

**Fig. 4.4-22a–i (cont.)**
**f-g** Fratura desviada da espinha tibial anterior. Estabilização com parafuso de tração curto.
**h-i** Um grande fragmento avulsionado pode ser mantido por uma técnica alternativa. Um fio reabsorvível é colocado na inserção do ligamento cruzado anterior, passado através da base do fragmento avulsionado, então por dois orifícios perfurados através da fise para sair na cortical tibial anterior, onde ele pode ser apertado e amarrado sobre um pequeno parafuso cortical de âncora.

As fraturas desviadas da espinha da tíbia anterior se devem à avulsão do ligamento cruzado anterior e, em crianças e adolescentes, devem ser reduzidas e adequadamente fixadas, o que pode ser feito por via artroscópica ou através de uma pequena artrotomia. De qualquer modo, o fragmento deve ser reposicionado sob o ligamento intermeniscal. Para fixar o fragmento, parafusos de tração podem ser usados através de uma abordagem intra-articular (**Fig. 4.4-22f-g**). Uma alternativa é usar uma cerclagem com material de sutura reabsorvível, introduzida por dois orifícios perfurados em paralelo (**Fig. 4.4-22h-i**). A criação de um recesso no fragmento é uma parte importante do procedimento, já que o ligamento cruzado anterior sempre terá sido estirado antes da avulsão da espinha da tíbia. Pós-operatoriamente, o joelho deve ser imobilizado com uma tala na posição neutra por 4-5 semanas (com carga axial permitida), um método que também pode ser considerado para o tratamento de um fragmento minimamente desviado.

### 7.4.2 Tíbia, diáfise

As fraturas da diáfise da tíbia são as fraturas mais frequentes da extremidade inferior. O tratamento não operatório com gesso é o tratamento-padrão. Deve-se tomar cuidado com as fraturas da tíbia isoladas. Devido à fíbula intacta, a angulação em varo é comum. Essa deformidade parece corrigir-se apropriadamente, com o passar do tempo, na maioria dos casos. As fraturas isoladas da diáfise da tíbia são geralmente imobilizadas em um gesso acima do joelho, enquanto a angulação pode ser corrigida por acunhamento do gesso em aproximadamente 1 semana depois da lesão.

Nas fraturas estáveis da fíbula e da tíbia que não necessitam de uma redução importante, o gesso é um método seguro e confiável de tratamento. As fraturas mais instáveis da perna podem estar sujeitas a um encurtamento progressivo, que não é tão facilmente corrigido como o mau alinhamento axial.

As fraturas desviadas ou instáveis da diáfise da tíbia devem ser reduzidas com o paciente sob anestesia geral. Se redução aberta for necessária, ou se a fratura estiver muito instável após a redução fechada, então é apropriada a fixação cirúrgica definitiva com HIEE [20, 21] ou com um fixador externo. Em fraturas mais complexas e em crianças mais pesadas ou obesas, o uso de placa permanece uma alternativa bem estabelecida e comprovada. O encavilhamento intramedular clássico não deve ser executado para evitar dano fisário e apofisário.

> A síndrome compartimental parece ser mais comum em pacientes adolescentes com fraturas da tíbia fechadas, provavelmente porque a fáscia é particularmente forte e inelástica nesse grupo etário, e a pressão arterial diastólica normal é mais baixa do que em adultos.

No caso de uma síndrome compartimental manifesta ou iminente, as fraturas da perna devem ser operatoriamente estabilizadas após a fasciotomia.

As fraturas metafisárias distais em valgo são raras e podem estar associadas a uma fratura da fíbula. Essas lesões têm uma tendência para deformidade progressiva em valgo e retardo da consolidação medial. O mau alinhamento deve ser corrigido precocemente por um gesso ou pela aplicação de um fixador externo medial para comprimir o desvio da fratura.

Embora o tratamento não operatório, como regra, seja preferido, as seguintes indicações requerem uma abordagem operatória:

- Fraturas grosseiramente instáveis
- Angulação progressiva em varo ou valgo
- Fraturas expostas
- Lesões graves e fechadas de partes moles, incluindo desenluvamento
- Síndrome compartimental
- Fraturas da tíbia na criança politraumatizada

### 7.4.3 Tíbia, epífise e metáfise distais

> O distúrbio e/ou a parada no crescimento da placa de crescimento podem ocorrer depois de qualquer fratura distal da tíbia. Isso se aplica às fraturas dos tipos I e II de Salter-Harris, como também a lesões mais complexas.

O tratamento das fraturas não desviadas ou minimamente desviadas é primariamente não operatório, por meio de gesso. Com um desvio importante, pode-se tentar a redução fechada sob anestesia. Entretanto, deve ser obtido o consentimento para a fixação cirúrgica sob a mesma anestesia. Para a fixação dos fragmentos, fios de Kirschner ou parafusos percutâneos de 3,5 ou 4,0 mm podem ser usados (**Fig. 4.4-23a-g**).

Tópicos gerais
4.4    Fraturas pediátricas

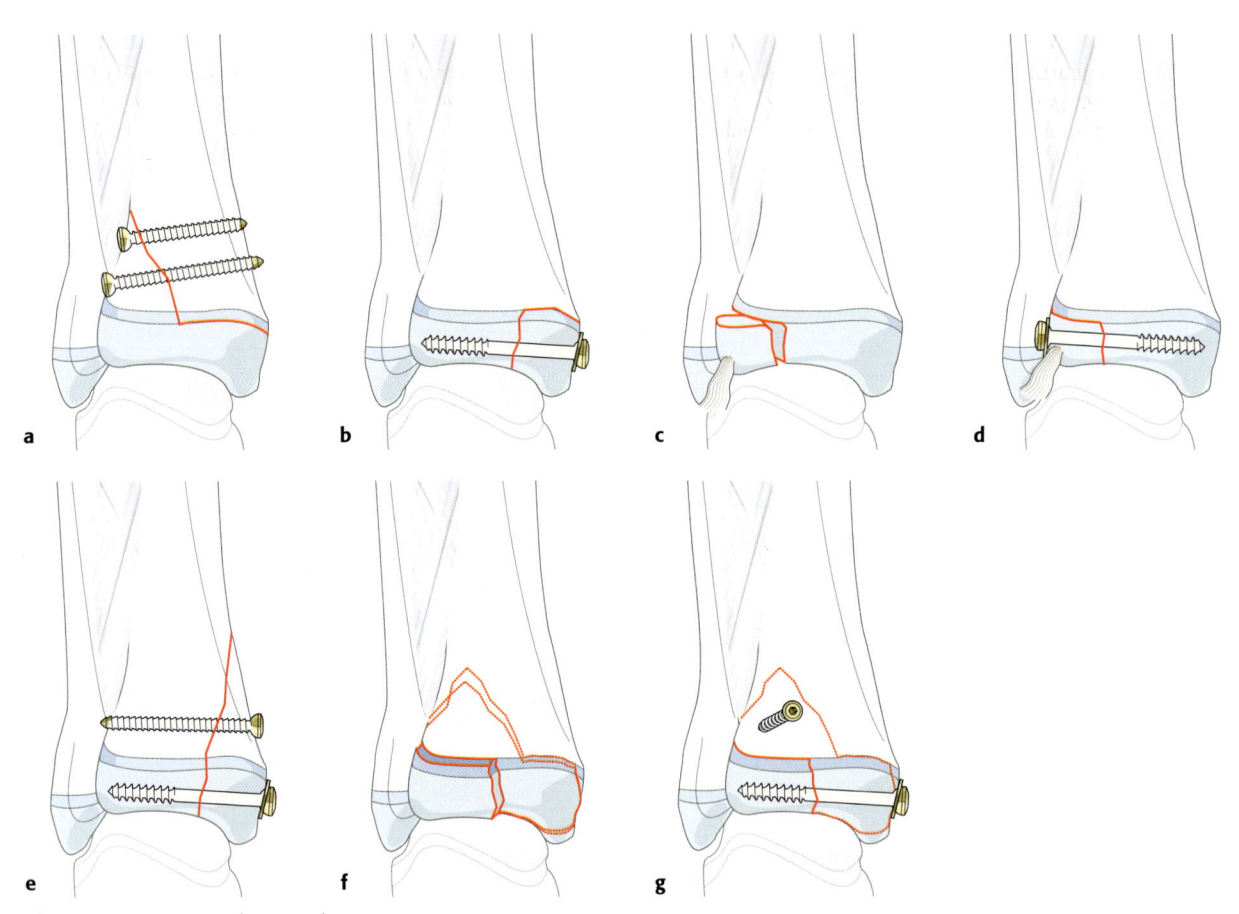

**Fig. 4.4-23a-g**   Lesões do tornozelo.
a   A lesão tipo II de Salter-Harris pode ser estabilizada com 1 a 2 parafusos canulados para osso esponjoso através da fratura metafisária.
b   Fratura tipo III de Salter-Harris do maléolo medial depois da redução anatômica e fixação com um parafuso para osso esponjoso de 4,0 mm totalmente dentro da epífise.
c-d   Fratura biplanar do tubérculo de Tillaux fixada com um parafuso de tração intraepifisário.
e   Lesão tipo IV de Salter-Harris fixada usando dois parafusos, acima e abaixo da placa de crescimento, proporcionando estabilidade absoluta.
f-g   A fratura triplanar tem uma configuração complexa e várias formas. Os parafusos de tração – metafisários ou epifisários – devem estar corretamente posicionados, respeitando os planos da fratura. A estabilização adicional da fíbula geralmente não é necessária em crianças.

Durante a transição da adolescência até a maturidade esquelética, as placas fisárias se fundem lentamente, o que pode levar a padrões de fratura incomuns. Duas lesões típicas podem ser observadas: as fraturas biplanar ou de Tillaux juvenil (puramente fisária) e a triplanar (que também inclui um parte metafisária) (**Fig. 4.4-24**). A linha de fratura pode se estender para dentro da articulação ou no maléolo medial. Qualquer *gap* de fratura de mais de 2,0 mm deve ser operado para se obter uma redução anatômica. Os parafusos de pequenos fragmentos são mais apropriados para a fixação estável. Os parafusos podem cruzar a fise enquanto o crescimento está terminando, quando essas fraturas tiverem ocorrido. Uma TC pré-operatória é útil para definir a fratura, avaliar o desvio e planejar a fixação.

Em crianças muito jovens, uma fratura nesses segmentos ou ossos pode ser um sinal de lesão não acidental.

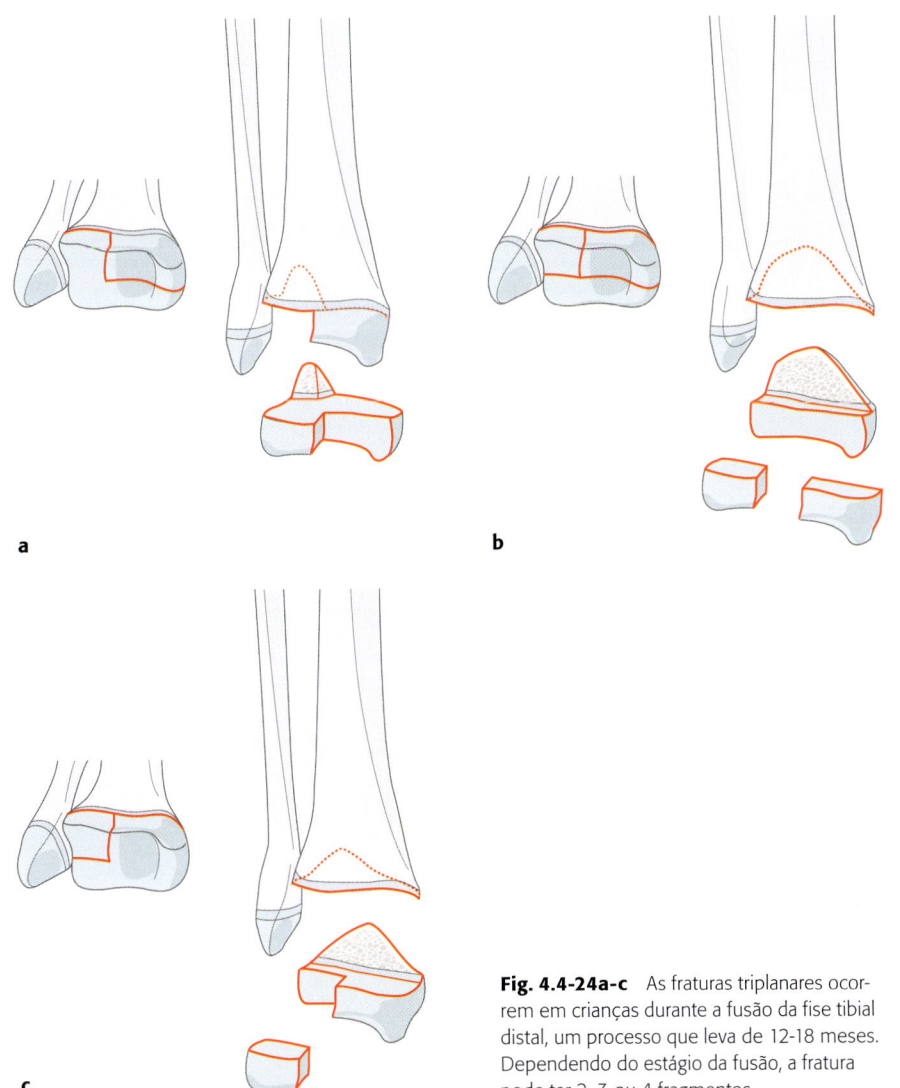

**Fig. 4.4-24a-c** As fraturas triplanares ocorrem em crianças durante a fusão da fise tibial distal, um processo que leva de 12-18 meses. Dependendo do estágio da fusão, a fratura pode ter 2, 3 ou 4 fragmentos.

Tópicos gerais
4.4 Fraturas pediátricas

Referências clássicas    Referências de revisão

## 8 Referências

1. **Mann DC, Rajmaira S.** Distribution of physeal and nonphyseal fractures in 2,650 long-bone fractures in children aged 0–16 years. *J Pediatr Orthop.* 1990 Nov-Dec;10(6):713–716.
2. **Slongo T, et al.** [Klassifikation und Dokumentation der Frakturen im Kindesalter]. *Zentralblatt Kinderchir.* 1995;4:157–163. German.
3. **Roux W.** *Gesammelte Abhandlungen über Entwicklungsmechanik der Organismen.* Leipzig: Engelmann; 1895. German.
4. **Schenk RK.** Histomorphologische und physiologische Grundlagen des Skelettwachstums. In: Brunner C, Weber BG, Freuler F, eds. *Die Frakturenbehandlung bei Kindern und Jugendlichen.* 1st ed. Berlin Heidelberg New York: Springer-Verlag; 1978. German.
5. **Hunziker EB, Schenk RK.)** Physiological mechanisms adopted by chondrocytes in regulating longitudinal bone growth in rats. *J Physiol.* 1989 Jul;414:55–71.
6. **Trueta J, Morgan JD.** The vascular contribution to osteogenesis. I. Studies by the injection method. *J Bone Joint Surg Br.* 1960 Feb;42-B:97–109.
7. **Duhamel HL.** Sur le Dévelopement et la Crue des Os des Animaux. Paris, Histoire de l'Académie Royale des Sciences; 1742;354–370. French.
8. **von Laer L.** Growth and growth disturbances. In: von Laer L, ed. *Pediatric Fractures and Dislocations.* 1st ed. Stuttgart New York: Georg Thieme Verlag; 1991.
9. **Beaty JH.** Fractures of the proximal humerus and shaft in children. *Instr Course Lect.* 1992;41:369–372.
10. **Kwon Y, Sarwark Jr.** Proximal humerus, scapula and clavicle. In: Beaty JH, Kasser JR, eds. *Rockwood and Wilkins' Fractures in Children.* 5th ed. Philadelphia: Lippincott Williams & Wilkins; 2001:741–806.
11. **Price CT, Mencio GA.** Injuries to the shaft of the radius and ulna. In: Beaty JH, Kasser JR, eds. *Rockwood and Wilkins' Fractures in Children.* 5th ed. Philadelphia: Lippincott Williams & Wilkins; 2001:443–482.
12. **Kasser JR, Beaty JH.** Femoral shaft fractures. In: Beaty JH, Kasser JR, eds. *Rockwood and Wilkins' Fractures in Children.* 5th ed. Philadelphia: Lippincott Williams & Wilkins; 2001:941–980.
13. **Heinrich SD.** Fractures of the shaft of the tibia. In: Beaty JH, Kasser JR, eds. *Rockwood and Wilkins' Fractures in Children.* 5th ed. Philadelphia: Lippincott Williams & Wilkins; 2001:1077–1119.
14. **Salter RB, Harris WR.** Injuries involving the epiphyseal plate. *J Bone Joint Surg Am.* 1963;45:857.
15. **Rang M.** *Children's Fractures.* 2nd ed. Philadelphia: Lippincott Raven; 1983.
16. **Slongo T, Audigé L, Schlickewei W, et al.** Development and validation of the AO pediatric comprehensive classification of long bone fractures by the Pediatric Expert Group of the AO Foundation in collaboration with AO Clinical Investigation and Documentation and the International Association for Pediatric Traumatology. *J Pediatr Orthop.* 2006 Jan- Feb;26(1):43–49.
17. **Slongo T, Audigé L, Clavert J, et al.** The AO comprehensive classification of pediatric long-bone fractures: a web-based multicenter agreement study. *J Pediatr Orthop.* 2007 Mar;27(2):171–180.
18. **Slongo T.** [Radialer externer Fixateur zur geschlossenen Behandlung problematischer suprakondylärer Humerusfrakturen Typ III und IV bei Kindern und Jugendlichen.] *Oper Orthop Traumatol.* 2014;26:75–97. German.
19. **Slongo T, Schmid T, Wilkins K, et al.** Lateral external fixation—a new surgical technique for displaced unreducible supracondylar humeral fractures in children. *J Bone Joint Surg Am.* 2008 Aug;90(8): 1690–1697.
20. **Metaizeau JP, Lascombes P, Lemelle JL, et al.** Reduction and fixation of displaced radial neck fractures by closed intramedullary pinning. *J Pediatr Orthop.* 1993 May-Jun;13(3):355–360.
21. **Dietz HG, Schmittenbecher PP, Slongo T, et al.** *AO Manual of Fracture Management. Elastic Stable Intramedullary Nailing (ESIN) in Children.* 1st ed. Stuttgart New York: Georg Thieme Verlag; 2006.
22. **Prévot J, Lascombes P, Ligier JN.** [The ECMES (Centro-Medullary Elastic Stabilising Wiring) osteosynthesis method in limb fractures in children. Principle, application on the femur. Apropos of 250 fractures followed-up since 1979]. *Chirurgie.* 1993-1994;119(9):473–476.
23. **Slongo T, Audigé L, Hunter JB, et al.** Clinical evaluation of end caps in elastic stable intramedullary nailing of femoral and tibial shaft fractures in children. *Eur J Trauma Emerg Surg.* 2011; 37:305–312.
24. **Weinberg AM, Hasler CC, Leiner A, et al.** External fixation of pediatric femoral shaft ractures: reatment and results of 121 fractures. *Europ J Trauma.* 2000;26:25–32.
25. **Reynolds RAK, Legakis JE, Thomas R, et al.** Intramedullary nails for pediatric diaphyseal femur fractures in older, heavier children: early results. *J Child Orthop.* 2012; 6: 181–188.

# 4.5 Profilaxia com antibióticos
*Susan Snape*

## 1 Introdução

Apesar da aplicação de princípios assépticos na prática cirúrgica, as infecções do sítio cirúrgico ainda ocorrem, não apenas após fraturas expostas, mas também após procedimentos cirúrgicos limpos, como a fixação interna de fraturas fechadas ou na artroplastia.

> A profilaxia antimicrobiana é indicada principalmente nos procedimentos associados a uma alta taxa de infecção, como as operações limpas-contaminadas ou contaminadas [1].

Os critérios para uma ferida cirúrgica limpa incluem [2]:

- Procedimento eletivo (i.e., não urgente), com fechamento primário da ferida
- Ausência de inflamação aguda
- Nenhuma quebra na técnica asséptica
- Ausência de transecção de superfícies colonizadas (i.e., tratos respiratório, alimentar ou geniturinário)

A cirurgia limpa está associada a uma taxa de infecção de 1,5% (em uma série de 47 mil procedimentos) [3]. Nessa cirurgia, a profilaxia com antibiótico geralmente não é indicada, porque os benefícios dos antibióticos são superados pelos riscos em termos de alergia, diarreia associada ao antibiótico, infecção por *Clostridium difficile*, aumentos na resistência a antibióticos, seleção para microrganismos multirresistentes e falta de custo-efetividade.

As operações sujas são caracterizadas por pus, víscera oca previamente perfurada ou lesões expostas com mais de 4 horas de evolução. Estas, por definição, são infectadas e consequentemente requerem tratamento.

> A profilaxia perioperatória com antibiótico se tornou a prática-padrão na cirurgia com o uso de implantes [4].

Elek e Conen [5] foram os primeiros a demonstrar o papel de corpos estranhos no aumento da incidência de infecção da ferida. Na presença de material de sutura, um inóculo 10 mil vezes menor de *Staphylococcus aureus* ainda levava a abscessos cutâneos em voluntários humanos. Usando um modelo animal, Zimmerli e colaboradores [6] demonstraram que o material de implante aumentava o risco de infecção. Eles sugeriram que isso acontece por causa de defeitos localmente adquiridos na função dos granulócitos.

A profilaxia da infecção do sítio cirúrgico não só depende do antibiótico apropriado, mas também da disciplina na sala de cirurgia, da técnica cirúrgica apropriada e da consciência adequada, além de evitar os fatores de risco resumidos na **Tabela 4.5-1** [7] com uma revisão abrangente e as recomendações disponíveis *online* da Organização Mundial da Saúde [8].

> A profilaxia com antibióticos não deve dissuadir os cirurgiões da cirurgia asséptica cuidadosa, de evitar os fatores de risco, da ventilação adequada da sala de cirurgia, da disciplina na sala de cirurgia e da técnica cirúrgica meticulosa.

**Tabela 4.5-1** Fatores que influenciam o risco de infecção do sítio cirúrgico

| Fator de risco | |
|---|---|
| **Paciente** | **Operação** |
| Extremos etários | Duração da escovação pré-operatória |
| Estado nutricional deficiente | Antissepsia da pele |
| Obesidade (> 20% do peso corporal ideal) | Tricotomia pré-operatória |
| Diabetes melito | Preparo pré-operatório da pele |
| Tabagismo; outras dependências | Duração da cirurgia |
| Infecções coexistentes em outros locais | Profilaxia antimicrobiana |
| Colonização bacteriana (p. ex., colonização nasal por *Staphylococcus aureus*) | Ventilação da sala de cirurgia |
| Imunossupressão (uso de esteroide ou outro fármaco imunossupressor) | Esterilização inadequada de instrumentos |
| Estadia pós-operatória prolongada | Material estranho no sítio cirúrgico |
| Doença grave coexistente que limita a atividade ou é incapacitante | Drenos cirúrgicos |
| Malignidade | Técnica cirúrgica, incluindo hemostasia, fechamento deficiente, trauma tecidual |
| Paciente cirúrgico de emergência em vez de paciente cirúrgico eletivo | Hipotermia pós-operatória |
| Alcoolismo | Disciplina deficiente na sala de cirurgia |

Um grupo de especialistas [9] publicou o padrão de qualidade para a profilaxia antimicrobiana em procedimentos cirúrgicos. A profilaxia antimicrobiana parenteral deve ser administrada nos procedimentos ortopédicos com implante.

O risco de infecção varia de acordo com o tipo de fratura e com o procedimento cirúrgico.

- Os pacientes submetidos à artroplastia, ou aqueles com fraturas fechadas, têm uma taxa de infecção de 0-5% [10].
- Em pacientes com fraturas expostas, a incidência de infecção da ferida se correlaciona diretamente com a extensão do dano de partes moles. As fraturas categorizadas pela classificação de Gustilo têm taxas de infecção de:
  - 0-2% para tipo I
  - 2-7% para tipo II
  - 7% para tipo IIIA
  - 10-50% para tipo IIIB
  - 25-50% para as fraturas do tipo IIIC [11]

Nas fraturas expostas do tipo III de Gustilo, existe um dano extenso de tecidos moles. Nessa situação, a cirurgia frequentemente acontece em um campo altamente contaminado. Por conseguinte, deve ser administrado o tratamento empírico em curto prazo, e não somente a profilaxia.

## 2 Microbiologia das infecções osso-implante

A microbiologia das infecções nas próteses articulares é bem conhecida. Como em outros tipos de infecções relacionadas aos implantes, os estafilococos são os principais agentes infectantes. Isso se deve principalmente:

- à presença de estafilococos dentro das camadas inferiores da pele, não alcançados pelo preparo antisséptico da pele;
- ao fato de que estafilococos possuem fatores de virulência que se ligam a proteínas do hospedeiro, como fibrina e fibronectina, e facilitam a aderência de estafilococos aos implantes [12].

Em pacientes submetidos à cirurgia de prótese articular, os agentes infectantes mais comuns são os estafilococos coagulase-negativos (30-41%) e o *S. aureus* (12-39%). Nenhum microrganismo é detectado em 5-12% das infecções [14].

Na cirurgia de fraturas, o *S. aureus* predomina amplamente em comparação aos outros microrganismos. As infecções por estafilococos coagulase-negativos são menos prevalentes que nos procedimentos de artroplastia.

Boxma ecolaboradores [15] fizeram um ensaio randomizado de profilaxia com antibiótico em dose única *versus* placebo na cirurgia para fraturas fechadas. No grupo placebo, os microrganismos infectantes foram:

- *S. aureus* 64%
- Estafilococos coagulase-negativos 3%
- Estreptococos 8%
- Cocos mistos Gram-positivos 5%
- Bacilos Gram-negativos 6%
- Microrganismos Gram-positivos/Gram-negativos mistos 8%
- Bactérias aeróbias/anaeróbias mistas 5%

Os pacientes com fratura exposta estão expostos a uma grande variedade de microrganismos ambientais que cobrem o espectro de bactérias Gram-positivas, Gram-negativas e anaeróbicas, incluindo *Clostridium tetani*. As feridas sujas estão frequentemente expostas à denominada flora fecal ou do estábulo. Além disso, as infecções de ferida nas vítimas de combate com fraturas da tíbia foram associadas a microrganismos aeróbios Gram-negativos resistentes, incluindo *Acinetobacter baumannii*, *Pseudomonas aeruginosa* e fungos [16].

## 3 Fármacos antimicrobianos para profilaxia

Várias substâncias antimicrobianas demonstraram eficácia na profilaxia perioperatória.

Os seguintes aspectos dos antimicrobianos devem ser considerados na escolha de um esquema de profilaxia com antibiótico [17]:

- O(s) fármaco(s) deve(m) ser ativo(os) contra os microrganismos infectantes mais comuns envolvidos na infecção associada ao implante.
- O padrão de suscetibilidade dos microrganismos infectantes difere em vários hospitais. Cada hospital requer análise atualizada do padrão de resistência dos isolados no sítio cirúrgico, e os agentes antimicrobianos profiláticos devem ser escolhidos de acordo.
- O risco de causar reações alérgicas ou efeitos adversos deve ser mínimo.
- Substâncias antimicrobianas com uma alta potência para produzir cepas resistentes devem ser evitadas; por exemplo, indutores da β-lactamase fortes, como a cefoxitina ou a ceftazidima.
- A potência dos diferentes antimicrobianos para precipitar a infecção sintomática por *C. difficile* deve ser revisada.

- A velocidade de administração. Por exemplo, enquanto a vancomicina requer pelo menos 1 hora para infundir (caso contrário, ocorre a "síndrome do homem vermelho"), o agente glicopeptídeo alternativo, teicoplanina, pode ser dado como um *bolus*, permitindo a otimização do tempo operatório.
- A classificação da fratura alterará a escolha do esquema antibiótico.
- Se os fármacos tiverem eficácia similar, o custo deve ser considerado.

As recomendações do Hospital Infection Control Practices Advisory Committee [HICPAC] [18] para prevenir a disseminação de resistência da vancomicina desencorajam abertamente o uso de glicopeptídeos na profilaxia cirúrgica de rotina. Uma importante metanálise de seis ensaios controlados randomizados [19], envolvendo 2.886 pacientes, avaliou a efetividade da teicoplanina em comparação com cefalosporinas de primeira ou segunda geração para profilaxia anti-infecciosa perioperatória. Nenhuma diferença foi encontrada entre a teicoplanina e as cefalosporinas com respeito ao desenvolvimento de infecção do sítio cirúrgico. Esses dados corroboram a recomendação para reservar o uso de glicopeptídeos para pacientes que sejam alérgicos a antibióticos β-lactâmicos ou que estejam colonizados com *S. aureus* resistente à meticilina (MRSA).

Na cirurgia de fraturas fechadas e expostas dos tipos I e II de Gustilo, as cefalosporinas de primeira ou segunda geração, como cefazolina, cefamandol ou cefuroxima, constituem uma escolha racional. Se houver preocupação no hospital sobre a infecção por *C. difficile*, a flucloxacilina mais gentamicina é a combinação preferível. Se o paciente for alérgico a antibióticos β-lactâmicos (i.e., penicilinas, cefalosporinas e carbapenêmicos) ou estiver sabidamente colonizado por MRSA, os antibióticos glicopeptídeos vancomicina ou teicoplanina são as opções.

Na cirurgia da fratura tipo III de Gustilo, pode haver contaminação intensa da ferida. Em um estudo prospectivo [20] de 227 pacientes com fraturas expostas, a profilaxia com clindamicina foi comparada com cloxacilina. Taxas inaceitavelmente altas de infecção foram relatadas nas fraturas grau III, tanto para a clindamicina (29%) quanto para a cloxacilina (51,8%), demonstrando a necessidade de cobertura adicional Gram-negativa nas fraturas de tipo mais alto de Gustilo [20]. Outro estudo prospectivo randomizado [21] comparou a eficácia do ciprofloxacino intravenoso com ceftazidima/gentamicina. Esse estudo registrou 163 pacientes com 171 fraturas expostas (tipo I [65], tipo II [54] e tipo III [52]). Nas fraturas de tipos I e II, a taxa de infecção para o grupo de ciprofloxacino e no grupo de ceftazidima/gentamicina foi de 5,8 e 6,0% respectivamente. Enquanto a ceftazidima/gentamicina também demonstrou boa eficácia entre aqueles com fraturas tipo III (taxa de infecção de 7,7%), o ciprofloxacino foi associado a uma taxa inaceitavelmente alta de infecção (31%) [21]. Além disso, estudos com modelo animal [22] demonstraram um retardo de consolidação da fratura no uso da profilaxia com ciprofloxacino; consequentemente, esse antibiótico não é recomendado para uso rotineiro. A conclusão é que os antibióticos profiláticos usados nas fraturas tipo III de Gustilo precisam ser de amplo espectro, cobrindo todos os patógenos prováveis [23].

## 4 Momento da profilaxia

O momento certo para a profilaxia varia conforme a classificação da fratura. Os pacientes com fraturas expostas devem ser avaliados quanto à necessidade de imunização para tétano [24]. Para todas as fraturas expostas, a administração parenteral de antibióticos é necessária assim que possível (e de preferência em até 3 horas após o trauma) para reduzir o risco de infecção de partes moles ou de osteomielite. A eficácia de antibiótico administrado antes ou no momento do tratamento primário foi demonstrada em um metanálise que incluiu 1.106 pacientes com fraturas expostas [25]. O uso de antibióticos profiláticos estava associado a uma redução do risco absoluto na infecção de 0,07 (intervalo de confiança [IC] de 95%: 0,03-0,10), quando combinado com irrigação da ferida, debridamento cirúrgico e estabilização da fratura.

> Tanto para fraturas expostas quanto fechadas que requerem a inserção de material de síntese, a antibioticoprofilaxia perioperatória é essencial no momento do debridamento da ferida. A eficácia antibiótica ideal é alcançada pela provisão de níveis teciduais antimicrobianos inibitórios no momento da incisão e durante todo o procedimento cirúrgico.

Em um estudo em animais, Burke [26] observou que a janela efetiva para a profilaxia com antibiótico pode ser de apenas 3 horas. Mesmo um retardo de 1 hora diminuiu acentuadamente a eficácia da profilaxia de dose única. Essas conclusões a partir de dados animais foram confirmadas em um grande estudo clínico retrospectivo [27] de 2.847 feridas. O risco de infecção do sítio cirúrgico aumentou em 6 vezes quando a profilaxia era feita muito cedo (> 2 horas antes da cirurgia) ou muito tarde (> 3 horas depois da cirurgia).

> A profilaxia peioperatória parenteral deve ser administrada por via intravenosa em um período que inicia 60 minutos antes da incisão [9, 17].

Os níveis teciduais de antibiótico são insuficientes se o fármaco for administrado menos que 5-10 minutos antes de inflado o torniquete [28].

> Para a profilaxia adequada, os antibióticos devem ser dados pelo menos 10 minutos antes de o torniquete ser inflado.

## 5 Duração de uso do antibiótico

A duração da terapia depende da classificação da fratura.

### 5.1 Fraturas fechadas

Uma revisão sistemática [29] da profilaxia com antibiótico na cirurgia para fraturas proximais do fêmur e outras fraturas fechadas de ossos longos incluiu dados de 8.447 participantes em 23 estudos. Em pacientes submetidos à cirurgia para fixação de fraturas fechadas, a antibioticoprofilaxia com dose única reduziu significativamente a infecção cirúrgica profunda em 60% (razão de risco: 0,40; IC de 95%: 0,24-0,67). A profilaxia de dose múltipla teve um efeito similar com uma redução de 65% no risco relativo de infecção profunda do sítio cirúrgico (razão de risco: 0,35; IC de 95%: 0,19-0,62). Consequentemente, o efeito de uma dose única de antibiótico é similar àquele obtido a partir de doses múltiplas, desde que o antibiótico escolhido esteja atuando desde o início da cirurgia até que a ferida esteja fechada.

> Para fraturas fechadas, a profilaxia com antibióticos de preferência não deve exceder 1 dose.

A exceção a esse conselho é se a operação durar mais do que 4 horas ou se a perda sanguínea for maior de 1.500 mL, sendo, então, recomendado o esquema de profilaxia para aquela operação (**Tab. 4.5-2**).

### 5.2 Fraturas expostas

As fraturas expostas tradicionalmente recebem cursos mais longos de antibióticos. As diretrizes do grupo de trabalho EAST [23] preconizam que, para as fraturas dos tipos I e II, os antibióticos devem ser descontinuados em um máximo de 24 horas após o fechamento bem-sucedido da ferida. Para as fraturas do tipo III, os antibióticos devem ser administrados até o fechamento de partes moles ou por um período máximo de 72 horas, qualquer que venha primeiro. Essa recomendação se baseia em parte em dados que não relataram nenhuma redução adicional no risco de infecção quando os antibióticos eram continuados por mais do que 3 dias [30]. De fato, em um ensaio randomizado duplo-cego [31] com 248 pacientes de 14-65 anos, não houve nenhuma diferença significativa nas infecções do sítio da fratura entre pacientes que recebem um curso de 1 dia de cefalosporina de primeira geração em comparação com um curso de 5 dias de cefalosporina de primeira ou de segunda geração. É importante mencionar que os cursos prolongados de mais de 1 antibiótico por mais de 24 horas após um trauma grave estão associados a infecções resistentes [32].

> Para as fraturas expostas dos tipos I e II de Gustilo, a duração da profilaxia não deve exceder 1 dia. Para as fraturas expostas do tipo III de Gustilo, a duração da profilaxia não deve exceder 3 dias.

## 6 Tópicos controversos

### 6.1 Largura do espectro da cobertura profilática com antibiótico

Para as fraturas fechadas e expostas dos tipos I e II de Gustilo, a regra deve ser a escolha de um espectro de cobertura tão estreito quanto possível. De fato, um estudo excelente de Boxma e colaboradores [15] avaliou essa regra usando ceftriaxona, uma cefalosporina de terceira geração, com regimes utilizando cefalosporinas mais antigas. A ceftriaxona não teve nenhuma vantagem, exceto pelo fornecimento de níveis teciduais eficazes por 24 horas com uma dose única.

> Para as fraturas fechadas e de Gustilo tipos I e II há pouca evidência para sugerir que as substâncias antimicrobianas com um espectro antibacteriano mais amplo *in vitro* teriam qualquer vantagem se comparadas aos antibióticos com um espectro mais estreito.

### 6.2 Uso de glicopeptídeos (vancomicina e teicoplanina) na profilaxia

> Por causa do aparecimento de enterococos resistentes à vancomicina, a vancomicina e teicoplanina devem ser estritamente reservadas para pacientes que sejam alérgicos aos antibióticos β-lactâmicos, aos pacientes colonizados por MRSA, ou em centros com uma alta prevalência de MRSA [17, 18].

A linezolida também deve ser reservada para o tratamento de pacientes com estafilococos resistentes ou enterococos multirresistentes [33].

**Tabela 4.5-2** Recomendações para nova dose de antibiótico em pacientes com grande perda sanguínea ou cirurgias mais longas que 4 horas

| Antibióticos comuns | Intervalo recomendado para nova dose/ dose a ser administrada |
|---|---|
| Cefuroxima | 4 h, 1,5 g, IV |
| Flucloxacilina | 3 h, 1 g, IV |
| Gentamicina | Nova dose não recomendada |
| Piperacilina/tazobactam | 2 h, 4,5 g, IV |
| Metronidazol | 8 h, 500 mg, IV |
| Teicoplanina | Nova dose não recomendada |

Sigla: IV, intravenoso.

### 6.3 Infecção por *Clostridium difficile*

A infecção por *C. difficile* é uma infecção importante associada aos cuidados de saúde. Ela resulta em diarreia intensa e, em alguns casos, colite potencialmente fatal. Não está claro quantos pacientes desenvolvem infecção por *C. difficile* após a profilaxia com antibióticos – as taxas relatadas variam de 0,2-8% dependendo do procedimento cirúrgico envolvido [17]. A restrição dos antibióticos de alto risco (cefalosporinas, fluoroquinolonas, clindamicina e carbapenêmicos) contribui para uma redução nas taxas de infecção por *C. difficile* [34].

Em um estudo com mais de 1.800 pacientes [35] submetidos à cirurgia para fratura de quadril, a redução do número de doses de cefuroxima profilática de 3 para 1 (com uma dose concomitante de gentamicina) resultou em uma diminuição significativa nas infecções por *C. difficile* de 4,2-1,6% ($p = 0,009$).

Um estudo de coorte [36] com 1.331 pacientes ortopédicos submetidos à cirurgia ortopédica eletiva ou cirurgia com implante por trauma demonstrou que uma mudança de regime baseado em cefalosporina para um regime baseado em gentamicina reduziu a frequência de infecção por *C. difficile* de 8 para 3%, ($p = 0,02$) em pacientes de trauma. Isso ocorreu sem qualquer alteração significativa na incidência de infecções profundas nas feridas. O desejo em reduzir a infecção por *C. difficile* em certos países tem levado a uma mudança na profilaxia antibiótica, de cefalosporinas para a flucloxacilina e gentamicina em dose única. Entretanto, uma consequência involuntária foi a incidência aumentada de lesão renal aguda no pós-operatório quando doses de 4 mg/kg de gentamicina foram usadas [37]. Isso contrasta com os resultados de Dubrovskaya e colaboradores [38], que avaliaram a incidência de nefrotoxicidade em pacientes que receberam uma dose única elevada (5 mg/kg) de gentamicina como profilaxia perioperatória em cirurgias ortopédicas. Eles relataram que a gentamicina não era um preditor independente de nefrotoxicidade e, consequentemente, é uma opção segura para a profilaxia perioperatória. Nós não encontramos um aumento da incidência de nefrotoxicidade com doses mais baixas de 2 mg/kg de gentamicina (dados não publicados).

> A infecção por *C. difficile* é um risco para todos os pacientes que recebem profilaxia com antibiótico. A restrição dos antibióticos de alto risco (cefalosporinas, fluoroquinolonas, clindamicina e carbapenêmicos) deve ser considerada ao se decidir sobre diretrizes hospitalares individuais para profilaxia com antibióticos.

### 6.4 Porte de microrganismos multirresistentes

Todos os hospitais têm observado um aumento na taxa de resistência a antibióticos. O uso aumentado dos antibióticos contribui para o desenvolvimento de mais resistência [17]. Os antibióticos carbapenêmicos (meropeném, imipeném, ertapeném) já foram considerados o limitador do tratamento antimicrobiano. Entretanto, internacionalmente, houve um aumento nas enterobactérias resistentes a carbapenêmicos. Sem o uso cauteloso dos antibióticos e práticas rígidas de controle da infecção, as cepas bacterianas que são resistentes a múltiplos antibióticos se tornarão parte da flora endêmica de um hospital. Embora não exista atualmente nenhuma evidência de que o porte de microrganismos multirresistentes esteja associado a taxas mais altas de infecção do sítio cirúrgico no pós-operatório do que o porte de cepas sensíveis, a infecção por um microrganismo multirresistente é frequentemente mais difícil e mais cara de tratar.

> Pacientes com suspeita de porte de cepas multirresistente devem ser isolados até que os resultados de rastreamento possam ser obtidos. Se os microrganismos multirresistentes estiverem presentes, uma mudança na escolha dos antibióticos profiláticos deve ser discutida com o departamento local de microbiologia [17]. Se possível, a cirurgia deve ser planejada como o último caso do dia.

### 6.5 Descolonização de pacientes portadores nasais de *S. aureus*

Os pacientes com colonização nasal pelo *S. aureus* têm um risco aumentado de infecção estafilocócica subsequente da ferida. A descolonização com pomada nasal de mupirocina reduz a carga estafilocócica. Uma revisão sistemática [39] analisou 19 estudos que examinaram a capacidade dos protocolos de descolonização de reduzir as infecções locais de cirurgias ortopédicas. Todos os 19 estudos, que incorporaram uma mistura de pacientes ortopédicos eletivos e de trauma, mostraram uma redução nas infecções locais ou nas infecções do sítio cirúrgico ao se instituir um rastreamento e protocolo de descolonização do *S. aureus*. Dez estudos demonstraram que o rastreamento e a descolonização do *S. aureus* economizaram dinheiro em comparação ao custo de tratar infecções do sítio cirúrgico.

Em contraste, a condição de portador de *S. aureus* nos pacientes de emergência, incluindo os pacientes de trauma, é frequentemente desconhecida. Muitos hospitais rastreiam o MRSA, já que pode ser um requisito obrigatório nacional; contudo isso não captura o *S. aureus* sensível à meticilina. Algumas instituições rastreiam o portador de qualquer *S. aureus* na admissão hospitalar e começam a descolonização antes de os resultados estarem disponíveis. A descolonização pode então ser descontinuada se os resultados de rastreamento forem negativos.

> Os pacientes eletivos devem ser rastreados para porte de *S. aureus* e, caso o microrganismo esteja presente, devem ser descolonizados. Os pacientes colonizados com MRSA devem ser estritamente isolados no hospital e a sua cirurgia deve ser planejada como o último caso do dia.

Tópicos gerais
**4.5 Profilaxia com antibióticos**

### 6.6 Administração local de antibióticos

A administração local de antibióticos, em locais de fraturas expostas e como parte do tratamento da osteomielite, está bem estabelecido. Entretanto, muitos fatores influenciam como os antibióticos locais são aplicados e as estratégias de tratamento ainda não foram padronizadas. Falta evidência de alta qualidade em relação ao uso de antibióticos locais. Indicações, técnicas, dosagens, tipos de antibióticos, propriedades de eluição e farmacocinética ainda precisam ser claramente definidos.

Um veículo bem reconhecido para administração local de antibiótico é o cimento impregnado de antibióticos. Ele pode ser em formato de pérolas, moldadas para se ajustar a um defeito ósseo, ou usado para recobrir um fio-guia ou haste intramedular (haste com antibiótico). Alternativamente, as pérolas comercialmente preparadas e impregnadas com antibiótico podem ser colocadas no local da fratura ou em torno dela. Em uma série de casos [40] com 1.085 pacientes consecutivos com fraturas expostas, 240 receberam somente antibióticos sistêmicos e 845 receberam antibióticos sistêmicos mais pérolas de polimetilmetacrilato impregnadas com tobramicina localmente. A terapia adicional foi associada a uma redução significativa nas taxas de infecção aguda nas fraturas tipo IIIB e C de Gustilo e a uma redução na osteomielite local entre os tipos de fratura II e IIIB. As pérolas eram normalmente removidas dentro 1-6 semanas.

Veículos e técnicas de aporte mais novos estão sendo avaliados. O sulfato de cálcio impregnado com antibiótico é absorvível, eliminando a necessidade de uma nova ida à sala de cirurgia somente com a finalidade da remoção das pérolas. Essa abordagem tem sido usada como um substituto ósseo combinado e um sistema de aporte de antibiótico para o reparo de defeitos ósseos em fraturas expostas [41]. Uma revisão sistemática [42] de substitutos antimicrobianos de enxerto ósseo no tratamento de osteomielite incluiu 15 estudos com níveis variáveis de evidência. Todavia, esses estudos mostraram resultados promissores, com taxas de sucesso relativamente altas de erradicação da infecção e taxas baixas de complicação.

## 7 Diretrizes para profilaxia

Com base em diretrizes internacionais e revisões sistemáticas [9, 17, 18, 23-25, 29], as seguintes diretrizes são delineadas (**Tab. 4.5-3**).

Os padrões locais da comunidade, a resistência bacteriana e a flora bacteriana local alteram a antibioticoprofilaxia necessária. Tais aspectos devem ser discutidos com os microbiologistas locais.

**Tabela 4.5-3** Diretrizes para antibioticoprofilaxia pré-operatória e perioperatória

| Indicação | Centros com preocupações relativas à infecção por *Clostridium difficile* | | Centros sem preocupações relativas à infecção por *Clostridium difficile* ou pacientes com alergia leve à penicilina | | Pacientes com alergia a β-lactâmicos | |
|---|---|---|---|---|---|---|
| | Antibioticoterapia pré-operatória | Antibioticoterapia perioperatória | Antibioticoterapia pré-operatória | Antibioticoterapia perioperatória | Antibioticoterapia pré-operatória | Antibioticoterapia perioperatória |
| Cirurgias limpas envolvendo mão, joelho ou pé, não envolvendo implante de materiais estranhos | Nenhuma | Nenhuma | Nenhuma | Nenhuma | Nenhuma | Nenhuma |
| Fixação interna ou artroplastia para fraturas fechadas | Nenhuma | Flucloxacilina mais gentamicina na indução (alguns centros continuam a flucloxacilina por até 24 horas) | Nenhuma | Cefalosporina de primeira ou de segunda geração na indução (alguns centros continuam a cefalosporina por até 24 horas) | Nenhuma | Teicoplanina mais gentamicina na indução |
| Fraturas expostas: fraturas tipos I e II de Gustilo | Amoxicilina-clavulanato em doses regulares até o primeiro debridamento | Amoxicilina-clavulanato mais gentamicina na indução. Continuar amoxicilina-clavulanato até fechamento de partes moles em até um máximo de 24 horas | Cefalosporina de primeira ou segunda geração em doses regulares até o primeiro debridamento | Cefalosporina de primeira ou de segunda geração na indução. Continuar com cefalosporina de primeira ou segunda geração regularmente até o fechamento de partes moles em até um máximo de 24 horas | Clindamicina, 600 mg, em doses regulares até o primeiro debridamento | Clindamicina mais gentamicina na indução. Continuar clindamicina regularmente até fechamento de partes moles em até um máximo de 24 horas |
| Fraturas expostas grosseiramente contaminadas (p. ex., lesão em estábulo ou lesão pélvica exposta); fraturas tipos IIIA-C de Gustilo | Piperacilina/tazobactam em doses regulares até o primeiro debridamento | Piperacilina/tazobactam mais gentamicina na indução. Continuar piperacilina/tazobactam regularmente até o fechamento de partes moles ou por um máximo de 72 horas (o que vier primeiro) | Meropeném em doses regulares até o primeiro debridamento | Meropeném mais gentamicina na indução. Continuar meropeném regularmente até o fechamento de partes moles ou por um máximo de 72 horas (o que vier primeiro) | Ciprofloxacino mais metronidazol mais teicoplanina em doses regulares até o primeiro debridamento | Ciprofloxacino mais gentamicina na indução. Continuar ciprofloxacino mais metronidazol mais teicoplanina regularmente até o fechamento de partes moles ou por um máximo de 72 horas (o que vier primeiro) |

Nota: Todas as doses perioperatórias de antibióticos são administradas intravenosamente e em menos de 60 minutos antes da incisão e antes do uso do torniquete. (Observe que esta tabela é construída a partir de recomendações para uso de antibióticos profiláticos na Grã-Bretanha. As recomendações locais para uso de antibióticos devem ser consideradas.)

Referências clássicas    Referências de revisão

# 8  Referências

1. **Kaiser AB.** Antimicrobial prophylaxis in surgery. *N Engl J Med*. 1986 Oct;315(18):1129–1138.
2. **Horan TC, Andrus M, Dudeck MA.** CDC/NHSN surveillance definition of healthcare-associated infection and criteria for specific types of infections in the acute care setting. *Am J Infect Control*. 2008 Jun;36(5):309–332.
3. **Cruse PJ, Foord R.** The epidemiology of wound infection. A 10 year prospective study of 62,939 wounds. *Surg Clin North Am*. 1980 Feb;60(1):27–40.
4. **Haas DW, Kaiser AB.** Antimicrobial prophylaxis of infections associated with foreign bodies. In: Waldvogel FA, Bisno AL, eds. *Infections Associated With Indwelling Medical Devices*. 3rd ed. Washington DC: American Society for Microbiology; 2000:395–406.
5. **Elek SD, Conen PE.** The virulence of Staphylococcus pyogenes for man: a study of the problem of wound infection. *Br J Exp Pathol*. 1957 Dec;38(6):573–586.
6. **Zimmerli W, Lew PD, Waldvogel FA.** Pathogenesis of foreign body infection. Evidence for a local granulocyte defect. *J Clin Invest*. 1984 Apr;73(4):1191–1200.
7. **Mangram AJ, Horan TC, Pearson ML, et al.** Guideline for Prevention of Surgical Site Infection, 1999. Centers for Disease Control and Prevention (CDC) Hospital Infection Control Practices Advisory Committee. *Am J Infect Cont*.1999 Apr;27(2):97–132.
8. **World Health Organization.** Global Guidelines for the Prevention of Surgical Site Infection. Available at: http://apps.who.int/iris/bitstream/10665/250680/1/9789241549882-eng.pdf?ua=1. Accessed April 24, 2017.
9. **Bratzler DW, Dellinger EP, Olsen KM, et al.** Clinical practice guidelines for antimicrobial prophylaxis in surgery. *Am J Health Syst Pharm*. 2013 Feb 1;70(3):195–283.
10. **Bodoky A, Neff U, Heberer M, et al.** Antibiotic prophylaxis with two doses of cephalosporin in patients managed with internal fixation for a fracture of the hip. *J Bone Joint Surg Am*. 1993 Jan;75(1):61–65.
11. **Gustilo RB, Merkow RL, Templeman D.** The management of open fractures. *J Bone Joint Surg Am*. 1990 Feb;72(2):299–304.
12. **Greene C, McDevitt D, Francois P, et al.** Adhesion properties of mutants of Staphylococcus aureus defective

## Tópicos gerais
### 4.5 Profilaxia com antibióticos

in fibronectin-binding proteins and studies on the expression of fnb genes. *Mol Microbiol.* 1995 Sep;17(6): 1143–1152.

13. **Stefánsdóttir A, Johansson D, Knutson K, et al.** Microbiology of the infected knee arthroplasty: report from the Swedish Knee Arthroplasty Register on 426 surgically revised cases. *Scand J Infect Dis.* 2009;41(11-12):831–840.

14. **Zimmerli W, Trampuz A, Ochsner PE.** Prosthetic-joint infections. *N Engl J Med.* 2004 Oct;351(16):1645–1654.

15. **Boxma H, Broekhuizen T, Patka P, et al.** Randomised controlled trial of single-dose antibiotic prophylaxis in surgical treatment of closed fractures: the Dutch Trauma Trial. *Lancet.* 1996 Apr 27;347(9009):1133–1137.

16. **Hospenthal DR, Murray CK, Andersen RC, et al.** Guidelines for the prevention of infections associated with combat-related injuries: 2011 update. *J Trauma.* 2011 Aug;71(2 Suppl 2): S210–S234.

17. **Scottish Intercollegiate Guidelines Network (SIGN).** Antibiotic prophylaxis in surgery Edinburgh: SIGN; 2008. (*SIGN publication no.*104). [July 2008]. Available at: http://www.sign.ac.uk. Accessed July 5, 2016.

18. **Tablan OC, Tenover FC, Martone WJ, et al.** Recommendations for preventing the spread of vancomycin resistance. Recommendations of the Hospital Infection Control Practices Advisory Committee (HICPAC). *MMWR Recomm Rep.* 1995 Sep 22;44(RR-12):1–13.

19. **Vardakas KZ, Soteriades ES, Chrysanthopoulou SA, et al.** Perioperative anti-infective prophylaxis with teicoplanin compared to cephalosporins in orthopedic and vascular surgery involving prosthetic material K. *Clin Microbiol Infect.* 2005 Oct;11(10): 775–777.

20. **Vasenius J, Tulikoura I, Vainionpää S, et al.** Clindamycin versus cloxacillin in the treatment of 240 open fractures. A randomized prospective study. *Ann Chir Gynaecol.* 1998;87(3):224–228.

21. **Patzakis MJ, Bains RS, Lee J, et al.** Prospective, randomized, double-blind study comparing single-agent antibiotic therapy, ciprofloxacin, to combination antibiotic therapy in open fracture wounds. *J Orthop Trauma.* 2000 Nov;14(8):529–533.

22. **Huddleston PM, Steckelberg JM, Hanssen AD et al.** Ciprofloxacin inhibition of experimental fracture healing. *J Bone Joint Surg Am.* 2000 Feb;82(2):161–173.

23. **Hoff WS, Bonadies JA, Cachecho R, et al.** East Practice Management Guidelines Work Group: update to practice management guidelines for prophylactic antibiotic use in open fractures. *J Trauma.* 2011 Mar;70(3):751–754.

24. **Luchette FA, Bone LB, Born CT, et al.** Eastern Association for the Surgery of Trauma (EAST) working group. Practice management guidelines for prophylactic antibiotic use in open fractures. Available at: http://www.east.org/tpg.html. Accessed July 5, 2016.

25. **Gosselin RA, Roberts I, Gillespie WJ** (2004) Antibiotics for preventing infection in open limb fractures. *Cochrane Database Syst Rev.* 2004;(1):CD003764.

26. **Burke JF.**) The effective period of preventive antibiotic action in experimental incisions and dermal lesions. *Surgery.* 1961 Jul;50:161–168.

27. **Classen DC, Evans RS, Pestotnik SL, et al.** The timing of prophylactic administration of antibiotics and the risk of surgical-wound infection. *N Engl J Med.* 1992 Jan 30;326(5):281–286.

28. **Oishi CS, Carrion WV, Hoaglund FT.** Use of parenteral prophylactic antibiotics in clean orthopedic surgery. A review of the literature *Clin Orthop Relat Res.* 1993 Nov;(296):249–255.

29. **Gillespie WJ, Walenkamp GH.** Antibiotic prophylaxis for surgery for proximal femoral and other closed long bone fractures. *Cochrane Database Syst Rev.* 2010 Mar 17;(3):CD000244.

30. **Patzakis MJ, Wilkins J.** Factors influencing infection rate in open fracture wounds. *Clin Orthop Relat Res.* 1989 Jun;(243):36–40.

31. **Dellinger EP, Caplan ES, Weaver LD, et al.** Duration of preventive antibiotic administration for open extremity fractures. *Arch Surg.* 1988 Mar;123(3):333–339.

32. **Velmahos GC, Toutouzas KG, Sarkisyan G, et al.** Severe trauma is not an excuse for prolonged antibiotic prophylaxis. *Arch Surg.* 2002 May;137(5):537–541; discussion 541–542.

33. **Razonable RR, Osmon DR, Steckelberg JM.** Linezolid therapy for orthopedic infections. *Mayo Clin Proc.* 2004 Sep;79(9):1137–1144.

34. **Vernaz N, Hill K, Leggeat S, et al.** Temporal effects of antibiotic use and *Clostridium difficile infections*. *J Antimicrob Chemother.* 2009 Jun;63(6):1272–1275.

35. **Starks I, Ayub G, Walley G, et al.** Single-dose cefuroxime with gentamicin reduces Clostridium difficile-associated disease in hipfracture patients. *J Hosp Infect.* 2008 Sep;70(1):21–26.

36. **Al-Obaydi W, Smith CD, Foguet P.** Changing prophylactic antibiotic protocol for reducing Clostridium difficile-associated diarrhoeal infections. J Orthop Surg (Hong Kong). 2010 Dec;18(3):320–323.

37. **Bell S, Davey P, Nathwani D, et al.** Risk of AKI with gentamicin as surgical prophylaxis. *J Am Soc Nephrol.* 2014 Nov;25(11):2625–2632.

38. **Dubrovskaya Y, Tejada R, Bosco J 3rd, et al.** Single high dose gentamicin for perioperative prophylaxis in orthopedic surgery: evaluation of nephrotoxicity. *SAGE Open Med.* 2015 Oct;3:2050312115612803

39. **Chen AF, Wessel CB, Rao N.** Staphylococcus aureus screening and decolonization in orthopaedic surgery and reduction of surgical site infections. *Clin Orthop Relat Res.* 2013 Jul;471(7):2383–2399.

40. **Ostermann PA, Seligson D, Henry SL.** Local antibiotic therapy for severe open fractures. A review of 1085 consecutive cases. *J Bone Joint Surg Br.* 1995 Jan;77(1):93–97.

41. **Helgeson MD, Potter BK, Tucker CJ, et al.** Antibiotic-impregnated calcium sulfate use in combat-related open fractures. *Orthopedics.* 2009 May;32(5):323.

42. **van Vugt TA, Geurts J, Arts JJ.** Clinical application of antimicrobial bone graft substitute in osteomyelitis treatment: a systematic review of different bone graft substitutes available in clinical treatment of osteomyelitis. *Biomed Res Int.* 2016;6984656.

## 9 Agradecimentos

Agradecemos a Werner Zimmerli por sua contribuição para a 2ª edição de *Princípios AO do tratamento de fraturas*.

# 4.6 Profilaxia do tromboembolismo

*Hans J. Kreder*

## 1 Introdução

Os fatores que predispõem a trombose venosa foram originalmente descritos por Virchow [1] em 1856 e incluem:

- Estase
- Lesão vascular
- Hipercoagulabilidade

Os pacientes submetidos à cirurgia de trauma ortopédico têm alto risco de desenvolver tromboembolismo venoso (TEV) [2]. O risco de TEV depende de múltiplos fatores [3-5], incluindo avanço da idade, obesidade, condições médicas, fatores genéticos subjacentes, localização da fratura, tipo e duração da cirurgia e duração da imobilidade do paciente.

Sem a profilaxia do tromboembolismo, o TEV ocorre em 40-80% dos pacientes hospitalizados com lesões traumáticas de maior porte [2]. A mobilização mais rápida do paciente, as técnicas cirúrgicas e anestésicas aprimoradas, junto com a profilaxia tromboembólica, têm reduzido significativamente o risco de TEV [5-7].

> Apesar do uso rotineiro da profilaxia, um número significativo de pacientes ainda tem eventos trombóticos que podem resultar em morte ou morbidade em curto e longo prazo por:
>
> - Trombose venosa profunda (TVP)
> - Embolia pulmonar (EP)
> - Síndrome pós-trombótica (SPT)
> - TEV recorrente

## 2 Desfechos clinicamente importantes

### 2.1 Trombose venosa profunda

Acredita-se que a trombose venosa se inicie no momento da lesão traumática ou logo após ela. O TEV mais frequentemente ocorre como TVP nos membros inferiores, embora possa ocorrer em qualquer veia do corpo. A trombose isolada nas veias da panturrilha pode permanecer assintomática com pequeno risco de embolização do coágulo, mas, sem profilaxia, esses coágulos podem se estender para as veias poplíteas ou acima em 15-25% dos pacientes [8]. A TVP acima das veias poplíteas é clinicamente importante, porque mais de 50% estão associadas à EP [1, 2].

### 2.2 Embolia pulmonar

A EP envolve a obstrução de uma artéria pulmonar por uma TVP desalojada que se deslocou através do ventrículo direito, embora EPs fatais tenham sido encontradas sem uma TVP aparente em autópsias. A EP é uma complicação séria e potencialmente fatal que está associada a um risco de mortalidade de aproximadamente 10% [8].

### 2.3 Trombose venosa profunda recorrente e síndrome pós-trombótica

O TEV inadequadamente tratado pode levar à TVP recorrente, com maior risco durante o primeiro ano, embora o risco persista por vários anos depois da TVP aguda [8]. Os fatores de risco para TVP recorrente incluem localização proximal a uma TVP prévia, obesidade, idade avançada, malignidade e sexo [9]. A trombofilia pode também ter algum papel [9, 10].

Tópicos gerais
## 4.6 Profilaxia do tromboembolismo

A SPT é a complicação de longo prazo mais comum do TEV, com uma incidência de 20-50% depois de uma TVP proximal, com manifestações graves que têm um impacto profundo na qualidade de vida do paciente em 5-10% dos casos [10, 11]. Acredita-se que seja causada por obstrução venosa persistente ou dano valvar que resulta em hipertensão venosa. A inflamação e a fibrose da parede venosa após a TVP estão envolvidas no desenvolvimento de SPT, mas a fisiopatologia não é completamente entendida. Os sintomas e sinais de SPT variam desde edema menor da perna até uma dor de difícil tratamento, edema crônico e alterações de pele (lipodermatoesclerose), descoloração e ulceração da perna.

## 3 Diagnóstico

### 3.1 Trombose venosa profunda

Não se pode confiar em um diagnóstico apenas clínico de TVP, porque a maioria dos pacientes de trauma ortopédico tem sinais e sintomas consistentes com TVP, como edema na perna e dor. O risco de TVP é maior nos primeiros 3 meses depois do trauma e, então, retorna ao risco basal da população entre 12 e 15 meses [12].

O rastreamento de rotina para a presença de TVP de pacientes com trauma não pode ser corroborado com base nas evidências disponíveis [13]. Entretanto, a ultrassonografia dúplex venosa é altamente precisa para a detecção de TVP proximal em pacientes sintomáticos. Outras modalidades de imagens, como a venorressonância magnética e a tomografia computadorizada (TC) com contraste estão sendo exploradas, mas continuam tendo uma alta taxa de falso-positivos [13].

Os D-dímeros são um produto da degradação da fibrina, e os níveis estão normalmente altos em pacientes com TEV, mas também estão elevados em outras condições. Desse modo, níveis elevados de D-dímeros não são específicos para a presença de TEV, mas um teste negativo para D-dímeros é altamente sensível para afastar uma TEV, dependendo do tipo de ensaio executado. Em pacientes com suspeita de TVP, um teste negativo de D-dímeros com o uso de um ensaio sensível pode afastar de maneira eficaz a presença de TEV clinicamente relevante que necessitaria de tratamento.

### 3.2 Embolia pulmonar

O diagnóstico de EP pode ser difícil em pacientes de trauma com lesões na parede torácica, contusões pulmonares, embolia gordurosa, pneumonia e síndrome da resposta inflamatória sistêmica [14].

O rastreamento de rotina para EP não é recomendado para pacientes de trauma que estejam recebendo profilaxia [14, 15]. Para os pacientes com suspeita de EP, uma angiotomografia dúplex pulmonar é definitiva, mas há significativos custos associados e morbidade potencial [5].

### 3.3 Síndrome pós-trombótica

A SPT é principalmente um diagnóstico clínico em alguém com TVP prévia [11]. Deve-se esperar pelo menos 3-6 meses após um episódio de TVP aguda antes de considerar o diagnóstico de SPT [11]. Há vários sistemas de escore clínicos que podem ser usados para a definição do diagnóstico e da gravidade. A escala de Villalta-Prandoni, a medição de Ginsberg e a escala de Brandjes [11] são específicas para SPT.

Os fatores de risco para o desenvolvimento de SPT incluem [11]:

- Índice de massa corporal/obesidade
- Idade avançada
- Tabagismo
- Extensão da TVP original (femoral e ilíaca vs. poplítea)
- TVP recorrente [10]
- Trombofilia subjacente [10]
- Trombose residual depois do tratamento de TVP e tratamento subterapêutico

## 4 Fatores de risco para trombose venosa profunda e embolia pulmonar

### 4.1 Fatores de risco do paciente

Foram propostos inúmeros fatores de risco potenciais durante muitos anos, com evidências contraditórias para alguns deles [7, 16, 17]. Uma tentativa recente para desenvolver um modelo de risco validado para predizer TEV dentro de 90 dias de cirurgia identificou sete fatores de risco, incluindo os seguintes fatores relacionados ao paciente:

- Avanço da idade
- Obesidade
- Sexo masculino
- Presença de câncer
- História de TEV
- História familiar de TEV

Outros notaram um aumento consistente do risco nas mulheres em uso de anticoncepcional oral, com um risco variável dependendo da formulação específica usada. Também é aceito que vários fatores genéticos aumentam o risco de TEV [18]. Os fatores de risco da trombofilia hereditária foram resumidos por Westrichin em uma palestra didática recente (**Tab. 4.6-1**).

O teste para esses fatores geralmente não é necessário, mas deve ser considerado em qualquer pessoa com uma história familiar forte ou com história de TEV, especialmente se o episódio tiver ocorrido em pessoas abaixo dos 40 anos [18].

### 4.2 Fatores de risco da lesão e da cirurgia

Os pacientes com politraumatismo, fraturas de quadril, lesão de medula espinal, fraturas pélvicas ou acetabulares e lesões da extremidade inferior têm um alto risco de TEV [2, 5, 13]. O risco pode ser mais alto para as lesões de medula espinal torácica alta do que em outros níveis de lesão da medula espinal. A lesão traumática do encéfalo no contexto do politraumatismo não parece aumentar o risco de TEV.

A duração maior da cirurgia está associada a um risco aumentado de TEV em todos procedimentos de especialidades cirúrgicas, incluindo a cirurgia ortopédica [5]. As operações cardiotorácicas, neurológicas e ginecológicas prolongadas estão associadas a um risco especialmente alto.

A imobilidade prolongada, incluindo um tempo prolongado de extricação depois da lesão [19], aumenta o risco de TEV, mesmo na ausência de lesão.

### 4.3 Sistemas de escore clínicos para risco de TEV

Muitos sistemas de escore foram desenvolvidos para tentar predizer o risco de TEV e, assim, direcionar a terapia [4, 5]. Entretanto, a sensibilidade e a especificidade dos escores são limitadas, e um paciente categorizado como baixo risco pode ainda desenvolver TEV, e muitos que são considerados de alto risco nunca desenvolvem TEV sintomático ou clinicamente relevante. Os sistemas de escore são às vezes usados junto com outros testes, como D-dímeros, e podem ajudar a direcionar a terapia.

## 5 Fundamentos da profilaxia do tromboembolismo

### 5.1 Justificativas para a profilaxia do tromboembolismo

Uma vez que os sistemas de escore não são tão precisos para identificar quais pacientes desenvolverão TEV sintomático ou clinicamente importante, a profilaxia rotineira do tromboembolismo para todos pacientes com trauma ortopédico (ou qualquer outro grupo de alto risco de TEV) representa a estratégia mais efetiva para reduzir os eventos tromboembólicos sintomáticos e fatais [5-7, 13]. Sem profilaxia, o TEV assintomático é comum em pacientes com trauma, afetando pelo menos metade dos pacientes politraumatizados. Embora a maioria dos trombos permaneçam assintomáticos e se resolvam espontaneamente, alguns se tornam sintomáticos como TVP ou EP, e ainda não é possível predizer qual paciente desenvolverá um TEV clinicamente importante. Como a terapia não poder ser prontamente direcionada em uma base individual, a profilaxia é recomendada para todos os grupos de pacientes de alto risco [7]. O rastreamento de vigilância para TEV de pacientes que recebem profilaxia não é recomendado, já que não afeta o risco de EP fatal e não fatal, e não é custo-efetivo [13, 20].

**Tabela 4.6-1** Fatores de risco hereditários de trombofilia

| Condição | Saudável (%) | Tromboembolismo venoso (%) | Risco relativo de trombose (%) |
|---|---|---|---|
| Resistência da proteína C ativada/mutação do fator V de Leiden | 5 | 21 | 3-7 |
| Deficiência de antitrombina | 0,02-0,17 | 1 | 15-40 |
| Deficiência de proteína C | 0,3 | 3 | 5-12 |
| Deficiência de proteína S | 0,7 | 2 | 4-10 |
| Mutação G20210A da protrombina (FII) | 2 | 6 | 2-3 |
| Excesso de fator VIII | 11 | 25 | 6 |
| Hiper-homocisteinemia > 18,5 µmol/L | 5-10 | 10-25 | 3-4 |

Adaptada de Westrichin e colaboradores [18].

Tópicos gerais
4.6 Profilaxia do tromboembolismo

## 5.2 Métodos de profilaxia

A profilaxia pode envolver meios mecânicos ou substâncias químicas para prevenir a formação de coágulos no sistema venoso. Uma alternativa é tentar e prevenir a embolização de um coágulo para os pulmões por filtros mecânicos na veia cava.

> Os tópicos importantes para se considerar na profilaxia da TEV incluem:
> - Definir a população em risco de TEV que deve receber a profilaxia de rotina
> - Considerar o risco potencial de complicações de sangramento associadas a lesões específicas ou o tratamento necessário para as lesões
> - Fatores específicos do paciente, como trombofilia ou uso de anticoagulantes
> - Qual tipo de profilaxia usar e por quanto tempo

### 5.2.1 Profilaxia mecânica

As opções de dispositivo mecânico incluem dispositivos aplicados ao pé, panturrilha ou sobre a coxa [18]. Estão disponíveis técnicas compressivas com compressão padrão, sequencial ou rápida. A profilaxia com dispositivos de compressão sequencial reduziu o risco de TVP em pacientes de trauma em relação a nenhuma profilaxia, com um efeito mais marcado quando a profilaxia química e mecânica eram usadas conjuntamente. Entretanto, nenhuma reduziu o risco de EP ou de morte.

Há pouca evidência apoiando o uso de meias de compressão nos pacientes com fraturas de quadril ou em pacientes ortopédicos submetidos à cirurgia em geral. As meias de compressão não foram avaliadas apropriadamente em uma população de trauma. As meias elásticas de compressão não preveniram a SPT depois de uma TVP proximal [21].

A profilaxia mecânica com dispositivos de compressão sequencial é recomendada em diversas diretrizes para os pacientes de alto risco para os quais a profilaxia química é contraindicada ou em combinação com a profilaxia química [6, 7, 13].

### 5.2.2 Profilaxia química

Os fármacos podem atuar em várias etapas na via de coagulação para prevenir a formação e a propagação do trombo. Os antagonistas da vitamina K representam o grupo mais comum de fármacos anticoagulantes que inibem indiretamente a formação do coágulo, ligando-se com a antitrombina III para causar a inibição do fator Xa e/ou do fator IIa. Novos fármacos não antagonistas da vitamina K que têm uma ação antitrombina direta foram recentemente introduzidos, com o benefício potencial de diminuir o risco de sangramento.

A heparina de baixo peso molecular (HBPM) age principalmente como um inibidor do fator Xa, ligando-se com a antitrombina III. Tornou-se o fármaco profilático mais amplamente recomendado para pacientes de trauma ortopédico [5, 6, 13, 22]. Para pacientes de trauma submetidos a procedimentos múltiplos em intervalos durante o período hospitalar, a curta meia-vida da HBPM permite a manutenção da profilaxia de TEV com a administração do fármaco no decorrer do dia, mesmo que uma cirurgia seja necessária no dia seguinte.

O uso de varfarina em pacientes de trauma é potencialmente problemático devido ao início retardado do efeito anticoagulante, pela necessidade de monitoração com exames de sangue e uma meia-vida mais longa, que exige interrupção para pacientes submetidos a procedimentos múltiplos em dias diferentes, levando a uma profilaxia subterapêutica. A varfarina é uma opção para profilaxia em pacientes com lesões ortopédicas isoladas e para o tratamento do TEV [23].

Os agentes antiplaquetários, como o ácido acetilsalicílico e o clopidogrel, não foram estudados em pacientes de trauma ou naqueles com lesão ortopédica. Embora algumas diretrizes incluam o ácido acetilsalicílico como um possível agente profilático na cirurgia de prótese do quadril e do joelho e nas fraturas do quadril, não é a opção de preferência [7].

### 5.2.3 Filtro de veia cava inferior como tromboprofilaxia primária

Os filtros de veia cava inferior (FVCIs) foram recomendados para a prevenção de EP em pacientes de trauma porque o risco de TEV é alto, a inserção de um filtro é relativamente de baixo risco, a profilaxia química de TEV é algumas vezes retardada por preocupações acerca de sangramento, e foram desenvolvidos FVCIs para reduzir os riscos de longo prazo associados aos filtros permanentes. Entretanto, faltam evidências de boa qualidade que apoiem os benefícios do FVCI em termos de EP ou mortalidade [7], e o custo associado com o FVCI é alto [13].

Os FVCIs têm um papel na profilaxia para os pacientes que requerem cirurgia pélvica ou acetabular de maior porte e naqueles que tenham evidência de TVP proximal existente, porque o coágulo pode embolizar durante a cirurgia [14]. Depois da cirurgia, esses pacientes requerem anticoagulação completa assim que possível para tratar a TVP proximal. O filtro deve ser removido (em dias ou semanas) uma vez que o paciente esteja anticoagulado com segurança.

Os FVCIs em pacientes que podem ser seguramente anticoagulados não parecem trazer benefícios.

## 6 Profilaxia do tromboembolismo na cirurgia de fraturas específicas

### 6.1 Metodologia

Recomendações mais recentes enfatizam eventos clinicamente importantes, como a TVP proximal sintomática e a EP, em vez da TVP assintomática demonstrada em estudos de imagens [20, 24]. A prevenção do tromboembolismo venoso deve ser ponderada em relação ao risco de complicações, como sangramento, o que é levado em conta em algumas das recomendações [7, 20].

Determinar a duração da profilaxia do tromboembolismo é um desafio. Há alguns estudos randomizados para direcionar a duração da profilaxia do tromboembolismo, mas, em muitos casos, faltam evidências (**Tab. 4.6-2**) [7]. Uma abordagem inovadora para avaliar quando a terapia pode ser cessada com segurança envolve o uso de biomarcadores, como D-dímeros, para determinar quando o risco de coagulação retornou à linha de base e a profilaxia não é mais necessária, mas há pouca pesquisa sobre biomarcadores nos pacientes de trauma ortopédico [18].

### 6.2 Fraturas do quadril

Os pacientes com fraturas de quadril têm alto risco de TEV com uma taxa de EP fatal de 0,4-7,5%. A HBPM tem sido efetiva para reduzir o risco desses eventos, com alguma evidência de que o fondaparinux, uma nova ultra-HBPM que inibe indiretamente o fator Xa, pode ser mais efetiva que a HBPM [25].

### 6.3 Politraumatismo

Melhores estudos são necessários para que sejam feitas recomendações baseadas em forte evidência para a profilaxia do tromboembolismo nos pacientes com traumatismos múltiplos [5, 6, 13]. As recomendações atuais apontam que a profilaxia química com HBPM seja iniciada dentro de 24 horas se não houver nenhuma contraindicação, como um risco excessivo de sangramento. A tromboprofilaxia parece ser segura em pacientes com lesão traumática do encéfalo e lesões de órgãos sólidos, mas uma consultoria com os especialistas pode ser útil para decidir sobre a profilaxia do tromboembolismo nesses casos [5, 13]. O risco de TEV em crianças com trauma aproxima-se ao dos adultos com 16 anos idade [3].

### 6.4 Lesões vertebrais

As lesões vertebrais estão associadas a um alto risco de TEV, mas faltam estudos de boa qualidade para orientar o tratamento baseado em evidências. O risco de TEV é mais alto durante os primeiros 3 meses depois da lesão [12], e aumenta com a idade, com paraplegia e com TEV prévio. O nível de lesão medular parece ser importante, com taxas particularmente altas de TEV associadas a lesões no nível torácico.

### 6.5 Fraturas da pelve e do acetábulo

O risco de TEV em pacientes com fraturas pélvicas e acetabulares é particularmente alto sem profilaxia tromboembólica, com muitos dos trombos localizados nas veias profundas proximais da extremidade inferior. A profilaxia com HBPM deve ser iniciada dentro de 24 horas da lesão, desde que não haja nenhuma hemorragia ativa, mas não com menos de 12 horas para uma cirurgia importante [13]. Há algum debate relativo à utilidade de adicionar um dispositivo de compressão pneumático para a quimioprofilaxia de rotina, embora haja algum apoio na literatura para a terapia combinada [7, 13].

**Tabela 4.6-2** Resumo das recomendações de profilaxia para fraturas específicas e no politraumatismo

| Condição | Profilaxia | Duração |
|---|---|---|
| Fratura do quadril | HBPM, fondaparinux, HNDB, AVK com ajuste de dose, ácido acetilsalicílico iniciado dentro de 24 horas da lesão [7] | 10-14 dias, embora haja alguma evidência de que a profilaxia estendida até 20 dias reduza ainda mais o TEV |
| Politraumatismo | HBPM iniciada dentro de 24 horas, pode ser combinada com DCP, ou o DCP pode ser usado isoladamente se a HBPM for contraindicada. Filtro de veia cava somente se TVP proximal comprovada e HBPM contraindicada | Recomenda-se pelo menos 1 mês, mas alguns centros descontinuam a profilaxia na alta do paciente [14] |
| Lesão da medula espinal | Mesmo que para politraumatismo | Mesmo que para politraumatismo. A profilaxia estendida deve ser considerada por até 3 meses em pacientes imobilizados |
| Fratura pélvica/acetabular | Mesmo que para politraumatismo | Mesmo que para politraumatismo |
| Fraturas complexas da extremidade inferior acima do joelho | Mesmo que para politraumatismo | Mesmo que para politraumatismo |
| Fratura isolada da extremidade inferior abaixo do joelho | Nenhuma profilaxia de rotina recomendada, exceto se houver fatores de risco importantes (ver anteriormente) | Não aplicável |

Siglas: HBPM, heparina de baixo peso molecular; HNDB, heparina não fracionada de dose baixa; AVK, antagonista da vitamina K; TEV, tromboembolismo venoso; DCP, dispositivos de compressão pneumática; TVP, trombose venosa profunda.

Os pacientes que são transferidos para um centro de trauma de uma instituição periférica para a cirurgia pélvica definitiva já poderão ter um TEV pré-operatório, especialmente se não houver nenhum regime padronizado de profilaxia tromboembólica usado pelo primeiro hospital. Nessas circunstâncias, o rastreamento com ultrassom dúplex deve ser considerado no hospital de cuidados terciários para afastar uma TVP proximal antes da cirurgia. Isso representa uma exceção à regra, já que o rastreamento de rotina para TEV, não é recomendado em pacientes que recebem profilaxia tromboembólica [7, 13].

Em pacientes com uma TVP proximal demonstrada, ou naqueles com risco de sangramento extremamente alto, deve-se considerar o uso de filtro de veia cava antes de uma cirurgia de grande porte. O filtro não deve ser um substituto para a quimioprofilaxia se não houver contraindicação a ela [7].

### 6.6 Fraturas isoladas da extremidade inferior

As fraturas do quadril, as fraturas do fêmur e as fraturas complexas da extremidade inferior acima do joelho e que requerem cirurgia estão associadas a um risco relativamente alto de TEV, e a profilaxia com HBPM é recomendada para pacientes politraumatizados [7].

Nas lesões da perna abaixo do joelho, o TEV sintomático e clinicamente importante é raro, com uma incidência de menos de 2% sem profilaxia, e sem alteração significativa no risco quando foi usada a profilaxia com HBPM [24]. A maioria das diretrizes publicadas não recomenda a profilaxia de rotina para lesões isoladas abaixo do joelho em pacientes que estejam deambulando, não importando se foi usada imobilização do membro ou se foi executada alguma cirurgia [7, 24]. Pode haver um risco aumentado nas mulheres em uso de medicamento anticoncepcional oral e naquelas com doença arterial periférica preexistente, alto índice de massa corporal, câncer e uso de fármacos anti-inflamatórios não esteroides no contexto das fraturas distais ao joelho [26].

### 7 Conclusão

A incidência de TEV é alta em pacientes com politraumatismos e naqueles com lesões musculoesqueléticas da coluna vertebral, pelve e fêmur. Por não haver nenhum teste suficientemente preciso para direcionar pacientes específicos dentro desses grupos de alto risco, a profilaxia do tromboembolismo é recomendada para todos os pacientes. Geralmente, os pacientes com fraturas isoladas abaixo do joelho não requerem profilaxia química, mas fixação precoce da fratura e mobilização.

## 8 Referências

1. **Dalen JE.** Pulmonary embolism: what have we learned since Virchow?: treatment and prevention. *Chest.* 2000 Nov;122(5):1801–1817.
2. **Geerts WH, Code KI, Jay RM, et al.** A prospective study of venous thromboembolism after major trauma. *N Engl J Med.* 1994 Dec 15;331(24):1601–1606.
3. **Kim JY, Khavanin N, Rambachan A.** Surgical duration and risk of venous thromboembolism. *JAMA Surg.* 2015 Feb;150(2):110–117.
4. **Testroote M, Stigter W, de Visser DC, et al.** Low molecular weight heparin for prevention of venous thromboembolism in patients with lower-leg immobilization. *Cochrane Database Syst Rev.* 2008;(4):CD006681.
5. **Scolaro JA, Taylor RM, Wigner NA.** Venous thromboembolism in orthopaedic trauma. *J Am Acad Orthop Surg.* 2015 Jan;23(1):1–6.
6. **Barrera LM, Perel P, Ker K, et al.** Thromboprophylaxis for trauma patients. *Cochrane Database Syst Rev. Engl.* 2013;3:CD008303.
7. **Falck-Ytter Y, Francis CW, Johanson NA, et al.** Prevention of VTE in orthopedic surgery patients: Antithrombotic Therapy and Prevention of Thrombosis. 9th ed. American College of Chest Physicians Evidence-Based Clinical Practice Guidelines. *Chest.* 2012;141(2 Suppl):e278S–325S.
8. **Morris TA.** Natural history of venous thromboembolism. *Crit Care Clin.* 2011 Oct;27(4):869–884.
9. **Prandoni P, Barbar S, Milan M, et al.** The risk of recurrent thromboembolic disorders in patients with unprovoked venous thromboembolism: new scenarios and opportunities. *Eur J Intern Med.* 2014 Jan;25(1):25–30.
10. **Kreidy R.** Contribution of recurrent venous thrombosis and inherited thrombophilia to the pathogenesis of postthrombotic syndrome. *Clin Appl Thromb Hemost.* 2015 Jan;21(1):87–90.
11. **Kahn SR, Comerota AJ, Cushman M, et al.** The postthrombotic syndrome: evidence-based prevention, diagnosis, and treatment strategies: a scientific statement from the American Heart Association. *Circulation.* 2014 Oct 28;130(18):1636–1661.
12. **Godat LN, Kobayashi L, Chang DC, et al.** Can we ever stop worrying about venous thromboembolism after trauma? *J Trauma Acute Care Surg.* 2015 Mar;78(3):475–480; discussion 480–481.
13. **Sagi HC, Ahn J, Ciesla D, et al.** Venous thromboembolism prophylaxis in orthopaedic trauma patients. *J Orthop Trauma.* 2015 Oct;29(10):e355–e362.
14. **Geerts WH.** Venous thromboembolism in pelvic trauma. In: Tile M, Helfet D, Kellam J, Vrahas M, eds. *Fractures of the Pelvis and Acetabulum: Principles and Methods of Management.* 4th ed. Stuttgart: Thieme; 2015:377–399.
15. **Bates SM, Jaeschke R, Stevens SM, et al.** Diagnosis of DVT: Antithrombotic Therapy and Prevention of Thrombosis, 9th ed: American College of Chest Physicians Evidence-Based Clinical Practice Guidelines. *Chest.* 2012 Feb;141(2 Suppl):e351S–418S.
16. **Kahn SR, Lim W, Dunn AS, et al.** Prevention of VTE in nonsurgical patients: Antithrombotic Therapy and Prevention of Thrombosis, 9th ed: American College of Chest Physicians Evidence-Based Clinical Practice Guidelines. *Chest.* 2012 Feb;141(2 Suppl):e195S–226S.
17. **Gould MK, Garcia DA, Wren SM, et al.** Prevention of VTE in nonorthopedic surgical patients: Antithrombotic Therapy and Prevention of Thrombosis, 9th ed: American College of Chest Physicians Evidence-Based Clinical Practice Guidelines. *Chest.* 2012 Feb;141(2 Suppl):e227S–277S.
18. **Westrich GH, Dlott JS, Cushner FD, et al.** Prophylaxis for thromboembolic disease and evaluation for thrombophilia. *Instr Course Lect.* 2014;63:409–419.
19. **Rogers FB, Hammaker SJ, Miller JA, et al.** Does prehospital prolonged extrication (entrapment) place trauma patients at higher risk for venous thromboembolism? *Am J Surg.* 2011 Oct;202(4):382–386.
20. **Guyatt GH, Eikelboom JW, Gould MK, et al.** Approach to outcome measurement in the prevention of thrombosis in surgical and medical patients: Antithrombotic Therapy and Prevention of Thrombosis, 9th ed: American College of Chest Physicians Evidence-Based Clinical Practice Guidelines. *Chest.* 2012 Feb;141(2 Suppl):e185S–194S.
21. **Kahn SR, Shapiro S, Wells PS, et al.** Compression stockings to prevent post-thrombotic syndrome: a randomised placebo-controlled trial. *Lancet.* 2014 Mar;383(9920):880–888.
22. **Fowler RA, Mittmann N, Geerts W, et al.** Cost-effectiveness of dalteparin vs unfractionated heparin for the prevention of venous thromboembolism in critically ill patients. *JAMA.* 2014 Nov 26;312(20):2135–2145.
23. **Ageno W, Gallus AS, Wittkowsky A, et al.** Oral anticoagulant therapy: Antithrombotic Therapy and Prevention of Thrombosis, 9th ed: American College of Chest Physicians Evidence-Based Clinical Practice Guidelines. *Chest.* 2012 Feb;141(2 Suppl):e44S–88S.
24. **Selby R, Geerts WH, Kreder HJ, et al.** A double-blind, randomized controlled trial of the prevention of clinically important venous thromboembolism after isolated lower leg fractures. *J Orthop Trauma.* 2015 May;29(5):224–230.
25. **Eriksson BI, Bauer KA, Lassen MR, et al.** Fondaparinux compared with enoxaparin for the prevention of venous thromboembolism after hip-fracture surgery. *N Engl J Med.* 2001 Nov 1;345(18):1298–1304.
26. **Wahlsten LR, Eckardt H, Lyngbæk S, et al.** Symptomatic venous thromboembolism following fractures distal to the knee: a nationwide Danish cohort study. *J Bone Joint Surg Am.* 2015 Mar;97(6):470–477.

## 9 Agradecimentos

Agradecemos a David Helfet e Beate Hanson por suas contribuições para este capítulo na 2ª edição de *Princípios AO do tratamento de fraturas*.

Tópicos gerais
**4.6 Profilaxia do tromboembolismo**

# 4.7 Cuidados pós-operatórios: considerações gerais

*Liu Fan, John Arraf*

## 1 Introdução

O plano de cuidado global para um paciente de trauma deve cobrir o cuidado pré-operatório, os procedimentos cirúrgicos e os cuidados pós-operatórios (**Tab. 4.7-1**). Com muita frequência, depois da intervenção cirúrgica, a vigilância é relaxada e podem ocorrer complicações. Estas, na melhor das hipóteses, privam o paciente do benefício completo do procedimento e, na pior das hipóteses, podem piorar gravemente a qualidade de vida do paciente.

Os cuidados pós-operatórios não são limitados ao tempo dentro do hospital, mas devem ser continuados em casa e, mais tarde, no trabalho e no lazer. Para alcançar tudo isso, três fases pós-operatórias são reconhecidas:

- Na primeira fase, imediatamente após a cirurgia, a ênfase está no controle da dor, mobilização, prevenção e reconhecimento precoce de complicações.
- Na segunda fase, depois da hospitalização, a atenção é centrada na integração ao ambiente social e na mobilização.
- A fase final conclui o tratamento e retorna o paciente a suas capacidades pré-operatórias, incluindo trabalho, educação e atividades de lazer.

## 2 Primeira fase – fase pós-operatória imediata

### 2.1 Controle da dor pós-operatória

A International Association for the Study of Pain (IASP) define a dor como "uma experiência sensorial e emocional desagradável, associada a dano tecidual real ou potencial, ou descrita em termos de tal dano" [1]. Além de ser uma experiência desagradável para o paciente, a dor mal controlada pode ter consequências fisiológicas danosas, levando a aumento da morbidade [2].

Com a analgesia adequada, o paciente ortopédico será capaz de mobilizar e executar melhor a fisioterapia e se recuperar mais rapidamente.

Os métodos mais simples e mais comuns usados para quantificar a dor são as escalas que medem a sua intensidade. Entre as mais usadas está a escala visual analógica (EVA), que consiste em uma linha reta com as palavras "nenhuma dor" em uma extremidade e "pior dor imaginável" na outra (**Fig. 4.7-1**). Os pacientes quantificam a intensidade de sua dor colocando uma marca ao longo da escala [3]. A medida pode ser melhorada usando uma linha-padrão de 10 cm e, então, quantificando a dor de 0 até 10 para posterior comparação. Por meio da mensuração da EVA, a dor pode ser classificada como leve (EVA 1-4), moderada (EVA 4-7) ou grave (EVA 7-10). Entretanto, os cirurgiões devem estar cientes de que os escores de dor podem ser afetados por ansiedade, sendo que os pacientes mais ansiosos relatam escores de dor mais altos [4] e há uma correlação significativa entre grande ansiedade e dor intensa. Isso enfatiza a grande interação entre os fatores psicossociais e a dor. A Escada Analgésica da Organização Mundial da Saúde pode ser adaptada para as necessidades do paciente ortopédico (**Tab. 4.7-2**).

#### 2.1.1 Analgésicos

O **paracetamol** não tem nenhum efeito anti-inflamatório; é um analgésico e antipirético efetivo. As doses são de 10-15 mg/kg, por via oral, a cada 4-6 horas. Em adultos, as doses podem ser de 500-1.000 mg (dependendo da disponibilidade), a cada 4-6 horas. Os supositórios retais podem ser administrados em doses de 15-20 mg/kg, a cada 4 horas, e agora está disponível uma forma de administração intravenosa. A dose diária total de paracetamol para adultos de todas as fontes não deve exceder 4 g para prevenir intoxicação hepática.

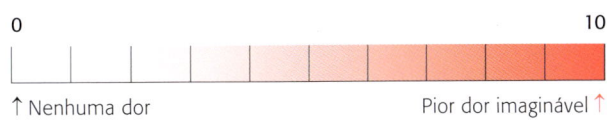

**Fig. 4.7-1** Escala visual analógica numérica.

Tópicos gerais
## 4.7 Cuidados pós-operatórios: considerações gerais

**Tabela 4.7-1** Diretrizes para o cuidado pós-operatório das fraturas específicas de adultos, de acordo com os princípios AO

| Tipo de fratura e fixação | Posicionamento pós-operatório | Suporte adicional do membro | Exercício, carga | Comentário |
|---|---|---|---|---|
| Úmero, proximal: fixação instável "dinâmica" por fio de Kirschner | Tipoia, enfaixamento de Gilchrist, dispositivo de abdução, etc. | Imobilização por 3 semanas | Exercícios pendulares começando imediatamente, mobilização ativo-assistida depois da semana 2<br>Uso funcional parcial: semanas 3-6<br>Uso funcional completo: semanas 6-10 | Nota: lesões associadas (p. ex., manguito rotador) |
| Úmero, proximal: fixação "estável": PHILOS, PHN | Braço colocado em uma almofada, tipoia ortopédica | Tipoia ortopédica por 2 semanas | Mobilização ativo-assistida começando imediatamente<br>Uso funcional parcial: semanas 3-6<br>Uso funcional completo: semanas 6-10 | Mais detalhes na **Tabela 6.2.1-1** Protocolo de reabilitação do ombro |
| Úmero, diáfise: fixação "estável": haste intramedular, placa | Braço colocado em uma almofada, posição elevada | Tipoia ortopédica por 1 semana | Mobilização ativo-assistida começando imediatamente<br>Uso funcional parcial e rotação limitada: semanas 4-6<br>Uso funcional completo: semanas 6-10 | Mobilização do ombro e cotovelo |
| Úmero, distal: RAFI estável | Braço colocado em uma almofada, posição elevada | Imobilizador de braço ou tipoia | Mobilização ativo-assistida começando imediatamente<br>Uso funcional parcial e rotação limitada: semanas 4-6<br>Uso funcional completo: semanas 6-10 | Mobilização do ombro, nenhuma manipulação passiva forçada |
| Olécrano: banda de tensão | Braço colocado em uma almofada, posição elevada | Nenhum | Mobilização ativo-assistida começando imediatamente<br>Uso funcional parcial e rotação limitada: semanas 4-6<br>Uso funcional completo: semanas 6-12 | Mobilização do ombro |
| Cabeça do rádio: RAFI estável | Braço colocado em uma almofada, posição elevada | Tipoia, excepcionalmente tala removível | Rotação limitada: semanas 0-4<br>Uso funcional parcial: semanas 4-6<br>Uso funcional completo: semanas 6-8 | Nota: lesões ligamentares associadas, mobilização do ombro |
| Antebraço, diáfise: Fixação estável com placa | Braço colocado em uma almofada, posição elevada | Nenhum ou imobilizador leve | Mobilização ativo-assistida começando imediatamente<br>Uso funcional parcial: semanas 4-6<br>Uso funcional completo: semanas 6-10 | Nota: mobilização da mão, punho, cotovelo e ombro, imobilizador para lesões neurológicas associadas |
| Rádio, distal: fixação "estável": placa | Posição elevada | Imobilizador de posição | Mobilização ativo-assistida começando imediatamente<br>Uso funcional parcial: semanas 4-6<br>Uso funcional completo: semanas 6-10 | Mobilização das articulações adjacentes (incluindo o ombro) |
| Rádio, distal: fixação "instável": fio de Kirschner | Posição elevada | Tala palmar ou gesso | Mobilização das articulações adjacentes | — |
| Rádio, distal: fixação externa | Posição elevada | Tipoia | Exercícios ativos para os dedos móveis | Liberação da distração depois de 3-4 semanas, mobilização do cotovelo e ombro |
| Fêmur, colo: fixação com parafuso ou DHS | Perna estendida em abdução leve (almofada entre as pernas) | Nenhum | Pacientes jovens (< 60 anos):<br>30 kg semanas 0-4;<br>50 kg, semanas 4-6, então carga plena<br>Pacientes mais velhos: carga completa | Se estável: carga total, considerar a cooperação do paciente e a qualidade óssea |
| Fêmur: intertrocantérica/transtrocantérica: DHS/PFNA | Perna estendida em abdução leve (almofada entre as pernas) | Nenhum | Pacientes jovens (< 60 anos): carga parcial (toque dos dedos):<br>15 kg, semanas 0-4; 30 kg, semanas 4-6; então, carga plena quando a dor tiver desaparecido<br>Pacientes idosos (> 60 anos): carga plena | Com o implante intramedular, a carga total pode começar imediatamente |
| Fêmur, subtrocantérica: PFNA, AFN, CCD, placa com lâmina angulada | Perna estendida | Nenhum | Carga parcial:<br>15 kg semanas 0-6, 30 kg semanas 4-10<br>Pacientes idosos (> 60 anos): carga plena | |

Princípios AO do tratamento de fraturas
Volume 1

**Tabela 4.7-1 (cont.)** Diretrizes para o cuidado pós-operatório das fraturas específicas de adultos, de acordo com os princípios AO

| Tipo de fratura e fixação | Posicionamento pós-operatório | Suporte adicional do membro | Exercício, carga | Comentário |
|---|---|---|---|---|
| Fêmur, diáfise: fixação estável com haste intramedular bloqueada | Perna estendida | Nenhum | Carga parcial: 15 kg semanas 3-4. Todos os fêmures encavilhados são para carga plena. Se usada placa, carga plena com movimentos ativos do quadril e joelho. | A dinamização é raramente indicada |
| Fêmur, diáfise: fixação estável com placa | Posicionamento 90°-90° ou MPC. Nota: proteger o nervo fibular comum | Nenhum | Carga parcial: 15 kg semanas 3-6, 30 kg semanas 6-8. Carga completa: depois da semana 8. O joelho deve ser exercitado sem restrições | Considerar a cooperação do paciente e o padrão de fratura/OPMI |
| Fêmur, distal: LISS/CCD, placa angulada | Posicionamento 90°-90° (MPC). Nota: proteger o nervo fibular | Imobilizador de joelho no caso de lesões ligamentares associadas | Carga parcial: 15 kg semanas 0-6, 30 kg semanas 6-10. Carga plena: semanas 10-12. O joelho deve ser movimentado sem restrições | Situação "estável": carga plena a partir da semana 6-8 |
| Tíbia, proximal: LCP/placa em L Placa LISS | Posição elevada, MPC | (Tala dorsal ou imobilizador do joelho em extensão) | Carga parcial: 15 kg semanas 3-6, 30 kg semanas 6-10 Carga total: semanas 10-14. Após 2-3 semanas em extensão completa, a tala deve ser removida e a flexão do joelho é iniciada, mas a extensão deve ser enfatizada | Evitar descansar joelho em flexão para prevenir a perda de extensão do joelho |
| Patela: banda de tensão | Posição elevada, MPC | – | Exercícios isométricos do quadríceps imediatamente. Carga parcial com a perna completamente estendida: 30 kg semanas 0-6. Carga plena: semanas 6-8 | Flexão ativo-assistida do joelho começando imediatamente (até um máximo de 90°) |
| Tíbia, diáfise: encavilhamento intramedular | Posição elevada | Nenhum | Carga parcial: 15 kg semanas 0-2, 30 kg semanas 2-4. Carga plena: quando confortável | Prevenção do equinismo do pé |
| Tíbia, diáfise: fixação com placa LC-DCP, LCP com estabilidade absoluta | Posição elevada | Nenhum | Carga parcial: 15 kg semanas 0-6, 30 kg semanas 6-10. Carga plena: semanas 10-12 | Prevenção do equinismo do pé, cuidar os sinais clínicos e radiográficos de instabilidade |
| Tíbia, diáfise: fixação com placa LC-DCP, LCP Estabilidade relativa | Posição elevada | Nenhum | Carga parcial: 15 kg semanas 0-6, seguido por carga progressiva conforme consolidação | Prevenção do equinismo do pé, cuidar os sinais clínicos e radiográficos de instabilidade |
| Tíbia, distal, pilão: diferentes placas para pilão | Posição elevada, MPC | Tala pós-operatória para prevenir equinismo | Carga parcial (dedos do pé): 15 kg semanas 0-6, 30 kg semanas 6-12. Carga plena: semanas 12-14 | Mobilização ativo-assistida imediatamente |
| Maléolos | Posição elevada, MPC | Imobilizador pós-operatório. Lesões ligamentares associadas: gessado por 6 semanas | Carga plena imediata conforme tolerado, a menos que haja contraindicações, como diástase, diabetes, abuso de álcool ou neuropatia. | No caso do parafuso de posição, extensão dorsal e carga total devem ser restringidas até a remoção do parafuso (semanas 12-16) |
| Calcâneo | Posição elevada | Tala removível para prevenir equinismo do pé | Descarga por 6 semanas, então carga parcial por 6-10 semanas. Carga completa: depois das semanas 10-16 | Mobilização ativo-assistida imediata do tornozelo, articulação subtalar e dedos do pé. Diabéticos com neuropatia devem ser imobilizados e ter carga restringida por 8-12 semanas |

Nota: O objetivo do tratamento operatório da fratura é a restituição funcional e a mobilização ativa precoce e indolor. A cirurgia seguida por imobilização é uma combinação ruim.

Siglas: AFN, haste femoral anterógrada; CCD, cirurgia de controle de danos; DCS, parafuso dinâmico condilar; DHS, parafuso dinâmico do quadril; LC-DCP, placa de compressão dinâmica de baixo contato; LCP, placa de compressão bloqueada; LISS, sistema de estabilização menos invasivo; MPC, movimento passivo contínuo; OPMI, osteossíntese com placa minimamente invasiva; PFNA, haste femoral proximal antirrotação; PHILOS, sistema bloqueado interno da região proximal do úmero; PHN, haste umeral proximal; RAFI, redução aberta e fixação interna.

Tópicos gerais
## 4.7 Cuidados pós-operatórios: considerações gerais

Os **anti-inflamatórios não esteroides** (AINEs), mesmo administrados como dose única no pré-operatório, podem reduzir significativamente as necessidades de morfina em até 29% durante 24 horas [5]. Esse fato se traduz em uma incidência mais baixa de efeitos adversos induzidos pelos opioides, como prurido, náuseas e vômitos. Diferentemente dos opioides, que mostram seu efeito predominantemente na dor em repouso, os AINEs têm demonstrado eficácia considerável em minimizar a dor associada ao movimento, facilitando a fisioterapia pós-operatória e minimizando o prejuízo fisiológico pós-operatório [6]. A redução da necessidade de opioides pós-operatórios pode também diminuir a probabilidade de sedação e reduzir a probabilidade de depressão respiratória induzida pelo opioide. Além das doses únicas pré-operatórias, os AINEs podem também ser administrados em intervalos regulares conforme apropriado (**Tab. 4.7-3**).

Alguns dos efeitos adversos mais comuns dos AINEs incluem sangramento e úlcera gástrica, sangramento no local operatório, nefrotoxicidade, reações de hipersensibilidade broncospástica e supressão da formação de osso heterotópico. Os AINEs devem ser usados com cautela em pacientes geriátricos e evitados em pacientes com função renal alterada.

O efeito dos AINES na consolidação óssea é especialmente interessante. Embora haja evidência a partir de estudos com animais que os AINEs inibem a consolidação óssea via seu efeito anti-inflamatório [9], existe evidência crescente de que seu uso em curto prazo em humanos não afeta a consolidação de fraturas [10].

Os **inibidores da cicloxigenase (COX)-2** são bem conhecidos por sua eficácia analgésica. Seu potencial mais baixo para induzir sangramento gastrintestinal e o efeito mínimo na função das plaquetas os torna uma escolha atraente no paciente ortopédico idoso. Entretanto, a sua propensão para dano nos pacientes em risco de doença cardiovascular impede o seu uso nessa população [11].

Muitos inibidores da COX-2 foram retirados por causa de preocupações acerca de problemas cardiovasculares.

Os **fármacos neuromoduladores**, como amitriptilina, gabapentina e pregabalina, têm sido explorados por seus efeitos coanalgésicos no contexto da dor pós-operatória. Turan e colaboradores [12] verificaram que, no contexto da cirurgia de coluna vertebral, uma dose oral única de 1.200 mg de gabapentina no pré-operatório não apenas diminuiu as pontuações de dor pós-operatória inicial, mas também resultou em uma grande redução nas necessidades de morfina e uma significativa redução nos efeitos adversos relacionados aos opioides no pós-operatório. Os fármacos anticonvulsivantes mostram seus efeitos farmacológicos diversos tanto nas vias de dor ascendente quanto descendente por uma variedade de mecanismos, incluindo o bloqueio dos canais de sódio e de cálcio [13]. A dose de gabapentina para a dor crônica varia de 900-1.800 mg/dia. Esses fármacos também podem ter algum papel no manejo da dor fantasma após a amputação e, no contexto da amputação seletiva, podem ser iniciados alguns dias antes da cirurgia.

Os **antagonistas do receptor N-metil-D-aspartato**, como cetamina, magnésio e dextrometorfano, potencializam a analgesia com opioides por meio de sua modulação das vias da dor. O seu uso resulta em menor consumo de morfina e dor pós-operatória significativamente reduzida [14].

Os **analgésicos opioides** são um dos pilares do tratamento da dor pós-operatória intensa. Os opioides exercem seus efeitos analgésicos no sistema nervoso central nos receptores μ, κ e δ. Todos os analgésicos opioides puros causam sedação e depressão respiratória dose-dependente que são semelhantes em doses equianalgésicas. Esse fenômeno é exacerbado pelo uso concomitante de benzodiazepínicos, antieméticos sedativos e anti-histamínicos.

**Tabela 4.7-2** Escada Analgésica da Organização Mundial da Saúde para dor em ortopedia

| | |
|---|---|
| **Dor leve** | Paracetamol (acetaminofeno), ácido acetilsalicílico, ou outros AINEs +/- coanalgésicos† |
| **Dor moderada** | Analgésicos opioides fracos, como oxicodona, codeína, ou tramadol com paracetamol +/- AINEs +/- coanalgésicos |
| **Dor grave** | Analgésicos opioides potentes, como morfina ou hidromorfona +/- paracetamol +/ AINEs +/- coanalgésicos +/- técnicas de anestesia regional‡ |

Sigla: AINE, anti-inflamatório não esteroide.
†Coanalgésicos incluem antidepressivos, anticonvulsivantes.
‡As técnicas de anestesia regional incluem analgesia epidural, cateteres de plexo ou bloqueios nervosos com injeção única.

**Tabela 4.7-3** Dosagem dos anti-inflamatórios não esteroides [7, 8]

| Fármaco | Dose adulta | Dose pediátrica |
|---|---|---|
| **Ibuprofeno** | Oral: 200-400 mg a cada 4-6 h, máx. 3,2 g/dia | Oral: 4-10 mg/kg a cada 6-8 h até máx. de 40 mg/kg/dia |
| **Indometacina** | Oral, retal: 25-50 mg/dose, 2-3 vezes ao dia, máx. 200 mg/dia | Oral: 1-2 mg/kg/dia em 2-4 doses separadas, máx. 4 mg/kg/dia |
| **Ácido acetilsalicílico (AAS)** | Oral: 650-975 mg a cada 4-6 h, máx. 4 g/dia | Oral: 10-15 mg/kg a cada 4-6 h, máx. 60-80 mg/dia |
| **Naproxeno** | Oral: 500 mg dose inicial, então 250 mg cada 6-8 h, máx. 1.250 mg/dia | Oral: 5-7 mg/kg a cada 8-12 h, máx. 1.000 mg/dia |
| **Diclofenaco** | Oral: 50 mg, 3 vezes ao dia, máx. 200 mg/dia | Oral: 2-3 mg/kg/dia em 2-4 doses separadas |
| **Cetorolaco** | Intravenoso: 10-30 mg a cada 6 h, máx. 120 mg/dia<br>Oral: 10 mg a cada 6 h, máx. 40 mg/dia | Intravenoso: 0,5 mg/kg a cada 6 h |

A **codeína** é um analgésico opioide fraco, frequentemente usado junto com o paracetamol para o tratamento da dor leve a moderada. A codeína é um profármaco que sofre O-desmetilação hepática para morfina, que é o principal responsável por seu efeito analgésico. Aproximadamente 7-10% dos indivíduos brancos não têm a enzima citocromo CYP2D6, que é necessária para converter a codeína em morfina, e é provável que esse segmento considerável da população não terá alívio da dor com esse fármaco. Da mesma forma, em algumas populações, até 30% dos pacientes têm cópias duplicadas do gene, o que resulta em níveis séricos muito mais altos e potencialmente perigosos de morfina [15]. Por essa razão, a codeína não deve ser usada como um analgésico de primeira linha a menos que o paciente tenha uma história favorável com esse fármaco (**Tab. 4.7-4**).

A **oxicodona** e a **hidrocodona** são analgésicos opioides orais usados no tratamento da dor moderada à intensa. Diferentemente da codeína, nenhum desses fármacos precisa sofrer extenso metabolismo prévio para exercer o seu efeito analgésico. Tanto a oxicodona quanto a hidrocodona são geralmente usadas com o paracetamol para o tratamento da dor. A oxicodona, como a morfina, é geralmente usada como uma preparação de liberação lenta para administração espaçada.

A **morfina** é a substância pela qual os outros opioides são comparados. Ela penetra a barreira hematencefálica com dificuldade, de forma que o pico dos efeitos analgésicos não ocorre antes de 15-30 minutos depois da injeção intravenosa. É conjugada no fígado e tem excreção renal como morfina-6-glicuronídeo. A morfina deve ser evitada em pacientes com insuficiência renal, porque esse metabólito pode se acumular e causar depressão respiratória.

A **meperidina** é um opioide sintético com aproximadamente um décimo da potência da morfina. Seu início é significativamente mais rápido que o da morfina e exerce um efeito potente no receptor κ, que a torna útil em doses baixas para tratar o tremor. Sua principal desvantagem, contudo, é o metabolismo hepático em normeperidina, que pode induzir convulsões. Por essa razão, muitas instituições desencorajam o seu uso e limitam a sua dosagem a 10 mg/kg/dia. A normeperidina tem excreção renal, tornando a meperidina uma escolha inadequada para pacientes com história de convulsões epilépticas ou insuficiência renal.

A **hidromorfona** é 6-7 vezes mais potente que a morfina e está indicada para a dor moderada a grave. Tem um início ligeiramente mais rápido que a morfina e, como ela, sofre glicuronidação no fígado. Diferentemente da morfina e da meperidina, contudo, ela é relativamente destituída de metabólitos tóxicos que dependem da excreção renal, tornando-a uma substância mais apropriada em pacientes com insuficiência renal.

A **fentanila** é um analgésico opioide sintético com aproximadamente 100 vezes a potência da morfina. Também está indicada no tratamento da dor moderada a grave. O início de ação é menor que 30 segundos, com pico de efeito em 2-3 minutos quando administrada por via intravenosa. Tem duração de ação relativamente curta. Como a hidromorfona, sua falta de metabólitos tóxicos a torna uma substância apropriada para os pacientes com insuficiência renal. Entretanto, sua curta duração de ação torna mais difícil manter um estado equilibrado de analgesia nos pacientes que usam a fentanila via analgesia controlada pelo paciente (ACP).

O medo de causar dependência tem tradicionalmente sido uma das principais razões para que os médicos evitem prescrever analgésicos opioides e, em 2015, as superdosagens atribuídas aos analgésicos opioides superaram o número de mortes por trauma nos Estados Unidos [16].

> A incidência de adição pela prescrição adequada de opioides para o tratamento da dor é notavelmente baixa, provavelmente muito mais baixa que a incidência de efeitos colaterais cardiopulmonares desfavoráveis quando a dor não estiver adequadamente tratada. Entretanto, os cirurgiões também devem estar cientes do período de recuperação natural após o trauma, e a prescrição prolongada e ambulatorial de opioides (por mais de 3-4 semanas), durante o período de recuperação, deve ser desencorajada e é raramente necessária para tratar a dor do trauma agudo.

Outra razão comum para a pouca prescrição dos analgésicos opioides é o medo de induzir depressão respiratória. Esse risco pode ser minimizado ou evitado usando a ACP para administrar os opioides, em vez de injeções intramusculares ou intravenosas. Quando a ACP é comparada com a administração intramuscular de opioides, a ACP provê melhor analgesia com menos complicações pulmonares e cognitivas [17]. Doses menores e mais frequentes de ACP resultarão em níveis séricos mais consistentes, com menos oscilações e picos nos níveis do fármaco. Outro ponto

**Tabela 4.7-4**  Analgésicos opioides [8]

| Fármaco | Dose adulta parenteral equianalgésica (mg) | Dose adulta oral equianalgésica (mg) | Duração da ação (h) |
|---|---|---|---|
| Codeína | 120 | 200 | 3-4 |
| Oxicodona | 5-10 | 30 | 2-4 |
| Hidrocodona | – | 5-10 | 2-4 |
| Morfina | 10 | 30-60* | 3-4 |
| Meperidina | 100 | 300 | 2-3 |
| Hidromorfona | 1,5 | 6 | 2-4 |
| Fentanila | 0,1 | – | 0,5 |

*60 mg de morfina para administração aguda, 30 mg para administração crônica devido ao acúmulo de metabólitos.

Tópicos gerais
## 4.7 Cuidados pós-operatórios: considerações gerais

importante para evitar a supersedação nesses pacientes inclui minimizar o uso de medicamentos sedativos desnecessários. Os benzodiazepínicos ou sedativos não devem ser desnecessariamente usados e, se o forem, somente em doses baixas. O consumo de opioides é maior durante as primeiras 24 horas, e os pacientes requerem monitoração mais atenta durante esse tempo. Em muitas instituições, os pacientes geralmente recebem oxigênio administrado por cateter nasal quando a terapia com ACP é iniciada.

### 2.1.2 Bloqueios nervosos

Sem dúvida, a analgesia mais profunda será obtida via bloqueio neural, seja por técnica neuroaxial ou periférica. Com os anestésicos locais de longa duração, pode-se esperar que os efeitos analgésicos de um bloqueio de nervo durem entre 18 e 24 horas (após uma injeção única), ou por vários dias, se for escolhida uma técnica de cateter.

Existem muitos estudos confirmando as vantagens analgésicas do bloqueio neural sobre a anestesia geral, especialmente em pacientes com significativa morbidade cardíaca e pulmonar [18]. Para os pacientes com doença cardíaca ou pulmonar relevante, o desafio pode não ser o anestésico, mas os efeitos adversos debilitantes dos analgésicos opioides pós-operatórios. Esses pacientes podem ter maior benefício da anestesia regional, seja ela por uma injeção única ou por uma técnica com cateter. A anestesia regional, contudo, também tem as suas desvantagens, e a síndrome compartimental é um problema potencial [19] (ver Cap. 1.5). Um dos sinais mais precoces é a dor desproporcional ao grau da lesão, acompanhada por dor com movimento passivo ou sinais neurológicos, como formigamentos e parestesias. O bloqueio neural pode retardar o diagnóstico mascarando esses sinais e sintomas. Se o uso de anestesia regional não puder ser evitado em pacientes com risco de síndrome compartimental, talvez então a concentração de anestésico local da infusão pós-operatória deve ser baixada e o paciente deve ser monitorado com vigilância extra para o desenvolvimento dessa síndrome. O uso de monitoração da pressão compartimental também pode ser considerado. Em pacientes idosos com fratura de quadril, o bloqueio do nervo femoral tem demonstrado boa analgesia e redução significativa do uso de opioides e complicações pulmonares associadas.

### 2.2 Curativos

Para que as feridas cirúrgicas sequem tão rápido quanto possível, elas são cobertas na sala de cirurgia com gaze estéril e absorvente, que permite a circulação de ar, ou com curativo hidrofílico composto. Se usada, a drenagem por sucção fica por mais ou menos 24 horas se houver quantidades habituais de exsudação. Para quantidades maiores, como em fraturas pélvicas ou do quadril, 48 horas podem ser necessárias. As fraturas articulares são um caso especial, e devem ser drenadas por não mais de 8-12 horas.

Além desses períodos de tempo, o risco de infecção fica aumentado. Se as feridas tiverem sangrado muito, a primeira troca de curativos ocorre em 24 horas depois da cirurgia; caso contrário, o curativo pode permanecer por 48 horas, e os curativos hidrofílicos podem ficar ainda mais tempo. Depois disso, os curativos são mudados diariamente para prevenir a formação de um ambiente úmido. Tais trocas são efetuadas sob rígidas condições higiênicas. As soluções de clorexidina alcoólica são recomentadas para a desinfecção cutânea. Assim que o sangramento ou a secreção cessarem, a ferida é deixada descoberta. Mesmo com os pontos de sutura, o paciente pode tomar banho ou efetuar hidroterapia se a ferida for temporariamente protegida com um curativo selante. As feridas abertas devem ser cobertas com um curativo oclusivo (possivelmente incluindo pérolas de antibióticos para produzir uma bolsa antibiótica) e não serem perturbadas para reduzir o risco de infecção nosocomial até que o paciente retorne à sala de cirurgia. Alternativamente, um curativo de pressão negativa pode ser usado (ver Cap. 4.3).

Um avanço recente é o uso de curativos de pressão negativa para o tratamento das feridas fechadas. A experiência clínica inicial é boa, e esses novos curativos estão atualmente sendo avaliados por ensaios controlados randomizados prospectivos.

### 2.3 Elevação e suporte do membro ferido

Muitos cirurgiões têm os seus próprios regimes de preferência, mas as diretrizes mostradas na **Tabela 4.7-1** são amplamente aplicáveis.

> Imediatamente após a operação, a extremidade tratada é posicionada no nível do coração para minimizar o edema e manter a perfusão.

Seguindo-se à osteossíntese da extremidade superior, o membro é colocado sobre uma almofada. A flexão do cotovelo não deve exceder 75 graus. Depois de qualquer procedimento, a pressão por má posição e a deformidade devem ser prevenidas. O epicôndilo medial do cotovelo (nervo ulnar) e a cabeça da fíbula (nervo fibular comum) devem estar bem protegidos. As talas removíveis ou imobilizadores, se usados, não devem levar à má posição e nem inibir a mobilização pós-operatória precoce e a fisioterapia. As imobilizações do antebraço e da mão são colocadas na posição de segurança para prevenir contratura dos músculos e articulações da mão (ver Cap. 6.3.4).

Nas fraturas perto do quadril, a extremidade afetada é colocada em abdução moderada e mantida naquela posição entre almofadas ou em uma tala acolchoada. Em fraturas da diáfise média e distal do fêmur, a perna é suportada com a articulação do joelho em 30 graus de flexão (**Fig. 4.7-2**). Em todos os pacientes com fraturas de membro inferior, é essencial prevenir a deformidade em equino do tornozelo e do pé pelo uso de talas apropriadas.

A redução do edema pode ser reforçada com refrigeração (gelo). Os dispositivos de compressão do pé também são efetivos para reduzir o edema da perna. Em pacientes com uma propensão para o equinismo do pé, uma tala é adaptada para se ajustar ao membro. Os imobilizadores com dobradiças que permitem uma mobilidade limitada são úteis tanto para a mobilização gradual, depois de uma fratura articular, como no caso de haver lesões ligamentares associadas.

A combinação de cirurgia e imobilização demorada subsequente é inapropriada devido ao aumento das taxas de complicações associadas.

As talas externas somente devem ser usadas para prevenir má posição ou lesão adicional, bem como para assegurar a cicatrização de partes moles.

### 2.4 Edema, mobilização e profilaxia da trombose

A mobilização precoce é importante para reduzir o risco de trombose. A profilaxia contra a trombose pode ser usada conforme descrito no Capítulo 4.6. As fraturas articulares requerem mobilização precoce e uma máquina de movimento passivo contínuo pode ser aplicada assim que a condição da ferida permitir (**Fig. 4.7-2**). Isso pode ser particularmente útil nos pacientes incapazes de mobilizar ativamente a articulação. Os pacientes operados na extremidade superior devem levantar no dia de sua cirurgia. Se a extremidade inferior tiver sido operada, a deambulação é minimizada até que o edema de partes moles tenha desaparecido e a ferida não demonstre nenhum sinal de inflamação (**Vídeos 4.7-1-2**). A condição de carga do membro dependerá do seguinte:

- Personalidade da lesão
- Função dos implantes usados
- Lesões coexistentes
- Morbidade e debilidade pré-operatórias
- Adesão do paciente

Embora as diretrizes sejam úteis, a decisão final é do cirurgião, que deve estar na posição de saber o quão confiável está a fixação. Deve-se tomar cuidado para não permitir que a mobilização precoce interfira com a cicatrização da ferida.

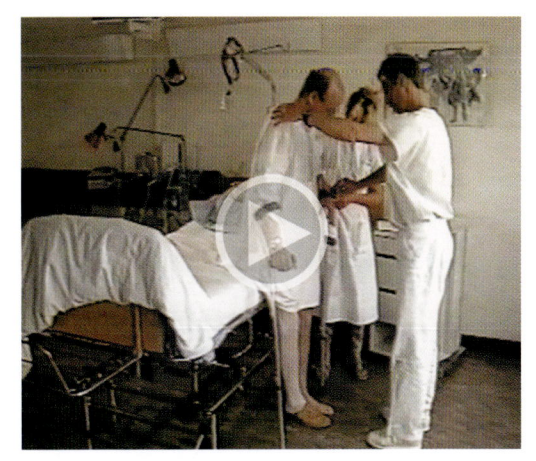

**Vídeo 4.7-1** A mobilização precoce do leito com fisioterapia é essencial após a cirurgia da fratura.

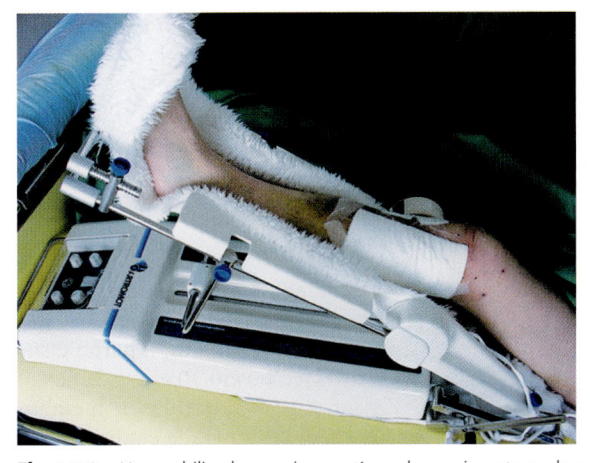

**Fig. 4.7-2** Um mobilizador passivo contínuo do movimento pode ser usado em fraturas articulares.

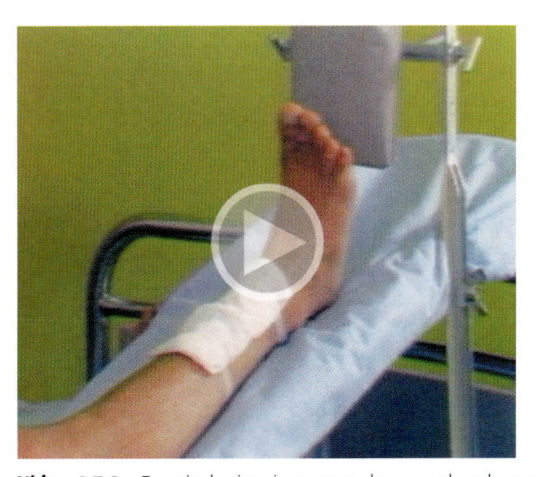

**Vídeo 4.7-2** Depois da cirurgia, a perna deve ser elevada, e a mobilização ativa das articulações, encorajada.

Tópicos gerais
4.7 Cuidados pós-operatórios: considerações gerais

## 2.5 Antibióticos

O uso de antibióticos para profilaxia e tratamento das feridas contaminadas foi discutido no Capítulo 4.5.

## 2.6 Atividade e carga

A fisioterapia pós-operatória começa no primeiro dia pós-operatório. Em lesões de ossos longos, as articulações vizinhas começam o movimento ativo e ativo-assistido (**Vídeo 4.7-3**). O movimento passivo contínuo também pode ser usado. A princípio, a carga (até 15-20 kg) deve ocorrer com a ajuda de muletas e andadores, e somente sob a supervisão de pessoas treinadas. O retardo prolongado na carga pode causar osteopenia e rigidez articular. O treinamento para subir degraus (**Vídeo 4.7-4**) com bengalas é particularmente difícil para os pacientes e deve ser cuidadosamente supervisionado. A hidroterapia é um meio importante para fornecer mobilização sem peso e sem dor em pacientes com fraturas da coluna vertebral, ombro, pelve e quadril; também ajuda a recuperar a confiança.

## 2.7 Avaliação radiográfica

Durante a cirurgia, as radiografias são feitas em pelo menos dois planos. Muitos pacientes requerem radiografias pós-operatórias formais, já que o intensificador de imagem fornece imagens de um campo estreito e de qualidade inferior. Elas servem para documentar a redução e a fixação da fratura, para registrar a orientação dos implantes, e para prover uma base para a avaliação de como a consolidação da fratura está progredindo.

## 2.8 Comunicação

Ao longo dessa primeira fase, o paciente e os familiares devem ser regular e amplamente informados sobre o estado clínico, a velocidade da progressão e sobre o que deve ser esperado durante o esquema de recuperação. As expectativas do paciente e da família devem ser averiguadas e as pessoas envolvidas devem ser apropriadamente orientadas para uma compreensão da situação real. Todos os serviços relevantes de apoio devem ser envolvidos em um estágio precoce.

Os seguintes pontos devem ser estabelecidos entre o paciente e a equipe:

- A ferida está cicatrizando sem complicações e a dor está controlada.
- Radiografias intraoperatórias foram obtidas.
- Foram dadas as instruções para deambulação com muletas (incluindo degraus) e para a mobilização adicional (**Vídeo 4.7-5**).
- Foram fornecidas informações sobre sinais e sintomas de possíveis complicações.
- Foram dadas instruções aos provedores de cuidados sobre o tratamento e o seguimento pós-operatórios.

Além disso, os pacientes também acham útil ter estimativas das seguintes situações, para auxiliar na organização da sua vida:

- Data da alta hospitalar
- Tempo para retorno da deambulação sem muletas
- Tempo para retorno a dirigir
- Retorno ao trabalho ou à escola

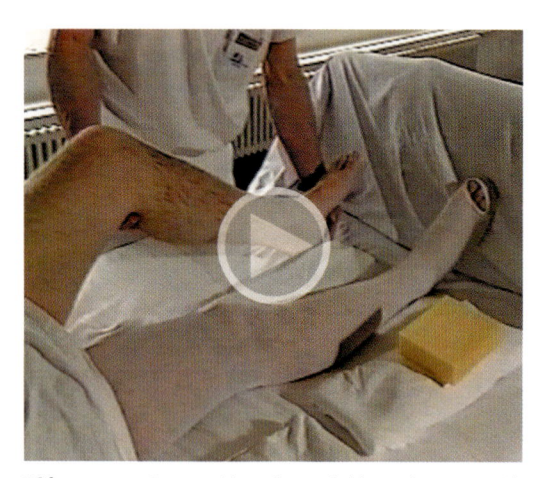

**Vídeo 4.7-3** Os exercícios ativo-assistidos reduzem a rigidez articular e ajudam a iniciar a reabilitação muscular.

**Vídeo 4.7-4** Os pacientes idosos devem receber instruções para atividades como subir/descer escadas antes da alta hospitalar.

## 3 Segunda fase do cuidado pós-operatório da fratura

### 3.1 Cuidado clínico fora do hospital

O cirurgião deve garantir que ocorra um acompanhamento competente depois da alta hospitalar. O paciente deve receber informação suficiente para poder ser capaz de decidir e executar os próximos passos da sua reabilitação. O médico do acompanhamento deve estar ciente das irregularidades no processo de cicatrização e prevenir que elas se tornem complicações sérias. A primeira consulta pós-operatória normalmente ocorre ao redor de 14 dias depois da cirurgia, convenientemente na hora da remoção dos pontos de sutura. O trabalho sedentário pode ser retomado em 2 semanas depois da cirurgia, desde que as restrições relacionadas à lesão sejam seguidas. Um pré-requisito é que os arranjos adequados para o transporte possam ser feitos.

### 3.2 Síndrome da dor regional complexa

O IASP introduziu uma nova taxonomia em 1994 para descrever mais precisamente as síndromes dolorosas da distrofia simpaticorreflexa (SDRC I) e causalgia (SDRC II). A razão para essas alterações na taxonomia foi para evitar os termos que implicassem em uma fisiopatologia que ainda não tinha sido elucidada [20]. Esses critérios foram revisados em um consenso de especialistas em 2003, tornando-se o que é conhecido como "Critérios de Budapeste" para a SDRC. Esses novos critérios diagnósticos têm a vantagem de uma especificidade diagnóstica muito maior [21].

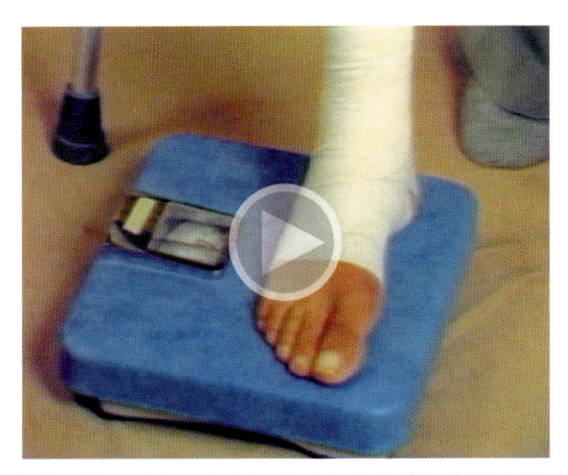

**Vídeo 4.7-5** Os pacientes podem ser instruídos a fazer carga parcial usando uma balança.

A SDRC I e a SDRC II são síndromes de dor neuropática associadas a distúrbios sudomotores e vasomotores. As duas síndromes dolorosas têm sintomas similares, sendo a diferença a presença de uma lesão nervosa identificável associada com a SDRC II.

Não há nenhum teste específico para o diagnóstico dessas condições. O diagnóstico depende dos achados clínicos e da exclusão de outras condições que poderiam responder pela manifestação clínica.

Os critérios diagnósticos de Budapeste para SDRC aprovados pela IASP [21] requerem a adesão a todos os seguintes quatro pontos. Existem duas versões dos critérios diagnósticos. Para propósitos clínicos, existe um diagnóstico positivo se (sob a categoria 3) mais de duas categorias forem cumpridas. Para propósitos de pesquisa, três ou mais categorias devem ser preenchidas.

Critérios diagnósticos de Budapeste para SDRC [21]:

- Dor continuada que é desproporcional a qualquer evento incitante.
- Deve haver pelo menos 1 sintoma em 3 das 4 categorias seguintes:
    - **Sensitivo**: relatos de hiperestesia e/ou alodinia
    - **Vasomotor**: relatos de assimetria da temperatura e/ou alterações de coloração da pele e/ou assimetria na coloração da pele
    - **Sudomotor/edema**: relatos de edema e/ou alterações na sudorese e/ou assimetria na sudorese
    - **Motor/trofismo**: relatos de amplitude de movimento diminuída e/ou disfunção motora (fraqueza, tremor, distonia) e/ou alterações tróficas (pelo, unha, pele)
- Deve exibir pelo menos 1 sinal na hora da avaliação em 2 (clínica) ou 3 ou mais (científica) das seguintes categorias:
    - **Sensitivo**: evidência de hiperalgesia (à agulha) ou alodinia (leve toque e/ou pressão somática profunda e/ou movimento articular)
    - **Vasomotor**: evidência de assimetria da temperatura e/ou alterações e/ou assimetria na coloração da pele
    - **Sudomotor/edema**: evidência de edema e/ou alterações na sudorese e/ou assimetria na sudorese
    - **Motor/trofismo**: evidência de diminuição na amplitude de movimento e/ou disfunção motora (fraqueza, tremor, distonia) e/ou alterações tróficas (pelo, unha, pele)
- Não há nenhum diagnóstico que melhor explique os sinais e sintomas.

Tópicos gerais
## 4.7 Cuidados pós-operatórios: considerações gerais

A dor que parece desproporcional ou fora do comum é a característica mais consistente da SDRC. Em um estudo [22], a dor intensa (mais de 5/10) persistindo por 1 semana depois da fratura de punho era altamente preditiva (46%) para desenvolver SDRC, *versus* 3,8% dos pacientes que não experimentaram dor intensa depois de uma fratura de punho.

Embora os testes diagnósticos possam, às vezes, ser úteis no diagnóstico de SDRC, deve ser enfatizado que esse diagnóstico é totalmente clínico. Deve haver sinais clínicos objetivos (não apenas o relato subjetivo de dor), mas o diagnóstico não depende da presença ou ausência de um achado laboratorial ou radiográfico positivo.

As radiografias simples podem demonstrar afilamento cortical e osteopenia secundária ao aumento da atividade osteoclástica. Essas características têm predominância periarticular e são mais pronunciadas do que seria esperado somente com desuso. Com progressão da doença, a osteopenia tem um aspecto vitrificado (**Fig. 4.7-3**).

Embora a etiologia precisa das alterações envolvendo os sistemas nervosos periférico e central não tenha sido elucidada, a nossa compreensão do papel do sistema nervoso simpático na SDRC continua a evoluir. A fisiopatologia pode diferir entre pacientes e até em um único paciente com o passar do tempo [23]. Os vários mecanismos podem incluir inflamação, estresse oxidativo e/ou perturbações do sistema nervoso simpático.

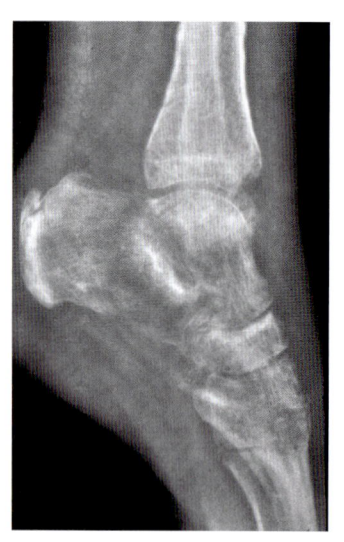

**Fig. 4.7-3** Pé em equino e distrofia óssea intensa devido à síndrome da dor regional complexa após fratura do maléolo.

A maioria dos autores enfatiza uma abordagem multidisciplinar para o tratamento da SDRC com analgesia, exercícios, reabilitação e restauração funcional como os suportes principais [24].

O tratamento bem-sucedido da SDRC requer o diagnóstico precoce e tratamento apropriado da dor para ajudar o paciente a progredir e alcançar as metas de exercícios e fisioterapia, junto com o suporte psicológico.

Se o paciente não progredir de forma adequada (i.e., 2 semanas), então o uso adicional das estratégias de tratamento da dor e a intervenção psicológica são empregados para ajudar na sua progressão [20]. Deve haver um regime apropriado de analgesia, geralmente envolvendo medicação regular com doses aumentadas no momento da fisioterapia, de forma que o paciente será capaz de tolerar modalidades terapêuticas como dessensibilização, exercícios isométricos, amplitude de movimentos contra a resistência e, por fim, carga [20]. Os exercícios de amplitude passiva de movimento são contraindicados, porque podem ter o efeito prejudicial de ativar os mecanorreceptores tipos I e II das fibras grandes α-β. Mesmo com analgesia apropriada e terapia psicológica, é comum que os pacientes notem um aumento temporário na dor e no edema no início da fisioterapia. Eles devem ser advertidos sobre isso e tranquilizados a respeito de que isso é normal.

É recomendado que pacientes que experimentam sintomas significativos de SDRC por mais de 6-8 semanas sejam submetidos a uma avaliação psicológica [20]. Ao desenvolver habilidades de superação via terapia cognitivo-comportamental e utilizando técnicas de relaxamento, como *biofeedback*, os pacientes ajudam a facilitar o tratamento da dor e, por fim, sua fisioterapia.

A meta primária do tratamento da dor na SDRC é facilitar a fisioterapia porque, em última instância, é ela a responsável pela melhoria na condição do paciente. O tratamento da dor na SDRC procede agressivamente, passo a passo. A farmacoterapia é iniciada objetivando os sintomas do paciente. Os bifosfonatos podem reduzir a intensidade da dor e a perda óssea nos pacientes com SDRC [25]. A dor neuropática é uma característica comum da SDRC, e os antidepressivos tricíclicos, como a amitriptilina, são frequentemente iniciados junto com um medicamento anticonvulsivante, como a gabapentina ou a pregabalina. Os antidepressivos facilitam a neurotransmissão de catecolaminas no sistema nervoso central, o que causa hiperpolarização dos neurônios do corno dorsal e um efeito antinociceptivo [26].

Outros medicamentos bastante usados incluem AINEs e opioides orais. Os opioides orais podem inicialmente ser dados como compostos de ação mais curta – por exemplo oxicodona combinada com paracetamol. Eles são particularmente úteis se tomados 30 minutos antes da fisioterapia. Se a tolerância se desenvolver ou se a dor não for administrada com a dosagem intermitente, então são adicionadas as preparações de opioides de liberação prolongada. Se o paciente não estiver mais progredindo na fisioterapia com a ajuda do medicamento oral, então ele deve receber um tratamento mais agressivo, como os bloqueios de nervo simpático ou somático [20]. Os pacientes com dor simpática mantida devem receber um bloqueio de nervo simpático e, se responderem bem ao bloqueio, então um curso de 3-6 bloqueios simpáticos junto com fisioterapia pode ajudar a alcançar a remissão [20]. Se o paciente não responder bem ao bloqueio simpático, então um bloqueio de nervo somático ou um cateter epidural tunelizado pode ser indicado para fornecer a analgesia ideal para fisioterapia.

Se o paciente ainda for incapaz de progredir, devem-se considerar técnicas mais invasivas. A neuromodulação, sob a forma de estimulação da medula espinal para SDRC I e II ou estimulação de nervo periférico para SDRC II podem ser indicadas se o paciente responder apenas parcialmente aos bloqueios de nervos simpáticos ou somáticos [20]. As bombas intratecais podem ser usadas para oferecer anestésicos locais, opioides ou baclofeno em pacientes em que a neuromodulação tenha falhado [20], ou que tenham distonia ou alguma doença há muito existente.

> A SDRC permanece uma doença potencialmente devastadora e de etiologia obscura. O diagnóstico precoce é essencial, com fisioterapia imediata e um regime analgésico apropriado. Isso oferece a maior chance de bom desfecho. Esse tratamento pode ser iniciado pelo ortopedista e, com intervenção precoce, muitos pacientes não precisam ser encaminhados a um especialista em dor.

A falha, pelos médicos, em considerar o diagnóstico precocemente pode resultar em desfecho desfavorável. Não importa se o paciente se apresentar com SDRC de quadro leve ou fulminante, lembre-se que a facilitação da fisioterapia é a meta primária do manejo da dor e reavaliação frequente do progresso do paciente na terapia é crucial para minimizar a progressão da doença.

### 3.3 Monitoração clínica e radiográfica

A frequência e o momento das visitas de acompanhamento ao médico são principalmente o objeto de um acordo local, mas certas características são sempre essenciais.

Durante as visitas periódicas para monitoração, atenção especial deve ser dada a perguntas específicas relativas às atividades rotineiras do paciente, como banhar-se, sentar, levantar, trabalho e esportes. Elas podem ser altamente relevantes à vida pessoal e profissional do paciente. Quanto mais cedo os problemas nessas áreas forem resolvidos, mais cedo o paciente poderá ser novamente assimilado ao seu ambiente familiar. Com uma boa comunicação entre o paciente e o médico nessa fase de tratamento da fratura, as condições são ideais para retornar ao trabalho, aos estudos e aos esportes. Aumento da vermelhidão, edema ou sensibilidade local, parada ou reversão do progresso ou a redução da mobilidade associada a dor são as características clínicas a serem consideradas como sinais de alerta de possível SDRC, infecção profunda ou não união. A dificuldade causada por atividades que os pacientes previamente estavam confortáveis (p. ex., carga) é um guia valioso. A dor com carga sugere que a fratura ainda esteja se movendo.

A monitoração radiográfica em intervalos de 4-6 semanas deve incluir as incidências de comprimento completo em dois planos; em casos especiais, podem ser necessárias incidências adicionais. Para fraturas que envolvem uma superfície articular, as incidências tangenciais podem ser essenciais na avaliação da congruência articular. Nas fraturas dos ossos longos, as articulações vizinhas devem ser incluídas na radiografia, que geralmente requer o uso de um filme adequadamente longo. Na presença de material de síntese, a consolidação da fratura pode às vezes ser difícil de avaliar nas radiografias simples, e a tomografia computadorizada pode ser útil. A avaliação das radiografias pós-operatórias deve ser feita com base no tipo de consolidação esperada (primária ou secundária). O cirurgião deve comparar as radiografias prévias e olhar para os dois fatores fundamentais: o implante e a fratura. A avaliação do implante deve incluir posição, deslocamento, inclinação, afrouxamento ou quebra. A osteólise ao redor dos parafusos é um sinal precoce importante de afrouxamento do implante. A avaliação da fratura deve incluir alinhamento, deslocamento de fragmentos, linha de fratura e calo de aproximação.

> Se a consolidação óssea primária for antecipada, o aparecimento de um calo de irritação ou um alargamento da linha de fratura podem apontar para um problema iminente e demandar a modificação do regime de tratamento.

> Com a consolidação óssea secundária, o desenvolvimento oportuno de um calo circundando o local da fratura e um calo em maturação contínua são sinais encorajadores.

Deve haver muita atenção para um desvio secundário, afrouxamento do implante, reabsorção óssea ou falha e desvio secundário.

Tópicos gerais
## 4.7 Cuidados pós-operatórios: considerações gerais

> O cirurgião deve sempre ter certeza de que a consolidação esteja progredindo em uma velocidade apropriada para a situação clínica em particular e estar preparado para atuar se isso não estiver ocorrendo. O enxerto ósseo precoce (6-12 semanas) em fraturas difíceis previne muitas falhas de consolidação.

Com base em achados clínicos e radiográficos positivos, a carga pode ser gradualmente aumentada. Quando as articulações estiverem envolvidas, uma decisão simultânea é feita com relação à liberdade permissível de movimento.

### 3.4 Remoção precoce dos implantes

Os implantes que puderem ser removidos para permitir a mobilização completa (como fios de Kirschner percutâneos, parafusos de posição, placa na clavícula ou fixadores externos) podem ser parcial ou completamente removidos depois de 12 semanas. Isso pode permitir a amplitude de movimento ou a carga plena, por exemplo, após a remoção de um parafuso de posição de uma fratura maleolar do tipo C.

## 4 Terceira fase – conclusão do cuidado pós-operatório da fratura

O tratamento da fratura estará completo quando o paciente recuperar a capacidade total para as atividades normais da vida diária, trabalho e esportes (se apropriado). Essa fase pode levar muitos meses e exigir consultas com o cirurgião, mas é importante para o bem-estar continuado do paciente, com encorajamento e tranquilidade para um desfecho satisfatório.

## 5 Remoção do implante

A remoção do implante, para muitos pacientes, representa o verdadeiro término do tratamento da fratura. Em um estágio inicial depois da cirurgia, o paciente deve receber um esboço claro da opinião do cirurgião sobre a remoção dos implantes. Embora dando a devida atenção para os próprios desejos do paciente, a despesa, a utilidade e os riscos da remoção do implante devem ser considerados e comunicados. Antes da remoção do implante, radiografias adicionais devem ser obtidas para:

- Confirmar que a consolidação da fratura está completa, especialmente com a consolidação óssea primária.
- Avaliar o tipo, a condição e a localização dos implantes.
- Garantir a disponibilidade de um equipamento adequado e de boa qualidade para a remoção do implante.

Existem várias indicações para a remoção do implante. A remoção precoce pode ser necessária para implantes como os parafusos de posição. A remoção tardia do implante é mais comum em pacientes jovens e sobre proeminências ósseas sob a pele, como o olécrano, patela e maléolos. Na extremidade superior, a remoção do implante em geral não é necessária nem recomendada. A principal indicação para a remoção do material de síntese é a irritação de partes moles ou dor relacionadas ao implante. As reações alérgicas do tipo hipersensibilidade podem ocorrer, mas são muito raras com implantes de aço inoxidável e praticamente desconhecidas com os implantes feitos de titânio puro (ver Cap. 1.3). Os fixadores externos e fios de Kirschner são sempre removidos de forma completa devido ao perigo de deslocamento ou migração secundária e infecção no trajeto do fio.

Quando uma cirurgia adicional for indicada (p. ex., artrólise, tenólise, neurólise, revisão da cicatriz), os implantes podem ser removidos ao mesmo tempo se a consolidação da fratura estiver completa.

Os implantes são geralmente mantidos nos pacientes idosos para prevenir refratura na área previamente fixada. Os riscos e os benefícios da remoção devem ser cuidadosamente estimados nos pacientes com uma saúde geral ruim, deficiências imunes (p. ex., HIV, hepatite, tuberculose) ou distúrbios circulatórios locais (p. ex., diabetes melito, doença arterial periférica). Os implantes em áreas com um risco mais alto de dano iatrogênico a um nervo ou vaso (p. ex., antebraço, úmero, pelve) são deixados no lugar.

Quando a remoção do implante for indicada, o momento é determinado pelo local da fratura e pelo tipo dos implantes empregados. Os implantes são geralmente deixados por pelo menos 1-2 anos (especialmente em superfícies de tensão, como a patela ou trocanter maior) enquanto o progresso de consolidação da fratura é monitorado. As radiografias devem mostrar consolidação completa da fratura [27]. Os pacientes devem ser sempre advertidos do pequeno risco de infecção, refratura e lesão de nervo local. Os implantes de titânio podem ser difíceis de remover por causa do crescimento ósseo circundante e um plano pré-operatório cuidadoso e o inventário completo dos instrumentos prevenirão a falha intraoperatória na remoção do material de síntese. Depois da remoção e da cicatrização apropriada de partes moles, a função e a carga completa podem ser retomadas dentro de alguns dias.

Depois da remoção de placas grandes, os esportes de contato e o trabalho físico pesado devem ser adiados por pelo menos 2-4 meses. Depois disso, e possivelmente depois de outra radiografia, a consolidação da fratura pode ser considerada completa.

## 6  Referências

1. **Mersky H, Bogduk N.** *Classification of Chronic Pain: Description of Chronic Pain Syndromes and Definitions of Pain Terms*. 2nd ed. Seattle: IASP Press; 1994.
2. **Smith AB, Ravikumar TS, Kamin M, et al.** Combination tramadol plus acetaminophen for postsurgical pain. *Am J Surg*. 2004 Apr;187(4):521–527.
3. **Schecter WP, Bongard FS, Gainor BJ, et al.** Pain control in outpatient surgery. *J Am Coll Surg*. 2002 Jul;195(1):95–104.
4. **Chen AF, Landy DC, Kumetz E, et al.** Prediction of postoperative pain after Mohs micrographic surgery with 2 validated pain anxiety scales. *Dermatol Surg*. 2015 Jan;41(1):40–47.
5. **Alexander R, El-Moalem HE, Gan TJ.** Comparison of the morphine-sparing effects of diclofenac sodium and ketorolac tromethamine after major orthopedic surgery. *J Clin Anesth*. 2002 May;14(3):187–192.
6. **Gilron I, Tod D, Goldstein DH, et al.** The relationship between movementevoked versus spontaneous pain and peak expiratory flow after abdominal hysterectomy. *Anesth Analg*. 2002 Dec;95(6):1702–1707.
7. **Redmond M, Florence B, Glass PS.** Effective analgesic modalities for ambulatory patients. *Anesthesiol Clin North America*. 2003 Jun;21(2):329–346.
8. **Repchinsky C, Welbanks L, Bisson R.** *Compendium of Pharmaceuticals and Specialties*. Ottawa: Canadian Pharmacists Association; 2004.
9. **Gajraj NM.** The effect of cyclooxygenase-2 inhibitors on bone healing. *Reg Anesth Pain Med*. 2003 Sep-Oct;28(5):456–465.
10. **Kurmis AP, Kurmis TP, O'Brien JX, et al.** The effect of nonsteroidal antiinflammatory drug administration on acute phase fracture-healing: a review. *J Bone Joint Surg Am*. 2012 May;94(9):815–823.
11. **Langford RM, Mehta V.** Selective cyclooxygenase inhibition: its role in pain and anesthesia. *Biomed Pharmacother*. 2006 Aug;60(7):323–328.
12. **Turan A, Karamanlioglu B, Memis D, et al.** Analgesic effects of gabapentin after spinal surgery. *Anesthesiology*. 2004 Apr;100(4):935–938.
13. **Tremont-Lukats IW, Megeff C, Backonja MM.** Anticonvulsants for neuropathic pain syndromes: mechanisms of action and place in therapy. *Drugs*. 2000 Nov;60(5):1029–1052.
14. **Parvizi J, Miller A, Gandhi K.** Multimodal pain management after total joint arthroplasty. *J Bone Joint Surg Am*. 2011 Jun;93(11):1075–1084.
15. **Kirchheiner J, Schmidt H, Tzvetkov M, et al.** Pharmacokinetics of codeine and its metabolite morphine in ultra-rapid metabolizers due to CYP2D6 duplication. *Pharmacogenomics J*. 2007 Aug;7(4):257–265.
16. **Dart RC, Surratt HL, Cicero TJ, et al.** Trends in opioid analgesic abuse and mortality in the United States. *N Engl J Med*. 2015 Jan 15;372(3):241–248.
17. **Egbert AM, Parks LH, Short LM, et al.** Randomized trial of postoperative patient-controlled analgesia vs intramuscular narcotics in frail elderly men. *Arch Intern Med*. 1990 Sep;150(9):1897–1903.
18. **Hu S, Zhang ZY, Hua YQ, et al.** A Comparison of regional and general anesthesia for total replacement of the hip or knee: a meta-analysis. *J Bone Joint Surg Br*. 2009 Jul;91(7):935–942.
19. **Rosenberg AD, Bernstein RL.** Perioperative anesthetic management of orthopedic injuries. *Anesthesiol Clin North Am*. 1999;17(1)171–182.
20. **Stanton-Hicks MD, Rezai AR, Burton AW, et al.** An updated interdisciplinary clinical pathway for CRPS: report of an expert panel. *Pain Practice*. 2002;2(1).
21. **Harden RN, Bruehl S, Perez RS, et al.** Validation of proposed diagnostic criteria (the "Budapest Criteria) for complex regional pain syndrome. *Pain*. 2010 Aug;150(2):268–274.
22. **Mosely GL, Herbert RD, Parsons T, et al.** Intense pain soon after wrist fracture strongly predicts who will develop complex regional pain syndrome: prospective cohort study. *J Pain*. 2014 Jan;(15):16–23.
23. **Taha R, Blaise G.** Update on the pathogenesis of complex regional pain syndrome: role of oxidative stress. *Can J Anaesth*. 2012 Sep;59(9):875–881.
24. **Koh TT, Daly A, Howard W, et al.** Complex regional pain syndrome. *JBJS Rev*. 2014 Jul 22;2(7).
25. **Brunner F, Schmid A, Kissling R, et al.** Bisphosphonates for the therapy of complex regional pain syndrome I: systematic review. *Eur J Pain*. 2009 Jan;13(1):17–21.
26. **Rao SG.** The neuropharmacology of centrally-acting analgesic medications in fibromyalgia. *Rheum Dis Clin North Am*. 2002 May;28(2):235–259.
27. **Stafford P, Norris B, Nowotarski P.** Hardware removal: tips and techniques in revision fracture surgery. *Tech Orthop*. 2003;17(4):522–530.

## 7  Agradecimentos

Agradecemos a Christian Ryf por sua contribuição para este capítulo na 2ª edição de *Princípios AO do tratamento de fraturas*.

Tópicos gerais
**4.7 Cuidados pós-operatórios: considerações gerais**

# 4.8 Fraturas por fragilidade e cuidados ortogeriátricos

*Michael Blauth, Markus Gosch, Thomas J. Luger, Hans Peter Dimai, Stephen L. Kates*

## 1 Introdução

A expectativa de vida está aumentando de forma drástica globalmente, e a população está envelhecendo a uma velocidade sem precedentes. Por volta de 2050, as pessoas com 60 anos ou mais excederão o número das pessoas mais jovens. Acredita-se que essa tendência mundial seja irreversível e esteja acoplada a taxas de natalidade e fertilidade mais baixas.

O mais rápido crescimento demográfico da população mundial é o daqueles acima dos 80 anos e, em alguns países, mais de 10% dos pacientes com fratura de quadril têm mais do que 90 anos. Em muitos departamentos de trauma ortopédico, os pacientes com fraturas por fragilidade agora representam o maior grupo de pacientes (30%).

> A fratura por fragilidade foi definida pela Organização Mundial da Saúde em 1998 como "fratura causada por uma lesão que seria insuficiente para fraturar um osso normal; o resultado da menor resistência compressiva e/ou à torção do osso".

De uma perspectiva clínica, uma fratura por fragilidade é definida como uma fratura que ocorre como resultado de um trauma mínimo, como a queda da própria altura ou menos [1].

A osteoporose é definida como "doença esquelética sistêmica caracterizada por baixa massa óssea e alterações da microarquitetura, com consequente aumento na fragilidade e na suscetibilidade óssea para fratura" [2].

As fraturas mais comuns associadas à osteoporose são aquelas do quadril, coluna vertebral, distal do rádio e proximal do úmero. Muitas outras fraturas depois dos 50 anos de idade são associadas a baixa massa óssea e devem, por conseguinte, ser consideradas osteoporóticas [2]. Com o passar dos anos, muitos pacientes apresentam múltiplas fraturas (**Fig. 4.8-1**), de forma que a osteoporose pode ser considerada uma doença crônica, com episódios agudos intermitentes (fratura).

Os dois principais pilares no tratamento das fraturas por fragilidade são:

- Cuidado ortogeriátrico multiprofissional na fase aguda (30-35 dias), incluindo o processo de reabilitação
- Prevenção vitalícia de uma fratura secundária

### 1.1 Epidemiologia

A osteoporose é um importante problema de saúde pública, afetando centenas de milhões de pessoas no mundo todo.

É estimado que uma fratura osteoporótica ocorra a cada 3 segundos no mundo. Uma em 2 mulheres e 1 em 5 homens com 50 anos ou mais sofrerão uma fratura na sua vida restante. O risco médio em vida de um adulto de 50 anos de idade sofrer uma fratura osteoporótica foi estimado em 40-50% para mulheres e 13-22% para homens [3]. Aproximadamente 50% das pessoas com uma fratura osteoporótica terão outra, e o risco de novas fraturas aumenta exponencialmente a cada fratura [4].

Em geral, a incidência das fraturas por fragilidade aumenta com a idade. Entretanto, a proporção de fraturas em qualquer local também varia com a idade. Por exemplo, a idade mediana para as fraturas distais do rádio em mulheres é de 65 anos e para fraturas de quadril é de 80 anos [3].

#### 1.1.1 Fratura do quadril

A incidência da fratura de quadril tem aumentado exponencialmente com a idade e prevê-se que a incidência mundial da fratura de quadril aumentará drasticamente durante as próximas três décadas, principalmente devido ao crescente número de pessoas idosas [5].

Estimativas sugerem que há aproximadamente 0,6 milhão de fraturas de quadril por ano na União Europeia, e cerca de 0,3 milhão de fraturas de quadril nos Estados Unidos [6, 7].

Tópicos gerais
## 4.8 Fraturas por fragilidade e cuidados ortogeriátricos

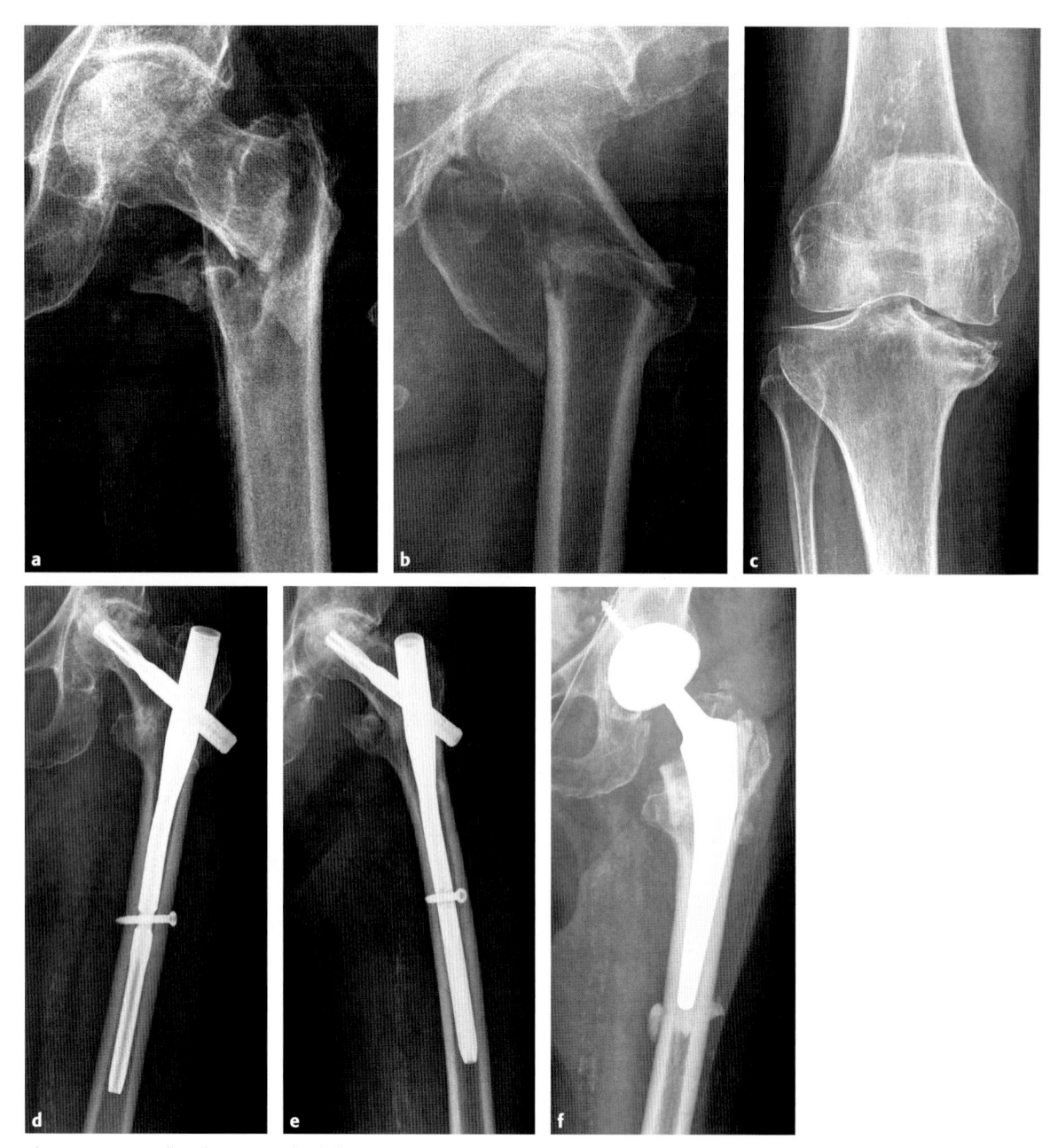

**Fig. 4.8-1a–n** Mulher de 88 anos de idade com 46 kg que sofreu uma fratura transtrocantérica. As comorbidades incluíam osteoporose, insuficiência cardíaca, hipertensão, depressão, comprometimento cognitivo leve e problemas na deglutição. Ela vivia só e de forma independente; tinha uma renda baixa e recebia alguma ajuda de seus vizinhos e de um filho. Ela usava escadas para chegar ao seu apartamento no segundo andar.
**a-b**  Radiografias pré-operatórias.
**c**    Uma fratura medial proximal da tíbia foi detectada, mais provavelmente ocorrida no mesmo acidente que a fratura do quadril, e tratada de modo conservador.
**d-e**  A fratura consolidou depois da fixação com uma haste femoral proximal antirrotação (PFNA).
**f**    A artroplastia total de quadril foi efetuada em razão de coxartrose grave.

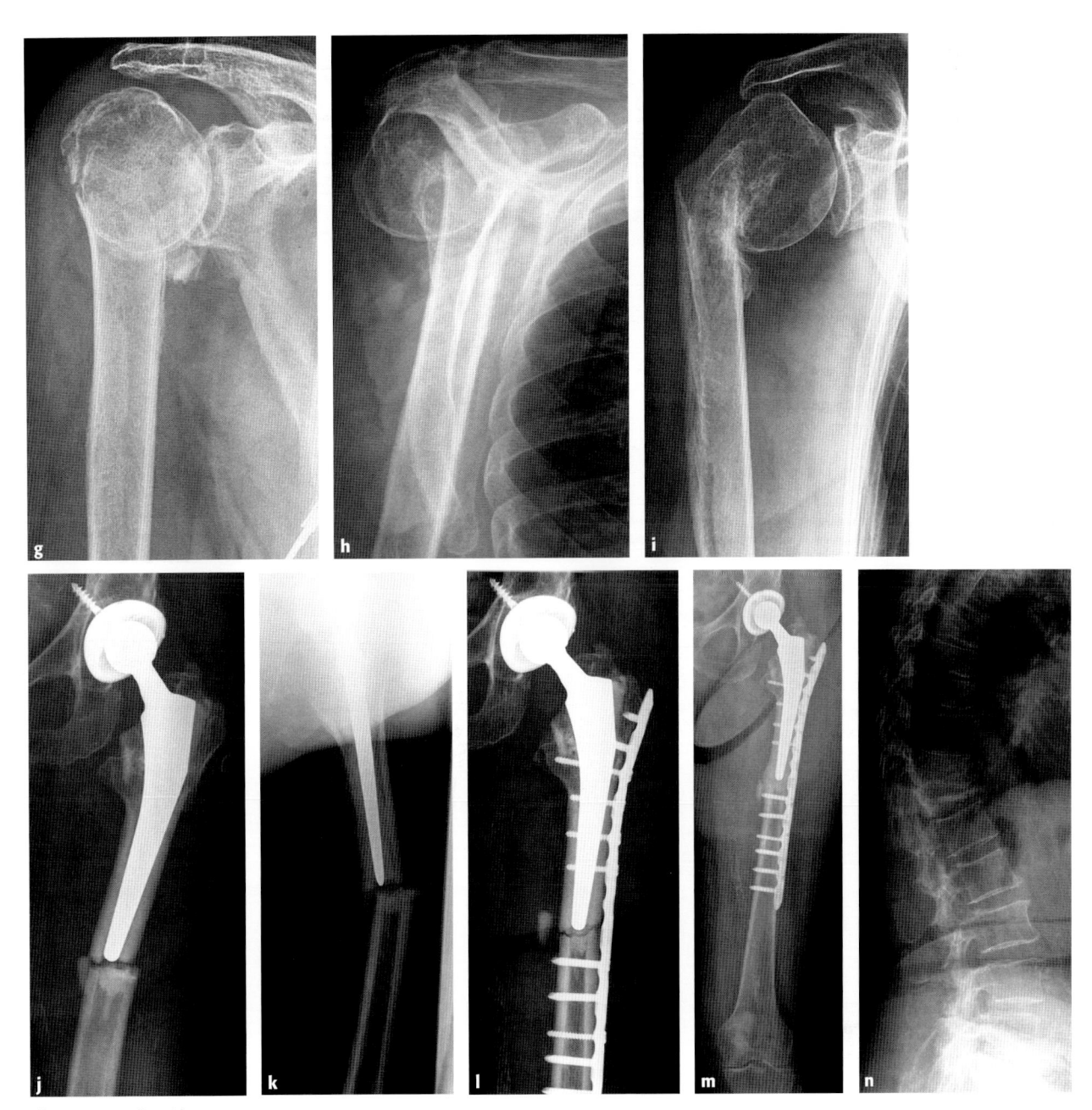

**Fig. 4.8-1a-n (cont.)**

**g-i** Durante a hospitalização, ela sofreu uma queda e apresentou uma fratura proximal do úmero, que foi tratada de forma não cirúrgica com um consolidação viciosa típica em varo.

**j-m** Algum tempo depois, ela sofreu uma fratura periprotética ao nível da ponta da haste ("fratura problemática") e no local do parafuso de bloqueio da PFNA. Apesar da fixação rígida e do *gap* restante, a fratura, por fim, consolidou. No momento dessa fratura, teriparatida foi administrada.

**n** Três anos antes da fratura proximal do fêmur, uma fratura osteoporótica da coluna vertebral havia sido diagnosticada. Infelizmente, nenhuma ação tinha sido tomada no que se relaciona à profilaxia secundária de fraturas.

## Tópicos gerais
### 4.8 Fraturas por fragilidade e cuidados ortogeriátricos

Em uma revisão sistemática recentemente publicada [8], foi mostrado que existe uma variação maior que dez vezes no risco de fratura de quadril e na probabilidade de fratura entre os países (**Fig. 4.8-2**). A baixa incidência de osteoporose em países em desenvolvimento pode ser em parte devido à expectativa de vida mais baixa. Entretanto, por volta do ano 2050, mais da metade de todas as fraturas de quadril no mundo ocorrerão na Ásia (**Fig. 4.8-2**).

#### 1.1.2 Fratura da vértebra

As fraturas das vértebras são a fratura osteoporótica mais comum. Entretanto, a incidência de fraturas vertebrais não está bem documentada, pois apenas aproximadamente 30% dessas fraturas recebem importância clínica, as chamadas fraturas vertebrais clínicas [9]. A maioria das fraturas das vértebras é assintomática e pode ser somente detectada em radiografias (fraturas vertebrais radiográficas ou morfométricas).

#### 1.1.3 Fraturas distais do rádio

Em contrapartida às fraturas do quadril ou das vértebras, a incidência das fraturas distais do rádio parece aumentar rapidamente durante o período pós-menopáusico inicial, e existe evidência de um planalto na incidência da fratura durante a metade dos 60 anos [10]. O risco médio em vida de um adulto branco com 50 anos de idade de sofrer uma fratura distal do rádio foi estimado em 20% para mulheres e 5% para homens [3].

#### 1.1.4 Fratura proximal do úmero

O risco médio em vida de um adulto branco de 50 anos de idade sofrer esse tipo de fratura foi estimado em 13% para mulheres e 4% para homens [11, 12]. Nas populações com dados epidemiológicos suficientes sobre os diferentes tipos de fratura, a incidência global ajustada por idade das fraturas do úmero é aproximadamente 50-60% das taxas de incidência da fratura de quadril.

### 2 Etiologia

A resistência óssea reflete a integração de duas características principais – densidade óssea e qualidade óssea:
- A densidade óssea é expressa como gramas de mineral por área de volume e em qualquer indivíduo é determinada pelo pico da massa óssea e pela quantidade de perda óssea.
- A qualidade do osso se refere à arquitetura, renovação, mineralização e acúmulo de danos (p. ex., microfraturas). Uma fratura ocorre quando a força exceder a tolerância da resistência óssea, e o osso osteoporótico tiver uma tolerância da resistência muito menor que o osso normal. Na osteoporose grave, mesmo a tensão fisiológica normal pode exceder essa tolerância e resultar em fratura, como ocorre com muitas fraturas das vértebras.

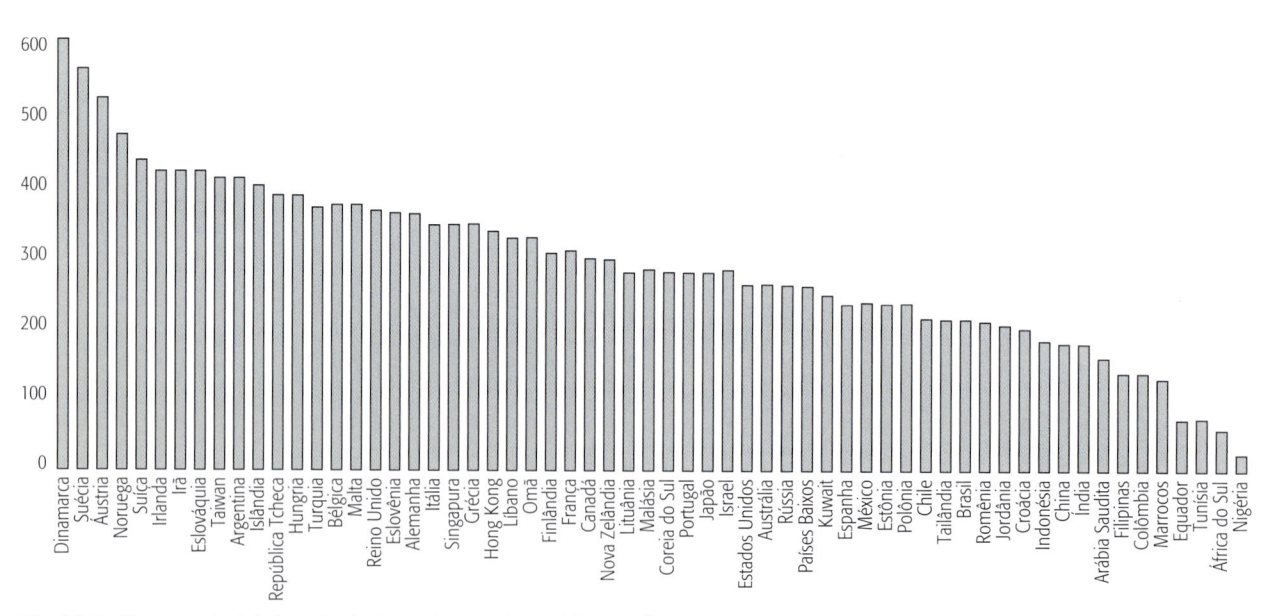

**Fig. 4.8-2** Taxas anuais globais padronizadas de fraturas de quadril em mulheres (por 100.000). Adaptada de Kanis, 2012 [8].

A osteoporose influencia tanto a resistência quanto a rigidez do osso. Ambas diminuem com a idade e o grau de desmineralização. Isso também acontece com o osso cortical e esponjoso. A osteoporose envolve perda de massa óssea, redução em qualidade do osso por deterioração da microarquitetura e capacidade reduzida do osso de suportar carga. É importante entender a diferença entre densidade mineral óssea (que reflete o conteúdo de cálcio) e deterioração da qualidade óssea mensurável na suporte reduzido à carga. Geralmente, a qualidade do osso reduz muito mais com a idade no osso esponjoso do que no osso cortical.

## 2.1 Osso cortical

O osso cortical em um adulto de 25 anos de idade é denso, espesso e forte. O padrão de perda óssea cortical relacionada à idade envolve a perda da espessura cortical que é mais marcada no endósteo, com um aumento no diâmetro medular, particularmente em mulheres (**Fig. 4.8-3**).

As mudanças no diâmetro cortical externo e interno afetam as características de encurvamento e torção de todo o osso. Se assumirmos que um osso diafisário é um tubo, a fórmula $\Pi/4(R^4-r^4)$ descreve o cálculo da rigidez em flexão de um tubo (R, r = raios externo e interno de um tubo). A rigidez em flexão depende dos raios interno e externo do tubo.

## 2.2 Osso esponjoso

No osso esponjoso, a mudança na estrutura óssea se deve a diminuição da espessura trabecular, interrupção da rede trabecular, redução do número de trabéculas e redução da conectividade trabecular. Assim como a idade e alterações hormonais, a atividade física reduzida também leva à deterioração do osso. Há vasta evidência de que o uso mecânico influencia a massa óssea (lei de Wolff), mas, infelizmente, o exercício leva apenas a um aumento mínimo na massa óssea.

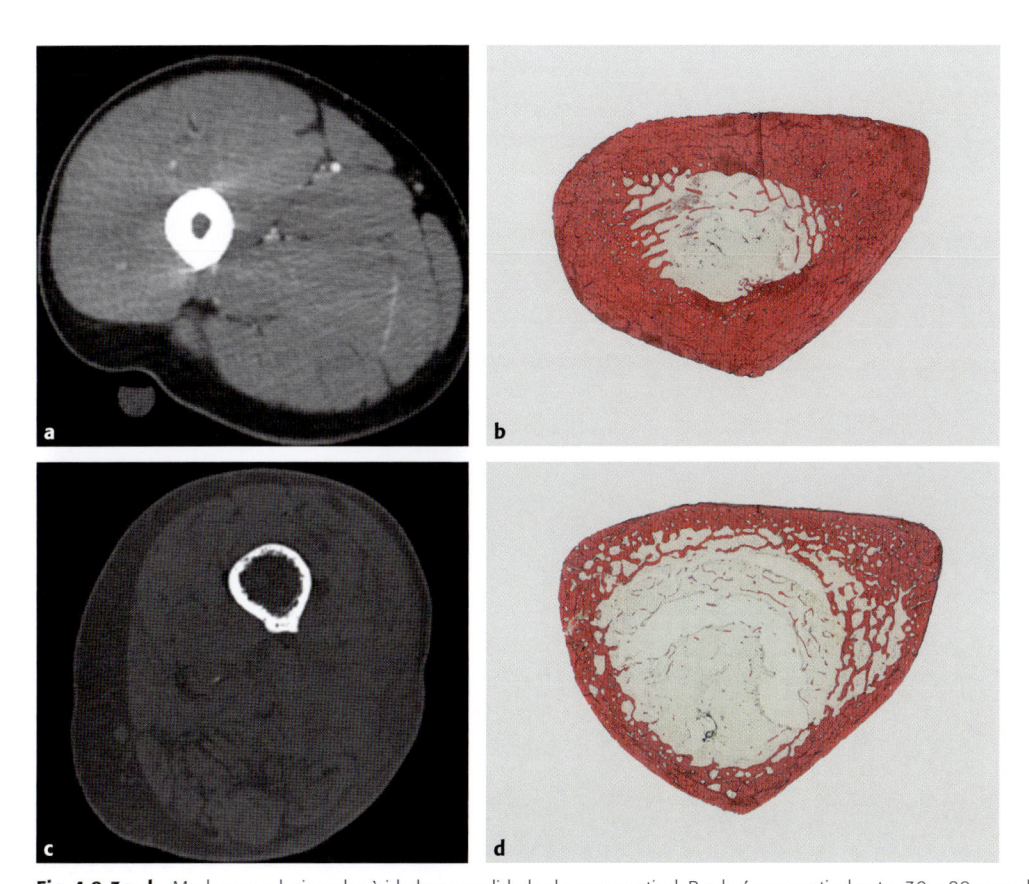

**Fig. 4.8-3a-d** Mudanças relacionadas à idade na qualidade do osso cortical. Perda óssea cortical entre 30 e 80 anos de idade, com 8% de diminuição no módulo elástico, 11% de diminuição na resistência e 34% de diminuição na dureza.
**a-b** Imagens de corte transversal do osso cortical de uma mulher com 30 anos de idade.
**c-d** Imagens de corte transversal do osso cortical de uma mulher com 80 anos de idade.
(Imagens de seções histológicas (**b**, **d**) cortesias de Beat Schmutz, Davos, Suíça.)

Tópicos gerais
## 4.8 Fraturas por fragilidade e cuidados ortogeriátricos

Com o envelhecimento, as trabéculas ósseas mudam de formato, de estruturas mais achatadas para estruturas em formato de hastes. Tais alterações enfraquecem a arquitetura interna do osso esponjoso, tornando-o mais suscetível de fraturar com um trauma menor (**Fig. 4.8-4**).

### 2.3 Importância para a fixação da fratura

Os estudos biomecânicos demonstraram que alterações osteoporóticas reduzem a ancoragem do implante. A diminuição da espessura cortical afeta significativamente a capacidade de pega dos parafusos.

### 2.4 Medida da osteoporose

A absorciometria de raios X de dupla energia (DEXA) tem se tornado o método-padrão para medir a densidade mineral óssea como uma medida representante e responde por aproximadamente 70% da resistência óssea. A Organização Mundial da Saúde define operacionalmente a osteoporose como a densidade óssea 2,5 desvios-padrão abaixo da média para mulheres adultas brancas jovens. Não está claro como aplicar esse critério diagnóstico a homens, crianças e diferentes grupos étnicos.

As indicações para obter um exame de DEXA incluem:

- Uso de esteroides por longo prazo
- Menopausa cirúrgica precoce
- Mulheres pós-menopáusicas com alcoolismo, uso pesado de tabaco, índice de massa corporal < 18,5 ou história familiar de fraturas por fragilidade
- Medida de linha de base para monitorar a terapia de proteção óssea
- Medida de seguimento depois da terapia de proteção óssea

Clinicamente, na situação de fratura aguda, o grau de osteoporose deve ser estimado por consideração das imagens radiográficas pré-operatórias, háptica intraoperatória durante a perfuração ou fixação, e parâmetros ósseos adicionais, como sexo, idade e comorbidades.

#### 2.4.1 Quedas

A maioria das fraturas é causada por queda. Por conseguinte, as quedas, a osteoporose e as fraturas devem ser abordadas conjuntamente. Várias medidas foram sugeridas para a prevenção das quedas em pacientes mais velhos, incluindo treinamento de resistência e equilíbrio, avaliação e modificação dos riscos domésticos, avaliação da visão, revisão de medicamentos, marca-passo cardíaco quando necessário e intervenções cognitivas e comportamentais.

Os fatores de risco para quedas são similares àqueles para fratura: quedas prévias, fraqueza, equilíbrio ruim, distúrbios da marcha e uso de certos medicamentos, como substâncias psicoativas, anticonvulsivantes e anti-hipertensivos.

#### 2.4.2 Outros mecanismos de lesão

O trauma de alto impacto aumentou à medida que as pessoas se tornaram mais ativas durante a sua aposentadoria, continuando a dirigir e a apreciar atividades ao ar livre mais do que acontecia no passado. As quedas de escadas constituem um perigo em particular e podem fazer com que pacientes frágeis sofram trauma complexo e de alta energia.

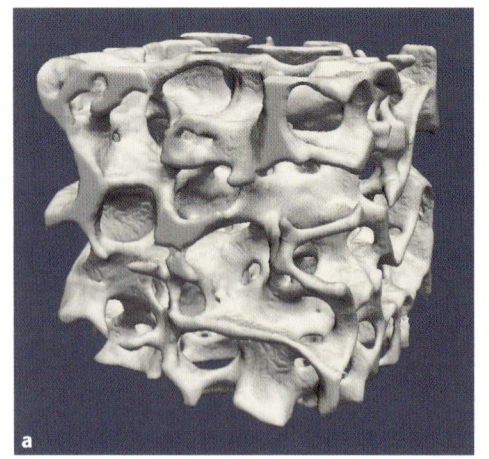

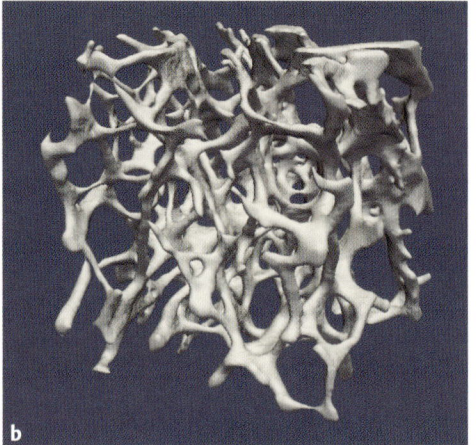

**Fig. 4.8-4a-b** Mudanças relacionadas à idade na qualidade do osso trabecular. Além da perda drástica na massa óssea, estruturas achatadas mudam para estruturas com formato de haste com o envelhecimento, conforme mostrado por essas imagens microtomográficas computadorizadas aos 35 (**a**) e aos 73 (**b**) anos. (Imagens cortesias do Prof. Dr. Ralph Müller, Institute for Biomechanics no ETH Zurich, Suíça).

Nos cuidados do paciente idoso com politraumatismo, os centros de trauma têm mostrado desfechos significativamente melhores que os hospitais de cuidados agudos [12]. Os padrões de lesão diferem daqueles pacientes mais jovens com Escores de Gravidade de Lesão e mortalidade mais altos, bem como mais lesões de extremidade superior e pélvica [13]. Os registros de trauma demonstraram que o aumento da idade é uma variável independente para a morte no politraumatismo, com significativo aumento do risco em pacientes acima de 64 e 89 anos (**Fig. 4.8-5**).

## 3 O paciente com fratura por fragilidade

Uma definição clínica do paciente com fratura por fragilidade é:

- Lesão aguda causada por um trauma de baixa energia
- Mais velho que 70 ou 80 anos com estado de saúde geral fragilizado

Os fatores que contribuem para uma condição de saúde geral fragilizada incluem o número de comorbidades (duas ou mais), estado cognitivo e dificuldades funcionais que resultam em redução da mobilidade e aumento na necessidade de suporte social. Um dos fatores comuns para muitos desses pacientes é que eles são frágeis e têm sarcopenia devido a problemas médicos e de reabilitação complexos. Eles têm uma necessidade maior de cuidados médicos especializados.

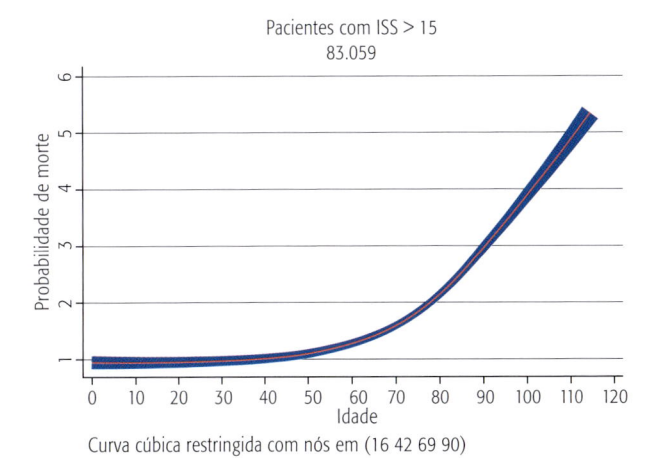

**Fig. 4.8-5** O impacto da idade na probabilidade de morte após trauma múltiplo (ISS > 15). Uma análise de 83.059 casos do UK National Trauma Data Bank.
Sigla: ISS, escore de gravidade da lesão (de *injury severity scale*).
(Dados fornecidos pela Trauma Audit and Research Network).

### 3.1 Comorbidades relevantes

As fraturas por fragilidade são muito mais comuns em pacientes com condições médicas e comorbidades preexistentes. As comorbidades preexistentes também têm um impacto significativo nos desfechos dos pacientes de trauma mais velhos. Enquanto algumas dessas comorbidades são aparentes, outras poderiam permanecer não reconhecidas, mas causar complicações e resultar em um desfecho desfavorável. Por conseguinte, as comorbidades devem ser sistematicamente avaliadas, com o estabelecimento de metas terapêuticas.

As ferramentas estabelecidas e úteis para avaliar o ônus da morbidade de um paciente mais velho incluem o Indicador de Comorbidade de Charlson, com 19 itens, e a Cumulative Illness Rating Scale (CIRS). As comorbidades devem ser documentadas na admissão, quando a informação relevante pode ser mais fácil de se obter.

> As comorbidades comuns em pacientes com fraturas por fragilidade incluem doença cardíaca, demência, disfunção renal, doença pulmonar, hipertensão, diabetes e doença maligna.

Com frequência, as comorbidades múltiplas levam ao problema da polifarmácia. Cada uma dessas condições é provavelmente tratada com pelo menos um medicamento. O número de medicamentos aumenta o risco de reações adversas aos fármacos e interações inesperadas entre os fármacos e entre a doença e o fármaco. Um problema especial é a alta prevalência de fármacos anticoagulantes em adultos mais velhos.

> Esses problemas são mais bem administrados pela abordagem com uma equipe ortogeriátrica.

#### 3.1.1 Condições preexistentes

As condições preexistentes não podem ser fundamentalmente mudadas; elas são comuns em pacientes com fratura por fragilidade e precisam ser reconhecidas. A avaliação pré-operatória de pacientes geriátricos deve identificar todas as condições preexistentes, mas reconhecer que um retardo para tratar a maior parte dessas condições é improvável que reduza os riscos da cirurgia. O fundamental é identificar aquelas que requerem medidas médicas imediatas para reduzir os riscos cirúrgicos (ver seção 3.1.2 neste capítulo). Entretanto, se o risco da cirurgia não puder ser alterado, ela deve ser feita sem retardo adicional. O retardo da cirurgia em geral adiciona riscos desnecessários [14]:

- Doenças cardíacas: Hipertensão, doença arterial coronariana, insuficiência cardíaca, fibrilação atrial e doença valvar são frequentes nos pacientes com fratura por fragilidade. Em um paciente estável, elas apresentam um risco mais alto na cirurgia, mas não representam uma contraindicação. O desafio para a equipe ortogeriátrica é o tratamento medicamentoso, especialmente a anticoagulação.

- Doenças pulmonares: Os pacientes com doença pulmonar grave demandam uma forte colaboração com o anestesiologista. A gasometria pode ajudar na estimativa da condição pulmonar. Nos casos onde a anestesia neuroaxial não for possível, a doença pulmonar grave pode ser uma contraindicação à cirurgia.
- Disfunção renal: 40% dos pacientes com fratura de quadril têm doença renal crônica (definida como uma taxa de filtração glomerular estimada [TFGe] < 60), mas todos os pacientes têm risco de doença renal aguda no período perioperatório. O tratamento impróprio de fluidos, medicação nefrotóxica ou exames tomográficos computadorizados com agente de contraste aumentam o risco de lesão renal aguda, que também é mais comum com o aumento da idade, duas ou mais comorbidades e naqueles com doença renal crônica.
- Diabetes: A hipoglicemia é mais perigosa que a hiperglicemia; mesmo assim, o nível de glicose sanguínea deve estar abaixo de 200 mg.
- A demência é um fator de risco importante para *delirium* e é um fator de risco independente para mortalidade. Os pacientes devem ter uma avaliação formal da função cognitiva na admissão, e existem vários sistemas validados de pontuação, como o exame mental abreviado, que pode ser usado.

### 3.1.2 Condições ativas

As condições que precisam de estabilização clínica antes da cirurgia são condições médicas geriátricas ativas:

- Insuficiência cardíaca descompensada, isquemia cardíaca aguda
- Acidente vascular encefálico (AVE) agudo
- Infecção aguda, como pneumonia ou septicemia
- Angina instável
- Hipotensão grave
- Hemorragia aguda (p. ex., digestiva)
- Rabdomiólise
- Lesão renal aguda

As comorbidades, especialmente as condições cardiopulmonares e renais, e os medicamentos, como os anticoagulantes, podem influenciar o tipo de anestesia e momento da cirurgia. O anestesista deve ser envolvido assim que possível para evitar qualquer retardo desnecessário.

> Como regra, o tempo necessário para a estabilização médica não deve exceder 72 horas. Qualquer retardo da cirurgia por mais de 72 horas causa significativo aumento nas complicações. A equipe deve definir metas claras para a otimização, determinar a responsabilidade e estabelecer um período de tempo.

### 3.2 Incapacidades funcionais

Além das comorbidades médicas, os pacientes mais velhos padecem com incapacidades funcionais. Eles podem ser sistematicamente avaliados usando uma avaliação geriátrica padronizada. As necessidades funcionais e os recursos são úteis em termos de estabelecimento de metas. Os pacientes adultos mais velhos frequentemente requerem o uso de suas extremidades superiores para ajudar com a deambulação usando uma bengala ou andador. É impossível limitar, em pacientes adultos mais velhos, a carga de peso em uma extremidade lesionada.

### 3.3 Fragilidade e sarcopenia

A fragilidade é uma síndrome clínica comum em adultos mais velhos, que resulta em um risco aumentado de desfechos ruins que incluem quedas, incapacidade, hospitalização e mortalidade. Em pacientes debilitados, a reserva fisiológica é limitada e, então, a capacidade de compensar o tratamento médico ou cirúrgico deficiente fica drasticamente reduzida.

> A fragilidade é definida como um estado clinicamente reconhecível de vulnerabilidade aumentada, resultante de um declínio associado ao envelhecimento na reserva e na função de múltiplos sistemas fisiológicos, de forma que a capacidade de lidar com estressores cotidianos ou agudos fica comprometida [15].

Na admissão, a fragilidade não pode ser influenciada. Não obstante, é importante avaliá-la. Os pacientes fragilizados têm um risco mais alto de complicações e de morte no hospital. O seu desfecho funcional fica drasticamente limitado. Todas as metas e decisões de tratamento devem ser cuidadosamente consideradas. A meta global deve ser "não prejudicar esses pacientes".

> A sarcopenia é uma síndrome caracterizada por perda de massa e da força muscular esquelética progressiva e generalizada, que resulta em um risco de desfechos adversos, como incapacidade física, qualidade de vida ruim e morte.

Dependendo da definição usada para sarcopenia, a prevalência nas pessoas com 60-70 anos de idade é relatada em 5-13% e varia de 11-50% nas pessoas acima dos 80 anos [16]. Em geral a sarcopenia é uma parte da debilidade. Nutrição, vitamina $D_3$ e mobilização podem ajudar a evitar a progressão adicional da sarcopenia durante uma permanência hospitalar.

### 3.4 Imobilização

Os pacientes idosos não toleram repouso prolongado no leito antes ou depois da cirurgia. Ele predispõe a problemas como tromboembolismo, úlceras de decúbito, infecções do trato urinário e do pulmão.

A imobilização leva a uma perda de 0,5% da massa muscular e de até 4% da força muscular por dia [17]. A nutrição e a mobilização são os pilares para prevenir sarcopenia devido a imobilização.

## 3.5 Instalações

Os pacientes adultos mais velhos têm necessidades e requisitos específicos que precisam ser satisfeitos por instalações especializadas para protegê-los de danos:

- Quartos dos pacientes, salas de terapia, instalações nos banheiros e o assoalho devem ser acessíveis, sem obstáculos, e oferecer espaço e segurança suficientes, como corrimões para ajudar os pacientes na sua higiene pessoal.
- Uma sala de terapia localizada na enfermaria ajuda a evitar o transporte do paciente.
- As instalações devem ser projetadas para evitar o desenvolvimento de *delirium*.
- Boa iluminação, cores contrastantes e outras características visuais.
- Leitos baixos, relógios grandes e janelas grandes para permitir suficiente luz do dia.
- Áreas comuns onde os pacientes possam se encontrar, comer e conversar entre si.

## 4 Tratamento multidisciplinar ortogeriátrico

### 4.1 O construto da comorbidade

O Construto da Comorbidade [18] é uma ferramenta útil para fornecer um panorama melhor dos pacientes idosos (**Fig. 4.8-6**):

- A doença índice leva à hospitalização.
- As comorbidades sempre têm uma relação forte com a doença índice.
- O sexo é um problema, especialmente em termos de condições sociais e psicológicas.
- O impacto da idade não é significativo.
- A idade biológica dos pacientes e a expectativa de vida estimada são relevantes para o desfecho.
- Em pacientes idosos, os fatores intrínsecos são um contribuinte relevante para as quedas.
- Em pacientes idosos, o ônus da morbidade não é somente descrito pelas comorbidades, mas também pelas incapacidades funcionais e síndromes geriátricas.
- A complexidade desses pacientes idosos resulta de uma combinação de seus problemas de saúde e seus atributos individuais não relacionados com a saúde.

### 4.2 Estabelecimento de metas

A tomada de decisão terapêutica é muito mais complexa nos pacientes idosos. Os pacientes com fratura por fragilidade não são homogêneos e os benefícios e riscos do tratamento não são tão claros como nos pacientes mais jovens. É essencial entrar em um acordo sobre as metas de tratamento com todos membros da equipe.

É útil delinear metas em curto prazo, assim como de longo prazo. A meta de longo prazo é o desfecho esperado em várias semanas, como, por exemplo, viver independentemente ou caminhar sem usar algum dispositivo de auxílio à marcha. As metas podem ser mudadas devido a complicações médicas ou se um paciente se tornar pouco disposto ou incapaz de continuar, ou se progredir mais lenta ou rapidamente que esperado.

### 4.3 Abordagem de equipe e corresponsabilidade

O tratamento multidisciplinar requer que todos membros internos da equipe, ou seja, os cirurgiões, anestesistas e geriatras, sejam iguais. As decisões são tomadas conjuntamente. A liderança não é regulada pela estrutura hierárquica, mas pela qualificação médica. Com base no conhecimento e na perícia das disciplinas envolvidas, a liderança muda e depende da situação clínica. Entretanto, cada membro tem um papel e perícia específicos dentro da equipe.

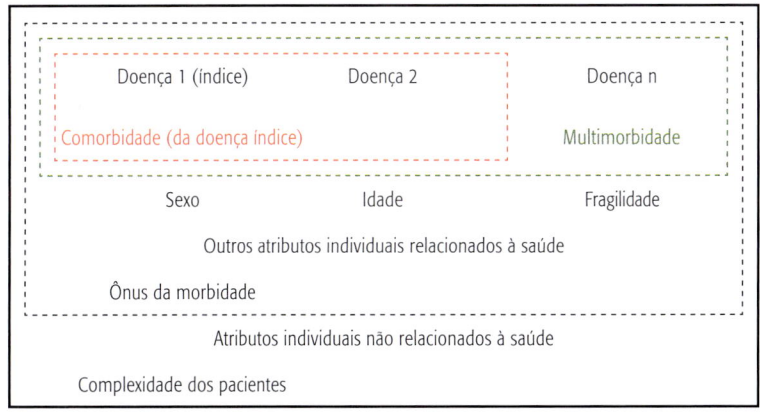

**4.8-6** Construto da comorbidade.

Tópicos gerais
## 4.8 Fraturas por fragilidade e cuidados ortogeriátricos

Todos os membros da equipe têm o seu papel em diferentes fases do tratamento e até em instituições diferentes. Mas todos devem concordar sobre os princípios básicos de tratamento, de acordo com as diretrizes, e todos devem se sentir responsáveis, com um senso de corresponsabilidade com o paciente. Eles devem conhecer bem um ao outro, e se encontrar e comunicar de maneira regular.

### 4.3.1 Cirurgião de trauma ortopédico

- Decide se um paciente idoso requer tratamento em uma instituição com suporte para fraturas geriátricas ou não, de acordo com o tipo de trauma, idade e comorbidades relevantes.
- Inicia o processo multidisciplinar contatando o geriatra e o anestesista.
- Inicia a investigação diagnóstica relativa às lesões.
- Toma parte no processo de estabelecimento de metas em cooperação com o geriatra e o anestesista.
- Planeja e executa a cirurgia, e deve escolher a técnica e o implante apropriados para permitir a carga imediata após a cirurgia.
- Cuida do tratamento da anticoagulação, em cooperação com o geriatra e o anestesista.
- Cuida do tratamento da dor, começando logo depois da admissão e incluindo anestesia local, tratamento farmacológico enteral e parenteral, e medidas não farmacológicas.
- Planeja o tratamento antibiótico no período perioperatório.
- Responsável pelos planos de reabilitação junto com um fisioterapeuta e geriatra. A amplitude de movimento, o movimento auxiliado ou ativo e a condição de carga precisam ser determinados.
- Tratamento ativo da infecção na ferida.
- Toma parte na visita multidisciplinar à enfermaria e reuniões da equipe.
- Junto com outros membros da equipe, deve auditar o processo de tratamento e ajustar as metas conforme necessário.

### 4.3.2 Geriatra ou líder clínico

- Deve ser envolvido assim que possível, de preferência no departamento de emergência.
- Efetua o exame físico, particularmente focado na condição cardiopulmonar, neurológica e renal. Coleta a história médica, especialmente comorbidades e medicamentos. A função cognitiva deve ser avaliada usando uma ferramenta como o escore de teste abreviado da capacidade mental. As ferramentas de avaliação básica, como o Parker Mobility Score ou o CAM-Score, devem fazer parte do exame clínico. Indicar exames adicionais, como testes laboratoriais, eletrocardiografia, radiografias de tórax ou consultoria de outros especialistas com base nessa informação.
- Se a cirurgia for necessária, a tarefa mais importante é identificar e tratar as condições que demandem otimização pré-operatória.
- Arranja o tratamento pré-operatório de fluidos.
- Deve considerar as necessidades do paciente e a sua vontade de viver. Ambos são aspectos essenciais em termos de estabelecimento de metas.
- Pós-operatoriamente, o geriatra é encarregado do tratamento clínico, particularmente das comorbidades.
- O geriatra tem um papel importante na prevenção e no tratamento do *delirium*.
- Tratamento dos medicamentos.
- O geriatra inicia a suplementação de cálcio e vitamina $D_3$ e considera o tratamento específico com fármacos para osteoporose em qualquer paciente, como, por exemplo, bifosfonatos.
- Avalia os fatores de risco de quedas e desenvolve um plano de tratamento específico para reduzir o risco de quedas e fraturas subsequentes.

### 4.3.3 Anestesista

- Deve ser envolvido assim que possível.
- Envolvido no alívio da dor aguda no departamento de emergência, como, por exemplo, com bloqueios nervosos com anestésico local.
- Libera (junto com a equipe multidisciplinar) o paciente para cirurgia.
- Determina o tipo de anestesia.
- Responsável pelo cuidado do paciente no pós-operatório imediato.
- Beneficia-se da cooperação entre cirurgiões e geriatras.

### 4.3.4 Enfermeiros ortopédicos

- Passam a maior parte do tempo com o paciente. Por conseguinte, a equipe de enfermagem tem um papel importante na equipe multiprofissional e estimula os pacientes nas atividades da vida diária.
- Avalia os fatores de risco de quedas, escaras de pressão e feridas, desnutrição, *delirium* e infecções, faz o tratamento da incontinência e dos cateteres. Um enfermeiro ortopédico especializado pode estar envolvido na prevenção secundária de fraturas. Escolhem o dispositivo apropriado para a marcha, aconselham seus pacientes e parentes sobre os fatores de risco de queda e osteoporose.
- Estão envolvidos no planejamento da alta junto com as famílias, cuidadores e assistentes sociais.

### 4.3.5 Fisioterapeuta

- Deve mobilizar o paciente no leito desde o primeiro dia pós-operatório.
- Ajuda a encorajar a recuperação pela mobilização.

- Treina os pacientes idosos para usar os dispositivos de auxílio à marcha do modo correto.
- Ajuda com a terapia respiratória para diminuir o risco de infecções pulmonares.

### 4.3.6 Terapeuta ocupacional

- Treina o paciente nas atividades de vida diária, no uso de dispositivos de auxílio à marcha e em dispositivos especiais.
- Avalia as circunstâncias domésticas; isso pode envolver uma visita domiciliar.
- Prescreve ferramentas e dispositivos que ajudam nas atividades da vida diária.
- Também deve estar envolvido no tratamento do *delirium*. Eles têm opções diferentes para trabalhar com pacientes confusos e para ajudá-los a se recuperarem mais cedo do *delirium*.

### 4.3.7 Fonoaudiólogo

- Fornece o tratamento, suporte e cuidado para pacientes idosos que tenham dificuldades com alimentação sólida e de líquidos e com a deglutição. Os distúrbios da deglutição são mais frequentes em adultos mais velhos. Uma avaliação da deglutição deve ser integrada ao processo de tratamento.

### 4.3.8 Assistente social

- Fica em contato com os parentes, casas geriátricas e centros de reabilitação.
- Avalia o ambiente doméstico e o suporte social dos pacientes.
- É extremamente importante em termos de planejamento da alta.

### 4.3.9 Nutricionista

- A desnutrição é frequente entre os pacientes idosos com fraturas por fragilidade.

### 4.3.10 Coordenador de cuidados ou gerente do caso

- Organiza as reuniões da equipe e estabelece o contato com os médicos generalistas (médicos de cuidados primários), casas geriátricas e centros de reabilitação.

### 4.3.11 Farmacêutico

- A polifarmácia é um fenômeno difundido nos pacientes idosos com fratura por fragilidade.
- As interações e reações adversas estão fortemente associadas com o número de fármacos. Um farmacêutico ajuda a reduzir o risco de efeitos adversos causados por medicamentos.

### 4.3.12 Psiquiatra

- O *delirium* é um complicação frequente. Uma equipe ortogeriátrica bem treinada pode cuidar dos pacientes que sofrem de *delirium*. Entretanto, existem alguns casos graves de *delirium* onde um psiquiatra deve ser chamado.
- A depressão e medo de quedas são outros sintomas frequentes. Os pacientes mais velhos e frágeis frequentemente temem a perda de sua autonomia.
- Os pacientes com demência podem desenvolver psicose que requer tratamento psiquiátrico especializado.

### 4.3.13 Cardiologista ou outros especialistas

Além da equipe nuclear, outros especialistas devem ser chamados conforme a indicação. Os exemplos incluem os cardiologistas para aconselhamento sobre o tratamento de *stents* endovasculares e anticoagulação, e nefrologistas quando os pacientes que estão em diálise por longo prazo sofrerem fraturas por fragilidade.

## 4.4 Diretrizes e protocolos

*A Guide to Improving the Care of Fragility Fractures* [19] e *Blue Book BOA/BGS* (2ª edição, 2007) [20] podem oferecer orientações. Protocolos, *checklists* e vias clínicas constituem uma parte prática das diretrizes e os padrões de auditoria profissional também são úteis para melhorar os cuidados.

## 4.5 Caminho rápido e cirurgia urgente

Um bem organizado "sistema de caminho rápido" deve limitar o tempo no departamento de emergência a um máximo de 2 horas. Os sistemas de atenção à saúde devem assegurar suficiente capacidade da sala cirúrgica seja dedicado às fraturas por fragilidade e a pacientes idosos com fraturas. Os atrasos na cirurgia aumentam os custos econômicos dos cuidados de saúde, e foi demonstrado que o momento para cirurgia pode ser uma medida excelente de quão bem funciona o tratamento multidisciplinar.

## 4.6 Assistência vitalícia

Vários tópicos devem ser abordados durante uma discussão aberta envolvendo o paciente, os familiares, os cuidadores domésticos e as casas geriátricas:

- Prescrição de dispositivos para auxílio à marcha
- Adaptação do ambiente doméstico
- Prevenção secundária de fraturas
- Mobilidade, exercícios e integração social
- Nutrição

Uma das mais importantes e mais difíceis discussões é sobre os cuidados paliativos. Embora o prognóstico em longo prazo para muitos pacientes com fratura por fragilidade seja bom, alguns grupos têm um prognóstico pior: 90% dos pacientes com demência que são admitidos em uma casa de cuidados geriátricos de saúde em longo prazo sobrevivem menos que 1 ano. É importante que seus familiares fiquem cientes, de forma que planos apropriados e diretivas de cuidados avançados possam ser postos em prática.

## 5 Princípios do tratamento medicamentoso

### 5.1 Otimização pré-operatória

O processo de avaliação-padrão segue uma via predefinida e consentida. As ações típicas incluem:

- Hidratação adequada
- Controle rígido da hemoglobina, da coagulação e do sangramento
- Controle rígido da glicose
- Correção de hipertensão e hipotensão
- Evitar a exacerbação da doença pulmonar obstrutiva crônica com broncodilatadores
- Tratamentos de arritmias cardíacas, como a fibrilação atrial
- Aquecimento em casos de hipotermia
- Monitoração da condição psicológica do paciente para evitar *delirium* e complicações subsequentes
- Verificação das condições de pele

### 5.2 Atraso da cirurgia

O melhor caminho para evitar o atraso da cirurgia é a concordância com diretrizes locais. Reuniões multidisciplinares regulares são necessárias para apurar opiniões e comportamentos.

### 5.3 Tratamento de fluidos e eletrólitos

O desequilíbrio de eletrólitos, especialmente a hipopotassemia e a hiponatremia, são comuns tanto no período pré-operatório quanto pós-operatório, e reflete a reserva limitada dos pacientes. Essa situação pode piorar com os diuréticos e a administração imprópria de fluidos intravenosos, e também pode causar *delirium*. Devem ser usados exclusivamente os fluidos isotônicos, e o manejo de eletrólitos deve ser regularmente monitorado e apropriadamente ajustado.

### 5.4 Tratamento da dor

O tratamento adequado da dor melhora a mobilização, reduz as taxas de *delirium* e pode encurtar o tamanho da permanência hospitalar. Pode também ser associado à redução da morbidade cardiovascular, renal, respiratória e do trato gastrintestinal [21]. O início precoce do controle suficiente da dor – de preferência na cena da lesão – é de fundamental importância e foi mostrado que reduz a taxa de *delirium* em 35%.

A avaliação da dor é muito mais difícil em pacientes adultos mais velhos, especialmente naqueles que sofrem de disfunção cognitiva: o subtratamento de pacientes com demência foi bem documentado.

Os anti-inflamatórios não esteroides devem ser evitados por causa dos potenciais efeitos adversos, como lesão renal aguda, agravamento da insuficiência cardíaca ou úlceras pépticas.

Paracetamol, di-hidromorfina, morfina, metamizol e piritamida são usados como a terapia de primeira linha por via intravenosa. Os opioides devem ser cuidadosamente administrados e ajustados conforme a resposta para reduzir o risco de depressão respiratória. Os pacientes devem ser passados para a administração oral de paracetamol, metamizol ou hidromorfona assim que possível. Os opioides somente devem ser usados em dosagens baixas, particularmente em pacientes com risco alto de *delirium*. As dosagens devem ser geralmente reduzidas em pacientes caquéticos ou sarcopênicos, e também em pacientes com comprometimento da função renal.

### 5.5 Anestesia regional

Há evidência de alívio da dor adequado pela anestesia regional com o uso pré-operatório de bloqueio do nervo femoral [22-24]. Os bloqueios de nervos reduzem a necessidade de opioides e baixam significativamente a incidência de complicações pulmonares.

### 5.6 Imobilização da fratura

As fraturas da extremidade inferior devem ser imobilizadas pré-operatoriamente pelo posicionamento da perna em uma tala de espuma ou usando travesseiros [25]. A tração esquelética ou cutânea para as fraturas da extremidade inferior limita e confunde os pacientes adultos mais velhos e somente deve ser aplicada em casos excepcionais de problemas neurovasculares ou de partes moles causados por mal alinhamento. Não há nenhuma evidência do benefício da tração em termos de alívio de dor, facilidade ou qualidade de redução no momento da cirurgia [26]. A aplicação inicial da tração esquelética se mostrou mais dolorosa e mais cara.

### 5.7 Anticoagulação

#### 5.7.1 Clopidogrel e "terapia antiplaquetária dupla"

- Aspectos cirúrgicos:
  – A administração de clopidogrel é normalmente suspensa durante o período perioperatório.
  – A cirurgia de fratura do quadril não deve ser retardada nos pacientes em uso de clopidogrel.
  – A hemostasia cirúrgica meticulosa é essencial.

- Aspectos anestesiológicos:
  - A terapia antiplaquetária dupla com clopidogrel é uma contraindicação para técnicas anestésicas neuroaxiais por causa do risco de hematoma epidural.
  - O anestesista deve estar ciente do risco aumentado de sangramento e do potencial para transfusão sanguínea.
  - Os pacientes que recentemente tiveram um *stent* de artéria coronária inserido não devem ter o clopidogrel suspenso. Recomenda-se a consultar um cardiologista e realizar uma análise individual e multidisciplinar por causa do alto risco de complicações potencialmente fatais, como a trombose do *stent*.
  - Se o clopidogrel for suspenso, a anestesia regional somente pode ser feita depois de um intervalo de 7 dias durante a terapia contínua com ácido acetilsalicílico.

### 5.7.2 Antagonistas da vitamina K (AVKs, cumarínicos)

- Aspectos cirúrgicos:
  - A anticoagulação com varfarina, acenocumarol e femprocumona deve ser revertida por vitamina K até que os parâmetros de coagulação estejam em uma faixa subterapêutica à normal (razão normalizada internacional [INR] ≤ 1,8-1,5).
  - Dependendo da INR inicial, urgência da cirurgia e risco real de sangramento, 2,5-5 mg e até 10 mg de vitamina K são administrados de preferência por via intravenosa. A INR deve ser verificada novamente depois de 4-6 horas.

### 5.7.3 Anticoagulantes orais diretos

- Aspectos cirúrgicos:
  - A administração de anticoagulantes orais diretos (ACODs) é geralmente suspensa durante o período perioperatório.
  - A monitoração urgente pré e perioperatória deve incluir o tempo de tromboplastina parcial ativada para dabigatrana, antifator Xa e o tempo de protrombina para rivaroxibana, bem como a tromboelastometria rotacional (ROTEM).
- Aspectos anestesiológicos:
  - Se os ACODs forem suspensos, as técnicas anestésicas neuraxiais somente podem ser feitas após > 24 horas, dependendo do fármaco, da dose e da depuração da creatinina.
  - Os antídotos específicos são, por exemplo, idarucizumabe para reversão de dabigatrana e andexanete alfa para reversão da atividade do inibidor do fator Xa.
  - No caso de um sangramento aumentado por concentrado complexo de protrombina, estão disponíveis o concentrado complexo de protrombina ativada, plasma fresco congelado, fibrinogênio concentrado, fator VIIa recombinado, eritrócitos e trombócitos.

## 6 Tratamento pós-operatório

### 6.1 Demência e *delirium*

Muitos pacientes mais velhos têm dificuldades de aderir às instruções por causa de debilidade e/ou disfunção cognitiva causada por demência ou *delirium*. A demência e o *delirium* são comorbidades comuns na população com fratura por fragilidade.

> A demência é uma doença crônica com declínio inexorável na condição cognitiva e é, em última instância, fatal.
>
> O *delirium* é uma doença aguda e potencialmente reversível, com um estado de confusão relacionado a uma condição médica ou desorientação aguda devido a uma alteração súbita no ambiente.

É importante reconhecer que os pacientes com demência podem também ter *delirium* com um aumento na confusão e um declínio súbito na função cognitiva a partir de uma condição médica aguda que pode ser tratada. O *delirium* é muito mais comum nos pacientes que têm demência e até 60% dos pacientes com fratura do quadril apresentam *delirium* no período perioperatório [27].

O *delirium* é um fator de risco independente para a extensão da hospitalização, para um aumento nos déficits funcionais, nas complicações e na admissão para um lar geriátrico [28]. Os pacientes com *delirium* não conseguem participar eficazmente na sua reabilitação após a fratura, e podem ser incapazes de seguir instruções. Desse modo, a cirurgia que permite a carga plena imediata é essencial.

Existem quatro características fundamentais que caracterizam o *delirium* [28]:

- Distúrbio de consciência com capacidade reduzida de focar, sustentar ou distúrbio da atenção.
- Uma alteração na cognição ou o desenvolvimento de um distúrbio perceptivo que não é justificado por uma demência preexistente, estabelecida ou em evolução.
- O distúrbio se desenvolve em um período curto (geralmente horas a dias) e tende a flutuar durante o curso do dia.
- Existe evidência a partir da história, do exame físico, ou de achados de laboratório que o distúrbio seja causado por uma condição médica, intoxicação de substâncias, ou efeitos adversos de medicamentos.

A taxa de mortalidade é alta (até 30%). Somente um terço dos pacientes se recuperam completamente do *delirium*, e os outros dois terços mantêm um declínio na função cognitiva.

> O *delirium* é sempre uma emergência médica aguda. Requer um processo diagnóstico adequado. O melhor tratamento para o *delirium* é a prevenção. As diretrizes para diagnóstico de *delirium* podem ser úteis quando um profissional experiente não estiver disponível.

Tópicos gerais
4.8 Fraturas por fragilidade e cuidados ortogeriátricos

As causas e fatores de risco comuns para o *delirium* incluem:

- Idade avançada
- Distúrbios cerebrais, como demência, hematoma subdural, doença de Parkinson
- Desequilíbrios metabólicos, como hipoglicemia, hiponatremia
- Falência de órgãos, como insuficiência cardíaca, insuficiência renal
- Agentes tóxicos, como álcool, medicamentos de prescrição
- Distúrbios físicos, como trauma com sistema de resposta inflamatória sistêmica, hipotermia
- Privação sensitiva e percepção prejudicada do ambiente, como, retirada dos óculos e aparelho auditivo
- Ambiente ruidoso e pouco conhecido, mudanças frequentes de ambiente, como viagens para o hospital
- Fraturas relevantes, como fratura do quadril
- Gatilhos como contenções físicas, como tração, grades do leito, talas, cateteres urinários e drenos
- Complicações médicas e polifarmácia, como uso de mais de três medicamentos
- Desnutrição
- Desidratação e desequilíbrio eletrolítico
- Dor
- Anestesia
- Abstinência de benzodiazepínicos ou álcool

## 6.2 Prevenção do *delirium*

As estratégias de tratamento são menos efetivas que as medidas preventivas.

A prevenção é baseada nos seguintes princípios [28]:

- Se possível, evitar gatilhos e fatores de piora
- Identificar e tratar causas possíveis
- Fornecer reabilitação precoce ideal para evitar um declínio físico e cognitivo adicional
- A cirurgia precoce e o tratamento geriátrico proativo são cruciais

Os seguintes passos podem ser tomados na prática clínica:

- Repleção precoce de volume e eletrólitos
- Evitar hipoxemia e hipotermia
- Prover suficiente tratamento para dor
- Revisar medicamentos; procurar fármacos impróprios
- Tratamento da função intestinal e vesical
- Nutrição adequada
- Mobilização precoce
- Minimizar o uso de contenções físicas para o paciente com mobilidade limitada
- Detecção precoce e tratamento das complicações pós-operatórias

- Modificação ambiental e auxílios não farmacológicos para o sono em pacientes com insônia
- Protocolo de orientação e estimulação cognitiva para pacientes com deficiência cognitiva
- Tratamento do comportamento agressivo, particularmente a agitação e comportamento combativo
- Monitoramento de pacientes de alto risco com escores validados, como o método de avaliação da confusão
- Terapia para *delirium*

Não existe tratamento verdadeiro para o *delirium* em si, embora as condições médicas agudas devam ser apropriadamente tratadas. O controle dos sintomas pode ser necessário para prevenir danos ou permitir a avaliação e tratamento. Os sintomas do *delirium* são ainda tratados empiricamente e não existe nenhuma evidência na literatura para apoiar qualquer mudança na prática atual.

Em pacientes mais velhos hospitalizados depois da cirurgia de quadril, o haloperidol em dose baixa não reduziu a incidência de *delirium*, mas reduziu a gravidade e a duração dos episódios [29].

O medicamento deve ser reduzido ou descontinuado assim que possível, e deve ser acompanhado pelas seguintes medidas:

- Proteger os pacientes da queda com leitos baixos, guarda da cama, alarmes e observação atenta
- Providenciar contato com familiares

## 6.3 Manejo da transfusão sanguínea

A indicação individual para transfusão de hemácias é derivada da concentração de hemoglobina (Hb), capacidades compensatórias e fatores de risco:

- A transfusão é indicada se:
  – Hb ≤ 6 g/dL ou 3,7 mmol/L
  – Hb 8-10 g/dL ou 5,0-6,2 mmol/L com sinais de hipoxia anêmica
- A transfusão não é indicada se:
  – Hb > 10 g/dL ou ≥ 6,2 mmol/L

## 6.4 Tromboprofilaxia

O tromboembolismo venoso é uma das principais causas de mortalidade perioperatória em pacientes idosos com fratura. Desse modo, a tromboprofilaxia perioperatória deve ser um aspecto de rotina nos cuidados de pacientes idosos com uma fratura.

Geralmente, são usadas as heparinas de baixo peso molecular. A profilaxia deve ser iniciada pré-operatoriamente ou no pós-operatório, dependendo do momento da cirurgia e do tipo de anestesia, como, por exemplo, neuroaxial.

A tromboprofilaxia deve ser continuada pelo menos enquanto o paciente estiver imóvel. Algumas diretrizes recomendam a tromboprofilaxia estendida por até 35 dias de pós-operatório para pacientes com fratura de quadril, embora não haja nenhuma evidência clara a partir de ensaios controlados randomizados. Os riscos e benefícios da tromboprofilaxia estendida devem ser avaliados para cada paciente individual.

### 6.5 Desnutrição

A condição nutricional deve ser verificada na admissão em todos os pacientes com fraturas por fragilidade. O problema mais comum é a deficiência de proteínas. Nos pacientes malnutridos com fraturas do quadril, os suplementos orais são recomendados e podem reduzir os desfechos desfavoráveis [30, 31], e podem também influenciar na mortalidade [32].

Os seguintes sintomas ajudam a diagnosticar uma condição nutricional deficiente:

- Perda de peso: > 5% dentro de 3 meses ou > 10% dentro de 6 meses
- Índice de massa corporal < 20 kg/m²
- Nível de albumina < 3,5 g/dL
- Miniavaliação nutricional

Abordagem passo a passo para tratar a desnutrição:

- Identificar e tratar causas possíveis
- Focar a equipe de enfermagem na desnutrição
- Auxiliar os pacientes a comer
- Suplementos dietéticos
- Nutrição parenteral ou somda de alimentação, se a alimentação enteral for impossível

Recomendações para idosos:

- Calorias: 1.500-2.000 kcal/dia
- Proteína: 12-14% da carga nutricional global (0,9-1,1 g/kg de peso corporal/dia)
- Gordura: máximo de 30% da carga nutricional global
- Carboidrato: mínimo de 50% da carga nutricional global
- Fibra dietética: mínimo 30 g/dia
- Líquidos: 1,5-2 L/dia

Se a desnutrição for identificada, os suplementos dietéticos líquidos devem ser administrados precocemente. Sabe-se que os suplementos dietéticos orais diminuem a mortalidade nos pacientes idosos. Além disso, os suplementos dietéticos orais pós-operatórios podem reduzir as complicações nos pacientes idosos com fratura de quadril.

### 6.6 Reabilitação

Uma unidade geriátrica aguda com reabilitação parece ser o caminho mais efetivo para reintegrar os pacientes à sociedade após o tratamento agudo em um departamento ortopédico. Um programa de reabilitação multidisciplinar melhora os desfechos físicos, a qualidade de vida e as atividades diárias, reduz as taxas de readmissão e depressão e também pode estar associado a menos quedas [33, 34].

### 6.7 Prevenção de fraturas secundárias

Até 40% dos pacientes com fraturas de quadril tiveram outra fratura osteoporótica prévia. Mesmo assim, o subtratamento da osteoporose é comum, até entre os pacientes com fraturas por fragilidade.

Uma abordagem sistemática, baseada no triângulo da fratura – osteoporose, quedas e força do impacto – é útil. Todos os pacientes que sofrem uma fratura por fragilidade, incluindo as fraturas dos corpos vertebrais, devem ser identificados e ter acesso a um serviço dedicado que avalie seu risco de osteoporose e dê conselhos apropriados sobre as medidas de estilo de vida, como dieta e exercícios, prevenção de quedas e também medicamentos caso necessário.

#### 6.7.1 Prevenção de quedas

A cada ano, 1 em 3 pessoas acima dos 65 anos experimenta pelo menos uma queda. Por volta de 9% das quedas resultam em uma visita ao departamento de emergência e 5-6% causam uma fratura. Por conseguinte, a prevenção das quedas se tornou uma meta de saúde pública.

> Os idosos tendem a negligenciar suas quedas. Eles com frequência temem que seus familiares e seus médicos contestem a sua autonomia.

Uma queda prévia é o preditor mais forte para a próxima queda. Desse modo, do aspecto clínico, é importante inquirir sobre quedas.

As razões para as quedas são multifatoriais. Uma avaliação padronizada pode ajudar a detectar os diferentes fatores de risco. Um programa abrangente de avaliação das quedas é recomendado para todos os pacientes com quedas na sua história ou fraturas por fragilidade, já que representa uma ferramenta essencial para a prevenção de fraturas subsequentes. Uma excelente revisão sobre a prevenção de quedas em pessoas de vida em comunidade foi publicada por Tinetti e Kumar [35]. As razões comuns para as quedas incluem o ambiente doméstico, álcool, medicamentos, visão deficiente, problemas de equilíbrio, calçados e problemas cardiovasculares.

#### 6.7.2 Tratamento não específico – vitamina D e cálcio

Todos os pacientes adultos mais velhos com fraturas por fragilidade devem ter suspeita de um nível baixo de vitamina D. Os níveis séricos de 25-hidroxivitamina D abaixo de 32 ng/dL são considerados insuficientes, e abaixo de 10 ng/dL são considerados deficientes.

Tópicos gerais
**4.8 Fraturas por fragilidade e cuidados ortogeriátricos**

A deficiência de vitamina D está tipicamente acompanhada por níveis elevados de paratormônio e baixo nível sérico de cálcio, ou seja, hiperparatireoidismo secundário.

As fraturas podem não consolidar com níveis baixos de vitamina D, já que o corpo é incapaz de mineralizar o osteoide depositado no local da fratura. A dosagem de vitamina $D_3$ para manutenção é de 1.200-2.000 UI/dia por via oral.

O cálcio somente deve ser consumido com a vitamina D para absorção adequada. Suplementação oral de cálcio: 500-1.000 mg/dL são recomendados diariamente.

### 6.7.3 Medicação específica para osteoporose

Os bifosfonatos orais podem em geral ser iniciados logo após o reparo da fratura. Os efeitos da prevenção de fraturas desses medicamentos não são alcançados até por pelo menos 6 meses de terapia [36]. Os bifosfonatos orais não interferirão na consolidação óssea secundária, mas podem interferir na consolidação óssea primária e na remodelação óssea, já que inibem a função osteoclástica, que tem um papel fundamental nesse processo.

É relatada uma baixa adesão à medicação após 6 meses de terapia com bifosfonato oral. Isso se deve a distúrbios do trato gastrintestinal superior, sendo a osteoporose uma condição assintomática. A adesão pode ser melhorada com o acompanhamento do paciente, incluindo chamadas telefônicas, para o encorajar a continuar ingerindo os comprimidos.

O tratamento intravenoso deve ser retardado por pelo menos 3 semanas de pós-operatório para prevenir a captação do fármaco no local da fratura. A terapia intravenosa assegura a adesão e tem um início imediato de proteção da fratura, mas é cara, e requer equipe médica para infusão da dose.

Os ortopedistas devem estar familiarizados com os fundamentos do tratamento da osteoporose:

- Primeira escolha: bifosfonatos orais, alendronato ou risendronato, a partir de 3 semanas depois da fratura. Eles podem ser trocados para via intravenosa, como ácido zoledrônico, 5 mg 1 vez por ano.
- Se as fraturas osteoporóticas ocorrerem depois do tratamento com bifosfonatos, deve ser considerada a teriparatida, um hormônio anabólico.
- A insuficiência renal é a contraindicação mais importante para o tratamento farmacológico com bifosfonatos e teriparatida. O denosumabe, 60 mg por via subcutânea a cada 6 meses, é uma outra opção. O efeito antirreabsortivo é comparável com o dos bifosfonatos.
- Após uma fratura por fragilidade, o diagnóstico de osteoporose e as recomendações de como prosseguir devem ser comunicados por escrito para o paciente e para o médico de atenção primária.

### 6.7.4 Redução do efeito da força

No contexto de cuidados de enfermagem ou residencial, o uso de protetores do quadril leva a uma redução marginalmente significativa no risco de fratura do quadril. Entretanto, o efeito benéfico não é constante, e a falta de adesão permanece um problema. Para hospitais, lares de idosos ou residências, um assoalho mais macio é uma opção. Essa superfície de assoalho pode reduzir a força de uma queda em 50%.

## 7 Anestesia

As avaliações pré-operatórias geriátrica e anestésica têm muito em comum, e ambas devem trabalhar em sinergia para acelerar o tempo até a cirurgia e evitar redundâncias.

### 7.1 Estratificação de risco

A tomada de decisão sobre o tipo de anestesia se baseia no tipo e na duração da cirurgia proposta, na anticoagulação pré-operatória, na probabilidade de *delirium* e na viabilidade da anestesia neuroaxial.

Se houver uma contraindicação para anestesia espinal, a progressão para anestesia geral é melhor que uma espera prolongada. Em geral, o risco de mortalidade intraoperatória é baixo. Entretanto, para casos de alto risco, é útil que as equipes cirúrgica e anestésica discutam com antecedência a resposta ao colapso cardiovascular súbito, de forma estejam preparadas.

### 7.2 Anestesia neuroaxial

- Reduz o risco de *delirium*, eventos tromboembólicos, incluindo embolia pulmonar fatal, infarto do miocárdio (tendência) e complicações hipóxicas [37].
- Aumenta o risco de hipotensão intraoperatória [38].
- Os agentes antiplaquetários, como o clopidogrel, podem interferir na anestesia neuroaxial.
- A estenose aórtica crítica é uma contraindicação à anestesia espinal.
- Os bloqueios dos nervos femoral ou supraclavicular fornecem excelente anestesia e analgesia pós-cirúrgica.
- A anestesia regional pode melhorar o desfecho global nos pacientes certos e nas situações certas [37].

### 7.3 Anestesia geral

- Menor incidência de hipotensão e uma tendência para menos acidentes cerebrovasculares [37].
- As doenças respiratórias e a anestesia geral são preditores significativos de morbidade em pacientes com fratura do quadril.
- A hidratação pré-operatória suficiente reduz o risco de hipotensão durante a cirurgia.
- A idade cronológica é de menor importância que a idade biológica (fragilidade) quando os riscos para complicações perioperatórias são considerados.

## 8 Princípios do tratamento cirúrgico

### 8.1 Questões de tempo

A maioria dos estudos recomenda fazer a cirurgia dentro das primeiras 24-48 horas da admissão, o que diminui o número de complicações e a mortalidade. Os atrasos além de 72 horas estão associados a um risco aumentado de complicações múltiplas e risco de mortalidade [14].

O sistema de cuidados deve ser otimizado para evitar atraso e doença iatrogênica. Essa diretriz é frequentemente violada por causa das condições gerais e da adesão do paciente, ou porque os pacientes com fraturas por fragilidade com frequência recebem prioridade mais baixa dentro das organizações de cuidados de saúde.

Manter do tempo operatório o menor possível também pode reduzir o estresse cirúrgico e seu ônus fisiológico no paciente.

### 8.2 Preocupações com as partes moles

O sistema musculoesquelético dos pacientes idosos é mais vulnerável e menos tolerante ao estresse de qualquer tipo:

- A pele pode ser fina e menos elástica devido à atrofia ou desnutrição, o que torna as escaras de pressão e o desenluvamento mais comuns. Durante o posicionamento e preparação, o cirurgião deve lembrar que a pele do paciente idoso é frágil e pode romper ou ser avulsionada com estresses de cisalhamento mínimos. As forças de cisalhamento durante a tração manual, remoção de campos cirúrgicos e pressão localizada por talas e dispositivos de tração devem ser evitadas (**Fig. 4.8-7**).
- As alterações tróficas são comuns na doença arterial, que pode resultar em alterações isquêmicas e cicatrização deficiente, enquanto a hipertensão venosa produz edema, úlceras e alterações crônicas de pele nas pernas.

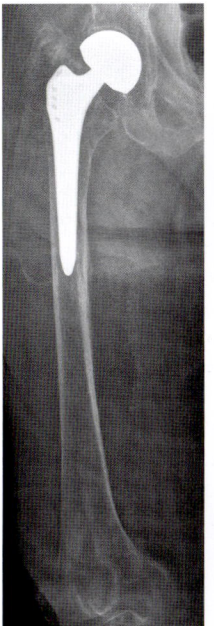

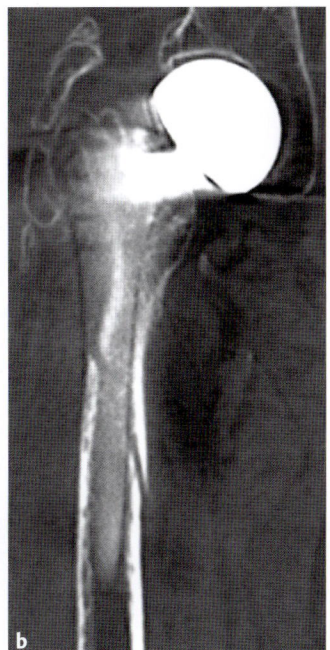

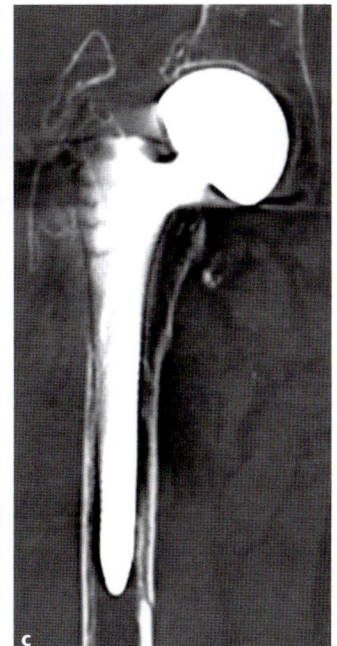

**Fig. 4.8-7a-i**
**a-c** Mulher de 88 anos com fratura do fêmur periprotética do tipo B2.

Tópicos gerais
4.8 Fraturas por fragilidade e cuidados ortogeriátricos

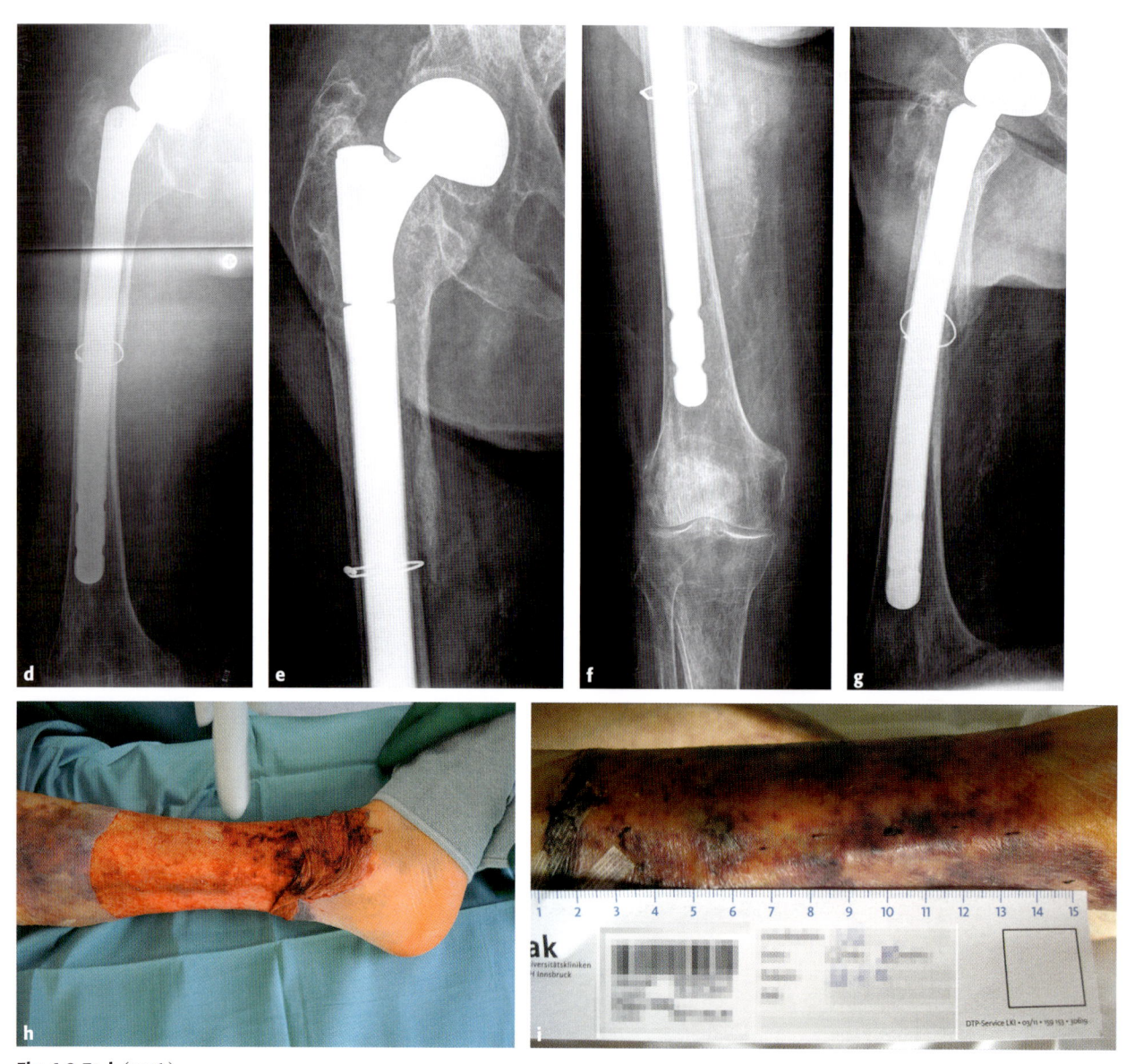

**Fig. 4.8-7a-i (cont.)**
d  Artroplastia de revisão.
e-g  Radiografias de seguimento em 2 meses.
h  Depois de remover as coberturas, um desenluvamento da pele de perna por tração gentil para a redução intraoperatória ficou aparente.
I  Cicatrização sem problemas depois de 10 dias.

## 8.3 Qualidade óssea

A qualidade óssea pode variar substancialmente desde o típico tubo osteoporótico largo, com corticais finas, até uma cortical espessa, mas frágil, nas fraturas subtrocantéricas atípicas em pacientes que tenham recebido bifosfonatos. A probabilidade de ocorrência de perfuração cortical ou a fragmentação óssea durante a aplicação de pinças ou parafusos de tração é maior do que no osso normal (**Fig. 4.8-8**). As manobras de redução forçadas e o manuseio agressivo do osso podem resultar em extensão da fratura para além do padrão original. As pinças devem ser usadas com precaução para evitar dano iatrogênico (**Fig. 4.8-9**). Os padrões de fratura são frequentemente complexos, com impacção que ocorre apesar do trauma de baixa energia.

## 8.4 Deformação óssea

O encurvamento do fêmur em varo e antecurvato tem um impacto clínico nos pacientes idosos com fraturas e pode dificultar o uso de implantes intramedulares e extramedulares comuns [39]. O encurvamento aumentado da diáfise femoral é um fator de risco importante para fratura [40].

O encurvamento geriátrico da diáfise femoral pode estar aumentado nas seguintes condições:

- Idosos com mineralização óssea diminuída
- A osteoporose ou a osteomalácia podem induzir ao joelho varo ou encurvamento do fêmur

## 8.5 Fratura do fêmur atípica

As fraturas do fêmur atípicas ocorrem através do osso anormal e tipicamente espessam o osso cortical, um padrão transverso simples e uma reação periosteal (em forma de bico) no lado de tensão (lateral). Elas ocorrem tanto na região subtrocantérica quanto na diáfise femoral após um trauma mínimo ou ausente, e muitos pacientes têm dor prodrômica por algumas semanas antes da fratura [41]. Estão associadas ao uso em longo prazo de bifosfonatos, mas o mesmo aspecto radiográfico pode ocorrer com metástases escleróticas (geralmente por câncer de mama ou próstata) e também foi observado sem o uso de bifosfonatos, especialmente em pacientes de etnia asiática.

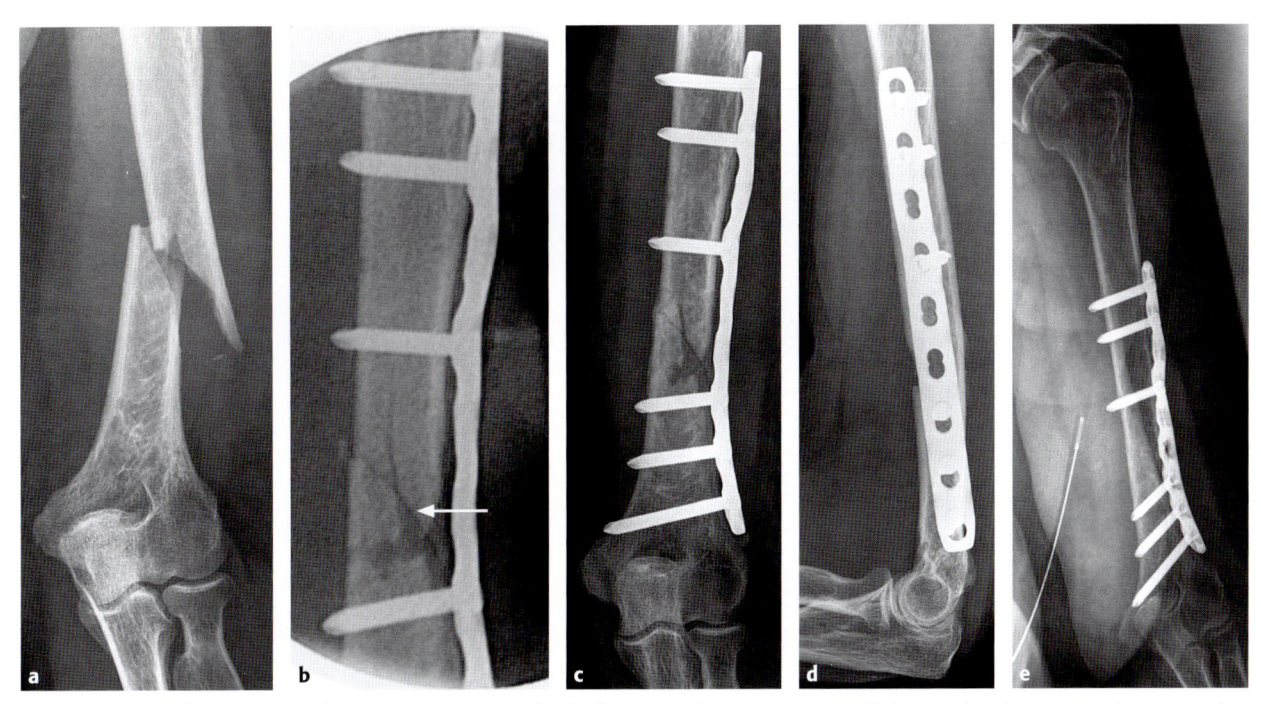

**Fig. 4.8-8a-e** Mulher de 76 anos de idade com fratura simples de duas partes do úmero esquerdo (**a**). Depois da redução anatômica, um parafuso de tração de titânio de 3,5 mm foi usado para fornecer estabilidade absoluta (não mostrado). Depois de apertar o parafuso um pouco demais, a situação multifragmentar emergiu (seta) (**b**). A redução foi difícil e um tipo de montagem em ponte foi escolhido. Houve consolidação sem problemas depois de 2 meses (**c-d**) e 5 meses (**e**). A paciente não tinha osteopenia (escore T L1-L4 de 0,4 e escore T do colo femoral de −0,9). O exame DEXA descreve a deterioração da qualidade óssea somente até certo ponto.

Tópicos gerais
## 4.8 Fraturas por fragilidade e cuidados ortogeriátricos

### 8.6 Indicações para fixação

Quase todas as fraturas do fêmur e as fraturas desviadas da diáfise da tíbia devem ser cirurgicamente tratadas. Os pacientes que deambulam podem se beneficiar da fixação da fratura de tornozelo, mas o tratamento não operatório permanece uma opção [42], e a maioria das fraturas do pé podem ser tratadas sem cirurgia nesse grupo etário. A maioria das fraturas abaixo do joelho também pode ser tratada sem cirurgia em pacientes que não caminham. Nesse caso, bastam talas ou gessos bem acolchoados e cuidadosamente aplicados.

Na extremidade superior, deve ser considerada a necessidade de preservar a função para ajudar o paciente a realizar as atividades da vida diária como alimentação, cuidados próprios, arrumar-se e deambular. O tratamento cirúrgico deve fazer alguma diferença em termos de funcionalidade para ser indicado. Nas fraturas proximais do úmero, do olécrano e distal do rádio, o tratamento não cirúrgico frequentemente leva a resultados funcionais subjetivos aceitáveis [43-46].

O tratamento não cirúrgico em pacientes idosos não é tão bem tolerado quanto nos indivíduos mais jovens. Os gessos interferem com a funcionalidade e aumentam o risco de quedas. A imobilização torna os pacientes idosos dependentes para atividades básicas como comer e se arrumar. Os gessos podem prejudicar um paciente para realizar as atividades diárias e o paciente pode, por conseguinte, necessitar ser transferido para uma casa de saúde. Os gessos e imobilizadores tendem a exacerbar o *delirium* nesse grupo etário. Desse modo, o cirurgião deve sempre considerar a opção de tratamento não cirúrgica se a fixação cirúrgica não for suficiente para permitir a carga plena imediata sem o suporte adicional de um gesso ou tala.

O retorno completo a todas as atividades depois do trauma é a meta geral de tratamento naqueles com menos de 60 anos. Isso não se aplica aos pacientes com fraturas por fragilidade. Nesse grupo etário, o foco é a restauração das demandas funcionais individuais.

### 8.7 Necessidade de cirurgia cuidadosa

A hemiartroplastia em vez da fixação para as fraturas intracapsulares desviadas do quadril e outras operações de artroplastia primária constituem boas exemplos.

Em um grupo pequeno de pacientes acamados e pré-terminais (6-10%), o tratamento paliativo não cirúrgico das fraturas do quadril e de outras fraturas da perna pode ser apropriado. Essas decisões devem ser tomadas em conjunto, envolvendo a equipe multidisciplinar, o paciente (se possível) e – sempre – a família.

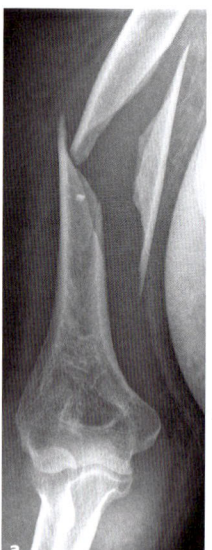

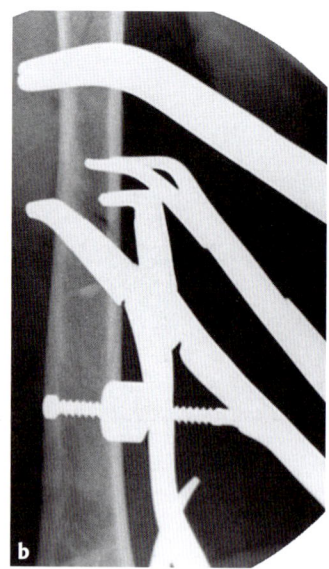

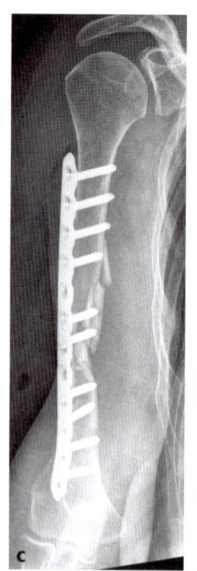

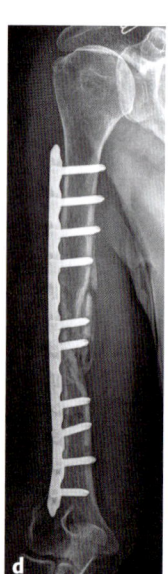

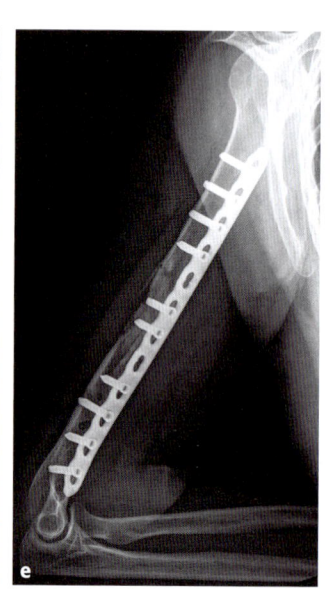

**Fig. 4.8-9a-e**
**a** Mulher de 70 anos de idade com fratura em cunha da diáfise do úmero.
**b** Redução aberta e redução com várias pinças.
**c** Mais manipulação levou a uma situação iatrogênica multifragmentar que ficou difícil de alinhar e fixar com uma placa bloqueada.
**d-e** Resultado de 3 meses com excelente função clínica.

## 8.8 Carga conforme tolerado e funcional depois do tratamento

A mobilização pós-operatória precoce e a carga plena conforme tolerado são princípios importantes por várias razões nesse grupo de pacientes. O repouso prolongado no leito ou a "mobilização sentada" não são boas opções. A perda diária de massa muscular enquanto parados no leito é drástica. Os procedimentos cirúrgicos e implantes atuais permitem a carga irrestrita e imediata. As razões para a carga imediata incluem:

- Perda de massa muscular
- A restrição de carga inflige um ônus fisiológico significativo nos pacientes idosos. O gasto de energia para deambulação sem a carga plena aumenta em quatro vezes e leva a uma exaustão rápida [47].
- Os pacientes com fraturas por fragilidade são com frequência fisicamente incapazes de fazer a carga parcial devido a sarcopenia, falta de propriocepção e fraqueza nos braços.
- A demência e o *delirium* tornam muitos pacientes não cooperativos.
- Os protocolos de carga parcial não são baseados em evidência.
- A dor, mesmo quando usando analgesia, guiará o paciente a usar a quantidade apropriada de carga e fazer uma progressão segura com a deambulação.
- A carga precoce pode promover a consolidação da fratura sem a perda progressiva da fixação [48, 49].

## 8.9 Técnicas de fixação

O principal problema técnico que o cirurgião enfrenta é a dificuldade em manter a fixação do implante no osso osteoporótico. A densidade mineral óssea se correlaciona linearmente com o poder de pega dos parafusos. Se a carga transmitida na interface osso-implante exceder a tolerância da tensão do osso osteoporótico, ocorrerão microfratura e reabsorção óssea, com afrouxamento do implante e falha secundária da fixação. O modo comum de falha da fixação interna no osso osteoporótico é a insuficiência do osso em vez da quebra do implante.

> Os princípios do tratamento das fraturas são aplicáveis na maior parte das fraturas por fragilidade, mas a diminuição na resistência óssea requer algumas adaptações para diminuir o risco de falha.

Técnicas importantes incluem:

- Estabilidade relativa, incluindo fixação em ponte e de suporte
- Estabilidade angular
- Hastes intramedulares
- Impacção óssea controlada
- Reforço ósseo
- Substituição articular

### 8.9.1 Posicionamento

É essencial posicionar cuidadosamente o paciente na mesa cirúrgica. Evitar as escaras de pressão é importante, já que elas interferem significativamente na recuperação. Na maioria dos casos, a posição supina é preferida no idoso para permitir a cuidado global pelo anestesista. Quando sob anestesia regional, o paciente pode respirar mais facilmente na posição supina.

### 8.9.2 Cirurgia minimamente invasiva

As principais vantagens das técnicas de cirurgia minimamente invasiva, incluindo a menor dissecção de partes moles e menos sangramento, aplicam-se até mais nos idosos.

### 8.9.3 Estabilidade relativa

No osso osteoporótico, pode nem sempre ser possível obter e manter a redução anatômica e a compressão com estabilidade absoluta, porque o osso cortical e esponjoso debilitado pode falhar sob compressão.

Como uma regra simples, os dispositivos intramedulares devem ser preferidos aos extramedulares se a morfologia da fratura e os tecidos moles permitirem essa opção.

As placas curtas com todos os orifícios preenchidos causarão concentração de forças, que pode exceder a tolerância da resistência do osso osteoporótico. A osteoporose exige regras básicas para o uso seguro da fixação interna [50, 51]:

- As fraturas transversas simples são mais bem tratadas por meio de implantes intramedulares. Se isso não for possível, o *gap* da fratura deve estar tão fechado quanto possível. Se forem usadas placas, a compressão deve ser obtida com a placa e 3 a 4 orifícios devem ser deixados livres e 3 a 4 parafusos bicorticais de cabeça bloqueada em cada fragmento principal são necessários depois de a compressão ser obtida.
- As fraturas helicoidais em duas partes devem ser reduzidas tanto quanto possível e preliminarmente fixadas com fio de sutura ou de cerclagem ou cabos de aço, com mínimo desnudamento de partes moles. Se os parafusos forem usados, eles devem ser apertados com cautela como "parafusos de redução". O primeiro parafuso da placa deve ser inserido na extremidade da linha de fratura. Novamente, são necessários 3 a 4 parafusos bicorticais de cabeça bloqueada em cada fragmento principal (**Fig. 4.8-10**).
- As fraturas multifragmentadas requerem que os primeiros parafusos sejam colocados adjacentes à zona de fratura. As placas longas são usadas com quatro parafusos bicorticais em cada fragmento principal.

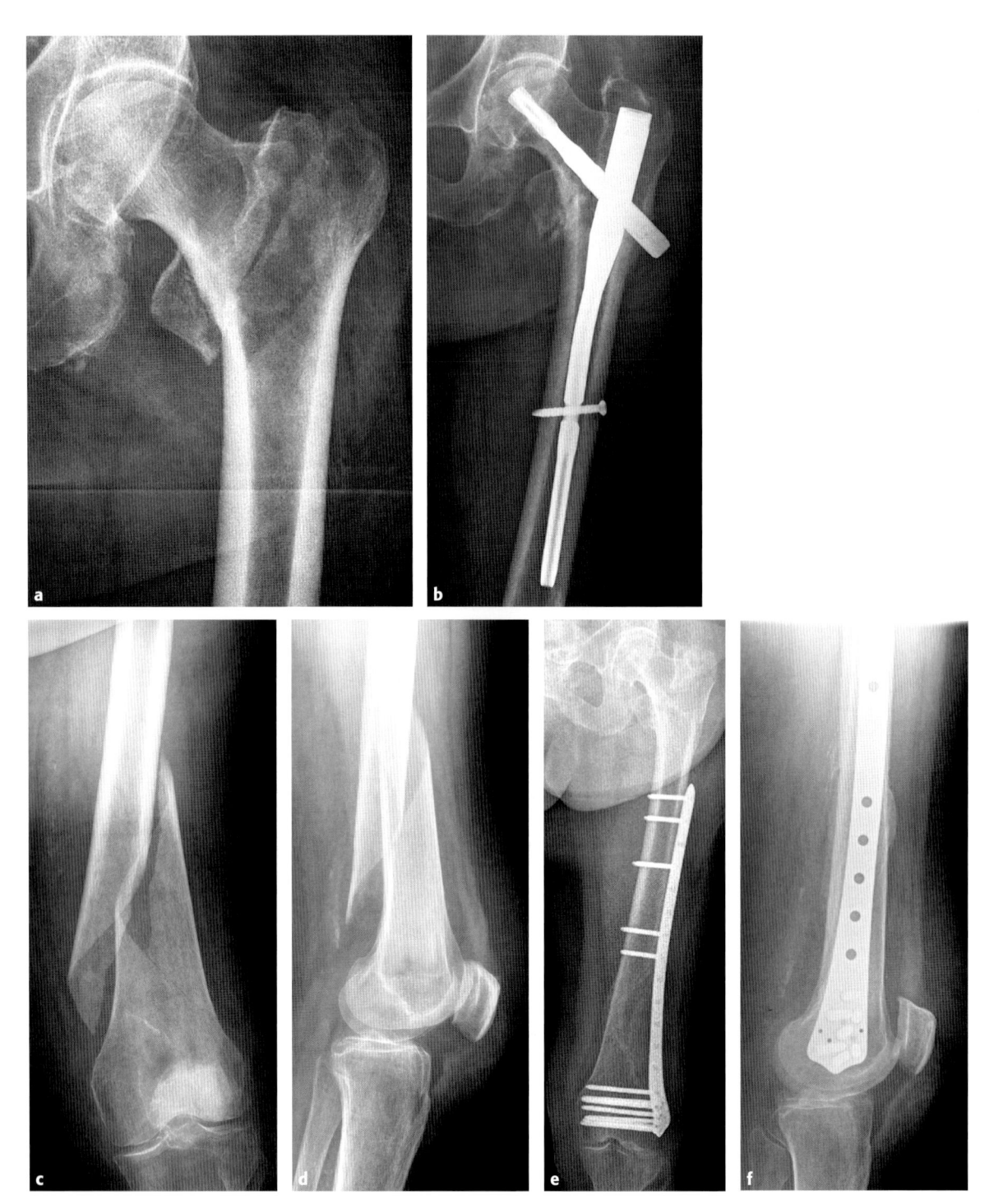

Tópicos gerais
## 4.8 Fraturas por fragilidade e cuidados ortogeriátricos

**Fig. 4.8-10a-f**  Mulher de 77 anos de idade com fratura intertrocantérica (**a**). Fixação com uma haste cefalomedular (**b**). A haste foi removida 1,5 ano mais tarde por causa de dor na região lateral da coxa. Três anos mais tarde, ela sofreu uma fratura diafisária em helicoidal (**c-d**). A redução minimamente invasiva na posição lateral e a fixação preliminar com fio de sutura foi executada. A fixação definitiva com estabilidade relativa e placa distal no fêmur foi executada, com o primeiro parafuso proximal iniciando na extremidade da fratura. Consolidação descomplicada com pouca formação de calo (**e-f**). Idealmente, uma placa mais longa para proteger o fêmur inteiro poderia ter sido usada. Uma alternativa razoável seria uma haste cefalomedular longa.

### 8.9.4 Imobilizando o osso inteiro

As fraturas subsequentes, adjacentes à extremidade de placas, hastes ou próteses, ocorrem devido à fadiga entre o implante rígido e o osso osteoporótico. Se possível, todo o osso deve ser protegido com a primeira fixação, incluindo o colo do fêmur, nas fraturas da diáfise do fêmur e periprotéticas (**Fig. 4.8-11**).

### 8.9.5 Implantes

Os implantes bloqueados (de ângulo fixo ou variável), bem como as opções de bloqueio para as hastes intramedulares têm estabilidade biomecanicamente superior comprovada no osso com espessura cortical reduzida.

Os parafusos de cabeça bloqueada não podem ser apertados excessivamente e tornados instáveis (porque a rosca é destruída). Eles devem ser sempre usados em um modo bicortical por causa do comprimento de trabalho reduzido com uma única cortical fina.

Esses parafusos também têm um diâmetro interno maior que os parafusos convencionais, resultando em mais alta resistência de tração e resistência global. Isso é especialmente útil no osso metafisário, onde as hastes intramedulares podem falhar. O poder de pega dos parafusos de cabeça bloqueada pode ser ainda mais reforçado ao orientá-lo em direções diferentes. Esse método é usado com o PHILOS, o conceito de parafuso no parafuso da haste Multilock para a região proximal do úmero, e nas placas de compressão bloqueadas (LCPs) anatômicas da região distal do fêmur e proximal da tíbia.

Uma lâmina para fixação de fraturas intertrocantéricas ou distais do fêmur é mais estável que um parafuso. A inserção de uma lâmina condensa o osso em torno do implante, enquanto a inserção de parafuso sempre produz alguma perda óssea.

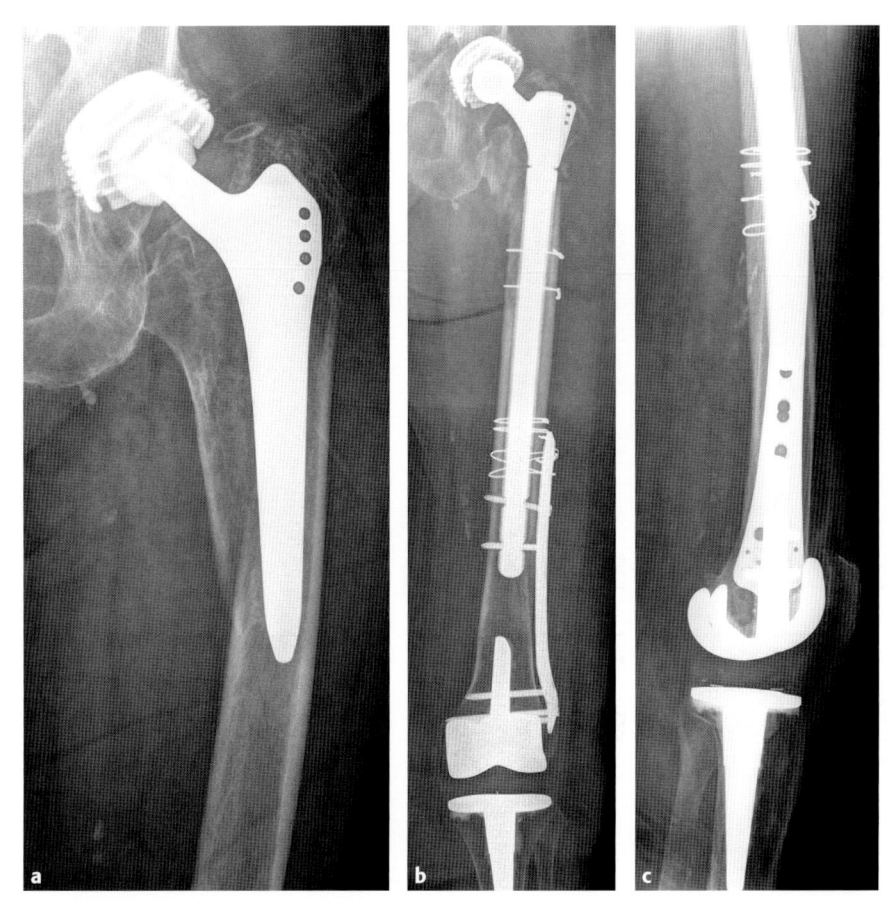

**Fig. 4.8-11a-c**  Mulher de 92 anos de idade com fratura periprotética (**a**). Foi feita a redução aberta e fixação com fios de cerclagem e artroplastia de revisão com um implante de haste longa com opções de bloqueio. A placa femoral distal protege o osso entre as duas próteses (**b-c**).

Tópicos gerais
## 4.8 Fraturas por fragilidade e cuidados ortogeriátricos

### 8.9.6 Alinhamento

O alinhamento anatômico correto representa um pré-requisito importante para a consolidação óssea sem problemas. A fixação de ossos osteoporóticos tem menos tolerância a qualquer desvio do que o osso mais jovem. Especificamente, o mau alinhamento em varo deve sempre ser evitado nas fraturas do fêmur e da tíbia.

### 8.9.7 Impacção

A impacção óssea é um elemento fundamental no tratamento cirúrgico das fraturas osteoporóticas, já que reduz o risco de falha do implante. Em muitos casos, a impacção é criada pelo trauma em si como, por exemplo, a fratura impactada em valgo do colo femoral. A impacção controlada pode ser atingida pelo tensionamento dos dispositivos de fixação interna. Os implantes, como o parafuso dinâmico do quadril, permitem a impacção controlada da fratura, enquanto previnem a penetração na articulação pelo parafuso do quadril.

### 8.9.8 Reforço com cimento ósseo

A fixação no osso osteoporótico pode ser melhorada pelo reforço do osso com um substituto. A pega reforçada dos parafusos previne a migração, *cut out, cut through* e arrancamento do material de síntese. Também pode ser usada para suportar a estrutura óssea e prevenir que ela sofra colapso, por exemplo, em uma fratura do corpo vertebral ou do planalto tibial.

O cimento ósseo de polimetilmetacrilato ainda parece ser o material de escolha e é usado para preencher espaços que resultam principalmente depois da redução das fraturas através do osso esponjoso que foi impactado pelo trauma. Um exemplo típico são as fraturas de compressão do corpo vertebral tratadas depois da redução fechada com vertebroplastia. O mesmo princípio é aplicado ao redor das fraturas proximais da tíbia e previne que elas desmoronem.

No reforço padronizado do implante, o cimento é tipicamente injetado com uma cânula específica através dos implantes perfurados para melhorar a interface osso-implante, prevenindo a alta tensão óssea e distribuindo a transmissão de força ao osso em uma configuração de compartilhamento de carga em lugar de uma configuração de carga direta (**Fig. 4.8-12**). No reforço não padronizado do implante, o cimento é aplicado através do orifício do parafuso antes de o implante ser inserido.

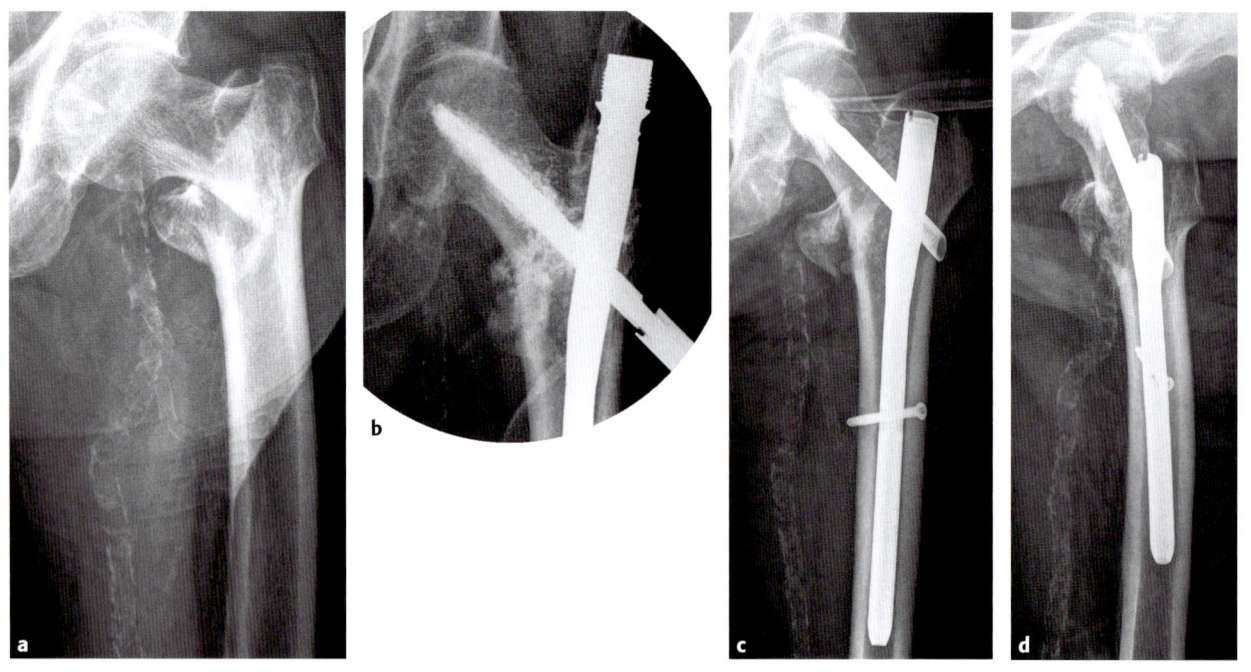

**Fig. 4.8-12a-d** Homem de 82 anos de idade com fratura proximal do fêmur (**a**). Foi efetuada uma redução fechada com uma mesa de tração. Depois da inserção da haste e lâmina, foi tomada a decisão de reforçar a lâmina por causa da osteoporose intensa e baixa resistência durante a inserção da lâmina. Um exame contrastado intraoperatório não demonstrou estravasamento do cimento, ou seja, nenhuma perfuração na articulação do quadril (**b**). Um volume de 4 mL de polimetilmetacrilato foi injetado através de uma cânula especial. Resultado após a mobilização com posição centro-centro do elemento cabeça-colo e cimento igualmente distribuído (**c-d**).

### Autoenxertos

Os autoenxertos ósseos corticoesponjosos para ajudar na consolidação da fratura e preencher *gaps* também podem ser colhidos em pacientes idosos, mas, por causa da osteoporose, eles podem ter propriedades mecânicas limitadas e pode haver quantidades limitadas de osso nos locais doadores. A menos que sejam usados para preencher espaços, os enxertos devem ser fixados ao osso com parafusos corticais ou cabos. Adjuntos como o cimento ósseo também podem ser usados (**Fig. 4.8-13**).

### Aloenxertos

O aloenxerto ósseo tem propriedades mecânicas boas, mas menos potencial osteogênico. Em condições osteoporóticas, os aloenxertos são usados para preencher espaços metafisários e prevenir o desvio de fragmentos articulares e outros. Isso pode ser útil em fraturas proximais e distais do úmero, distal do rádio e proximal da tíbia.

Os aloenxertos em longarina também são usados nas fraturas periprotéticas do fêmur com qualidade óssea ruim para reforçar a resistência mecânica da montagem (**Fig. 4.8-14**).

### Prótese articular

A substituição articular (total ou hemi) tem um papel importante nos pacientes idosos. É comumente usada na proximal do fêmur, principalmente em fraturas do colo do fêmur. A indicação para a artroplastia de substituição não está muito clara nas fraturas proximais do úmero. Os estudos das fraturas C3 distais do úmero mostram que a prótese total do cotovelo é superior à redução aberta e fixação interna em termos de resultados funcionais, mas não há estudos de acompanhamento em longo prazo (5 anos) disponíveis ainda. Não há ainda suficientes estudos comparativos para prover recomendações gerais em todas as áreas periarticulares.

## 9   Desfecho

### 9.1   Consolidação óssea

A consolidação da fratura no osso osteoporótico inclui os estágios normais e conclui-se com a união da fratura. Entretanto, o processo de consolidação pode ser prolongado, e parece óbvio que haja diferenças na consolidação da fratura em grupos etários mais avançados.

Embora a consolidação retardada da fratura não seja aparente nos pacientes, a capacidade diminuída de consolidação na osteoporose pode ser refletida por uma taxa de falha aumentada na fixação do implante. Acredita-se que a consolidação da fratura demande a migração de células-tronco mesenquimais para o calo da fratura. As células-tronco mesenquimais de indivíduos osteoporóticos podem estar em menor número e ter uma resposta proliferativa inferior [52]. O número de células-tronco está reduzido em pacientes idosos, o que poderia explicar a diminuição relacionada à idade no número de osteoblastos. As células ósseas de pacientes com osteoporose podem também ser prejudicadas em sua resposta em longo prazo ao estresse mecânico [53]. O periósteo em si também é menos responsivo com o envelhecimento.

### 9.2   Mortalidade

Depois de uma fratura do quadril, as taxas de mortalidade variam de 12-35% no primeiro ano, e são mais altas em homens do que em mulheres. As taxas de mortalidade aumentam com idade, o número de comorbidades, e baixa função mental e física pré-fratura. A baixa densidade mineral óssea também é um fator de risco.

### 9.3   Cuidados ortogeriátricos

A comparação de uma abordagem médica e de enfermagem completa aos pacientes idosos com fratura contra os cuidados ortopédicos habituais revelou melhorias drásticas no tempo de cirurgia, no tempo de hospitalização, nas taxas de readmissão e em diversas complicações. As taxas de *delirium* são reduzidas, bem como as complicações por sangramento e as taxas de infecção. Essa abordagem parece oferecer muitos benefícios aos pacientes e sistemas de atendimento [54].

Em uma revisão sistemática e metanálise recente baseada em 18 estudos, Grigoryan e colaboradores [55] tentaram determinar se os modelos de colaboração ortogeriátrica melhorariam os desfechos. A metanálise global verificou que a colaboração ortogeriátrica estava associada a uma significativa redução na mortalidade hospitalar e de longo prazo. A duração da estadia foi significativamente reduzida, particularmente no modelo de cuidados compartilhados.

Tópicos gerais
4.8   Fraturas por fragilidade e cuidados ortogeriátricos

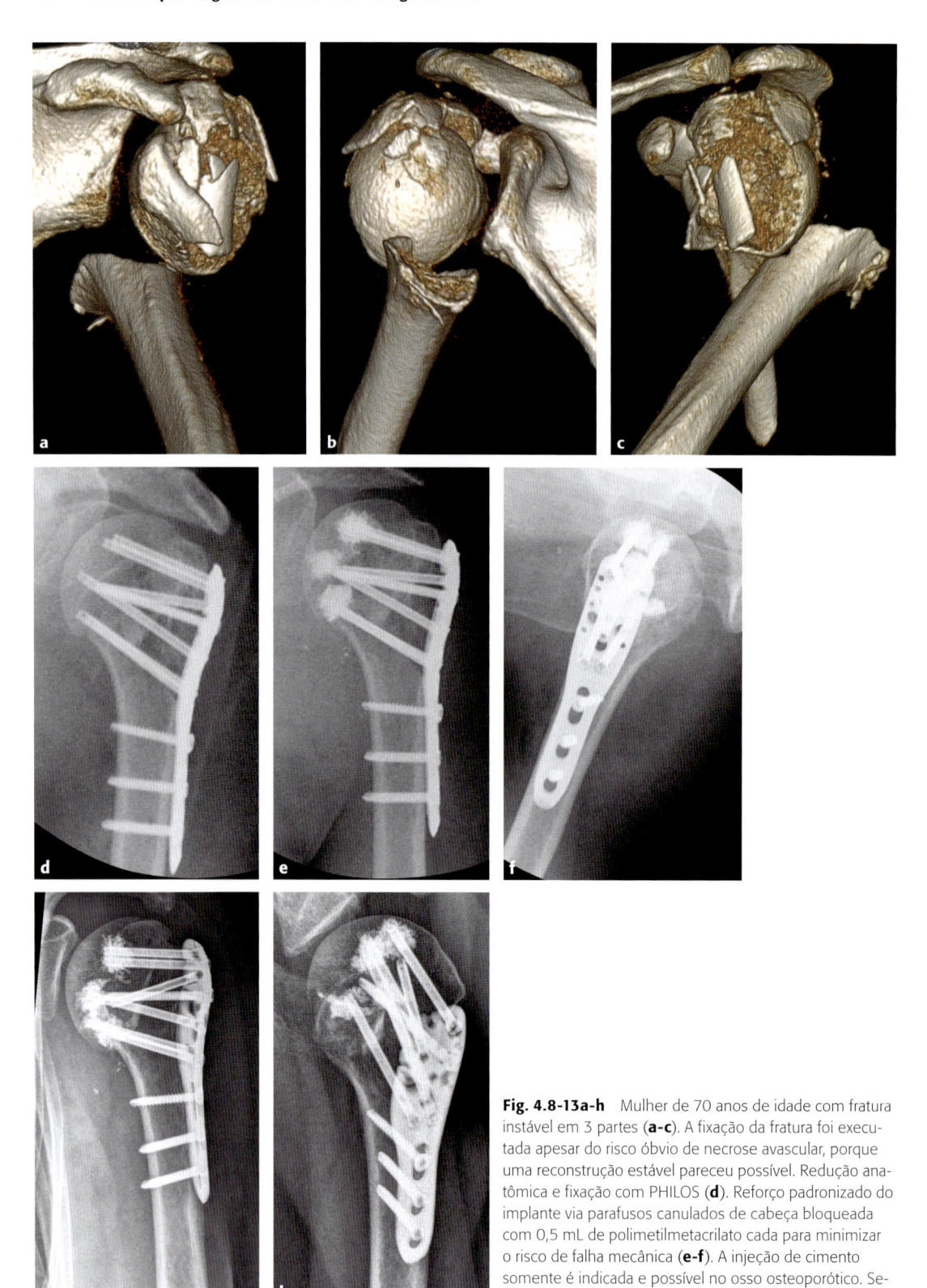

**Fig. 4.8-13a-h**   Mulher de 70 anos de idade com fratura instável em 3 partes (**a-c**). A fixação da fratura foi executada apesar do risco óbvio de necrose avascular, porque uma reconstrução estável pareceu possível. Redução anatômica e fixação com PHILOS (**d**). Reforço padronizado do implante via parafusos canulados de cabeça bloqueada com 0,5 mL de polimetilmetacrilato cada para minimizar o risco de falha mecânica (**e-f**). A injeção de cimento somente é indicada e possível no osso osteoporótico. Seguimento depois de 3 meses (**g-h**).

**Fig. 4.8-14a–h** Mulher de 76 anos de idade com fratura desviada em duas partes proximal do úmero. Osteoporose grave com escore T da coluna lombar de −3,8, colo femoral −3,6, e um fragmento fino da cabeça (**a-c**). O oco central depois da redução aberta (**d**) foi preenchido com um aloenxerto estrutural do banco de osso (**e-f**). Seguimento depois de 3 meses (**g-h**).

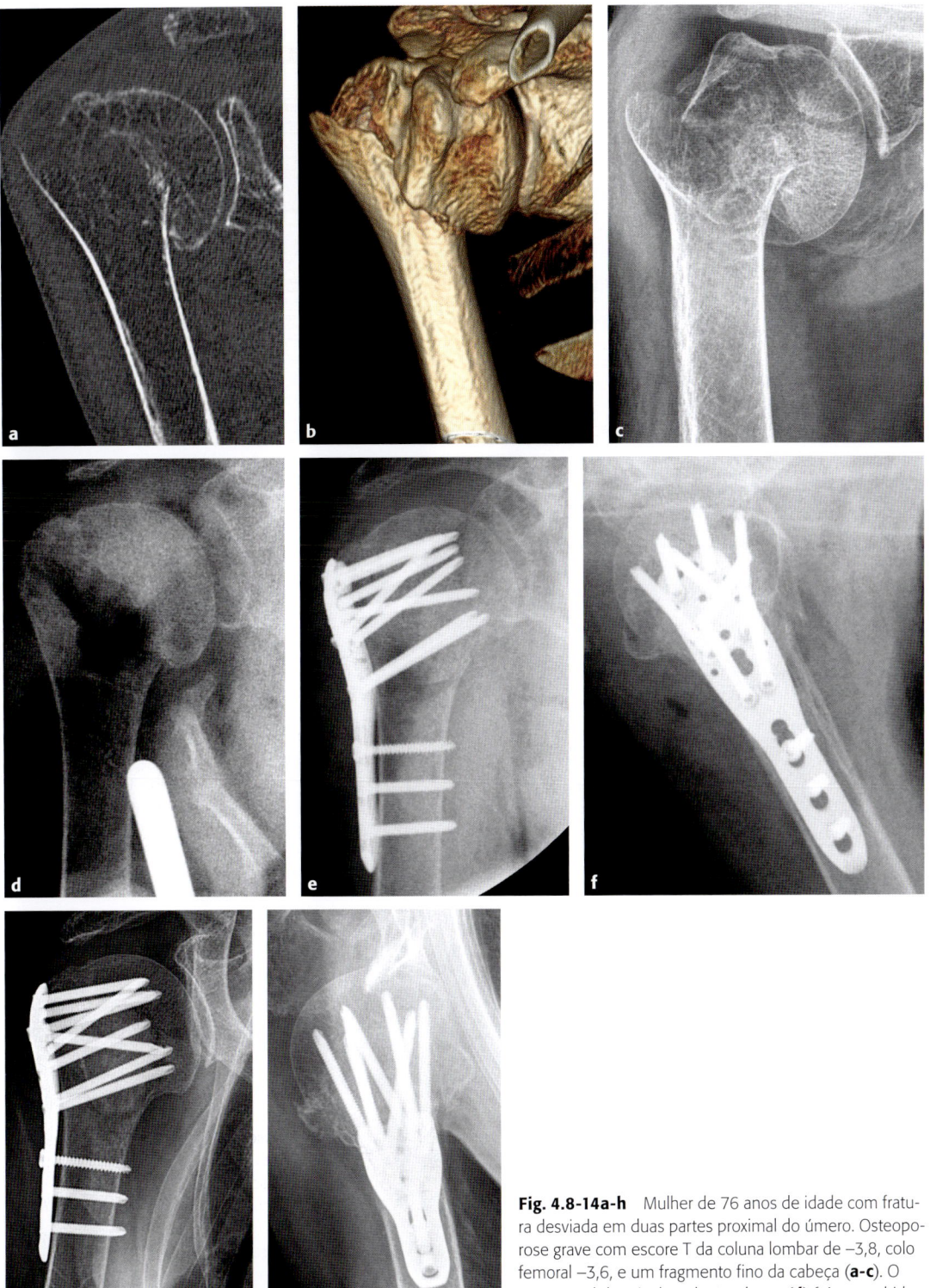

Tópicos gerais
4.8 Fraturas por fragilidade e cuidados ortogeriátricos

Referências clássicas    Referências de revisão

## 10 Referências

1. **Brown JP, Josse RG, Scientific Advisory Council of the Osteoporosis Society of Canada.** 2002 clinical practice guidelines for the diagnosis and management of osteoporosis in Canada. *CMAJ.* 2002 Nov 12;167(10 Suppl):S1–34.
2. **Seeley DG, Browner WS, Nevitt MC, et al.** Which fractures are associated with low appendicular bone mass in elderly women? The Study of Osteoporotic Fractures Research Group. *Ann Intern Med.* 1991 Dec 1;115(11):837–842.
3. **Johnell O, Kanis J.** Epidemiology of osteoporotic fractures. *Osteoporos Int.* 2005 Mar;16 Suppl 2:S3–7.
4. **Klotzbuecher CM, Ross PD, Landsman PB, et al.** Patients with prior fractures have an increased risk of future fractures: a summary of the literature and statistical synthesis. *J Bone Miner Res.* 2000 Apr;15(4):721–739.
5. **Cooper C, Campion G, Melton LJ, 3rd.** Hip fractures in the elderly: a worldwide projection. *Osteoporos Int.* 1992 Nov;2(6):285–289.
6. **Hernlund E, Svedbom A, Ivergard M, et al.** Osteoporosis in the European Union: medical management, epidemiology and economic burden. A report prepared in collaboration with the International Osteoporosis Foundation (IOF) and the European Federation of Pharmaceutical Industry Associations (EFPIA). *Arch Osteoporos.* 2013;8:136.
7. **De Laet CE, Pols HA.** Fractures in the elderly: epidemiology and demography. *Baillieres Best Pract Res Clin Endocrinol Metab.* 2000 Jun;14(2):171–179.
8. **Kanis JA, Oden A, McCloskey EV, et al.** A systematic review of hip fracture incidence and probability of fracture worldwide. *Osteoporos Int.* 2012 Sep;23(9):2239–2256.
9. **Kanis JA, Johnell O, Oden A, et al.** The risk and burden of vertebral fractures in Sweden. *Osteoporos Int.* 2004 Jan;15(1):20–26.
10. **Owen RA, Melton LJ, 3rd, Johnson KA, et al.** Incidence of Colles' fracture in a North American community. *Am J Public Health.* 1982 Jun;72(6):605–607.
11. **Dimai HP, Svedbom A, Fahrleitner-Pammer A, et al.** Epidemiology of proximal humeral fractures in Austria between 1989 and 2008. *Osteoporos Int.* 2013 Sep;24(9):2413–2421.
12. **Meldon SW, Reilly M, Drew BL, et al.** Trauma in the very elderly: a community-based study of outcomes at trauma and nontrauma centers. *J Trauma.* 2002 Jan;52(1):79–84.
13. **Switzer JA, Gammon SR.** High-energy skeletal trauma in the elderly. *J Bone Joint Surg Am.* 2012 Dec 5;94(23):2195–2204.
14. **Lewis PM, Waddell JP.** When is the ideal time to operate on a patient with a fracture of the hip? : A review of the available literature. *Bone Joint J.* 2016 Dec;98-b(12):1573–1581.
15. **Xue QL.** The frailty syndrome: definition and natural history. *Clin Geriatr Med.* 2011 Feb;27(1):1–15.
16. **Morley JE.** Sarcopenia: diagnosis and treatment. *J Nutr Health Aging.* 2008 Aug-Sep;12(7):452–456.
17. **Wall BT, Dirks ML, van Loon LJ.** Skeletal muscle atrophy during short-term disuse: implications for age-related sarcopenia. *Ageing Res Rev.* 2013 Sep;12(4):898–906.
18. **Valderas JM, Starfield B, Sibbald B, et al.** Defining comorbidity: implications for understanding health and health services. *Ann Fam Med.* 2009 Jul-Aug;7(4):357–363.
19. **Mears SC, Kates SL.** A Guide to Improving the Care of Patients with Fragility Fractures, Edition 2. *Geriatr Orthop Surg Rehabil.* 2015 Jun;6(2):58–120.
20. **British Orthopaedic Association Standards for Trauma 1.** Patients sustaining a fragility hip fracture. Available at: https://www.boa.ac.uk/publications/boa-standards-traumaboasts/# toggle-id-1. Access May 24, 2017.
21. **Liu SS, Wu CL.** The effect of analgesic technique on postoperative patientreported outcomes including analgesia: a systematic review. *Anesth Analg.* 2007 Sep;105(3):789–808.
22. **Parker MJ, Griffiths R, Appadu BN.** Nerve blocks (subcostal, lateral cutaneous, femoral, triple, psoas) for hip fractures. *Cochrane Database Syst Rev.* 2002 (1):CD001159.
23. **Marhofer P, Greher M, Kapral S.** Ultrasound guidance in regional anaesthesia. *Br J Anaesth.* 2005 Jan;94(1):7–17.
24. **Luger TJ, Kammerlander C, Benz M, et al.** Peridural anesthesia or ultrasound-guided continuous 3-in-1 block: which is indicated for analgesia in very elderly patients with hip fracture in the emergency department? *Geriatr Orthop Surg Rehabil.* 2012 Sep;3(3):121–128.
25. **Rosen JE, Chen FS, Hiebert R, et al.** Efficacy of preoperative skin traction in hip fracture patients: a prospective, randomized study. *Orthop Trauma.* 2001;15(2):81–85.
26. **Parker MJ, Handoll HH.** Pre-operative traction for fractures of the proximal femur in adults. *Cochrane Database Syst Rev.* 2006 (3):CD000168.
27. **Robertson BD, Robertson TJ.** Postoperative delirium after hip fracture. *J Bone Joint Surg Am.* 2006 Sep;88(9):2060–2068.
28. **Inouye SK.** Prevention of delirium in hospitalized older patients: risk factors and targeted intervention strategies. *Ann Med.* 2000 May;32(4):257–263.
29. **Kalisvaart KJ, de Jonghe JF, Bogaards MJ, et al.** Haloperidol prophylaxis for elderly hip-surgery patients at risk for delirium: a randomized placebocontrolled study. *J Am Geriatr Soc.* 2005 Oct;53(10):1658–1666.
30. **Avenell A, Handoll HH.** Nutritional supplementation for hip fracture aftercare in older people. *Cochrane Database Syst Rev.* 2006 (4):CD001880.
31. **Eneroth M, Olsson UB, Thorngren KG.** Nutritional supplementation decreases hip fracture-related complications. *Clin Orthop Relat Res.* 2006 Oct;451:212–217.

32. **Duncan DG, Beck SJ, Hood K, et al.** Using dietetic assistants to improve the outcome of hip fracture: a randomised controlled trial of nutritional support in an acute trauma ward. *Age Ageing.* 2006 Mar;35(2):148–153.

33. **Shyu YI, Liang J, Wu CC, et al.** Interdisciplinary intervention for hip fracture in older Taiwanese: benefits last for 1 year. *J Gerontol A Biol Sci Med Sci.* 2008 Jan;63(1):92–97.

34. **Huusko TM, Karppi P, Avikainen V, et al.** Intensive geriatric rehabilitation of hip fracture patients: a randomized, controlled trial. *Acta Orthop Scand.* 2002 Aug;73(4):425–431.

35. **Tinetti ME, Kumar C.** The patient who falls: "It's always a trade-off". *JAMA.* 2010 Jan 20;303(3):258–266.

36. **Eriksen EF, Lyles KW, Colon-Emeric CS, et al.** Antifracture efficacy and reduction of mortality in relation to timing of the first dose of zoledronic acid after hip fracture. *J Bone Miner Res.* 2009 Jul;24(7):1308–1313.

37. **Luger TJ, Kammerlander C, Gosch M, et al.** Neuroaxial versus general anaesthesia in geriatric patients for hip fracture surgery: does it matter? *Osteoporos Int.* 2010 Dec;21(Suppl 4):S555–572.

38. **O'Hara DA, Duff A, Berlin JA, et al.** The effect of anesthetic technique on postoperative outcomes in hip fracture repair. *Anesthesiology.* 2000 Apr;92(4):947–957.

39. **Hwang JH, Oh JK, Oh CW, et al.** Mismatch of anatomically pre-shaped locking plate on Asian femurs could lead to malalignment in the minimally invasive plating of distal femoral fractures: a cadaveric study. *Arch Orthop Trauma Surg.* 2012 Jan;132(1):51–56.

40. **Sasaki S, Miyakoshi N, Hongo M, et al.** Low-energy diaphyseal femoral fractures associated with bisphosphonate use and severe curved femur: a case series. *J Bone Miner Metab.* 2012 Sep;30(5):561–567.

41. **Thompson RN, Phillips JR, McCauley SH, et al.** Atypical femoral fractures and bisphosphonate treatment: experience in two large United Kingdom teaching hospitals. *J Bone Joint Surg Br.* 2012 Mar;94(3):385–390.

42. **Willett K, Keene DJ, Mistry D, et al.** Close contact casting vs surgery for initial treatment of unstable ankle fractures in older adults: a randomized clinical trial. *JAMA.* 2016 Oct 11;316(14):1455–1463.

43. **Duckworth AD, Bugler KE, Clement ND, et al.** Nonoperative management of displaced olecranon fractures in low-demand elderly patients. *J Bone Joint Surg Am.* 2014 Jan 1;96(1):67–72.

44. **Arora R, Lutz M, Deml C, et al.** A prospective randomized trial comparing nonoperative treatment with volar locking plate fixation for displaced and unstable distal radial fractures in patients sixty-five years of age and older. *J Bone Joint Surg Am.* 2011 Dec 7;93(23):2146–2153.

45. **Twiss T.** Nonoperative treatment of proximal humerus fractures. In: Crosby LA, Nevasier, RJ eds. *Proximal Humerus Fractures.* Cham, Switzerland: Springer International Publishing; 2015.

46. **Rangan A, Handoll H, Brealey S, et al.** Surgical vs nonsurgical treatment of adults with displaced fractures of the proximal humerus: the PROFHER randomized clinical trial. *JAMA.* 2015 Mar 10;313(10):1037–1047.

47. **Westerman RW, Hull P, Hendry RG, et al.** The physiological cost of restricted weight bearing. *Injury.* 2008 Jul;39(7):725–727.

48. **Koval KJ, Sala DA, Kummer FJ, et al.** Postoperative weight-bearing after a fracture of the femoral neck or an intertrochanteric fracture. *J Bone Joint Surg Am.* 1998 Mar;80(3):352–356.

49. **Joslin CC, Eastaugh-Waring SJ, Hardy JR, et al.** Weight bearing after tibial fracture as a guide to healing. *Clin Biomech (Bristol, Avon).* 2008 Mar;23(3):329–333.

50. **Stoffel K, Dieter U, Stachowiak G, et al.** Biomechanical testing of the LCP—how can stability in locked internal fixators be controlled? *Injury.* 2003 Nov;34 Suppl 2:B11–19.

51. **Fulkerson E, Egol KA, Kubiak EN, et al.** Fixation of diaphyseal fractures with a segmental defect: a biomechanical comparison of locked and conventional plating techniques. *J Trauma.* 2006 Apr;60(4):830–835.

52. **Bergman RJ, Gazit D, Kahn AJ, et al.** Age-related changes in osteogenic stem cells in mice. *J Bone Miner Res.* 1996 May;11(5):568–577.

53. **Sterck JG, Klein-Nulend J, Lips P, et al.** Response of normal and osteoporotic human bone cells to mechanical stress in vitro. *Am J Physiol.* 1998 Jun;274(6 Pt 1):E1113–1120.

54. **Friedman SM, Mendelson DA, Kates SL, et al.** Geriatric co-management of proximal femur fractures: total quality management and protocol-driven care result in better outcomes for a frail patient population. *J Am Geriatr Soc.* 2008 Jul;56(7):1349–1356.

55. **Grigoryan KV, Javedan H, Rudolph JL.** Orthogeriatric care models and outcomes in hip fracture patients: a systematic review and meta-analysis. *J Orthop Trauma.* 2014 Mar;28(3):e49–55.

## 11   Agradecimentos

Agradecemos a Norbert Suhm, Tobias Roth e Chang-Wug Oh por suas contribuições para a 3ª edição e a Peter Giannoudis e Erich Schneider por suas contribuições para a 2ª edição de *Princípios AO do tratamento de fraturas.*

Tópicos gerais
**4.8 Fraturas por fragilidade e cuidados ortogeriátricos**

# 4.9 Riscos relacionados aos exames de imagem e à radiação

*Chanakarn Phornphutkul*

## 1 Introdução

As radiografias são uma parte essencial da avaliação de um paciente de trauma, e investigações adicionais, como ultrassonografia, tomografia computadorizada (TC) e ressonância magnética (RM), ajudam no diagnóstico preciso e no planejamento do tratamento apropriado. A TC de corpo inteiro (TCCI) usada precocemente na investigação do paciente politraumatizado permite o diagnóstico rápido de lesões potencialmente fatais. Entretanto, deve haver indicações claras para o seu uso, porque aumenta significativamente a dose de radiação [1]. O uso de intensificadores de imagem intraoperatórios põe o paciente, o cirurgião e a equipe cirúrgica em risco de exposição à radiação [2]. A quantidade de radiação usada tem aumentado drasticamente ao longo dos últimos anos com o advento da cirurgia minimamente invasiva. As imagens intraoperatórias fornecem visualização para o cirurgião executar abordagens precisas na redução e fixação de fraturas.

O risco e os efeitos da exposição à radiação são bem reconhecidos pela comunidade ortopédica, já que quase metade dos respondentes em um estudo [3] consideraram eles mesmos como em um risco moderado ou extremo para o desenvolvimento de catarata devido à exposição ocupacional. A cirurgia da fixação do rádio também cria problemas quando as mãos do cirurgião são frequentemente expostas à radiação [4]. Entendendo tanto os benefícios quanto os perigos da radiação, é necessário que as equipes cirúrgicas possam instalar intensificadores de imagem, aplicar a técnica adequada e proteger-se para evitar a exposição desnecessária e perigosa.

## 2 Papel das imagens no tratamento cirúrgico de fraturas

O principal propósito das imagens intraoperatórias é confirmar a redução da fratura, a colocação e a fixação corretas do implante. A redução aberta extensa é agora menos frequentemente usada, enquanto a redução indireta, sem exposição da fratura e com a preservação biológica dos tecidos moles, é mais comum. Entretanto, essas técnicas requerem imagens radiográficas mais extensas durante a cirurgia. O intensificador de imagem é uma parte indispensável do equipamento cirúrgico, mas, hoje, o paciente, o cirurgião e a equipe cirúrgica estão em risco maior de exposição à radiação (**Tab. 4.9-1**) [5].

> Os novos intensificadores de imagem produzem doses menores de radiação em comparação com os modelos mais antigos, mas o uso impróprio, prolongado e repetitivo levará a uma maior exposição à radiação cumulativa aos indivíduos.

## 3 Riscos da exposição à radiação

A radiação ionizante é produzida pelo empobrecimento dos materiais radioativos. Ela quebra as ligações químicas entre os átomos, o que danifica as células vivas no corpo humano. O corpo tenta reparar o dano, mas, às vezes, este não pode ser reparado ou é muito grave ou difuso para ser reparado.

**Tabela 4.9-1** Exposição à radiação durante procedimentos ortopédicos

|  | Fio de Kirschner distal do rádio | Haste intramedular | Fixação da coluna lombar |
|---|---|---|---|
|  | Dose de radiação média μSv (1/1.000 mSv) | | |
| Olho | 1,1 μSv | 19,0 μSv | 49,8 μSv |
| Tireoide | 1,1 μSv | 35,4 μSv | 55,5 μSv |
| Mão | 3,1 μSv | 41,7 μSv | 117,0 μSv |
| Gônadas | – | – | – |

A exposição anual normal à radiação de segundo plano é de 1-3 mSv por ano.

Tópicos gerais
## 4.9 Riscos relacionados aos exames de imagem e à radiação

### 3.1 Efeitos da radiação

Existem dois tipos de efeitos deletérios da radiação: não estocásticos e estocásticos [6].

- Os efeitos não estocásticos são relacionados com a dose e não ocorrerão abaixo de um certo limiar, já que a gravidade depende da dose. Os efeitos determinantes requerem lesão a múltiplas células e têm uma dose de limiar abaixo da qual o efeito não é expressado. Catarata, leucemia, câncer da tireoide e até morte são exemplos de efeitos não estocásticos que podem resultar das altas exposições à radiação [7].
- Os efeitos estocásticos não são relacionados à dose ou limiar; a lesão a qualquer uma ou a um número de células pode resultar na produção do efeito. Alguns cânceres e efeitos genéticos induzidos pela radiação são estocásticos. Por exemplo, a probabilidade de leucemia induzida por radiação é substancialmente mais alta depois da exposição a 1 Gy (100 rad), mas essa doença pode ocorrer com doses inferiores. Uma vez que a doença ocorra, não haverá nenhuma diferença na gravidade. Acredita-se que os efeitos estocásticos careçam de um limiar de dose porque a lesão – mesmo em uma única célula – teoricamente poderia resultar na produção do efeito. Uma vez que não existe nenhuma evidência de um limiar mais baixo para o aparecimento dos efeitos estocásticos, o curso prudente de ação é garantir que todas as exposições à radiação sigam o princípio ALARA (*as low as reasonably achievable*, tão baixo quanto razoavelmente possível).

### 3.2 Radiossensibilidade

O risco de efeitos estocásticos é mais alto em crianças do que em adultos. Isso acontece porque as células imaturas são mais radiossensíveis. Estudos [8, 9] também concluíram que existe uma relação linear de dose entre a exposição à radiação ionizante e o desenvolvimento de cânceres induzidos por radiação. Em crianças, o efeito cumulativo tem um tempo mais longo no qual esses efeitos tardios podem se desenvolver, e também um tempo mais longo para acumular exposições adicionais [8-10].

As pacientes grávidas também precisam de consideração especial. Se expostas à radiação nas primeiras 30 semanas de gravidez, os efeitos retardados podem aparecer na criança, incluindo deficiência intelectual e comportamental, com um período de retardo de aproximadamente 4 anos. Se qualquer procedimento for necessário em pacientes grávidas, os cirurgiões poderiam considerar alguma forma de tratamento que tenha menos exposição à radiação. Por exemplo, a redução aberta e fixação interna pode ser usada em lugar da osteossíntese minimamente invasiva (OMI) para minimizar o risco ao feto (**Tab. 4.9-2**).

**Tabela 4.9-2** Informação de linha de base para compreensão dos equivalentes de radiação

| Limites anuais de exposição à radiação ocupacional (níveis abaixo são considerados de risco desprezível para efeitos biológicos) | |
|---|---|
| Corpo inteiro | 50 mSv = 5.000 mrem/ano |
| Cristalino | 150 mSv = 15.000 mrem/ano |
| Tireoide | 300 mSv = 30.000 mrem/ano |
| Extremidades, pele | 500 mSv = 50.000 mrem/ano |
| Exposição anual à radiação de um humano na terra: 1-3 mSv | |
| Uma TC de corpo inteiro | 30 mSv |
| Uma TC de corpo inteiro | 50 radiografias de tórax (0,02 mSv) |
| Um voo transatlântico | 0,05 mSv/voo de 10 horas (duas radiografias de tórax) |

Dose da pele expressa em Gray (1 Gy = 1 Joule/kg) – Gy se relaciona aos efeitos determinantes (1 Gy = 1.000 mGy = 100 rad [unidades tradicionais]). Dose de corpo inteiro expressa em Sievert (1 Sv = 1 Joule/kg) – Sv se relaciona ao câncer de efeitos estocásticos (1 Sv = 1.000 mSv = 100 rem, unidades tradicionais).

## 4 Intensificador de imagem móvel ou arco em C

### 4.1 Máquina, fonte de raios X e intensificador de imagem

Esta máquina em forma de C é composta de duas extremidades. Uma extremidade é o tubo de raios X e a tela de colimação, e a outra é o sequenciador da recepção de foto (intensificador de imagem). O tubo de raios X produz radiação, que passa pelo alvo, alcançando o intensificador de imagem. A imagem é criada e enviada para a tela para visualização (**Fig. 4.9-1**). A radiação que é produzida pelo tubo de raios X passará através do alvo. Alguma radiação passa através do alvo e alcança o intensificador de imagem, e uma parte será refletida e dispersada. O resto da radiação é absorvido pelo alvo (**Fig. 4.9-2**). A porção dispersada é a dose de radiação que pode afetar o cirurgião e a equipe operatória.

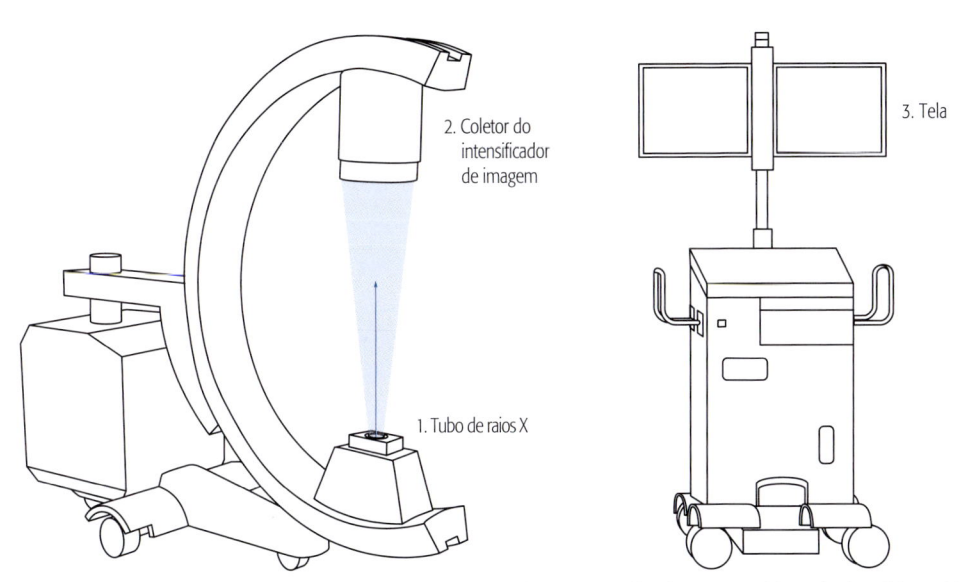

**Fig. 4.9-1** O aparato de raio X: tubo de raios X (1), coletor do intensificador de imagem (2) e tela de exibição (3).

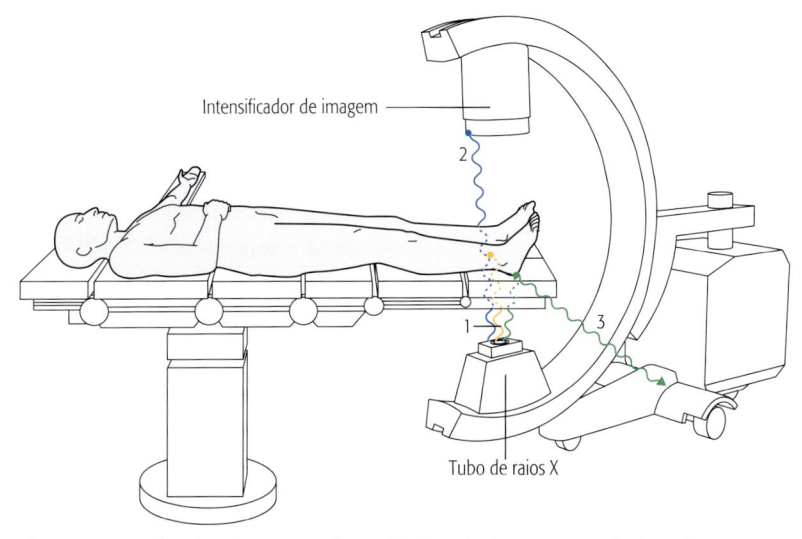

**Fig. 4.9-2** O tubo de raios X gera radiação (1). Depois de passar através do paciente, a transmissão (2) alcança o intensificador de imagem. A dispersão (3) é refletida do paciente e expõe a equipe cirúrgica.

Tópicos gerais
### 4.9 Riscos relacionados aos exames de imagem e à radiação

A potência de radiação (quilovolt) e a exposição (miliampere) são em geral automaticamente reguladas para produzir uma imagem ideal e irão variar conforme a massa através da qual o feixe passa. Os pacientes obesos ou com membros grandes produzem radiação mais dispersa, refletida a partir do paciente. Os dispositivos protetores adicionais para a equipe cirúrgica devem ser considerados nessas circunstâncias. A equipe deve permanecer a uma distância segura longe da fonte de raios X durante a cirurgia (**Fig. 4.9-3**).

### 4.2 Modo de imagem

Modos de imagem:

- Modo contínuo
- Modo em pulso

Historicamente, a intensificação de imagem era executada no modo contínuo. Sempre que o pedal do intensificador de imagem é pressionado, um feixe contínuo de raios X é produzido. Trinta imagens do intensificador são criadas por segundo. O intensificador de imagem moderno tem a capacidade de intensificação pulsada, na qual o feixe de raios X é emitido como uma série de pulsos curtos em vez de continuamente. Em taxas reduzidas de quadros, o intensificador de imagem pulsado pode fornecer uma significativa economia de dose. As imagens podem ser adquiridas em 4-15 quadros por segundo, em lugar dos habituais 30 quadros por segundo. Por conseguinte, o intensificador de imagem pulsado tem uma grande vantagem, já que a exposição à radiação é menor com taxas mais baixas de quadros [11]. Ele pode permitir a redução da dose de radiação em até 70%.

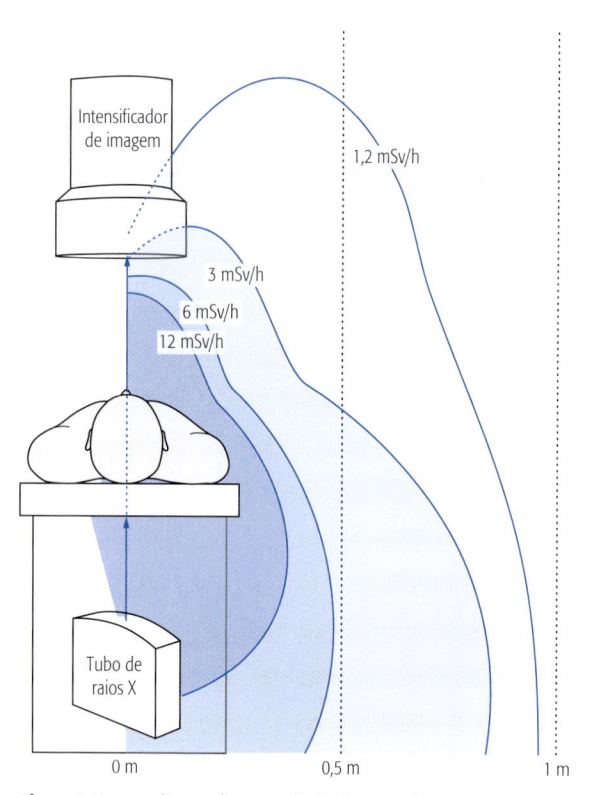

**Fig. 4.9-3** A radiação dispersa diminui com a distância.

## 4.3 Colimação

O risco da radiação é relacionado à dose e à área de penetração no paciente. O diafragma de íris é um colimador, que serve para reduzir a exposição à radiação no paciente e na equipe cirúrgica. Um feixe colimado irradia menos tecido que um feixe aberto (**Fig. 4.9-4**).

## 5 Medidas de segurança para a redução de radiação

Existem diretrizes e recomendações da Comissão Internacional de Proteção Radiológica (CIPR) para a proteção humana contra os riscos da radiação no campo de medicina, indústria geral, indústria nuclear e até de fontes de ocorrência natural. As recomendações são baseadas em princípios nucleares:

- Justificação da prática
- Otimização da proteção — princípios ALARA
- Dose individual e limite de risco

Os princípios ALARA (*as low as reasonably achieavable*) são os princípios de segurança à radiação para minimizar a dosagem de radiação e liberação de materiais radioativos usando todos os métodos disponíveis. Os princípios ALARA não são apenas princípios de segurança, mas também um requisito regulatório para todos os programas de segurança de radiação. Os três fundamentos principais ALARA são:

- Tempo – minimizar o tempo de exposição reduzirá diretamente a dose de radiação.
- Distância – dobrar a distância entre seu corpo e a fonte de radiação dividirá a exposição à radiação por um fator de 4 (**Fig. 4.9-3**).
- Proteção – o uso da proteção de chumbo para raios X e raios gama é um caminho efetivo para reduzir a exposição à radiação dispersa.

### 5.1 Treinamento

Um técnico treinado no intensificador de imagem é necessário para os propósitos de segurança. Ele deve entender o sistema operacional, incluindo as implicações para a exposição à radiação de cada modo operacional. Isso irá prevenir o uso incorreto e desnecessário do arco em C. Um operador experiente também pode reduzir o número de imagens de exposição registradas em um número mínimo adequado para os detalhes diagnósticos necessários. Antes da operação, o cirurgião e o técnico do intensificador de imagem devem discutir como posicionar o paciente e o arco em C durante o procedimento. A mesa operatória não deve obstruir a produção da imagem.

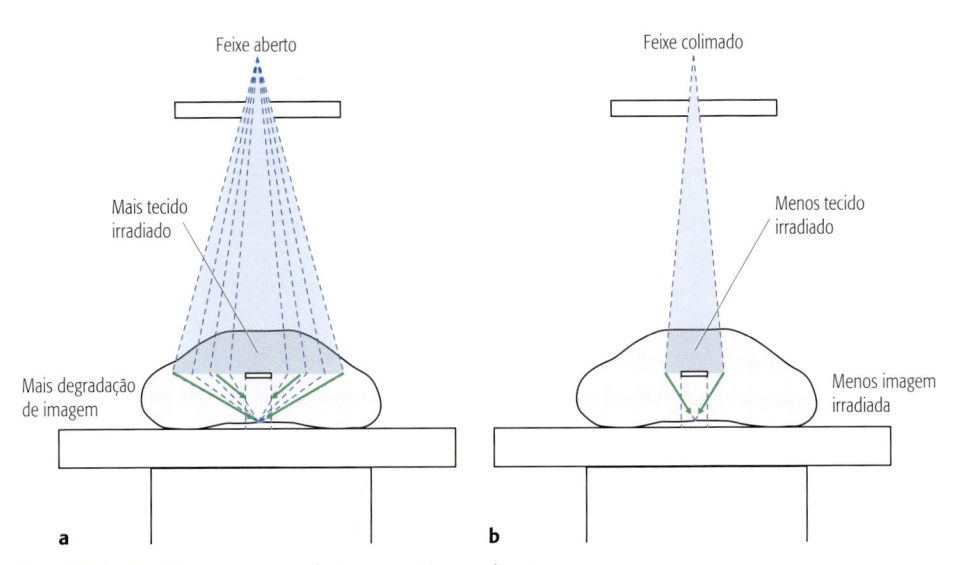

**Fig. 4.9-4a-b** Colimação para reduzir a exposição à radiação.

## 5.2 Equipamento de proteção

O equipamento de proteção também ajuda a proteger a equipe cirúrgica da radiação dispersa e é um adjunto obrigatório durante a cirurgia. Os órgãos sensíveis do corpo devem ser protegidos (**Fig. 4.9-5**).

- Óculos revestidos: Para reduzir o risco de catarata, as lentes revestidas com chumbo são recomendadas para todo caso. Elas oferecem proteção equivalente a uma folha de chumbo de 0,15 mm. Elas atenuam radiação dos raios X, reduzindo em muito a radiação ionizante que alcança os olhos.
- Protetores de tireoide: A exposição em longo prazo à radiação aumenta o risco de carcinoma de tireoide. O uso de uma proteção da tireoide diminui a dose efetiva na tireoide em até 70 vezes [12, 13] e pode reduzir a dose efetiva total recebida em mais de metade [14].
- Togas/aventais/saias/coletes: Ajudam a proteger o corpo e podem cobrir mais ou menos 80% da medula óssea ativa da radiação ionizante. Oferecem um equivalente de proteção de 0,5 mm de chumbo e irão reduzir a exposição à dose efetiva por um fator de 16. Os aventais de chumbo devem ser circunferenciais para a efetividade ideal.
- Luvas estéreis finas de chumbo: A exposição à radiação pelas mãos é extremamente comum. O uso de luvas finas de chumbo protegerá as mãos, mas pode reduzir a sensibilidade tátil dos dedos.
- Cobertores de proteção: As crianças e pacientes grávidas constituem preocupação relevante. A consciência sobre o uso das radiografias deve ser soberana. Somente devem ser obtidas radiografias necessárias. Sempre que os raios X forem necessários, um equipamento de proteção deve ser usado.
- Telas de chumbo: Oferecem proteção adicional à equipe cirúrgica que não esteja usando a proteção de chumbo.
- Manutenção do equipamento protetor: Um engano comum com o equipamento protetor é dobrar o avental de chumbo em uma cadeira ou mesa, o que pode causar quebra da folha de chumbo dentro do avental. O avental deve ser limpo e pendurado em uma posição vertical.

## 5.3 Posicionamento dos pacientes, cirurgiões, equipe da sala cirúrgica e do arco em C

O posicionamento do paciente é importante para permitir dois planos de acesso de imagens. O planejamento antes da cirurgia irá determinar a posição do paciente e quando usar o arco em C. As mesas operatórias de fibra de carbono reduzirão a quantidade de radiação. Depois que a posição do paciente tiver sido ajustada, a colocação do arco em C e a sua posição, usando marcações no assoalho, será confirmada para evitar mudanças desnecessárias durante o procedimento cirúrgico.

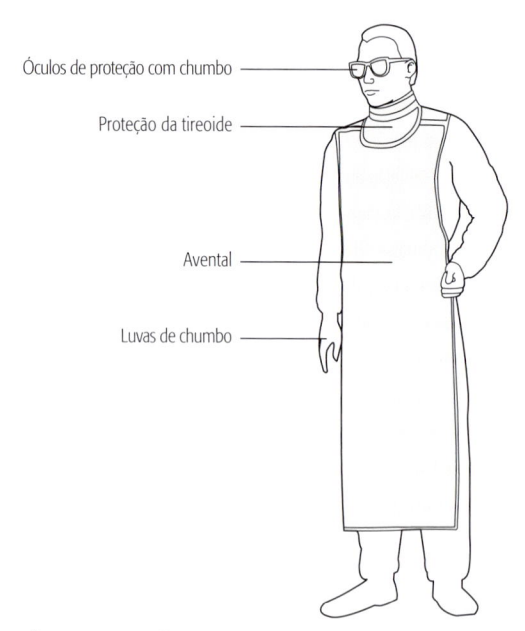

**Fig. 4.9-5** Vestimenta para a proteção contra radiação.

A principal fonte de exposição à radiação do cirurgião e equipe não é radiação direta, mas o resultado da radiação refletida a partir do paciente, que se difunde para a equipe cirúrgica.

O arco em C deve ser posicionado de forma a reduzir a quantidade de radiação dispersa. Em uma radiografia em vista anteroposterior (AP), se o tubo de raios X é posicionado acima da mesa operatória e se projeta para baixo, a radiação dispersa será mais em direção à parte superior do corpo do cirurgião (**Fig. 4.9-6**). Mantendo o tubo de raios X debaixo da mesa operatória, a radiação se dispersa mais em direção ao assoalho e às extremidades inferiores do cirurgião e da equipe. Essa configuração cria menos exposição à radiação e é a preferida. Em uma radiografia lateral, o tubo de raios X deve ser posicionado no lado oposto ao cirurgião. Essa configuração também reduzirá a exposição à radiação dispersa no cirurgião e na equipe, porque a radiação é refletida para o lado oposto (**Fig. 4.9-7**).

Nunca use o arco em C com o intensificador de imagem por baixo ou como uma "mesa de mão". A radiação dispersa a partir das superfícies metálicas e instrumentos alcançará os olhos e a tireoide do cirurgião.

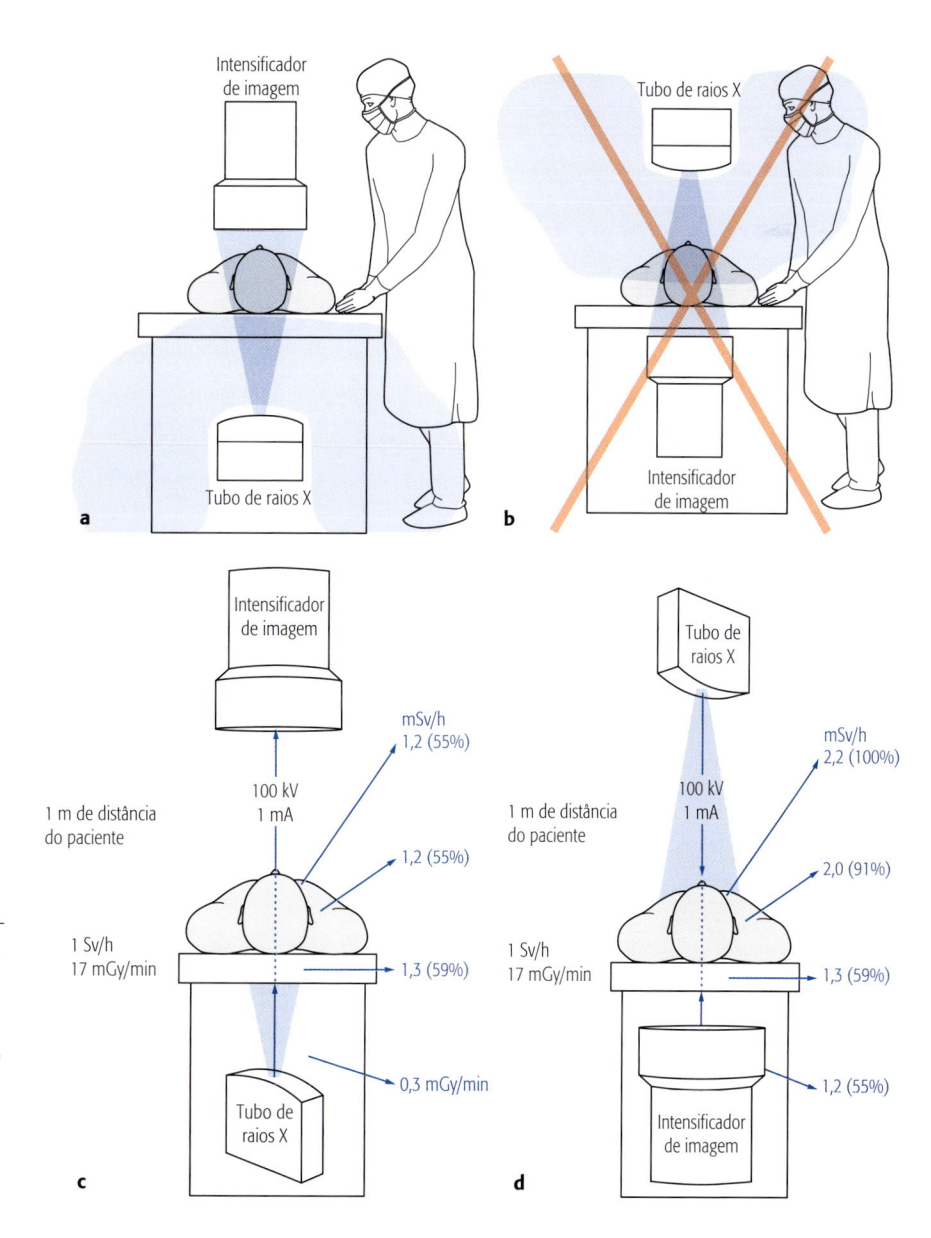

**Fig. 4.9-6a-d**

**a** Minimize a distância entre o intensificador de imagem e o paciente.
**b** O posicionamento do tubo de raios X acima do paciente criará doses mais altas de exposição à radiação porque a radiação reflete e se dispersa.
**c-d** O posicionamento do tubo de raios X abaixo da mesa operatória reduz as taxas de altas doses no cristalino por três ou mais vezes.

Tópicos gerais
### 4.9 Riscos relacionados aos exames de imagem e à radiação

A distância do tubo de raios X do paciente e da equipe cirúrgica é crucial. A distância maior da fonte de raios X reduz significativamente a exposição à radiação. De acordo com a lei do inverso do quadrado, quando a distância entre a fonte de raios X e o cirurgião é dobrada, a dose de radiação é reduzida a um quarto. Uma mudança tão pequena quanto 0,5 metro ou um passo para trás reduzirá drasticamente a quantidade de exposição à radiação, e aos 3 metros existirá radiação desprezível.

**A distância da fonte de radiação constitui a melhor proteção.**

A distância do tubo de raios X ao paciente é chamada de distância da fonte à pele (DFP). Essa distância é inversamente proporcional à quantidade de radiação que o paciente recebe. Quando a DFP é aumentada, a radiação no paciente diminuirá. O cirurgião deve mover o intensificador de imagem para mais perto do paciente (minimizar a lacuna aérea) para reduzir a dose de radiação (**Fig. 4.9-6a**).

## 6 Requisitos e montagem do arco em C na sala de cirurgia

Para a segurança do paciente e da equipe cirúrgica, bem como minimizar a exposição à radiação, a equipe deve assegurar:

- Planejamento pré-operatório meticuloso
- Posicionamento adequado do arco em C
  - Marcar o assoalho com fita para garantir a posição adequada
  - O tubo de raios X sempre debaixo da mesa operatória
  - Minimizar a lacuna aérea entre o paciente e o intensificador de imagem
- Configurações apropriado do arco em C
  - Usar modo pulsado e evitar modo contínuo
  - Usar um apontador de *laser* do arco em C para encontrar o centro do campo
  - Colimar a área do alvo
  - Utilizar imagens armazenadas para minimizar a necessidade de reexposição
  - Usar o processamento de imagens do arco em C para magnificar ou ajustar o contraste e a nitidez e evitar reexposição
- Um bom técnico de intensificador de imagem irá:
  - Obter um número mínimo de imagens
  - Evitar exposição contínua
  - Informar a equipe cirúrgica quando uma imagem for obtida
  - Ficar no mesmo lado do intensificador de imagem durante o raio X
  - Utilizar proteção adequada
  - Evitar a tomada de imagens quando os membros da equipe cirúrgica tiverem suas mãos no feixe de raios X

## 7 Documentando as imagens

### 7.1 Modos de memória

O intensificador de imagem tem armazenamento de memória, permitindo aos usuários armazenar as imagens para uso posterior. Os cirurgiões podem revisar as imagens e selecionar as mais apropriadas e imprimir para documentação. Nos hospitais com um sistema de de prontuário eletrônico, as imagens podem ser armazenadas no banco central de memória como parte de um registro médico permanente. O armazenamento seguro e os sistemas de cópia de segurança são necessários para a segurança e proteção de paciente.

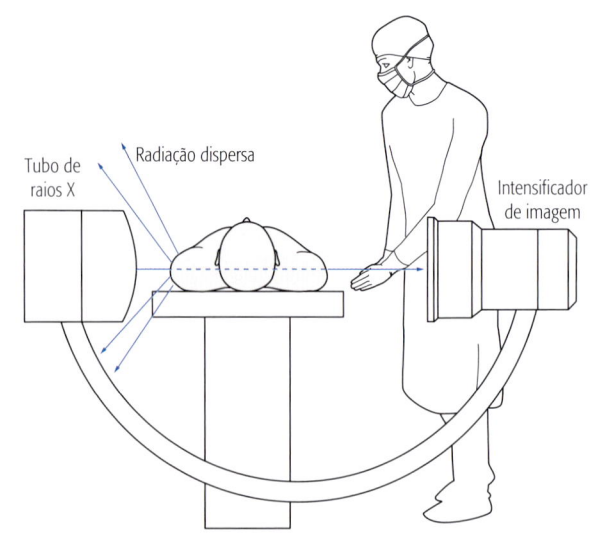

**Fig. 4.9-7** Radiografia lateral: o cirurgião deve ficar no lado oposto ao tubo de raios X.

## 7.2 Cópias impressas

Os intensificadores de imagem produzem imagens. Para ter a documentação imediata, a impressão é o modo mais simples. Depois de selecionar as imagens apropriadas, o cirurgião pode imprimi-las e usar para explicar ao paciente e/ou membros da família imediatamente após a cirurgia. As radiografias simples pós-operatórias são ainda recomendadas, já que o intensificador não produz imagens de alta qualidade e tem somente um campo estreito de vista.

## 8 Imagens intraoperatórias no futuro: TC tridimensional, navegação e sala cirúrgica híbrida

Os intensificadores de imagens das gerações mais recentes podem produzir imagens tridimensionais. Eles permitem uma melhor avaliação das fraturas, especialmente nas articulações multiplanares. Eles também podem ser conectados aos dispositivos de navegação por computador para reduzir a exposição intraoperatória à radiação. Por exemplo, um intensificador de imagem tridimensional pode ser usado para verificar a redução adequada da sindesmose. É difícil determinar a congruência da articulação tibiofibular com o intensificador convencional [15]. Foi relatada a utilidade de um intensificador de imagem tridimensional como uma ferramenta de navegação de auxílio à cirurgia, como na colocação do parafuso iliossacral [16] e cirurgia da coluna vertebral. Entretanto, a exposição à radiação do paciente nas imagens tridimensionais é muito mais alta do que com intensificadores de imagem normais.

## 9 Conclusão

A radiação é perigosa, mas os riscos podem ser minimizados observando-se as diretrizes e recomendações descritas anteriormente. Os detalhes relativos à adequada configuração e uso do intensificador de imagem e equipamento de proteção para o paciente e equipe cirúrgica são fundamentais. Os cirurgiões e a equipe cirúrgica devem ter em mente que a exposição em longo prazo deve ser apropriadamente monitorada para evitar consequências futuras.

Referências clássicas    Referências de revisão

## 10 Referências

1. **Sierink JC, Treskes K, Edwards MJR, et al.** Immediate total-body CT scanning versus conventional imaging and selective CT scanning in patients with severe trauma (REACT-2): a randomised controlled trial. *Lancet*. 2016 Aug;388(10045):673–683.
2. **Tan GA, Van Every B.** Staff exposure to ionizing radiation in a major trauma centre. *Aust N Z J Surg*. 2005 Mar;75(3):136–137.
3. **Chow R, Beaupre LA, Rudnisky CJ, et al.** Surgeons' perception of fluoroscopic radiation hazards to vision. *Am J Orthop (Belle Mead NJ)*. 2013 Nov;42(11):505–510.
4. **Hoffler CE, Ilyas AM.** Fluoroscopic radiation exposure: are we protecting ourselves adequately? *J Bone Joint Surg Am*. 2015 May 6;97(9):721–725.
5. **Fuchs M, Schmid A, Eiteljörge T, et al.** Exposure of the surgeon to radiation during surgery. *Int Orthop*. 1998;22(3):153–156.
6. **Ott M, McAlister J, VanderKolk WE, et al.** Radiation exposure in trauma patients. *J Trauma*. 2006 Sep;61(3):607–609; discussion 609–610.
7. **Hall EJ, Giaccia AJ.** *Radiobiology for the Radiologist*: Lippincott Williams & Wilkins. Philadelphia: 2006.
8. **BEIR VII Phase 2.** *Health Risks From Exposure to Low Levels of Ionizing Radiation*. Washington DC: The National Academies Press; 2006.
9. **Brenner D, Elliston C, Hall E, et al.** Estimated risks of radiation-induced fatal cancer from pediatric CT. *AJR Am J Roentgenol*. 2001 Feb;176(2):289–296.
10. **US National Research Council Committee on the Biological Effects of Ionizing Radiation (BEIR V).** *Health Effects of Exposure to Low Levels of Ionizing Radiation: BEIR V*. Washington DC: National Academies Press; 1990.
11. **Aufrichtig R, Xue P, Thomas CW, et al.** Perceptual comparison of pulsed and continuous fluoroscopy. *Med Phys*. 1994 Feb;21(2):245–256.
12. **Müller LP, Suffner J, Wenda K, et al.** Radiation exposure to the hands and the thyroid of the surgeon during intramedullary nailing. *Injury*. 1998 Jul;29(6):461–468.
13. **Tse V, Lising J, Khadra M, et al.** Radiation exposure during fluoroscopy: should we be protecting our thyroids? *Aust N Z J Surg*. 1999 Dec;69(12):847–848.
14. **Theocharopoulos N, Perisinakis K, Damilakis J, et al.** Occupational exposure from common fluoroscopic projections used in orthopaedic surgery. *J Bone Joint Surg Am*. 2003 Sep;85-A(9):1698–1703.
15. **Richter M, Zech S.** Intraoperative 3-dimensional imaging in foot and ankle trauma-experience with a second-generation device (ARCADIS-3D). *J Orthop Trauma*. 2009 Mar;23(3):213–220.
16. **Mosheiff R, Khoury A, Weil Y, et al.** First generation computerized fluoroscopic navigation in percutaneous pelvic surgery. *J Orthop Trauma*. 2004 Feb;18(2):106–111.

## 11 Agradecimentos

Agradecemos a Klaus Dresing por suas contribuições para este capítulo, extraído da 2ª edição de *Minimally Invasive Plate Osteosynthesis*.

Tópicos gerais
**4.9 Riscos relacionados aos exames de imagem e à radiação**

# Seção 5

## Complicações

# Seção 5
# Complicações

| | | |
|---|---|---|
| 5.1 | **Consolidação viciosa**<br>*Mauricio Kfuri* | **493** |
| 5.2 | **Não união asséptica**<br>*R. Malcolm Smith* | **513** |
| 5.3 | **Infecção aguda**<br>*Olivier Borens, Michael S. Sirkin* | **529** |
| 5.4 | **Infecção crônica e não união infectada**<br>*Stephen L. Kates, Olivier Borens* | **547** |

# 5.1 Consolidação viciosa
*Maurício Kfuri*

## 1 Terminologia e classificação

A consolidação viciosa ocorre quando uma fratura consolidou em uma posição que resulta em deformidade estética visível e/ou em deficiência funcional. O grau de deficiência depende do local e da magnitude da deformidade. O alinhamento deve ser avaliado em termos de comprimento ósseo, rotação axial e angulação, tanto no plano frontal quanto no coronal.

> Algumas consolidações viciosas são mais bem toleradas e compensadas pelas articulações vizinhas que outras.

Por exemplo, as consolidações viciosas em torno do ombro são muito mais bem toleradas que aquelas em torno do tornozelo, o que significa que existem indicações tanto absolutas quanto relativas para a correção cirúrgica da consolidação viciosa.

A medida de uma deformidade óssea leva em consideração os parâmetros normais de alinhamento ósseo e da orientação articular. Uma consolidação viciosa pode ser o resultado de um mau alinhamento de plano único ou uma deformidade complexa que envolve rotação e translação.

## 1.1 Discrepâncias de comprimento

As discrepâncias de comprimento causam poucos problemas funcionais no membro superior, mas não são bem toleradas nos membros inferiores. Uma diferença de mais de 2,5 cm no comprimento das pernas está associada a um padrão de marcha anormal e dor lombar.

> A indicação para a correção cirúrgica do comprimento da perna não é absoluta e não pode ser expressa em centímetros.

As decisões devem ser tomadas em uma base individual. O encurtamento do membro inferior (normal) por osteotomia intertrocantérica é uma operação segura; espera-se que as correções de até 5 cm tenham uma baixa taxa de complicações [1]. O mesmo é verdadeiro para o alongamento intertrocantérico de etapa única. O alongamento de até 3,5 cm pode ser alcançado, mas essa operação somente é indicada quando outras correções ao nível do quadril também forem necessárias. Um dispositivo de alongamento monoaxial, como o distrator de Wagner, pode ser usado para aplicar os princípios de Ilizarov da compressão seguida pela distração do calo. Isso permite o alongamento seguro metafisário e até diafisário de mais de 5 cm. A combinação de encurtamento intertrocantérico em um lado e alongamento diafisário no outro é um método sofisticado de corrigir diferenças de mais de 6 cm (**Fig. 5.1-1**).

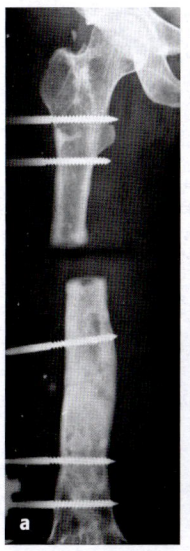

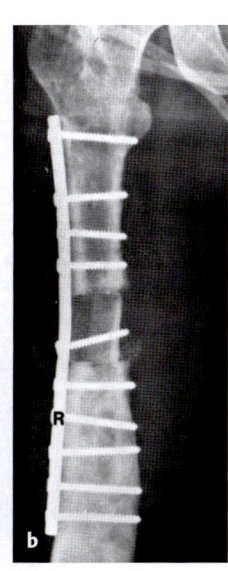

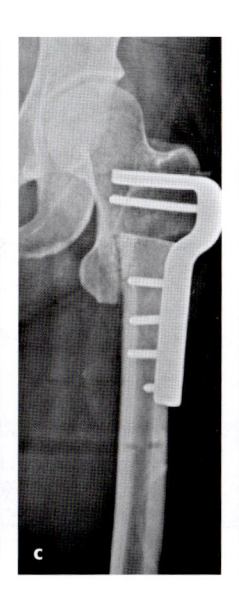

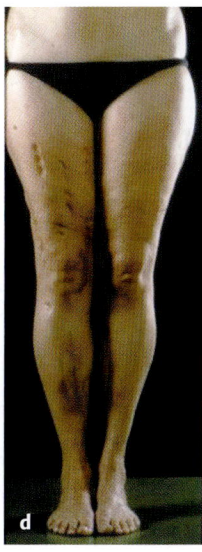

**Fig. 5.1-1a-d** Discrepância de comprimento de 8 cm na perna após múltiplas operações para não união.
- **a** Alongamento do fêmur direito usando o distrator de Wagner.
- **b** Interposição de enxerto ósseo e uso de placa.
- **c** Uma osteotomia intertrocantérica de encurtamento de 4 cm do fêmur esquerdo iguala o comprimento da perna.
- **d** O resultado é um quadril e joelho com funções normais.

Complicações
## 5.1 Consolidação viciosa

### 1.2 Consolidação viciosa intra-articular

A incongruência articular dolorosa e incapacitante com instabilidade articular, levando a alterações artríticas progressivas, é uma indicação absoluta para a cirurgia, particularmente na extremidade inferior.

A decisão acerca de reconstrução secundária, osteotomia de correção extra-articular, artrodese ou artroplastia é feita dependendo do seguinte:

- Condição das partes moles
- Função da articulação
- Idade e demandas funcionais do paciente
- Fatores socioeconômicos
- Experiência cirúrgica e instalações disponíveis

As osteotomias intra-articulares são procedimentos de salvamento que devem ser considerados em pacientes sintomáticos com uma amplitude de movimento funcional (**Fig. 5.1-2**).

Em pacientes jovens com destruição articular grave, a artrodese ainda é o método escolhido. A técnica de fusão deve permitir a prótese articular total (p. ex., quadril e joelho) em um estágio mais avançado.

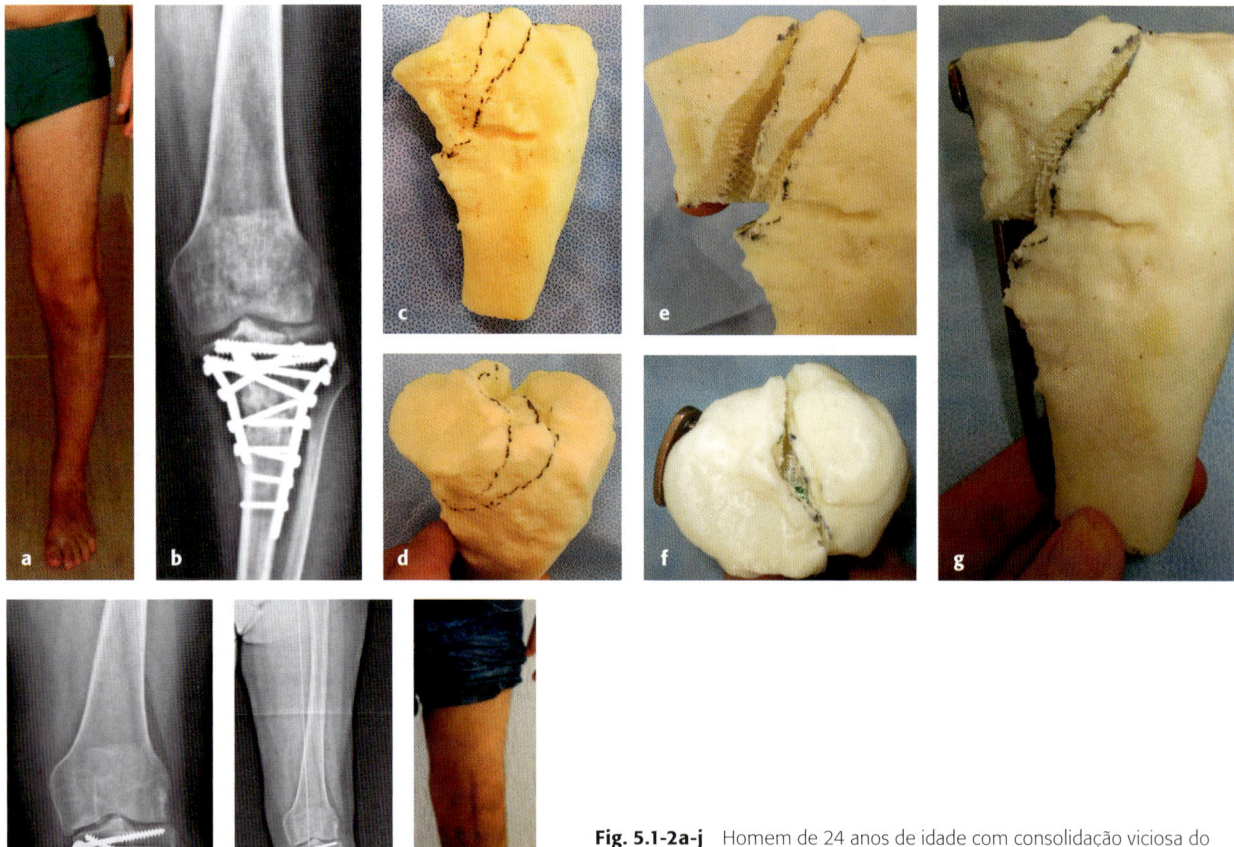

**Fig. 5.1-2a-j** Homem de 24 anos de idade com consolidação viciosa do planalto tibial.
- **a** O paciente reclamava de um encurvamento em varo e dor no joelho.
- **b** Os exames de imagem confirmaram a incongruência articular e a subluxação.
- **c-g** O planejamento pré-operatório de uma osteotomia em cunha de abertura intra-articular foi executado usando um protótipo tridimensional baseado na tomografia computadorizada real do paciente.
- **h-j** O procedimento melhorou a congruência articular e o alinhamento do membro inferior e terminou com melhores desfechos funcionais e retorno às suas atividades prévias.

## 1.3 Consolidação viciosa metafisária

Na ausência de dor e de incapacidade funcional, há somente indicações relativas para corrigir uma consolidação viciosa metafisária.

A cirurgia pode ser indicada se o paciente experimentar instabilidade articular, dor e prejuízo nas suas atividades da vida diária. Tal situação deve ser discutida individualmente, levando em conta especialmente o prognóstico em longo prazo. As técnicas de osteotomia de cunha tanto de abertura quanto de fechamento têm as suas próprias indicações específicas, e a osteotomia em plano único pode ser efetiva na metáfise. A placa é o implante de escolha: a fixação externa e o encavilhamento intramedulares são raramente indicados (**Fig. 5.1-3**).

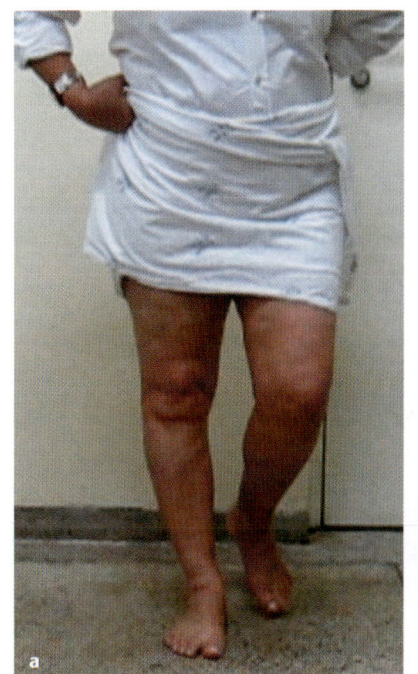

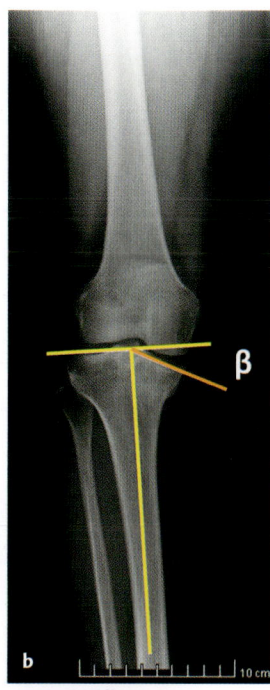

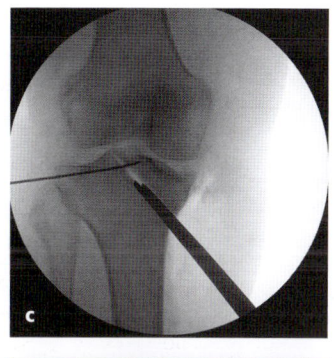

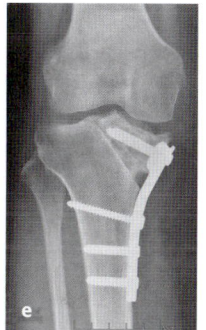

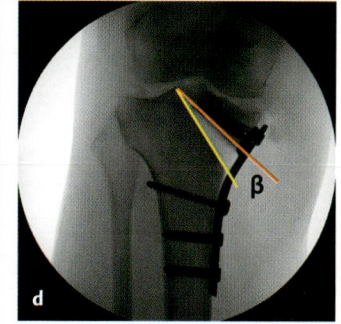

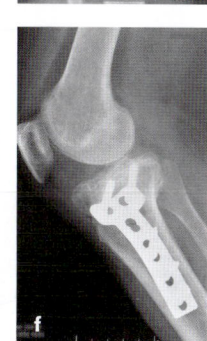

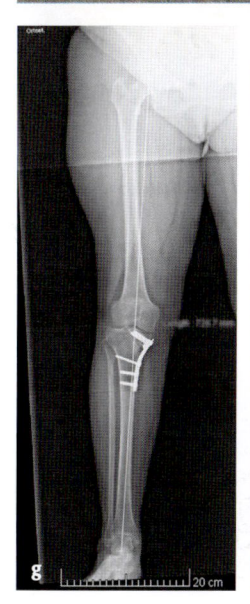

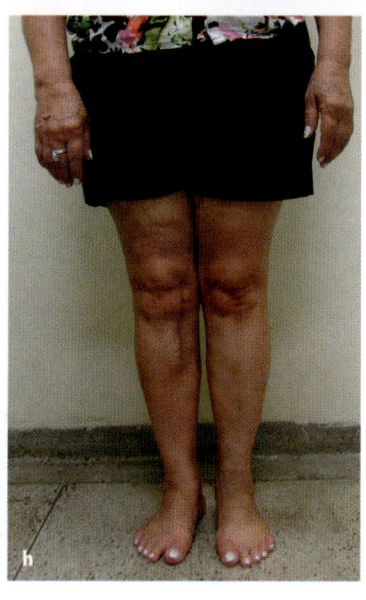

**Fig. 5.1-3a-h** Mulher de 49 anos de idade com fratura tipo IV de Schatzker do planalto tibial negligenciada. Ela reclamava de deformidade e dor.
a   Fotografia clínica da perna encurtada em varo.
b   A radiografia mostra o alinhamento pré-operatório em ortostatismo.
c-d As radiografias intraoperatórias mostram a osteotomia intra-articular do côndilo medial.
e-f Radiografias em vistas anteroposterior (AP) e lateral pós-operatórias mostram a osteotomia medial corretiva com cunha de abertura.
g   Alinhamento pós-operatório do membro em ortostatismo.
h   Fotografia clínica após a correção.

Complicações
5.1 Consolidação viciosa

### 1.4 Consolidação viciosa diafisária

A principal questão na consolidação viciosa diafisária é o nível da osteotomia corretiva. A meta primária é restaurar o alinhamento e a função. Entretanto, a condição dos tecidos moles e do osso no nível da deformidade podem ser um fator de alto risco.

Biomecanicamente, se os centros das articulações do quadril, do joelho e do tornozelo estiverem alinhados entre si, a deformidade em si frequentemente não é problemática. Uma consolidação viciosa diafisária simples pode ser corrigida na área metafisária, onde o potencial de consolidação é muito maior. Na porção proximal da tíbia, as osteotomias metafisárias biplanares podem ser indicadas para restaurar a inclinação normal da articulação. No caso de deformidade e encurtamento diafisário, a correção pode ser combinada com o uso de um dispositivo de alongamento (**Fig. 5.1-4**).

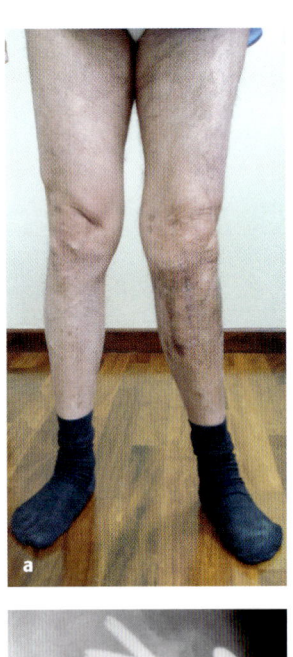

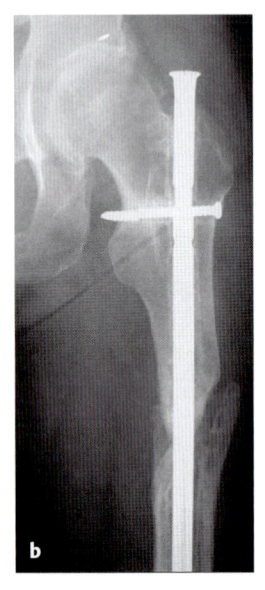

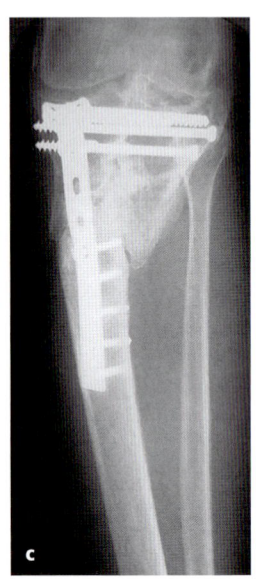

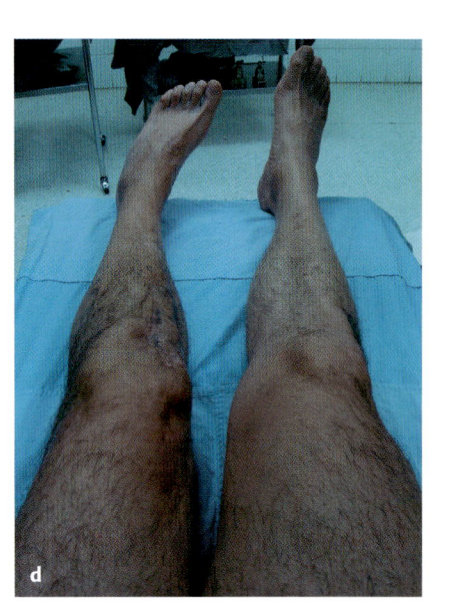

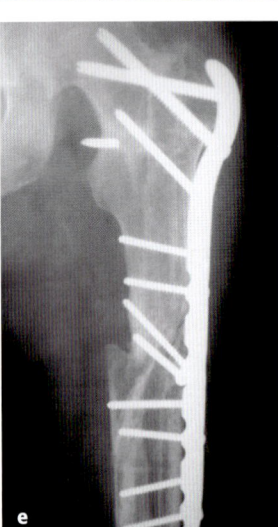

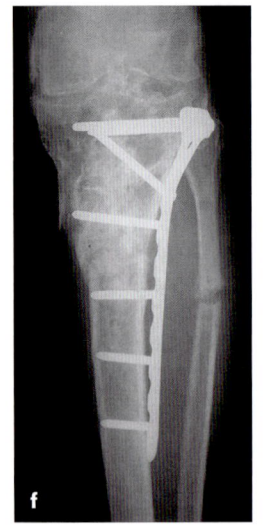

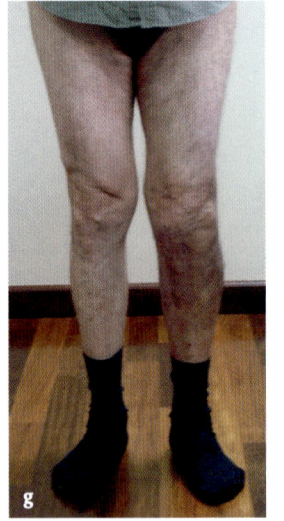

**Fig. 5.1-4a-g** Um homem de 57 anos de idade queixava-se de mau alinhamento do membro inferior 3 anos depois de uma lesão com motocicleta.
**a** Fotografia clínica do mau alinhamento do membro inferior.
**b-c** Os exames de imagem confirmaram uma não união atrófica na área subtrocantérica (**b**) e uma consolidação viciosa complexa na região proximal da tíbia ipsilateral (**c**).
**d** Ademais, o paciente apresentava um mau alinhamento rotacional.
**e** A não união subtrocantérica foi abordada com o realinhamento e rotação do ângulo cervicodiafisário. A estabilidade absoluta foi aplicada.
**f** Uma osteotomia cupuliforme foi executada no local da tíbia para corrigir a translação.
**g** Foram restaurados o comprimento, a rotação e o alinhamento do membro.

## 2 Tomada de decisão e planejamento

Qualquer correção de uma consolidação viciosa deve ser cuidadosamente planejada [2] e o cirurgião deve entender a deformidade tridimensionalmente (ver Cap. 2.4). São necessárias radiografias de boa qualidade da área afetada e dos membros saudáveis, incluindo ambas as articulações adjacentes ou de todo o membro. Para as correções intra-articulares, pode ser útil a tomografia computadorizada (TC), incluindo as reconstruções coronais, sagitais e em três dimensões. Para deformidades muito complexas, a construção de um modelo tridimensional é útil. O planejamento frequentemente identificará problemas técnicos inesperados e poderá às vezes identificar a necessidade de uma osteotomia dupla (**Fig. 5.1-5**). A necessidade de um enxerto ósseo, substituto ósseo ou até fatores de crescimento deve ser antecipada e incluída no plano.

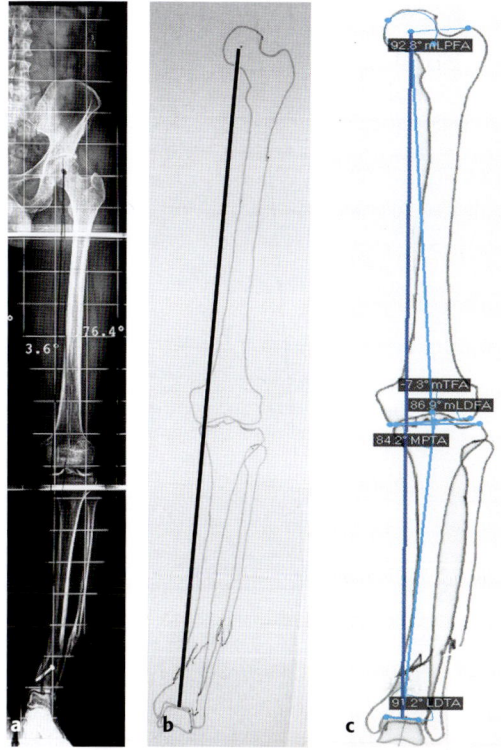

**Fig. 5.1-5a-g** Um homem de 42 anos de idade apresentou-se com uma consolidação viciosa no aspecto distal da tíbia esquerda, com desvio medial do eixo mecânico.
- **a-b** Radiografia e esboço que mostram a consolidação viciosa e o desvio medial.
- **c** O *software* comercial calculou o desvio do eixo mecânico e os ângulos de referência do alinhamento.
- **d-e** Com uma osteotomia em cunha de abertura tibial de dois níveis, foi possível restaurar o alinhamento e os ângulos de referência.
- **f-g** Imagens de seguimento em 4 anos de pós-operatório.

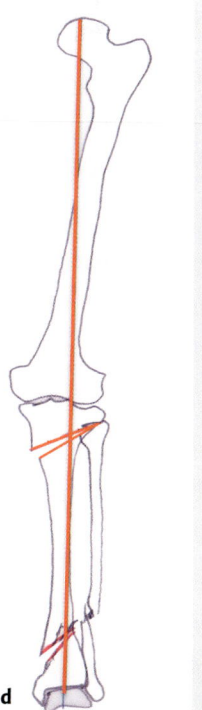

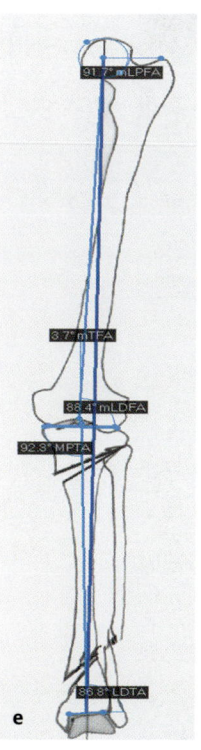

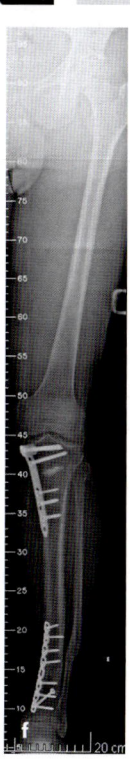

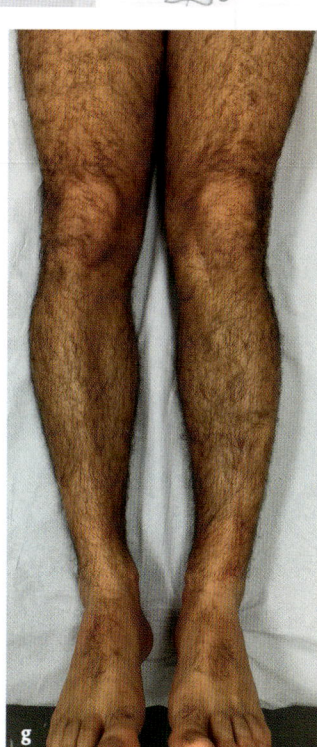

Complicações
## 5.1 Consolidação viciosa

### 3 Técnicas de redução e fixação

#### 3.1 Escolha dos implantes

> Os mesmos princípios de fixação interna estável que são aplicados às fraturas agudas são completamente válidos para as osteotomias corretivas. Se possível, devem ser usadas técnicas de estabilidade absoluta.

A abordagem cirúrgica deve incluir a decorticação, que produz pétalas osteoperiosteais vascularizadas de osso, que ajudam a estimular a consolidação das osteotomias pós-traumáticas. A enxertia óssea não é necessária se a estabilidade absoluta for alcançada; contudo, onde isso não for possível, a enxertia óssea autógena deve ser considerada (**Fig. 5.1-6**).

A compressão interfragmentar é fundamental para a consolidação segura, especialmente no osso esclerótico e mal vascularizado. A compressão é mais bem alcançada por parafusos de tração e placas. Se as partes moles não estiverem em risco, as placas – especialmente as placas lâmina angulada adaptadas ao osso deformado – são ideais para a compressão axial das superfícies metafisárias da osteotomia. É importante usar o dispositivo de compressão articulado, que permite a compressão das superfícies da osteotomia antes que quaisquer parafusos sejam inseridos. Com respeito aos princípios básicos, as placas anatômicas bloqueadas de compressão (LCPs) com parafusos de cabeça bloqueada poderiam ser indicadas na presença de osteoporose intensa em áreas como proximal e distal do úmero, distal do rádio e proximal e distal da tíbia. O planejamento cuidadoso da ordem de inserção do parafuso é essencial. Para as osteotomias, uma LCP é provavelmente mais bem usada como uma placa de compressão com os parafusos de cabeça bloqueada fornecendo a estabilidade angular. Não é apropriado usar a LCP como um fixador interno, pela possibilidade de retardo de consolidação da osteotomia. Uma exceção é a placa Tomofix para osteotomias alta da tíbia [3].

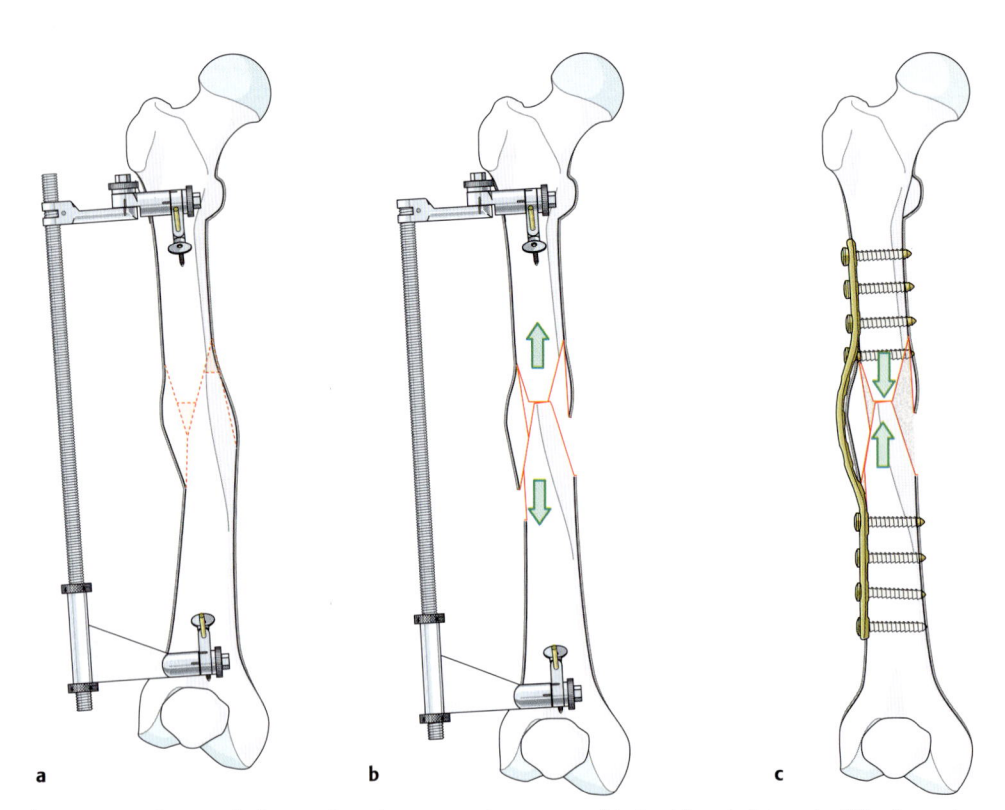

**Fig. 5.1-6a-c** Osteotomia de correção e alongamento de uma consolidação viciosa de fratura da diáfise femoral.
a    Decorticação da região do encurtamento, especialmente no aspecto posterior (linha áspera) e fixação do aparato de distração anterolateral, fora da área futura de aplicação da placa.
b    Osteotomia oblíqua e distração dos fragmentos até que o comprimento desejado seja alcançado. Osteotomia das pontas dos fragmentos e adaptação no nível da osteotomia transversal.
c    Uma placa de banda de tensão (placa em onda) comprimindo a osteotomia com o dispositivo de compressão articulado. Osso autógeno é enxertado se a área de contato for pequena e os fragmentos decorticados não fornecerem uma ponte óssea suficiente e vascularizada.

Um fixador externo somente pode comprimir adequadamente as superfícies da osteotomia se for usada uma construção com armação biplanar ou circular. Para evitar a irritação de partes moles que limita o tratamento funcional pós-operatório, essa técnica de fixação é geralmente restrita à tíbia.

Os fixadores externos circulares permitem a correção das deformidades multiplanares, bem como a correção das discrepâncias de comprimento de membros. Eles são especialmente benéficos nos casos complexos, onde o envelope de partes moles esteja gravemente lesionado. A correção pode ser executada no contexto agudo ou gradualmente, dependendo da gravidade da deformidade e dos tecidos moles circundantes. A desvantagem principal das armações circulares é a extensão de tempo para o tratamento, que tem um impacto psicossocial significativo, dor e desconforto do paciente, e rigidez das articulações adjacentes [4].

A estabilização das osteotomias com uma haste intramedular é restringida à diáfise, onde é efetiva para a correção do mau alinhamento axial e de torção. O encavilhamento intramedular frequentemente permite a carga imediata e a recuperação funcional mais rápida para o paciente. O uso de hastes para a correção da consolidação viciosa metafisária no fêmur e na tíbia é desafiador, especialmente se já houver uma haste *in situ*. O canal medular mais largo e o fragmento metafisário restante curto provavelmente vão requerer métodos de fixação adicional, como os parafusos de bloqueio (parafusos *Poller*). A fresagem do canal é aconselhável para aumentar a área de contato haste-osso e para melhorar a estabilidade em todas as direções. As consolidações viciosas diafisárias multiplanares da diáfise femoral podem ser tratadas usando-se a osteotomia "em concha" [5]. Essa técnica produz cominução diafisária na área da deformidade principal, restaurando o alinhamento dos segmentos ósseos proximal e distal, usando uma haste intramedular como um gabarito para o eixo anatômico.

Nos casos onde o material de síntese ainda estiver *in situ*, deverá haver boas razões para trocar um sistema de implante pelo outro. Com uma placa ainda posicionada, a abordagem é direta e geralmente é uma solução lógica e segura para estabilizar novamente a osteotomia com uma placa. Entretanto, como dito anteriormente, a correção de uma consolidação viciosa metafisária com uma haste *in situ* pode ser tecnicamente difícil e o planejamento da remoção da haste, osteotomia corretiva e fixação com uma placa pode ser a melhor opção.

### 3.2   Osteotomias metafisárias e diafisárias

Na área metafisária, uma osteotomia deve ser feita suficientemente perto da articulação (onde a cortical já é fina) a fim de quebrá-la ou rachá-la sem causar desvio. A serra oscilante constantemente resfriada não deve atravessar todo o osso. Pequenos orifícios de broca (osteoclasia por perfuração) podem completar o corte, enquanto um osteótomo grande ajuda a quebrar a cortical para uma osteotomia em cunha de abertura ou fechamento ou osteotomia em plano único. Uma fixação mais estável é necessária depois das osteotomias rotacionais ou das osteotomias com desvio.

> Na diáfise, as osteotomias corretivas têm uma tendência ao retardo de consolidação. A decorticação de Judet para produzir pedaços de osso viável ao nível da osteotomia é aconselhável durante a cirurgia e pode também ajudar a afrouxar aderências apertadas entre os músculos adjacentes e o osso.

### 3.3   Osteotomia em plano único

A deformidade de um osso longo pode às vezes ser corrigida por uma osteotomia em um plano único, desde que não exista nenhuma deformidade rotacional grande. Essa osteotomia é oblíqua e fornece uma grande superfície de consolidação que pode ser fixada com parafusos de tração. Algum aumento no comprimento ósseo pode ser alcançado, mas essa técnica não é apropriada se mais de 2 cm de encurtamento verdadeiro precisarem ser corrigidos.

O planejamento pré-operatório cuidadoso é essencial, bem como o uso do intensificador de imagem durante a cirurgia (**Fig. 5.1-7**). O membro é rodado sob a orientação do intensificador de imagem e o plano de máxima deformidade óssea é identificado. Esse plano é marcado com um fio de Kirschner no ápice da deformidade. O membro é então rotacionado em 90 graus, de forma que não exista qualquer deformidade aparente visível na radiografia. Esse é o plano sem deformidade e será o plano da osteotomia. Ele é marcado com um fio de Kirschner, que deve estar em 90 graus em relação ao ao primeiro fio de Kirschner. A osteotomia é centrada no ápice da deformidade, e o ponto de partida e comprimento da osteotomia devem ser planejados [6, 7]. O grau de correção rotacional que essa técnica permite depende da obliquidade da osteotomia: uma osteotomia oblíqua curta causará mais rotação que uma osteotomia oblíqua longa, e isso pode ser calculado com antecedência [6]. A direção da osteotomia determinará a direção de rotação, e isso requer um planejamento cuidadoso. Por exemplo, uma osteotomia proximal lateral para medial distal no membro inferior fará com que o fragmento distal rode internamente; uma osteotomia medial proximal para lateral distal no membro inferior fará com que o fragmento distal rode externamente. O periósteo deve ser preservado durante a cirurgia. O local de osteotomia é pré-perfurado e, então, osteomizado usando-se uma serra oscilante ou osteótomo. O dano térmico ao osso deve ser evitado. Uma vez completada, os dois fragmentos podem ser rodados em torno do plano da osteotomia para corrigir a deformidade. Com uma osteotomia oblíqua longa, o osso pode ser alongado em até 2 cm, enquanto é mantido o contato ósseo. Os dois cortes transversais são comprimidos com um ou dois parafusos de tração e uma placa de proteção. A estabilidade absoluta permite mobilização precoce do membro.

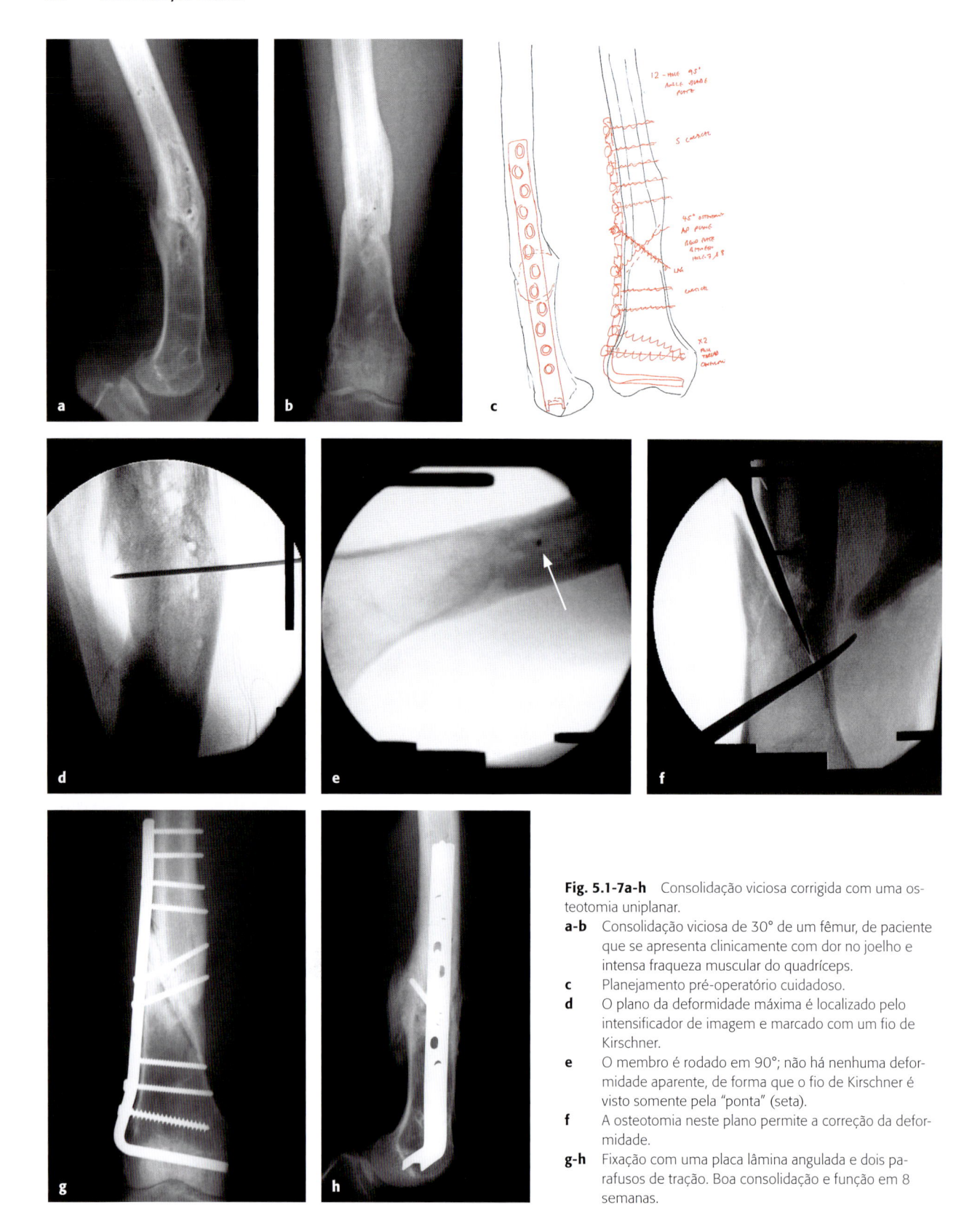

Complicações
## 5.1 Consolidação viciosa

**Fig. 5.1-7a-h** Consolidação viciosa corrigida com uma osteotomia uniplanar.
- **a-b** Consolidação viciosa de 30° de um fêmur, de paciente que se apresenta clinicamente com dor no joelho e intensa fraqueza muscular do quadríceps.
- **c** Planejamento pré-operatório cuidadoso.
- **d** O plano da deformidade máxima é localizado pelo intensificador de imagem e marcado com um fio de Kirschner.
- **e** O membro é rodado em 90°; não há nenhuma deformidade aparente, de forma que o fio de Kirschner é visto somente pela "ponta" (seta).
- **f** A osteotomia neste plano permite a correção da deformidade.
- **g-h** Fixação com uma placa lâmina angulada e dois parafusos de tração. Boa consolidação e função em 8 semanas.

## 4 Osteotomias específicas – indicações e técnicas

### 4.1 Clavícula

A consolidação viciosa das fraturas da clavícula é em geral bem tolerada. O encurtamento e a angulação, causando braquialgia e sintomas locais, são incomuns, mas podem também resultar em prostração do ombro, dor persistente e fadiga muscular. A osteotomia de alongamento, levando a um aumento do espaço subclavicular, pode aliviar qualquer impacto das estruturas neurovasculares. A placa de compressão dinâmica de baixo contato (LC-DCP) de 3,5 deve ser cuidadosamente moldada à superfície do osso ou em uma placa ligeiramente "ondulada". Uma alternativa é o uso de uma LCP pré-moldada com parafusos de cabeça bloqueada. O enxerto ósseo esponjoso é com frequência indicado.

### 4.2 Úmero

#### 4.2.1 Úmero, proximal

O osso avulsionado pelo manguito rotador e as consolidações viciosas da região proximal do úmero podem levar a uma síndrome de impacto e rigidez do ombro. As osteotomias subcapitais ou as osteotomias de reconstrução para descomprimir o manguito rotador podem ser executadas usando técnicas de banda de tensão e placas anguladas pequenas ou uma LCP com parafusos de cabeça bloqueada. A via de acesso deltopeitoral padrão pode ser usada para tais osteotomias e/ou para a artrodese. As consolidações viciosas em varo ou rotacionais se prestam às osteotomias de correção subcapital (**Fig. 5.1-8**).

A consolidação viciosa da grande tuberosidade geralmente causa impacto durante a abdução. Depois da identificação e mobilização das inserções tendíneas do supraspinal e do infraspinal, uma sutura resistente é passada através das fibras de Sharpey. A grande tuberosidade é, então, osteotomizada e distalmente puxada. Depois de testar a mobilidade do ombro, o fragmento reduzido é preso com um parafuso de tração e um ou dois fios com banda de tensão.

Em consolidações viciosas nas fraturas em quatro partes, deve ser restaurada a relação anatômica entre o centro da cabeça do úmero e as tuberosidades (**Fig. 5.1-9**).

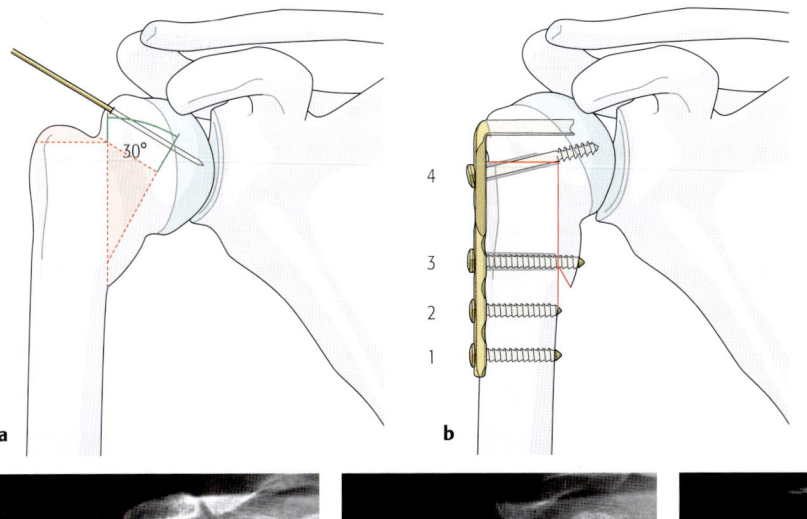

**Fig. 5.1-8a-e** Consolidação viciosa em varo da região proximal do úmero. Deformidade da região proximal do úmero depois de uma fratura subcapital.

- **a** Posicionamento do fio-guia para a placa, respeitando a correção calculada. Osteotomia da diáfise umeral. Uma cunha é excisada, permitindo uma correção de 30° de valgo.
- **b** Uma placa de lâmina angulada para adolescentes (uma alternativa é a placa-lâmina canulada de 4,5 com 4 orifícios e lâmina angulada de 40 mm e 90°), é colocada no fragmento proximal. A redução é executada com uma pinça de redução com ponta. Os parafusos da cortical distal (1, 2) então aplicam compressão. Finalmente, dois parafusos de tração (3,4) fornecem a compressão adicional da osteotomia.
- **c-e** Caso clínico: mulher de 62 anos de idade.
- **c** Radiografia pré-operatória.
- **d** Radiografia pós-operatória.
- **e** Resultado no seguimento de 2 anos.

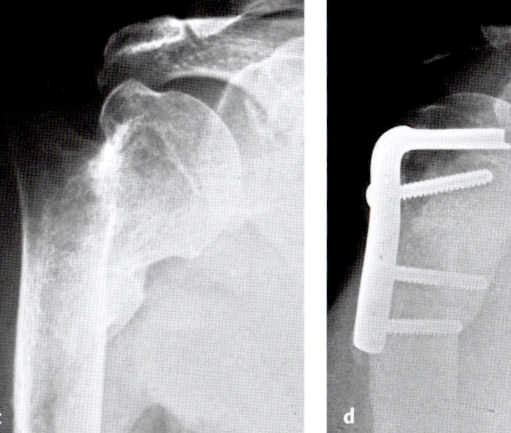

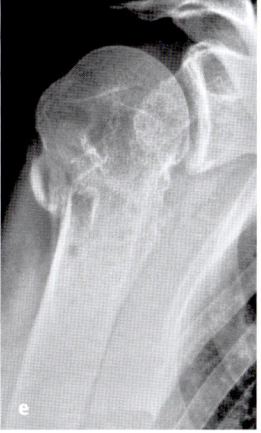

Complicações
## 5.1 Consolidação viciosa

### 4.2.2 Úmero, diáfise

Embora frequentes, as fraturas viciosamente consolidadas da diáfise do úmero raramente requerem uma correção. A má rotação grave é facilmente corrigida por uma osteotomia subcapital. A correção na deformidade e o encavilhamento intramedular são alternativas válidas.

### 4.2.3 Úmero, distal

As consolidações viciosas mais frequentes são as deformidades em varo e valgo. Depois da artrólise falhada, a perda da extensão do cotovelo pode ser outra indicação para uma osteotomia (**Fig. 5.1-10**) [8]. A abordagem lateral com fixação estável por placa é um procedimento seguro, tanto para a técnica em cunha de abertura quanto de fechamento. As osteotomias intra-articulares distais do úmero são raramente indicadas e têm um alto risco de necrose do fragmento intra-articular (**Fig. 5.1-11**).

Na presença de uma irritação do nervo ulnar, a abordagem medial com neurólise do nervo ulnar está indicada. A transposição do nervo pode ser necessária.

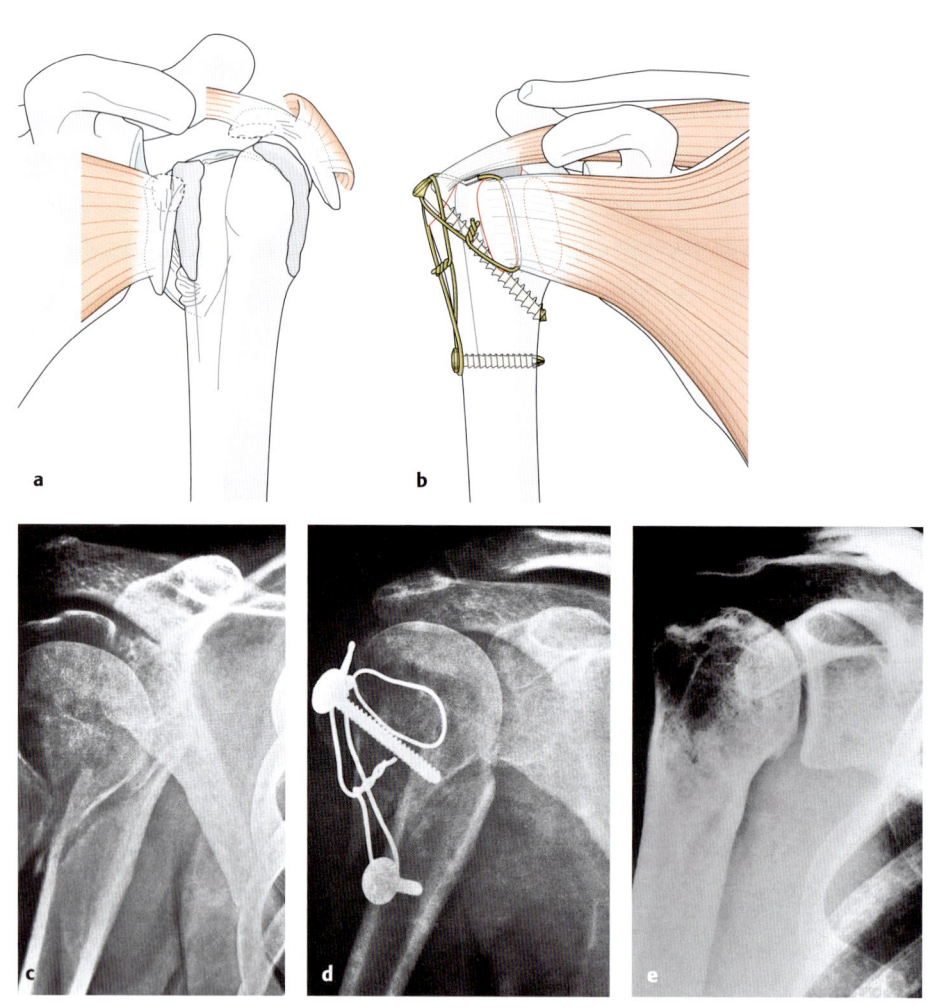

**Fig. 5.1-9a-e**   Fratura em 4 partes viciosamente consolidada.
a   Fratura em quatro partes viciosamente consolidada com interposição de ambas as tuberosidades.
b   Exposição deltopeitoral, identificação dos músculos do manguito rotador, osteotomia das tuberosidades, reinserção e fixação por aramagem com banda de tensão.
c-e   Caso clínico:
c   Fratura em 4 partes e consolidação viciosa; articulação dolorosa e rígida aos 5 meses após a lesão.
d   Osteotomia e reinserção das duas tuberosidades, restaurando o manguito rotador.
e   Excelente função do ombro após 13 anos. Sintomas leves de impacto tratados por infiltrações locais de esteroides.

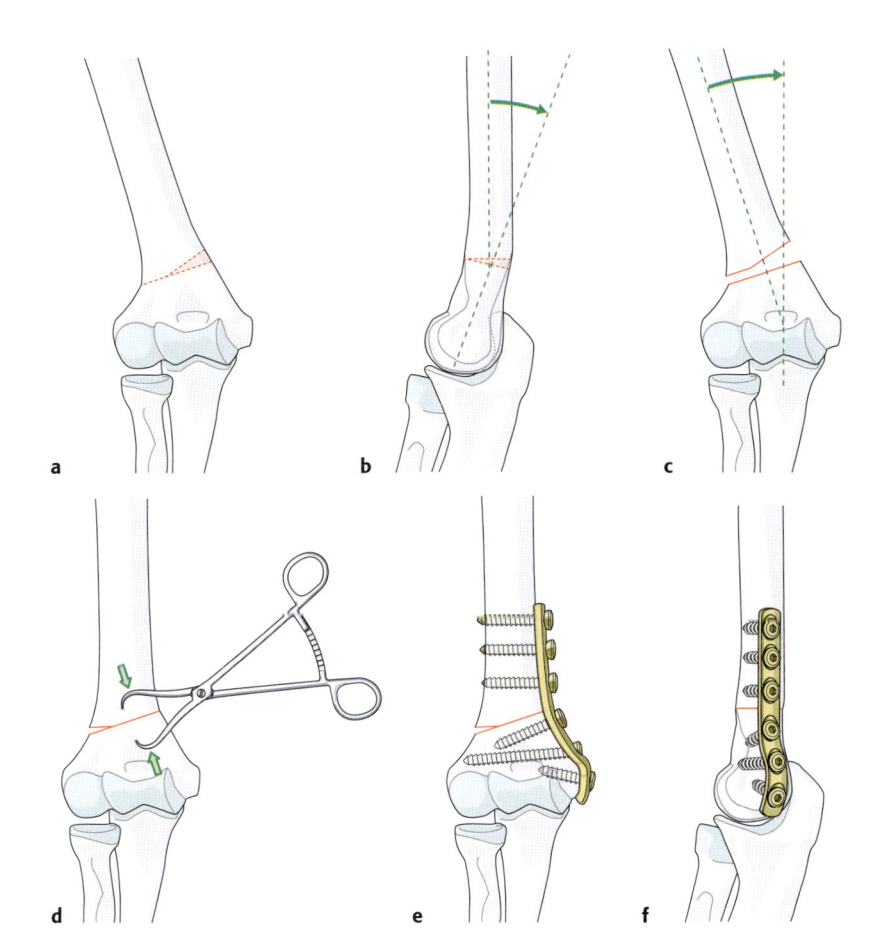

**Fig. 5.1-10a-f** Osteotomia varizante de extensão distal do úmero com deformidade em valgo e flexão, via abordagem ulnar.
- **a-d** Osteotomia em cunha de abertura proximal à fossa olecraniana, com a base da cunha colocada posteromedialmente; redução com pinça de redução com ponta para verificar o movimento do cotovelo.
- **e-f** Moldagem de uma placa de compressão dinâmica (DCP) de 3,5 no lado ulnar do úmero e fixação para comprimir a osteotomia.

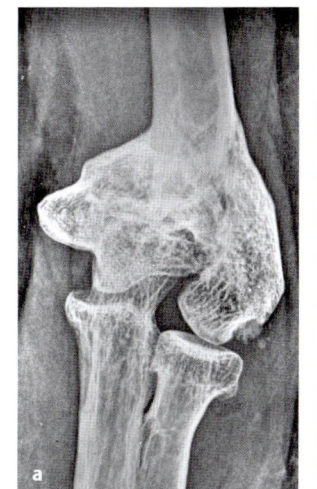

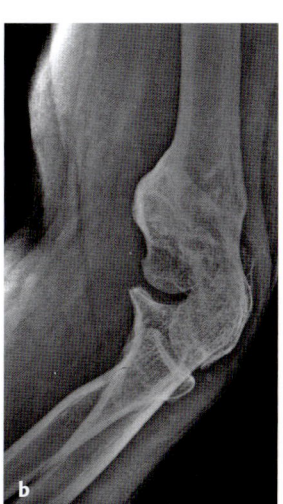

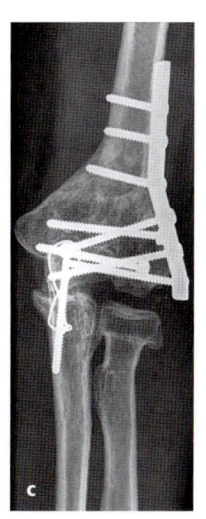

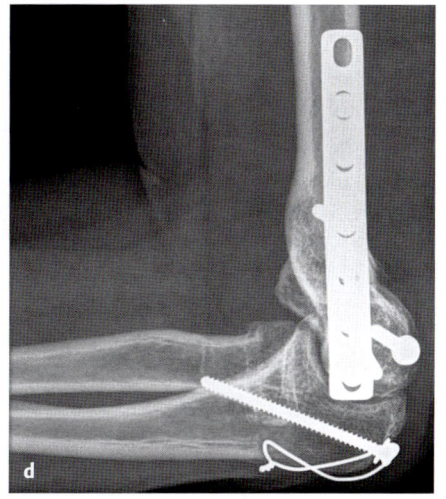

**Fig. 5.1-11a-d** Fratura 13C3 viciosamente consolidada; cotovelo instável e não funcional em varo e rotação interna depois de 1 ano. A osteotomia do olécrano foi executada em decúbito ventral, o nervo ulnar foi liberado, seguido pela osteotomia do côndilo radial, correção de todas as deformidades, do comprimento, do varo (25°), da flexão (30°), fixação com parafuso de tração e valgização supracondilar (**a-b**). A osteotomia rotacional externa foi fixada com uma DCP de 3,5 (**c-d**). O cotovelo ficou estável e indolor, e a extensão completa foi possível, com gradual aumento da flexão.

Complicações
## 5.1 Consolidação viciosa

Em deformidades uniplanares, a osteotomia oblíqua (**Fig. 5.1-10**) cria uma superfície maior e a estabilidade ideal para usar o princípio da placa de proteção e parafuso de tração. Na correção da deformidade multiplanar, é recomendada uma ressecção em cunha gradual, permitindo a redução temporária com pinça de redução com ponta para verificar o movimento do cotovelo (**Fig. 5.1-10d**).

### 4.3 Antebraço
#### 4.3.1 Rádio e ulna, proximais

A cabeça do rádio não reduzida em uma fratura de Monteggia viciosamente consolidada é um problema difícil e causa perda considerável da função do antebraço. A osteotomia corretiva da ulna, junto com a liberação da articulação radioumeral, leva à redução estável da cabeça do rádio desde que não haja nenhuma deformidade proximal do rádio e do capitelo.

#### 4.3.2 Antebraço, diáfise

> Os ossos do antebraço funcionam como uma articulação, onde até um leve mau alinhamento de um dos dois ossos perturba a pronação e a supinação, como também a função do cotovelo e do punho.

Na diáfise, as osteotomias de angulação restauram a distância e o arco fisiológico entre a ulna e o rádio; a liberação da membrana interóssea pode ser necessária, mas deve ser feita com cautela, e a ossificação heterotópica é uma complicação significativa.

A rigidez da supinação que limita o uso do antebraço pode ser tratada por osteotomia rotacional de um ou de ambos os ossos do antebraço, dependendo da natureza e do local da rigidez.

#### 4.3.3 Punho

A consolidação viciosa após a fratura distal do rádio é frequente, mas em geral bem tolerada pelos pacientes idosos. No paciente jovem, as osteotomias metafisárias do rádio podem estar indicadas. A via de acesso escolhida depende da direção da angulação, mas a abordagem palmar é a preferida. O encurtamento é tratado com uma osteotomia em cunha de abertura. Para a estabilização, são usadas as placas convencionais ou a LCP com parafusos de cabeça bloqueada (**Fig. 5.1-12**) [9, 10].

O encurtamento isolado da ulna é geralmente mais executado para o impacto ulnotriquetral e há dispositivos disponíveis para permitir o encurtamento preciso. É ocasionalmente necessário na presença de um desvio menor de eixo distal do rádio. Cuidar com a irritação ou a compressão do nervo mediano. As osteotomias intra-articulares podem ser executadas na consolidação viciosa de fragmentos intra-articulares únicos do rádio. Isso é mais comum quando houver uma fratura coronal desviada (fragmento de Barton palmar ou dorsal). A mobilidade pós-operatória precoce é a regra.

### 4.4 Fêmur
#### 4.4.1 Fêmur, proximal

Em geral, as indicações para cirurgia na consolidação viciosa da região proximal do fêmur são as deformidades em varo e rotacionais combinadas com o encurtamento. Isso resulta em claudicação, fraqueza dos abdutores e uso excessivo das articulações vizinhas. A osteotomia intertrocantérica restaura a situação biomecânica correta em todos os planos [1, 11-13]. As discrepâncias de comprimento da perna também podem ser corrigidas nesse local por encurtamento ou alongamento.

O planejamento pré-operatório é essencial e é baseado nas radiografias em incidência AP e lateral da região

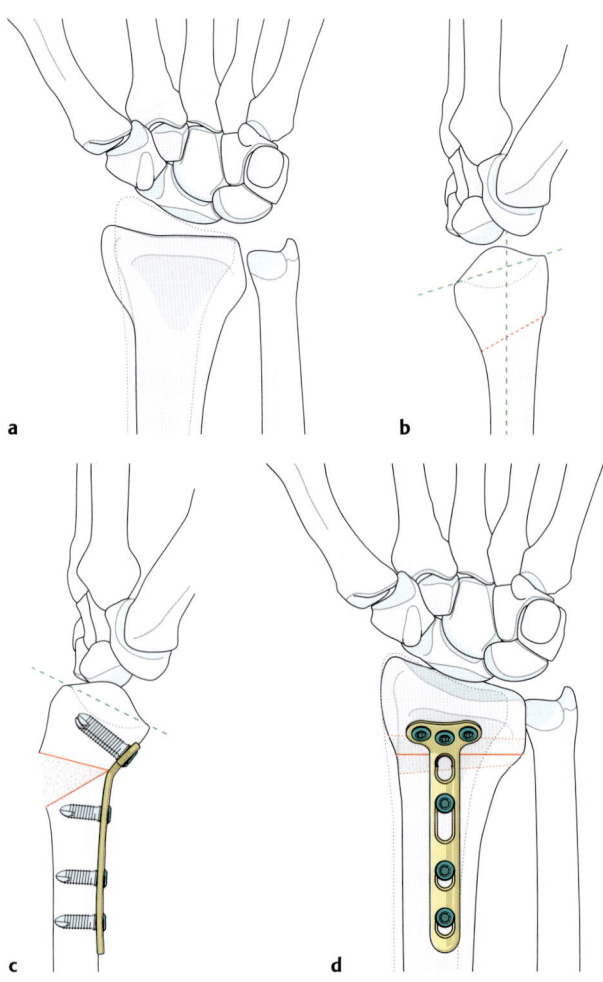

**Fig. 5.1-12a-d** Consolidação viciosa depois de uma fratura distal do rádio.
**a-b** 30° de angulação dorsal com encurtamento e angulação radial.
**c-d** Uma abordagem palmar e uma osteotomia em cunha de abertura transversal do rádio foi executada, corrigindo toda a deformidade. A fixação com a LCP e parafusos de cabeça bloqueada mantém a redução. Um enxerto ósseo é usado com frequência.

proximal do fêmur e no cálculo de todos os ângulos de correção, incluindo o ganho de comprimento da perna pela criação de uma deformidade em valgo com uma osteotomia em cunha de abertura ou de fechamento. Isso aumenta o comprimento da perna e deve restaurar o equilíbrio biomecânico, mas a quantidade de correção é limitada pela função atual do quadril, e uma contratura em abdução deve ser evitada (**Fig. 5.1-13**).

O implante de escolha é a placa-lâmina condilar. Uma placa-lâmina angulada de 95 graus é geralmente efetiva, mas, dependendo da quantidade de valgo necessária, podem ser necessárias placas-lâminas anguladas de 120 graus ou 130 graus.

A haste intramedular bloqueada não permite a correção precisa das deformidades complexas, mas pode ser indicada para deformidades puramente rotacionais.

O tratamento pós-operatório é geralmente funcional, com 8 semanas de carga parcial.

A osteotomia subtrocantérica em planos diferentes pode ser usada para corrigir a consolidação viciosa e encurtamento. Essa osteotomia é tecnicamente trabalhosa, sendo necessário experiência na moldagem de placas (**Fig. 5.1-14**). O alongamento e a redução podem ser difíceis; a interposição temporária de blocos ósseos artificiais pode ser útil antes de interpor os enxertos ósseos autógenos [13].

O encurtamento subtrocantérico pode ser usado para estabelecer a igualdade do comprimento da perna [1, 13]. É uma operação de baixo risco para o encurtamento de até 5 cm; foi observada apenas uma consolidação viciosa em 70 casos. O planejamento pré-operatório é extremamente importante. A placa tem que se ajustar ao trocanter maior e no fêmur de forma exata para alcançar o contato adequado e evitar a fratura do trocanter menor.

### 4.4.2 Fêmur, diáfise

**As consolidações viciosas diafisárias com séria angulação/rotação e encurtamento devem ser corrigidas no nível da deformidade. Se houver um encurtamento importante, a placa é o implante escolhido – o encavilhamento intramedular da consolidação viciosa esclerótica é perigoso e fica reservado à correção de menor monta.**

As deformidades e não uniões combinadas com encurtamento grave devem ser corrigidas com um dispositivo de alongamento versátil, eventualmente combinado com um encurtamento intertrocantérico do outro lado (**Fig. 5.1-1**). A osteotomia mediofemoral pode ser perigosa, com apenas um vaso na perna nesse nível, devendo, assim, ser executada com grande cuidado.

### 4.4.3 Fêmur, distal

As consolidações viciosas em uma posição de valgo, varo, ápice anterior ou posterior ou, excepcionalmente, as deformidades rotacionais e intra-articulares são indicações para cirurgia.

Existem três técnicas para corrigir a consolidação viciosa da região distal do fêmur. Tanto na técnica em cunha de fechamento quanto de abertura, a cortical contralateral bastante fina deve permanecer intacta para criar

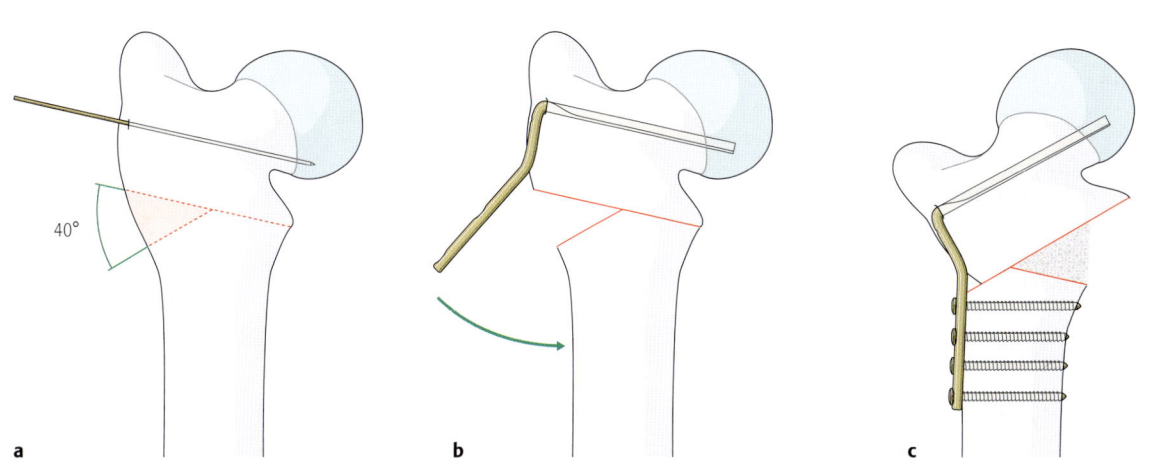

**a**    **b**    **c**

**Fig. 5.1-13a-c**   Osteotomia intertrocantérica valgizante para a deformidade em varo após uma fratura do colo do fêmur. Abordagem lateral; colocação de fios de Kirschner para o controle da anteversão, rotação e do ângulo calculado para o cinzel do osteótomo.
**a**   Introdução do cinzel do osteótomo, osteotomia em paralelo ao cinzel, criando uma superfície óssea grande; remoção gradual de uma cunha lateral.
**b**   Introdução de uma placa-lâmina angulada de 120° depois da redução repetida usando o cinzel do osteótomo como braço de alavanca até que a correção calculada seja alcançada sem criar uma contratura em abdução.
**c**   Estabilização da osteotomia com compressão usando o princípio da banda de tensão. O defeito medial é preenchido com a cunha removida.

Complicações
## 5.1 Consolidação viciosa

alguma estabilidade intrínseca. O osteotomia uniplanar requer uma osteotomia bicortical, mas permite o uso de parafusos de tração para alcançar a estabilidade absoluta. A placa-lâmina angulada de 90 graus com compensação de 10-20 mm é o implante ideal para a aplicação medial nas deformidades em valgo, enquanto a placa condilar de 95 graus é desenhada para o lado lateral da região distal do fêmur. Ambas podem ser usadas na técnica em cunha de abertura [1]. Como já mencionado, o vaso para a perna nesse nível está aprisionado e sempre em risco; por conseguinte as osteotomias devem ser feitas cuidadosamente. As técnicas de osteotomia para corrigir a deformidade em varo e valgo estão ilustradas na **Fig. 5.1-15**.

O posicionamento pós-operatório do joelho em 90 graus de flexão e o exercício precoce (o movimento passivo contínuo é útil) são recomendados, com carga restrita por 6-8 semanas. O retardo de consolidação e a não união são raros.

### 4.5 Tíbia

#### 4.5.1 Tíbia, proximal

As indicações para a cirurgia são as deformidades proximais da tíbia em todos os três planos, consolidação viciosa intra-articular após uma fratura unicondilar, bem como a impacção articular residual combinada com instabilidade ligamentar.

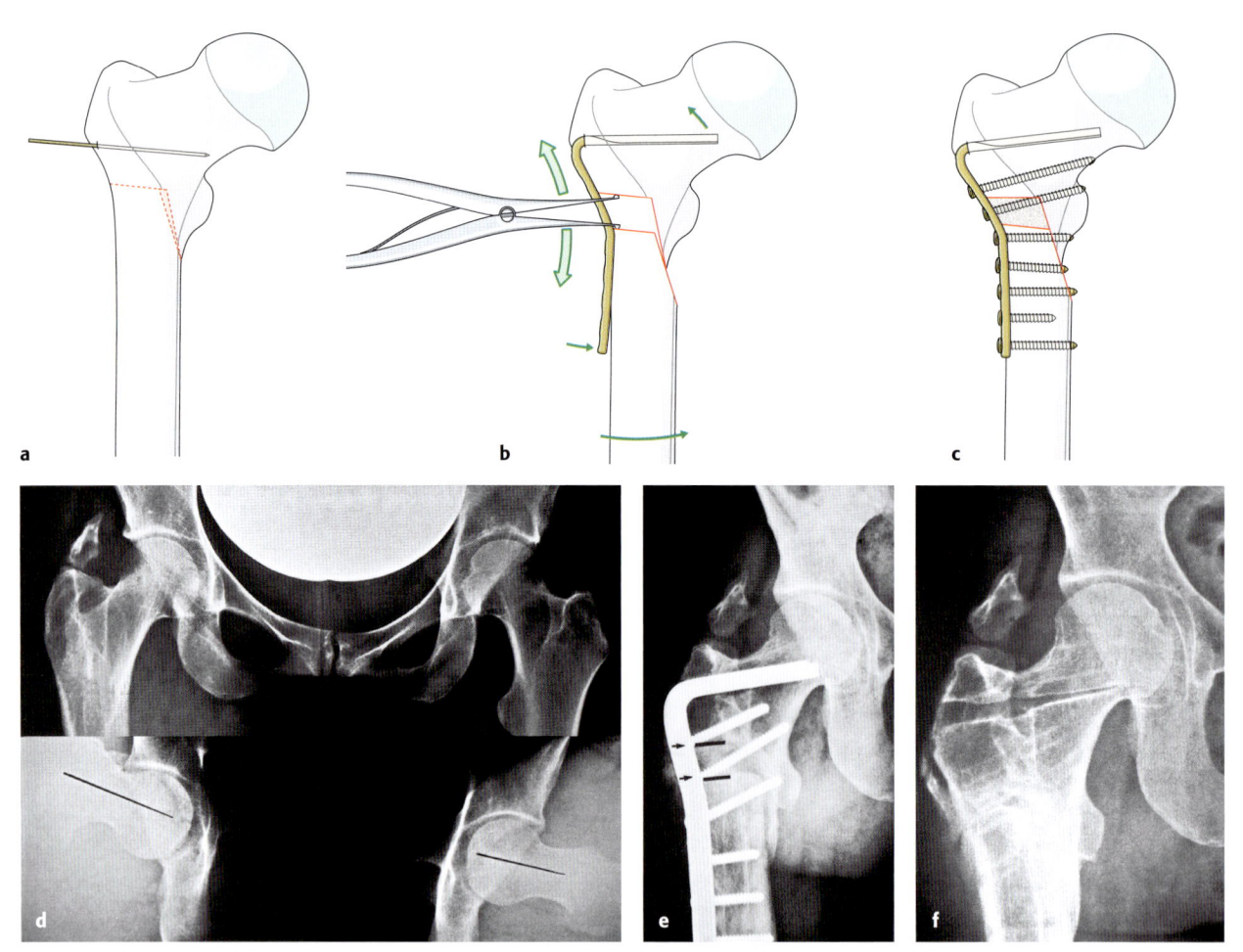

**Fig. 5.1-14a-f** Osteotomia subtrocantérica tridimensional proximal do fêmur (valgização, rotação e alongamento).
a   Posicionamento do cinzel do osteótomo e adaptação do plano de osteotomia, respeitando as correções desejadas.
b   Distração com um afastador ósseo forte, com a placa *in situ*.
c   Interposição de enxertos ósseos corticoesponjosos (da crista ilíaca ipsilateral), fixação interna com placa condilar de 95° ou uma placa-lâmina angulada de 90° com 6 orifícios.
d-f Caso clínico:
d   Varo leve, encurtamento e extrema má rotação depois do encavilhamento intramedular de uma fratura da diáfise femoral em uma mulher de 24 anos de idade.
e   Derrotação de 50°, valgização de 10° e alongamento de 1,6 cm; fixação estável com uma placa condilar.
f   Osteotomia corretiva consolidada depois da remoção do implante.

O planejamento pré-operatório é essencial. É feito com base nas incidências anteroposterior (AP), lateral e oblíqua, bem como por TC. A reconstrução tridimensional e o uso de impressão tridimensional para fazer modelos são particularmente úteis nas deformidades intra-articulares complexas.

O mau alinhamento e a deformidade pós-traumática do planalto tibial são corrigidos com a técnica em cunha de abertura para compensar a perda de substância óssea por impacção e para aumentar a tensão dos ligamentos frouxos. Isso é válido para o mau alinhamento em valgo (mais frequente), em varo e recurvato, e também para o unicondilar e intra-articular complexo. Para alcançar a correção completa, a osteotomia da fíbula é geralmente necessária, mas raramente precisa ser fixada. Na situação particular de um joelho em recurvato com uma articulação patelofemoral normal, os princípios técnicos são os mesmos, mas a osteotomia começa abaixo da tuberosidade; caso contrário, uma reorientação da patela é necessária. O movimento pós-operatório precoce do joelho com carga restringida por aproximadamente 8 semanas é a regra (**Fig. 5.1-16**).

As consolidações viciosas intra-articulares com impacção circunscrita da superfície articular podem ser elevadas e sustentadas em combinação com uma osteotomia varizante em cunha de abertura. As forças de carga são, assim, transferidas para a parte menos danificada da articulação.

A deformidade em valgo é progressiva devido a alterações degenerativas unicompartimentais depois de uma fratura ou meniscectomia. A correção pode ser unicondilar ou bicondilar (**Fig. 5.1-3**), dependendo da extensão da consolidação viciosa.

A osteotomia intra-articular, como um procedimento único, é raramente indicada. Na maioria dos casos, é também necessária a correção axial por osteotomia em cunha de abertura proximal da tíbia. Uma leve supercorreção do eixo é fundamental para eliminar as forças extremas no compartimento parcialmente destruído. Isso significa uma correção para neutro na osteotomia varizante ou em alguns graus extras de valgo na osteotomia valgizante.

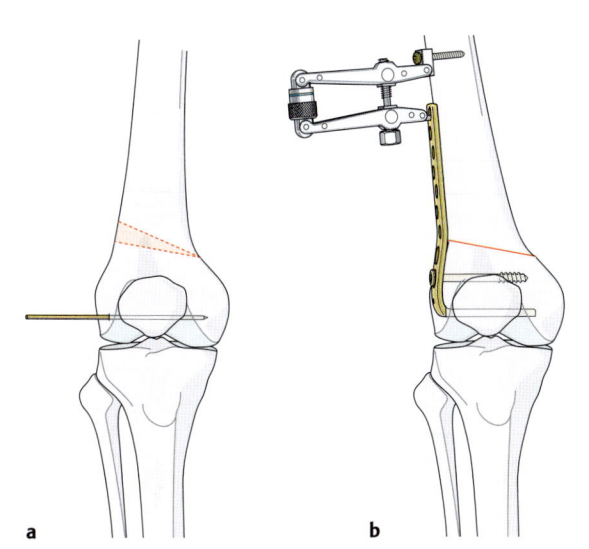

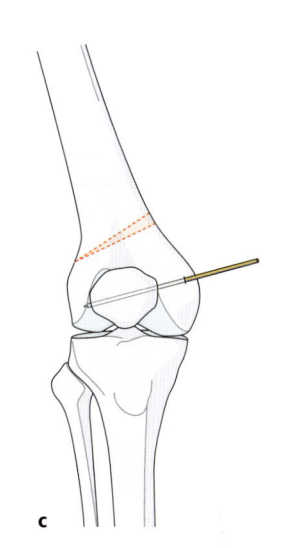

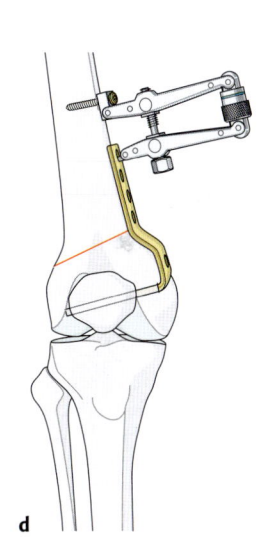

**Fig. 5.1-15a-d** Osteotomias de correção distal do fêmur.
**a-b** Osteotomia valgizante. O paciente é deitado de costas, com campos estéreis em toda a perna e na crista ilíaca. Existe uma possibilidade de dobrar o joelho até 90°. Abordagem lateral no intervalo anterior até o septo intermuscular lateral. Posicionamento de um fio de Kirschner através da articulação e sob a patela. Inserção do cinzel do osteótomo levando em consideração a correção planejada com uma placa-lâmina condilar de 95°. Um osteotomia em cunha de fechamento longa e oblíqua é executada. Osteoclasia cuidadosa da cortical contralateral com uma serra oscilante, pequenos orifícios e osteótomos. A cunha é removida e a osteotomia é efetuada e mantida com duas pinças de redução com ponta antes de introduzir a placa. A compressão completa é alcançada usando-se o dispositivo de compressão articulado.
**c-d** Osteotomia varizante. O mesmo posicionamento do paciente como para a osteotomia valgizante, abordagem através do septo medial, osteotomia oblíqua idêntica e osteoclasia e estabilização com uma placa de quadril de 90°.

Complicações
## 5.1 Consolidação viciosa

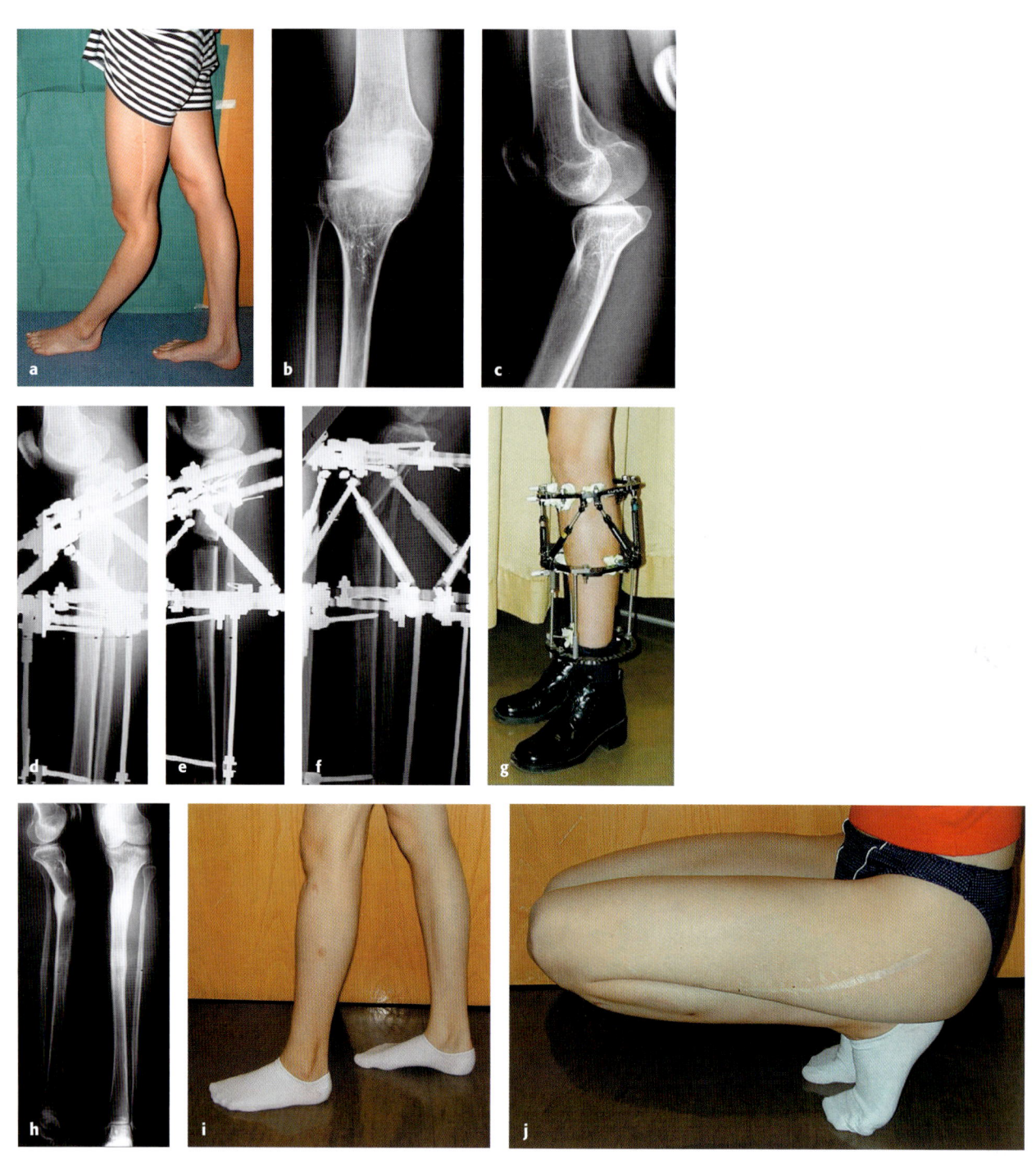

**Fig. 5.1-16a-j** Mulher de 22 anos de idade com uma consolidação viciosa proximal da tíbia, anos após ter sofrido um acidente de carro quando criança.
**a-c** Fotografia clínica e radiografias pré-operatórias.
**d-g** Osteotomia e correção gradual do eixo foram executadas. Por 3 meses, um fixador em anel foi usado para alongar a perna em aproximadamente 4,5 cm.
**h-j** No seguimento aos 8 meses: consolidação e boa função depois da remoção do fixador em anel. (Com autorização de Gerhard Schmidmaier).

O objetivo de todas as osteotomias é corrigir a deformidade e retardar o progresso de artrite e, assim, adiar a artrodese ou prótese articular.

### 4.5.2 Tíbia, diáfise

A decisão de corrigir uma consolidação viciosa diafisária da tíbia depende da localização, configuração óssea e condição dos tecidos moles. Isso também se aplica à escolha da fixação. A haste intramedular fresada – introduzida sem usar um torniquete – pode fornecer excelente estabilidade e permitir a carga precoce, mas a placa com banda de tensão tem vantagens claras se o canal medular estiver obliterado por calo esclerótico [1]. Se os tecidos moles estiverem em má condição após uma fratura exposta, as armações circulares podem ser o método de escolha.

### 4.5.3 Tíbia, distal

As indicações para cirurgia são:

- Mau alinhamento sintomático. Isso pode ocorrer depois do fechamento assimétrico da placa de crescimento, após uma fratura de tornozelo em crianças, ou após fraturas extra-articulares anguladas distais da tíbia em adultos.
- Consolidação viciosa de fraturas do pilão com boa função no tornozelo.
- Deformidades rotacionais após fraturas da perna.
- As consolidações viciosas intra-articulares podem, às vezes, ser uma indicação para reconstrução articular.

O método habitual para correção das deformidades em varo é a osteotomia em cunha de abertura ou osteotomia em plano único com fixação com placa (**Fig. 5.1-17**). Entretanto, as armações circulares podem ser úteis se os tecidos moles estiverem ruins, o que é comum nesse local.

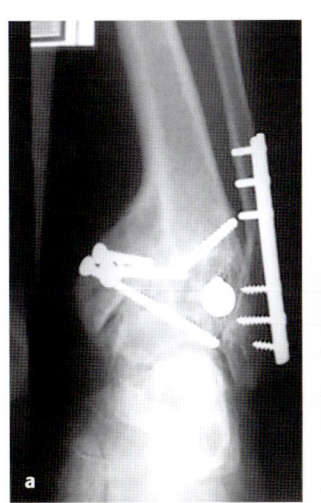

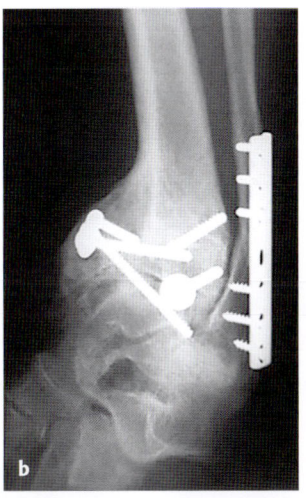

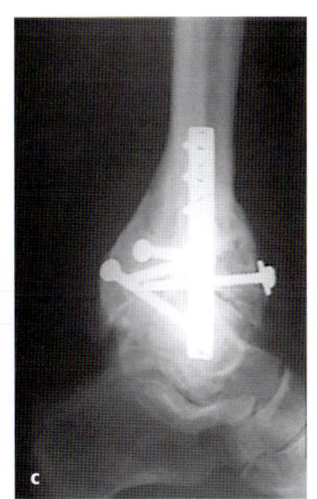

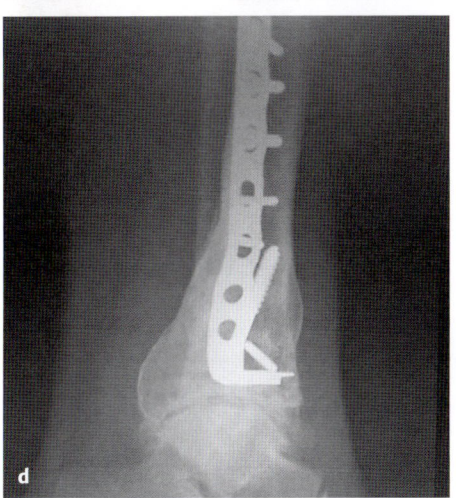

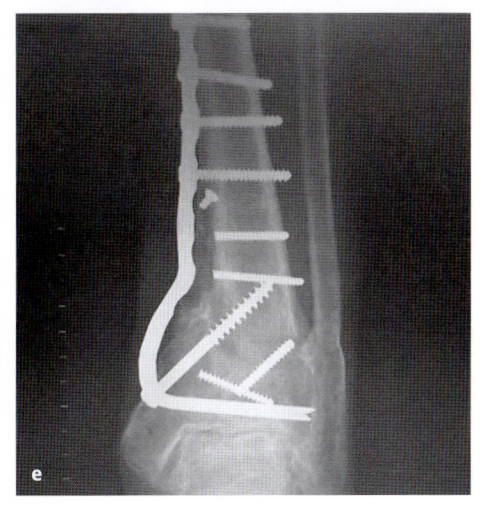

**Fig. 5.1-17a-e** Osteotomia distal da tíbia em plano único para correção de consolidação viciosa.
- **a-c** Oito anos depois de fratura consolidada viciosamente do pilão tibial esquerdo.
- **d-e** No seguimento de 8 anos: radiografias AP e lateral.

Complicações
## 5.1 Consolidação viciosa

As deformidades em valgo são mais fáceis de administrar pela osteotomia em cunha de fechamento, porque a fíbula pode permanecer intocada.

A alternativa a essa cirurgia é a fusão ou, raramente, a substituição protética.

> Em pacientes mais jovens, deve-se tentar a reconstrução na consolidação viciosa distal da tíbia. Os resultados podem ser surpreendentes: as alterações artríticas são bem toleradas quando houver alinhamento perfeito.

### 4.6 Tornozelo

O diagnóstico de consolidação viciosa de uma fratura maleolar requer a observação cuidadosa da linha articular lateral e da inclinação talar (**Fig. 5.1-18**).

Mesmo na presença de alterações artríticas, as fraturas viciosamente consolidadas do tornozelo são uma boa indicação para a reconstrução e com frequência podem adiar por muitos anos as artrodeses secundárias ou a substituição protética [14, 15].

O encurtamento da fíbula nas fraturas do tipo C com frequência leva ao desvio e à inclinação talar e má rotação. Isso pode estar associado à consolidação viciosa do maléolo posterior. Pela correção do comprimento e da rotação da fíbula e, excepcionalmente, pela osteotomia do maléolo posterior, a anatomia da pinça do tornozelo pode ser restaurada (**Fig. 5.1-19**).

### 4.7 Calcâneo, mediopé e área de Lisfranc

Existem algumas indicações para fazer uma osteotomia de uma fratura do calcâneo viciosamente consolidada, especialmente a má posição em varo ou a má posição da tuberosidade. O tratamento de escolha é uma artrodese corretiva da articulação subtalar danificada ou em uma forma extra-articular. O mesmo princípio se aplica à deformação do osso navicular, do cuboide e da articulação de Lisfranc.

## 5 Consolidações viciosas combinadas

Fraturas múltiplas da diáfise de um mesmo membro podem levar a consolidações viciosas múltiplas que se compensam entre si. Os centros do quadril, do joelho e do tornozelo podem estar alinhados. Especialmente em indivíduos jovens, a indicação para executar uma osteotomia de correção dupla é baseada na inclinação da articulação do joelho no plano sagital e/ou coronal, como também na rotação. No planejamento pré-operatório, devem ser considerados o nível, o tipo de osteotomia e a fixação, ao mesmo tempo em que é respeitada a situação das partes moles, a função e a estética.

## 6 Conclusão

> A indicação para uma osteotomia corretiva pós-traumática depende da incapacidade associada em cada paciente individual, bem como da história natural da deformidade.

As vantagens e desvantagens da osteotomia devem ser discutidas com o paciente, de forma que uma decisão possa ser tomada sobre o equilíbrio dos riscos. O cirurgião é responsável pelo planejamento preciso e deve estar ciente das limitações e complicações técnicas e ser capaz de prever o resultado obtido.

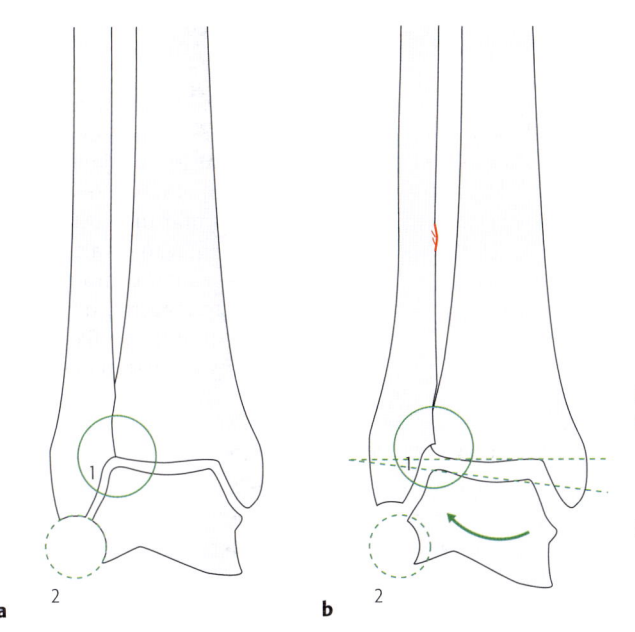

Princípios AO do tratamento de fraturas
Volume 1

**Fig. 5.1-18a-b** Encurtamento da fíbula depois de fratura maleolar.
**a** Características de uma articulação de tornozelo normal: (1) Linha articular regular sem interrupção no nível da sindesmose, (2) um círculo se ajusta exatamente na ponta do maléolo lateral e no processo lateral do tálus.
**b** Depois do encurtamento e da má rotação da fíbula, a linha articular é interrompida (1), e o círculo (2) não se ajusta mais. A inclinação lateral e a rotação externa do tálus são, em geral, a consequência (seta).

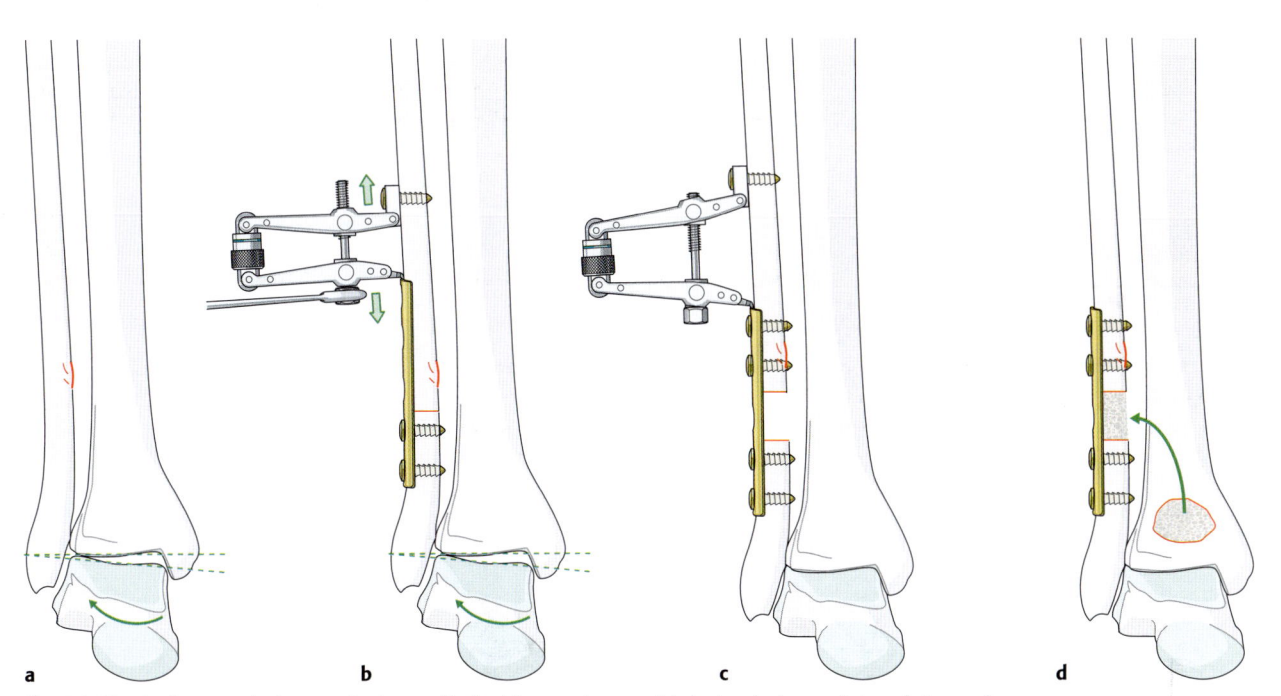

**Fig. 5.1-19a-d** Osteotomia de correção de uma fíbula viciosamente consolidada depois de uma fratura de tornozelo.
**a** Consolidação viciosa depois de uma fratura tipo C com encurtamento da fíbula, inclinação e deslocamento talar. Abordagem lateral e capsulectomia. Exposição e excisão do tecido cicatricial sindesmótico. Às vezes o espaço articular medial tem que ser limpo do tecido cicatricial interposto.
**b** Osteotomia transversal da fíbula, fixação com uma DCP de 3,5 em leve valgo distal na fíbula. Alongamento e rotação da fíbula usando o dispositivo de tensão articulado ou o afastador ósseo como um distrator.
**c** Redução do maléolo lateral na incisura tibial até a cartilagem articular da região distal da tíbia, a fíbula e o tálus estarem congruentes.
**d** Fixação da placa e preenchimento do defeito com osso corticoesponjoso. Um maléolo posterior viciosamente consolidado pode ser inspecionado e osteotomizado através de artrotomia lateral ou por uma osteotomia do maléolo medial.

Complicações
## 5.1 Consolidação viciosa

Referências clássicas    Referências de revisão

## 7 Referências

1. **Müller ME, Allgöwer M, Schneider R, et al.** Osteotomies. In: Müller ME, Allgöwer M, Schneider R, et al, eds. *Manual of Internal Fixation. Techniques Recommended by the AO-ASIF Group.* 2nd ed. Berlin Heidelberg New York: Springer-Verlag; 1979.

2. **Mast J, Jakob R, Ganz R.** Osteotomies. In: Mast J, Jakob R, Ganz R, eds. *Planning and Reduction Technique in Fracture Surgery.* 1st ed. Berlin Heidelberg New York: Springer-Verlag; 1989:12–15.

3. **Staubli A, De Simoni C, Babst R, et al.** TomoFix: a new LCP-concept for open wedge osteotomy of the medial proximal tibia–early results in 92 cases. *Injury.* 2003 Nov;34(Suppl 2): B55–62.

4. **Ilizarov GA.** *Transosseous Osteosynthesis.* Heidelberg, Springer-Verlag; 1991.

5. **Russell GV, Graves ML, Archdeacon MT, et al.** The clamshell osteotomy: a new technique to correct complex diaphyseal malunions. *J Bone Joint Surg Am.* 2009;91(2):314–324.

6. **Sangeorzan BJ, Sangeorzan BP, Hansen ST Jr, et al.** Mathematically directed single-cut osteotomy for correction of tibial malunion. *J Orthop Trauma.* 1989;3(4):267–275.

7. **Meyer DC, Siebenrock KA, Schiele B, et al.** A new methodology for the planning of single-cut corrective osteotomies of mal-aligned long bones. *Clin Biomech (Bristol, Avon).* 2005 Feb;20(2):223–227.

8. **Marti RK, Ochsner PE, Bernoski FP.** [Correction osteotomy of the distal humerus in adults. *Orthopade.* 1981 Sep;10(4):311–315. German.

9. **Fernandez DL, Jupiter JB.** Malunion of the distal end of the radius. In: Fernandez DL, Jupiter JB, eds. *Fractures of the Distal Radius: Diagnosis and Treatment.* Berlin Heidelberg New York: Springer-Verlag; 1995;263–315.

10. **Ring D.** Treatment of the neglected distal radius fracture. *Clin Orthop Relat Res.* 2005 Feb;(431):85–92.

11. **Schatzker J.** *The Intertrochanteric Osteotomy.* 1st ed. Berlin Heidelberg New York: Springer-Verlag; 1984.

12. **Bombelli R.** *Osteoarthritis of the Hip.* 1st ed. Berlin Heidelberg New York: Springer-Verlag; 1976.

13. **Marti RK.** Osteotomies in posttraumatic deformities following fractures of the proximal femur. In: Marti RK, Dunki Jakobs PB, eds. *Proximal Femoral Fractures, Operative Techniques and Complications..* 1st ed. London: Medical Press Ltd; 1993;2:573–587.

14. **Weber BG.** Lengthening osteotomy of the fibula to correct a widened mortice of the ankle after fracture. *Int Orthop.* 1981;4(4):289–293.

15. **Marti RK, Raaymakers EL, Nolte PA.** Malunited ankle fractures. *The late results of reconstruction. J Bone Joint Surg Br.* 1990 Jul;72(4):709–713.

## 8 Agradecimentos

Agradecemos a Rene Marti por sua contribuição para este capítulo na 2ª edição de *Princípios AO do tratamento de fraturas.*

# 5.2 Não união asséptica

*R. Malcolm Smith*

## 1 Introdução

As não uniões resultam em incapacidade importante para o paciente e um desafio significativo para o cirurgião de fraturas. Este capítulo considera a natureza, a causa e o tratamento da não união sem infecção, também conhecida como uma não união asséptica.

Uma não união é a falha na consolidação óssea normal; é diagnosticada quando uma fratura tiver falhado em consolidar dentro do tempo normal e não é resolvida sem intervenção cirúrgica. O tempo esperado de consolidação para qualquer fratura segue uma distribuição normal; consequentemente, alguma consolidação óssea normal ocorrerá mais tarde dentro dessa variação e poderá ser considerada como um "retardo de consolidação". A não união estabelecida não deve ser diagnosticada até pelo menos 6 meses depois da lesão, quando o potencial residual para consolidação é pequeno. Em 1986, a Food and Drug Administration sugeriu uma definição de não união para fraturas diafisárias como a falha em consolidar aos 9 meses, sem progresso durante os 3 meses anteriores.

## 2 Definições

- **Retardo de consolidação** – a demora da consolidação da fratura na variação normal para a lesão, mas o paciente ainda está progredindo.
- **Não união** – a consolidação da fratura cessou e a fratura não irá consolidar sem intervenção cirúrgica.
- **Não união atrófica** – não união caracterizada radiograficamente pela falta de formação óssea, com alguma reabsorção das extremidades da fratura.
- **Não união hipertrófica** – não união caracterizada radiograficamente pela formação excessiva de osso, mas há falha do calo em unir as extremidades ósseas.
- **Pseudoartrose** – a não união é móvel e persistiu por um longo período. As extremidades ósseas estão escleróticas e os tecidos moles intervenientes se diferenciam para formar uma articulação sinovial.
- **Não união mecânica** – não união associada principalmente a influências mecânicas, como o alto *strain*, que evita que o osso preencha o *gap* final.
- **Não união biológica** – não união associada principalmente à falha biológica de consolidação, em geral decorrente de condições vasculares/celulares deficientes.

### 2.1 Apresentação clínica e diagnóstico

Clinicamente, uma não união se apresentará com mobilidade no local da fratura, que pode estar associada a dor, função ruim e desenvolvimento de deformidade ou instabilidade mecânica grosseira. Se um implante estiver presente e ainda intacto, nenhum movimento clínico pode ser detectado. A falha na consolidação óssea causará *strain* repetitivo no implante que eventualmente irá falhar e causar instabilidade grosseira. Os sinais radiográficos incluem linhas de fratura persistentes, esclerose nas extremidades da fratura, um *gap* e uma variação de respostas de calo, desde hipertrófico até ausente. Pode haver osteólise ao redor dos implantes devido ao afrouxamento. Entretanto, o osso sobreposto, a deformidade da fratura e a presença de implantes podem obscurecer o diagnóstico radiográfico. A tomografia computadorizada (TC) é frequentemente necessária para definir a falta de osso de aproximação. Um exame de TC com imagens multiplanares reformatadas fornece uma imagem mais clara e é a investigação de escolha. Os exames adicionais devem incluir marcadores inflamatórios (velocidade de hemossedimentação, proteína C-reativa e leucograma), e a elevação pode sugerir a presença de infecção. Estudos osteometabólicos devem ser feitos para avaliar as influências biológicas na

Complicações
## 5.2 Não união asséptica

qualidade óssea, com uma série bioquímica completa, incluindo testes de função hepática, cálcio, vitamina D, condição da tireoide e paratireoide e, quando indicado, um perfil esteroide e glicêmico [1]. Na cirurgia, para uma aparente não união asséptica, amostras bacteriológicas múltiplas devem ser obtidas antes de serem administrados os antibióticos profiláticos, já que culturas positivas podem ser esperadas em até 30% dos casos [2]. As amostras para estudo histológico também devem ser consideradas.

A infecção é geralmente associada à não união, embora a relação entre infecção e instabilidade mecânica de uma não união seja controversa [3].

### 3 Classificação das não uniões

A classificação mais usada foi desenvolvida a partir do que foi descrito por Weber e Cech [4] e levou aos termos descritivos de não união atrófica, oligotrófica e hipertrófica, que são geralmente usados hoje. Essa classificação considera a não união no que se refere a sua morfologia e introduziu descrições de seu aspecto específico em relação ao grau de resposta do calo (**Fig. 5.2-1**). Acreditava-se que isso estaria relacionado à vascularização. Uma não união era considerada vascularizada e viável se houvesse alguma formação de calo e era descrita com um calo excessivo (hipertrófica – "pata de elefante"); uma resposta de calo normal (normotrófica – "casco de cavalo"); ou com um calo mínimo (oligotrófica). Nessas três, alguma consolidação é observada, embora a persistência de uma única linha de fratura seja diagnóstica de não união. Uma não união era considerada como avascular quando não havia nenhuma formação de calo, com reabsorção das extremidades do osso (não união atrófica). Com a não união atrófica, pode haver interposição de tecido sem potencial osteogênico. Os defeitos ósseos constituem um grupo específico e requerem técnicas especializadas de tratamento.

Desse modo, o conceito de não união varia desde "hipertrófica", que é vascularizada e necessita estabilidade, até "atrófica", que é avascular e necessita estabilidade e biologia. Hoje é mais apropriado considerar as causas e o espectro da não união relacionada às deficiências mecânicas e biológicas subjacentes em vez de considerar apenas a vascularização, já que estudos histológicos demonstram que os locais de não união atrófica frequentemente têm um bom suprimento sanguíneo e a imuno-histoquímica indica que as células e os fatores de crescimento para consolidação óssea também estariam presentes.

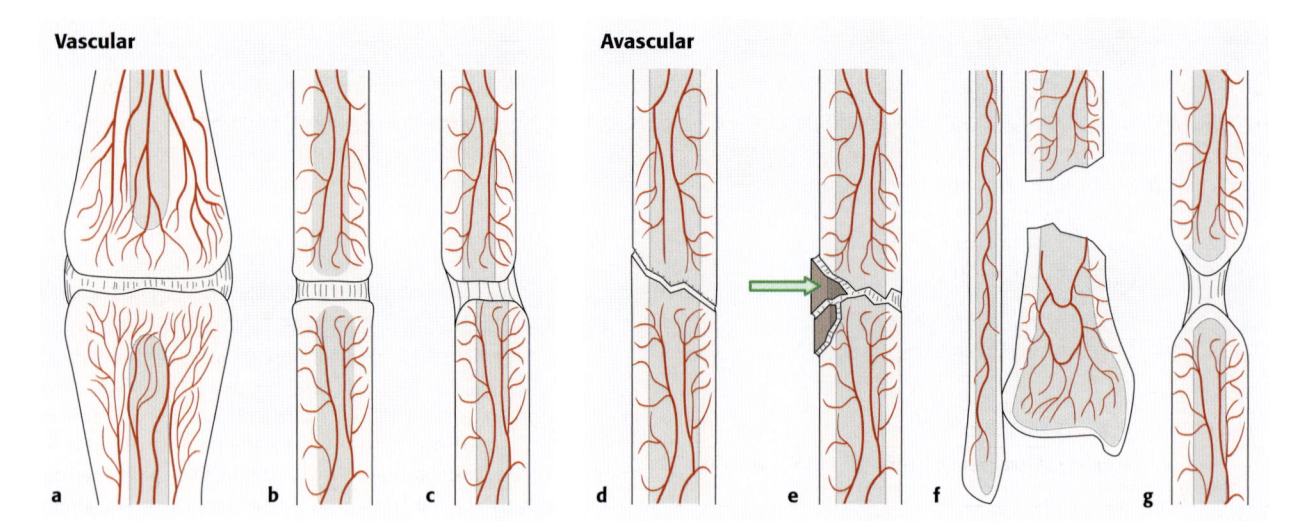

**Fig. 5.2-1a-g** Classificação de Weber da pseudoartrose. Aspectos tradicionalmente reconhecidos da não união e a sua vascularização presumida [4].
a   Hipertrófica (pata de elefante)
b   Normotrófica (casco de cavalo)
c   Oligotrófica
d   Cunha de torsão
e   Multifragmentada (seta verde indica cunha avascular)
f   *Gap* ósseo
g   Atrófica

## 4 Etiologia da não união asséptica

Na prática clínica, as duas principais vias comuns que resultam em problemas na consolidação óssea são as vias mecânicas e biológicas (**Tab. 5.2-1**).

Uma ou ambas podem contribuir para a etiologia de qualquer não união, mas a experiência cirúrgica sugere que as questões mecânicas sejam mais comuns.

Vários fatores biológicos influenciam o processo de consolidação [1, 4]. Desde as descrições antigas, fatores adicionais já foram reconhecidos [1, 3-6], incluindo a infecção subclínica. A melhor taxa de sobrevida depois do trauma de grande magnitude tem levado a uma incidência aumentada de pacientes com lesões ósseas muito mais graves e seus problemas relacionados. Além disso, o tratamento cirúrgico difundido das fraturas nem sempre facilitou a boa consolidação óssea e pode ter aumentado a incidência das não uniões. A falha por implantes mal aplicados ou incorretos e pela cirurgia mal executada é agora um fator importante em muitas não uniões. É provavelmente melhor considerar as duas principais vias comuns conjuntas pelas quais os ossos falham em consolidar como os fatores mecânicos e biológicos (com ou sem infecção subclínica) [3].

### 4.1 Fatores mecânicos

O papel da estabilidade mecânica na consolidação óssea tem sido discutido por muitos, incluindo Perren [7], Claes e Heigele [8] que ilustraram os requisitos mecânicos locais para o tecido formar osso. O tecido que se forma, conforme uma fratura cura naturalmente, passa por um processo de diferenciação progressiva de tecido de granulação, tecido fibroso e cartilagem até que o osso seja formado e cubra o *gap* da fratura. A progressão através desses diferentes tipos de tecido funciona para criar um ambiente mecânico mais rígido, até que o *strain* local se torne suficientemente baixo para o osso se formar e a fratura consolidar [7]. Perren mostrou que o osso cortical falhará em consolidar em um *strain* local de tecido ao redor de 2% e que o osso esponjoso pode tolerar até 5%. O *strain* deve ser reduzido até esse nível para permitir que a consolidação óssea progrida. A resposta fisiológica do osso ao ambiente mecânico explica a remodelação subsequente da fratura e a renovação óssea normal. Esse fenômeno está bem aceito e forma a essência da lei de Woolf [7]. A resposta tecidual durante o processo de consolidação é estimulada por fatores mecânicos, como enfatizado por Kenwright e Gardner [9], ou seja, micromovimento e *strain*. O processo de consolidação e o papel das intervenções cirúrgicas para criar diferentes ambientes de *strain* (o espectro da estabilidade absoluta até a relativa) estão descritos no Capítulo 1.2. O retardo significativo ou a falha desse processo de enrijecimento devido a fatores mecânicos ou biológicos leva à persistência ou ao desenvolvimento de uma área de *strain* alto, resultando em retardo de consolidação ou não união [10]. Na prática clínica, a maioria das não uniões está limitada a uma linha de fratura única, qualquer que seja o padrão de fratura inicial. Quando a não união se desenvolve após as fraturas multifragmentadas tratadas por estabilidade relativa, todos os fragmentos se unem, deixando um plano de fratura que falha em consolidar. Esse plano é geralmente oblíquo, sugerindo a importância da persistência de um *strain* de cisalhamento na origem da não união (**Figs. 5.2-2-3**).

### 4.2 Fatores biológicos

Os fatores biológicos mudam a capacidade do tecido de consolidação óssea local se formar ou responder normalmente após uma fratura. Eles atuam restringindo o processo geral de consolidação ou afetando os passos específicos necessários para criar osso. Muitos fatores foram sugeridos por Weber e Cech [4], mas, desde então, foram mais claramente identificados, incluindo a deficiência de vitamina D, disfunção da tireoide, paratireoide e suprarrenal, tabagismo, antimetabólicos, infecção subclínica, fármacos anti-inflamatórios não esteroides (AINEs) e fármacos usados para aumentar a densidade óssea, prevenindo a sua reabsorção (bifosfonados) [1, 3, 5, 6, 11].

As principais influências biológicas incluem os efeitos de isquemia local, desnutrição, doença metastática, neuropatia grave e diabetes. Do ponto de vista cirúrgico, o fator mais importante é o dano biológico ao processo de consolidação associado à cirurgia prévia. Isso pode incluir a estabilização óssea imprópria ou a cirurgia associada a manipulação inadequada de partes moles e desnudamento ósseo excessivo. A intervenção cirúrgica aberta facilita a cura em uma posição de redução da fratura, mas não acelera a consolidação. Reciprocamente, pode retardar alguns dos processos de consolidação devido à desvascularização local adicional. O desenvolvimento das técnicas de osteossíntese minimamente invasiva tem reduzido a agressão cirúrgica para os tecidos moles e osso e pode facilitar a

| **Tabela 5.2-1** Fatores na "pseudoartrose" de acordo com o Weber e Cech [4] |
|---|
| **Fatores mecânicos** |
| • Falta de estabilização em fraturas instáveis |
| • Estabilização inadequada da fratura (implantes de estabilização insuficiente ou excessiva ou imprópria) |
| • Fraturas tratadas conservadoramente (imobilização insuficiente) |
| **Fatores biológicos** |
| • Locais: defeitos ósseos, fraturas expostas, infecção subclínica, lesão das estruturas de partes moles perto da fratura, cominução extensa, fraturas segmentadas, fraturas patológicas, fraturas desviadas e com diastase, interposição de partes moles, lesão iatrogênica de partes moles |
| • Sistêmicos: neuropatias, diabetes melito, desnutrição, tabagismo crônico, alcoolismo crônico, anticoagulantes, corticosteroides, radiação prévia |

Complicações
## 5.2 Não união asséptica

consolidação óssea. Os conceitos recentes de cirurgia de fraturas enfatizam a técnica cirúrgica meticulosa, que limita qualquer desvascularização adicional, quando fraturas forem expostas e os implantes aplicados. Está bem reconhecido que as fraturas expostas e de maior energia têm uma taxa mais alta de não união devido à desvascularização do tecido mole local e óssea (e infecção subclínica), associado ao grau de trauma.

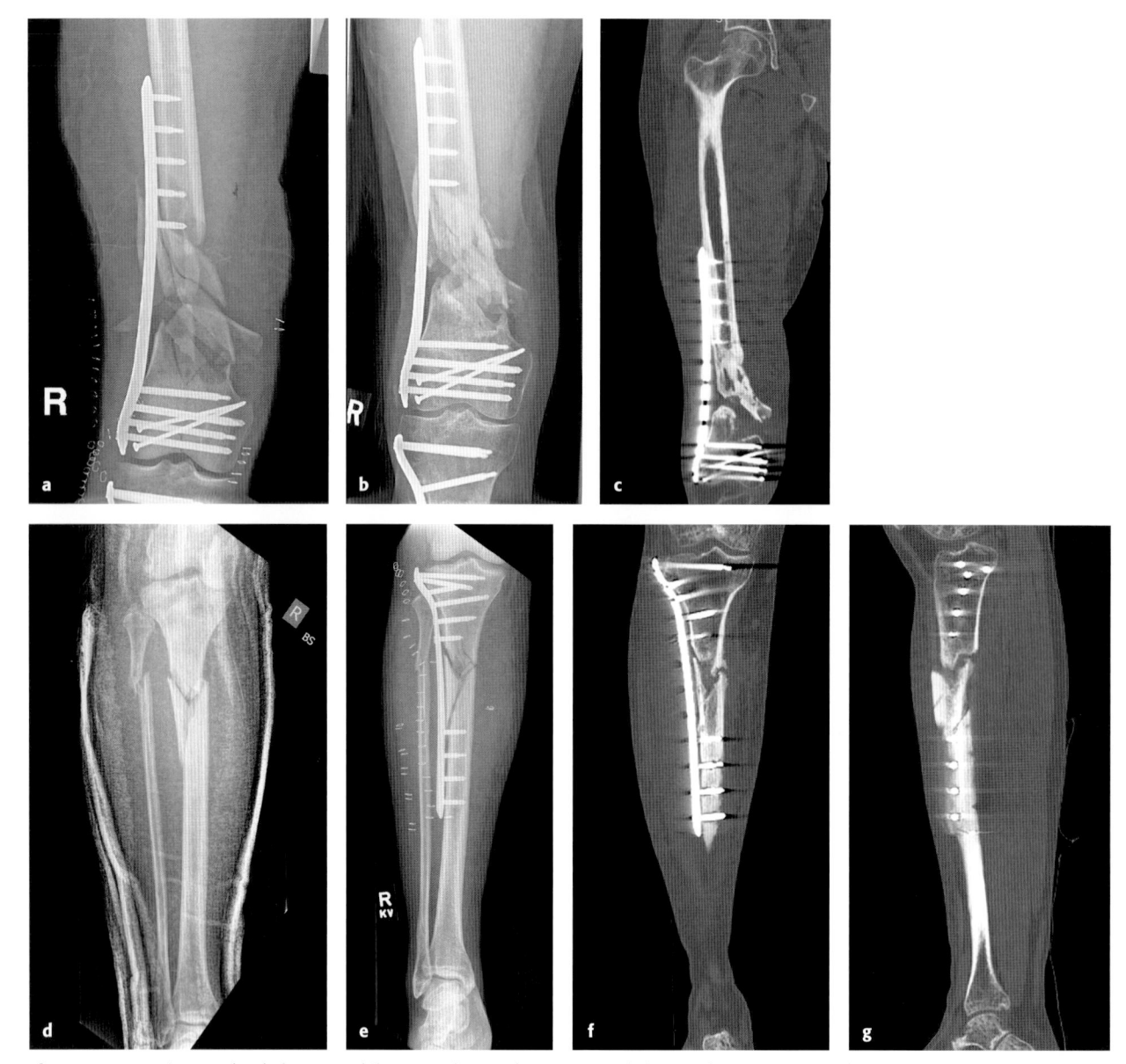

**Fig. 5.2-2a-g**  Dois exemplos de fraturas multifragmentadas tratadas por necessidade com placa em ponte. Ambas mostram o desenvolvimento de uma não união uniplanar, confirmada na tomografia computadorizada (TC).
**a**  Estabilização inicial de uma fratura exposta da região distal do fêmur grave tipo C.
**b**  A dor persistente aos 8 meses sugere não união.
**c**  Uma TC confirma a união dos fragmentos, mas com persistência de uma não união uniplanar.
**d-e**  Fratura e estabilização inicial de uma fratura tibial tipo B.
**f-g**  Uma TC confirma a união dos fragmentos, mas com persistência de uma não união uniplanar.

O objetivo do tratamento cirúrgico da fratura é reduzi-la e fornecer o ambiente mecânico correto para a consolidação óssea apropriada, e minimizar o dano adicional que poderia causar complicações e aumentar a taxa de não união.

> É importante reconhecer que, com a fixação da fratura, é o cirurgião que determina o ambiente mecânico e não o paciente ou o implante.

### 4.3 Vascularização

A vascularização deficiente é o elo comum entre os vários fatores biológicos e afeta a velocidade e a qualidade da formação óssea. Está claro que qualquer tecido em cicatrização requer um suprimento sanguíneo e que todas as fraturas perturbam, até certo ponto, o suprimento sanguíneo para o osso e tecidos moles; quanto maior a energia, maior a perturbação. A localização da fratura pode tornar isso crítico; o osso bem coberto por inserções musculares tende a ter um suprimento sanguíneo mais colateral que o osso subcutâneo, como, por exemplo, a tíbia. Os segmentos ósseos cobertos por cartilagem, como, por exemplo, a cabeça do fêmur, escafoide, ou corpo do tálus, têm um potencial menor para suprimento sanguíneo colateral e são mais propensos a problemas na consolidação. A saúde geral do paciente pode também resultar em perfusão tecidual reduzida devido a doença vascular crônica ou aguda, tabagismo e diabetes.

Tradicionalmente, a diferença fundamental entre a não união atrófica e a hipertrófica era considerada como a vascularização. Originalmente, as não uniões "em cunha, torcidas, cominutivas, com *gap* ósseo e atróficas" eram consideradas avasculares [4]. Os dados atuais sugerem que isso raramente é a questão dominante. Em muitas fraturas onde os fragmentos ósseos estão claramente desvascularizados, a experiência clínica revela que a maioria dos fragmentos é incorporada no processo de cura, circundados ou englobados por osso novo e revascularizado. O aspecto radiográfico da não união atrófica sugere que a não união "atrófica" não é avascular, porque existe reabsorção de ambas as extremidades ósseas, o que somente poderia ocorrer se elas fossem vascularizadas. Os estudos de investigação [12, 13] também mostraram a recuperação consistente da vascularização em modelos experimentais reproduzindo uma não união avascular e atrófica (**Fig. 5.2-4**).

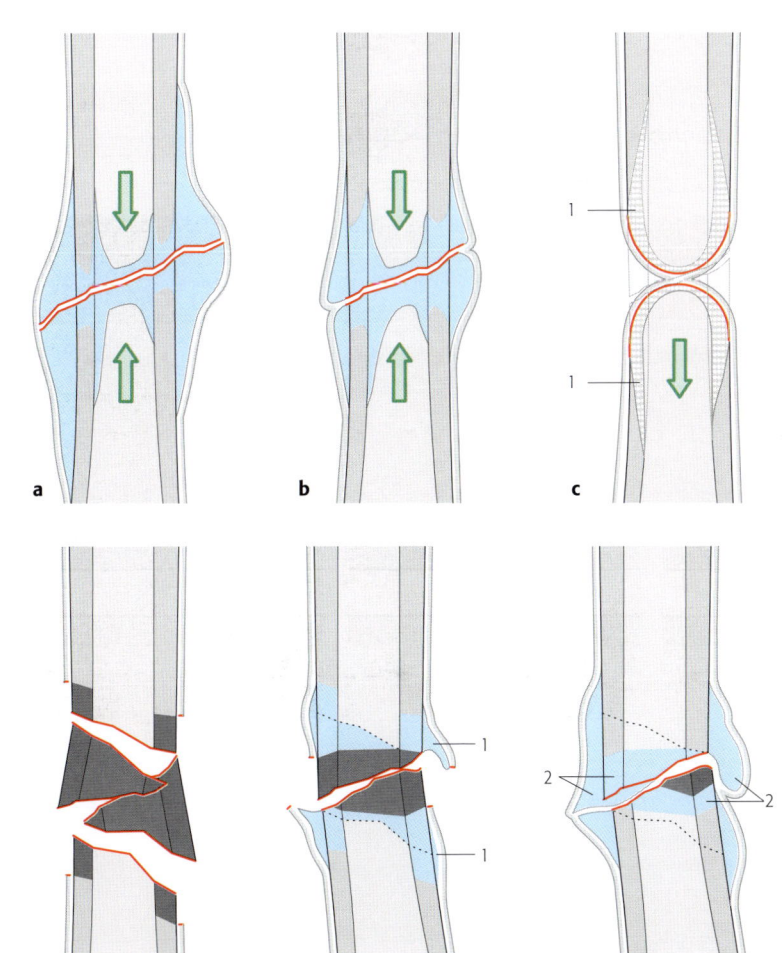

**Fig. 5.2-3a–c** Não uniões bem vascularizadas: não há áreas de osso avascular.
a  Não união hipertrófica (casco de elefante), geralmente associada a alguma estabilidade.
b  Não união normotrófica (casco de cavalo), com neoformação óssea menos proeminente, em uma situação menos estável.
c  Não união atrófica. Devido à marcada instabilidade existe reabsorção (1) do osso cortical original, levando a extremidades arredondadas.

**Fig. 5.2-4a–c** Não união avascular.
a  Situação imediatamente após uma fratura complexa. As áreas escuras estão avasculares/necróticas.
b  Meses mais tarde, os dois fragmentos intermediários consolidaram em cada fragmento principal por calo (1), mas não há evidência de consolidação no centro da fratura.
c  Mesmo depois de anos e apesar da formação óssea periosteal adicional e alguma remodelação pela substituição por rastejamento (2), a não união persiste.

Complicações
5.2 Não união asséptica

### 4.4 Fatores do paciente

O efeito danoso do tabagismo e dos AINEs na consolidação óssea é importante e evitável, e deve ser enfatizado para os pacientes com fraturas.

Está bem estabelecido que os fatores do paciente também estão associados à consolidação óssea ruim e ao desenvolvimento de não união (**Fig. 5.2-5**). Eles provavelmente têm seus efeitos pelas vias mecânicas e biológicas comuns apontadas anteriormente. Essas incluem tabagismo e diabetes (provavelmente vascular/biológico), neuropatia (mecânico), desnutrição, dependência de drogas, outros distúrbios endócrinos e a provisão de alguns fármacos incluindo AINEs (mecanismos gerais e biológicos/celulares específicos). Dado que as deficiências específicas são raras [1] e muitas não são evitáveis, cessar o tabagismo e evitar AINEs podem ser as modificações biológicas realizáveis e possíveis mais relevantes durante o período de consolidação da fratura aguda (e não união), devendo ser enfaticamente aconselhadas [5]. Outra evidência sugere que a deficiência subclínica de vitamina D é relativamente comum nas sociedades desenvolvidas e pode ser importante [1]. O descumprimento das instruções pós-operatórias com carga imprópria é um fator importante na consolidação óssea deficiente e tem um efeito similar ao da neuropatia grave.

### 4.5 Neuropatia

A consolidação da fratura e a função neurológica apropriada da extremidade estão relacionadas. A consolidação deficiente associada a um defeito neurológico é causada pela falta de sensibilidade protetora, causando lesão repetitiva e alta concentração de *strain* por fatores mecânicos, embora a fisiopatologia precisa ainda não seja compreendida. Diabetes, paraplegia, alcoolismo crônico, espinha bífida, siringomielia e hanseníase causam neuropatia grave. Essas doenças afetam a sensibilidade dolorosa e a propriocepção, o que limita a capacidade de o paciente controlar a carga e comprometem uma resposta de cicatrização já prejudicada (**Fig. 5.2-5**).

## 5 Modalidades de tratamento da não união

### 5.1 Tratamento do retardo de consolidação

O sintoma primário de um retardo de consolidação é a persistência da dor em direção ao extremo do tempo esperado de cura normal. Uma vez que a consolidação óssea ainda está progredindo, o tratamento implica a exclusão de problemas específicos, como a infecção (com marcadores inflamatórios), evitar fatores que possam retardar a consolidação (tabagismo e AINEs) e facilitar a consolidação ao maximizar a reabilitação funcional com carga controlada e mobilidade ativa. O tratamento cirúrgico ativo deve ser retardado até que a falha da consolidação seja estabelecida e a não união possa ser declarada.

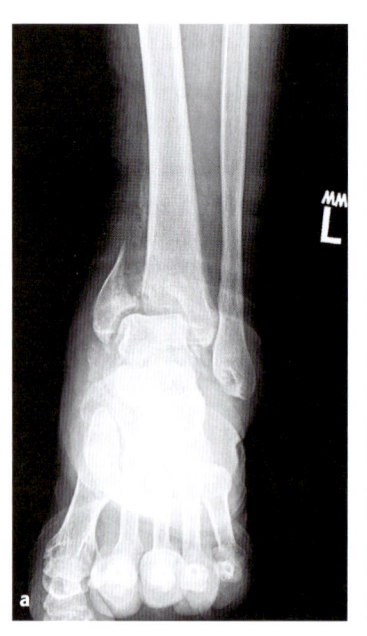

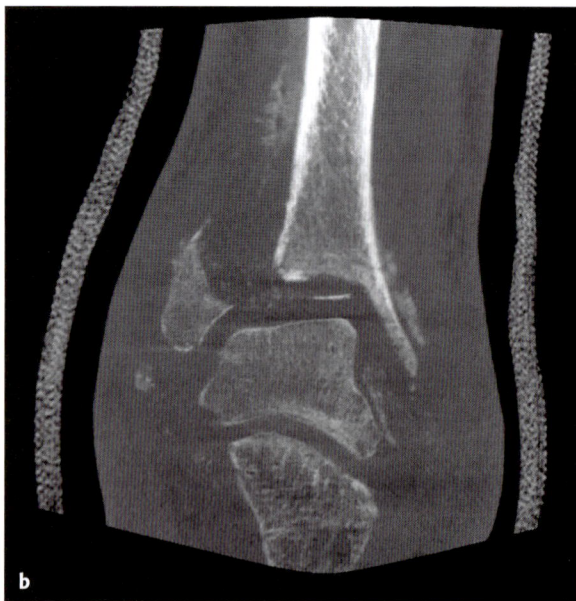

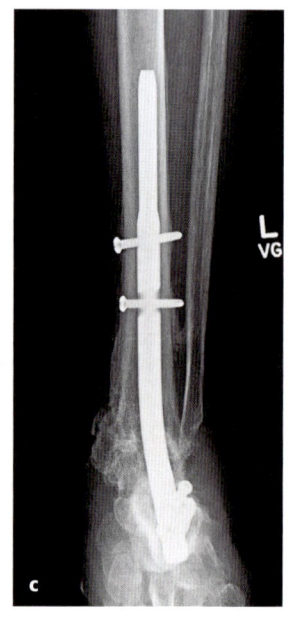

**Fig. 5.2-5a-c** Uma não união intra-articular se apresentando com dor mínima em um paciente com diabetes e neuropatia grave. Em vista da neuropatia grave e da qualidade articular residual ruim, foi feita uma artrodese com uma haste.

## 5.2 Tratamento da não união mecânica estabelecida

A maioria das não uniões estabelecidas tem alguma resposta de calo, sugerindo que o problema seja principalmente uma falta de estabilidade mecânica. Os altos níveis de *strain* excedem a tolerância de *strain* do tecido formador de osso e, embora a fratura tenha o potencial para consolidar, existe estabilidade mecânica insuficiente para a não união cicatrizar [10]. O método mais efetivo de tratar uma não união mecânica é neutralizar o *strain* alto e as forças de cisalhamento pela estabilização cirúrgica (**Fig. 5.2-6**) [14, 15]. Isso é mais adequadamente alcançado pelo uso de uma placa de compressão (com fixação por parafuso de tração se possível). Tal estabilidade mecânica reduz o *strain* tecidual a um nível onde a calcificação da fibrocartilagem pode ocorrer, permitindo o crescimento ósseo no local da não união.

> Deve-se notar que a fratura agora irá curar por remodelação (consolidação óssea primária) sob condições de estabilidade absoluta. Desse modo, um novo calo não irá se formar, mas os tecidos preexistentes ossificarão.

Nessa situação, a enxertia óssea não é necessária, embora o despetalamento osteoperiosteal (ripamento ou decorticação de Judet do local da fratura) é considerado importante e pode ajudar a estimular a união (**Fig. 5.2-7**) [15, 16]. Nas fraturas diafisárias, a troca do encavilhamento pela inserção de uma nova haste fresada é efetiva, já que o dispositivo intramedular fornece estabilidade adicional, corrige o eixo mecânico e neutraliza as forças de cisalhamento [14]. A fresagem necessária para a inserção de uma haste maior provavelmente tem um efeito biológico adicional.

A ressecção do local de não união também não é necessária e realmente pode ser prejudicial, já que removerá o tecido osteogênico viável, que ainda é capaz de cicatrizar se a estabilidade mecânica for obtida. A ressecção da não união somente é necessária quando houver uma não união sinovial e o tecido de consolidação óssea normal tiver sido destruído, ou quando for necessário corrigir uma deformidade inaceitável (**Fig./Animação 5.2-8**). Depois da aplicação de uma placa de compressão bem executada em uma não união mecânica, o movimento funcional indolor pode ser comumente visto tão rapidamente quanto 2 meses depois da cirurgia, com uma taxa de consolidação > 95% [2, 15].

## 5.3 Tratamento da não união biológica

Existem alguns fatores biológicos presentes em todas as não uniões. Claramente, o tratamento desses casos envolve identificar e corrigir qualquer defeito biológico além de quaisquer problemas mecânicos presentes. O espectro de problemas biológicos varia desde uma disfunção celular grosseira, como a vista na radioterapia ou em pacientes que recebem fármacos citotóxicos, até aqueles associados a deficiências de nutrientes/vitaminas ou hormonais. Como notado acima, algumas deficiências são comuns de serem encontradas em pacientes com não união e precisam ser corrigidas, mas, em todos os casos, as questões mecânicas também precisam ser consideradas. Com um implante estável, uma modificação biológica isolada raramente permitirá a não união cicatrizar. Babu e colaboradores [17] demonstraram o efeito positivo do hormônio da paratireoide como estimulante da consolidação óssea. Entretanto, na maioria dos casos, a não união não terá estabilidade adequada, e o estímulo biológico adicional de descorticação de Judet e a correção do ambiente mecânico serão tratamentos suficientes [15]. Se fatores biológicos são considerados importantes, muitos cirurgiões tentarão adicionar um estímulo adicional na cirurgia com autoenxerto de osso esponjoso. Apesar do desenvolvimento comercial das proteínas morfogenéticas ósseas e um número amplo de materiais substitutos do enxerto ósseo, estes não têm se provado tão efetivos quanto se esperava, e são possíveis complicações potenciais da manipulação dos processos de sinalização biológica básica [18].

> A enxertia óssea autógena permanece o padrão-ouro para a provisão de tecido osteoestimulante.

Normalmente, ele é tirado do osso esponjoso dentro da crista ilíaca posterior ou anterior do paciente, onde geralmente existe um reservatório razoável de osso esponjoso vermelho e ativo (**Fig. 5.2-9**).

## 5.4 Tratamento da não união "atrófica"

Tradicionalmente, as não uniões atróficas são consideradas avasculares, embora, como se pode notar, isso tem sido questionado, e o aspecto radiográfico da reabsorção óssea indica vascularização. Atualmente, o tratamento inclui estimulação usando meios biológicos com decorticação e aplicação de uma placa de compressão (estabilidade mecânica), com estimulação biológica adicional usando enxerto ósseo autógeno. A decorticação também fornece um leito ósseo sangrante bem vascularizado para aplicar

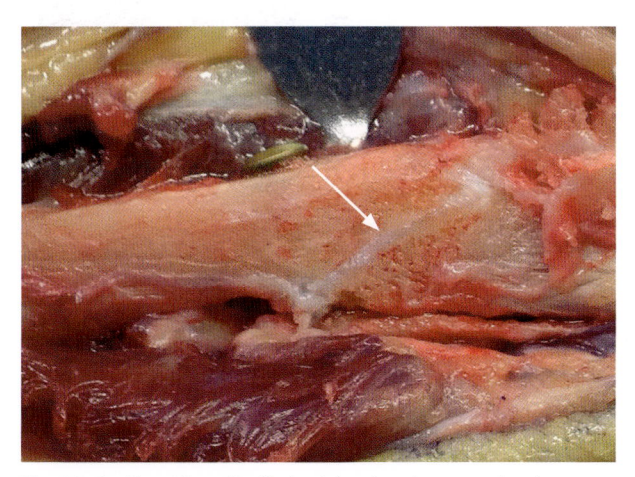

**Fig. 5.2-6** Uma não união fibular típica vista durante a cirurgia, com tecido fibroso no *gap* da não união (seta).

Complicações
## 5.2 Não união asséptica

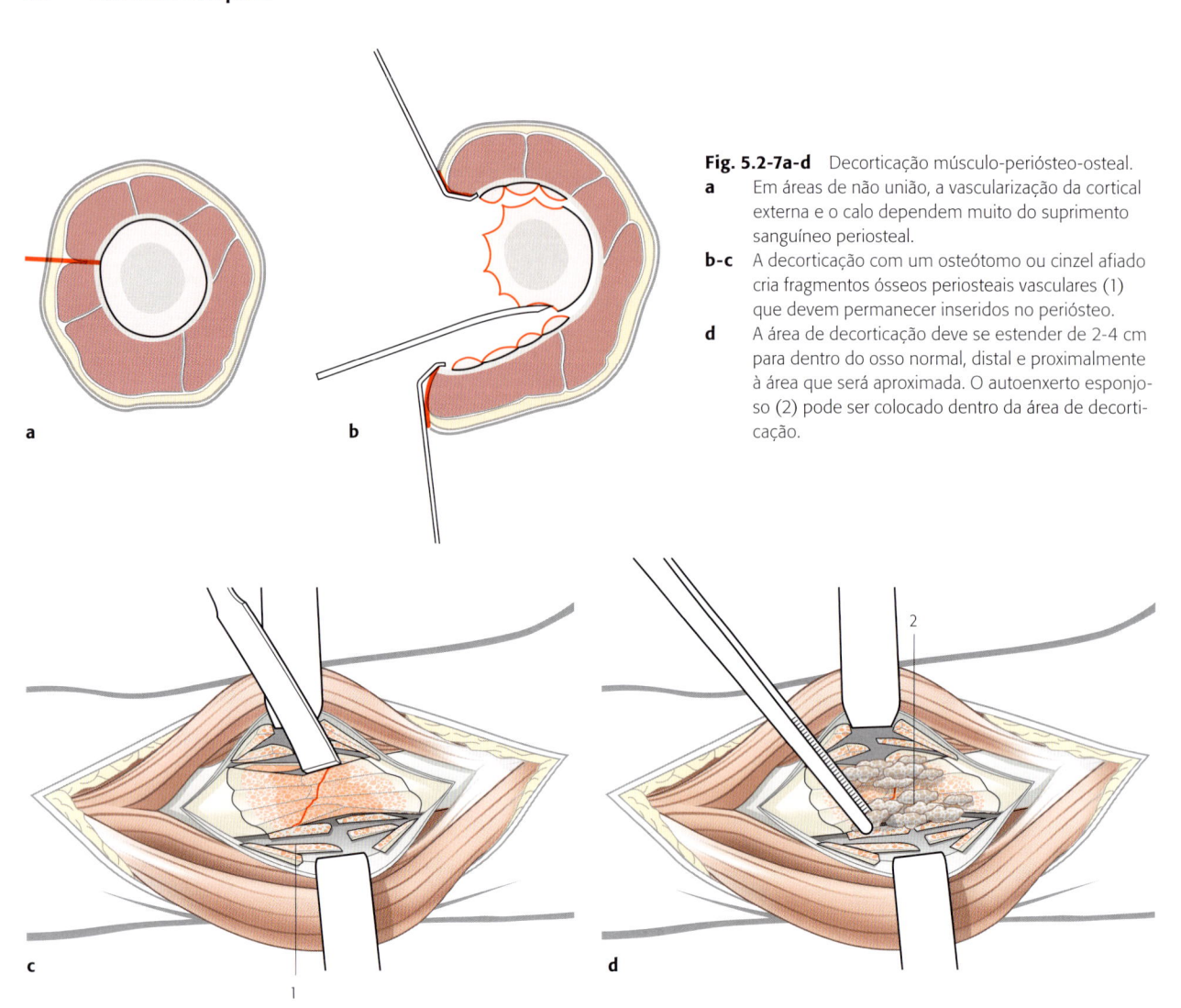

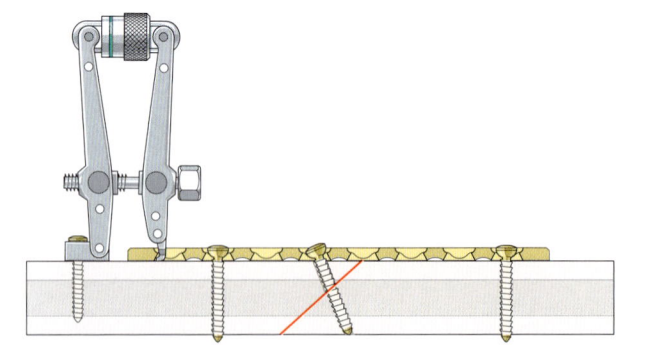

**Fig. 5.2-7a–d**  Decorticação músculo-perióstoo-osteal.
a  Em áreas de não união, a vascularização da cortical externa e o calo dependem muito do suprimento sanguíneo periosteal.
b-c  A decorticação com um osteótomo ou cinzel afiado cria fragmentos ósseos periosteais vasculares (1) que devem permanecer inseridos no periósteo.
d  A área de decorticação deve se estender de 2-4 cm para dentro do osso normal, distal e proximalmente à área que será aproximada. O autoenxerto esponjoso (2) pode ser colocado dentro da área de decorticação.

**Fig./Animação 5.2-8**  Se a ressecção óssea for necessária para tratar uma não união sinovial, a abordagem mais fácil é a execução de osteotomias transversais. Entretanto, somente uma compressão limitada pode ser obtida com uma placa. Uma ressecção óssea trapezoidal bem planejada permitirá a compressão local com uma placa e o dispositivo de compressão articulado, seguido pela fixação de parafuso de tração para produzir estabilidade absoluta.

o enxerto ósseo. Outro caminho para se obter enxerto ósseo é com fresagem, irrigação e aspiração (RIA) a partir da diáfise de ossos longos [19, 20].

## 5.5 Tratamento da não união sinovial estabelecida (pseudoartrose)

O movimento extremo persistente em um local de fratura pode destruir o tecido de consolidação óssea original no local da não união e resultar na formação de uma articulação falsa com "fluido sinovial" no *gap*. As extremidades ósseas estão seladas com osso cortical e nenhum tecido de consolidação óssea normal resta entre elas. Tais pseudoartroses sinoviais são mais vistas no úmero, abaixo de um ombro rígido (**Fig. 5.2-10**), que resulta em alto *strain* focado no local da não união. Elas também estão associadas à não união neuropática em pacientes com paraplegia ou diabetes. Existe instabilidade grosseira e marcada deformidade. A cirurgia corretiva para pseudoartrose consiste no debridamento da sinóvia associada, decorticação das extremidades ósseas, abertura do canal medular, correção da deformidade e estabilização da fratura com compressão (**Fig. 5.2-5**). O enxerto ósseo pode ser necessário [2, 15].

Se a ressecção óssea for necessária, as osteotomias oblíquas em lugar de ressecção óssea transversal permitem boa compressão usando a técnica de "compressão local" (ver Cap. 3.2.2) com uma placa e um parafuso de tração. Isso fornece uma fixação mais estável do que aquela que pode ser alcançada pela compressão de uma osteotomia transversal com uma placa isolada (**Fig./Animação 5.2-8**).

## 6 Tratamento cirúrgico da não união

### 6.1 Considerações gerais

Os objetivos primários no tratamento de uma não união são de eliminar a dor e obter a consolidação óssea no alinhamento correto para restaurar a função do membro lesionado. A consolidação de uma não união asséptica pode em geral ser alcançada por uma operação única e bem planejada para corrigir o alinhamento mecânico e estimular a consolidação óssea por compressão mecânica, com uma taxa de consolidação que se aproxima dos 95% [2, 15, 21, 22]. Uma parte importante do procedimento é considerada como a abordagem final do osso, onde o desnudamento periosteal deve ser evitado. Conforme o osso é abordado, uma incisão longitudinal no periósteo deve ser seguida pela exposição do osso com uma decorticação

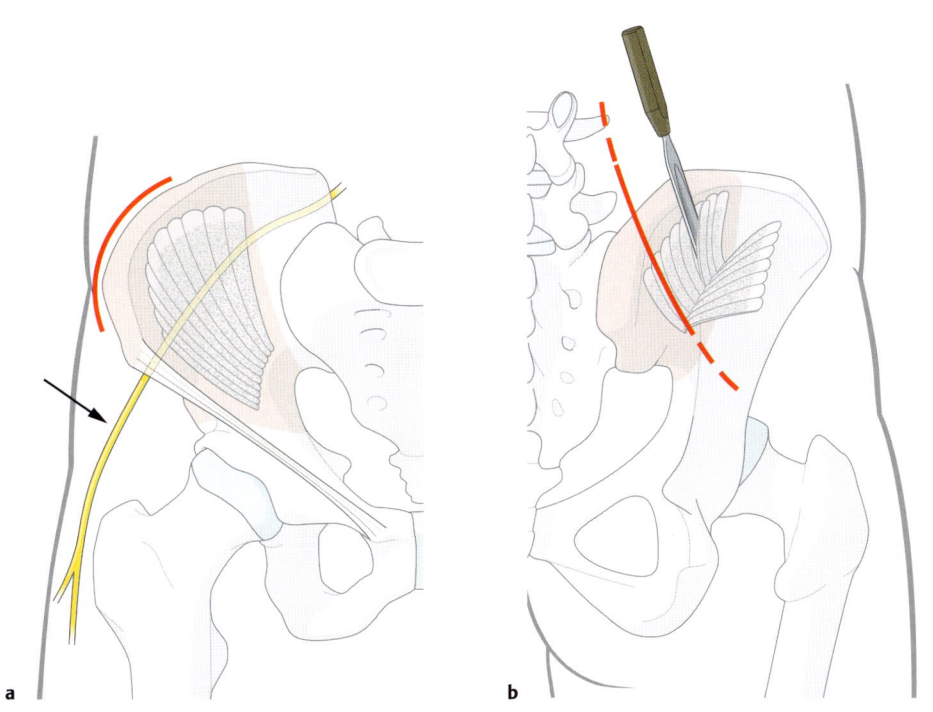

**Fig. 5.2-9a-b**  Coleta do autoenxerto esponjoso da pelve.
a  A partir da crista ilíaca anterior, uma incisão é feita ao longo da crista. É feita a dissecção cortante dos músculos da parede abdominal, então o levantamento do periósteo da parede interna do osso ilíaco com um cinzel afiado e exposição com um afastador. Deve-se tomar cuidado para proteger o nervo cutâneo femoral lateral (seta).
b  A partir da crista ilíaca posterior, o tecido subcutâneo é dividido. Então o periósteo e os músculos são elevados a partir da superfície externa do osso ilíaco. A camada cortical é elevada com um osteótomo curvo para colher osso esponjoso puro. A maior quantidade de osso esponjoso é encontrada na vizinhança da articulação iliossacral.

Complicações
5.2 Não união asséptica

de Judet, deixando lascas de osso na superfície inferior do periósteo elevado, e uma superfície óssea cruenta e sangrante no osso em si [15, 16]. Isso deixa uma superfície óssea sangrante viável ao redor do hematoma subsequente e acima e abaixo da fratura, e estimula a sua consolidação (**Fig. 5.2-7**). O tecido no local da não união não precisa ser removido, já que ele tem o potencial para cicatrizar sob ambiente mecânico correto. O fundamental é então neutralizar qualquer *strain* que persista no local de fratura, particularmente as forças de cisalhamento, por compressão com uma placa (e o dispositivo de compressão articulado) ou com um parafuso de tração ou, de preferência, com ambos.

### 6.2 Enxertia óssea/autoenxerto

O autoenxerto esponjoso, frequentemente usado em combinação com a decorticação, é considerado o padrão-ouro para adicionar um estímulo biológico à consolidação óssea. Pode ser aplicado como um enxerto morselizado (osteogênico) ou como um enxerto estrutural (tricortical ou bicortical da crista ilíaca) para substituir um defeito. Os enxertos estruturais precisam ser incorporados em qualquer fixação com estabilidade absoluta e sob compressão significativa para serem estimulados à incorporação. O autoenxerto tem as vantagens de ser osteogênico (uma fonte de células ósseas viáveis), osteoindutor (recrutamento de células mesenquimais locais) e osteocondutor (estrutura para o crescimento de novo osso). Biologicamente, é superior ao aloenxerto ou substitutos ósseos atualmente disponíveis, embora possa haver morbidade associada à sua retirada (hematoma, fratura, lesão de nervo, perda sanguínea necessitando de transfusão). Os dados atuais sugerem que, com boa decorticação, realinhamento e fixação apropriados, particularmente sob compressão, a enxertia óssea é raramente necessária, a menos que exista perda óssea ou falha biológica [15].

A técnica de RIA foi desenvolvida para colheita de enxerto ósseo a partir do canal medular do fêmur ou da tíbia usando a fresa e aspirando o material fresado do canal, coletando-o em um recipiente. O autoenxerto colhido usando a técnica de RIA alcança taxas de união similares, com significativamente menos dor no local doador. A técnica de RIA também rende um volume maior de enxerto se comparado com o enxerto ósseo de crista ilíaca anterior e tem um menor tempo de remoção em comparação com o enxerto ósseo de crista ilíaca posterior [19, 20] (mas pode haver uma perda sanguínea considerável).

### 6.3 Aloenxertos, substitutos ósseos e células-tronco mesenquimais do osso

O aloenxerto e os substitutos ósseos, como a matriz óssea desmineralizada, hidroxiapatita, fosfato tricálcico, bem como as substâncias osteoindutoras, como os fatores de crescimento, proteínas morfogenéticas do osso, etc., atualmente estão sendo experimental e clinicamente

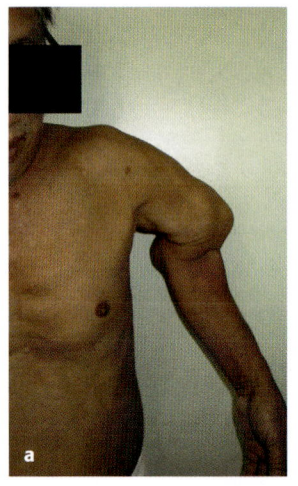

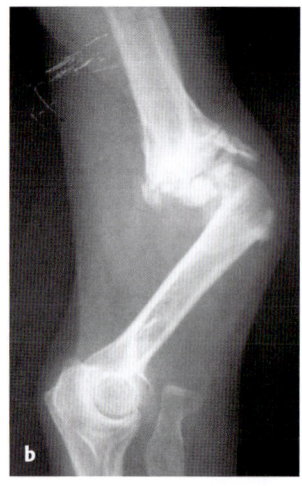

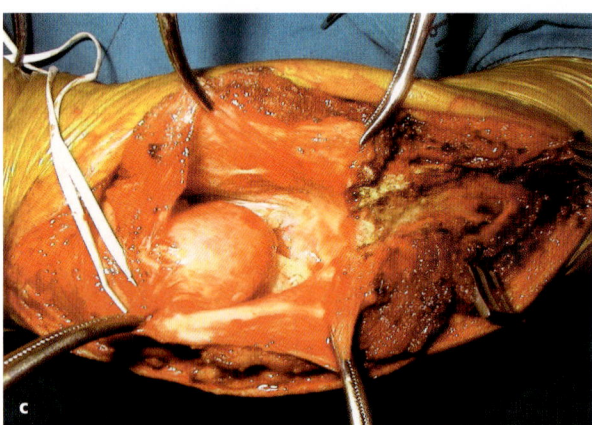

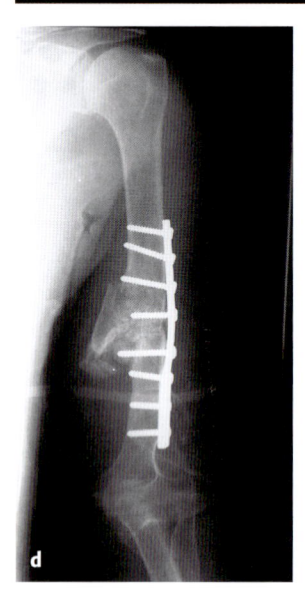

**Fig. 5.2-10a-d** Pseudoartrose sinovial do úmero médio.
a  Não união sinovial hipermóvel do úmero.
b  Radiografias mostrando pseudoartrose da diáfise umeral.
c  Achado intraoperatório da falsa articulação.
d  Radiografia depois da ressecção da pseudoartrose e estabilização com uma placa de compressão.

explorados. Até o momento ainda não foi provado que sejam superiores ou capazes de substituir o autoenxerto esponjoso [20]. Devido à sua capacidade osteoindutora e/ou condutiva, a maioria dessas substâncias pode contribuir para a reconstrução do osso, mas todas requerem um ambiente vital para serem efetivas. A estimulação em excesso dos mecanismos celulares com moléculas biológica e altamente ativas é ainda uma fonte de preocupação.

Foi relatado que as células-tronco mesenquimais de osso com fator de crescimento injetado na não união ou no local de consolidação retardada seria um método seguro e efetivo para tratar essas condições [23].

### 6.4 Tratamento adjuvante

Foram propostos tratamentos adjuvantes adicionais, incluindo campos eletromagnéticos, ultrassom e manipulações biológicas.

A estimulação eletromagnética e o ultrassom têm sido extensamente aplicados e preconizados para estimular a consolidação óssea [24]. Provavelmente, nenhum deles é benéfico no tratamento das fraturas agudas com relação ao tempo para consolidação radiográfica e clínica.

## 7 Estabilização

### 7.1 Uso de placas

A placa é a melhor opção para a estabilização de uma não união. Permite compressão, correção de qualquer mau alinhamento e estimulação biológica (decorticação ou enxertia) em um único procedimento.

As placas podem ser aplicadas em não uniões metafisárias e diafisárias. Nas não uniões oblíquas, a estabilidade absoluta pode ser obtida pela colocação inicial de um parafuso de tração com a placa usada para proteger a fixação com parafuso de tração ou por uma técnica de "compressão na axila", descrita no Capítulo 3.2.2. Se a qualidade óssea permitir, a compressão axial ideal para uma não união transversa envolve o pré-tensionamento da placa e o uso do dispositivo de tensão articulado (**Fig. 5.2-11**), já que a excursão para a compressão axial fornecida pelos orifícios da placa é geralmente muito curta para gerar compressão adequada. Se os tecidos moles permitirem, a neutralização ideal do *strain* em excesso será alcançada pelo posicionamento da placa no lado de tensão do osso. Às vezes, uma placa em onda tem sido usada para tratar a não união e permite a colocação de um enxerto ósseo esponjoso entre a placa e o osso, que pode realçar a consolidação (**Fig. 5.2-12**) [21]. Entretanto, pode ficar proeminente e não ser possível em situações de partes moles de má qualidade. A principal desvantagem do uso da placa é a necessidade de carga restringida por 2-3 meses.

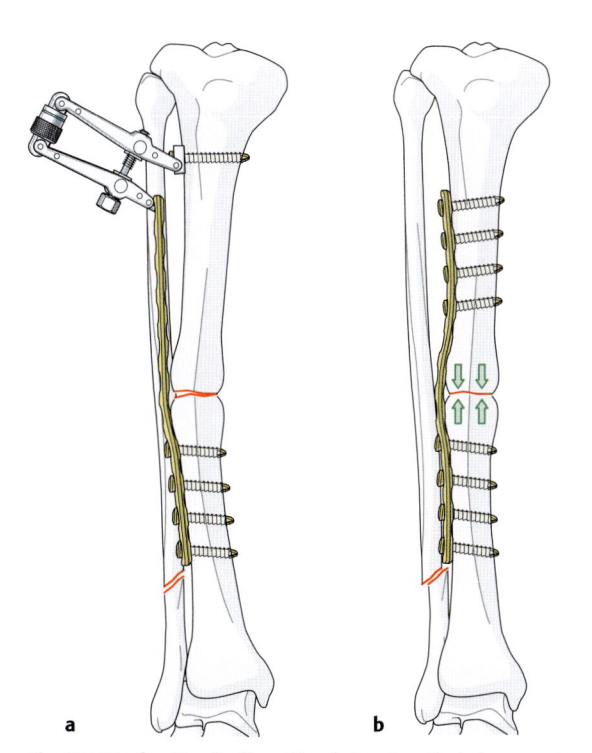

**Fig. 5.2-11a-b** Uso do dispositivo de tensão articulado para criar compressão máxima e estabilidade no local da não união. Note que a placa está na convexidade da deformidade, no lado de tensão e pré-tensionada para igualar a compressão sobre todo o local da não união conforme a compressão é aplicada.

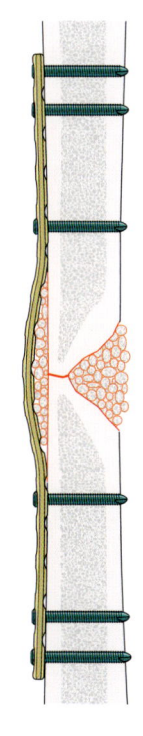

**Fig. 5.2-12** Princípio da placa em onda com uma placa de compressão bloqueada. Consiste em dois componentes:
1. A distância entre a ponte óssea estreita entre os dois fragmentos principais e a placa lateralmente erguida aumenta o diâmetro funcional do local de não união e aumenta a estabilidade.
2. A distância entre a placa e a não união permite a colocação de autoenxerto em contato com o osso, ao redor de todo o local da não união.

Complicações
5.2 Não união asséptica

### 7.2 Encavilhamento intramedular

O encavilhamento intramedular tem a sua principal aplicação na não união diafisária do fêmur e da tíbia. Uma haste irá realinhar o canal e neutralizará as forças de *strain* assimétricas, e um encaixe firme no canal irá conferir estabilidade boa, mas não absoluta. A fresagem necessária para colocar a haste tem efeitos biológicos consideráveis, que podem incluir a estimulação do suprimento sanguíneo local, a liberação de diversas citocinas e, possivelmente, de proteínas morfogenéticas ósseas [6, 20]. O alargamento do canal permite o uso de uma haste grande e ajustada, enquanto o bloqueio dinâmico fornece compressão axial pela carga, bem como estabilidade rotacional (**Fig. 5.2-13**). É provável que todos esses fatores sejam importantes para promover a consolidação e têm se mostrado efetivos se não houver nenhuma perda óssea.

As fraturas por bifosfonados são especialmente propensas ao retardo de consolidação e não união e, assim, o cirurgião deve usar hastes fresadas grandes para antecipar os períodos estendidos de consolidação presuntiva.

Para introduzir o fio-guia para a fresa, a cavidade medular deve ser aberta geralmente com a fresa manual. Se uma abordagem aberta for usada para corrigir a deformidade, é importante fechar o envelope de partes moles em torno do local de não união antes da fresagem para manter no local os fragmentos da fresagem. Como a fresagem a motor de um segmento ósseo esclerótico pode gerar calor excessivo, as cabeças da fresa devem estar afiadas e regularmente limpas.

> Uma vantagem importante do encavilhamento fresado e bloqueado na extremidade inferior é a capacidade de permitir a carga precoce. O encavilhamento fresado tem poucas vantagens na extremidade superior, onde a morbidade do local de inserção permanece um problema. As hastes finas, não fresadas e não bloqueadas não são adequadas, pois fornecem estabilidade insuficiente.

Para se obter mais estabilidade nas não uniões recalcitrantes do fêmur e da tíbia, as placas de compressão suplementar têm sido usadas com sucesso para alcançar a consolidação [25].

### 7.3 Fixação externa

Na maioria das não uniões assépticas, a fixação externa simples (uniplanar) tem pouco benefício. A fixação com armação circular usando o método de Ilizarov fornece estabilidade excelente e é um método de tratamento efetivo para a não união diafisária. As armações circulares podem ser usadas para corrigir a deformidade e também para transportar segmentos de osso para substituir a perda óssea por osteogênese. Entretanto, o processo é longo, carregado de complicações e mal tolerado por alguns pacientes. A aplicação mais útil da técnica de Ilizarov é com tecidos moles ruins, especialmente se as contraturas de partes moles também precisarem de correção gradual. A técnica de Ilizarov também é efetiva para deformidades multiplanares complexas quando uma correção de estágio único for difícil e arriscada e nos casos de não união infectada.

## 8 Tratamento em situações específicas

### 8.1 Não união articular

A não união de uma fratura intra-articular é relativamente rara, particularmente quando os métodos modernos de fixação forem usados para alcançar a redução anatômica das fraturas articulares. A falha na redução precisa leva à degeneração articular devido a degraus articulares relevantes, mau alinhamento axial e instabilidade. Uma não união intra-articular é particularmente prejudicial, já que a instabilidade articular persistente causa rápida degeneração articular. É possível que o fluido sinovial constante no local de fratura seja um fator de prevenção da consolidação óssea (**Fig. 5.2-5**).

O tratamento cirúrgico da não união intra-articular instável requer planejamento meticuloso para recriar o alinhamento e o eixo articular. Os padrões de fratura

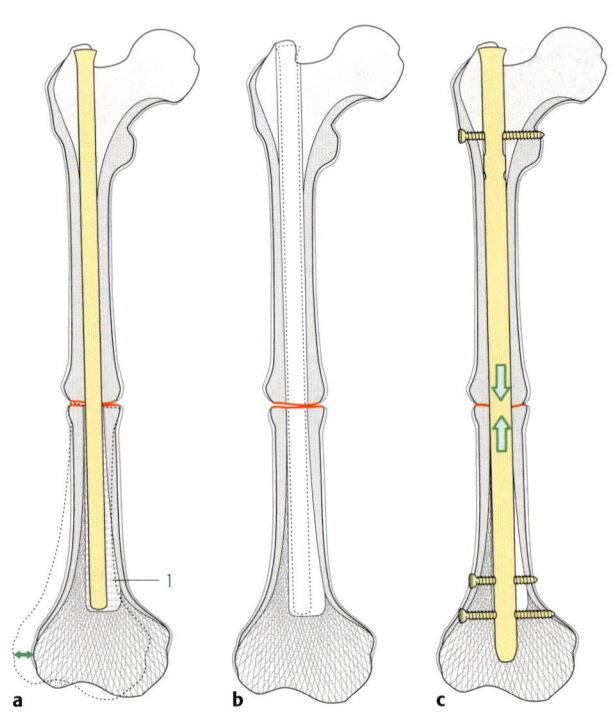

**Fig. 5.2-13a-c** Não união hipertrófica após encavilhamento intramedular não bloqueado do fêmur.
a    Instabilidade devido a uma haste curta desbloqueada, criando uma cavidade de reabsorção (1) distal no fêmur.
b-c  Depois da remoção da haste, mais estabilidade pode ser obtida por fresagem adicional e inserção de uma haste dinamicamente bloqueada, mais grossa e mais longa.

simples são mais fáceis de lidar, mas algum grau de remoção do calo para permitir a recriação da linha de fratura é sempre necessário e torna a cirurgia muito mais difícil que uma redução primária. A redução da superfície articular, o realinhamento do eixo e a estabilização da diáfise são necessários. A possibilidade de correção depende do grau de dano da superfície articular e a viabilidade de corrigir tanto a deformidade óssea quanto qualquer contratura associada de partes moles. Se uma alteração degenerativa significativa estiver presente e a correção não for possível, então a artrodese ou a prótese articular pode ser uma melhor alternativa.

## 8.2 Não união metafisária

Se uma não união se desenvolver em uma fratura periarticular complexa, normalmente será na área metafisária e terá uma orientação oblíqua, com uma não união uniplanar na área mais alta de *strain*. Em geral, os fragmentos articulares consolidam. O tratamento cirúrgico da não união requer a correção da deformidade (se necessário) e a estabilização para neutralizar o *strain*.

No quadril, isso geralmente envolve a correção da deformidade com uma osteotomia e a estabilização em valgo sob compressão com um dispositivo angular estável (**Fig. 5.2-14**). A correção em valgo converte um momento de tensão (devido à deformidade em varo) em uma situação mais estável, com compressão através da não união do colo do fêmur.

Os segmentos periarticulares pequenos com uma não união criam um problema difícil por causa de seu tamanho. O fragmento articular pequeno pode limitar as opções de fixação. São úteis as placas bloqueadas periarticulares anguladas modernas que oferecem fixação forte no fragmento articular.

## 8.3 Não união diafisária

Sem implantes prévios, a correção da deformidade, a decorticação e o uso de placa de compressão são os princípios de tratamento padrão para a não união diafisária. A presença de implantes prévios complica tanto a avaliação quanto o tratamento, e o cirurgião deve estar ciente da possibilidade de infecção subclínica. A falha na consolidação óssea

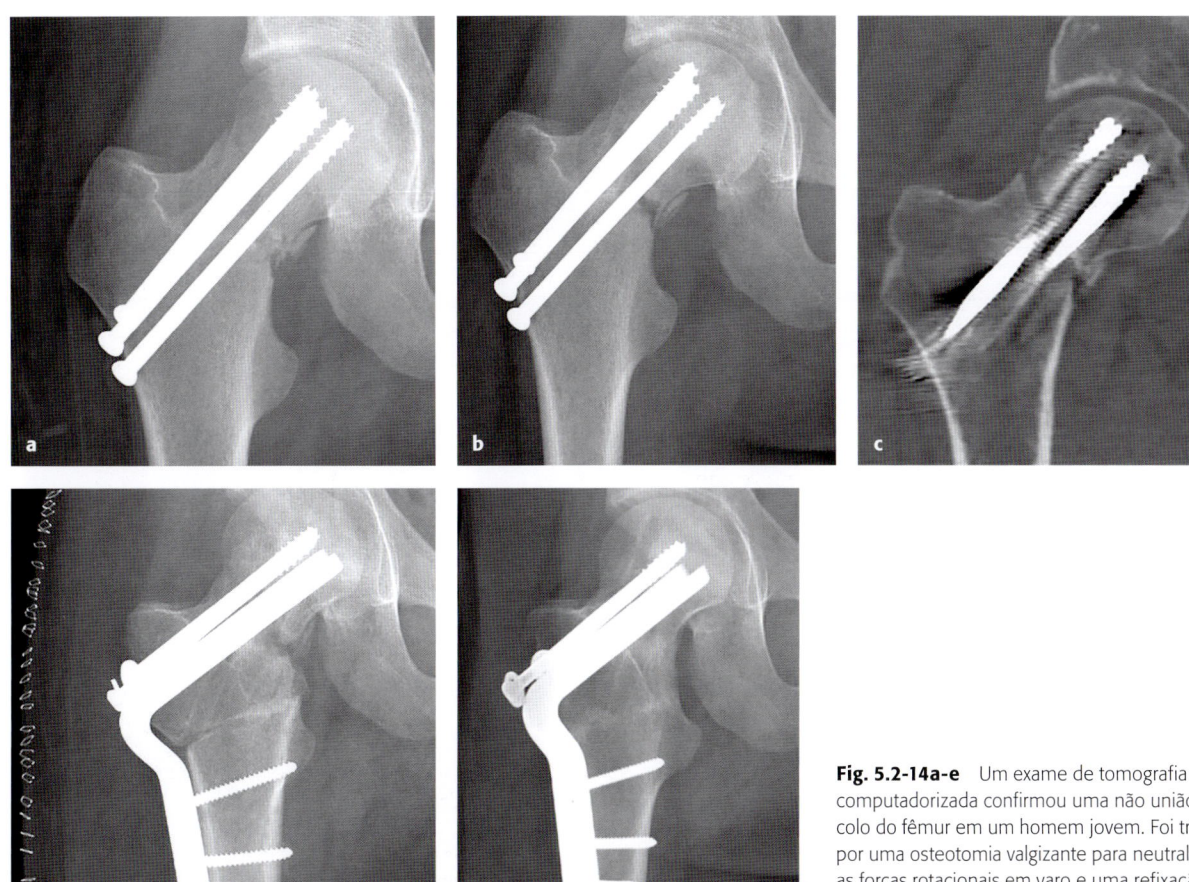

**Fig. 5.2-14a-e** Um exame de tomografia computadorizada confirmou uma não união do colo do fêmur em um homem jovem. Foi tratada por uma osteotomia valgizante para neutralizar as forças rotacionais em varo e uma refixação na posição em valgo estável e corrigida. O resultado foi uma consolidação adequada.

Complicações
## 5.2 Não união asséptica

resulta em *strain* persistente e repetitivo em um implante, que pode eventualmente quebrar ou afrouxar. Os implantes intactos nos pacientes causam menos dor e previnem a mobilidade no exame. Eles também obscurecem a avaliação radiográfica da não união. As radiografias oblíquas ou a TC com reformatação multiplanar podem ser necessárias para confirmar o diagnóstico. A presença do implante complica o tratamento cirúrgico e precisará ser removido. Em qualquer cirurgia de não união, amostras bacteriológicas múltiplas devem ser obtidas para afastar uma infecção.

A não união diafisária com uma haste *in situ* fornece uma situação específica (**Fig. 5.2-15**). As opções para fornecer estabilidade adicional incluem:

- Remoção simples do parafuso para dinamização da haste
- Troca do encavilhamento
- Fixação adicional com placa de compressão (pequena) [25]
- Remoção da haste e troca por placa de compressão padrão
- Remoção da haste e fixação com armação circular

A troca do encavilhamento envolve a remoção da haste antiga, refresagem do canal e colocação de uma haste bloqueada nova e ligeiramente maior.

Se a não união diafisária estiver mal alinhada e sem material de síntese, a neutralização do *strain* assimétrico através da não união pela correção do eixo ósseo até o normal é uma parte essencial do tratamento cirúrgico. Em algumas situações, podem ser usadas correções com cunha de fechamento ou abertura, enquanto, em outras, é efetiva a correção com uma elegante osteotomia uniplanar oblíqua longa, com parafusos de tração e placa de neutralização.

### 8.4 Defeitos/reconstrução óssea

Um pequeno defeito em cunha pode ser ignorado na cirurgia da não união e não precisa de reconstrução especial. Contudo, conforme o defeito fica maior (mais de 4-6 cm) e defeitos segmentares estejam presentes, técnicas especiais são necessárias [26]. Essas variam desde a autoenxertia esponjosa maciça até a técnica com espaçador e enxertia de Masquelet, transporte ósseo ou transferência livre microvascular de osso (geralmente fíbula). Todas as técnicas requerem a aplicação dos mesmos princípios: tecidos moles saudáveis, bom alinhamento axial e fixação estável. Os defeitos ósseos cercados por cobertura muscular saudável e mantidos com fixação estável em bom alinhamento podem cicatrizar espontaneamente.

### 8.5 Osteoporose grave

A demografia da população mostra que a não união em pacientes idosos é um problema clínico crescente. Nesse grupo etário, a fixação inadequada da fratura e a dor podem levar ao desuso da extremidade, que, com tempo, irá piorar a osteoporose. As placas convencionais podem não fornecer suficiente estabilidade para lidar com esse problema, mas as placas bloqueadas fornecem mais resistência ao arrancamento no osso ruim. As técnicas incluem longarinas intramedulares de aloenxerto de osso cortical, uso de placa dupla, uso de placa intramedular e artroplastia de substituição complexa pode ser efetiva, mas deve ficar reservada para o especialista.

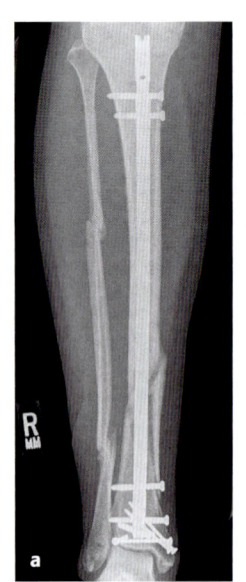

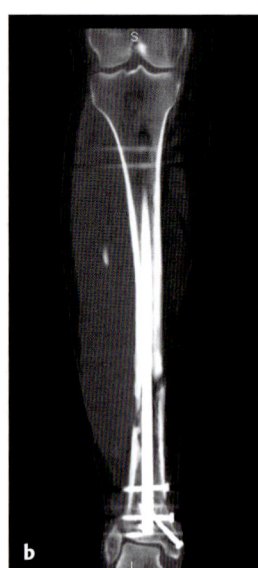

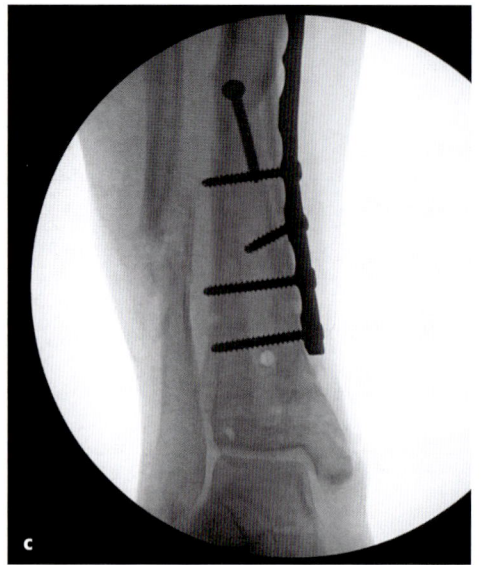

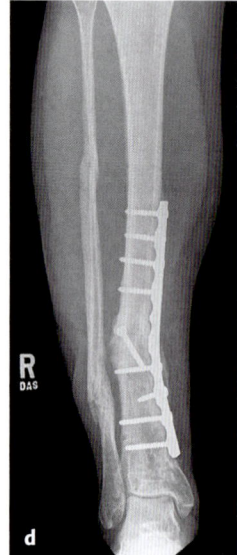

**Fig. 5.2-15a-d** Tratamento de uma não união depois do encavilhamento por remoção da haste, correção da deformidade em valgo com um osteotomia uniplanar através do ápice da deformidade e do local da não união, bem como fixação com parafuso de tração e placa de neutralização. Isso leva à consolidação óssea sólida.

## 9 Referências

1. **Brinker MR, O'Connor DP, Monla YT, et al.** Metabolic and endocrine abnormalities in patients with nonunions. *J Orthop Trauma.* 2007 Sep;21(8):557–570.
2. **Amorosa LF, Buirs LD, Bexkens R, et al.** A single-stage treatment protocol for presumptive aseptic diaphyseal nonunions: a review of outcomes. *J Orthop Trauma.* 2013 Oct;27(10):582–586.
3. **Westgeest J, Weber D, Dulai S, et al.** Factors associated with development of nonunion or delayed union after an open long bone fracture: a prospective cohort study of 736 subjects. *J Orthop Trauma.* 2016 Mar;30(3):149–155.
4. **Weber BG, Cech O.** *Pseudarthrosis. Pathophysiology, Biomechanics, Therapy, Results.* Bern: Huber; 1976.
5. **Scolaro JA, Schenker ML, Yannascoli S, et al.** Cigarette smoking increases complications following fracture: a systematic review. *J Bone Joint Surg Am.* 2014 Apr;16;96(8):674–681.
6. **Giannoudis PV, MacDonald DA, Matthews SJ, et al.** Nonunion of the femoral diaphysis: the influence of reaming and non-steroidal anti-inflammatory drugs. *J Bone Joint Surg Br.* 2000 Jul;82(5):655–658.
7. **Perren SM.** Evolution of the internal fixation of long bone fractures. The scientific basis of biological internal fixation: choosing a new balance between stability and biology. *J Bone Joint Surg Br.* 2002 Nov;84(8):1093–110.
8. **Claes LE, Heigele CA.** Magnitudes of local stress and strain along bony surfaces predict the course and type of fracture healing. *J Biomech.* 1999 Mar;32(3):255–266.
9. **Kenwright J, Gardner T.** Mechanical influences on tibial fracture healing. *Clin Orthop Relat Res.* 1998 Oct;(355 Suppl):S179–190.
10. **Elliott DS, Newman KJH, Forward DP, et al.** A unified theory of bone healing and nonunion: BHN theory. *Bone Joint J.* 2016 Jul;98-B(7):884–891.
11. **Schilcher J, Koeppen V, Aspenberg P.** Risk of atypical femoral fracture during and after bisphosphonate use. *N Engl J Med.* 2014 Sep 4;371(10):974–976.
12. **Reed AA, Joyner CJ, Isefuku S, et al.** Vascularity in a new model of atrophic nonunion. *J Bone Joint Surg Br.* 2003 May;85(4):604–610.
13. **Reed AA, Joyner CJ, Brownlow HC, et al.** Human atrophic fracture non-unions are not avascular. *J Orthop Res.* 2002 May;20(3):593–599.
14. **Hierholzer C, Glowalla C, Herrler M, et al.** Reamed intramedullary exchange nailing: treatment of choice of aseptic femoral shaft nonunion. *J Orthop Surg Res.* 2014 Oct 10;9:88.
15. **Ramoutar DN, Rodrigues J, Quah C, et al.** Judet decortication and compression plate fixation of long bone non-union: is bone graft necessary? *Injury.* 2011 Dec;42(12):1430–1434.
16. **Judet PR, Patel A.** Muscle pedicle bone grafting of long bones by osteoperiosteal decortication. *Clin Orthop Relat Res.* 1972 Sep;87:74–80.
17. **Babu S, Sandiford NA, Vrahas M.** Use of Teriparatide to improve fracture healing: what is the evidence? *World J Orthop.* 2015 Jul;18:6(6):457–461.
18. **Carragee EJ, Hurwitz EL, Weiner BK.** A critical review of recombinant human bone morphogenetic protein-2 trials in spinal surgery: emerging safety concerns and lessons learned. *Spine J.* 2011 Jun 11(6):471–491.
19. **Dawson J, Kiner D, Gardner W 2nd, et al.** The reamer-irrigator-aspirator as a device for harvesting bone graft compared with iliac crest bone graft: union rates and complications. *J Orthop Trauma.* 2014 Oct;28(10):584–590.
20. **Nauth A, Lane J, Watson JT, et al.** Bone graft substitution and augmentation. *J Orthop Trauma.* 2015 Dec;29 Suppl 12:S34–38.
21. **Ring D, Kloen P, Kadzielski J, et al.** Locking compression plates for osteoporotic nonunions of the diaphyseal humerus. *Clin Orthop Relat Res.* 2004 Aug;(425):50–54.
22. **Van Houwelingen AP, McKee MD.** Treatment of osteopenic humeral shaft nonunion with compression plating, humeral cortical allograft struts and bone grafting. *J Orthop Trauma.* 2005 Jan;19(1):36–42.
23. **Desai P, Hasan SM, Zambrana L, et al.** Bone mesenchymal stem cells with growth factors successfully treat nonunions and delayed unions. *HSS J.* 2015 Jul;11(2):104–111.
24. **Busse J, Bhandari M, Einhorn T, et al.** Reevaluation of low intensity pulsed ultrasound in treatment of tibial fractures (TRUST). *BMJ.* 2016;355:i5351.
25. **Nadkarni B, Srivastav S, Mittal V, et al.** Use of locking compression plates for long bone nonunions without removing existing intramedullary nail: review of literature and our experience. *J Trauma.* 2008 Aug;65(2):482–486.
26. **Molina C, Stinner D, Obremsky W.** Treatment of traumatic segmental long bone defects. *JBJS Rev.* 2014 Apr;2(4): e1.

## 10 Agradecimentos

Agradecemos a Michael McKee e Peter Ochsner por suas contribuições para este tópico na 2ª edição de *Princípios AO do tratamento de fraturas*.

Complicações
**5.2 Não união asséptica**

# 5.3 Infecção aguda

*Olivier Borens, Michael S. Sirkin*

## 1 Introdução

As infecções associadas a implantes ocorrem em aproximadamente 5% das fraturas cirurgicamente tratadas [1]. As infecções agudas associadas aos dispositivos de fixação de fraturas são geralmente adquiridas de forma exógena, ou seja, por contaminação microbiana. A contaminação pode ocorrer durante o trauma propriamente dito, como, por exemplo, em fraturas expostas, durante a cirurgia e inserção de um dispositivo de fixação da fratura, ou no pós-operatório depois de uma perturbação da cicatrização da ferida [2]. Menos frequentemente, os microrganismos de uma fonte endógena, como, por exemplo, por disseminação hematogênica ou linfogênica, podem se aderir a um implante. Um foco infeccioso distante pode ser encontrado na pele ou no trato respiratório, ou ser de origem dental ou urogenital [3]. As infecções endógenas podem ocorrer em qualquer momento depois do implante do dispositivo, mesmo anos mais tarde. A infecção hematogênica tardia é um problema relevante na infecção articular periprotética, mas rara nas infecções após a fixação de fraturas [4].

## 2 Início da infecção

A incidência relativamente alta de infecção dos dispositivos de fixação de fratura é devido ao prejuízo nas defesas do hospedeiro. As proteínas do hospedeiro cobrem rapidamente os dispositivos estranhos depois da implantação. Várias dessas proteínas, como a fibronectina e a laminina, favorecem a aderência dos microrganismos (principalmente bactérias) nas superfícies estranhas. O trauma ou a cirurgia irão expor o corpo à invasão bacteriana e, dependendo das defesas do hospedeiro, o tecido da superfície exposta ao ambiente será colonizado. Rapidamente, durante essa "Corrida pela Superfície" [1], as bactérias aderidas começam a produzir um glicocálix de exopolissacarídeos e, depois de algumas horas, começam a se parecer como um organismo multicelular [5, 6]. Esse biofilme resiste às defesas naturais celulares e humorais do hospedeiro e aos antibióticos [7].

A gravidade do trauma tem um impacto direto na incidência da infecção e guia as opções de tratamento. Se uma infecção ocorrer, deve-se remover o tecido necrótico e avascular, incluindo osso, e erradicar o biofilme, caso contrário, uma infecção aguda pode ficar crônica. O tratamento isolado com antibióticos tem somente um papel adjuvante ou supressivo.

Havendo infecção na presença de um implante para fixação de fratura, as metas primárias de tratamento são a consolidação da fratura e a prevenção da osteomielite crônica. A administração de antibióticos sem cirurgia concomitante geralmente não erradica uma infecção, que pode, então, evoluir para uma osteomielite crônica.

Em contrapartida às infecções nas próteses articulares, a erradicação completa da infecção nem sempre é a meta primária, uma vez que o implante pode ser removido depois da consolidação da fratura. A natureza da intervenção cirúrgica em pacientes com um implante infectado [1, 8] depende dos seguintes:

- Tipo do dispositivo
- Estabilidade da interface osso-implante
- Tipo e virulência do microrganismo infectante
- Presença ou ausência de consolidação óssea
- Condição dos tecidos moles
- Saúde do paciente

### 2.1 Classificação da infecção

As infecções depois da fixação interna são classificadas de acordo com o seu início, que frequentemente se relaciona à rota de infecção (**Tab. 5.3-1**) [9]:

- Precoces (dentro de 2 semanas)
- Retardadas (entre as semanas 3-10)
- Tardias (depois de 10 semanas)

A primeira manifestação da infecção pode incluir achados clínicos, laboratoriais, microbiológicos ou histológicos e não reflete o tempo de contaminação que pode preceder a primeira manifestação da infecção em dias, meses ou anos. As infecções com início retardado e tardio são geralmente agrupadas, uma vez que a sua apresentação clínica, tratamento e prognóstico são similares. Nem todas as infecções precoces são agudas; os sintomas, como secreção na ferida ou eritema, podem durar por um período variável. Ocasionalmente, a progressão da osteomielite é lenta e pode ter estado presente desde o momento da osteossíntese.

Complicações
## 5.3  Infecção aguda

### 2.2  Infecção precoce

As infecções precoces ocorrem em menos de 2 semanas depois da cirurgia. Os sinais clínicos principais são a dor local persistente, eritema, inchaço, perturbações na cicatrização da ferida – com ou sem secreção – e febre. Microrganismos altamente virulentos, como *Staphylococcus aureus* e bacilos Gram-negativos, frequentemente causam a infecção precoce.

> As infecções precoces precisam ser distinguidas da deiscência e da necrose das bordas da ferida, como também do hematoma pós-traumático ou pós-operatório.

**Distúrbio na cicatrização da ferida.** O fechamento retardado da ferida está geralmente associado à contaminação microbiana. Desde que o hospedeiro possa superar esses microrganismos, os sinais clínicos de infecção, como, por exemplo, febre, inchaço e dor, estão ausentes e os parâmetros laboratoriais da inflamação permanecem normais (leucócitos, proteína C-reativa [PCR] e velocidade de hemossedimentação). Os curativos antissépticos podem prevenir a infecção secundária da ferida. O tratamento da ferida com o uso prolongado das técnicas de fechamento auxiliado por vácuo deve ser evitado [10] e a cobertura definitiva de partes moles estabelecida assim que possível para reduzir o risco de infecção.

**Necrose da borda da ferida.** As bordas desvitalizadas do ferimento se tornam necróticas e a excisão local, curativo estéril e enxertia cutânea de pele parcial podem ser necessários para a cicatrização. Como no caso de um ferimento com a cicatrização perturbada, retalhos podem ser necessários para as áreas de exposição de osso ou material de síntese.

**Hematoma da ferida.** Esses hematomas podem ser prevenidos pela hemostasia e fechamento meticuloso da ferida e com curativos compressivos no pós-operatório. Qualquer hematoma grande fornece um meio ideal para o crescimento de microrganismos. Um hematoma doloroso ou flutuante requer imediata drenagem cirúrgica, debridamento e investigação microbiológica.

Nós sugerimos evitar o termo "infecção superficial da ferida", uma vez que ele com frequência minimiza uma complicação potencialmente séria. O desleixo com tais complicações pode levar a uma infecção aguda. Medidas simples, se feitas precocemente, podem prevenir as infecções no curso pós-operatório.

### 2.3  Infecção retardada e tardia

A manifestação de infecção retardada ocorre após 2 semanas e em até 10 semanas depois da cirurgia. Ela é frequentemente precedida por sintomas sistêmicos atípicos (p. ex., febre de baixo grau) ou sintomas locais (p. ex., dor persistente ou crescente, afrouxamento do implante, instabilidade mecânica e desenvolvimento de um trato fistuloso ou drenagem da ferida). Entretanto, as manifestações clínicas da infecção podem estar completamente ausentes em alguns casos. Os microrganismos que causam a infecção tardia podem ter sido introduzidos durante o trauma penetrante ou durante a cirurgia. As infecções retardadas e tardias são causadas por um pequeno inóculo de microrganismos de baixa virulência como, por exemplo, estafilococos coagulase-negativos, ou *Propionibacterium acnes*. Alternativamente, o tratamento antimicrobiano inicial inadequado, especialmente sem intervenção cirúrgica, pode retardar a manifestação de qualquer infecção. Em contraste com as infecções depois das próteses articulares, as infecções hematogênicas relacionadas aos dispositivos de fixação de fraturas são bastante raras [4]. Quanto mais longa for a duração da infecção e maior a área de osso infectado e/ou morto ou tecido mole atingido, mais radical será a intervenção e mais longo será o tratamento exigido.

### 2.4  Infecções associadas ao implante

As infecções associadas ao implante são geralmente causadas por microrganismos que crescem em biofilmes [2, 11]. Esses microrganismos vivem em agrupamentos em uma matriz extracelular altamente hidratada afixada a uma superfície.

A fase inicial de aderência microbiana é seguida por uma fase acumulativa durante a qual as células bacterianas formam um biofilme [13]. Enquanto os microrganismos planctônicos de "vida livre" permanecem suscetíveis aos antibióticos e defesas imunes do hospedeiro (anticorpos e fagócitos), os microrganismos do biofilme resistem aos antibióticos e defesas imunes e sobrevivem protegidos na matriz de biofilme (**Fig./Animação 5.3-1**).

**Tabela 5.3-1** Classificação das infecções após osteossíntese, conforme o início dos sintomas [9]

| Início dos sintomas | Características |
|---|---|
| Infecção precoce (dentro de 2 semanas depois de implantação) | Quadro clínico: sinais de infecção da ferida como febre persistente, dor, eritema, edema, distúrbios na cicatrização, drenagem |
| | Microrganismos típicos: *Staphylococcus aureus*, estreptococos do grupo A, bacilos Gram-negativos |
| Infecções retardadas (3-10 semanas depois da implantação) | Quadro clínico: dor persistente, febre de baixo grau, instabilidade mecânica, trato fistuloso |
| | Microrganismos típicos: microrganismos de baixa virulência como estafilococos coagulase-negativos ou flora cutânea mista no caso de um trato fistuloso |
| Infecção tardia (> 10 semanas depois da implantação) | Quadro clínico: infecção hematogênica aguda, síndrome séptica, dor local e sinais de inflamação; infecção retardada crônica ou recidiva de infecção precoce previamente tratada; sinais de infecção depois do intervalo com sintomas de mobilidade como dor, distúrbios na cicatrização da ferida, consolidação retardada/não união |
| | Microrganismos típicos: *S. aureus* e *Escherichia coli*; qualquer microrganismo, incluindo infecção polimicrobiana e fungos |

Princípios AO do tratamento de fraturas
Volume 1

**Em 0 horas**

Bactérias de "vida livre"

Superfície do implante   Tecido ao redor do implante

a

**Em 1 hora**

Anticorpos
Antibióticos
Bactérias de "vida livre"
Macrófago

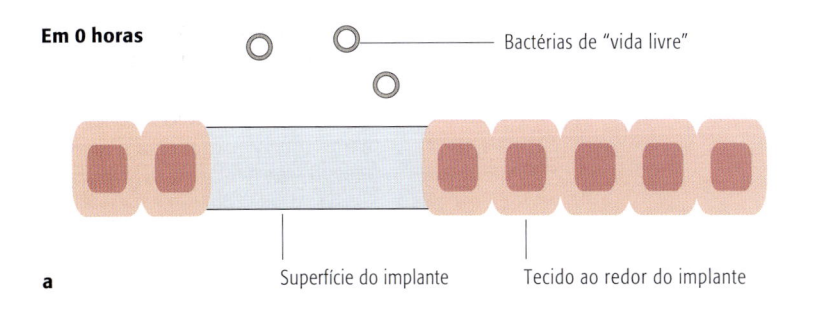

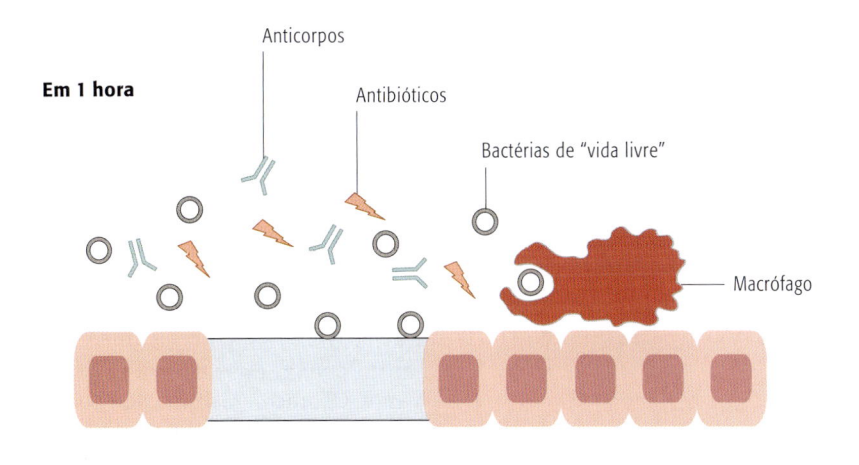

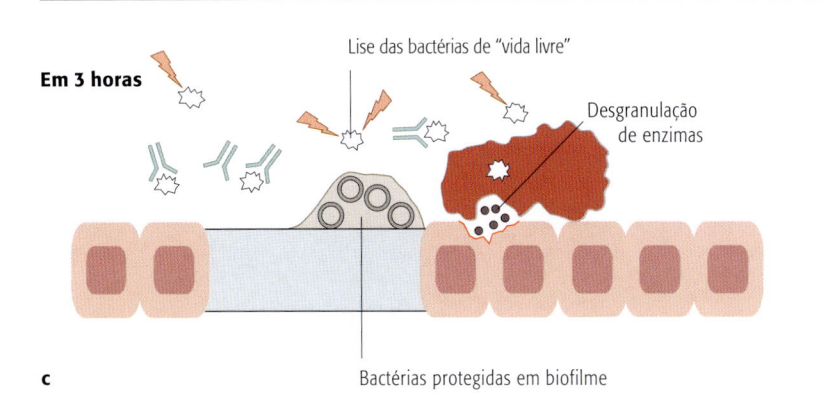

b   Bactérias afixadas

**Em 3 horas**

Lise das bactérias de "vida livre"
Desgranulação de enzimas

c   Bactérias protegidas em biofilme

Infecção persistente

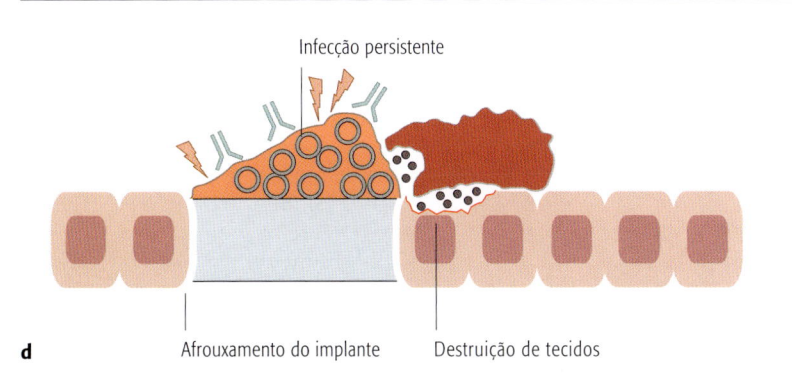

d   Afrouxamento do implante   Destruição de tecidos

**Fig./Animação 5.3-1a-d** Patogênese das infecções associadas ao implante.
a   As bactérias de "vida livre" podem contaminar o local cirúrgico durante o período transoperatório.
b   Dentro da primeira hora, as bactérias se fixam à superfície do implante e mudam para o modo de crescimento do biofilme.
c   As bactérias do biofilme produzem matriz extracelular, que protege os microrganismos encravados, enquanto as bactérias livres são eliminadas por antibióticos e pelo sistema imunológico (i.e., anticorpos e fagócitos).
d   O biofilme microbiano estabelecido é responsável pela infecção crônica persistente, causando afrouxamento séptico do implante.

Complicações
## 5.3 Infecção aguda

> A depleção de substâncias metabólicas e/ou o acúmulo de produtos de degradação nos biofilmes faz os micróbios entrarem em um estado de crescimento lento ou de para do crescimento (estacionário), tornando-os até 1.000 vezes mais resistentes à maioria dos agentes antimicrobianos que seus pares de "vida livre e replicantes" [12].

Os testes de suscetibilidade microbiológica aos antibióticos são feitos em microrganismos planctônicos que crescem e não naqueles "dormentes" na fase estacionária de crescimento. Isso pode explicar a discrepância entre a boa suscetibilidade *in vitro* e o desfecho clínico ruim *in vivo*. Além disso, a presença de um corpo estranho aumenta significativamente a suscetibilidade à infecção. Por exemplo, a dose infectante mínima de *Staphylococcus aureus*, que causa um abscesso em cobaias, era mais do que 100 mil vezes mais baixa perto dos dispositivos subcutâneos do que na pele sem um corpo estranho [14]. A suscetibilidade aumentada para infecção é pelo menos parcialmente devido a uma deficiência de granulócitos localmente adquirida e induzida pela fagocitose frustrada.

Alguns antibióticos podem eliminar os microrganismos sem crescimento protegidos por um biofilme na presença de implantes estáveis. Os exemplos incluem a rifampicina nas infecções estafilocócicas e as quinolonas nas Gram-negativas.

### 2.5 Osteomielite, artrite séptica concomitante

**Osteomielite aguda.** As bactérias podem facilmente colonizar o osso necrótico já que os canais haversianos vazios ou as cavidades de osteócitos permitem a evasão dos mecanismos endógenos de defesa. Existe a necessidade de uma determinada quantidade de espaço para construir uma barreira de defesa [15]. O corpo somente pode eliminar a infecção por aumento da reabsorção e remodelação óssea em áreas vitais. Um fragmento ósseo infectado e morto que fica solto, chamado de sequestro, tem pouca chance de reabsorção completa. Tal sequestro somente pode ser rejeitado por fistulização ou excisão cirúrgica, já que se comporta como um corpo estranho. Os mecanismos de defesa contra a infecção são mais bem-sucedidos dentro da medula óssea do que no osso cortical. Cierny e colaboradores [16] observaram que as infecções medulares têm um prognóstico mais favorável que as infecções na presença de necrose óssea extensa. Quatro tipos de osteomielite podem ser diferenciados (**Fig. 5.3-2**).

Ao considerar a osteomielite pós-traumática exógena, nós recomendamos definir o tipo de osteomielite em relação à técnica usada para fixação da fratura, uma vez que ela ajudará nas razões do tratamento e na tomada de decisão.

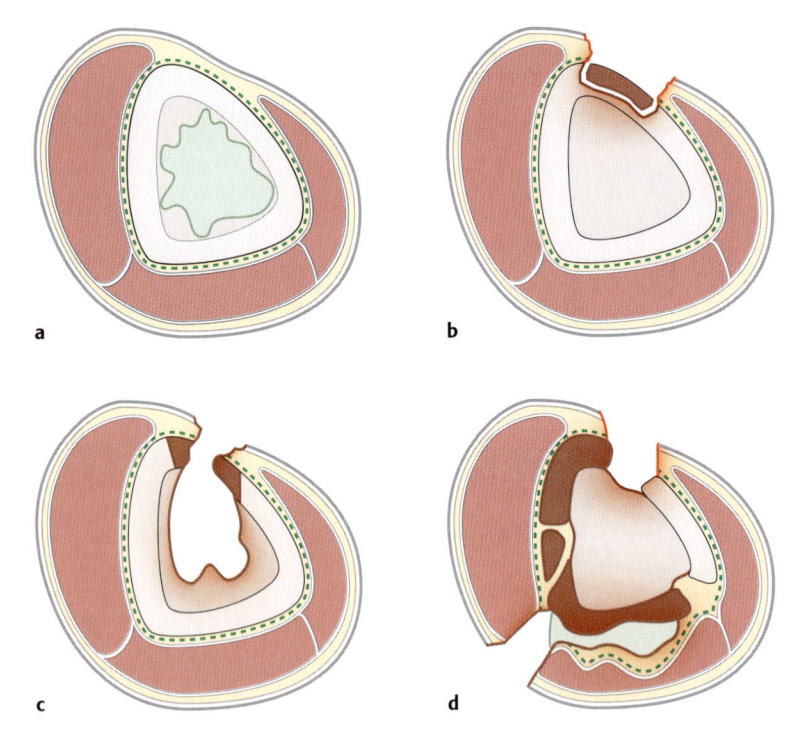

**Fig. 5.3-2a-d** Classificação anatômica da osteomielite do adulto, de acordo com o Cierny e Mader [16].
- **a** Tipo I: osteomielite medular. Infecção dentro da cavidade medular, geralmente sem envolvimento da área epifisária.
- **b** Tipo II: osteomielite superficial envolvendo a área cortical externa, o tecido subcutâneo e a pele. A infecção reside dentro de uma área isolada que consiste em sequestros corticais e tecido de granulação.
- **c** Tipo III: osteomielite localizada envolvendo toda a cortical e o canal medular adjacente. As infecções do trajeto do fio e as infecções das placas servem como exemplos.
- **d** Tipo IV: osteomielite difusa como uma doença completamente desenvolvida do osso inteiro. Ela envolve tanto a cortical quanto a cavidade medular, levando à extensa desvitalização óssea.

**Osteomielite crônica.** Essa condição insidiosa pode ser diagnosticada clinicamente por sua lenta progressão e por sua histologia específica, com um quadro mais linfoplasmocítico [15]. A infecção já está frequentemente crônica no momento do seu reconhecimento.

**Osteomielite negligenciada.** A osteomielite pós-traumática não tratada por meios cirúrgicos frequentemente leva a situações caracterizadas por fistulização crônica, dor e não união infectada. A osteomielite crônica com fistulização pode até levar a uma transformação maligna (úlcera de Marjolin) [17].

**Artrite séptica concomitante.** O reconhecimento imediato e o tratamento da infecção periarticular pós-traumática é essencial para prevenir o envolvimento da articulação. O diagnóstico e o tratamento tardios podem levar rapidamente à condrólise e a alterações degenerativas graves na articulação. O tratamento sem demora de uma osteomielite aguda, por outro lado, pode prevenir a artrite infecciosa.

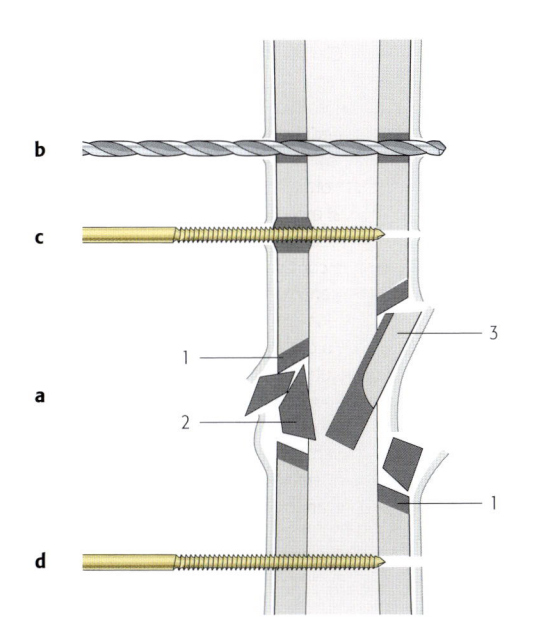

## 3 Fatores de risco para osteomielite

### 3.1 Fatores predisponentes gerais

O risco de uma infecção é aumentado por vários fatores, tanto gerais quanto locais. Os fatores locais incluem fraturas expostas, contaminação da ferida, estase venosa, doença arterial oclusiva, fibrose extensa, neuropatia, edema linfático crônico, condições crônicas da pele (p. ex., psoríase), vasculite e fibrose por radiação. Os fatores gerais incluem diabetes melito, nutrição deficiente, insuficiência renal e hepática, hipoxia crônica, doenças autoimunes, malignidade, idade, tratamento imunossupressor, agranulocitose e abuso de nicotina, álcool ou drogas.

### 3.2 Dano ao osso e às partes moles

As lesões diretas de grande energia no membro podem levar a extenso dano de partes moles, com fraturas fechadas ou expostas. Isso é associado a um risco maior de necrose óssea e de partes moles e de contaminação por patógenos microbianos se houver ferimentos abertos. Quanto mais extenso for o dano do osso e tecidos circundantes, maior será o risco de necrose óssea local e contaminação quando a osteossíntese for executada (**Fig. 5.3-3a**). As fraturas expostas, especialmente com gravidade crescente, são particularmente suscetíveis à infecção.

### 3.3 Técnica de fixação de fratura

Em geral, a abordagem cirúrgica para osteossíntese deve ser planejada para ser o menos invasiva possível. As incisões devem ser cuidadosamente efetuadas para evitar lesões traumáticas da pele e permitir a exposição anatômica correta, de forma que cirurgia possa ocorrer sem tração excessiva da pele. A redução indireta, evitando a exposição direta do local da fratura, deve ser considerada.

> Músculo e periósteo viáveis devem ser preservados e deixados em contato com o osso sempre que possível, mas qualquer tecido morto deve ser excisado.

**Fig. 5.3-3a-d** Consequências da inserção incorreta/correta dos fios ou parafusos para a fixação externa.
- **a** Fratura complexa causada por trauma direto.
  1. Margens desvitalizadas dos fragmentos principais.
  2. Fragmentos intermediários desvitalizados.
  3. Fragmentos intermediários parcialmente viáveis ainda presos ao periósteo.
- **b** A perfuração em velocidades excessivamente altas ou com broca cega produz necrose por calor no osso cortical.
- **c** A inserção dos parafusos de Schanz ou fios de Steinmann sem ou com pré-perfuração inadequada produz considerável calor e pequenos fragmentos necróticos ou sequestros anelares.
- **d** Pré-perfuração correta, posicionamento correto do parafuso de Schanz. Isso minimiza o risco de osteomielite no trajeto do fio.

Complicações
## 5.3 Infecção aguda

### 3.3.1 Fixação externa

Embora a fixação externa seja considerada a forma menos invasiva de fixação de fraturas, o eritema ao redor dos Schanz do fixador externo é frequente e em geral é devido à irritação local do tecido mole circundante. Raramente, a osteomielite do osso cortical é observada como consequência da necrose por calor depois da perfuração com brocas ou fios de Kirschner sem fio, com velocidade e força excessivas. As áreas de osso necrótico podem também resultar da inserção forçada dos parafusos de Schanz ou de Steinmann em orifícios inadequadamente preparados ou sem pré-perfuração (**Fig. 5.3-3b-d**). Os fragmentos necróticos na forma de sequestros anelares fornecem um meio excelente para microrganismos, que podem migrar ao longo dos implantes percutaneamente introduzidos. A reabsorção do osso causará afrouxamento dos fios. Os fios livres e móveis e fios que não são regularmente limpos são mais suscetíveis à infecção. Ocasionalmente, pode se desenvolver a osteomielite crônica que alcança o canal medular. Os antibióticos orais são às vezes administrados, mas não erradicarão a infecção. Os antibióticos orais somente podem ajudar na diminuição dos sintomas locais e podem prevenir a disseminação da infecção. A troca de um pino ou parafuso, com debridamento do local do pino e a inserção em um novo local, geralmente resolve o problema e é preferida em detrimento dos antibióticos supressores.

### 3.3.2 Uso de placas

Mesmo depois da aplicação correta de uma placa com preservação do periósteo, resultarão áreas desvascularizadas na interface entre a placa e o osso (**Fig. 5.3-4**). A zona circunscrita de necrose óssea que pode ser observada debaixo de uma placa de compressão convencional será remodelada com substituição por rastejamento. A manipulação inadequada do tecido, com desnudamento periosteal desnecessário no foco de fratura, pode causar necrose óssea adicional. Qualquer contaminação pode levar a uma infecção que irá se disseminar ao longo das superfícies dos implantes e do osso exposto. Os fragmentos necróticos e infectados do osso serão eventualmente demarcados e sequestrados, com perda subsequente de estabilidade, levando a uma não união infectada [15]. Dependendo do local de uma placa, subcutânea ou submuscular, os sintomas clínicos de infecção podem diferir consideravelmente. A infecção ao redor de uma placa subcutânea pode se desenvolver depois do transtorno da cicatrização da ferida, do colapso da pele, de um hematoma, etc. O diagnóstico de infecção pode e deve ser feito tão logo quanto possível. Com uma placa em posição submuscular ou subfascial, como, por exemplo, no fêmur, uma infecção é com frequência reconhecida tardiamente, já que os sinais clínicos locais são raramente aparentes, com exceção da dor e da febre baixa. A drenagem prolongada da ferida ou o aparecimento de secreção em uma ferida previamente seca deve levantar suspeitas. O ultrassom pode ajudar a detectar fluido, que pode ser aspirado para envio à cultura, sendo seguido por amplo debridamento.

### 3.3.3 Encavilhamento intramedular

Tanto o encavilhamento intramedular não fresado quanto o fresado levam à necrose parcial das partes centrais da cortical [9]. Entretanto, o suprimento sanguíneo periosteal permanece grandemente intacto e contribui para a remodelação cortical e consolidação da fratura (**Fig. 5.3-5**). Mesmo que uma infecção tenha se espalhado ao longo de todo o implante e canal medular, a ponte óssea periosteal pelo calo externo pode ocorrer durante a supressão antibiótica da infecção (**Fig. 5.3-6**). No encavilhamento intramedular sem fresagem, a necrose cortical é um pouco menos extensa do que após um procedimento de fresagem; entretanto, o pó de osso, que possivelmente reforça a ponte óssea, está ausente. No encavilhamento intramedular aberto com exposição cirúrgica do local da fratura, deve-se considerar o desnudamento periosteal adicional, a perda do pó de osso e a contaminação potencial. As fresas cegas e sem fio e a necrose térmica por fresagem muito extensa podem levar à obstrução dos canais haversianos. O osso morto previne a consolidação normal da fratura e, no caso de infecção, pode levar a uma não união infectada que é especialmente difícil de salvar [18].

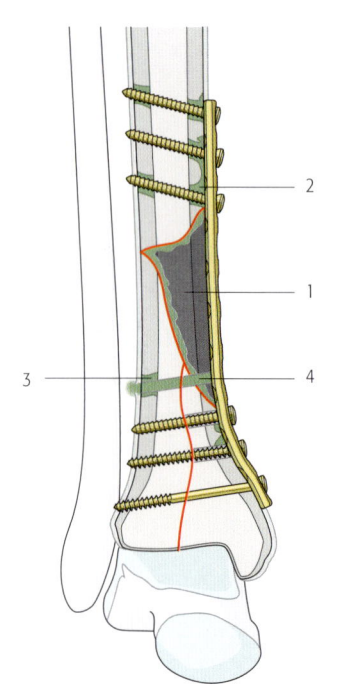

**Fig. 5.3-4** Osteomielite depois do uso da placa. Fratura da diáfise da tíbia estendendo-se até a articulação, corretamente fixada com dois parafusos de tração de 3,5 mm e uma placa de compressão dinâmica de baixo contato (LC-DCP) de 4,5 com 9 orifícios, sem desnudar o periósteo. A infecção se espalhou ao longo dos implantes e teve seus focos nos seguintes:
1 Fragmento em borboleta desvitalizado.
2 Áreas locais de osso desvascularizado sob a placa.
3 Áreas necróticas resultantes da perfuração incorreta.
4 Orifícios perfurados vazios.

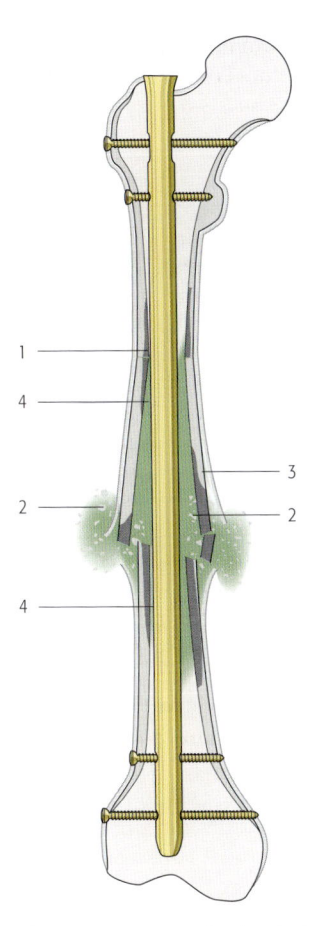

Princípios AO do tratamento de fraturas
**Volume 1**

**Fig. 5.3-5** Osteomielite depois do encavilhamento intramedular. Fratura do fêmur complexa estabilizada por uma haste intramedular bloqueada, fresada e fechada.
1   Cortical interna desvascularizada depois da fresagem (escuro).
2   Pó da fresagem misturado com hematoma da fratura.
3   Fragmentos da fratura parcialmente desnudados do periósteo.
4   Infecção (verde) se espalhando ao longo da haste, dentro da cavidade medular.

**Fig. 5.3-6a-i** Osteomielite depois do encavilhamento intramedular.
**a**   Fratura oblíqua simples da tíbia após trauma por um tronco de árvore que caiu.
**b**   Fixação com haste fresada universal dinamicamente bloqueada.
**c**   Vermelhidão temporária por volta de 9 semanas.
**d**   Depois de 12 semanas, formação de abscesso e dor.
**e**   Aproximação com calo extenso no raio X.
**f**   Haste removida, cavidade medular fresada até 13,5 mm, fixador externo aplicado, pérolas de antibióticos e drenagem do abscesso *(Staphylococcus epidermidis)*. Administração intravenosa de flucloxacilina por 2 semanas, seguida por clindamicina oral por 4 semanas e carga total de apoio.
**g**   O fixador externo está perto de ser removido em 8 semanas depois da sua aplicação.
**h-i**   No seguimento de 2 anos, o paciente está trabalhando em tempo integral como operário.

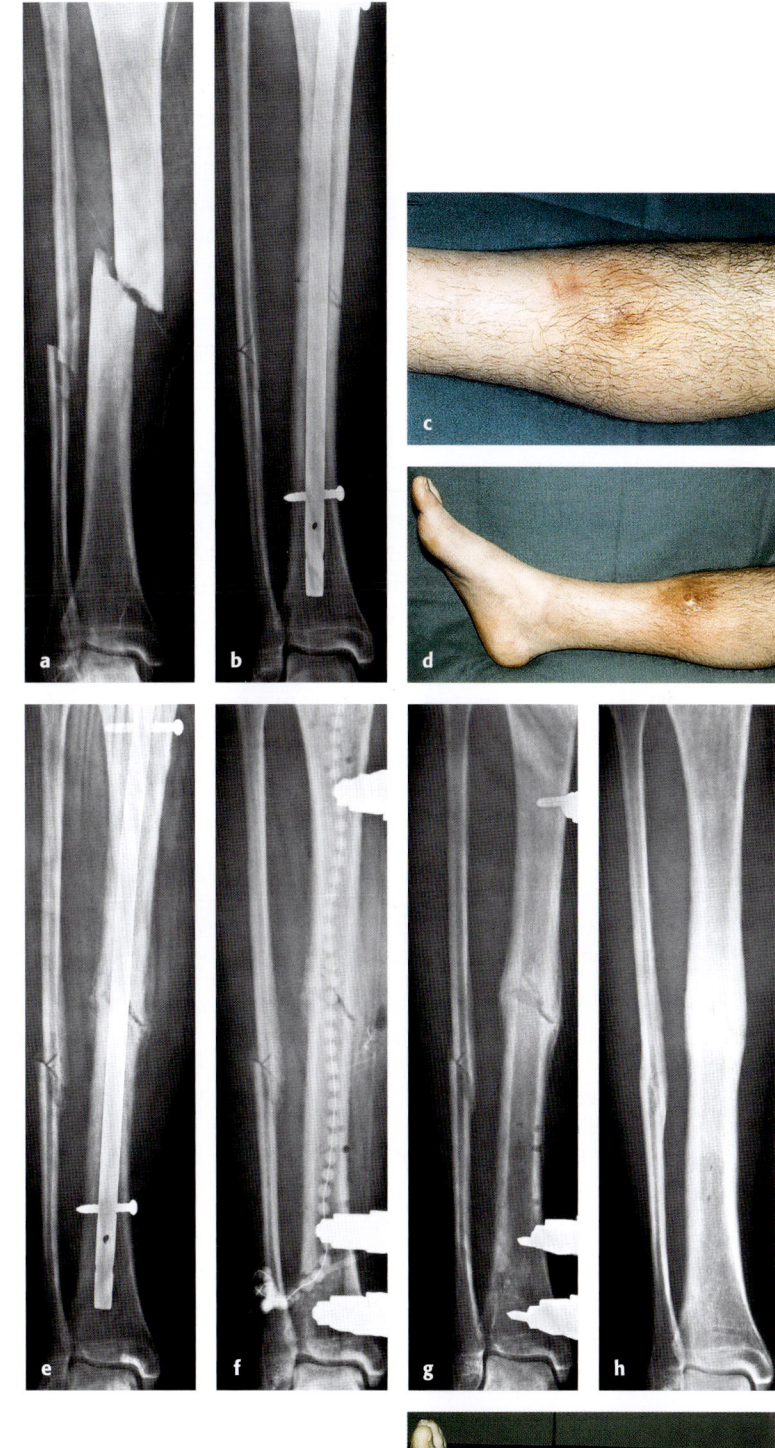

535

## 4 Diagnóstico de infecção

### 4.1 Achados clínicos e laboratoriais

Os sintomas clínicos típicos, como, por exemplo, eritema, dor, febre e edema, bem como a leucocitose patológica, a PCR e a velocidade de hemossedimentação com frequência levam diretamente ao diagnóstico. Entretanto, apesar dos sintomas locais óbvios, pode não haver valores laboratoriais anormais correspondentes para corroborar os sinais clínicos e isso pode retardar a tomada de decisão. É geralmente necessária uma combinação de exames clínicos, laboratoriais, histopatológicos, microbiológicos e de imagens. Depois da cirurgia, a PCR permanece elevada, mas deve diminuir por volta do sétimo dia. Por conseguinte, as medidas repetidas da PCR são mais informativas no período pós-operatório do que um valor único. Um aumento secundário da PCR, depois de um declínio pós-operatório inicial, é altamente sugestivo de infecção. Todo cirurgião tem uma tendência a menosprezar os achados desfavoráveis dos seus próprios casos. Os colegas mais experientes podem precisar ser consultados e, se houver qualquer dúvida, a ferida deve ser imediatamente explorada. Ocasionalmente, uma infecção pós-traumática aguda pode evoluir para septicemia. Tal situação séria deve ser tratada agressivamente, com antibióticos intravenosos e cirurgia com ampla exposição do foco séptico, que geralmente fica perto do corpo estranho de metal.

### 4.2 Exames de imagem

Nas infecções precoces os procedimentos de imagem normalmente desempenham um papel secundário. Entretanto, com a apresentação retardada, as imagens se tornam importantes.

A **ultrassonografia** é útil para identificar acúmulos de fluido (abscesso, seroma, hematoma ocultos). O método é não invasivo e alcança as camadas profundas, especialmente na coxa. A aspiração guiada com ultrassom de coleções profundas ao redor de um dispositivo de fixação de fratura pode ajudar a fazer um diagnóstico de infecção e encontrar o microrganismo causador.

As **radiografias simples** permanecem a fonte mais importante de informação útil. O exame seriado das radiografias simples depois do implante é útil, mas não é nem sensível e nem específico para infecção. O afrouxamento do implante pode indicar instabilidade ou infecção, embora no caso de afrouxamento precoce uma causa infecciosa seja mais provável. O sinal precoce mais importante é a osteólise em torno dos parafusos. O alargamento do espaço da fratura pode ser causado por infecção ou instabilidade da fixação. Uma falta de neoformação óssea periosteal pode ser um sinal de infecção ou vascularização deficiente para o osso e subsequente falha na consolidação óssea [19]. Fundamentalmente, o domínio da neoformação óssea também pode ser um sinal de infecção. Assim, não há nenhum sinal cardeal radiográfico e o profissional deve manter um nível alto de vigilância para infecção.

A **tomografia computadorizada** (TC) é usada para estimar a extensão de envolvimento de partes moles e prover informação adicional sobre a extensão da necrose óssea. É particularmente útil para identificar sequestros. O contraste intravenoso pode ajudar a identificar abscessos associados.

A **ressonância magnética** (RM) fornece uma melhor resolução das anormalidades de partes moles em comparação à TC ou radiografia convencional, e mostra mais detalhes anatômicos que os exames com radionuclídeos. Outra vantagem é a capacidade de ver a presença ou a ausência de edema de medula óssea e a extensão do potencial envolvimento intramedular. As principais desvantagens da TC e da RM são os artefatos relacionados aos implantes metálicos, que são menores com o titânio do que com os implantes de aço inoxidável. Entretanto, um novo *software*, como o MARS-MRI, tem melhorado a resolução dessas imagens, mesmo na presença de implantes metálicos.

A **tomografia por emissão de pósitrons** (PET) e a PET-TC parecem ser novas técnicas valiosas no diagnóstico da osteomielite associada ao implante [20], mas somente devem ser usadas em casos selecionados nos quais as técnicas mais padronizadas não foram úteis para diagnosticar uma infecção.

As **cintilografias** incluem a cintilografia esquelética trifásica com $^{99m}$Tc e a cintilografia com os granulócitos do paciente marcados com índio ou anticorpos marcados com granulócitos. Essas técnicas de imagens da medicina nuclear são sensíveis, mas a sua especificidade na avaliação da infecção associada ao implante é pobre e estão sendo substituídas pela RM (e talvez PET-TC no futuro).

### 4.3 Microbiologia e histopatologia

> Os antibióticos não devem ser administrados até que amostras de tecido tenham sido obtidas para microbiologia, a menos que o paciente tenha sinais de infecção sistêmica, ou seja, septicemia. Mesmo assim, a hemocultura deve ser obtida primeiro.

O aspirado pré-operatório do fluido acumulado e a coleta intraoperatória do tecido (blocos de 5-10 mm) de vários locais infectados fornecem a amostra mais precisa para se detectar o microrganismo infectante. Pelo menos três a cinco áreas são amostradas tão perto quanto possível do local infectado e do implante, usando instrumentos limpos para cada nova amostra. Especialmente nas infecções retardadas com microrganismos menos agressivos, a coleta das amostras perto do foco fornece a melhor chance de encontrar o microrganismo causador. As amostras são enviadas para microbiologia e para histopatologia com documentação precisa de onde foram retiradas (a chamada amostragem paralela nas infecções crônicas).

Em infecções de baixo grau, os frascos de hemocultura pediátrica são úteis para não deixar passar os patógenos anaeróbios. As bactérias anaeróbias devem ser consideradas nos casos onde haja espaços mortos, necrose tecidual extensa e tecido com vascularização deficiente [22]. O grau de infiltração com células inflamatórias agudas pode variar consideravelmente entre as amostras de um mesmo paciente. A investigação histológica pode revelar uma causa bacteriana, mesmo que os testes bacteriológicos sejam negativos. Também é possível determinar se uma infecção aguda é recente ou se desenvolveu a partir de uma infecção crônica. A análise histológica da amostra de osso é complexa, leva muito tempo (descalcificação) e é de significância apenas científica [15]. Os *swabs* superficiais e a cultura da secreção da ferida devem ser evitados por causa de baixa sensibilidade, diagnóstico errôneo e frequente contaminação por bactérias não responsáveis pela infecção, como, por exemplo, *Pseudomonas aeruginosa*. Nos casos crônicos, antes da amostragem de tecido para cultura, é importante descontinuar qualquer terapia antimicrobiana por, pelo menos, 2 semanas [23].

Para aumentar a chance de encontrar o microrganismo causador no material de síntese infectado, ele pode ser semeado em meio de enriquecimento. Um modo muito mais sensível e específico de diagnosticar a infecção é o uso da sonicação. Durante a sonicação, o biofilme no implante extraído é quebrado e as bactérias se tornam planctônicas e podem ser cultivadas [24].

Existe uma plêiade de novas técnicas diagnósticas disponíveis com a meta de efetuar o diagnóstico de infecção em menos de uma hora e determinar qual o microrganismo em algumas horas. Um modo possível é o uso de calorimetria, enquanto outra técnica promissora é o uso de reações em cadeia da polimerase [25, 26].

A antibioticoprofilaxia transoperatória na cirurgia de revisão não deve ser começada antes que amostras de tecido tenham sido coletadas para cultura [24]. Se o material implantado for removido, pode também ser cultivado também ou, melhor ainda, ser enviado para sonicação.

Os microrganismos mais comuns que causam infecção pós-traumática são os estafilococos, seguidos por bacilos Gram-negativos e anaeróbios. Em 25-30% dos casos, mais de um patógeno é isolado e a multirresistência está se tornando um problema muito relevante. Nas infecções protraídas, outros patógenos podem ganhar importância como resultado de contaminação adicional e a possibilidade de infecção fúngica devem ser consideradas nas lesões relacionadas a conflitos militares.

## 5 Tratamento

Se os primeiros sintomas da infecção aparecerem precocemente e forem reconhecidos, o tratamento de acordo com algumas regras básicas é em geral bem-sucedido. Essas regras incluem:

- Debridamento precoce e minucioso da ferida
- Microbiologia para identificar o microrganismo
- Lavagem da ferida
- Cuidado adequado da ferida e fechamento do espaço morto
- Estabilização de tecidos moles e osso, frequentemente com um fixador externo temporário
- Tratamento com antibióticos apropriados

A administração de antibióticos deve ser retardada até que amostras para microbiologia do tecido profundo tenham sido obtidas, a menos que o paciente tenha uma sepse potencialmente fatal.

### 5.1 Debridamento

O debridamento é a excisão cirúrgica de qualquer tecido ósseo morto e infectado e requer a exposição de toda a área infectada (**Vídeo 5.3-1**). Na presença de um seio de drenagem, a instilação de azul de metileno misturado com um fluido radiopaco ajuda a demarcar a extensão da formação do abscesso via intensificador de imagem durante a cirurgia. Nos casos iniciais, o debridamento pode ficar limitado à remoção de um hematoma infectado. Mais tarde, ele requer a remoção de:

- Membrana do abscesso
- Tecido de granulação excessivo
- Margens necróticas da ferida
- Lascas de osso morto
- Sequestros

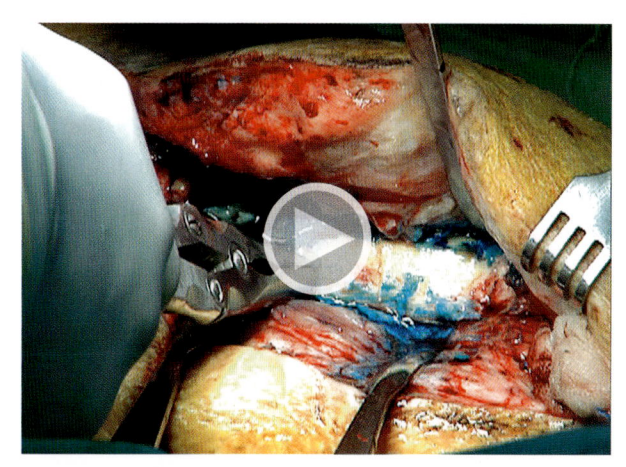

**Vídeo 5.3-1** Debridamento de uma tíbia infectada.

Complicações
### 5.3 Infecção aguda

As amostras de tecido são tiradas de múltiplos locais e enviadas para investigação bacteriológica e histológica. Instrumentos limpos são usados para cada nova amostra, e é recomendado que as salas de cirurgia tenham *kits* que permitam o cirurgião obter cada nova amostra com um conjunto diferente de instrumentos para prevenir a contaminação secundária.

Depois do debridamento, o local da cirurgia deve ser abundantemente irrigado para diminuir as contagens microbianas. Ao diminuir a contagem microbiana para menos de 106 unidades formadoras de colônia, as chances de um tratamento bem-sucedido aumentam significativamente, desde que as defesas do hospedeiro estejam intactas e os antibióticos sejam apropriados. Nos casos com quantidades significativas de tecido morto ou com feridas grosseiramente purulentas, o debridamento repetido dentro de 24-48 horas está indicado para diminuir a carga microbiana. Depois do debridamento, as feridas podem ser fechadas com drenos de sucção ou cobertas por terapia por pressão negativa, e os antibióticos são iniciados por escolha empírica, enquanto são aguardados os resultados dos testes de sensibilidade a antibióticos. Alternativamente, as pérolas de cimento ou materiais biodegradáveis impregnados com antibióticos podem ser usados e colocados nas feridas, mas não à custa da tensão aumentada na ferida. Se uma perda significativa de osso estiver presente e for esperada a enxertia óssea, um bloco espaçador de cimento pode ser inserido, já que isso irá criar e manter um espaço para o enxerto subsequente. Esse espaço será revestido por uma membrana osteogênica (técnica de Masquelet), que não deve ser removida na hora da enxertia óssea definitiva [27].

### 5.2 Retenção ou remoção do implante

Desde que um implante forneça fixação estável, a consolidação de fratura pode acontecer apesar da presença de infecção e de um corpo estranho metálico. As radiografias devem ser cuidadosamente avaliadas na busca de sinais de osteólise em torno dos parafusos e a pega do parafuso deve ser testada na hora do debridamento para determinar se os implantes estariam fornecendo a estabilidade pretendida. Até uma placa exposta pode ser deixada, sendo removida somente quando tiver ocorrido a ponte óssea. Se, entretanto, os implantes tiverem se soltado, eles devem ser removidos e substituídos por outro tipo de fixação, como um fixador externo, para fornecer a estabilidade necessária que é necessária para a cura da fratura e das partes moles. Ocasionalmente, um gesso ou dispositivo tipo órtese será usado, mas frequentemente eles não fornecem estabilidade suficiente. Se os implantes forem deixados, o tratamento antibiótico deve ser cuidadosamente monitorado.

> A consolidação da fratura não irá ocorrer na presença de infecção sem estabilidade mecânica.

### 5.3 Hastes intramedulares infectadas

A presença de uma haste intramedular pode permitir que a infecção se espalhe ao longo da cavidade medular (**Fig. 5.3-6**). A haste intramedular é removida e as amostras da biópsia de tecido são levadas para microbiologia e histologia, e a haste é encaminhada para sonicação. Uma abertura distal é criada para permitir que os fragmentos de fresagem escapem e o canal é, então, fresado até um diâmetro de 0,5-1,5 mm maior do que a haste removida ou até que ocorra contato cortical. Isso se baseia na suposição de que existem áreas de osso necrótico dentro da diáfise (**Fig. 5.3-5**). O uso da técnica de fresagem, irrigação e aspiração pode ser até mais útil que a fresagem-padrão para limpar totalmente a cavidade medular e o endósteo infectado [28]. Uma lavagem é, então, executada.

Uma vez que o canal medular esteja limpo, existem várias alternativas:

1. Uma haste com cimento carregado de antibióticos pode ser introduzida para tratamento antibiótico local e manejo do espaço morto [29] (**Vídeo 5.3-2**). A seguir, ela é permutada para uma haste bloqueada padrão quando a infecção tiver sido controlada (troca de encavilhamento em 2 estágios).
2. Uma haste bloqueada sólida padrão pode ser usada para fornecer estabilidade onde não haja nenhuma perda de osso e onde houver um microrganismo que seja sabidamente sensível aos antibióticos que penetram o biofilme (**Fig. 5.3-7**).
3. Um fixador externo padrão pode ser aplicado [30].
4. Um fixador externo circular pode ser uma alternativa útil na tíbia.

Nas infecções crônicas, a fresagem deve ser muito mais radical, e a fixação externa é geralmente necessária (**Fig. 5.3-6**).

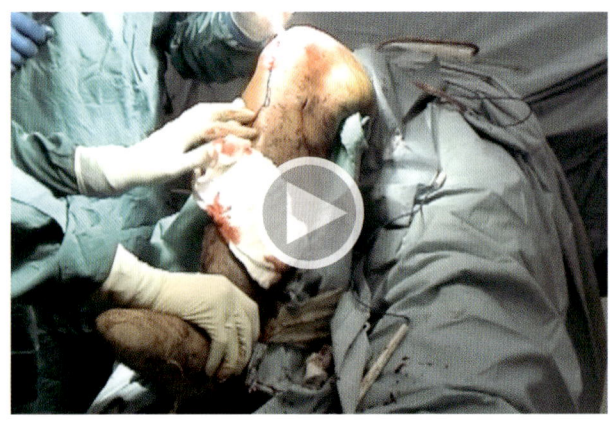

**Vídeo 5.3.2**  Fabricação intraoperatória da haste intramedular tibial com cimento impregnado de antibiótico.

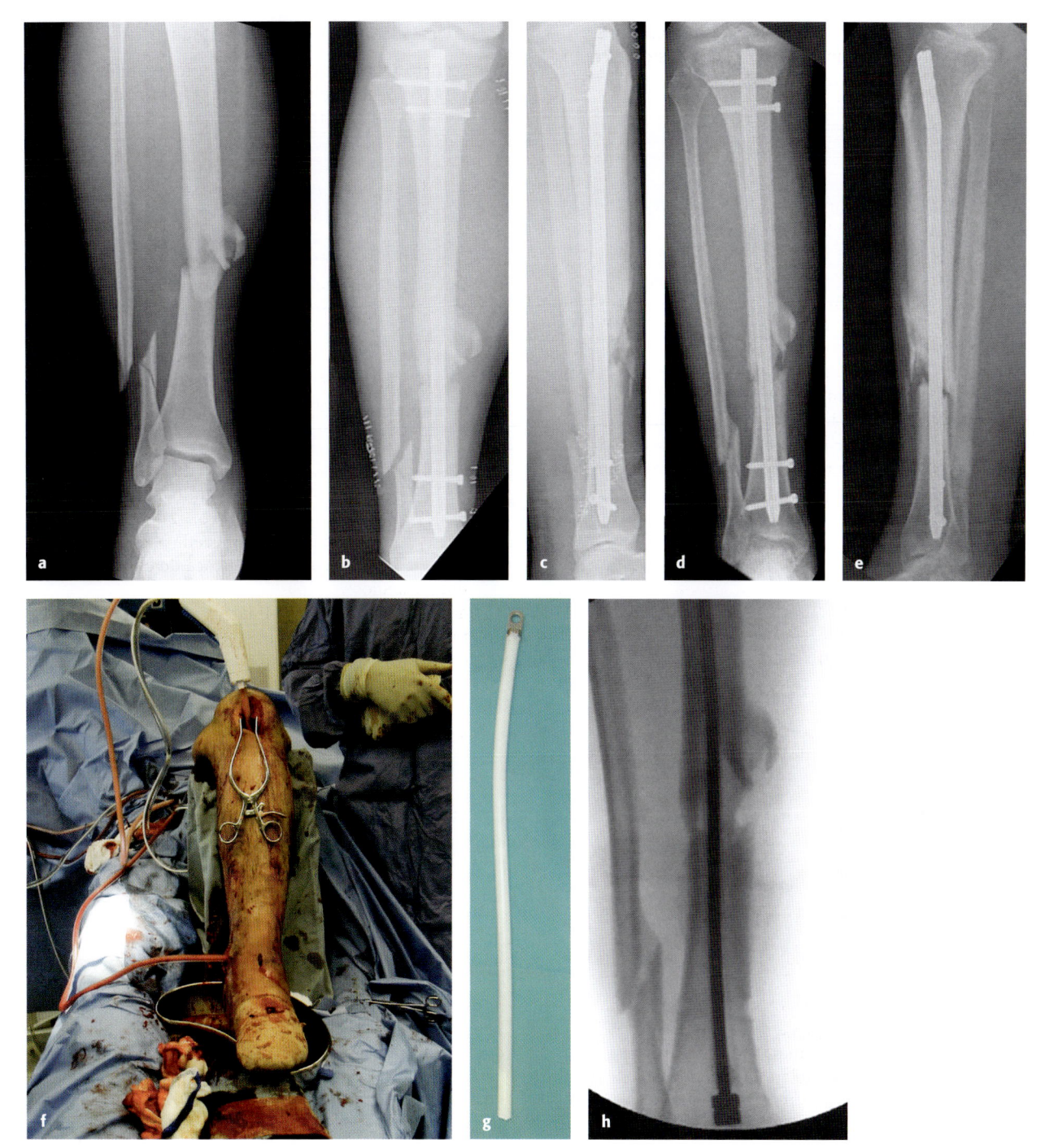

Princípios AO do tratamento de fraturas
Volume 1

**Fig. 5.3-7a-s** Um homem de 40 anos de idade, vítima de uma colisão de motocicleta, apresentou uma fratura exposta da tíbia sem outras comorbidades médicas.

- **a-c** O tratamento hospitalar inicial incluiu a irrigação e debridamento de emergência, seguidos pela inserção de haste tibial intramedular fresada, com fechamento primário da ferida. Os antibióticos consistiram de 48 horas de cefazolina. Radiografias pré-operatórias (**a**) e pós-operatórias (**b-c**).
- **d-e** Aos 6 meses ele se apresentou com drenagem na ferida e as radiografias não mostravam nenhuma consolidação significativa da fratura.
- **f-h** O paciente foi levado para a sala de cirurgia para debridamento, remoção do implante, irrigação e colocação de haste com antibióticos para estabilidade. O debridamento local e intramedular foi executado. As fresas flexíveis foram usadas para debridar o canal e, então, o canal intramedular foi irrigado (**f**). A cobertura da ferida foi obtida a partir de um retalho rotacional do hemigastrocnêmio no quinto dia pós-operatório. As culturas mostraram Pseudomonas aeruginosa, Peptostreptococcus magnus e Staphylococcus aureus resistente à meticilina. Ele recebeu vancomicina, tobramicina, rifampicina e imipeném. A haste com antibiótico foi colocada na extremidade distal da tíbia (**g-h**).

539

Complicações
5.3   Infecção aguda

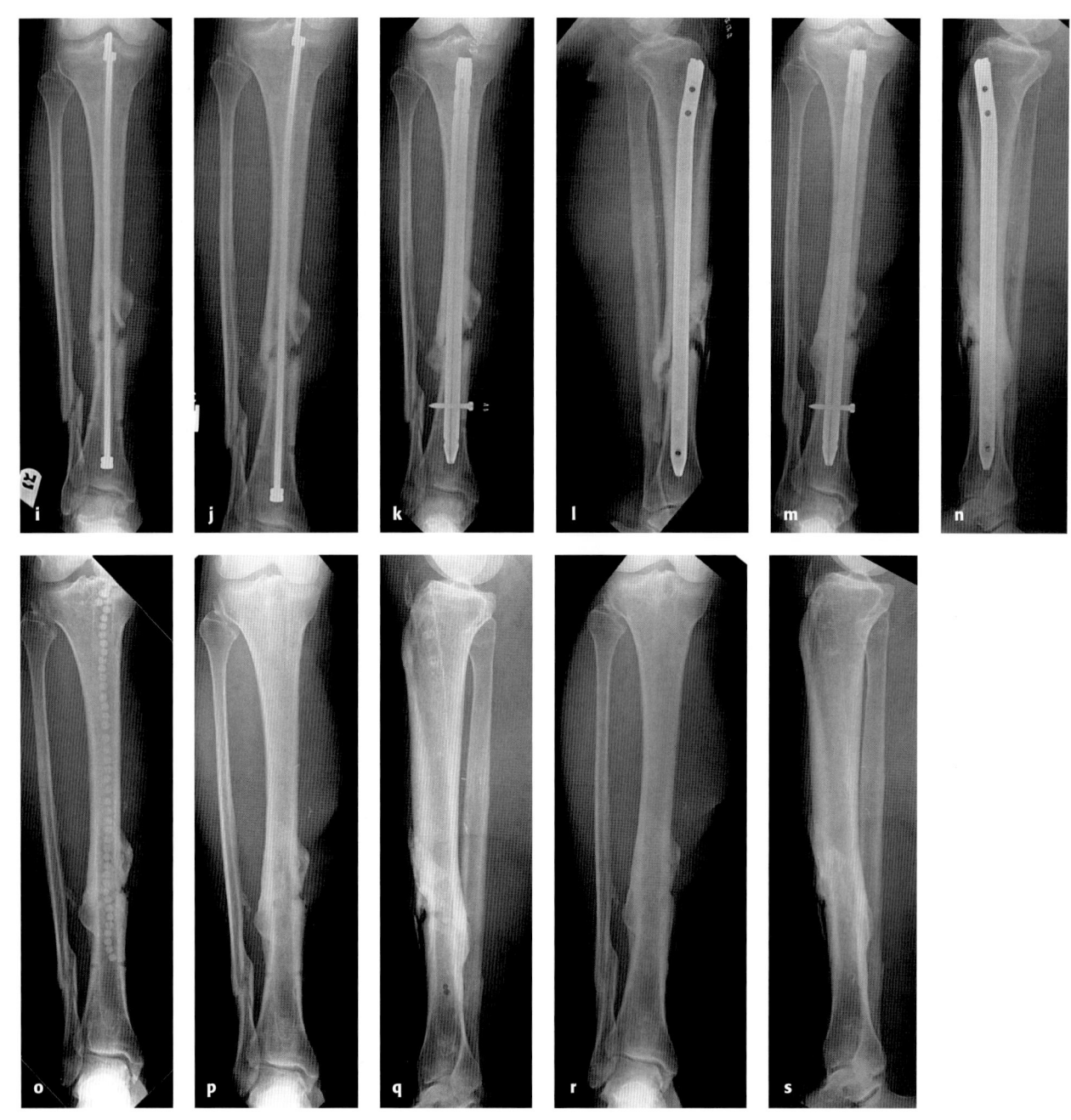

**Fig. 5.3-7a-s (cont.)**   Um homem de 40 anos de idade, vítima de uma colisão de motocicleta, apresentou uma fratura exposta da tíbia sem outras comorbidades médicas.
i   Radiografia pós-operatório em 4 semanas após debridamento, retalho e antibióticos.
j   Radiografia em 8 semanas de pós-operatório mostrando aumento da consolidação.
k-l   Em 10 semanas o paciente retornou à sala de cirurgia para remoção da haste com antibióticos foram obtidas biópsia e culturas. Todas as culturas foram negativas, e o paciente foi submetido à inserção de haste tibial dinâmica.
m-n   O paciente evoluiu bem por 17 meses, depois dos quais ele retornou com queixas de uma fístula de drenagem.
o-q   O paciente foi levado para a sala de cirurgia para remoção da haste. O canal intramedular foi debridado com o uso de uma fresa de irrigação e aspiração. As culturas eram positivas para *Staphylococcus hominis* e *Staphylococcus epidermidis*. Depois do segundo debridamento, pérolas de sulfato de cálcio absorvível impregnado com vancomicina foram colocadas no canal intramedular. Ele recebeu levofloxacino via oral.
r-s   Radiografias de seguimento aos 10 anos. Nenhum problema adicional foi relatado.

## 5.4 Tratamento da ferida aberta ou fechada

O tratamento da ferida aberta por pressão negativa é confiável, embora bastante lento. Ele previne a retenção de fluidos e a formação de abscesso e permite um cuidado simplificado da ferida, mesmo no leito.

> A terapia por pressão negativa não deve ser um substituto para a cobertura precoce com retalho dos ferimentos de partes moles.

O tratamento da ferida fechada é um caminho mais arriscado, mas mais direto, para a cicatrização. As suturas profundas devem ser omitidas e a drenagem eficiente com um dreno de grande calibre é necessária (**Fig. 5.3-8**). As opções preferidas incluem os portadores não reabsorvíveis ou reabsorvíveis de antibióticos ou antissépticos (p. ex., pérolas de gentamicina, sulfato de cálcio impregnado com antibióticos, esponjas de colágeno reabsorvível com antibióticos) para elevar o nível de agentes antibacterianos na área debridada.

## 5.5 Artrite séptica

Na suspeita mais leve de artrite séptica, a aspiração articular ou a artroscopia devem ser executadas para avaliar o envolvimento da articulação. A sinovite isolada pode ser administrada por tratamento com antibióticos. Na presença de depósitos fibrinosos e tecido sinovial crescendo sobre a cartilagem, a sinovectomia artroscópica ou aberta pode ser indicada. A irrigação artroscópica deve ser repetida a cada 2-3 dias e, se os sinais clínicos claros de infecção persistirem e se dois ou três procedimentos artroscópicos tiverem falhado em controlar a infecção, a sinovectomia aberta deve ser considerada. Na artrite tardia com destruição da cartilagem, mas assepsia provada, a artrodese ou as próteses articulares totais retardadas podem ser inevitáveis.

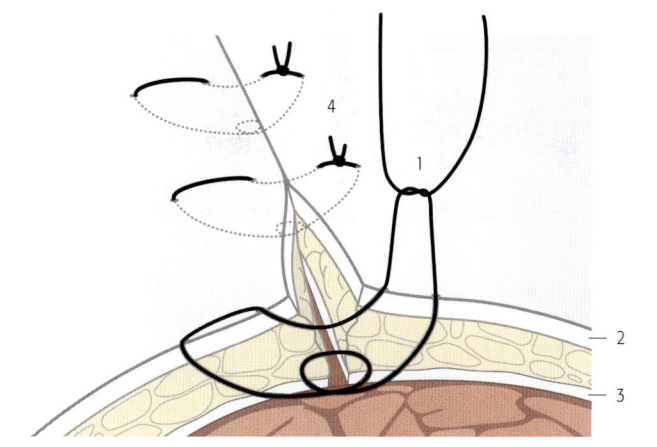

**Fig. 5.3-8** Técnica de sutura em ferimentos infectados.
Fios monofilamentares grossos (1) são usados a cada 4-6 cm para segurar os níveis mais profundos da pele (2) e fáscia (3). Suturas adicionais na pele (4) são usadas nos espaços entre as suturas profundas.

## 5.6 Medidas adicionais

Na ausência de consolidação óssea, uma mudança na técnica de fixação deve ser considerada, geralmente para um fixador externo. Ele pode ser combinado com um tratamento adicional do osso (debridamento e decorticação). Todo tecido necrótico deve ser ressecado. Se o defeito ósseo resultante for pequeno, a enxertia retardada de osso esponjoso pode ser considerada, uma vez que as biópsias repetidas não mostrarem nenhum crescimento bacteriano. Os defeitos grandes e segmentares podem requerer a osteogênese por distração (conforme descrito por Ilizarov) ou a aproximação por um enxerto ósseo vascularizado (**Fig. 5.3-9**).

## 5.7 O uso de antibióticos e antissépticos

Na osteomielite pós-traumática, os antibióticos e antissépticos devem ser considerados somente como um adjuvante ao tratamento operatório radical.

### 5.7.1 Antibióticos

A escolha do regime antibiótico correto requer uma abordagem interdisciplinar.

> A escolha do regime antibiótico ideal deve ser feita junto com o especialista em doenças infecciosas e o microbiologista, já que o tratamento dos dispositivos de fixação de fraturas infectadas é mais bem-sucedido com uma abordagem multidisciplinar.

Quando os microrganismos responsáveis não forem conhecidos, um antibiótico de amplo espectro é iniciado imediatamente depois que uma amostra intraoperatória de tecido tenha sido coletada para microbiologia. Se um torniquete for usado, os antibióticos são dados por via intravenosa 10 minutos antes da sua liberação. Esse antibiótico é mais tarde substituído por um antibiótico específico, de acordo com o teste de sensibilidade antibiótica. Em contraste, se o patógeno for conhecido antes da cirurgia, o tratamento antimicrobiano é iniciado 1-2 horas antes da operação, dependendo do antibiótico escolhido. A duração sugerida de tratamento é de 3 meses se o implante ficar no lugar, e 6 semanas depois da remoção ou da troca do dispositivo de fixação [31]. O tratamento intravenoso deve ser administrado nas primeiras 2 semanas, seguido por terapia oral – se possível – para completar o curso do tratamento. A implantação de um cateter tunelizado pode facilitar a terapia intravenosa com antibiótico em longo prazo se não houver nenhuma aplicação oral disponível [32]. A resolução dos sinais clínicos e a normalização da PCR, velocidade de hemossedimentação e leucograma durante o tratamento indica a efetividade do tratamento. A terapia antimicrobiana ideal é avaliada para as infecções de implantes relacionadas aos estafilococos e inclui a rifampicina para as cepas estafilocócicas suscetíveis [31]. A rifampicina tem excelente atividade sobre o biofilme dos estafilococos e a sua eficácia é comprovada em

Complicações
## 5.3 Infecção aguda

vários estudos clínicos [33]. Deve sempre ser combinada com outro fármaco para prevenir o aparecimento de cepas resistentes. As combinações de rifampicina são usadas nas infecções de *Propionibacterium acnes* também [34]. Para as infecções microrganismos Gram-negativos, as quinolonas são excelentes fármacos de combinação por causa de sua boa biodisponibilidade, atividade, segurança e eficácia contra o biofilme. As quinolonas mais novas como o moxifloxacino, levofloxacino e gatifloxacino têm uma melhor atividade *in vitro* contra os estafilococos suscetíveis a quinolonas em comparação com o ciprofloxacino.

> Se não houver nenhum antibiótico disponível que seja efetivo contra o biofilme das bactérias aderentes, o tratamento antibiótico com a retenção do implante geralmente apenas suprime a infecção até que os implantes sejam removidos.

Em tais casos, os antibióticos devem ser descontinuados por pelo menos 2 semanas antes de remover os implantes para coletar amostras intraoperatórias confiáveis de tecido para cultura. Se as culturas intraoperatórias forem positivas, o tratamento antimicrobiano deve ser continuado por aproximadamente 4-6 semanas depois da remoção do material de síntese para evitar o desenvolvimento de osteomielite crônica.

### 5.7.2 Antissépticos

Os antissépticos (originalmente o *spray* carbólico) pavimentaram o caminho para a cirurgia moderna e suas propriedades bactericidas são ainda indispensáveis para desinfetar as mãos dos cirurgiões (p. ex., álcool, preparações iodadas, clorexidina) e a pele do paciente. Entretanto, não se deve usar esses agentes para o tratamento das feridas abertas ou osso exposto por causa de sua toxicidade tecidual. A clorexidina alcoólica é considerada o melhor antisséptico para o preparo da pele [35]. Um estudo recente [36] provou que o soro fisiológico, e não o sabão, é o líquido para irrigação mais eficiente.

O uso de antissépticos nas articulações é contraindicado, uma vez que os condroblastos, que são responsáveis pela regeneração das células da cartilagem, estão principalmente na superfície articular. Devido à atividade dos antissépticos na superfície, essas células seriam destruídas.

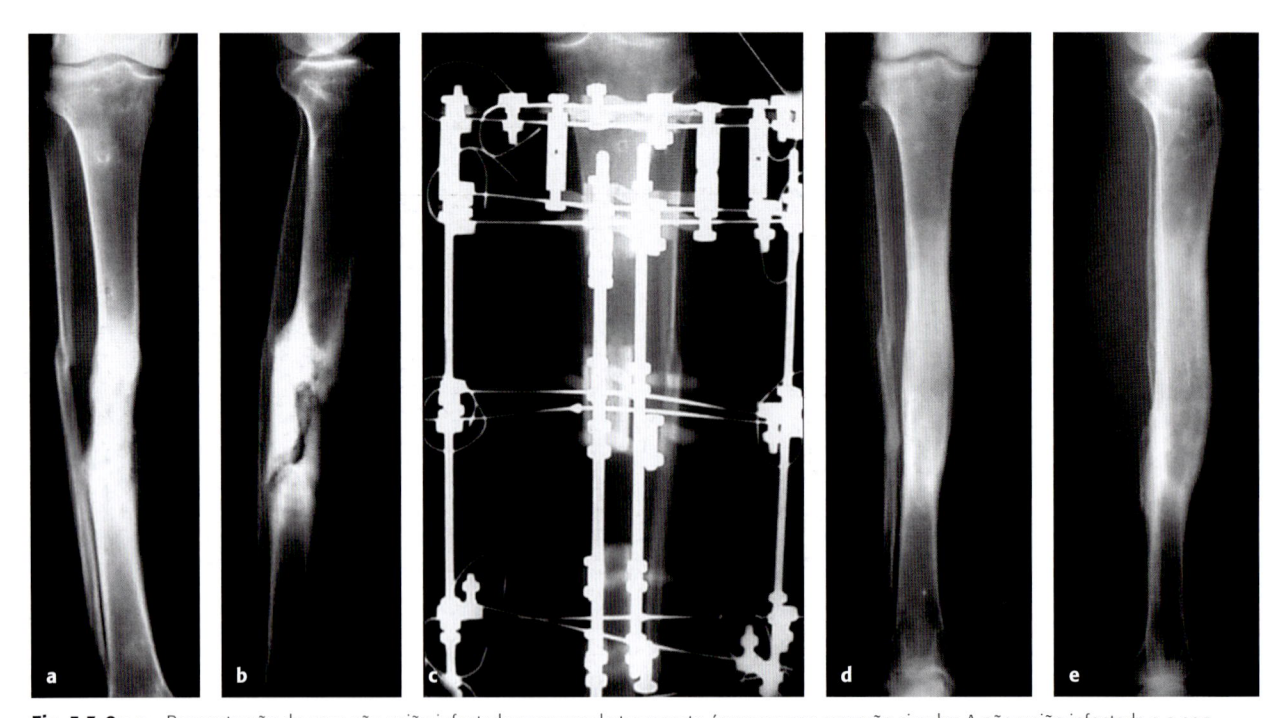

**Fig. 5.3-9a-e** Reconstrução de uma não união infectada com uso de transporte ósseo e uma armação circular. A não união infectada e o segmento de osso afetado foram radicalmente excisados. A corticotomia proximal permite o transporte e a regeneração do osso. Existe uma resposta hiperêmica maciça no osso a esse tratamento e acredita-se que isso seja um fator importante na erradicação da infecção. O resultado final depois da atracação no local distal e a consolidação do osso regenerado. A infecção foi erradicada e a deformidade em varo foi corrigida.

Princípios AO do tratamento de fraturas
Volume 1

## 6 Conceitos do tratamento em casos típicos

### 6.1 Infecção nos casos de posição subcutânea da placa

O debridamento e a avaliação da estabilidade, o tratamento da ferida aberta e o curativo antisséptico ou a cobertura parcial e a drenagem aberta na presença de tecidos moles adequados (**Fig. 5.3-10**) são possíveis. Os implantes são removidos depois de 6 semanas (p. ex., fraturas maleolares) a 24 semanas (p. ex., fraturas do olécrano ou da patela).

### 6.2 Infecção nos casos de posição submuscular da placa

O debridamento é acompanhado pela avaliação da estabilidade e função da fixação com placa. Na ausência de fragmentos ósseos desvitalizados, a irrigação e o debridamento e o fechamento da ferida são seguidos de antibióticos por 6-12 semanas. Um veículo de aporte antibiótico local também pode ser usado. O implante é removido assim que uma ponte sólida na fratura tenha sido confirmada.

### 6.3 Osteomielite depois do encavilhamento intramedular

Se houver sinais de ponte óssea na radiografia e a fixação parecer estável, a drenagem do abscesso é seguida por antibióticos até que a ponte seja alcançada. Tendo parado a terapia antibiótica por 2 semanas, a haste é removida e a cavidade medular é fresada, enquanto antibióticos são continuados por outras 6 semanas, de acordo com os novos resultados da cultura. Sem quaisquer sinais de aproximação da fratura, a haste intramedular e os sequestros são removidos, a fresagem da cavidade medular é executada e seguida pela colocação de uma haste com antibióticos (**Vídeo 5.3-2**) com remoção e refresagem e, mais tarde, colocação de uma haste maior (revisão em dois estágios).

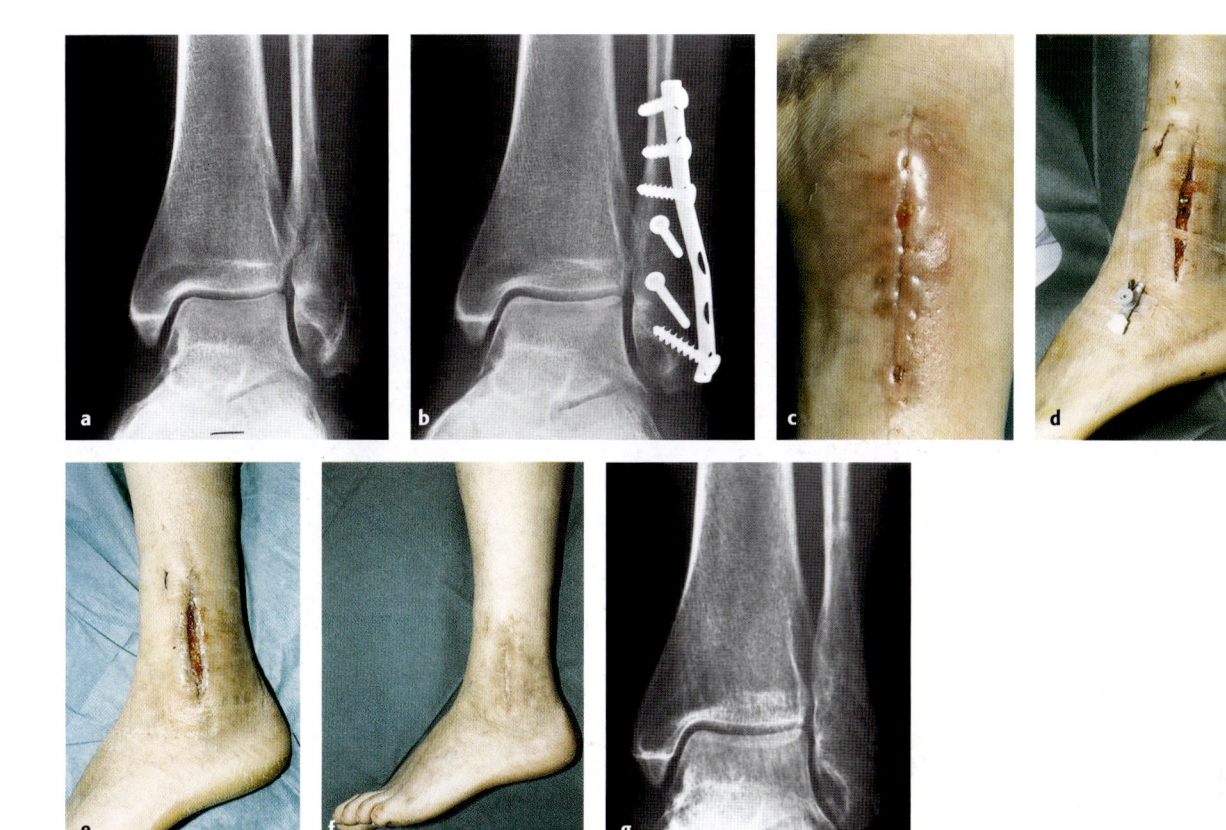

**Fig. 5.3-10a-g**  Primeira manifestação retardada de infecção depois do uso de placa subcutânea.
**a-b**  Osteossíntese com placa de uma fratura maleolar multifragmentada da fíbula.
**c**  21º dia: Infecção por *Staphylococcus aureus*, leucograma de 18,5 × 10⁹/L, proteína C-reativa sérica < 5 g/dL.
**d**  Debridamento e curativo antisséptico do ferimento aberto. Uma cânula foi introduzida percutaneamente até o ponto mais profundo da região infectada. Irrigação 4-5 vezes por dia com um antisséptico através da cânula para manter a ferida úmida. Cefazolina intravenosa foi administrada por 1 semana, e, então, ciprofloxacino por 4 semanas.
**e**  Remoção da placa depois de 6 semanas, cicatrização da ferida sem problemas.
**f-g**  Bom resultado funcional, sem osteomielite, no seguimento de 1 ano.

Complicações
5.3 Infecção aguda

### 6.4 Osteomielite do trajeto do fio na fixação externa

Se houver supuração ao longo dos parafusos de Schanz, fios de Steinmann, ou fios percutâneos, as radiografias ajudam a identificar possíveis sequestros anelares (**Fig. 5.3-3**). O seguinte regime é, então, seguido: remover ou substituir o implante, efetuar curetagem, remover os sequestros e irrigar. Os antibióticos somente são necessários nos casos de drenagem de abscesso e/ou de culturas positivas.

### 6.5 Artrite séptica concomitante

Se os achados da aspiração articular imediata forem positivos, indicam-se os testes de sensibilidade, a revisão por artroscopia para avaliar o grau das alterações sinoviais e antibióticos por 4-6 semanas. Dependendo do resultado clínico, a artroscopia repetida é necessária, mas não deve ser repetida como um procedimento-padrão.

### 7 Medidas para prevenir a infecção

As infecções pós-operatórias ocorrem em aproximadamente 1,5% de todos os procedimentos ortopédicos. Para diminuir esse número, o cirurgião deve conhecer os fatores de risco que possam levar a uma infecção e agir de acordo. Existem três tipos de fatores de risco (**Tab. 5.3-2**):

- Relacionados ao paciente
- Relacionados à cirurgia
- Relacionados à sala de cirurgia

Muitos desses fatores de risco são bem conhecidos, mas mal manejados.

**Tabela 5.3-2** Fatores relacionados à infecção de sítio cirúrgico

| Relacionados ao paciente | Relacionados à cirurgia | Relacionados à sala de cirurgia |
|---|---|---|
| **Não modificáveis**<br>• Idade<br>• Gravidade da doença | **Preparo pré-operatório do paciente**<br>• Banho<br>• Colonização nasal<br>• Cabelo exposto<br>• Preparo cutâneo<br>• Campos cirúrgicos<br>• Antibióticos perioperatórios | • Ventilação e fluxo laminar<br>• Número de pessoas e quantidade de tráfego |
| **Modificáveis**<br>• Hiperglicemia (diabetes)<br>• Obesidade<br>• Desnutrição<br>• Tabagismo<br>• Medicamentos imunossupressores | **Preparação pré-operatória do cirurgião**<br>• Assistentes cirúrgicos<br>• Traje cirúrgico<br>**Intraoperatório**<br>• Duração da cirurgia<br>• Técnicas cirúrgicas<br>• Evitar hipotermia | |

Adaptada das referências 37 e 38.

Referências clássicas    Referências de revisão

### 8 Referências

1. **Darouiche RO.** Treatment of infections associated with surgical implants. *N Engl J Med.* 2004 Apr 1;350(14):1422–1429.
2. **Gristina A.** Biomaterial-centered infection: microbial adhesion versus tissue integration. *Science.* 1987 Sep 25;237(4822):1588–1595.
3. **American Dental Association, American Academy of Orthopedic Surgeons.** Antibiotic prophylaxis for dental patients with total joint replacements: advisory statement. *J Am Dent Assoc.* 2003;134:895–898.
4. **Murdoch DR, Roberts SA, Fowler VG Jr, et al.** Infection of orthopedic prostheses after Staphylococcus aureus bacteremia. *Clin Infect Dis.* 2001 Feb 15;32(4):647–649.
5. **Zimmerli W, Moser C.** Pathogenesis and treatment concepts of orthopaedic biofilm infections. *FEMS Immunol Med Microbiol* 2012;65(2):158–168.
6. **Moons P, Michiels CW, Aertsen A.** Bacterial interactions in biofilms. *Crit Rev Microbiol* 2009;35(3): 157–168.
7. **Zimmerli W, Sendi P.** Pathogenesis of implant-associated infections: the role of the host. *Semin Immunopathol* 2011;33(3):295–306.
8. **Trampuz A, Widmer A.** Infections associated with orthopedic implants. *Current Opinions in Infectious Diseases.* 2006 19:349–356.
9. **Trampuz A, Zimmerli W.** Diagnosis and treatment of infections associated with fracture-fixation devices. *Injury.* 2006 37(Suppl 2): 117–119.

10. **Yusuf E, Jordan X, Clauss M, et al.** High bacterial load in negative pressure wound therapy (NPWT) foams used in the treatment of chronic wounds. *Wound Repair Regen.* 2013;21(5):677–681.
11. **Trampuz A, Osmon DR, Hanssen AD, et al.** Molecular and antibiofilm approaches to prosthetic joint infection. *Clin Orthop Relat Res.* 2003;414:69–88.
12. **Stewart PS, Costerton JW.** Antibiotic resistance of bacteria in biofilms. *Lancet.* 2001;358(9276):135–138.
13. **Darouiche RO.** Device-associated infections: a macroproblem that starts with microadherence. *Clin Infect Dis.* 2001 Nov;33(9):1567–1572.
14. **Zimmerli W, Waldvogel FA, Vaudaux P, et al.** Pathogenesis of foreign body infection: description and characteristics of an animal model. *J Infect Dis.* 1982 Oct;146(4):487–497.
15. **Ochsner PE, Hailemariam S.** Histology of osteosynthesis associated bone infection. *Injury.* 2006 May;37 Suppl 2:S49–58.
16. **Cierny G 3rd, Mader JT, Penninck JJ.** A clinical staging system for adult osteomyelitis. *Clin Orthop Relat Res.* 2003 Sep;(414):7–24.
17. **Steinrücken J, Osterheld MC, Trampuz A, et al.** Malignancy transformation of chronic osteomyelitis: description of 6 cases of Marjolin's ulcers. *Eur J Orthop Surg Traumatol.* 2012(22):501–505.
18. **Ochsner PE, Baumgart F, Kohler G.** Heat-induced segmental necrosis after reaming of one humeral and two tibial fractures with a narrow medullary canal. *Injury.* 1998;29 Suppl 2:B1–10.
19. **Westgeest J, Weber D, Dulai S, et al.** Factors associated with development of nonunion or delayed healing after an open long bone fracture: a prospective cohort study of 736 subjects. *J Orthop Trauma.* 2016 Mar;30(3)149–155.
20. **Schiesser M, Stumpe KD, Trentz O, et al.** Detection of metallic implant-associated infections with FDG PET in patients with trauma: correlation with microbiologic results. *Radiology.* 2003 Feb;226(2):391–398.
21. **Gross T, Kaim AH, Regazzoni P, et al.** Current concepts in posttraumatic osteomyelitis: a diagnostic challenge with new imaging options. *J Trauma.* 2002 Jun;52(6):1210–1219.
22. **Larsen LH, Lange J, Xu Y, et al.** Optimizing culture methods for diagnosis of prosthetic joint infections: a summary of modifications and improvements reported since 1995. *J Med Microbiol.* 2012 Mar;61(Pt 3):309–316.
23. **Spangehl MJ, Masri BA, O'Connell JX, et al.** Prospective analysis of preoperative and intraoperative investigations for the diagnosis of infection at the sites of two hundred and two revision total hip arthroplasties. *J Bone Joint Surg Am.* 1999 May;81(5):672–683.
24. **Trampuz A, Piper KE, Jacobson MJ, et al.** Sonication of removed hip and knee prostheses for diagnosis of infection. *N Engl J Med.* 2007 Aug 16;357(7):654–663.
25. **Borens O, Yusuf E, Steinrücken J, et al.** Accurate and early diagnosis of orthopedic device-related infection by microbial heat production and sonication. *J Orthop Res.* 2013 Nov;31(11):1700–1703.
26. **Corvec S, Portillo ME, Pasticci BM, et al.** Epidemiology and new developments in the diagnosis of prosthetic joint infection. *Int J Artif Organs.* 2012 Oct;35(10):923–934.
27. **Masquelet AC, Begue T.** The concept of induced membrane for reconstruction of long bone defects. *Orthop Clin North Am.* 2010 Jan;41(1):27–37.
28. **Zalavras CG, Sirkin M.** Treatment of long bone intramedullary infection using the RIA for removal of infected tissue: indications, method and clinical results. *Injury.* 2010 Nov;41 Suppl 2:S43–47.
29. **Wasko MK, Borens O.** Antibiotic cement nail for the treatment of posttraumatic intramedullary infections of the tibia: midterm results in 10 cases. *Injury.* 2013 Aug;44(8):1057–1060.
30. **Thonse R, Conway JD.** Antibiotic cement-coated nails for the treatment of infected nonunions and segmental bone defects. *J Bone Joint Surg Am.* 2008 Nov;90 Suppl 4:163–174.
31. **Zimmerli W, Widmer AF, Blatter M, et al.** Role of rifampin for treatment of orthopedic implant-related staphylococcal infections: a randomized controlled trial. Foreign-Body Infection (FBI) Study Group. *JAMA.* 1998 May;279(19):1537–1541.
32. **Osmon DR, Berbari EF.** Outpatient intravenous antimicrobial therapy for the practicing orthopaedic surgeon. *Clin Orthop Relat Res.* 2002 Oct;(403):80–86.
33. **Trebse R, Pisot V, Trampuz A.** Treatment of infected retained implants. *J Bone Joint Surg Br.* 2005 Feb;87(2):249–256.
34. **Portillo ME, Corvec S, Borens O, et al.** Propionibacterium acnes: an underestimated pathogen in implant-associated infections. *Biomed Res Int.* 2013;804391.
35. **Harrop JS, Styliaras JC, Ooi YC, et al.** Contributing factors to surgical site infections. *J Am Acad Orthop Surg.* 2012 Feb;20(2):94–101.
36. **Bhandari M, Jeray KJ, Petrisor BA, et al.** A Trial of Wound Irrigation in the Initial Management of Open Fracture Wounds. *N Engl J Med.* 2015 Dec 31;373(27):2629–2641.
37. **Anderson DJ, Kaye KS, Classen D, et al.** Strategies to prevent surgical site infections in acute care hospitals. *Infect Control Hosp Epidemiol.* 2008 Oct;29 Suppl 1:S51–S61.
38. **Kapadia BH, Berg RA, Daley JA, et al.** Periprosthetic joint infection. *Lancet.* 2016 Jan 23;387(10016):386–394.

## 9  Agradecimentos

Agradecemos a Peter Ochsner e Andrej Trampuz por suas contribuições para este capítulo na 2ª edição de *Princípios AO do tratamento de fraturas*.

Complicações
**5.3 Infecção aguda**

# 5.4 Infecção crônica e não união infectada

*Stephen L. Kates, Olivier Borens*

## 1 Introdução

A osteomielite crônica e a não união infectada da fratura ainda são problemas cirúrgicos graves nos dias atuais. O aparecimento de microrganismos multirresistentes tem tornado o tratamento até mais difícil do que antes. A etiologia da osteomielite é frequentemente óbvia quando se segue a uma fratura exposta ou a outros procedimentos cirúrgicos. Em contrapartida, em crianças, a osteomielite é geralmente de natureza hematogênica e envolve o canal medular de um osso longo. A apresentação precoce é a regra, e o tratamento é normalmente feito na fase aguda, raramente se tornando crônica. A osteomielite se torna crônica quando não for eliminada na fase aguda, e com frequência persiste por muitos anos. A osteomielite crônica é frequentemente associada a um implante ortopédico, e os implantes são cobertos com biofilme, que inibe tanto o sistema imunológico humano quanto os agentes antibióticos na eliminação das bactérias.

> Os microrganismos causadores mais comuns são os estafilococos, seja o *Staphylococcus aureus* ou os estafilococos coagulase-negativos.

As infecções estreptocócicas e as infecções com Gram-negativos são menos comuns. Nos estados de infecção crônica, pode haver mais de um microrganismo infectante e isso pode tornar o tratamento mais difícil.

Em adultos, a osteomielite medular geralmente ocorre a partir de um implante infectado ou trauma aberto em um osso longo, resultando em contaminação do canal medular. Tanto o implante quanto as trabéculas ósseas necróticas causadas por trauma criam oportunidades para as bactérias se alojarem no canal medular.

> Os microrganismos formarão biofilme sobre as trabéculas necróticas e criarão microabscessos no canal medular.

Uma infecção agressiva pode penetrar o canal medular por uma abertura traumática na diáfise ou através da penetração séptica da cortical.

A osteomielite cortical, por outro lado, é iniciada quando as bactérias são introduzidas perto da superfície periosteal do osso. As bactérias liberam toxinas e outros fatores de virulência que matam os fibroblastos, osteoblastos e osteoclastos na superfície óssea. As bactérias, na verdade, invadem os canalículos dos osteócitos e avançam, provavelmente por fissão binária, nos canalículos até a lacuna do osteócito, que, então, ocupam e ficam dormentes. Eles podem permanecer nesse estado dormente por muitos anos para ser liberados apenas se houver redução da imunidade, ou cirurgicamente por uma fresa intramedular ou broca (**Fig. 5.4-1**).

> Quando um implante ortopédico fica no lugar, os microrganismos aderem ao implante por meio de proteínas da parede celular, conhecidas como adesinas.

Dentro de 3 horas, um biofilme precoce se forma na superfície do implante e, por volta de 2 semanas, o biofilme alcança o estado de maturidade que não parece mudar por 12 semanas ou mais [1]. As bactérias emigram do biofilme progressivamente a partir de 2 semanas para a frente e se espalham aos tecidos circundantes e talvez na circulação sanguínea [1]. Quando as bactérias deixam o biofilme, ficam lacunas vazias (**Fig. 5.4-2**) [1].

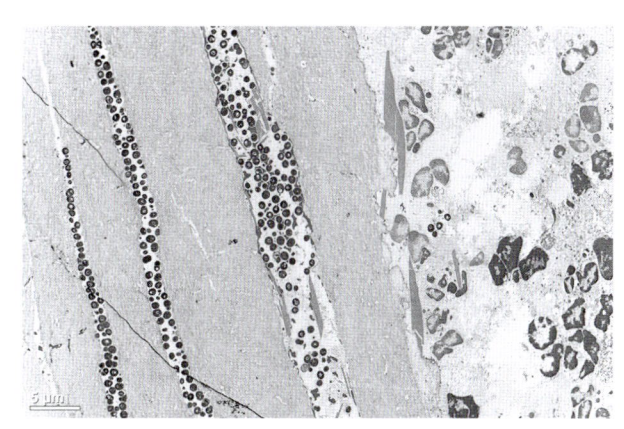

**Fig. 5.4-1** Microscopia eletrônica demonstrando o *Staphylococcus aureus* invadindo o osso cortical. Ele migrou através de algumas rachaduras no osso cortical e, assim, não está prontamente disponível para o cirurgião ou para o sistema imune removerem. (Fotomicrografia cortesia de Karen deMesy Bentley.)

Complicações
## 5.4 Infecção crônica e não união infectada

A maioria das bactérias formam biofilme, mas os estafilococos são notórios pela formação de um biofilme resistente.

Muitos patógenos Gram-negativos também possuem uma capacidade de formar biofilme, incluindo *Pseudomonas aeruginosa, Escherichia coli, Klebsiella pneumoniae* e *Acinetobacter baumannii*. A composição do biofilme é complexa, incluindo polissacarídeo, DNA de células mortas do hospedeiro, fibrina e outros materiais locais da fratura ou do hematoma cirúrgico.

Os antibióticos penetram no biofilme, mas com dificuldade.

Uma exceção notável é a rifampicina, que penetra eficazmente no biofilme [2]. Como consequência, a osteomielite crônica com drenagem persistente e formação de sequestro é resistente à erradicação somente com terapia por antibióticos.

O passo inicial no diagnóstico de uma osteomielite crônica é obter um diagnóstico bacteriológico.

O diagnóstico pode ser difícil, e até um terço das infecções crônicas tem culturas negativas. As infecções normalmente têm cultura negativa quando a terapia com antibióticos é usada antes de se obter uma cultura real [3].

As culturas dos trajetos fistulosos não são confiáveis. As opções para obter uma boa cultura incluem a aspiração com agulha, biópsia aberta com cultura de tecido (pelo menos 3-5 amostras) e análise da reação em cadeia da polimerase. Se possível, a terapia com antibióticos deve ser cessada em 2 a 3 semanas antes de obter uma cultura [3].

A intervenção cirúrgica combinada com a terapia antibiótica apropriada representa o único método efetivo para eliminar a osteomielite, e a meta deve ser erradicar a infecção e promover a consolidação.

## 2 Classificação da osteomielite

### 2.1 Classificação de acordo com a localização dentro do osso

A osteomielite crônica pode ser classificada de acordo com a sua localização dentro do osso [4, 5]. Essa classificação (**Fig. 5.3-2**) leva em consideração a importância da necrose óssea e da vascularização, daí o prognóstico mais favorável das infecções medulares.

A classificação de Cierny-Mader pode ajudar a dirigir o tratamento cirúrgico. Quatro entidades são diferenciadas:
- Tipo I (medular)
- Tipo II (superficial)
- Tipo III (localizada)
- Tipo IV (osteomielite difusa que causa instabilidade do osso)

### 2.2 Classificação de acordo com o implante

A classificação da osteomielite crônica de acordo com o implante envolvido tem a vantagem de ser mais específica para a osteomielite pós-operatória. Nós podemos distinguir entre a osteomielite do trajeto do fio, a osteomielite da placa (superficial ou profunda) e depois do encavilhamento intramedular (ver Cap. 5.3).

Geralmente, quando uma região de um implante fica infectada, a infecção se espalhará em todo o comprimento, largura e profundidade de um implante. Todo o implante deve ser considerado como infectado com uma cobertura de biofilme.

A osteomielite circundante pode afetar a superfície periosteal, o canal medular ou ambos.

**Fig. 5.4-2** Microscopia eletrônica demonstrando o biofilme do *Staphylococcus aureus*. As pequena esferas arredondadas no biofilme são os estafilococos. Algumas lacunas vazias são notadas onde os estafilococos emigraram para longe do biofilme. (Fotomicrografia cortesia de Karen deMesy Bentley.)

## 3 Diagnóstico de infecção crônica e não união infectada

### 3.1 Achados clínicos e laboratoriais

Os achados clássicos incluem vermelhidão, calor, dor e edema localizado. Os achados adicionais incluem a drenagem purulenta ou a drenagem com cultura positiva do local cirúrgico. A drenagem pode ser intermitente e localizada em uma área de tecido cicatricial, limitando as possibilidades de revisão.

Os valores de laboratório como a velocidade de hemossedimentação (VHS) e a proteína C-reativa (PCR) estão geralmente elevados, mas podem estar normais dependendo da virulência do microrganismo e do nível de atividade da infecção. A contagem de leucócitos é geralmente normal, mas pode estar elevada [6]. Se positiva, é útil para monitorar o plano de tratamento, mas os achados negativos não significam que a doença não esteja presente. Novos testes diagnósticos vão ficando disponíveis e estão na fase de desenvolvimento para melhorar a velocidade e acurácia do diagnóstico.

### 3.2 Bacteriologia e histologia

A análise bacteriológica deve ser baseada em um mínimo de 3 a 5 amostras de tecido ósseo profundo e do tecido de granulação a partir de áreas diferentes afetadas pela infecção.

Os *swabs* não devem ser obtidos da fístula ou da secreção superficial. Eles não são adequados e podem ser enganosos para determinar o agente, já que pode haver contaminação com outras bactérias. Nas infecções associadas a implantes, para o rendimento diagnóstico máximo, as amostras profundas devem ser obtidas de um mínimo de 3-5 locais ao redor do implante no debridamento. Instrumentos estéreis e não previamente utilizados devem ser empregados para se obter cada nova amostra. A microscopia com mais de cinco neutrófilos por campo de alta potência sugere infecção com uma especificidade de 93-97% [6]. As culturas devem ser incubadas por até 14 dias para cultivar microrganismos desafiadores (p. ex., *Propionibacterium acnes*). O paciente deve parar com a terapia antibiótica por 2-3 semanas antes de se fazer a cultura do local suspeitado de infecção, e os antibióticos perioperatórios são suspensos até que os espécimes tenham sido obtidos.

### 3.3 Técnicas de exames de imagem

Uma série completa de radiografias, desde a fratura original até o estado atual, é útil para a análise de uma não união infectada.

As áreas necróticas são geralmente reconhecidas por uma falta de neoformação óssea adjacente, enquanto os sequestros podem aparecer mais densos e parecem completamente isolados (**Fig. 5.4-3**) do osso circundante.

Atualmente, a tomografia computadorizada (TC), a ressonância magnética (RM) e a tomografia de emissão de pósitrons (PET-TC) são os melhores métodos para determinar a extensão da doença e a localização de sequestros. A consultoria com um radiologista experiente é benéfica para decidir qual modalidade seria útil, especialmente na presença de implantes metálicos.

Uma investigação com TC pode ser preferida para demonstrar a sequestração dentro do novo osso periosteal (**Fig. 5.4-4**) [7], enquanto a RM dá mais informação sobre o envolvimento de partes moles [6]. Uma PET-TC dá a definição anatômica similar da infecção óssea à da TC-padrão e também fornece informação sobre atividade da doença, tendo a sensibilidade e a especificidade mais altas de todas as modalidades de imagens (**Fig. 5.4-5**) [8].

A cintilografia esquelética de três fases ou a cintilografia especial com, por exemplo, índio radioativo ou anticorpos marcados contra granulócitos são geralmente caras e menos comumente usadas no momento. Em circunstâncias especiais, elas podem ser úteis [5, 7, 9-10].

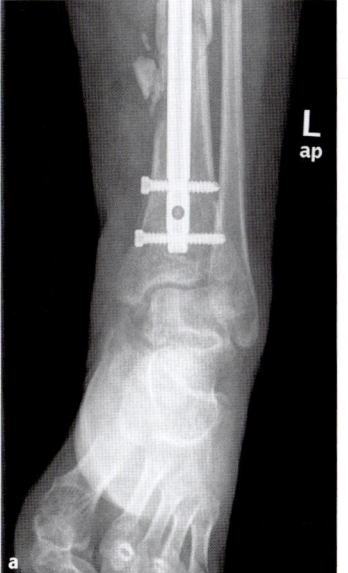

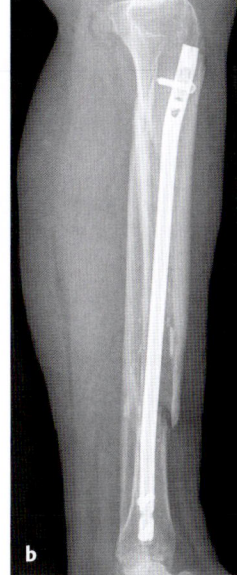

**Fig. 5.4-3a-b** O pequeno fragmento denso de osso necrótico que é visto adjacente à fratura da tíbia é um sequestro. Deve ser removido para o tratamento bem-sucedido da osteomielite.

Complicações
## 5.4 Infecção crônica e não união infectada

### 3.4 Condição do membro afetado e do paciente

Para avaliar os benefícios e os riscos de qualquer reconstrução, o membro distal ao foco infectado deve ser cuidadosamente avaliado. A vascularização e a sensibilidade do membro e a função das articulações devem ser testadas e correlacionadas com as necessidades e expectativas do paciente. Os prós e contras da reconstrução do membro ou da possível amputação, apoiados por um plano de tratamento detalhado, devem ser discutidos com o paciente e os familiares. É essencial que o cirurgião dê ao paciente uma descrição realista do tratamento e potenciais desfechos. Note que a prolongada salvação do membro, que pode levar 2 ou 3 anos, pode ser psicologicamente debilitante, tanto para o paciente quanto para sua família.

A condição clínica e de saúde do paciente (p. ex., obesidade e diabetes melito) devem ser consideradas [11]. O tabagismo é um fator de risco para infecção e a redução ou cessação do tabagismo aumentam a probabilidade de êxito da terapia da infecção crônica e particularmente da não união infectada [11]. Os aspectos físicos e psicológicos devem ser considerados. Os pacientes podem ter ficado sem apoio no membro por muito tempo e com frequência requerem um período adicional prolongado de reconstrução. A osteoporose de desuso aumenta a dificuldade da

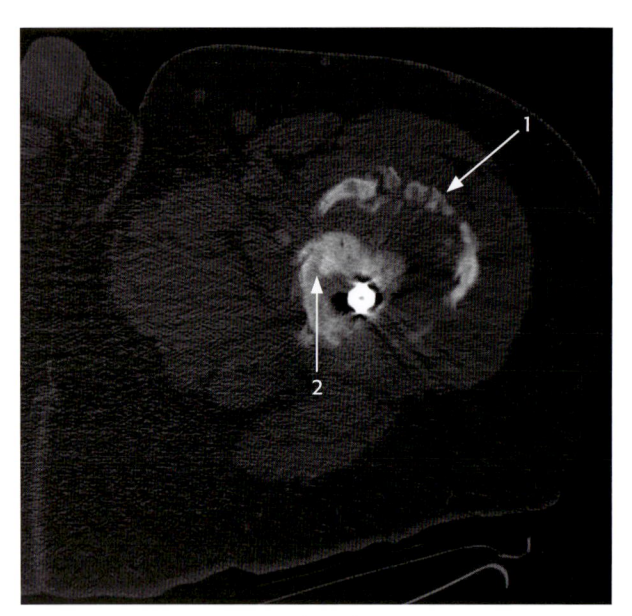

**Fig. 5.4-4** Tomografia computadorizada de uma não união femoral infectada por *Staphylococcus aureus*. O invólucro (1) e o sequestro (2) são prontamente vistos.

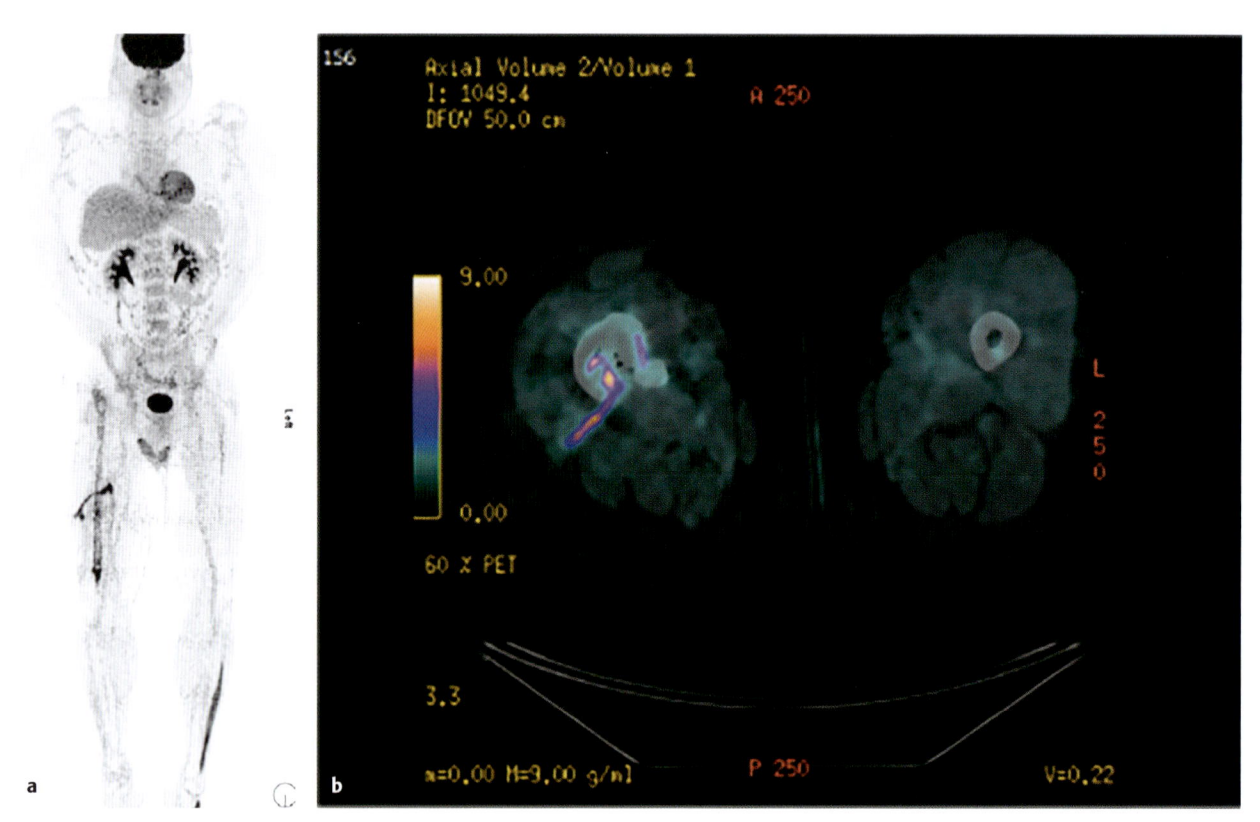

**Fig. 5.4-5a-b** Tomografia por emissão pósitrons (PET-TC) demonstrando infecção medular com formação de seio de drenagem após o tratamento de uma fratura do fêmur com uma haste intramedular.

fixação cirúrgica. Os pacientes devem ter uma avaliação nutricional com o nível de albumina sérica e avaliação dietética, se possível, para predizer a capacidade de cicatrizar uma fratura ou ferida [11]. Os níveis de vitamina D devem ser adequados ao lidar com casos de não união infectada [12].

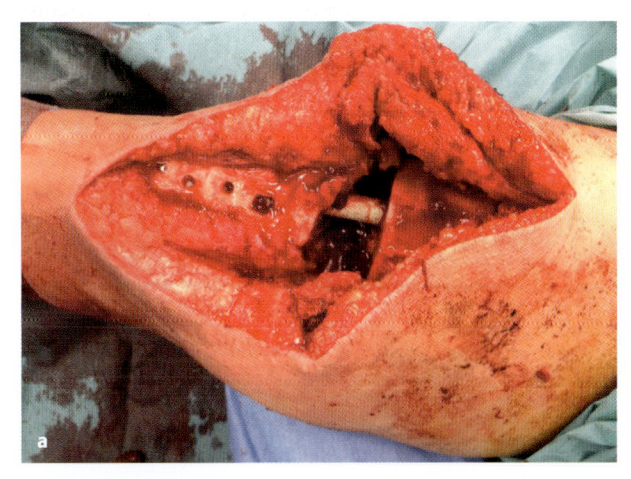

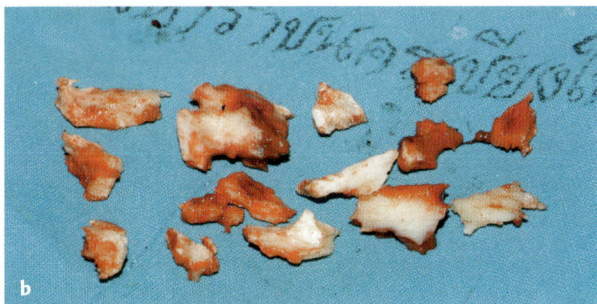

**Fig. 5.4-6a-b** As fotografias mostram a remoção do osso morto de uma fratura infectada.

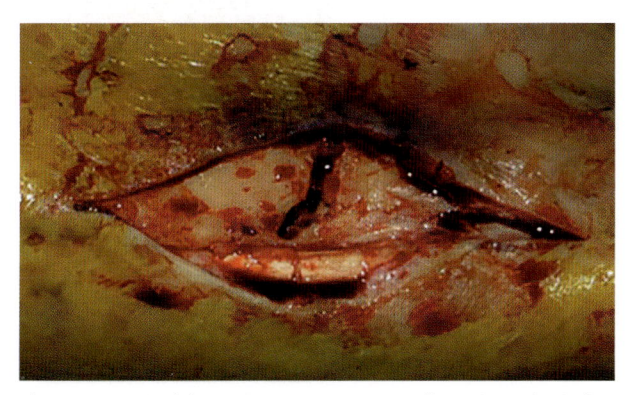

**Fig. 5.4-7** O sinal da páprica. Os pontos vermelhos minúsculos indicam osso que agora está sangrando depois do debridamento.

## 4 Princípios de tratamento

Os princípios do tratamento da osteomielite crônica e das não uniões infectadas são:
- Identificação do(s) microrganismo(s) causador(es)
- Tratamento da infecção pelo debridamento cirúrgico
- Tratamento do espaço morto
- Estabilidade óssea temporária
- Estabelecimento de um ambiente de partes moles viáveis e estáveis
- Terapia antibiótica específica contra o microrganismo, administrada em cooperação com um especialista em doenças infecciosas
- Reconstrução e estabilização óssea

Considerar cada caso de osteomielite individualmente, já que não existe nenhum procedimento-padrão que possa ser rotineiramente aplicado a qualquer paciente.

### 4.1 Debridamento

Todo o tecido morto, osso morto, todos os implantes, material de sutura antigo e fístulas devem ser removidos.

Para prevenir a criação de osso necrótico adicional, o cirurgião deve ser cuidadoso em evitar qualquer desnudamento do periósteo vascularizado. A ressecção do osso necrótico, que está em contato com osso viável, é o passo mais difícil. O osso desvitalizado não mostra quaisquer pontos de sangramento; e é frágil quando removido (**Fig. 5.4-6**).

O osso desvitalizado é mais adequadamente removido com uma broca de alta velocidade até que um sangramento seja encontrado (sinal da páprica) (**Fig. 5.4-7**). O debridamento intramedular na diáfise é melhor por fresagem intramedular. Às vezes, deve ser considerado um segundo debridamento.

Se houver instabilidade mecânica, é essencial estabilizar o osso para ajudar no tratamento da infecção.

### 4.2 Estabilização

A estabilidade esquelética permite os seguintes:
- Início da consolidação da fratura
- Cuidado funcional do paciente
- Cuidado mais fácil da ferida
- Estabilidade para a cicatrização de partes moles
- Mantém ou restaura o comprimento, o alinhamento e a rotação
- Carga precoce

Os procedimentos estadiados podem ser necessários, dependendo da extensão de infecção, do grau de estabilidade e da condição do paciente.

Complicações
## 5.4 Infecção crônica e não união infectada

### 4.2.1 Fixação externa

A fixação externa é o suporte principal para a estabilização do osso em uma não união infectada. Pode ser necessário que a fixação externa permaneça por um longo período. Para satisfazer essa demanda, a armação escolhida deve ser montada mais rigidamente do que com uma fratura aguda. O risco de infecção no trajeto do fio é mais alto do que o habitual. Pode ser necessário substituir um ou mais fios durante o curso de tratamento. Existem dois sistemas de fixação aplicáveis: (1) um fixador em anel com fios ou finos e tensionados ou parafusos de Schanz (2) uma armação montada a partir de um sistema tubular com os parafusos de Schanz.

O sistema tubular (**Fig. 5.4-8**) tem a vantagem de permitir acesso mais fácil aos cuidados da ferida e para uma cirurgia plástica reconstrutora. A sua simplicidade permite com o sistema seja adaptado à maioria das situações clínicas. Os sistemas monotubulares podem às vezes ser mais fáceis de colocar, mas são menos versáteis.

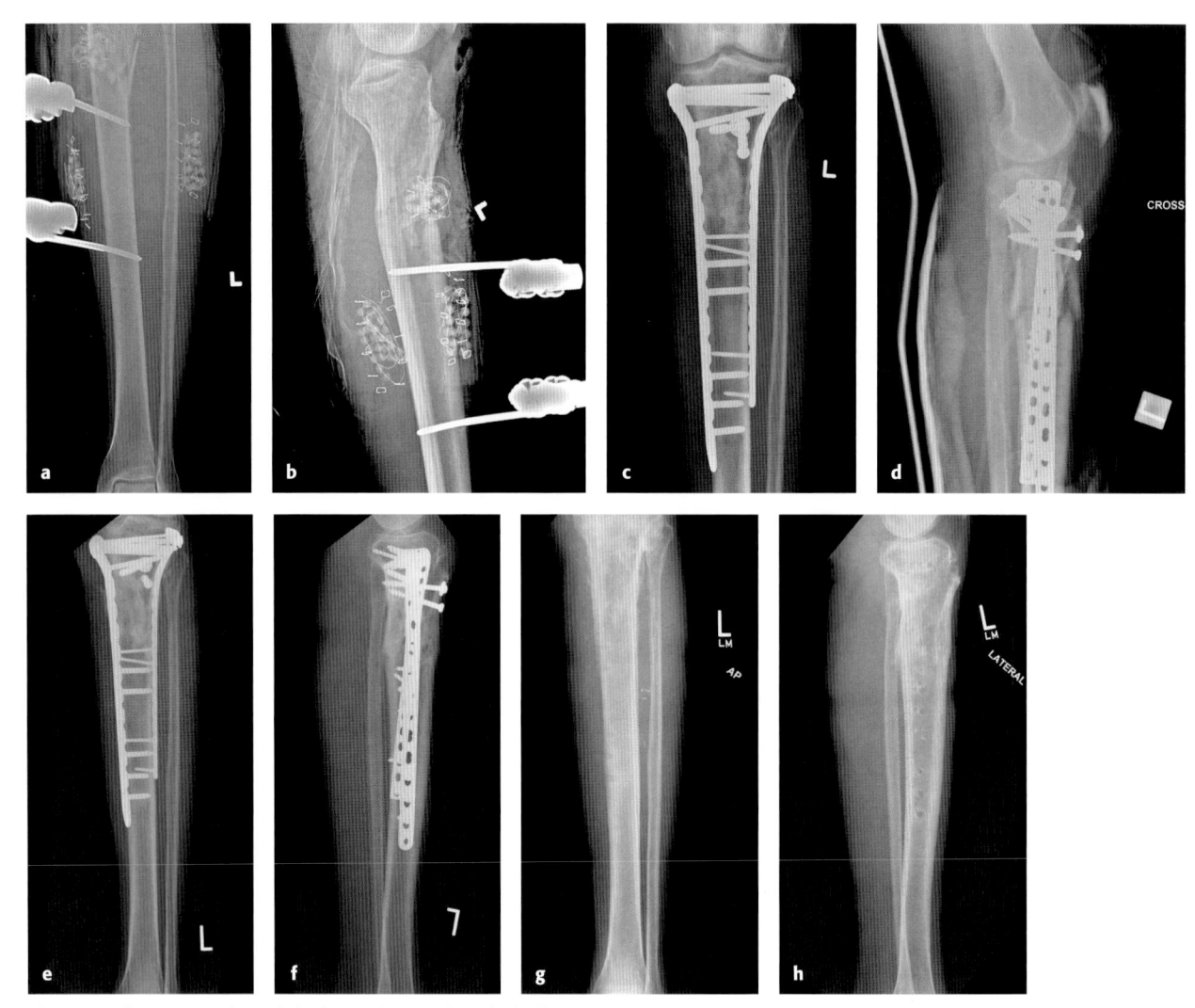

**Fig. 5.4-8a–h**  Estágios do cuidado de uma fratura infectada da tíbia.
**a-b**  O tratamento começa com o fixador externo e colar de pérolas para lidar com a fratura infectada.
**c-d**  Uma vez que a infecção esteja sob controle, a fratura é tratada com uso de duas placas. Mais tarde, contudo, a infecção recidiva e a drenagem ocorre a partir da ferida aberta original.
**e-f**  Aos 3 anos, a fratura está completamente consolidada, mas ainda há uma leve drenagem.
**g-h**  Os implantes são então removidos, resultando na cicatrização da ferida e uma extremidade funcional e indolor.

Os fixadores em anel fornecem um arranjo estável e circular dos anéis, que podem ser presos ao osso por múltiplos fios finos e pré-tensionados, como descrito por Ilizarov, ou por Schanz, ou por uma combinação de ambos. A montagem circular fornece excelente estabilidade axial, que permite carga imediata. As armações circulares podem ser usadas para fornecer compressão ou distração e para segmentos de alongamento ósseo, bem como a correção gradual de deformidades axiais [13, 14]. Também foi relatado que os fios tensionados com crostas de exsudato seco intacto teriam menos problemas relacionados aos fios [15].

### 4.2.2 Placas e hastes

É essencial na cirurgia da não união infectada que seja estabelecido o nível de estabilidade ainda fornecido por uma fixação interna intacta. Os implantes soltos e infectados devem ser removidos e, de preferência, substituídos por alguma outra forma de fixação estável.

Os métodos de fixação temporária, como a haste de cimento com antibióticos ou um bloco espaçador com antibióticos, constituem técnicas úteis para alcançar a estabilidade, lidar com o espaço morto e administrar alguma terapia antibiótica local.

### 4.3 Reconstrução do osso

Como regra, todas as medidas para se obter a consolidação óssea são mais seguras se executadas depois de um debridamento completo e meticuloso. Em casos problemáticos, a reconstrução dos defeitos ósseos deve ser feita de forma estadiada (**Fig. 5.4-8**).

> A consolidação é mais confiável se as medidas reconstrutoras forem buscadas em uma área de tecido viável, com pele e cobertura de partes moles saudáveis.

### 4.3.1 Enxerto ósseo esponjoso autógeno; decorticação

Antes do uso de enxerto ósseo, é absolutamente essencial efetuar um debridamento meticuloso, remover os implantes infectados e estabelecer que não exista nenhuma evidência residual de infecção. O osso esponjoso é colhido, de preferência da crista ilíaca anterior ou posterior. Pedaços densos de osso esponjoso são morselizados, o que permite a vascularização mais rápida com um risco mínimo de sequestração. O uso de enxerto ósseo para preencher um vazio ósseo criado pelo debridamento é um modo confiável de preencher a lacuna. É essencial ter osso sangrante saudável e um leito saudável de partes moles viáveis na área a ser tratada. A decorticação do osso para alguns cirurgiões também é uma técnica útil.

Na perna, vias de acesso posterolaterais para a colocação central do enxerto em um leito viável evitam a ferida infectada na maioria dos casos (**Fig. 5.4-9**) [15]. No úmero ou no fêmur, a melhor posição do enxerto depende do defeito e do envelope de partes moles. A fixação estável com um fixador externo, placa ou haste intramedular é essencial para a consolidação de uma não união infectada. Se um espaçador com antibiótico foi utilizado de forma estadiada, a membrana biológica em torno do espaçador ou das pérolas deve ser cuidadosamente preservada e preenchida com enxerto ósseo.

> Se um enxerto ósseo tiver que ser aplicado em uma área onde o tecido mole for defeituoso, o estabelecimento de uma cobertura de partes moles saudáveis (geralmente com um retalho) deve preceder a enxertia.

Nas infecções intramedulares (ver Cap. 5.3), o canal medular deve ser completamente debridado com uma fresa intramedular e irrigado. Uma janela cortical distal pode ser necessária (perto dos orifícios dos parafusos de bloqueio) para a lavagem do canal distal.

### 4.3.2 O procedimento de Masquelet

O procedimento de Masquelet é um método novo e bem-sucedido para tratar as infecções dos ossos longos em uma forma estadiada. Defeitos maiores de 20 cm sido tratados com sucesso com esse procedimento [16]. O primeiro passo no procedimento de Masquelet é a remoção dos implantes infectados, se presentes. O debridamento meticuloso é então acompanhada pela colocação de um espaçador com antibiótico ou pérolas de antibióticos no *gap* (espaço morto) criado pelo debridamento ósseo. Depois que a infecção estiver sob controle com o uso de antibióticos sistêmicos, e os marcadores inflamatórios estiverem retornando ao

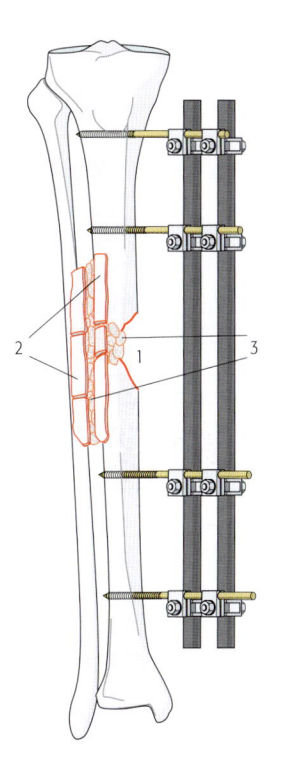

**Fig. 5.4-9** Não união infectada, sem perda de comprimento, em uma tíbia. Decorticação e enxerto de osso esponjoso em uma não união infectada.
1. A área debridada do aspecto medial será coberta com um retalho muscular ou retalho vascularizado livre.
2. Decorticação, a partir dos aspectos posterior ou lateral da fíbula e dos aspectos lateral e posterior da tíbia.
3. Colocação de enxerto ósseo esponjoso autógeno. Deve-se tomar cuidado para não ferir a artéria tibial anterior, as veias e o nervo.

Complicações
## 5.4 Infecção crônica e não união infectada

normal, a extremidade é reaberta. A preservação cuidadosa da membrana que se forma em torno do espaçador é essencial (**Fig. 5.4-10**): a membrana biológica é incisada para remover o espaçador de cimento, mas o resto da membrana com seu suprimento sanguíneo permanecem intactos. O espaço é então preenchido com enxerto ósseo (misturado com o preenchedor do vazio de osso, se necessário, como um osteocondutor). A estabilidade óssea é alcançada com uma haste intramedular ou uma placa neste estágio. A consolidação ocorre gradualmente e pode levar de 1-2 anos para reconstituir completamente o segmento perdido [17]. A técnica de Masquelet é mais bem-sucedida no fêmur, com a sua excelente cobertura muscular, do que na tíbia.

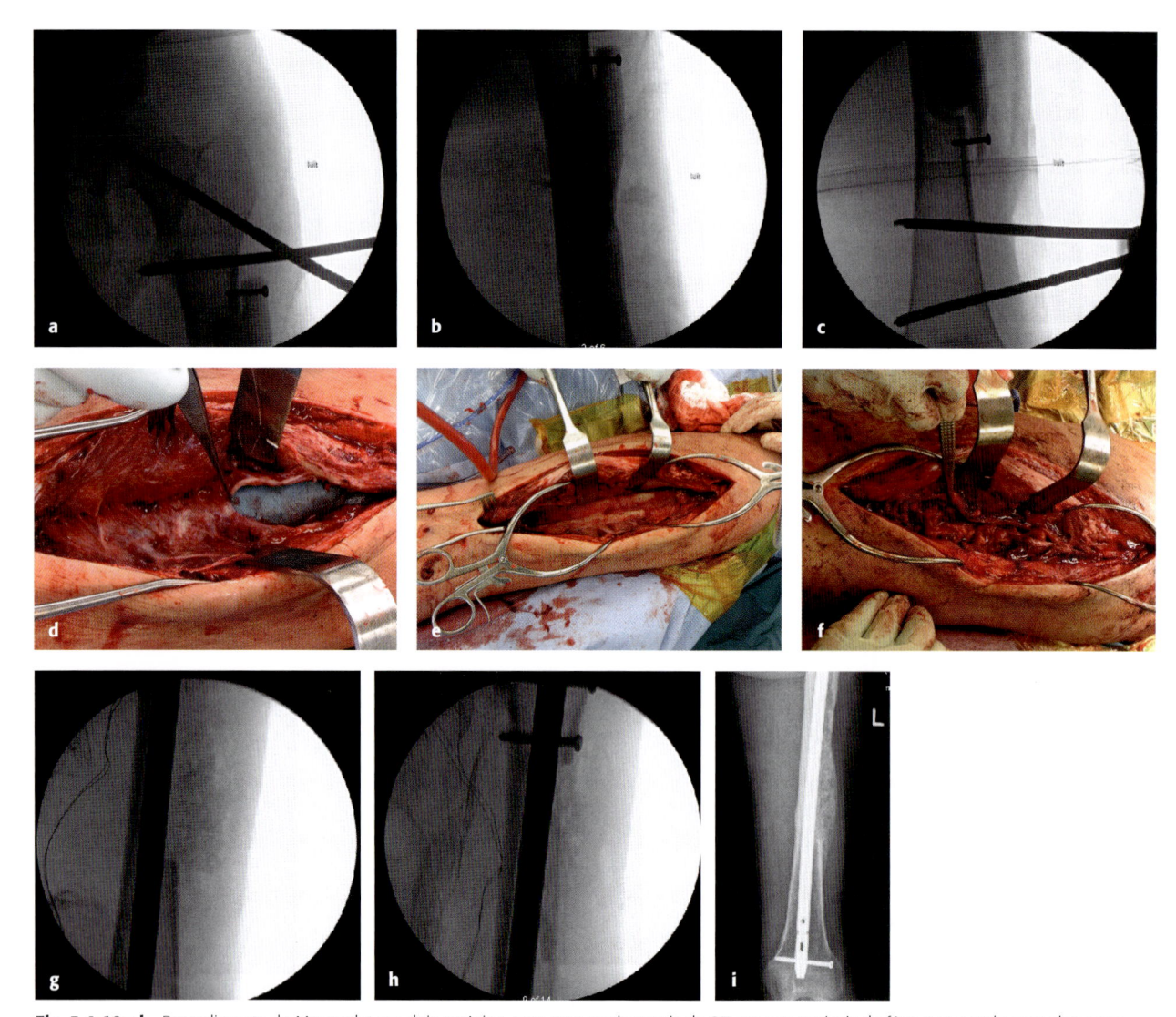

**Fig. 5.4-10a-i** Procedimento de Masquelet em dois estágios, com uma corticotomia de 27 cm nas corticais do fêmur esquerdo com abscessos intracorticais.
**a-c** Radiografias intraoperatórias.
**d** Espaçador de cimento impregnado com azul de metileno com uma biomembrana em 5 semanas depois do procedimento de Masquelet. O vasto lateral está no topo da imagem.
**e** Após a remoção do espaçador de cimento.
**f** Preenchendo o espaço com enxerto e fechando a membrana.
**g-h** O fixador externo foi substituído por uma haste intramedular. Neoformação óssea inicial depois do procedimento de Masquelet.
**i** Seguimento pós-operatório aos 10 meses com corporação do enxerto ósseo. (Gentilmente cedido pelo Dr. Jeremy Lamothe.)

### 4.3.3 Tração do calo (Ilizarov)

Ilizarov introduziu a técnica de tração gradual do calo após a corticotomia para restaurar o comprimento do membro ou para aproximar um defeito (**Figs. 5.3-9; 5.4-11**) [13].

> A grande vantagem do método de Ilizarov é que a armação pode corrigir o comprimento, a rotação e o alinhamento axial do osso, enquanto a tração do calo e a osteogênese preenchem o defeito ósseo. Os tecidos moles também podem sofrer tração, minimizando a necessidade para uma reconstrução adicional.

Depois do debridamento meticuloso de qualquer osso e partes moles desvitalizadas, o fixador externo em anel com fio tensionado é colocado. A corticotomia transversa é executada longe do defeito, perto de uma metáfise. A corticotomia é executada uma semana depois do debridamento ou – nas infecções de baixo grau – simultaneamente. A tração começa 10 dias mais tarde, mas, durante este tempo, o *gap* é mantido em uma distância de 1 mm. Depois disso, o calo neoformado sofre lenta tração, em uma velocidade de 1 mm por dia em quatro passos uniformemente distribuídos durante cada 24 horas. A carga parcial é geralmente permitida. O progresso da tração, da maturação do calo e da correção de qualquer deformidade é monitorado pelas radiografias. Quando o comprimento planejado for alcançado, o apoio do peso é gradualmente aumentado. O apoio do peso completo é geralmente alcançado em 4-6 meses depois do fechamento do defeito. Como os locais de atracação têm uma propensão para retardo de consolidação, a decorticação e a enxertia óssea dessas áreas podem ser necessárias ou, em alguns casos, demandar fixação interna. O transporte ósseo pode ser longo e incômodo; por conseguinte, requer um comprometimento tanto do paciente quanto do médico. O paciente tem que ser visto regularmente durante o período de tração, e a fisioterapia deve ser precocemente instituída para mobilizar as articulações adjacentes. Nos casos de trauma, podem ocorrer problemas neurológicos pelo estiramento de nervos. A tração do calo sobre uma haste intramedular pode reduzir o período de fixação externa, mas não está isenta de riscos, especialmente nos pacientes que tenham tido infecções prévias [18].

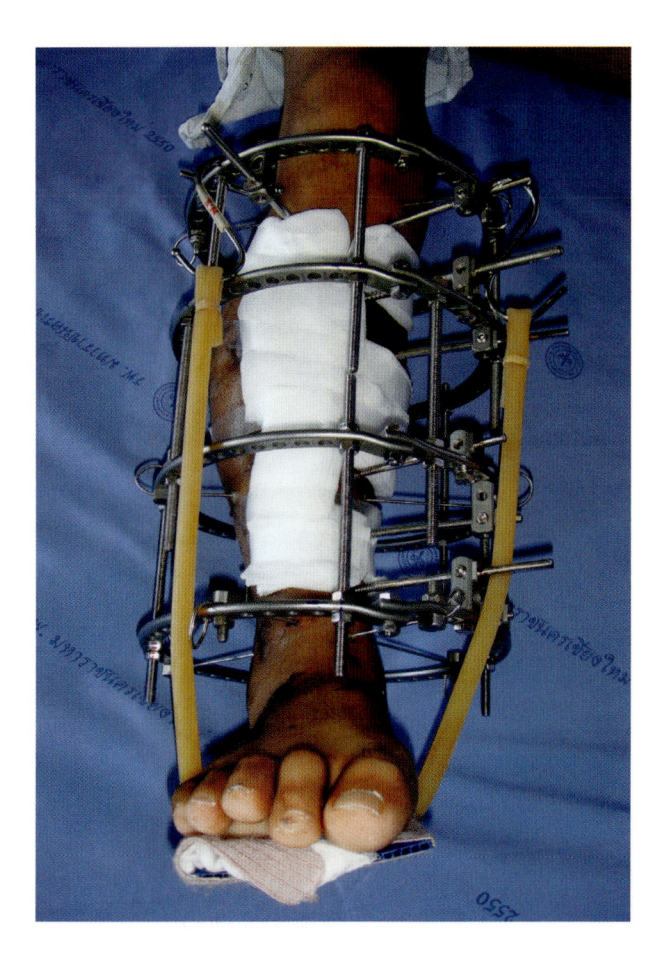

**Fig. 5.4-11** Armação de Ilizarov para transporte ósseo com placa no pé para prevenir a deformidade em equino.

#### 4.3.4 Enxerto ósseo vascularizado livre

> Os enxertos ósseos vascularizados livres (da fíbula ou da crista ilíaca) são especialmente apropriados para tratamento de defeitos ósseos maiores que 10 cm [19, 20].

A vantagem dos enxertos ósseos vascularizados livres é que, depois da integração óssea no local receptor, ocorrerá hipertrofia gradual, adaptando lentamente o tamanho e a estrutura às demandas mecânicas locais. Pode, contudo, levar anos até que a carga completa seja possível, e isso requer medidas protetoras de longo prazo, especialmente na extremidade inferior. Por causa do diâmetro relativamente pequeno dos enxertos, eles são mais apropriados para o antebraço e úmero. Na tíbia, deve-se considerar a enxertia dupla, usando a fíbula contralateral primeiro e, como um segundo passo, a fíbula ipsilateral [19, 20]. Por causa da grande diferença de tamanho (enxerto ósseo contra local do defeito), o método é de valor restrito no fêmur. A desvantagem dessa técnica é que é tecnicamente exigente e há morbidade no local doador.

### 4.4 Cobertura de partes moles

> Como regra, a cobertura de partes moles sem debridamento completo é inútil.

Nunca é demais enfatizar a importância de um debridamento meticuloso do osso e das partes moles infectadas e desvitalizadas. A colocação de um retalho muscular ou retalho fasciocutâneo sobre um leito infectado resultará em necrose do retalho. Tal abordagem deve ser evitada. Em muitos casos, a ajuda de um cirurgião especialista em retalhos é benéfica. A escolha do retalho dependerá da localização, vascularização, saúde do paciente, disponibilidade do local doador e da experiência do cirurgião.

Em defeitos pequenos não expostos com bom tecido de granulação cobrindo o osso, os enxertos de pele de espessura parcial podem ser suficientes. Em situações mais complexas, são necessários retalhos musculares locais (p. ex., retalho do gastrocnêmio para defeito proximal da tíbia), retalhos fasciocutâneos ou retalhos vascularizados livres. Alguns retalhos livres comuns incluem o retalho do reto abdominal, retalho anterolateral da coxa e retalho do grande dorsal.

A terapia por pressão negativa (fechamento auxiliado por vácuo) (ver Cap. 4.3) é muito útil em outras situações de feridas abertas ou em defeitos de partes moles locais [21].

> A terapia por pressão negativa em combinação com antibióticos não irá curar a infecção óssea e não deve ser usada para esse propósito.

### 4.5 Antibióticos

Os antibióticos devem ser sempre considerados complementares à cirurgia. É essencial trabalhar em colaboração com um infectologista para o planejamento e monitoração da terapia com antibióticos. Esse especialista pode ajudar a selecionar os antibióticos apropriados para alcançar uma concentração terapêutica no osso. Nas infecções relacionadas a implantes, especialmente por estafilococos, um biofilme robusto estará presente em todos os casos que requerem a troca do implante [1]; os antibióticos são geralmente menos efetivos quando os microrganismos estiverem num um estado de baixa atividade no biofilme. Para o aporte local de antibióticos e tratamento do espaço morto, o colar de pérolas impregnado com antibióticos ou substitutos ósseos impregnados com antibióticos podem ser úteis. Eles oferecem uma alta concentração de antibióticos no foco infeccioso. A pesquisa laboratorial e clínica tem mostrado que os antibióticos locais em altas concentrações não matam confiavelmente os microrganismos no biofilme – enfatizando a necessidade para um debridamento cirúrgico. Eles também podem servir como espaçadores para procedimentos adicionais de enxertia óssea [16, 17, 22]. Depois do tratamento cirúrgico final de uma osteomielite crônica, o tratamento sistêmico adjunto deve continuar por 4-12 semanas conforme o aconselhamento do infectologista [23].

## 5 Conceitos de tratamento para casos típicos

### 5.1 Não união infectada hipertrófica

As não uniões infectadas hipertróficas têm biologia ou suprimento sanguíneo adequado, como evidenciado pela excessiva formação de calo nas radiografias.

As não uniões infectadas frequentemente têm um seio de drenagem (**Fig. 5.4-12**). Pode haver muito osso e calo reativo na vizinhança do local da fratura e nos implantes. Os pacientes são frequentemente capazes de usar bem a parte afetada do corpo, embora a instabilidade e a infecção sejam os problemas importantes. As não uniões infectadas hipertróficas frequentemente têm uma deformidade angular e/ou rotacional devido ao desequilíbrio muscular ou à carga. O tratamento consiste no debridamento completo do osso infectado e do tecido mole. A cobertura definitiva de partes moles pode ser necessária e o momento é baseado no controle da infecção, na virulência do(s) microrganismo(s) e na localização anatômica.

A osteotomia combinada com a fixação externa ou interna corrigirá uma deformidade e fornecerá estabilidade, enquanto um autoenxerto esponjoso pode ser feito depois do debridamento e controle da infecção. A consolidação leva de 4-6 meses ou mais. A fixação definitiva pode ser alcançada com uma haste intramedular, uma placa ou fixador em anel.

### 5.2 Não união infectada, instável e desvitalizada

A instabilidade e o osso não viável são as características clássicas de uma não união infectada. Há pouca ou nenhuma evidência de consolidação, o osso frequentemente está necrótico, osteopênico, ou esclerótico, e com frequência existe encurtamento, contratura articular, atrofia do membro e dor crônica associadas.

O tratamento dessa condição mais complexa requer múltiplos estágios. O debridamento minucioso de todo osso desvitalizado, todos os implantes, e tecido mole infectado é combinado com a fixação externa ou interna. O defeito ósseo resultante é medido para ajudar

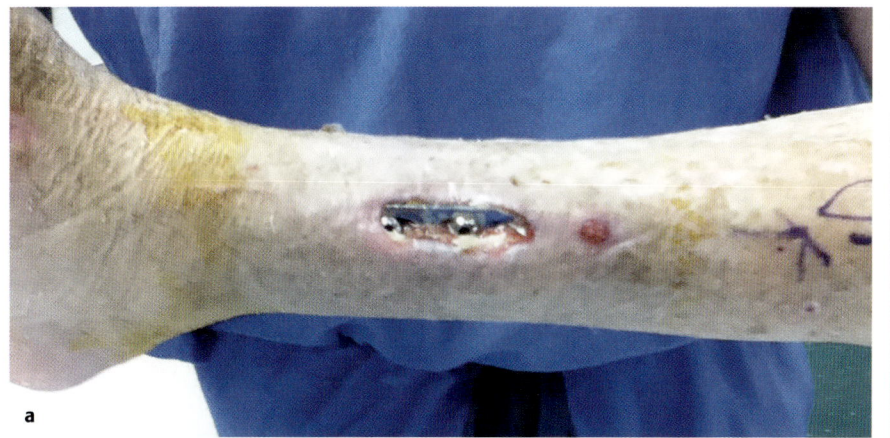

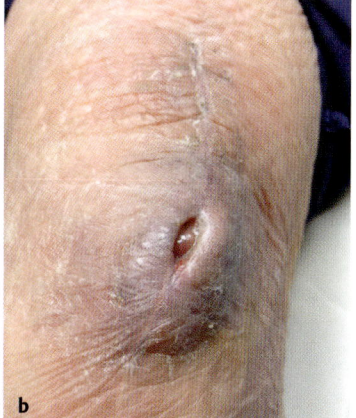

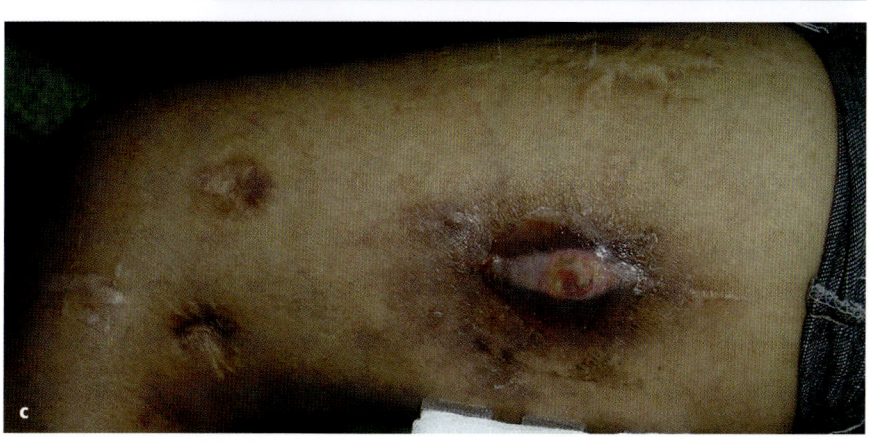

**Fig. 5.4-12a-c** Estas fotografias clínicas demonstram um seio de drenagem de fraturas infectadas da tíbia (**a**), da patela (**b**) e do fêmur (**c**) com material de síntese retido e não união. Houve necessidade de remoção do material de síntese, debridamento e revisão da fixação.

Complicações
## 5.4 Infecção crônica e não união infectada

no planejamento para uma reconstrução mais adiante. O planejamento pré-operatório é essencial nesses casos. Algum encurtamento pode ser aceitável para ganhar estabilidade óssea. A infecção é controlada com o debridamento, antibióticos sistêmicos específicos ao microrganismo, e o progresso é monitorado com marcadores inflamatórios e biópsia repetida, se necessário. Uma vez que a infecção esteja controlada, a reconstrução pode ser efetuada com a técnica de Masquelet, fixador em anel ou fixação interna com autoenxerto esponjoso. As culturas repetidas do tecido devem ser obtidas em cada procedimento subsequente.

### 5.3 Não união infectada e desvitalizada com defeito ósseo segmentar

Com a perda óssea segmentar e extremidades desvitalizadas do osso, ocorre uma distrofia óssea grave do osso e dos tecidos moles devido ao desuso do membro. Para o tratamento, qualquer tentativa de reconstrução tem que ser precedida por um debridamento completo. A perda óssea segmentar que exceder a 5-6 cm em geral não pode ser alcançada com sucesso pela enxertia de osso esponjoso. As opções de tratamento incluem o procedimento de Masquelet ou o método de distração do calo para defeitos de 10-20 cm (**Fig. 5.4-13**). A vantagem dessas técnicas (Masquelet e tração do calo) é a criação de um novo segmento

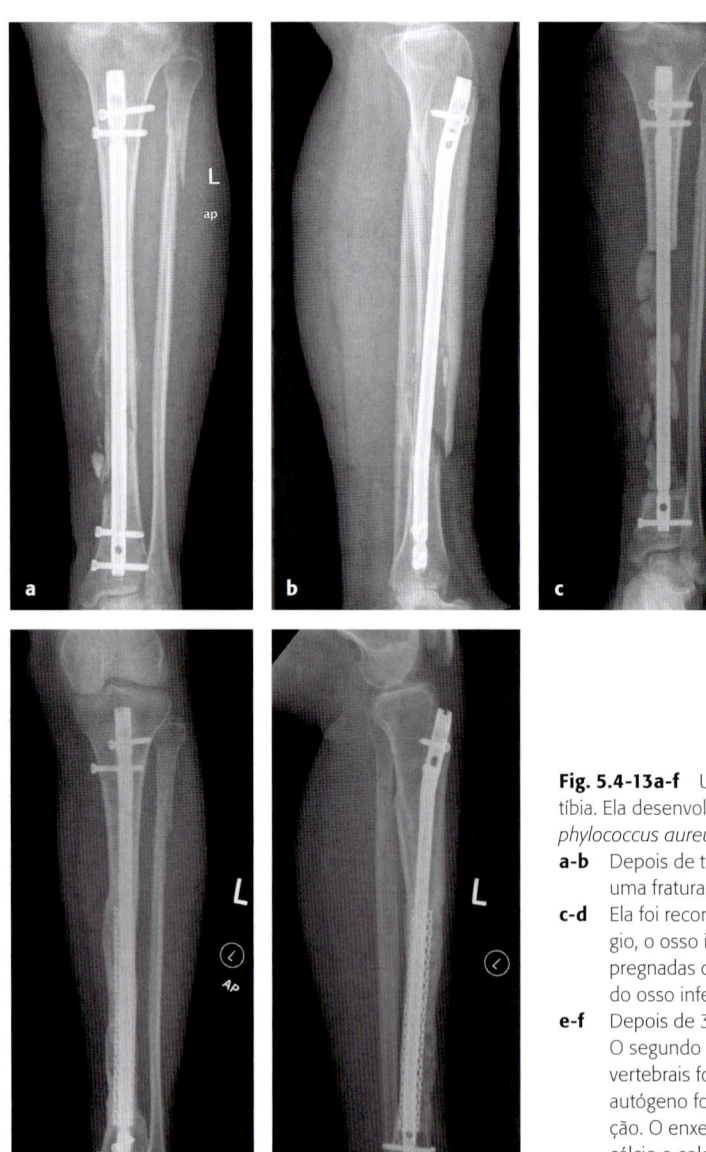

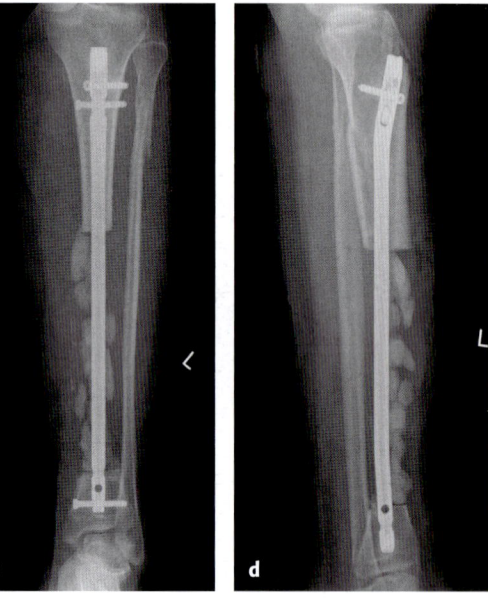

**Fig. 5.4-13a-f** Uma mulher de 43 anos de idade sofreu uma fratura exposta da tíbia. Ela desenvolveu uma infecção da fixação com haste intramedular com *Staphylococcus aureus* resistente à meticilina.
- **a-b** Depois de três tentativas para fixar a fratura, as radiografias iniciais mostram uma fratura infectada e não consolidada.
- **c-d** Ela foi reconstruída com o uso da técnica de Masquelet. No primeiro estágio, o osso infectado foi ressecado em uma extensão de 17 cm. Pérolas impregnadas com vancomicina são colocadas no espaço criada pela remoção do osso infectado.
- **e-f** Depois de 3 meses, a infecção foi controlada com antibióticos intravenosos. O segundo estágio do procedimento de Masquelet foi executado. Gaiolas vertebrais foram usadas para criar uma estrutura tubular. O enxerto ósseo autógeno foi colhido do fêmur ipsilateral com a fresa de irrigação e aspiração. O enxerto ósseo autógeno foi misturado com grânulos de sulfato de cálcio e colocado em torno das gaiolas e da haste. Em 1 ano, houve uma consolidação razoável. Aos 3 anos, resultou em uma união sólida e deambulação indolor.

ósseo que, uma vez maturado, se assemelha ao osso original em formato e resistência. O problema da cobertura de partes moles pode ser geralmente resolvido ao mesmo tempo. Por outro lado, esses procedimentos podem ser dolorosos e demorados. Se a perda óssea for situada no antebraço ou no úmero, os enxertos vascularizados podem ser considerados, embora ocasionalmente também no fêmur (**Fig. 5.4-14**). Na extremidade inferior, a técnica de Masquelet ou a tração do calo são os métodos preferíveis [13, 16, 17, 24, 25].

## 5.4 Infecção crônica

### 5.4.1 Infecção crônica após osteossíntese com placa

Na infecção crônica depois da osteossíntese com placa, a remoção da placa e o debridamento completo são preconizados quando o osso tiver consolidado. As radiografias simples ou a TC são usadas para avaliar a união óssea. Durante uma revisão secundária, quaisquer áreas necróticas restantes devem ser debridadas. Se a união tiver sido alcançada, todos os implantes devem ser removidos e o leito da placa e os orifícios dos parafusos são debridados. Se a união óssea ainda tiver ocorrido completamente, um procedimento estadiado com imobilização temporária usando um fixador ou tala pode ser considerado. Qualquer osso ou tecido desvitalizado deve ser removido e as fístulas excisadas.

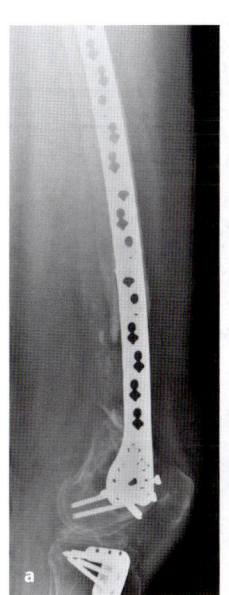

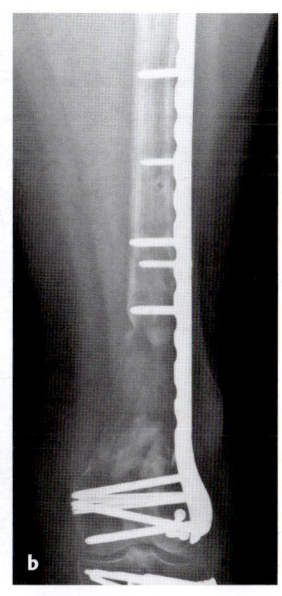

**Fig. 5.4-14a-g**  Fratura distal do fêmur infectada.
a-b  As radiografias mostram a fratura distal do fêmur infectada com fixação por placa e parafuso.
c  Enxerto livre da fíbula dividido em dois antes da anastomose microvascular.
d-e  Radiografia pós-operatória após o debridamento radical, refixação e enxerto da fíbula.
f-g  Radiografias finais mostram a fratura consolidada e a infecção erradicada.
(Caso cortesia de Warren Hammert, MD.)

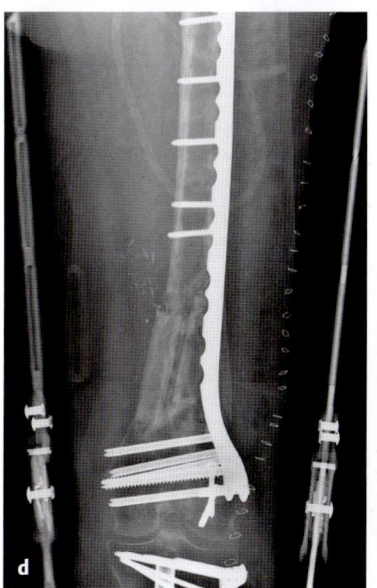

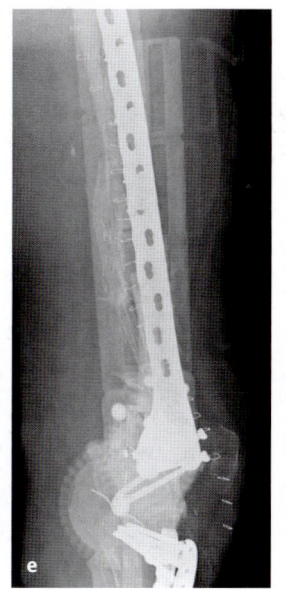

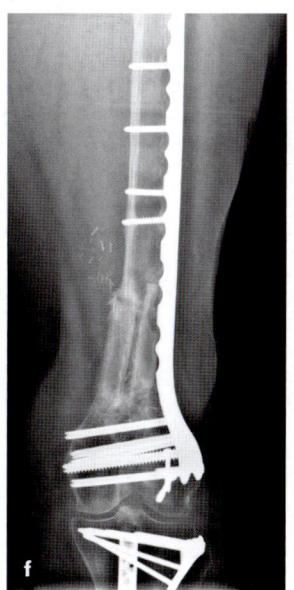

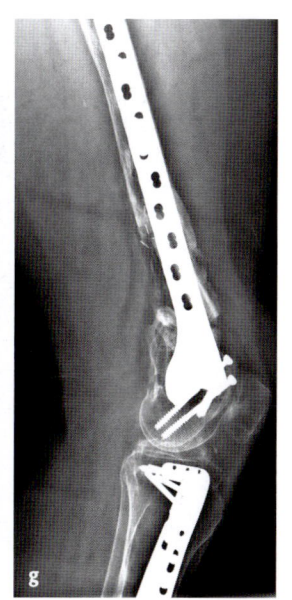

Complicações
## 5.4 Infecção crônica e não união infectada

### 5.4.2 Infecção crônica após encavilhamento intramedular

O encavilhamento intramedular pode levar à consolidação óssea mesmo na presença de infecção. Entretanto, pode permanecer uma área infectada dentro da cavidade medular, com ou sem uma fístula. Em tais casos, a haste e os parafusos de bloqueio devem ser removidos junto com a fresagem e debridamento minucioso do canal medular, orifícios dos parafusos e das fístulas.

> O melhor tratamento para a infecção crônica depois do encavilhamento intramedular é a fresagem e esvaziamento do canal medular com fresas intramedulares cilíndricas profundas ou com o dispositivo de fresa com irrigação e aspiração.

Para as fraturas que ainda não tenham consolidado, o tratamento adjunto pode incluir um colar longo de pérolas de gentamicina que pode ser inserido no canal medular por 2-3 semanas e/ou haste intramedular de cimento carregada com antibióticos. Pelo fato da vascularização vir principalmente do periósteo, há pouco risco de dano permanente. Depois da infecção, anos depois da remoção da haste, a cavidade medular com frequência está preenchida por osso endosteal novo. A fresagem pode somente então ser executada com dificuldade, frequentemente usando as fresas manuais com ponta oblonga para abrir o canal, seguida pela fresagem conforme descrito antes.

Uma vez que a infecção esteja controlada, a haste de cimento com antibiótico é removida e substituída por uma haste intramedular padrão se a consolidação óssea estiver ausente. As culturas devem ser obtidas durante o procedimento de troca (**Vídeo 5.3-2**).

### 5.4.3 Recidiva da osteomielite após vários anos

A osteomielite pode recidivar após anos ou mesmo décadas de quietude. Nesse caso, os microrganismos permanecem em um estado dormente dentro da cortical ou da cavidade medular do osso. Uma agressão ao sistema imunológico por outras razões ou outro procedimento, como a artroplastia, pode reativar a infecção e liberar os microrganismos dormentes que então retornam a um estado de crescimento planctônico, reinfectando o local da cirurgia. As manifestações clínicas incluem dor, sensibilidade, inchaço, febre e formação de abscesso. Pode ser difícil de ver quaisquer alterações patológicas nas radiografias comuns, mas os exames de TC, cintilografia, RM ou PET-TC podem demonstrar um sequestro merecedor de remoção. Os antibióticos sistêmicos são necessários como um adjunto à cirurgia definitiva (**Fig. 5.4-15**). Ocasionalmente a infecção não é curável, e uma amputação se torna um boa opção para o paciente.

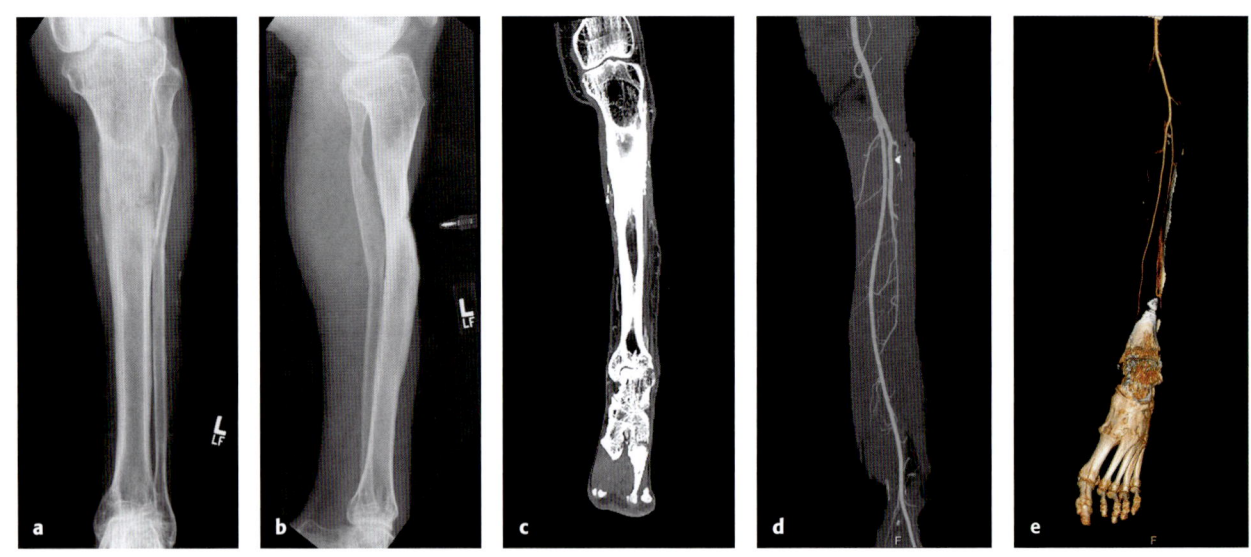

**Fig. 5.4-15a-e** Um caso crônico de osteomielite da região metafisária/diafisária da tíbia. Ocorreu quando o paciente foi atropelado por uma lancha e sofreu uma amputação subtotal da sua perna pelo propulsor. Ele tinha drenagem intermitente por 4 anos.
**a-b** As radiografias iniciais revelam uma falha na tíbia.
**c** A área esclerótica representa um sequestro. Ele é claramente visto na tomografia computadorizada (TC).
**d-e** Ao considerar a intervenção cirúrgica em tal caso, é útil obter uma angiotomografia para avaliar a vascularização. Neste caso, a vascularização estava abaixo do ideal.

## 6 Referências

1. **Nishitani K, Sutipornpalangkul W, de Mesy Bentley KL, et al.** Quantifying the natural history of biofilm formation in vivo during the establishment of chronic implant-associated Staphylococcus aureus osteomyelitis in mice to identify critical pathogen and host factors. *J Orthop Res.* 2015 Sep;33(9):1311–1319.
2. **Monzon M, Oteiza C, Leiva J, et al.** Synergy of different antibiotic combinations in biofilms of Staphylococcus epidermidis. *J Antimicrob Chemother.* 2001 Dec;48(6):793–801.
3. **Parvizi J, Erkocak OF, Della Valle CJ.** Culture-negative periprosthetic joint infection. *J Bone Joint Surg Am.* 2014 Mar 5;96(5):430–436.
4. **Cierny G 3rd, Mader JT, Penninck JJ.** A clinical staging system for adult osteomyelitis. *Clin Orthop Relat Res.* 2003 Sep;(414):7–24.
5. **Lazzarini L, Mader JT, Calhoun JH.** Osteomyelitis in long bones. *J Bone Joint Surg Am.* 2004 Oct;86-A(10):2305–2318.
6. **Lew DP, Waldvogel FA.** Osteomyelitis. *Lancet.* 2004 Jul 24-30;364(9431):369–379.
7. **Ma LD, Frassica FJ, Bluemke DA, et al.** CT and MRI evaluation of musculoskeletal infection. *Crit Rev Diagn Imaging.* 1997 Dec;38(6):535–568.
8. **Glaudemans AW, Signore A.** FDG-PET/CT in infections: the imaging method of choice? *Eur J Nucl Med Mol Imaging.* 2010 Oct;37(10):1986–1991.
9. **Kaim A, Maurer T, Ochsner P, et al.** Chronic complicated osteomyelitis of the appendicular skeleton: diagnosis with technetium-99m labelled monoclonal antigranulocyte antibody-immunoscintigraphy. *Eur J Nucl Med.* 1997 Jul;24(7):732–738.
10. **Nepola JV, Seabold JE, Marsh JL, et al.** Diagnosis of infection in ununited fractures. Combined imaging with indium-111-labeled leukocytes and technetium-99m methylene diphosphonate. *J Bone Joint Surg Am.* 1993 Dec;75(12):1816–1822.
11. **Aggarwal VK, Tischler EH, Lautenbach C, et al.** Mitigation and education. *J Orthop Res.* 2014 Jan;32 Suppl 1:S16–25.
12. **Bukata SV, Kates SL, O'Keefe RJ.** Short-term and long-term orthopaedic issues in patients with fragility fractures. *Clin Orthop Relat Res.* 2011 Aug;469(8):2225–2236.
13. **Ilizarov GA.** Clinical application of the tension-stress effect for limb lengthening. *Clin Orthop Relat Res.* 1990 Jan;(250):8–26.
14. **Britten S, Ghoz A, Duffield B, et al.** Ilizarov fixator pin site care: the role of crusts in the prevention of infection. *Injury.* 2013 Oct;44(10):1275–1278.
15. **Toh CL, Jupiter JB.** The infected nonunion of the tibia. *Clin Orthop Relat Res.* 1995 Jun(315):176–191.
16. **Giannoudis PV, Faour O, Goff T, et al.** Masquelet technique for the treatment of bone defects: tips-tricks and future directions. *Injury.* 2011 Jun;42(6):591–598.
17. **O'Malley NT, Kates SL.** Advances on the Masquelet technique using a cage and nail construct. *Arch Orthop Trauma Surg.* 2012 Feb;132(2):245–248.
18. **Kristiansen LP, Steen H.** Lengthening of the tibia over an intramedullary nail, using the Ilizarov external fixator. Major complications and slow consolidation in 9 lengthenings. *Acta Orthop Scand.* 1999 Jun;70(3):271–274.
19. **Zalavras CG, Femino D, Triche R, et al.** Reconstruction of large skeletal defects due to osteomyelitis with the vascularized fibular graft in children. *J Bone Joint Surg Am.* 2007 Oct;89(10):2233–2240.
20. **Tu YK, Yen CY.** Role of vascularized bone grafts in lower extremity osteomyelitis. *Orthop Clin North Am.* 2007 Jan;38(1):37–49.
21. **Herscovici D Jr, Sanders RW, Scaduto JM, et al.** Vacuum-assisted wound closure (VAC therapy) for the management of patients with high-energy soft tissue injuries. *J Orthop Trauma.* 2003 Nov-Dec;17(10):683–688.
22. **Citak M, Argenson JN, Masri B, et al.** Spacers. *J Orthop Res.* 2014 Jan;32 Suppl 1:S120–129.
23. **Trampuz A, Zimmerli W.** Diagnosis and treatment of implant-associated septic arthritis and osteomyelitis. *Curr Infect Dis Rep.* 2008 Sep;10(5):394–403.
24. **Keating JF, Simpson AH, Robinson CM.** The management of fractures with bone loss. *J Bone Joint Surg Br.* 2005 Feb;87(2):142–150.
25. **Oh CW, Baek SG, Kim JW, et al.** Tibial lengthening with a submuscular plate in adolescents. *J Orthop Sci.* 2015 Jan;20(1):101–109.

## 7 Agradecimentos

Agradecemos a Eric Johnson e Richard Buckley por suas contribuições para este capítulo na 2ª edição de *Princípios AO do tratamento de fraturas*.

Complicações
**5.4 Infecção crônica e não união infectada**

# Glossário

O glossário fornece definições para os termos usados pelos autores neste livro. Esperamos que ele ajude os leitores a entender o texto, e também que seja útil para cirurgiões que realizam provas e concursos.

| | |
|---|---|
| **abdução** | Movimento de uma parte, no plano coronal, para longe da linha média. |
| **adução** | Movimento de uma parte, no plano coronal, em direção à linha média. |
| **afrouxamento do pino** | Reabsorção óssea na interface de um fio do fixador externo e o osso. |
| **algodistrofia** | *Ver* síndrome da dor regional complexa (SDRC). |
| **aloenxerto** | Osso ou tecido transplantado de um indivíduo a outro indivíduo da mesma espécie. |
| **alternância** | Leve movimento na junção entre um parafuso e uma placa ou haste intramedular. Os implantes podem ser projetados para permitir alguma alternância (p. ex., nas hastes intramedulares) onde as tolerâncias da montagem não permitem um encaixe exato. Pode ocorrer alternância entre placas e parafusos durante a falha da placa com afrouxamento do implante. |
| **anquilose** | Fusão de uma articulação por uma união óssea ou fibrosa, ocorrendo espontaneamente como resultado de um processo de doença (p. ex., após artrite séptica). |
| **antibiótico** | Qualquer fármaco biologicamente derivado ou substância de ocorrência natural que possa inibir o crescimento de microrganismos ou destruí-los. |
| **artrite** | Uma condição inflamatória de uma articulação sinovial; pode ser séptica ou asséptica. |
| **artrodese** | Fusão óssea de uma articulação como um desfecho planejado de procedimento cirúrgico. |
| **atrofia de Sudeck** | *Ver* síndrome da dor regional complexa (SDRC). |
| **autoenxerto** | Enxerto de tecido de um local até outro no mesmo indivíduo. |
| **avulsão** | Arrancamento. Um fragmento ósseo arrancado por um ligamento ou inserção muscular é uma fratura por avulsão. |
| **bactericida** | Capaz de matar as bactérias. |
| **banda de tensão** | Princípio pelo qual um implante, preso no lado da tensão de uma fratura, converte a força tênsil em uma força compressiva na cortical oposta do implante. Embora fios, cabos e suturas sejam frequentemente usados para a fixação por banda de tensão, as placas e fixadores externos, quando apropriadamente posicionados, também podem funcionar como bandas de tensão. |
| **biocompatibilidade** | A capacidade de existir em harmonia com tecidos ou processos biológicos associados, sem feri-los. |
| **bloqueio dinâmico** | Quando um parafuso de bloqueio é colocado no orifício oval de uma haste intramedular, ele controla a rotação e o alinhamento, mas permite alguma impacção (controlada) da fratura durante a carga – *ver* dinamização. |
| **cálcar** | Significa "esporão" em latim, é a cortical medial do colo do fêmur, proximal ao trocanter menor, que transmite a maior parte da força compressiva gerada no colo do fêmur durante a carga (*calcar femorale*). |

Glossário

| | |
|---|---|
| **calo** | Um tecido de osso imaturo e cartilagem que é formado no local de reparo ósseo para aproximar uma fratura – *ver* consolidação indireta. |
| **cirurgia de controle de danos (CCD)** | O manejo rápido e emergencial para salvar a vida e/ou o membro enquanto se evita a demorada e potencialmente traumática fixação definitiva da fratura. A CCD geralmente envolve controle da hemorragia, debridamento da ferida e a rápida aplicação de fixadores externos temporários para estabilizar as fraturas dos ossos longos e as fraturas desviadas instáveis. |
| **cirurgia minimamente invasiva** | Qualquer procedimento cirúrgico com o uso de pequenas incisões de pele. Os exemplos incluem cirurgia abdominal laparoscópica, artroscopia, osteossíntese com placa minimamente invasiva e encavilhamento intramedular fechado. |
| **cisalhamento** | Uma força de cisalhamento é aquela que tende a promover o deslizamento de um segmento de um corpo sobre outro, ao contrário das forças tênseis, que tendem a alongar ou a encurtar um corpo. |
| **classificação, processo de** | Método pelo qual os cirurgiões alocam fraturas em categorias específicas. |
| **classificação de fraturas, sistema de** | Conjunto de categorias de fraturas organizadas com uma estrutura baseada em um diagnóstico de fratura definitivo. |
| **compartimento muscular** | Espaço anatômico cercado em todos os lados por osso ou fáscia profunda, que contém um ou mais ventres musculares. |
| **compressão** | O ato ou efeito de pressionar, geralmente para aumentar ou alcançar a estabilidade. |
| **compressão interfragmentar** | Os fragmentos ósseos são apertados juntos, com um parafuso de tração ou uma placa, para produzir estabilidade absoluta. |
| **comprimento de trabalho** | A distância através de um local de fratura entre os dois pontos mais próximos onde o implante (geralmente uma haste intramedular ou placa em ponte) e o osso estão unidos. |
| **concentração de tensão** | A formação de tensões em um implante ou osso em que existe um defeito, uma mudança no corte transverso, um orifício ou um arranhão – *ver* distribuição de tensão. |
| **condrócitos** | As células ativas da cartilagem que produzem colágeno tipo II e proteoglicanos, que compõem a matriz condral. |
| **consolidação** | Processo biológico que retorna uma parte lesionada à condição pré-lesão. A consolidação óssea é considerada completa quando o osso tiver recuperado a rigidez e a resistência normal. |
| **consolidação direta** | É observada após a fixação interna com estabilidade absoluta. É caracterizada pela ausência de calo; não há qualquer reabsorção no local de fratura. O osso se forma por remodelação interna sem tecido de reparo intermediário, sendo que os osteons se movem diretamente através das áreas de contato da fratura. A consolidação direta de fratura era antigamente chamada consolidação primária. |
| **consolidação indireta** | Consolidação óssea por formação de calo em fraturas tratadas com estabilidade relativa ou deixadas sem tratamento. |
| **consolidação óssea** | *Ver* consolidação. |
| **consolidação por contato** | Forma de consolidação óssea direta que ocorre entre dois fragmentos ósseos mantidos em contato imóvel (estabilidade absoluta). A fratura é reparada por remodelação interna direta. |
| **consolidação por *gap*** | Forma de consolidação óssea direta na qual existe estabilidade absoluta, mas um pequeno *gap* permanece entre os fragmentos de fratura. O osso lamelar se forma no *gap* e é, então, remodelado por osteons penetrantes. |
| **consolidação retardada** | A consolidação de fratura não está ocorrendo no curso de tempo esperado para uma fratura ou um paciente em particular – *ver* não união. |
| **consolidação viciosa** | A fratura consolidou em uma posição de deformidade. |

| | |
|---|---|
| **consolidado** | O osso consolidou e recuperou a sua rigidez e resistência normais. Em condições clínicas, isso significa não existir nenhum movimento ou sensibilidade no local da fratura e nenhuma dor ao tensionar o local da fratura. Radiograficamente, deve haver evidência de trabéculos ósseos unindo o local da fratura. |
| **corrosão** | É um processo eletroquímico que resulta na destruição do metal pela liberação de metal iônico. |
| **cortical cis** | A cortical mais próxima ao operador e no lado da inserção de um implante – *ver* cortical trans. Às vezes referida como cortical proximal. |
| **cortical trans** | A cortical mais distante do operador – *ver* cortical cis. Às vezes referida como cortical distal. |
| **corticotomia** | Osteotomia especial onde a cortical é cirurgicamente dividida, mas o conteúdo medular e o periósteo não são lesados. |
| **cuidado total apropriado** | Estabilização cirúrgica definitiva de fraturas mecanicamente instáveis da extremidade proximal e da diáfise do fêmur, anel pélvico, acetábulo e coluna toracolombar dentro de 36 horas da lesão em pacientes hemodinamicamente estáveis com ressuscitação adequada e índices fisiológicos voltando ao normal. Alguns centros de trauma incluem também fraturas instáveis da coluna cervical e da diáfise da tíbia. A melhora da acidose metabólica é o melhor índice fisiológico – *ver* cuidado total precoce (CTP). |
| **cuidado total precoce (CTP)** | Tratamento definitivo de todas as lesões no politraumatismo, incluindo as fraturas importantes dos ossos longos, dentro de 24 horas da lesão. |
| **debridamento** | Excisão cirúrgica de uma zona lesionada, ou área patológica, de material estranho e de todo tecido avascular, contaminado ou infectado. |
| **deformação elástica** | Mudança temporária no comprimento ou no ângulo de um material que irá recuperar seu antigo estado quando a força deformante for liberada. |
| **deformação plástica** | Mudança no comprimento ou no formato de um material que é permanente e não se recupera quando a força deformante for liberada. |
| **deformidade** | Qualquer anormalidade da forma de uma parte do corpo. |
| **deslizamento, orifício de** | A cortical sob a cabeça de parafuso é perfurada no tamanho do diâmetro externo da rosca para que a rosca não obtenha qualquer pega. Ele é usado para a técnica do parafuso de tração. |
| **desviado** | A condição de estar fora do lugar. Uma fratura está desviada se os fragmentos não estiverem alinhados de forma anatomicamente perfeita. |
| **diáfise** | Parte cilíndrica ou tubular de um osso longo entre as extremidades metafisárias. |
| **dinamização** | Transferência da carga mecânica de um dispositivo de fixação para a carga no local da fratura a fim de reforçar a formação de osso. |
| **dispositivo de ângulo fixo** | Implante com duas ou mais partes que estão solidamente unidas em um ângulo de forma que resistam a forças que tendem a angular uma parte em relação à outra. Tais dispositivos são usados para prevenir o desvio angular das fraturas. Os dispositivos de ângulo fixo podem ser fabricados como um dispositivo único e sólido (p. ex., uma placa de lâmina angulada em 95°) ou produzidos pela junção mecânica de dois implantes (p. ex., uma placa de compressão bloqueada com um parafuso de cabeça bloqueada). |
| **dispositivo direcionador** | Um dispositivo para guiar um fio ou broca na direção correta. |
| **distal** | Longe do centro do corpo, mais periférico. |
| **distribuição de tensão** | Conforme as tensões de encurvamento são distribuídas sobre um segmento longo da placa, a tensão por área de unidade é correspondentemente baixa, o que reduz o risco de falha da placa. |

| | |
|---|---|
| **divisão-depressão** | *Ver* fratura articular com divisão-depressão. |
| **doença da fratura** | Condição caracterizada por dor desproporcional, edema de tecidos moles, perda óssea reticular e rigidez articular – *ver* síndrome da dor regional complexa (SDRC). |
| **dorsal** | Relacionado com a parte de trás – ou dorso – do corpo na posição anatômica. Uma exceção é o pé; a sua parte superior, mesmo quando olha para frente na posição anatômica, é chamada de dorso. Neste livro, dorsal é somente usado para descrever o dorso da mão e do pé. Para todas as outras partes, é usado o termo "posterior". |
| **ductilidade** | O grau de deformação permanente (plástica) que um material tolera antes de quebrar. A ductilidade de um material determina o grau no qual um implante, como uma placa, pode ser moldado sem se quebrar. |
| **empurra-puxa, parafuso** | Parafuso temporário de ancoragem que fornece um ponto de fixação para um instrumento reduzir uma fratura por tração e/ou compressão. |
| **empurra-puxa, técnica** | Um implante (geralmente uma placa) é aplicado a um lado de uma fratura. Um instrumento (p. ex., afastador ósseo) é colocado entre um ponto de ancoragem (geralmente um parafuso temporário) no outro lado da fratura e o implante. O instrumento é, então, usado para distrair (empurrar) ou apor (puxar) a fratura e obter a redução. |
| **endósteo** | Uma membrana de camada única que reveste a superfície interior do osso, isto é, a parede da cavidade medular. Suas células têm potencial osteogênico. |
| **energia cinética** | A energia armazenada por um corpo em virtude de estar em movimento. A energia cinética é calculada de acordo com a fórmula $E = 1/2\ mv^2$, onde $m$ é a massa do objeto em movimento e $v$ a sua velocidade. |
| **enxerto ósseo** | Osso removido de um local esquelético e colocado em outro. Os enxertos ósseos são usados para estimular a união óssea (osteoindução) e também para restaurar a continuidade esquelética onde há perda óssea – *ver* aloenxerto, autoenxerto e xenoenxerto. |
| **enxerto/retalho vascularizado livre** | O tecido mole e/ou osso que é transplantado a um local anatômico separado no mesmo indivíduo e revascularizado com o uso de técnicas microcirúrgicas para inserir o seu pedículo vascular aos vasos no local recipiente. |
| **epífise** | A extremidade de um osso longo que suporta o componente articular. A epífise se desenvolve a partir do elemento cartilaginoso entre a superfície articular e a placa de crescimento – *ver* metáfise. |
| **escarear** | O processo de tornar um recesso raso ao redor um orifício de parafuso para aumentar a área de contato entre o osso e a cabeça do parafuso. "Escareador" refere-se à ferramenta para fazer tal recesso. |
| **escore de gravidade da lesão (ISS)** | Escala anatômica desenvolvida para dar um valor numérico à extensão do trauma em pacientes com lesões de múltiplos sistemas. A escala de lesão abreviada mais alta (variação 0-5) é calculada para um máximo de três sistemas (p. ex., trauma craniano, trauma musculoesquelético, lesões abdominais). Cada pontuação abreviada de lesão é elevada ao quadrado e os três escores ao quadrado são somados para calcular o ISS (máximo = $3 \times 5^2 = 75$) – *ver* politraumatismo. |
| **estabilidade absoluta** | Fixação de fragmentos de fratura de forma que não exista praticamente qualquer desvio das superfícies de fratura sob carga fisiológica. Isso permite a consolidação óssea direta. |
| **estabilidade relativa** | Fixação ou construção de suporte que permite quantidades pequenas de movimento em proporção à carga aplicada. Isso resulta em consolidação indireta, por formação de calo. |
| **falha por fadiga** | Se qualquer material estiver sujeito a múltiplos ciclos de carga, pode desenvolver rachaduras e, por fim, falhas microscópicas sob uma tensão bem abaixo da resistência à tração, e frequentemente abaixo da resistência de rendimento do material original. |

| | |
|---|---|
| **fasciotomia** | A divisão cirúrgica da parede fascial de um compartimento muscular osteofascial, geralmente para liberação de pressão intracompartimental elevada – *ver* síndrome compartimental. |
| **fechamento auxiliado por vácuo** | Uma ferida aberta é selada com um curativo impermeável e adesivo, e uma sucção de baixa pressão é aplicada para remover quaisquer exsudatos e reforçar a formação do tecido de granulação. |
| **fibrocartilagem** | Tecido que consiste em elementos de cartilagem e de tecido fibroso. É o componente normal dos meniscos do joelho e da fibrocartilagem triangular no punho. Forma-se também como um tecido de reparo depois da lesão na cartilagem articular. |
| **fio-guia** | Fio inserido no osso para o posicionamento preciso de uma broca, fresa ou implante. O fio pode ser um auxílio visual para direcionar a inserção de um instrumento ou implante ou pode fisicamente dirigi-los, como com uma broca canulada. |
| **fixação da fratura** | Aplicação de um dispositivo mecânico a um osso quebrado para permitir a consolidação em uma posição controlada e (geralmente) para facilitar a reabilitação funcional precoce. O cirurgião determina o grau de redução exigida e o ambiente mecânico no local da fratura, que, por sua vez, influenciam o modo de consolidação óssea. |
| **fixação estável** | A fixação de uma fratura que permite movimento precoce das articulações adjacentes e fornece um ambiente mecânico que permite a consolidação da fratura antes da falha do implante. |
| **fixação externa** | Estabilização esquelética usando fios, pinos, ou parafusos que protruem através da pele e são externamente ligados por barras ou outros dispositivos. |
| **fixação interna biológica** | Técnica biologicamente cuidadosa de exposição cirúrgica, redução de fratura e fixação, que favorece a preservação do suprimento sanguíneo do local da fratura e, assim, otimiza o potencial curativo do osso e tecidos moles. |
| **fixador interno** | Dispositivo mecânico que fica debaixo da pele e aproxima uma zona de fratura – semelhante à fixação externa – fornecendo um imobilizador extramedular angularmente bloqueado, resultando em estabilidade relativa (p. ex., LCP, LISS). |
| **fragmento em asa-de-borboleta** | Onde houver uma fratura complexa com um terceiro fragmento que não completa uma seção transversal do osso (i.e., após a redução há algum contato entre os dois fragmentos principais). O pequeno fragmento em forma de cunha, que, por um mecanismo de rotação, pode ser helicoidal, é ocasionalmente referido como um fragmento em asa-de-borboleta – *ver* fratura em cunha. |
| **fratura articular com depressão pura** | Fratura articular na qual existe somente uma depressão da superfície articular, sem uma divisão. A depressão pode ser central ou periférica – *ver* fratura impactada. |
| **fratura articular com divisão-depressão** | Lesão articular com uma linha de fratura correndo para dentro da metáfise (divisão) e impacção de fragmentos articulares osteocondrais separados (depressão). |
| **fratura articular completa** | O bloco articular inteiro é separado da diáfise. |
| **fratura articular de divisão pura** | Fratura articular na qual há uma divisão articular e metafisária longitudinal, sem qualquer lesão osteocondral adicional. |
| **fratura articular multifragmentada** | Fratura na qual parte da articulação está afundada e há mais do que um fragmento articular. |
| **fratura articular parcial** | Somente parte da articulação está envolvida, enquanto o restante permanece preso à diáfise. Há diversas variedades. |
| **fratura com depressão fragmentada** | Fratura articular parcial na qual parte da articulação é afundada e existem mais de três fragmentos articulares de fratura. |
| **fratura com depressão pura** | Fratura articular na qual há uma depressão da superfície articular devido a impacto, mas sem uma divisão. A depressão pode ser central ou periférica. |

Glossário

| | |
|---|---|
| **fratura complexa** | Fratura com um ou mais fragmento(s) intermediário(s) na qual não há nenhum contato entre os fragmentos principais depois da redução – *ver* fratura multifragmentada. |
| **fratura dividida** | Fratura articular parcial na qual há uma divisão articular e metafisária longitudinal sem qualquer lesão osteocondral ou impacto articular adicional. |
| **fratura em cunha** | Complexo de fratura com um terceiro fragmento, principalmente causado por um trauma direto no qual, após redução, há algum contato direto entre os dois fragmentos principais – *ver* fragmento em asa-de-borboleta. |
| **fratura espontânea** | Fratura que ocorre sob carga ou tensão fisiológica, geralmente em osso anormal – *ver* fratura patológica, fratura por fragilidade. |
| **fratura extra-articular** | A fratura não envolve a superfície articular, mas está dentro do segmento terminal de um osso longo e pode estar dentro da cápsula articular. |
| **fratura impactada** | Fratura em que as superfícies ósseas opostas são dirigidas uma contra a outra e se comportam como uma unidade. É um diagnóstico clínico e radiográfico combinado. |
| **fratura interprotética** | Fratura que ocorre em um osso entre dois implantes protéticos. |
| **fratura intertrocantérica** | Fratura proximal do fêmur que passa entre os trocanteres maior e menor. |
| **fratura multifragmentada** | Fratura com mais do que um plano de fratura, de modo que há três fragmentos ou mais. Os fragmentos proximal e distal não terão contato direto após redução. O termo é usado na Classificação AO/OTA de Luxações e Fraturas como um tipo de fratura. |
| **fratura patológica** | Fratura através de osso anormal que ocorre sob tensão fisiológica ou carga normal. |
| **fratura periprotética** | Fratura que ocorre com forte relação com um componente da prótese articular, geralmente a haste intramedular em uma substituição articular. |
| **fratura pertrocantérica** | Fratura proximal do fêmur que envolve o trocanter maior. |
| **fratura por fragilidade** | Fratura que ocorre em ossos enfraquecidos por osteopenia ou osteoporose durante atividades diárias normais ou após uma queda da altura de uma pessoa em pé ou menor. |
| **fratura simples** | Existe uma linha de fratura única produzindo dois fragmentos de fratura. |
| ***gap*, consolidação por** | *Ver* consolidação por *gap*. |
| **háptica** | Relacionada ao sentido do toque, em particular à percepção e manipulação de objetos usando os sentidos do toque e propriocepção. A ciência da háptica aplica a sensibilidade e o controle tátil à interação com aplicações computacionais. |
| **imobilização** | Um imobilizador é feito de material rígido que é aplicado a uma região fraturada do corpo para reduzir o movimento no local de fratura. Pode ser aplicado externamente (gesso, fixador externo) ou internamente (placa, haste intramedular, fixador interno). |
| **imobilizador bloqueado** | Existe uma junção fixa entre o osso e o dispositivo de imobilização, acima e abaixo da zona de fratura, de forma que o comprimento de trabalho entre os pares não pode mudar (p. ex., haste estaticamente bloqueada). |
| **imobilizador deslizante** | As junções entre o osso e o dispositivo de imobilização permitem movimento axial (controlado), de forma que a distância entre os pares pode mudar (p. ex., haste dinamicamente bloqueada). |
| **infecção de sítio cirúrgico** | Ocorre no campo cirúrgico 30-90 dias após o procedimento. A infecção pode envolver apenas a pele (infecção de sítio cirúrgico superficial) ou a fáscia, músculos, osso ou implantes (infecção de sítio cirúrgico profunda). |

| | |
|---|---|
| **infecção profunda** | Infecção bacteriana ou fúngica envolvendo a fáscia e/ou os músculos e/ou os ossos e/ou implantes com resposta inflamatória associada. |
| ***infix* (pélvico)** | A fratura do anel pélvico é estabilizada com a inserção de Schanz supra-acetabulares bilaterais e conectados com barras que ficam no subcutâneo, não deixando material metálico exposto. |
| **isquemia** | Redução no fluxo sanguíneo resultando em hipoxia tecidual. |
| **isquemia-reperfusão, lesão por** | A hipoxia tecidual prolongada resulta na ativação de enzimas de superóxido, que produzem radicais livres de oxigênio quando a circulação é restaurada. Esses radicais livres causam dano da membrana celular, resultando em permeabilidade aumentada que pode levar ao edema celular. Em última instância, pode resultar em morte celular e, em um compartimento anatômico fechado, a síndrome compartimental pode ser o desfecho. |
| ***joystick*** | Parafuso de Schanz ou fio rosqueado com uma manopla introduzida em um fragmento de fratura, permitindo a manipulação direta do fragmento para efetuar a redução da fratura. |
| **LC-DCP** | *Ver* placa de baixo contato. |
| **LCP** | *Ver* placa bloqueada e fixador interno. |
| **ligamentotaxia** | Tração que é aplicada através de uma articulação fraturada, de forma que a tensão nas inserções capsulares e ligamentares reduza os fragmentos da fratura. |
| **luxação** | Desvio de uma articulação em que nenhuma parte de uma superfície articular permanece em contato com a outra. Algumas vezes usada incorretamente para denotar o desvio da fratura. |
| **macho** | Instrumento usado para cortar uma rosca em um orifício perfurado. |
| **medicina baseada em evidências** | Uso lógico, cauteloso e explícito da pesquisa científica para tomar decisões clínicas a respeito do cuidado de pacientes individuais. A prática da medicina baseada em evidências requer a integração de experiência clínica com a melhor evidência clínica de pesquisas sistemáticas. |
| **mesa de tração** | Mesa operatória com dispositivos que permitem o posicionamento seguro e preciso do paciente e a aplicação de tração ou compressão em um membro para reduzir uma fratura e permitir o acesso para cirurgia e para imagens radiográficas. Também conhecida como mesa ortopédica. |
| **metáfise** | No adulto, este é o segmento de um osso longo localizado entre a superfície articular e a diáfise. Consiste principalmente de osso esponjoso dentro de um fino envoltório cortical. |
| **módulo de elasticidade** | A relação da tensão à deformação na região linear de uma curva de tensão-deformação. Também chamado módulo de Young. |
| **moldagem de uma placa** | Moldagem pré-operatória ou intraoperatória de uma placa no formato do osso. |
| **movimento passivo contínuo (MPC)** | Uso de um aparato que fornece períodos de movimento passivo de uma articulação por meio de uma amplitude de movimento controlada. |
| **não união** | A fratura ainda está presente e a consolidação cessou. A fratura não se consolidará sem intervenção cirúrgica. Uma não união ocorre habitualmente por condições mecânicas ou biológicas inadequadas – *ver* consolidação, pseudoartrose e consolidação retardada. |
| **necrose avascular** | O osso que foi privado de suprimento sanguíneo morre; na ausência de sepse, isso se chama necrose asséptica. O osso morto retém a sua resistência normal (embora seja incapaz de consolidar) até que o processo natural da revascularização, por lenta substituição, comece a remoção do osso morto, em preparação para a aposição de osso novo. A adição de carga nessas áreas pode levar a colapso ósseo. |
| **nível crítico de *strain*** | O nível de *strain* em que um tecido se rompe ou para de executar a sua função fisiológica normal. |

Glossário

| | |
|---|---|
| **orifício combinado** | Orifício da placa de compressão bloqueada (LCP), que consiste em duas partes: a unidade de compressão dinâmica não rosqueada (UCD; formada pelos orifícios de uma placa de compressão dinâmica [DCP]) e a parte rosqueada, que tem uma rosca recíproca para a inserção de um parafuso de cabeça bloqueada (LHS). |
| **orifício rosqueado** | Um orifício-piloto é perfurado e um macho é usado para cortar o sulco helicoidal que recebe a rosca do parafuso. O resultado é um orifício rosqueado. |
| **orifício-piloto** | Orifício que tem o mesmo diâmetro do núcleo do parafuso. Ele pode, então, ser usado para guiar a inserção de parafusos que cortam sua própria rosca (parafuso automacheante) ou um macho que cortará as roscas e produzirá um orifício rosqueado. |
| **órtese** | Dispositivo externo que é aplicado ao corpo para proteger e/ou estabilizar uma parte do corpo, para prevenir ou corrigir fibrose e deformidades ou para ajudar no movimento. |
| **ossificação heterotópica (ectópica)** | Formação de novo osso em tecidos moles e local anormal secundária a um trauma ou outra patologia. |
| **osso cortical** | Osso denso que forma o elemento tubular da diáfise (parte média) de um osso longo. O termo também é aplicado à densa e fina concha que cobre o osso esponjoso da metáfise. |
| **osso esponjoso** | Osso trabecular esponjoso mais encontrado nas extremidades proximal e distal dos ossos diafisários e no interior de ossos pequenos, como os ossos tarso e carpo. |
| **osteoartrite** | Condição degenerativa das articulações sinoviais caracterizada por perda da cartilagem articular, esclerose óssea subcondral, cistos ósseos e formação de osteófitos. Hoje é mais conhecida como doença articular degenerativa (DAD). |
| **osteocondução** | Propriedade física de um material que fornece a microestrutura para facilitar o crescimento de células que produzem osso. |
| **osteogênese** | Formação de osso novo a partir do tecido osteoprogenitor. |
| **osteogênese por tração** | A indução de formação óssea pela aplicação de tração ao tecido mole que tem o potencial para formar osso; por exemplo, hematoma organizado, periósteo e endósteo no local de uma osteotomia ou osteoclasia. Esse fenômeno foi primeiramente descrito por August Bier (1927) e cientificamente investigado pelo cirurgião russo Ghavriil Ilizarov. |
| **osteoindução** | Propriedade de estimular neoformação óssea (osteogênese). |
| **osteomielite** | Condição inflamatória aguda ou crônica que afeta o osso e a sua cavidade medular, sendo geralmente o resultado de infecção. |
| **osteon** | Nome dado aos pequenos canais e suas lâminas de osso concêntricas circundantes, que se juntam para formar o sistema haversiano no osso cortical – *ver* sistema haversiano. |
| **osteopenia** | Redução na massa óssea de entre 1 e 2,5 desvios-padrão abaixo da média para um adulto jovem (ou seja, um escore T de –1 a –2,5) – *ver* osteoporose. |
| **osteoporose** | Uma redução na massa óssea de mais de 2,5 desvios-padrão abaixo da média para um adulto jovem (ou seja, um escore T < –2,5) – *ver* osteopenia, fratura por fragilidade e fratura patológica. |
| **osteossíntese** | Termo cunhado por Albin Lambotte para descrever a "síntese" (derivado do grego "fazer junto ou fundir") de um osso fraturado com uma intervenção cirúrgica, usando implantes. Inclui a fixação externa. |
| **osteossíntese com placa minimamente invasiva (OPMI)** | Redução e fixação com uma placa de qualquer desenho, sem exposição cirúrgica direta do local da fratura, usando pequenas incisões de pele e inserção subcutânea ou submuscular da placa. |

Glossário

| | |
|---|---|
| **osteossíntese minimamente invasiva (OMI)** | Qualquer fixação de fratura usando pequenas incisões de pele e projetada para limitar o trauma cirúrgico às partes moles mais profundas. Exemplos incluem a aramagem percutânea com fio de Kirschner, fixador externo e o encavilhamento intramedular fechado, bem como a osteossíntese com placa minimamente invasiva (OPMI). |
| **osteotomia** | Divisão cirúrgica controlada de um osso. |
| **parafuso** | Dispositivo que explora a geometria helicoidal para converter o movimento rotacional em movimento longitudinal retilíneo. |
| **parafuso autoperfurante/ automacheante** | Parafuso com uma ponta aguda e afiada com flautas cortantes, que perfura seu próprio orifício e faz a sua própria rosca. |
| **parafuso bicortical** | Parafuso que obtém pega tanto na cortical cis quanto na trans. |
| **parafuso convencional** | Qualquer parafuso com uma superfície exterior lisa da cabeça (i.e., sem roscas) usado para fixação da fratura ou da placa. |
| **parafuso de ancoragem** | Um parafuso que serve como ponto de fixação para ancorar uma alça de fio, um fio de sutura grosso ou um instrumento (p. ex., dispositivo de compressão articulado). |
| **parafuso de bloqueio** | Também chamado parafuso de bloqueio da haste intramedular. Acopla uma haste intramedular ao osso para manter o comprimento e o alinhamento e controlar a rotação. |
| **parafuso de cabeça bloqueada (LHS)** | Parafuso com uma rosca cortada em sua cabeça, criando uma união, ou ligação mecânica, a um orifício de parafuso rosqueado em uma placa, criando, assim, um dispositivo de ângulo fixo. |
| **parafuso de compressão** | *Ver* parafuso de tração. |
| **parafuso de diástese** | *Ver* parafuso de sindesmose e parafuso de posição. |
| **parafuso de placa** | Parafuso inserido em uma placa para comprimir a placa contra o osso. A pré-tensão criada e a fricção mantém a placa no lugar. |
| **parafuso de posição** | Um parafuso de posição é colocado entre dois ossos ou fragmentos de fratura adjacentes para manter a sua configuração anatômica normal relativa sem aplicar compressão. Depois da restauração da relação normal dos ossos, um orifício piloto ou orifício rosqueado é perfurado através de ambas as corticais cis e trans. Um parafuso de rosca completa é introduzido e a ausência de um orifício de deslizamento significa que nenhuma compressão é gerada entre a cabeça do parafuso e a cortical distal. O parafuso de sindesmose usado nas fraturas tipo C do tornozelo é um exemplo de um parafuso de posição – *ver* parafuso de sindesmose. |
| **parafuso de redução** | Parafuso convencional usado através de uma placa para puxar os fragmentos de fratura em direção à placa; o parafuso pode ser removido ou trocado uma vez que o alinhamento seja obtido. |
| **parafuso de Schanz** | Um parafuso parcialmente rosqueado que é introduzido no osso como parte da fixação externa. Os parafusos de Schanz comuns têm uma ponta em forma de trocar e requerem pré-perfuração. Existem também parafusos de Schanz autoperfurantes. |
| **parafuso de sindesmose** | Um parafuso de posição que é colocado entre a fíbula e a tíbia para manter a sua relação anatômica normal na sindesmose tibiofibular distal. O parafuso deve ganhar pega em ambos os ossos, já que não deve ser aplicada compressão. |
| **parafuso de tração** | Parafuso que passa através de um orifício de deslizamento para segurar o fragmento oposto em um orifício rosqueado, produzindo compressão interfragmentar quando é apertado. |
| **parafuso monocortical** | Um parafuso que tem pega somente na cortical cis. |
| **parafuso *Poller*** | Parafuso de apoio transcortical através do canal intramedular inserido para redirecionar uma haste intramedular durante a sua inserção. |

Glossário

| | |
|---|---|
| **parafusos em paralelo** | Grupo de parafusos de posição colocados paralelamente à superfície articular e logo abaixo do osso subcondral para manter a redução de uma fratura articular com depressão. |
| **perioperatório** | Período de tempo em torno de uma cirurgia, incluindo a avaliação pré-operatória imediata, a anestesia e as primeiras 24 horas após a cirurgia. |
| **periósteo** | Membrana fibrovascular que cobre a superfície externa de um osso. A camada celular profunda tem potencial osteogênico. |
| **"personalidade" da fratura** | Termo cunhado por E.A. Nichol (1965) para expressar a combinação de atributos de uma fratura que determinam o seu desfecho depois do tratamento. Há três fatores fundamentais: o paciente, as partes moles e a fratura propriamente dita. |
| **placa antideslizante** | Previne o cisalhamento de fragmentos articulares, funcionando como um suporte. Classicamente, está fixada somente ao fragmento principal. |
| **placa bloqueada** | Placa com orifícios de parafusos rosqueados que permite a junção mecânica a um parafuso de cabeça bloqueada (LHS). O sistema de estabilização menos invasivo (LISS) aceitará somente esse tipo de parafuso, enquanto as placas de compressão bloqueada (LCPs) têm um orifício combinado que aceitará as cabeças de parafusos convencionais ou cabeças de parafusos rosqueadas. |
| **placa convencional** | Qualquer placa com orifícios lisos que acomode qualquer cabeça de parafuso não rosqueada de mesmo tamanho. |
| **placa de baixo contato** | Placa projetada para limitar o contato com o osso subjacente que preserve o suprimento sanguíneo periosteal possível máximo. A variedade mais comum é a placa de compressão dinâmica de baixo contato (LC-DCP). |
| **placa de compressão bloqueada (LCP)** | *Ver* placa bloqueada e fixador interno. |
| **placa de compressão dinâmica (DCP)** | Placa com orifícios ovais chanfrados pelos quais os parafusos colocados de forma excêntrica podem ser inseridos para fornecer compressão através de um local de fratura. |
| **placa de reconstrução** | Placa entalhada que pode ser moldada também na maneira convencional, produzindo formatos tridimensionais complexos para a fixação de fraturas em ossos de formato irregular, como a pelve ou distal do úmero. |
| **placa de suporte** | Uma placa que suporta o local de fratura e é presa a cada fragmento principal de uma fratura multifragmentar, mantendo o alinhamento axial e rotacional, e o comprimento. Não é fixada e nem perturba o suprimento sanguíneo dos fragmentos intermediários. |
| **placa em onda** | A seção central de uma placa é moldada para ficar fora da cortical cis em uma distância de vários furos. Isso deixa um *gap* entre a placa e o osso, que preserva a biologia do osso subjacente, fornece um espaço para a inserção de enxerto ósseo e aumenta a estabilidade por causa da distância da posição "em onda" do implante a partir do eixo neutro da diáfise. Tal placa é útil no tratamento da não união. |
| **placa pré-moldadas** | Placa projetada e moldada durante a fabricação para se ajustar a um local anatômico específico, de forma que o contorno intraoperatório da placa não é habitualmente necessário. |
| **placa-gancho** | Placa que é curvada de forma que capture um fragmento de fratura que pode, então, ser reduzido, aplicando tração à placa. O gancho pode ser parte de uma placa especialmente projetada para um local anatômico específico ou improvisada ao cortar e entortar uma placa convencional. |
| **plano coronal** | O plano vertical do corpo que passa de um lado ao outro, de forma que uma bissecção coronal do corpo cortaria em uma metade à frente e uma metade de trás. Também chamado de plano frontal. |
| **plano sagital** | Este é um plano vertical do corpo que passa de frente para trás, de forma que uma bissecção sagital do corpo o cortaria em uma metade direita e uma metade esquerda. |

| | |
|---|---|
| **politraumatismo** | Síndrome de lesões múltiplas a um ou mais sistemas orgânicos com reações sistêmicas sequenciais que podem levar à disfunção ou falência de órgãos remotos e sistemas vitais, que não tenham sido diretamente feridos. Também pode ser definido como um escore de gravidade da lesão (ISS) ≥ 15. |
| **posição anatômica** | A posição de referência do corpo: em pé, de frente para o observador, com as palmas das mãos viradas para frente. |
| **pré-tensão** | A aplicação de compressão interfragmentar mantém os fragmentos juntos até que uma força tênsil aplicada exceda a compressão (pré-tensão). |
| **pré-tensão da placa** | Uma placa moldada exatamente recebe uma leve curva extra no nível de uma fratura transversa, de forma que a sua porção central fica ligeiramente fora da cortical cis. Conforme a compressão é aplicada por tensionamento da placa, a cortical trans é comprimida em primeiro lugar, depois a cortical proximal, resultando em uma compressão equilibrada através de todo o diâmetro transversal do osso. Sem a dobra excessiva, a placa somente comprimirá a cortical cis, resultando em fixação instável, risco de carga cíclica da placa e eventual falha por fadiga. |
| **proteção (placa)** | Placa, ou outro implante, que reduz a carga colocada em uma fixação com parafuso de tração, protegendo-o da sobrecarga. Esse termo substituiu a neutralização (placa). |
| **proteção da tensão** | Usar uma placa para reduzir picos de carga ao fixar um parafuso – *ver* proteção (placa). Em textos mais antigos, esse termo poderia ser aplicado ao conceito de que um implante rígido, como uma placa, aplicado firmemente a um isso, protege o osso subjacente da tensão e, assim, induz a reabsorção óssea. Esse fenômeno observado é agora entendido como decorrente do impacto vascular da placa na cortical subjacente – *ver* remodelação adaptativa. |
| **protocolos de transfusão maciça** | Usados para o tratamento de hemorragia grave para substituir o sangue perdido com concentrados de hemácias, plaquetas e plasma fresco congelado. Evidências atuais sugerem que uma razão de transfusão de 1:1:1 produz os melhores resultados. |
| **pseudoartrose** | Literalmente, significa falsa articulação. Quando uma não união é móvel e deixada assim por um período longo, as extremidades do osso ficam escleróticas e os tecidos moles intervenientes se diferenciam para formar um tipo de articulação sinovial – *ver* consolidação retardada, consolidação. |
| **reabsorção óssea** | Remoção de osso por osteoclastos. É um elemento integral do remodelamento ósseo, durante renovação natural, crescimento ou depois de uma fratura. A remoção patológica de osso por osteoclastos ativados e células gigantes ocorre se o osso estiver morto, infectado e ao redor de implantes onde há movimento excessivo. |
| **reconstrução de ligamento** | Substituição de um ligamento rompido ou estirado por um enxerto (ou biomaterial) de tecidos moles para restaurar a estabilidade de uma articulação lesada. |
| **redução** | O realinhamento de uma fratura desviada. |
| **redução anatômica** | Restabelecimento do formato ósseo pré-fratura exato. |
| **redução direta** | As mãos ou instrumentos manipulam os fragmentos de fratura sob visão direta. |
| **redução indireta** | Os fragmentos são manipulados aplicando-se força corretiva distante da zona de fratura, pela distração ou outros meios, sem expor o local da fratura. |
| **refratura** | Fratura adicional que ocorre depois de uma fratura estar solidamente aproximada por osso, em um nível de carga que seria tolerada por osso normal. A linha de fratura resultante pode coincidir com a linha de fratura original, ou estar dentro da área do osso que sofreu as alterações resultantes da fratura e do seu tratamento. |
| **remodelação (óssea)** | Processo de transformação do formato ósseo externo (remodelação externa) ou da estrutura óssea interna (remodelação interna ou remodelação do sistema haversiano). |

Glossário

| | |
|---|---|
| **remodelação adaptativa** | O osso destituído de estimulação funcional, tendo suas tensões fisiológicas reduzidas por um implante que compartilha a carga, pode reagir tornando-se menos denso, de acordo com o lei de Wolff (1872). |
| **reparo de ligamento** | Para restaurar a estabilidade de uma articulação lesada, um ligamento rompido é suturado diretamente ou religado a um osso usando suturas ou âncoras. |
| **resistência** | É a capacidade de um material em resistir à aplicação de forças sem deformação. A resistência de um material pode ser expressa como a resistência definitiva à tração, resistência de encurvamento, ou resistência de torção. A resistência determina o nível de carga que um implante pode resistir. |
| **ressuscitação de controle de danos (RCD)** | Tratamento precoce de um paciente traumatizado em choque hipovolêmico, que visa prevenir o desenvolvimento de coagulopatia, hipotermia e acidose. A RCD inclui controle inicial da hemorragia, uso maciço de protocolos de transfusão e aquecimento ativo do paciente. |
| **ressuscitação hemostática** | *Ver* ressuscitação de controle de danos. |
| **retalhos fasciocutâneos** | Retalhos de tecidos moles, baseados em uma artéria perfurante, que incluem a pele, os tecidos subcutâneos e a fáscia profunda. |
| **revestimento** | Camada fina aplicada à superfície de um implante, que pode conter diferentes agentes biologicamente ativos (p. ex., antibióticos, proteína morfogenética óssea ou hidroxiapatita). |
| **revisão cirúrgica** | Inspeção cirúrgica de um ferimento ou zona de lesão 24-72 horas depois do tratamento inicial da lesão. |
| **rigidez** | A capacidade de um material para resistir à deformação. É medida como a relação entre carga aplicada e a deformação elástica resultante. A rigidez inerente de um material é expressa pelo seu módulo de elasticidade (módulo de Young). |
| **rigidez de flexão** | A rigidez de flexão de uma haste intramedular é inversamente proporcional ao quadrado do comprimento, ao diâmetro da haste e à elasticidade do metal. O desenho da haste, oco ou sólido, também é um fator importante. |
| **rigidez de torção** | A rigidez de torção de uma haste intramedular é inversamente proporcional ao comprimento e é proporcional ao diâmetro da haste e à elasticidade do metal. O desenho da haste, oco ou sólido, também é um fator importante. |
| **sarcopenia** | Perda de força e massa musculoesquelética resultante do envelhecimento. |
| **segmentada** | Se a diáfise de um osso está quebrada em dois níveis, deixando um segmento de diáfise entre os dois locais da fratura, isto é chamado um complexo de fratura "segmentada". |
| **segmento terminal** | Esse termo foi criado para a classificação AO/OTA das fraturas articulares no adulto. É definido ao traçar-se uma linha através da parte mais larga da metáfise em uma radiografia. Essa linha é, então, usada para criar um quadrado com um lado disposto ao longo da superfície articular. O osso que fica dentro do quadrado é definido como segmento terminal. Em crianças, o segmento terminal é adicionalmente dividido em epífise e metáfise, que são separadas pela placa de crescimento. |
| **sequestro** | Pedaço de osso morto ao longo, mas separado, do leito ósseo do qual se originou. Os sequestros infectados são formados na osteomielite crônica. |
| **síndrome compartimental** | Pressão elevada em um compartimento osteofascial fechado que resulta em isquemia tecidual local dolorosa – *ver* compartimento muscular, isquemia-reperfusão, lesão por. É uma emergência médica. |
| **síndrome da dor regional complexa (SDRC)** | Dor neuropática com distúrbios sudomotores e vasomotores associados que se desenvolve depois do trauma, outro evento incitante ou de um período de imobilização. Os critérios diagnósticos são amplos e não há nenhum teste específico para o diagnóstico dessa condição. Há dois tipos (SDRC I e SDRC II) que têm os mesmos sinais e sintomas; a diferença é que há uma lesão nervosa identificável associada à SDRC II. A SDRC também é conhecida como doença da fratura, algodistrofia, distrofia simpaticorreflexa e atrofia de Sudeck. |

| | |
|---|---|
| **síndrome de fragilidade** | Comprometimento de múltiplos sistemas fisiológicos inter-relacionados, geralmente como resultado de envelhecimento e comorbidades, resultando em aumento da vulnerabilidade a fatores de estresse internos e externos. |
| **sistema haversiano** | O osso cortical é composto de um sistema de pequenos canais (osteons) de cerca de 0,1 mm de diâmetro. Cada osteon consiste de camadas, ou lâminas, concêntricas de tecido ósseo compacto que circundam um canal central, o canal haversiano. Esses canais contêm os vasos sanguíneos e são remodelados após um comprometimento do suprimento sanguíneo para o osso. Há uma renovação natural do sistema haversiano por meio de remodelamento osteonal contínuo; esse processo é parte da natureza dinâmica e metabólica do osso. Também está envolvido na adaptação do osso a um ambiente mecânico alterado. |
| *strain* | Alteração no comprimento de um material quando certa força é aplicada. O *strain* normal é a razão da deformação (encurtamento ou alargamento) com o comprimento original. Ele não tem dimensões, mas geralmente é expresso como uma porcentagem. |
| **subluxação** | Desvio de uma articulação com contato parcial entre as duas superfícies articulares. |
| **substituição por rastejamento** | A lenta substituição do osso morto por osso vascular vivo. |
| **substituto ósseo** | Material não ósseo biológico ou inorgânico que pode ser usado em vez de um enxerto ósseo (ou para reforçá-lo), preenchendo um defeito. |
| **suporte** | Uma construção que resiste à carga axial aplicando-se força em 90° ao eixo de deformidade potencial. |
| **técnica de Masquelet** | Método para tratar defeitos ósseos agudos estabilizando uma fratura e, então, preenchendo o defeito ósseo com cimento acrílico. Após 6-8 semanas, uma biomembrana vascular se forma entre o cimento e os tecidos relacionados. Uma segunda cirurgia, então, remove o cimento, mas preserva a biomembrana. Um enxerto ósseo autógeno é usado para substituir o cimento e os fatores de crescimento produzidos pela biomembrana promovem a incorporação do enxerto e a consolidação da fratura. |
| **teoria do *strain* de Perren** | Com um *gap* de fratura pequeno, qualquer movimento interfragmentar resulta em uma mudança relativamente grande no comprimento (i.e., *strain* alto). Se este exceder a tolerância de *strain* do tecido intermediário, a consolidação não irá ocorrer. Se um *gap* de fratura maior for submetido à mesma amplitude de movimento, a mudança relativa no comprimento de cada componente do tecido intermediário será menor (i.e., *strain* menor). Se o nível crítico de *strain* não for excedido, haverá função normal do tecido e consolidação indireta pelo calo. |
| **terapia por pressão negativa (TPN)** | *Ver* fechamento auxiliado por vácuo (FAV). |
| **tolerância de *strain*** | Capacidade do tecido de sofrer transformação devido a uma força aplicada e continuar a desempenhar sua função fisiológica normal. A tolerância de *strain* máxima é a maior quantidade de deformação que um tecido consegue aguentar enquanto ainda desempenha sua função fisiológica normal. Nenhum tecido funciona normalmente quando uma força de deformação causa uma ruptura no tecido. Esse é o nível crítico de *strain*. |
| **tomografia computadorizada por emissão de fóton único (SPECT)** | Técnica de imagem nuclear que usa raios gama e um detector para produzir tomografias e informações em 3D. |
| **tomografia computadorizada/ tomografia por emissão de pósitrons (PET-TC)** | Técnica de medicina nuclear que combina, em uma única vez, uma tomografia por emissão de pósitrons e uma TC por raios X para obter imagens sequenciais de ambas as técnicas na mesma sessão. |

| | |
|---|---|
| **torque** | O momento produzido por uma força de rotação ou torção. Como exemplo, o torque é aplicado para dirigir e apertar um parafuso. O momento é igual ao produto do braço de alavanca (unidade, metro) e força (unidade, newton) produzindo torção e rotação sobre um eixo (a unidade de torque newton-metro). |
| **transferência de energia** | Quando tecidos são lesionados, o dano causado se deve à energia que é transferida aos tecidos. Geralmente, se deve à transferência da energia cinética de um objeto em movimento (carro, projétil, objeto em queda, etc.), mas também pode ser devido à energia térmica – *ver* energia cinética. |
| **translação** | Desvio de um fragmento ósseo em relação a outro, geralmente em ângulos retos em relação ao eixo longo do osso, ou no plano da fratura. |
| **tratamento da fratura, meta do** | De acordo com Müller e colaboradores, a meta de tratamento da fratura é restaurar a função ideal do membro em relação à mobilidade e capacidade de carga, evitando complicações. |
| **unidade de compressão dinâmica (UCD)** | A parte não rosqueada de um orifício combinado da LCP que tem a forma do orifício de uma placa de compressão dinâmica (DCP). |
| **valgo** | Angulação da parte distal para longe da linha média na posição anatômica. |
| **varo** | Angulação da parte distal em direção à linha média na posição anatômica. |
| **ventilação com proteção do pulmão** | Estratégia usada no politraumatismo que reduz a pressão nas vias aéreas para evitar barotrauma iatrogênico aos alvéolos. |
| **xenoenxerto** | Tecido transplantado de uma espécie para outra – também conhecido como heteroenxerto. |
| **zona de lesão** | Todo o volume de osso e partes moles danificados pela transferência de energia durante o trauma. A microcirculação é perturbada e pode arriscar a viabilidade do tecido. |
| **zona segura** | Um cirurgião deve estar familiarizado com a anatomia dos diferentes cortes transversais de um membro para evitar lesões aos nervos, vasos, tendões e músculos ao posicionar pinos ou fios percutâneos de um fixador externo. Isso somente deve ser executado em uma das zonas seguras para colocação do fio. |

# Índice

**Volume 1**, páginas 1-562
**Volume 2**, páginas 563-1000

Números de página seguidos de *"f"* referem-se a figuras.
Números de página seguidos de *"t"* referem-se a tabelas

## A

AAS. *Ver* Ácido acetilsalicílico (AAS)
Abordagem de Bryan-Morrey, 630, 630*f*
Abordagem de Henry, 664, 664*f*, 665*f*
Abordagem de Kocher, 643-644, 644*f*
Abordagem de Thompson, 666, 666*f*
Abordagem *over-the-top* de Hotchkiss, 644, 644*f*
Absorciometria de raios X de dupla energia (DEXA), 456, 840
Acessório limitador de torque (ALT), com parafusos de cabeça bloqueada, 282
Acetábulo, fratura do
 ambas as colunas, 768*f*, 769
 anatomia, 745-746, 745*f*, 746*f*
 avaliação, 746-750, 746*f*-750*f*
 classificação, 745-746, 745*f*-749*f*
 classificação de Letournel, 747*f*, 748*f*
 coluna anterior, 766-767, 767*f*
  hemitransversa posterior, 768, 768*f*
 coluna posterior, 764, 765*f*
 complexa, 767-769, 767*f*, 768*f*
 complicações, 770
 comprometimento do nervo ciático na, 749
 configuração da sala de cirurgia na, 752, 752*f*
 cuidados pós-operatórios na, 769-770
 desfechos, 770
 diagnóstico, 746-750, 746*f*-750*f*
 epidemiologia, 745
 exame, 746, 749
 exame neurológico na, 749
 exame retal na, 746
 exame vaginal na, 746
 exames de imagem, 748*f*, 748*f*-750*f*, 749-750
 fixação, 98, 761-767, 763*f*-767*f*
 incidência oblíqua ilíaca na, 748*f*, 749
 incidência oblíqua obturadora, 748*f*, 749
 indicações cirúrgicas na, 750-751
 luxação cirúrgica anterior do quadril na, 760-761, 760*f*
 mau alinhamento na, 93
 mobilização precoce na, 769-770
 momento da cirurgia, 100, 751
 no politraumatismo, 320*f*, 323*f*
 osteoporose e, 769
 parede, 766-767, 767*f*
 parede posterior, 764, 764*f*, 765*f*
 pediátrica, 382
 periprotética, 837-838
 planejamento pré-operatório na, 751-752, 752*f*
 prognóstico, 770
 reabilitação na, 769-770
 redução aberta e fixação interna na, 763-767, 763*f*-767*f*
 redução na, 761-767, 763*f*-767*f*
 seleção de implantes na, 751
 seleção de instrumentos na, 751
 tomada de decisão na, 750-751
 transversa, 766, 766*f*
 transversa em forma de T, 767
 tromboembolismo venoso na, 431, 433
 trombose venosa profunda, 770
 via de acesso de Kocher-Langenbeck na, 745*f*, 752, 752*f*, 753-755-769, 789
 via de acesso de Stoppa modificada na, 758-759, 758*f*-759*f*
 via de acesso iliofemoral estendida na, 761, 762*f*
 via de acesso ilioinguinal na, 752, 752*f*, 755, 756*f*-757*f*
 via de acesso intrapélvica anterior, 758-759, 758*f*-759*f*
 vias de acesso cirúrgicas na, 753-761, 754*f*, 756*f*-760*f*, 762*f*
Ácido acetilsalicílico (AAS), 432, 440*t*
Ácido tranexâmico, 74
Aço
 erosão, 30
 formação de cápsula fibrosa com, 30-31, 32*f*
 inoxidável eletropolido, 27
 propriedades de superfície dos, 30-31, 30*f*, 32*f*
 reações alérgicas, 32
 resistência, 28*t*
 resistência à corrosão, 29
ACOD. *Ver* Anticoagulantes orais diretos (ACOD)
Acurácia, na classificação de fraturas, 48
Aditivos biológicos, em materiais, 35
Afastador de Hohmann, 128-129, 128*f*, 129*f*, 142
Afastador ósseo, 122*t*, 125, 125*f*
AFDL. *Ver* Ângulo femoral distal lateral (AFDL)
AINEs. *Ver* Anti-inflamatórios não esteroides (AINEs)
AIS. *Ver* Escala Abreviada de Lesão (AIS)
Alarminas, 313
Alças vasculares de silicone, 146, 147*f*
Allgöwer, Martin, 4
Aloenxertos
 na fratura por fragilidade, 475, 477*f*
 na luxação do joelho, 870, 871, 872-873, 873*f*
 na não união, 522-523
 nas fraturas periprotéticas, 846
Altura radial, 674, 674*f*
Alumínio-nióbio-titânio (ANT)
 como material, 27
 resistência, 28*t*
Ambiente de cuidados de saúde, tomada de decisão e, 80
Amitriptilina, 440, 446
Amoxicilina-clavulanato, 427*t*
Amputação
 banco de tecido e, 367
 controle da dor na, 440
 dor do membro fantasma na, 440
 na cirurgia de controle de danos, 75
 na fratura da tíbia, 910
 na fratura do pilão, 930
 na luxação de joelho, 869
 na osteomielite, 560
 na perda óssea, 353
 nos pacientes pediátricos, 392
 salvação do membro vs., 326, 349, 361-364, 361*f*-363*f*
 subtotal, 59, 67*f*
 traumática, 51*t*
Analgésicos, 437-442, 441*t*, 442*t*. *Ver também* Dor, controle da
Analgésicos opioides, 440-441, 441*t*, 462
Anderson, Roger, 3
Anel pélvico, fratura do
 algoritmo de emergência para, 730*f*
 anatomia na, 718, 718*f*, 719*f*
 anterior, 734-736, 734*f*, 735*f*, 736-737, 736*f*
 avaliação de longo prazo na, 743-744
 avaliação primária na, 721-725, 722*f*, 725*f*-729*f*
 cateterização na, 724
 cisalhamento vertical na, 720, 720*t*
 classificação, 720-721, 720*t*, 721*f*, 721*t*
 classificação de Tile na, 720, 721*f*, 721*t*
 classificação de Young-Burgess na, 720, 720*t*
 com instabilidade hemodinâmica, 725, 730-731, 730*f*
 complicações, 743
 compressão anteroposterior na, 720, 720*t*
 compressão lateral na, 720, 720*t*
 compressão pélvica na, 730-731
 configuração da sala de cirurgia na, 732, 733*f*
 contaminação fecal na, 724-725
 cuidados pós-operatórios, 743
 desfechos, 743-744
 diagnóstico, 717
 embolização arterial na, 723

embolização na, 723
epidemiologia, 717
exame sob anestesia na, 731, 736
exames de imagem, 717, 718f, 723
exposta, 724-725, 725f-729f
fixação da, 731-742, 731t, 733f-742f
fixação dos ramos púbicos na, 736-737, 736f
fixação externa na, 742, 742f
hipotensão na, 723
indicações para cirurgia na, 731-732, 731t
instabilidade da asa do ilíaco na, 737, 737f
instabilidade na
  com estabilidade hemodinâmica, 731-742, 731t, 733f-742f
  com instabilidade hemodinâmica, 725, 730-731, 730f
lateral, 737, 737f
lesão uretral na, 724
momento da cirurgia na, 732
parafusos de tração na, 737f
placa de compressão dinâmica de baixo contato na, 735f, 740
placa de compressão dinâmica na, 735f
posterior, 737-740, 738f-741f, 742, 742f
problemas, 743
ruptura da sínfise púbica na, 734-736, 734f, 735f
ruptura sacroilíaca na, 737-740, 738f-741f
sacral, 741f, 742, 742f
sinais de, 717
tomada de decisão na, 721-725, 722f, 725f-729f, 731-732, 731t
tomografia computadorizada na, 723
verticalmente instável, 742
vetor da força causal na, 720, 720t
Anestesia neuroaxial, 466
Angiogênese, 12
Angiossomos, 372, 914, 916f
Ângulo coluna central-diafisário (CCD), no úmero, 590
Ângulo de Böhler, 962f, 973f
Ângulo em lágrima, 674, 674f
Ângulo femoral distal lateral (AFDL), 815, 816f
Ângulo talocrural, 934, 935f
Ângulo variável (VA), placa de compressão bloqueada, 271, 271f, 846
ANT. Ver Alumínio-nióbio-titânio (ANT)
Antebraço, fratura do. Ver também Olécrano, fratura do; Rádio, fratura do
  consolidação viciosa na, 504, 504f
  cuidados pós-operatórios, 438t
  diáfise
    abordagem de Henry na, 664, 664f, 665f
    abordagem de Thompson na, 666, 666f
    anatomia, 657-658
    avaliação, 657
    características especiais da, 657

    classificação, 658-660, 658f-660f
    complicações, 670-671
    configuração da sala de cirurgia na, 661-662, 661f, 662f
    cuidados pós-operatórios, 670
    desafios, 670
    desfechos, 671
    diagnóstico, 657
    epidemiologia, 657
    exame físico, 657
    exames de imagem, 657
    fixação da, 668, 668f, 669f
    fratura de Galeazzi na, 659, 659f
    história do caso na, 657
    indicações cirúrgicas para, 661
    lesão de Essex-Lopresti na, 660, 660f
    momento da cirurgia na, 661
    não união na, 671
    paralisia de nervo na, 670
    planejamento pré-operatório, 661-662, 661f, 662f
    prognóstico, 671
    redução na, 667, 667f
    refratura na, 671
    seleção de implantes na, 661
    síndrome compartimental na, 670
    síndrome da dor regional complexa na, 670
    sinostose na, 670-671
    via de acesso posterolateral para, 666, 666f
    vias de acesso cirúrgicas na, 662-666, 663f-666f
  encavilhamento intramedular na, 222
  lesão de Essex-Lopresti na, 654, 654f
  mau alinhamento aceitável na, 381t
  pediátrica, 399-402, 400f-402f
  placa de compressão bloqueada na, 289
  placas de compressão dinâmica de baixo contato na, 187
  proximal
    anatomia, 637, 637f, 638-640, 639f
    avaliação, 637-638, 638f
    classificação, 640, 640f
    complicações, 655
    configuração da sala de cirurgia para, 642f, 642-643, 643f
    cuidados não operatórios, 641
    desafios, 655
    desfechos, 655
    diagnóstico, 637-638, 638f
    epidemiologia, 637
    exame físico, 637
    exames de imagem, 637, 637f
    fixação da, 645-650, 646f-659f
    história do caso na, 637
    indicações cirúrgicas para, 641
    momento da cirurgia na, 641
    planejamento pré-operatório, 641-643, 642f, 643f
    posição em decúbito dorsal na, 642, 642f
    posição em decúbito ventral na, 642, 642f

    posicionamento do paciente na, 641-642, 642f
    prognóstico, 655
    redução da, 645-650, 646f-659f
    seleção de implantes na, 641
    vias de acesso cirúrgicas na, 643-645, 643f-645f
Antibioticoterapia
  biofilmes e, 532
  na fratura aberta, 338-339
  na infecção aguda, 541-542
  na infecção crônica, 556
Anticoagulantes orais diretos (ACOD), 463
Anticoagulantes, para pacientes com fratura por fragilidade, 462-463
Anti-inflamatórios não esteroides (AINEs), 77, 440, 440t, 462, 518
Antiplaquetários, 432
Antissépticos, 542
AO (Arbeitsgemeinschaft für Osteosynthesefragen/Association for the Study of Internal Fixation)
  filosofia da, 3, 6-7
  papel da, 4
  princípios contemporâneos da, 6-7
  princípios originais da, 5
Aporte molecular ativo, 33
Arco em C, 483-485, 483f-485f, 486-488, 487f
Área de Lisfranc, 990
Armação bilateral, na fixação externa, 263
Armação de alongamento, 263
Armação de fixação externa para sustentação, 263, 263f
Armação em A, na fixação externa, 263
Armação unilateral, na fixação externa, 263
Artéria axilar, 591f
Artéria circunflexa umeral anterior, 591f
Artéria circunflexa umeral posterior, 591f
Artérias segmentares, 137, 138f
Articulação carpometacarpal, anatomia, 699
Articulação carpometacarpal, fratura da
  no polegar, 704-706, 704f-707f
  nos dedos, 706
Articulação de Chopart, 983, 983f
Articulação, fratura de. Ver Fratura articular
Articulação metacarpofalângica, anatomia, 700, 700f
Articulação radioulnar proximal (ARUP), 658-659, 659f
Articulações interfalângicas, anatomia das, 700, 700f, 701f
Artrite. Ver Osteoartrite; Artrite séptica
Artrite séptica, 532-533, 532f, 541, 544
Artrodese
  e consolidação viciosa intra-articular, 494
  fixação externa na, 265
  na consolidação viciosa, 518f
  na fratura da tíbia, 930

na fratura do tálus, 972
na fratura do fêmur, 786
Artroplastia total de cotovelo, 625, 631
ARUP. *Ver* Articulação radioulnar proximal (ARUP)
ASLS. *Ver* Sistema bloqueado estável angular (ASLS)
Autodinamização, de hastes intramedulares, 238
Avaliação do estado neurológico, na lesão de partes moles, 54-55
Avaliação do estado vascular
na fratura articular, 96
na lesão de partes moles, 54
Avaliação focada com ultrassom no trauma (FAST), 723
Avaliação muscular na lesão de partes moles, 53-54
Avaliação primária, no politraumatismo, 74
Avaliação radiográfica. *Ver* Exames de imagem
Avaliação secundária, no politraumatismo, 74, 317f

## B

Banda de tensão, conceito
aplicação da, 212-213, 211f, 212f
biomecânica da, 209-211, 209f-211f
complicações, 215
em ossos curvos, 212
estática, 213, 213f
lado de compressão na, 209, 209f
lado de tensão na, 209, 209f
materiais para, 212, 212f
na fratura articular, 210-211, 211f
na fratura da patela, 213, 213f
na fratura diafisária, 212
na fratura do maléolo, 950f
no fêmur, 210, 210f
pré-requisitos para, 215
problemas, 215
técnica cirúrgica com, 211f, 214-215, 214f
Beta-lactamase, indutores de, 422, 424
Beta-tricalciofosfato (β-TCP), 34
Biocompatibilidade, propriedades, 29-32, 30f, 32f
Biofilme, 53, 366, 530, 531f, 532, 548, 548f, 556
Biomecânica. *Ver também* Mecanobiologia
da consolidação indireta da fratura, 17-19, 17f-19f
da fixação com estabilidade absoluta, 19-24, 20f-24f
da fixação com estabilidade relativa, 16-19, 17f-19f
da fixação externa, 22, 254-255, 255f
da fratura multifragmentada, 19
da lesão de partes moles, 51, 51t
da placa de compressão bloqueada, 21-22, 192-194, 193f, 194f, 288-289, 288t

da placa em ponte, 21, 204-205, 205f
das bandas de tensão, 209-211, 209f-211f
das hastes intramedulares, 17
das placas, 17, 21-22, 22f, 186t
de implantes, 20-22, 21f, 22f
do calo, 17-18, 18f
do tratamento não cirúrgico de fraturas, 15-16, 16f
dos parafusos, 175-176, 175f-177f
dos parafusos de tração, 20-21, 21f
e consolidação óssea, 15-24, 15f-24f
imobilização externa e, 16
na fratura da patela, 853
na fratura de osso esponjoso, 23
na fratura do rádio, 676
na fratura periprotética, 839
tração e, 15, 16f
Bloqueios nervosos, 442
BMPs. *Ver* Proteínas morfogenéticas ósseas (BMPs)
Böhler, Lorenz, 4, 4f
Braçadeiras, na fixação externa, 260, 261f
Bradicinina, 52

## C

Calcâneo, fratura do
anatomia, 963
ângulo de Böhler na, 962f, 973f
artrite na, 972
avaliação, 961-963, 962f
classificação, 964, 964f
complicações, 972
configuração da sala de cirurgia na, 966, 966f
consolidação viciosa na, 510, 972
cuidados pós-operatórios, 439t, 972
desfechos, 972-974
desvio extra-articular na, 966
desvio intra-articular na, 964f, 966
diagnóstico, 961-963, 962f
etiologia, 961
exames de imagem, 962-963, 963f
fixação da, 969
indicações cirúrgicas na, 965
linhas de fratura secundárias na, 964f, 966, 967f
osteossíntese com placa minimamente invasiva na, 154
planejamento pré-operatório, 965
prognóstico, 972-974
redução aberta e fixação interna da, 140
redução da, 968, 968f
uso de placas na, 970f
Cálcio, terapia com, 465-466
Calicreína, 52
Calo
biomecânica do, 17-18, 18f
consolidação óssea e perfusão do, 11, 12
duro, formação na consolidação de fraturas, 13, 14f

mole, formação na consolidação de fraturas, 13, 14f
na consolidação primária, 12
placas em ponte e, 242, 242f, 243f
*strain* e formação do, 19
suprimento sanguíneo do, 12, 12f
Canto posterolateral (CPL), 866f, 867, 867f, 872, 872f
Canto posteromedial (CPM), 866, 866f, 872, 873f
Cápsula do cotovelo, 640
Características do paciente
na consolidação óssea, 9
na tomada de decisão, 76-78
Cateterização, na fratura do anel pélvico, 724
CCD. *Ver* Ângulo coluna central-diafisário (CCD)
CDO. *Ver* Controle de danos ortopédicos (CDO)
Cefalosporina, 427t
Cefoxitina, 422
Ceftazidima, 422, 423
Cefuroxima, 424t
Cerclagem, na osteossíntese com placa minimamente invasiva, 152
Cetamina, 440
Cetorolaco, 440t
CFCT. *Ver* Complexo da fibrocartilagem triangular (CFCT)
Chave de fenda com limitação de torque, 181, 272t, 282, 283t
Choque, 318t
Cicatrização de partes moles
fase inflamatória na, 52
fase proliferativa na, 52
fase reparadora na, 52
fases da, 51
respostas fisiopatológicas na, 52
Cimento ósseo
espaçadores, 353, 354f
na fratura do fêmur, 832
na fratura por fragilidade, 474, 474f
nas pérolas de antibióticos, 147f, 339, 426
Cinta pélvica, 717, 721-723, 722f, 730, 730f
Cintilografia, no diagnóstico de infecção, 536, 549
Ciprofloxacino, 423
Cirurgia de controle de danos, no politraumatismo, 75, 75f
Cirurgia de revisão
fraturas periprotéticas e, 848
placas de compressão bloqueada na, 277
Cirurgião plástico, na perda de partes moles, 365
Citocinas, 52
Classificação de Allman, 575
Classificação de Edimburgo, 575
Classificação de Fernandez, 677, 677t
Classificação de fraturas
acurácia na, 48
atributos na, 39, 40f

confiabilidade interobservador na, 48
de Tscherne, 59
epífise na, 41
estrutura na, 39, 40*f*
exposta, 335, 335*t*
grupos na, 44-45, 44*t*, 45*t*
localização na, 39, 40*f*, 41, 41*f*
metáfise na, 41
morfologia na, 39, 40*f*, 42-45, 42*t*-45*t*
no segmento maleolar, 43, 43*t*
observação na, 46
ossos e segmentos na, 40*f*, 41, 41*f*
processo de, 46-47, 46*t*, 47*t*, 49
processo de revisão, 48-49
sistema de, 49
sistema de codificação na, 40*f*
subgrupos na, 44-45, 44*t*, 45*t*
terminologia, 49
tipos na, 42-43, 42*t*, 43*t*
validação da, 48
validade do conteúdo na, 48
visualização na, 46
Classificação de Gustilo das fraturas expostas, 58, 59*t*, 335*t*
Classificação de Gustilo-Anderson das fraturas expostas, 335*t*
Classificação de Hawkins, 975*t*
Classificação de Letournel, 747*f*, 748*f*
Classificação de Mason das Fraturas da Cabeça do Rádio, 640, 641*f*
Classificação de Neer, 592
Classificação de Salter-Harris, 383, 384*t*-385*f*
Classificação de Tile, 720, 721*f*, 721*t*
Classificação de Tscherne, da lesão aberta das partes moles, 59
Classificação de Vancouver, 841, 841*t*, 842*f*
Classificação de Weber para a fratura de tornozelo, 41
Classificação de Young-Burgess, 720, 720*t*
Classificação LEGO, 592
Clavícula, fratura da
  anatomia, 574, 574*f*
  avaliação, 573-574, 573*f*, 574*f*
  características especiais da, 573
  classificação, 575
  classificação de Allman para, 575
  classificação de Edimburgo na, 575
  complicações, 585
  configuração da sala de cirurgia na, 577, 577*f*
  consolidação viciosa na, 501, 585
  cuidados pós-operatórios na, 584
  da extremidade lateral, 575, 580-583, 580*f*-583*f*
  da extremidade medial, 575, 584
  desfechos, 585
  diagnóstico, 573-574, 573*f*, 574*f*
  epidemiologia, 573
  exame físico na, 573, 573*f*
  exames de imagem, 574, 574*f*
  fixação da, 578-584, 578*f*-583*f*
  fratura da diáfise na, 575
  hastes intramedulares na, 223, 579

história do caso na, 573
indicações cirúrgicas na, 575
luxação da articulação acromioclavicular, 581-583, 582*f*, 583*f*
luxação da articulação esternoclavicular na, 584
momento da cirurgia na, 576
não união na, 585
nervo supraescapular na, 574, 574*f*
osteoartrite com, 585
osteossíntese com placa minimamente invasiva na, 155, 155*f*, 579, 579*f*
placa de compressão bloqueada na, 576
placa em ponte na, 578
planejamento pré-operatório, 576-577, 576*f*, 577*f*
prognóstico, 585
redução da, 578
seleção do implante na, 576-577, 576*f*
uso de placas na, 578, 578*f*, 580-583, 580*f*-583*f*
vias de acesso cirúrgicas, 577*f*, 578
Clindamicina, 423, 427*t*
Clopidogrel, 432, 462
*Clostridium difficile*, 422, 423, 425, 427*t*
Cloxacilina, 423
Coagulopatia, no politraumatismo, 314-315, 314*f*, 315*t*
Codeína, 441, 441*t*
Colapso cutâneo, na osteossíntese com placa minimamente invasiva, 170
Comorbidades
  com fratura exposta, 334
  com osteoporose, 457-458
  suprimento sanguíneo e, 10
Complexo da fibrocartilagem triangular (CFCT), 676, 676*f*
Complexo do ligamento colateral lateral, 639*f*, 640
Complexo do ligamento colateral medial, 639, 639*f*
Complexo tibiofibular inferior, 936, 936*f*
Complexos ligamentares colaterais, na fratura do maléolo, 937*f*, 937
Complicações
  na banda de tensão, 215
  na fratura da escápula, 570
  na fratura de clavícula, 585
  na fratura do acetábulo, 770
  na fratura do anel pélvico, 743
  na fratura do antebraço
    diáfise, 670-671
    proximal, 655
  na fratura do calcâneo, 972
  na fratura do fêmur
    diáfise, 813
    distal, 834
    proximal, 786
  na fratura do maléolo, 957-959, 958*f*
  na fratura do pilão, 928-930
  na fratura do rádio, 694, 695*f*
  na fratura do talo, 979-980
  na fratura do úmero
    diáfise, 620

distal, 635
proximal, 604-605
na fratura exposta, 348
na fratura proximal da tíbia, 896
na luxação de joelho, 874
na osteossíntese minimamente invasiva (OMI), 170
Compressão interfragmentar
  parafusos de tração na, 179-180, 180*f*, 181*f*
  placas e, 198
Compressão pélvica, 730-731
Comunicação
  nos cuidados pós-operatórios, 444
  tomada de decisão e, 80
Confiabilidade interobservador, na classificação de fraturas, 48
Congruência da pinça, 937-938. *Ver também* Maléolo, fratura do
Consolidação óssea
  angiogênese na, 52
  biologia da, 12-14, 14*f*
  biomecânica, 15-24, 15*f*-24*f*, 17-19, 17*f*-19*f*
  características do paciente na, 9
  direta, 12, 22-24, 23*f*, 24*f*
  e características do osso, 10
  fatores de crescimento na, 13
  formação de calo duro na, 13, 14*f*
  formação de calo mole na, 13, 14*f*
  fresagem e, 218
  indireta, 12, 13, 14*f*, 17-19, 17*f*-19*f*
  inflamação na, 13, 14*f*
  mecanobiologia da, 17-19, 17*f*-19*f*, 22-24, 23*f*, 24*f*
  na fixação com estabilidade absoluta, 19-20
  na fratura por fragilidade, 475
  no osso cortical, 14
  no osso esponjoso, 14
  perfusão do calo e, 12
  primária, 12, 22-24, 23*f*, 24*f*
  proteínas morfogenéticas ósseas na, 13
  redução e, 119
  remodelamento na, 13, 14*f*
  secundária, 13, 14*f*, 17-19, 17*f*-19*f*
  sem tratamento, 15, 15*f*
  tipos de, 12
Consolidação viciosa
  autodinamização e, 238
  bandas de tensão e, 212, 212*f*
  classificação, 493-496, 493*f*-496*f*
  combinada, 510
  definição, 493
  diafisária, 496, 496*f*
  discrepâncias de comprimento com, 493, 493*f*
  encavilhamento intramedular e, 219, 220, 499
  escolha do implante na, 498-499, 498*f*
  fixação externa na, 499
  fixação na, 498-499, 498*f*, 500*f*
  infectada, fixação externa e, 265
  intra-articular, 494, 494*f*

metafisária, 495, 495f
na clavícula, 501, 585
na fratura do maléolo, 510, 511f
na fratura do rádio, 694
na fratura do tálus, 980
na osteossíntese minimamente invasiva, 170
na tíbia, 506-510, 508f, 509f
neuropática, com diabetes, 76
no antebraço, 504, 504f
no calcâneo, 510, 972
no fêmur, 504-506, 506f, 507f, 813
no tornozelo, 510, 511f
no úmero, 501-504, 501f-503f, 605
osteossíntese minimamente invasiva e, 160, 170
osteotomia diafisária na, 499
osteotomia em plano único na, 499, 500f
osteotomia metafisária na, 499
placa-lâmina angulada, 132f, 133
placas de compressão bloqueada na, 287, 498
redução na, 237, 498-499, 498f, 500f
sistema bloqueado estável angular e, 218
terminologia, 493-496, 493f-496f
tomada de decisão na, 497, 497f
uso de placas em ponte e, 241, 301
Consolidação viciosa, Lisfranc, 510
Construto da comorbidade, 459, 459f
Contaminação fecal, na fratura pélvica exposta, 724-725
Controle de danos ortopédicos (CDO), 220, 311-312, 317-319, 318f, 319t
Coronoide, fratura do
luxação do cotovelo na, 653, 653f
vias de acesso cirúrgicas na, 644-645, 644f, 645f
Costela, fixação da fratura de, 325
CPM. *Ver* Canto posteromedial (CPM)
Crescimento e desenvolvimento, em fraturas pediátricas, 379-381, 381t
Crianças. *Ver* Fratura pediátrica
CTP. *Ver* Cuidado total precoce (CTP)
Cúbito varo, 398
Cuboide, fratura do
anatomia, 988, 988f
compressão, 990
padrões de fratura no, 988-990, 989f, 990f
tratamento, 988-990, 989f, 990f
tratamento não cirúrgico, 988
uso de placas na, 989f
Cuidado apropriado precoce, no politraumatismo, 76, 312
Cuidado total precoce (CTP), no politraumatismo, 75-76, 220, 311-312, 319, 319t
Cumarínicos, 463
Curativos
na fratura exposta, 346-347, 347f
nos cuidados pós-operatórios, 442

# D

DAMPs. *Ver* Padrões moleculares associados ao dano (DAMPs)
Danis, Robert, 3, 4, 4f
DCP. *Ver* Placa de compressão dinâmica (DCP)
DDD. *Ver* Doença discal degenerativa (DDD)
Debridamento
da lesão de partes moles, para diagnóstico, 54
na fratura exposta, 339-340, 340f
na reconstrução de partes moles, 366
no tratamento da infecção aguda, 537-538
no tratamento da infecção crônica, 551, 551f
Deficiência de antitrombina, 431t
Deformidade em valgo, 83, 506, 506f, 507, 507f
Deformidade em varo, 83, 506f, 507f, 509
Deformidade residual, na fratura diafisária, 83
*Delirium*, 463-464
Demência, fratura por fragilidade e, 458, 463-464
Densidade óssea, definição, 454
Descompressão, na fresagem, 219
Desenluvamento
de pele fechada, 54, 62f, 141, 141f
enxertos cutâneos no, 370
na fratura articular, 100
Desnutrição, 465
Desvios
estabilização e, 15, 16
exames de imagem, 117
fixação externa e, 16, 17
fricção e, 20
na fratura articular, 98
pré-tensão compressiva, 20f
redução e, 117, 117f
rotacional, 117f
secundários, tratamento não cirúrgico e, 87
translacional, 117f
DEXA. *Ver* Absorciometria de raios X de dupla energia (DEXA)
Dextrometorfano, 440
DHS. *Ver* Parafusos, dinâmico do quadril (DHS)
Diabetes
fratura do maléolo no, 956, 959
fratura por fragilidade e, 458
infecção e, 76
não união e, 518, 518f
tomada de decisão e, 76
Diclofenaco, 440t
Di-hidromorfina, 462
Dinamização das hastes intramedulares, 238
Discrepâncias de comprimento, na consolidação viciosa, 493, 493f

Dispositivo de tensão articulado
com placa de compressão dinâmica de baixo contato, 188
estabilidade absoluta e, 199-200, 199f, 200f
na consolidação viciosa, 511f
na fratura do fêmur, 794
na fratura do úmero, 619
na não união, 523, 523f
na redução, 132f
Dispositivos de compressão sequencial, na profilaxia do tromboembolismo, 432
Distração do calo, na infecção crônica, 555, 555f
Divisão do deltoide, na fratura proximal do úmero, 596, 596f
Doença arterial periférica, tomada de decisão e, 76
Doença articular, tomada de decisão e, 77
Doença discal degenerativa (DDD), proteína morfogenética óssea-2 na, 13
Doença hepática, tomada de decisão e, 77
Doença renal
fratura por fragilidade e, 458
tomada de decisão e, 76-77
Doença venosa, tomada de decisão e, 76
Dor, controle da. *Ver também* Síndrome da dor regional complexa (SDRC)
analgésicos, 437-442, 441t, 442t
analgésicos opioides, 441, 441t
anti-inflamatórios não esteroides, 440, 440t
bloqueios nervosos, 442
codeína, 441, 441t
fármacos neuromoduladores, 440
fentanila, 441, 441t
hidrocodona, 441, 441t
hidromorfona, 441, 441t
inibidores da COX-2, 440
meperidina, 441, 441t
morfina, 441, 441t
na síndrome da dor regional complexa, 445, 446-447, 446f
nos cuidados pós-operatórios, 437-442, 437f, 438t-439t, 440t, 441t
nos pacientes com fratura por fragilidade, 462
oxicodona, 441, 441t
paracetamol, 437
Drenos, 146
Drenos a vácuo, 146
Drenos de sucção, 146
Ductilidade, dos materiais, 28

# E

Efeitos bioquímicos da fratura, 10. *Ver também* Efeitos mecânicos
Efeitos mecânicos da fratura, 10. *Ver também* Biomecânica
Eletrocauterização, 142
Embolia pulmonar (EP), 219, 429, 430. *Ver também* Profilaxia do tromboembolismo

Embolização arterial, na fratura de anel pélvico, 723
Enchimento capilar, 359, 359f
Encurvamento do fêmur, 817
Envelope de partes moles, na fratura articular, 96
Enxerto ósseo, substitutos, 34-35
Enxertos
  aloenxertos
    na fratura por fragilidade, 475, 477f
    na luxação do joelho, 870, 871, 872-873, 873f
    na não união, 522-523
    nas fraturas periprotéticas, 846
  cutâneos, na reconstrução de partes moles, 368-370, 369f
  ósseos
    na fratura do navicular, 987f
    na fratura por fragilidade, 475, 476f
    na infecção crônica, 553, 553f, 556
    na não união, 519, 521f, 522
EP. *Ver* Embolia pulmonar (EP)
Epífise, na classificação de fraturas, 41
Equipamento
  na redução, 121-131, 122t, 123t, 124f-131f
  no planejamento pré-operatório, 109, 109f
Equipamentos de proteção, para exposição à radiação, 486
Erosão, 30
ESA. *Ver* Exame sob anestesia (ESA), na fratura de anel pélvico
Escada de reconstrução, 367-368, 367f
Escala Abreviada de Lesão (AIS), 311, 318t
Escala de gravidade de mutilação da extremidade (MESS), 361
Escala de lesão do nervo, isquemia, lesão de partes moles, lesão esquelética, choque e idade do paciente (NISSSA), 361
Escala Visual Analógica (EVA), 437, 437f
Escápula, fratura da
  anatomia, 565
  articular, 569, 569f
  avaliação, 565
  características especiais da, 565
  classificação, 566
  colo da escápula na, 569
  complicações, 570
  configuração da sala de cirurgia na, 566, 567f
  cuidados pós-operatórios, 570
  desafios, 570
  desfechos, 572
  diagnóstico, 565
  e da clavícula ipsilateral, 570
  epidemiologia, 565
  exames de imagem, 565
  fixação da, 570, 571f
  hematoma na, 570
  história da, 565
  indicações cirúrgicas na, 566
  infecção com, 570
  momento da cirurgia na, 566

  osteossíntese com placa minimamente invasiva na, 154
  paralisia do nervo supraescapular na, 570
  planejamento pré-operatório com, 566
  processo escapular na, 568-569
  prognóstico, 572
  redução na, 568-570, 569f
  rigidez após, 570
  seleção de implantes na, 566
  uso de placas na, 570, 571f
  via de acesso deltopeitoral na, 567
  via de acesso superior na, 567
  vias de acesso cirúrgicas na, 567-568, 568f
  vias de acesso posteriores na, 567, 568f
Escareador, 176, 176f
Esfera com ponta, 129
Estabilidade
  absoluta
    biomecânica e, 15, 19-24, 20f-24f
    com parafusos de cabeça bloqueada, 173
    com placas de compressão bloqueada, 289-294, 290f-294f, 305
    consolidação direta e, 12
    consolidação indireta e, 12
    definição, 15
    dispositivo de tensão articulado e, 199-200, 199f, 200f
    dos imobilizadores externos, 16
    e fratura de osso esponjoso, 23
    fixação cirúrgica com, 19-24, 20f-24f
    fixadores externos e, 22
    fricção e, 20, 20f
    implantes e, 20-22, 21f, 22f
    mecânica da, 20, 20f
    na fixação externa, 255
    na fratura diafisária, 22-23, 23f
    na história do tratamento de fraturas, 9
    na osteossíntese com placa minimamente invasiva, 153
    na osteossíntese minimamente invasiva, 149
    parafusos de tração e, 20-21, 21f, 173, 198-199, 198f, 199f
    placas de proteção e, 198-199, 198f, 199f
    placas e, 21-22, 22f, 198-202, 198f-202f
    pré-tensão compressiva e, 20, 20f
    suprimento sanguíneo e, 23-24, 24f
  formação de calo mole e, 13
  na fratura articular, 95, 95f
  relativa, 9
    biomecânica e, 15
    características do osso e, 10
    com fratura por fragilidade, 471, 472f
    com placas de compressão bloqueada, 17, 294-305, 295f-307f
    consolidação indireta e, 12
    da fixação externa, 16-17
    das hastes intramedulares, 17

    dos implantes, 16
    fixação cirúrgica com, 16-19, 17f-19f
    na osteossíntese com placa minimamente invasiva, 153
    na osteossíntese minimamente invasiva, 149
Estiloide radial, 676
EVA. *Ver* Escala Visual Analógica (EVA)
Exame retal, na fratura do acetábulo, 746
Exame sob anestesia (ESA)
  na fratura de anel pélvico, 731, 736
  na lesão da articulação tarsometatarsal, 994
  na luxação de joelho, 871
Exame vaginal, na fratura do acetábulo, 746
Exames de imagem
  cópias impressas dos, 489
  desvios nos, 117
  documentação dos, 488-489
  futuro dos, 489
  intensificador de imagem móvel na, 483-485, 483f-485f
  modos de memória nos, 488
  na avaliação de fratura articular, 98, 99f
  na avaliação de fratura diafisária, 84-86
  na classificação de fraturas, 46
  na fratura da clavícula, 574, 574f
  na fratura da escápula, 565
  na fratura da patela, 854
  na fratura da tíbia
    diáfise, 900
    proximal, 878, 878f
  na fratura distal do rádio, 673-676, 674f-676f
  na fratura do acetábulo, 748f, 748f-750f, 749-750
  na fratura do anel pélvico, 717, 718f, 723
  na fratura do antebraço, 637, 637f, 657
  na fratura do calcâneo, 962-963, 963f
  na fratura do fêmur
    diáfise, 790
    proximal, 774
  na fratura do maléolo, 934-935, 934f, 935f
  na fratura do pilão, 914
  na fratura do úmero
    diáfise, 607
    distal, 623
    proximal, 588-590
  na fratura pediátrica, 382-383
  na fratura periprotética, 839-840, 840f
  na fratura proximal do úmero, 588f-590f
  na lesão da articulação tarsometatarsal, 991, 992f
  na osteossíntese com placa minimamente invasiva, 154
  no diagnóstico de infecção, 536
  no planejamento pré-operatório, 106, 107
  nos cuidados pós-operatórios, 444, 447-448

papel dos, 481, 481*t*
riscos da exposição à radiação nos, 481-482, 482*t*
Expectativa de vida, 451
Exposição com divisão do tríceps, na fratura distal do úmero, 627-628

# F

Falange, anatomia da, 700, 700*f*
Falange, fratura da
  diafisária, 709, 709*f*
  intra-articular, 710-712, 711*f*, 712*f*
  uso de placas na, 701*t*, 702*f*
  via de acesso cirúrgica para, 709-710, 709*f*-712*f*, 712, 712*f*
Fármacos neuromoduladores, 440
Fasciotomia, na síndrome compartimental, 57
FAST. *Ver* Avaliação focada com ultrassom no trauma (FAST)
Fator VIII, excesso de, 431*t*
Fatores de crescimento
  na cicatrização de partes moles, 52
  na consolidação de fraturas, 13
  nos materiais, 35
Fatores sociais, tomada de decisão e, 77-78
Fechamento, 144-146, 145*f*-147*f*, 862. *Ver também* Incisão
  alças vasculares de silicone no, 146, 147*f*
  importância do, 144
  no planejamento pré-operatório, 109
  síndrome compartimental e, 144
  sutura de Allgöwer-Donati no, 145, 145*f*
  técnicas de pérolas de antibióticos no, 146, 147*f*
Fechamento da ferida, 144-146, 145*f*-147*f*
Fêmur, fratura do. *Ver também* Hastes intramedulares
  atípica, na fratura por fragilidade, 469
  conceito de banda de tensão na, 210, 210*f*, 212*f*
  consolidação viciosa na, 496, 496*f*, 498*f*, 500*f*, 504-506, 506*f*, 507*f*
  cuidados pós-operatórios, 438*t*, 439*t*
  diáfise
    anatomia, 790-791, 790*f*
    associada a bifosfonados, 811, 811*f*, 812*f*
    atípica, 811, 811*f*, 812*f*
    avaliação, 789-790
    bilateral, 789
    características especiais da, 789
    classificação, 791, 791*f*
    colo, 805-807, 805*f*-807*f*
    com fratura distal, 807
    complicações, 813
    condição geral do paciente na, 790
    configuração da sala de cirurgia para, 795, 796*f*
    consolidação viciosa na, 813
    cuidados pós-operatórios, 813
    desafios, 805-811, 805*f*-812*f*
    desfechos, 813
    diagnóstico, 789-790
    encavilhamento intramedular na, 792*f*, 793, 799-800, 799*f*, 800*f*, 808, 808*f*
    epidemiologia, 789
    exame, 789-790
    exames de imagem, 790
    exames laboratoriais, 789
    exposta, 789
    fixação da, 802-805, 802*f*-804*f*
    fixação externa na, 795, 795*f*
    fresagem na, 804
    história do caso na, 789-790
    indicações cirúrgicas na, 791-792, 792*f*
    infecções na, 813
    mau alinhamento aceitável na, 381*t*
    momento da cirurgia na, 793
    não união na, 813
    osteossíntese com placa minimamente invasiva na, 151, 162, 162*f*, 794, 794*f*
    parafusos de Schanz na, 795, 795*f*, 803*f*
    parafusos de tração na, 806, 806*f*
    planejamento pré-operatório, 793-795, 794*f*, 796*f*
    posicionamento do paciente na, 797, 798*f*
    prognóstico, 813
    redução da, 802-805, 802*f*-804*f*
    seleção do implante na, 793-795, 794*f*, 795*f*
    subtrocantérica, 807-808, 808*f*
    suprimento sanguíneo na, 790-791, 790*f*
    uso de placas na, 792, 793-794, 794*f*, 800-801, 800*f*, 801*f*, 809, 809*f*
    vias de acesso cirúrgicas para, 797-801, 798*f*-801*f*
  discrepâncias de comprimento após, 493*f*
  distal
    anatomia, 815-817, 816*f*, 817*f*
    avaliação, 815
    classificação, 817, 817*f*
    com fratura da diáfise, 807
    complicações, 834
    configuração da sala de cirurgia na, 820, 820*f*
    cuidados pós-operatórios, 834
    desafios, 832
    desfechos, 834
    desviada, parafusos de tração na, 7*f*
    diagnóstico, 815
    encavilhamento intramedular na, 830-831, 830*f*, 831*f*, 834
    escora condilar na, 829-830, 829*f*
    extra-articular, 826, 826*f*
    fixação da, 826-832, 826*f*-833*f*
    fixação externa da, 831, 831*f*
    grupos musculares e, 817, 817*f*
    indicações cirúrgicas na, 818
    intra-articular, 819, 827-832, 827*f*-833*f*
    lesão vascular na, 817
    má posição da placa na, 834
    mau alinhamento na, 834
    momento da cirurgia na, 818, 818*f*
    não união na, 834
    osteossíntese com placa minimamente invasiva na, 162-164, 163*f*, 822, 822*f*
    periprotética, 832, 832*f*, 833*f*
    placa de compressão bloqueada na, 196*f*, 829-830, 829*f*
    planejamento pré-operatório, 818-820, 818*f*-820*f*
    posicionamento do paciente na, 821, 821*f*
    prognóstico, 834
    redução da, 826-832, 826*f*-833*f*
    seleção do implante na, 818-819, 819*f*
    sistema de estabilização menos invasivo na, 829-830, 829*f*
    via de acesso do encavilhamento retrógrado na, 825, 825*f*
    via de acesso lateral padrão, 822
    via de acesso lateral padrão modificada, 822, 822*f*
    via de acesso medial subvasto, 824, 824*f*
    via de acesso parapatelar na, 823, 823*f*
    vias de acesso cirúrgicas na, 821-825, 821*f*-825*f*
  encavilhamento intramedular na, 221-222
  fixação externa na, 257*f*
  na osteoporose, 467*f*-468*f*, 472*f*
  no politraumatismo, 220-221
  pediátrica, 381*t*, 404-413, 404*f*-414*f*
  periprotética, 467*f*-468*f*, 837-838, 847*f*, 848-851, 849*f*-850*f*
  proximal
    algoritmo para, 779
    anatomia, 774, 775*f*
    avaliação, 773-774
    características especiais da, 773
    classificação, 43, 43*t*, 774-776, 775*f*
    complicações, 786
    configuração da sala de cirurgia para, 780, 780*f*
    considerações sobre implantes, 776-779, 777*f*-779*f*
    cuidados pós-operatórios, 786
    da cabeça do fêmur, 785-786, 785*f*
    desafios, 782, 784, 786
    desfechos, 786
    diagnóstico, 773-774
    encavilhamento intramedular na, 779, 779*f*
    epidemiologia, 773
    exame, 773
    exames de imagem, 774
    fixação da, 782, 783*f*, 784, 784*f*, 785, 785*f*
    história do caso na, 773

indicações cirúrgicas na, 776
intertrocantérica, 782-784, 784f
momento da cirurgia na, 776
osteossíntese com placa minimamente invasiva na, 160, 160f-161f
parafusos dinâmicos de quadril na, 778, 778f
pertrocantérica, 777f
planejamento pré-operatório, 776-780, 777f-780f
prognóstico, 786
redução da, 782, 782f, 784, 784f, 785, 785f
subcapital desviada, 780-782, 781f-783f
subcapital não desviada, 780
vias de acesso cirúrgicas na, 780, 781f, 785
redução da
com encavilhamento intramedular, 228
com parafusos de Schanz, 245f
trocantérica de duas partes, 778f
Fentanila, 441, 441t
Fíbula, fratura da. *Ver também* Maléolo, fratura do
classificação da, 43f, 49
encavilhamento intramedular na, 343f
enxerto ósseo na, 553f
exposta, 334, 346f
fixação externa na, 345f
infecção na, 543f
na fratura do maléolo, 938f, 940f, 941f-942f, 945, 950, 950f, 951, 952f, 954, 954f, 955f
não união da, 519
pediátrica, 417, 418f
placa de compressão dinâmica de baixo contato, 187
placa de suporte na, 191f
via de acesso posterolateral na, 923f
Filosofia da AO, 3
Filtro de veia cava inferior (FVCI), 432
Fio de Kirschner, 101, 109
com placas de compressão bloqueadas, 303f
na aplicação de banda de tensão, 213f
na fixação externa, 261, 262, 397f, 534
na fratura condilar, 398, 399f
na fratura da clavícula, 580, 582f
na fratura da escápula, 569f
na fratura da patela, 858
na fratura da tíbia, 101f, 417
na fratura do fêmur, 404, 413, 413f, 505f
na fratura do maléolo, 950f, 951
na fratura do olécrano, 645-648, 647f
na fratura do rádio, 402, 403f
na fratura do úmero, 593, 598, 598f, 599f, 625
na fratura pediátrica, 392
na fratura supracondilar, 396, 396f
na lesão da articulação tarsometatarsal, 994, 995f

na osteossíntese com placa minimamente invasiva, 157f, 161f, 168f
na osteotomia em plano único, 499, 500f
na osteotomia valgizante, 505f, 507f
na redução com *joystick*, 130, 130f
na redução de Kapandji, 130
no encavilhamento intramedular, 227
no PHILOS, 302f
parafusos com, 283f
retrocesso, 215
Fios de cerclagem, 130, 131f
Fios de Steinmann, na fixação externa, 255, 260
Fise, na fratura pediátrica, 380
Fisioterapia, na fratura diafisária, 91
Fixação. *Ver também* Redução aberta e fixação interna (RAFI); Placas
biomecânica da, 16-19, 17f-19f
cirúrgica
biomecânica da, 19-24, 20f-24f
com estabilidade absoluta, 19-24, 20f-24f
com estabilidade relativa, 16-19, 17f-19f
com hastes intramedulares, 237-238, 237f
consolidação óssea e, 19-20
dos ramos púbicos, 736-737, 736f
externa
aplicações especiais da, 265-266
armação A na, 263
armação bilateral na, 263
armação de alongamento na, 263
armação para sustentação na, 263, 263f
armação unilateral na, 263
biomecânica da, 16-17, 22, 254-255, 255f
braçadeiras na, 260, 261f
cuidados pós-operatórios, 266-267
cuidados no trajeto do Schanz na, 266
diáfise na, 256
dinamização na, 267
elementos da, 260-262, 260f-262f
estabilidade na, 255f
estabilidade relativa da, 16-17
fio de Steinmann na, 255, 260
fixação externa na, 795, 795f
fixador em anel circular na, 262, 262f
fixador externo articulado na, 262
fixador externo híbrido na, 261, 261f
hastes na, 260, 260f
indicações para, 253-254, 254f
infecção após, 266-267
infecção e, 265
metáfise na, 256
montagem da armação na, 263-265, 263f-265f
na artrodese, 265
na consolidação viciosa, 499
na fratura articular, 253-254, 263, 263f
na fratura da tíbia, 256, 258f, 345f
diáfise, 905, 905f, 909

na fratura de anel pélvico, 742, 742f
na fratura diafisária, 90-91
na fratura do fêmur, 257f, 795, 795f, 831, 831f
na fratura do rádio, 686-690, 687f-691f
na fratura do úmero, 259f, 619, 619f
na fratura exposta, 253, 344-345, 345f, 353
na fratura fechada, 253
na fratura pediátrica, 392, 393f, 396, 397f
na fratura supracondilar, 396, 396f
na osteogênese por tração, 266
na osteotomia corretiva, 265
na redução, 121, 254
na redução articular, 266
não união e, 524
no politraumatismo, 253
no transporte ósseo, 266
no tratamento de infecção crônica, 552-553, 552f
osteomielite e, 533f, 534, 544
parafusos de Schanz na, 255, 260, 260f, 264, 264f
parafusos na, 255, 255f
perda de partes moles e, 254
perda óssea e, 254, 353
princípios, 254-256, 257f-259f
rigidez na, 255, 255f
sistema de tubo e haste na, 260, 260f
sistema monolateral na, 261, 261f
suscetibilidade a infecção e, 31
técnica de inserção do Schanz na, 255
técnica de redução modular na, 264-265, 264f, 265f
tempo para a, 267
transição para interna, 267
vantagens, 253
zonas seguras na, 256, 257f-259f
fricção e, 20, 20f
história da, 3-4
na consolidação viciosa, 498-499, 498f, 500f
na fratura articular, 94f
com extensão diafisária, 101f, 102
com extensão metafisária, 101f, 102
indicações, 98
técnicas, 101-102, 101f
na fratura da clavícula, 578-584, 578f-583f
na fratura da escápula, 570, 571f
na fratura da mão, 699, 704
na fratura da patela, 858-860, 859f-861f
na fratura da tíbia
diáfise, 907-909
proximal, 887-893, 887f-894f
na fratura de costela, 325
na fratura diafisária
indicações para, 86-87
técnicas, 90-91
na fratura distal do rádio, 682-684, 683f, 686, 687f

na fratura do acetábulo, 98, 761-767, 763f-767f
na fratura do anel pélvico, 731-742, 731t, 733f-742f
na fratura do antebraço, 645-650, 646f-659f, 668, 668f, 669f
na fratura do calcâneo, 969
na fratura do fêmur
  cabeça do fêmur, 785, 785f
  diáfise, 802-805, 802f-804f
  distal, 826-832, 826f-833f
  pediátrica, 404, 405f-406f
  proximal, 782, 783f, 784, 784f
na fratura do maléolo, 949-956, 950f, 952f-955f
na fratura do pilão, 925-928, 926f, 927f
na fratura do úmero
  diáfise, 619, 619f
  distal, 632-634, 633f, 634f
  proximal, 597-604, 597f-602f
na fratura exposta, 341-346, 342f-346f
na fratura periprotética, 846-848, 847f, 848, 849f
na fratura por fragilidade, 470, 471-475, 472f-474f
no cuidado total precoce para politraumatismo, 76
no planejamento pré-operatório, 108f, 109
osteomielite e, 533-534, 533f, 534f
osteoporose e, 456
pré-tensão compressiva e, 20, 20f
propósito da, 9
provisória, no planejamento pré-operatório, 109
reconstrução de partes moles e, 366
suprimento sanguíneo e, 12
Fixação externa
  aplicações especiais da, 265-266
  armação A na, 263
  armação bilateral na, 263
  armação de alongamento na, 263
  armação para sustentação na, 263, 263f
  armação unilateral na, 263
  biomecânica da, 16-17, 22, 254-255, 255f
  braçadeiras na, 260, 261f
  cuidados no trajeto do Schanz na, 266
  diáfise na, 256
  dinamização na, 267
  elementos da, 260-262, 260f-262f
  estabilidade na, 255
  estabilidade relativa da, 16-17
  fio de Steinmann na, 255, 260
  fixação externa na, 795, 795f
  fixador em anel circular na, 262, 262f
  fixador externo articulado na, 262
  fixador externo híbrido na, 261, 261f
  hastes na, 260, 260f
  indicações para, 253-254, 254f
  infecção após, 266-267
  infecção e, 265
  metáfise na, 256

montagem da armação na, 263-265, 263f-265f
na artrodese, 265
na consolidação viciosa, 499
na fratura articular, 253-254, 263, 263f
na fratura da tíbia, 256, 258f, 345f
  diáfise, 905, 905f, 909
na fratura de anel pélvico, 742, 742f
na fratura diafisária, 90-91
na fratura do fêmur, 257f, 795, 795f, 831, 831f
na fratura do rádio, 686-690, 687f-691f
na fratura do úmero, 259f, 619, 619f
na fratura exposta, 253, 344-345, 345f, 353
na fratura fechada, 253
na fratura pediátrica, 392, 393f, 396, 397f
na fratura supracondilar, 396, 397f
na osteogênese de distração, 266
na osteotomia corretiva, 265
na redução, 121, 254
na redução articular, 266
não união e, 524
no politraumatismo, 253
no transporte ósseo, 266
no tratamento de infecção crônica, 552-553, 552f
osteomielite e, 533f, 534, 544
parafusos de Schanz na, 255, 260, 260f, 264, 264f
parafusos na, 255, 255f
perda de partes moles e, 254
perda óssea e, 254, 353
princípios, 254-256, 257f-259f
rigidez na, 255, 255f
sistema de tubo e haste na, 260, 260f
sistema monolateral na, 261, 261f
suscetibilidade à infecção e, 31-32
técnica de inserção do pino na, 255
técnica de redução modular na, 264-265, 264f, 265f
tempo para a, 267
transição para interna, 267
tratamento pós-operatório, 266-267
vantagens, 253
zonas seguras na, 256, 257f-259f
Fixador em anel circular, 262, 262f
Fixador externo em anel, 262
Fixador externo híbrido, 261, 261f
Flictenas de fratura, 54, 54f, 140
Flucloxacilina, 424t, 427t
Formação de cápsula fibrosa, propriedades da superfície e, 31, 32f
Fosfato tricálcico, revestimento com, 33
Fragilidade, 458
Fragmento de Tillaux-Chaput, 914, 924, 924f
Fragmento de Volkmann, 914, 915f, 923, 924, 935
Fraqueza muscular dos abdutores, com encavilhamento intramedular, 226
Fratura. *Ver também* Fratura articular; Consolidação óssea; Fratura por fragilidade;

Fratura exposta; Fratura pediátrica; Fratura periprotética; *ossos específicos*
  com depressão fragmentada, 49
  contaminação e, no politraumatismo, 312
  depressão pura, 49
  diafisária
    avaliação inicial, 84-86
    avaliação radiográfica na, 84-86
    banda de tensão na, 212
    considerações funcionais com, 83-84, 83f
    consolidação viciosa na, 496, 496f
    cuidados pós-operatórios, 91
    deformidade em valgo na, 83
    deformidade em varo na, 83
    deformidade residual com, 83
    estado do paciente na, 84
    fisioterapia na, 91
    fixação da
      como padrão-ouro, 90-91
      indicações para, 86-87
      técnicas, 90-91
    gesso na, 87
    grupos na, 44, 44t
    hastes intramedulares na, 90
    helicoidal, definição, 44, 44t, 84
    história do caso na, 84
    incidência de, 84
    incisão e, 143
    lesão arterial na, 84
    lesão de partes moles na, 84, 85f, 86
    lesões associadas com, 86
    macanobiologia da consolidação na, 22-23, 23f
    mecanismo da, 84
    mobilização precoce após, 87
    momento da cirurgia na, 89, 89f
    não união na, 525-526, 526f
    oblíqua, 44, 44t
    padrões de lesão na, 84, 85f
    parafusos na, 90, 91f
    placas na, 90
    planejamento pré-operatório, 90
    princípios do tratamento cirúrgico na, 89-91, 89f
    processo de classificação na, 46, 46t
    radiografias na, 84-86
    redução da, 83f, 85f, 88f, 120
      momento da cirurgia e, 89
      técnicas, 90-91
    síndrome compartimental na, 84
    tipos de, 42
    transmissão de carga na, 91
    transversa, 44, 44t, 84
    tratamento não cirúrgico, 87-89, 88f
    uso de placa em ponte na, 241, 242, 242f
  efeitos bioquímicos da, 10
  efeitos mecânicos da, 10
  extra-articular, definição, 42, 42t
  fragmentada, 49
  hemorragia e, no politraumatismo, 312
  impactada, 49

isquemia-reperfusão e, no politraumatismo, 312
metafisária
consolidação viciosa na, 495, 495f
definição, 42
encavilhamento intramedular na, 230
na classificação, 47, 47f, 47t
não união na, 525
osteossíntese com placa minimamente invasiva na, 150
parafusos *Poller* na, 230, 230f
placas de compressão bloqueadas na, 272t, 288t, 289, 290f
redução da, 133, 133f
tipos de, 45, 45t
uso de placas em ponte na, 244
multifragmentada, 45, 45t, 85f
biomecânica da, 19
da patela, 856f, 860, 860f
definição, 42, 42t, 49
do rádio, 650
placas de compressão bloqueadas na, 288t
uso de placas em ponte na, 241, 241f, 242, 242f, 243f
no politraumatismo, importância da, 311-312
periarticular, placas de compressão bloqueadas na, 278, 278f, 291, 291f-293f
simples, 42, 42t
*split*, 49
suprimento sanguíneo e, 10-12, 11f, 12f
tomada de decisão e, 78
tratamento não cirúrgico, 15-16, 16f
zonas hipóxicas e, no politraumatismo, 312
Fratura articular
avaliação clínica, 96-98, 97f
avaliação da, 96-98, 97f
avaliação radiográfica da, 98, 99f
com extensão diafisária, 101f, 102
com extensão metafisária, 101f, 102
completa definida, 42t, 43
conceito de banda de tensão na, 210-211, 211f
considerações funcionais na, 94-96, 94f, 95f
consolidação viciosa na, 494, 494f
da escápula, 569, 569f
da falange, 710-712, 711f, 712f
da patela, 855f
do fêmur, 819, 827-832, 827f-833f
do metatarso, 996, 997f
envelope de partes moles na, 96
exposta, 353
fixação da, 94f
com extensão diafisária, 101f, 102
com extensão metafisária, 101f, 102
indicações, 98
técnicas, 101-102, 101f
fixação externa na, 253-254, 263, 263f
incisão e, 144
incongruência da superfície articular na, 94, 94f

instabilidade na, 95, 95f
lesão do ligamento na, 96
ligamentotaxia na, 101
mau alinhamento na, 94
mecanismo da lesão na, 96
mobilização precoce na, 98
momento da cirurgia, 100
movimento passivo contínuo na, 98
na osteoporose, 98
não união na, 524-525
osteoartrite pós-traumática na, 95, 95f
parcial, definição, 42t, 43, 45, 45t
placas de compressão bloqueadas na, 291, 291f-293f, 305
planejamento pré-operatório na, 100-101
por aplicação direta de força, 96, 97f
por aplicação indireta de força, 96, 97f
princípios, 93-104, 94f, 95f, 97f, 99f, 101f, 103f
radiografias na, 98, 99f
redução da, 101, 101f
imperfeita, 95f
momento da cirurgia e, 100
objetivo, 119
técnicas, 101-102, 101f
reparo das partes moles na, 102
situação vascular na, 96
tomografia computadorizada na, 98, 99f
tração na, 101, 120-121, 121f
tratamento não cirúrgico, 100
tratamento pós-operatório na, 102
Fratura condilar, em paciente pediátricos, 398, 399f
Fratura da articulação carpometacarpal do polegar, 704-706, 704f-707f
articular completa, 706, 706f
articular parcial, 704-705, 705f
extra-articular, 704
Fratura da asa do ilíaco, redução com afastador de Hohmann, 128-129, 129f
Fratura de Bennett, 704-705, 705f
Fratura de Galeazzi, 657, 659, 659f
Fratura de Holstein-Lewis, 609
Fratura de Monteggia
definição, 657, 658
luxação, posterior, 652-653, 652f-653f
pediátrica, 401, 401f
Fratura de Rolando, 706, 706f
Fratura do fêmur associada a bifosfonados, 811, 811f, 812f
Fratura epicondilar medial, nos pacientes pediátricos, 398, 399f
Fratura exposta
articular, 353
avaliação inicial da, 336t, 337-338, 338f
cirurgia primária na, 339-346, 339f, 340f, 342f-346f
classificação da, 335-336, 335f, 335t
classificação de Gustilo da, 58, 59t, 335t
classificação de Gustilo-Anderson da, 335t
comorbidades com, 334
complicações, 348

cuidados, 336-346, 336t, 338f-340f, 339t, 342f-346f
curativo da ferida na, 346-347, 347f
debridamento na, 339-340, 340f
desfechos com, 348
do maléolo, 957
do tálus, 978f
encaminhamentos a especialistas com, 337
epidemiologia, 334, 334t
estabilização da, 341-346, 342f-346f
etiologia, 332-333, 332f, 333f
fixação externa na, 253, 344-345, 345f, 353
fresagem na, 344, 344f
hastes intramedulares na, 343-344, 343f, 344f
infecção na, 334
irrigação na, 339-340, 340f
lesão de partes moles na, 54
lesões vasculares na, 349-350, 349f-351f
localizações da, 334, 334t
mecanismo de lesão, 332-333, 332f, 333f
metas do tratamento na, 336
microbiologia, 334
momento da cirurgia na, 79t, 339, 339t
na lesão penetrante, 332, 332f
na lesão por esmagamento, 332
na lesão por explosão, 333
nas lesões por arma de fogo, 352, 352f
nos pacientes pediátricos, 392
pélvica, 724-725, 725f-729f
perda óssea na, 353, 354f
perspectiva histórica, 331
problemas, 348
profilaxia com antibiótico na, 424, 427t
reconstrução das partes moles na, 348, 348f
situações especiais com, 349-353, 349f-352f, 354f
terapia com antibiótico na, 338-339, 347
terapia da ferida por pressão negativa, 347, 347f
uso de placas na, 342, 342f
"zona de lesão" na, 339, 339f
Fratura metacarpal do polegar, uso de placas na, 701t, 702f
Fratura multifragmentada, biomecânica da, 19
Fratura pediátrica
classificação, 383-387, 384t-385t, 386f, 387f, 388t-390t
condilar, 398, 399f
considerações sobre crescimento e desenvolvimento na, 379-381, 381t
crescimento epifisário na, 380
da tíbia, 381t, 415-419, 415f, 416f, 418f, 419f
da ulna, 401f
de Monteggia, 401, 401f
diáfise na, 380
do antebraço, 381t, 399-402, 399f-403f
do fêmur, 381t, 404-413, 404f-414f

do rádio, 399-400, 400f, 402, 402f, 403f
do úmero, 381t, 394-398, 395f-398f
e distúrbios do crescimento, 380
epicondilar medial, 398, 399f
epidemiologia, 379
estabilização cirúrgica da, 392, 393f
estabilização da, 391
exame clínico, 382
exames de imagem, 382-383
exposta, 392
fise na, 380
hastes intramedulares na, 392, 393f, 395f
história do caso na, 382
na Classificação AO Completa das Fraturas Pediátricas em Ossos Longos, 386-387, 386f, 387f, 388t-390t
na classificação de Salter-Harris, 383, 384t-385f
no politraumatismo, 382
placas na, 392
potencial de remodelamento na, 381, 381t
salvação na, 392
supracondilar, 396-398, 396f-398f
tratamento, 391-392, 393f
tratamento aberto da, 391
tratamento fechado da, 391
Fratura periprotética
ao redor do implante, 843, 843f
apofisária, 841
artroplastia de revisão e, 848
avaliação, 839-840, 840f
biomecânica na, 839
causas, 838-839
classificação, 841-843, 841t, 842f-844f
classificação de Vancouver da, 841, 841t, 842f
complicações, 851
condições clínicas ortogeriátricas na, 838-839
configuração da sala de cirurgia na, 845, 845f
demonstração de caso na, 848-851, 849f-850f
desfechos com, 851
diagnóstico, 839-840, 840f
distante do implante, 843
do acetábulo, 837-838
do fêmur, 837-838, 847f, 848-851, 849f-850f
  distal, 832, 832f, 833f
do joelho, 838
do membro superior, 838
encavilhamento intramedular na, 846, 847f
epidemiologia, 837-838, 838t
exame físico, 839
exames de imagem, 839-840, 840f
extra-articular, 841
fatores de risco para, 838-839
fixação interna da, 846-848, 847f
fixação na, 848, 849f
história do caso, 839

interprotética, 843
longe do implante, 843
na fratura distal do fêmur, 832, 832f, 833f
na hemiartroplastia, 843
no leito do implante, 843, 843f
no quadril, 837-838, 838t
parafuso de cabeça bloqueada na, 846
periarticular, 841
placas de compressão bloqueada na, 272t, 277, 277f, 847f
planejamento pré-operatório, 844-845, 844f, 845f, 848
poliperiprotética, 843
reabilitação na, 848, 850f
redução da, 846, 848, 849f
Sistema de Classificação Unificado na, 841-843, 841t, 842f-844f
técnica de artroplastia na, 839
tomada de decisão na, 844, 848
tratamento não cirúrgico, 845
Fratura por fragilidade. *Ver também* Osteoporose
abordagem de equipe com, 459-461
aloenxertos na, 475, 477f
anestesia em pacientes com, 466-467
anestesista na, 460
assistente social na, 461
caminho rápido dos pacientes, 461
cardiologista na, 461
carga após cirurgia para, 471
cimento ósseo na, 474, 474f
cirurgião de trauma na, 460
cirurgião ortopédico na, 460
comanejo na, 459-461
comorbidades com, 457-458
condições preexistentes e, 457-458
considerações sobre as instalações na, 459
consolidação óssea na, 475
Construto da Comorbidade e, 459, 459f
controle da dor e, 462
cuidado vitalício na, 461-462
cuidados pós-operatórios, 463-466
debilidade e, 458
definição, 451
deformação óssea na, 469
*delirium* e, 463-464
demência e, 458, 463-464
desfechos, 475
desnutrição e, 465
diabetes e, 458
diretrizes, 461
disfunção renal e, 458
doença cardíaca e, 457
doença pulmonar e, 458
enfermeiros ortopédicos na, 460
enxertos ósseos e, 475, 476f
epidemiologia, 451-454, 454f
estabelecimento de metas em pacientes com, 459
estabilidade relativa com, 471, 472f
etiologia, 454-457, 455f-457f
farmacêutico na, 461

fisioterapeuta na, 460-461
fixação, 470, 471-475, 472f-474f
fonoaudiólogo na, 461
fratura do fêmur atípica na, 469
geriatra na, 460
imobilização e, 458-459
imobilização na, 462, 473
incapacidades funcionais e, 458
manejo da transfusão sanguínea e, 464
manejo dos eletrólitos e, 462
manejo hídrico e, 462
manejo ortogeriátrico, 459-462, 459f, 475
mecanismos de lesão na, 456, 457f
mortalidade na, 475
no osso cortical, 455, 455f
nutricionista na, 461
paciente, 457-459
preocupações com as partes moles na, 467, 467f, 468f
prevenção secundária de fraturas na, 465-466
princípios do tratamento cirúrgico na, 467-475, 467f-470f, 472f-474f
protocolos, 461
psiquiatra na, 461
quedas e, 456, 465
reabilitação e, 465
sarcopenia e, 458
terapia anticoagulante em pacientes com, 462-463
terapia ocupacional na, 461
tratamento clínico na, 462-463
tromboprofilaxia na, 464-465
uso de placas na, 471, 472f
Fratura subtrocantérica, 6f
Fratura supracondilar pediátrica, 396-398, 396f-398f
Fratura vertebral, epidemiologia, com osteoporose, 454
Fratura-luxação posterior de Monteggia, 652-653, 652f-653f
Fratura-luxação transolecraniana, 651-652, 651f
Fresagem. *Ver também* Hastes intramedulares
  com hastes de Küntscher, 217
  consolidação óssea e, 218
  embolia pulmonar e, 219
  hastes intramedulares sem, 218, 219
  na fratura da diáfise do fêmur, 804
  na fratura exposta, 344, 344f
  necrose térmica e, 227
  nos pacientes politraumatizados, 219
  orifício distal, 219, 228
  resposta local às, 218-219
  resposta sistêmica às, 219
  suprimento sanguíneo e, 12, 218
  técnicas de, 227
  vantagens, 218
Fresagem, irrigação e aspiração (RIA), sistema de, 219

Fricção, 20, 20f
FVCI. *Ver* Filtro de veia cava inferior (FVCI)

## G

Gabapentina, 440
Gancho ósseo, 129
Gatifloxacino, 542
Gentamicina, 423, 424t, 427t
Gestação, exposição à radiação na, 482
Glicopeptídeos, 424

## H

Hastes intramedulares. *Ver também* Fresagem
    alinhamento axial das, 234, 234f
    aspectos atuais das, 220-221
    autodinamização das, 238
    biomecânica das, 17
    canuladas, 218
    comprimento no alinhamento das, 233, 233f
    contraindicações, 238
    controle do alinhamento com, 233-236, 233f-236f
    de Küntscher, 217, 217f
    dinamização das, 238
    em casos retardados, 237
    embolia pulmonar e, 219
    estabilidade relativa das, 17
    fisiopatologia, 218-221
    fraqueza do músculo abdutor com, 226
    infecção crônica com, 560
    mau alinhamento com, 231f, 237
    na clavícula, 223, 579
    na consolidação viciosa, 499
    na fratura da tíbia, 343f
        diáfise, 902-904, 903f, 904f, 905-906, 906f, 907-909
        proximal, 889-890, 889f
    na fratura diafisária, 90
    na fratura do fêmur, 221-222
        colo, 808, 808f
        diáfise, 791, 792f, 793, 799-800, 799f, 800f
        distal, 830-831, 830f, 831f, 834
        pediátrica, 407, 408, 408f-410f
        proximal, 779, 779f
    na fratura do olécrano, 648
    na fratura do úmero, 222, 601, 601f, 603, 609, 617-618, 617f, 618f, 619
    na fratura exposta, 343-344, 343f, 344f
    na fratura metafisária, 230, 230f
    na fratura pediátrica, 392, 393f, 394, 395f
    na fratura periprotética, 846, 847f
    na lesão flutuante do joelho, 227
    na não união, 524, 524f
    na redução, 132
    na tíbia, 221, 222, 227, 227f
    não fresadas sólidas, 218
    não união e, 237
    no antebraço, 222
    no encavilhamento femoral anterógrado, 226-227, 226f
    no encavilhamento femoral retrógrado, 227
    no encavilhamento tibial anterógrado, 227, 227f
    no maléolo lateral, 223
    no politraumatismo, 220-221
    no tratamento da infecção crônica, 553
    osteomielite e, 534, 535f, 538, 538f, 539f-540f, 543
    parafusos bloqueados com, 17, 237-238, 237f
    parafusos *Poller* com, 229-230, 230f
    planejamento pré-operatório com, 223-224, 244f
    posicionamento do paciente com, 223
    preparação do ponto de entrada com, 225, 225f, 226-227, 226f
    resposta local às, 218-219
    resposta sistêmica às, 219
    rotação das, 234-236, 235f, 236f
    seleção de implantes com, 223-224, 244f
    seleção do comprimento com, 223-224, 244f
    seleção do diâmetro, 224, 224f
    sem bloqueio, 218
    sem fresagem, 218, 219
    sem fresagem mas com bloqueio, 218
    sequência de bloqueio com, 231-232, 232f
    sistema bloqueado estável angular com, 218
    sistema de fresagem, irrigação e aspiração com, 219
    técnica do cabo com, 234, 234f
    técnicas de fixação com, 237-238, 237f
    técnicas de inserção, 225-228, 225f-227f
    técnicas de redução com, 228-237, 228f-236f
    tipos de, 217-218, 217f
    universal, 217
    via de acesso cirúrgica com, 225, 225f
HBPM. *Ver* Heparina de baixo peso molecular (HBPM)
Hemostasia, importância da, 142. *Ver também* Suprimento sanguíneo
Heparina, 432
Heparina de baixo peso molecular (HBPM), 432
Hidrocodona, 441, 441t
Hidromorfona, 441, 441t
Hiper-homocisteinemia, 431t
Hipotensão, na fratura da pelve, 723
Hipotermia, no politraumatismo, 74
Hoffmann, Raoul, 3

## I

Ibuprofeno, 440t
Idade do paciente, tomada de decisão e, 76
Impactor ósseo, 129
Implantes poliméricos biodegradáveis, 33
Implantes. *Ver também* Fratura periprotética; Placas
    biomecânica dos, 16, 20-22, 21f, 22f
    compatibilidade com a RM, 33
    estabilidade absoluta e, 20-22, 21f, 22f
    estabilidade relativa dos, 16
    indução de tumor e, 32
    infecção associada a, 530-532, 531f
    metais nos, 27
    na consolidação viciosa, 498-499, 498f
    na fratura da clavícula, 576-577, 576f
    na fratura da mão, 701-702, 701t, 702f
    na fratura da patela, 857
    na fratura da tíbia
        diáfise, 901
        proximal, 882
    na fratura do acetábulo, 751
    na fratura do antebraço, 661
    na fratura do fêmur
        diáfise, 793-795, 794f, 795f
        distal, 818-819, 819f
        proximal, 776-779, 777f-779f
    na fratura do maléolo, 946
    na fratura do pilão, 919, 919f, 920f
    na fratura do úmero
        diáfise, 610-611, 610f
        distal, 625
        proximal, 593
    na osteossíntese com placa minimamente invasiva, 153
    na redução, 132-134, 132f, 133f, 134f, 153
    nas placas em ponte, 245-247, 245f-247f
    poliméricos, 33-34
    reações alérgicas e, 32
    remoção dos, 448, 538
    remoção precoce dos, 448
    revestimentos em, 33
    suscetibilidade a infecções com, 31-32
Incidência de Velpeau, 588, 589f
Incisão. *Ver também* Fechamento
    fratura diafisária e, 143
    manuseio de partes moles e, 142, 142f
    redução e, 143-144, 143f, 144f
Inclinação palmar, 674, 674f
Inclinação radial, 674, 674f
Índice tornozelo-braquial (ITB), 54
Indometacina, 440t
Indução de tumor, materiais de implante e, 32
Indução de tumores, materiais de implante e, 32
Infecção. *Ver também* Antibioticoterapia; Osteomielite
    aguda
        antibioticoterapia na, 541-542
        associada ao implante, 530-532, 531f
        classificação da, 529, 530t
        debridamento na, 537-538
        diagnóstico, 536-537
        exames de imagem, 536
        histopatologia, 536-537

início da, 529-533, 530t, 531f, 532f
irrigação na, 538
microbiologia, 536-537
na necrose da borda da ferida, 530
no distúrbio de cicatrização da ferida, 530
no hematoma da ferida, 530
precoce, 530, 530t
remoção do implante na, 538
retardada, 530, 530t
retenção do implante na, 538
tardia, 530, 530t
tratamento, 537-542, 537f-542f
tratamento aberto da, 541
tratamento da ferida por pressão negativa, 541
tratamento fechado da, 541
após fixação externa, 266-267
crônica
   antibioticoterapia na, 556
   bacteriologia, 549
   cobertura das partes moles no tratamento da, 556
   debridamento na, 551, 551f
   diagnóstico, 549-551, 549f, 550f
   encavilhamento intramedular no tratamento da, 553
   enxertos ósseos no tratamento da, 553, 553f, 556
   estabilização na, 551-553, 552f
   exames de imagem na, 549, 549f, 550f
   fixação externa no tratamento da, 552-553, 552f
   histologia, 549
   na não união desvitalizada, 557-558
   na não união hipertrófica, 557, 557f
   no encavilhamento intramedular, 560
   no uso de placas, 559
   reconstrução óssea na, 552f-555f, 553-556
   técnica de Ilizarov no tratamento da, 555, 555f
   técnica de Masquelet no tratamento da, 553-554, 554f
   tração do calo no tratamento da, 555, 555f
   tratamento, 551-560, 552f-555f, 557f, 560f
   uso de placas no tratamento da, 553
diabetes e, 76
fatores de risco, 421t
fixação externa e, 265
materiais do implante e, 31-32
momento da cirurgia e, 78
na fratura exposta, 334, 338
na lesão de Morel-Lavallée, 140-141
na osteossíntese minimamente invasiva, 170
osso-implante, microbiologia, 422
prevenção, 544, 544t
revestimentos dos materiais e, 33
tipos de fratura e, 422
tipos de procedimento cirúrgico e, 422

Inflamação
   na cicatrização de partes moles, 52
   na consolidação de fraturas, 13, 14f
   no politraumatismo, 312-313
Inibidores da COX-2, 440
Intensificador de imagem móvel, 483-485, 483f-485f, 486-488, 487f
ITB. Ver Índice tornozelo-braquial (ITB)

## J

Joelho, fratura periprotética do, 838. Ver também Fêmur, fratura do, distal; Patela, fratura da

## K

König, Fritz, 3
Küntscher, Gerhard, 3, 4, 4f, 149

## L

Lambotte, Alain, 3, 3f, 4, 149
Lambotte, Elie, 3
Lane, William Arbuthnot, 3
LCA. Ver Ligamento cruzado anterior (LCA)
LCP. Ver Ligamento cruzado posterior (LCP)
LCP. Ver Placa de compressão bloqueada (LCP)
LCR. Ver Ligamento colateral radial (LCR)
LCUL. Ver Ligamento colateral ulnar lateral (LCUL)
Lei de Wolff, 455
Lesão cerebral. Ver Trauma craniencefálico
Lesão da articulação radioulnar distal, 695-696, 696f
Lesão da articulação tarsometatarsal
   anatomia, 990
   avaliação, 991-993, 991f-993f
   cuidados pós-operatórios, 994
   divergente, 993f
   divergente lateral completa, 993f
   divergente medial, 993f
   exame físico, 994
   exames de imagem, 991, 992f
   fios de Kirschner na, 994, 995f
   momento da cirurgia na, 993
   padrões de fratura na, 991-993, 991f-993f
   parafusos na, 994, 995f
   planejamento pré-operatório, 993
   tratamento cirúrgico, 994
Lesão de Essex-Lopresti, 654, 654f, 660, 660f
Lesão de Morel-Lavallée, 54, 140-141, 141f
Lesão de partes moles. Ver também Perda de partes moles
   avaliação, 53-55, 54f
   avaliação da fratura na, 55

avaliação da pele na, 53-54
avaliação do estado neurológico na, 54-55
avaliação do estado vascular na, 54
avaliação muscular na, 53-54
biomecânica da, 51, 51t
cicatrização da
   fase inflamatória na, 52
   fase proliferativa na, 52
   fase reparadora na, 52
   fases na, 51, 51t
   respostas fisiopatológicas na, 52
classificação da, 58-68, 59t, 60t, 61f-67f
dano secundário à, 53, 53f
desenluvamento de pele fechada na, 54
e conceito de "zona de lesão", 51
edema na, 53, 53f
exame, 53-55
exposta, 58
fechada, diagnóstico, 53-57, 53f-57f
fechada, tratamento, 53-57, 53f-57f
fisiopatologia da, 51, 51t
flictenas na, 54, 54f
história do caso na, 53
na classificação de Gustilo, 58, 59t
na classificação de Tscherne, 59
na fratura articular, 102
na fratura diafisária, 84, 85f, 86
no politraumatismo, 318t
osteomielite e, 533
resposta sistêmica às, 53
síndrome compartimental na, 55-57, 55f-57f
sistema de graduação da AO para, 60, 61f-67f
suprimento sanguíneo na, 54, 357f
Lesão do nervo ciático, na fratura do acetábulo, 749, 751
Lesão flutuante do joelho, 227
Lesão penetrante, 332, 332f
Lesão por esmagamento, 332
Lesão por explosão, 325-326, 327f, 333
Lesão torácica, no politraumatismo, 324-325, 325f
Lesão uretral, na fratura do anel pélvico, 724
Lesão vascular, na fratura exposta, 349-350, 349f-351f
Lesões por arma de fogo, 53, 352, 352f
Levofloxacino, 542
LHS. Ver Parafusos, de cabeça bloqueada (LHS)
Ligamento calcaneofibular, 937
Ligamento colateral radial (LCR), 640
Ligamento colateral ulnar lateral (LCUL), 640
Ligamento cruzado anterior (LCA)
   na fratura proximal da tíbia, 880, 880f
   na luxação do joelho, 865, 866, 870, 872
Ligamento cruzado posterior (LCP)
   na fratura proximal da tíbia, 880, 880f
   na luxação do joelho, 865, 866, 870, 871, 872-873

Ligamento iliolombar, 719f
Ligamento oblíquo posterior (LOP), 866, 866f
Ligamento sacroespinal, 719f
Ligamento sacroilíaco anterior, 719f
Ligamento sacroilíaco posterior, 719f
Ligamento sacrotuberoso, 719f
Ligamento talofibular anterior, 837f, 937, 941
Ligamento talofibular posterior, 837f, 937, 941
Ligamentos tibiofibulares, 936, 936f
Ligamentotaxia, na fratura articular, 101
Linezolida, 424
LISS. *Ver* Sistema de estabilização menos invasivo (LISS)
LOP. *Ver* Ligamento oblíquo posterior (LOP)
Lucas-Championnière, 4
Luxações
  cirúrgica anterior do quadril, 760-761, 760f
  da articulação radioulnar distal (ARUD), 657
  do cotovelo, 651-652, 651f, 653, 653f
    na fratura do coronoide, 653, 653f
  do joelho
    anatomia, 866-868, 866f-868f
    avaliação, 868-870, 869f
    avaliação neurovascular na, 868-869
    canto posterolateral na, 866f, 867, 867f, 872, 872f
    canto posteromedial na, 866, 866f, 872, 873f
    complicações, 874
    cuidados pós-operatórios, 873, 873f
    desfechos, 874
    epidemiologia, 865-866
    exame sob anestesia na, 871
    exposta, 869, 869f
    fossa poplítea, 868, 868f
    indicações cirúrgicas na, 870
    ligamento cruzado anterior na, 865, 866, 870, 872
    ligamento cruzado posterior na, 865, 866, 870, 871, 872-873
    ligamentos colaterais na, 872, 872f, 873f
    ligamentos cruzados na, 872-873
    mecanismo extensor na, 868
    momento da cirurgia na, 870
    paralisia do nervo fibular na, 869
    pivô central na, 866
    planejamento pré-operatório, 870-871
    preservação meniscal na, 871, 871f
    reparo da cápsula posterior na, 871
    tomada de decisão na, 870
    tratamento, 870-871
    tratamento primário, 868-870
  do quadril
    cirúrgica anterior, 760-761, 760f
    na fratura do acetábulo, 749
  fratura posterior de Monteggia, 652-653, 652f-653f
  fratura transolecraniana, 651-652, 651f
  momento da cirurgia e, 79t
  na fratura da clavícula
    articulação acromioclavicular, 581-583, 582f, 583f
    articulação esternoclavicular, 584

# M

MA. *Ver* Manufatura aditiva (MA)
Macrófagos, 52
Magnésio, 440
Maléolo, fratura do. *Ver também* Fíbula, fratura da
  anatomia, 936-938, 936f, 937f
  ângulo talocrural na, 934, 935f
  articulação tibiofibular na, 957, 958f
  avaliação, 933
  características especiais da, 933
  classificação, 938-945, 938f-945f
  complexo tibiofibular inferior na, 936, 936f
  complexos ligamentares colaterais na, 937
  complicações na, 957-959, 958f
  configuração da sala de cirurgia na, 946-947, 947f
  congruência da pinça na, 937-938
  consolidação viciosa na, 510, 511f
  cuidados pós-operatórios, 439t, 956-957
  desafios, 956
  desfechos, 959
  desvio da pinça na, 934, 935
  diagnóstico, 933
  encurtamento da fíbula após, 511f
  epidemiologia, 933
  exame físico, 933
  exames de imagem na, 934-935, 934f, 935f
  exploração medial na, 951-952, 952f
  fio de Kirschner na, 950f, 951
  fixação da, 949-956, 950f, 952f-955f
  fratura do pilão vs., 943
  fratura da fíbula na, 938f, 940f, 941, 942f, 945, 950, 950f, 951, 952f, 954, 954f, 955f
  história do caso na, 933
  indicações cirúrgicas para, 945
  infecção na, 543f
  infrassindesmal, 938f, 943, 945, 950-951, 950f
  mecanismos da, 939f, 940f, 941f, 942f, 943-945, 943f-945f
  momento da cirurgia na, 946, 946f
  na osteoporose, 956, 957
  neuropatia periférica, 956
  no diabetes, 956, 959
  parafuso tibiofibular sindesmal de posição na, 955-956, 955f
  parafusos de tração na, 950f
  pediátrica, 386
  perda de partes moles na, 377f
  placa de proteção na, 951, 952f
  placa de suporte na, 951, 952f
  planejamento pré-operatório, 946-947, 946f, 947f
  posterior, 952f, 953, 953f
  posterolateral, 952f, 953, 953f
  problemas com partes moles na, 946f, 957
  reconstrução fibular na, 949
  redução da, 102, 949-956, 950f, 952f-955f
  seleção de implantes na, 946
  síndrome de dor regional complexa na, 446f
  suprassindesmal, 938f, 942f, 945, 954-955, 954f
  trans-sindesmal, 938f, 940f, 944, 944f, 945, 945f, 951-953, 952f
  via de acesso lateral na, 948, 948f
  via de acesso medial na, 948, 948f
  via de acesso posterolateral na, 948, 949f
  via de acesso posteromedial na, 949, 949f
  vias de acesso cirúrgicas na, 948-949, 948f, 949f
Maléolo lateral, hastes intramedulares no, 223
Maléolo medial, osteossíntese com placa minimamente invasiva no, 151
Manufatura aditiva (MA), 35
Mão, fratura da
  anatomia, 699-701, 700f, 701f
  anatomia da articulação carpometacarpal na, 699, 700f
  anatomia da articulação interfalângica na, 700, 700f, 701f
  anatomia da articulação metacarpofalângica na, 700, 700f
  anatomia da falange na, 700, 700f
  anatomia metacarpal na, 699
  cirurgia, 703-704, 703f, 704f
  configuração da sala de cirurgia na, 702, 703f
  cuidados pós-operatórios, 714, 714f
  desfecho, 714
  fixação da, 699, 704
  fratura da articulação carpometacarpal do dedo na, 706
  fratura da articulação carpometacarpal do polegar na, 704-706, 704f-707f
  fratura da falange na, 709-712, 709f-713f
  fratura de Bennett na, 704-705, 705f
  fratura de Rolando na, 706, 706f
  fratura metacarpal na, 707-708, 708f
  fraturas específicas na, 704-712, 705f-712f
  metas do tratamento na, 699
  parafuso de tração na, 704
  placas na, 704

planejamento pré-operatório, 701-702, 701f, 701t, 702f
prognóstico, 714
redução da, 703
seleção de implantes na, 701-702, 701t, 702f
Materiais, 27
compatibilidade com a RM, 33
ductilidade dos, 28
força dos, 28, 28t
indução de tumor e, 32
propriedades de biocompatibilidade dos, 29-32, 30f, 32f
propriedades de superfície dos, 30-31, 30f, 32f
propriedades de torção dos, 29
propriedades mecânicas dos, 27-29, 28t
reações alérgicas e, 32
resistência à corrosão, 29-30, 29f
revestimentos em, 33
rigidez dos, 27-28
suscetibilidade à infecção e, 31-32
Mecanobiologia. *Ver também* Biomecânica
da consolidação direta, 22-24, 23f, 24f
da consolidação indireta, 17-19, 17f-19f
Medicamentos, tomada de decisão e, 77
Membrana interóssea distal (MIOD), 695-696, 696f
Meperidina, 441, 441t
Meropeném, 427t
MESS. *Ver* Escala de gravidade de mutilação da extremidade (MESS)
Metacarpo, fratura do
diáfise, 707
intra-articular, 708
simples, 708, 708f
uso de placas na, 701t
via de acesso cirúrgica, 708, 708f
Metáfise, na classificação de fraturas, 41
Metamizol, 462
Metatarso, fratura do. *Ver também* Lesão da articulação tarsometatarsal
de múltiplos raios, 996, 997f
de um único raio, 996, 996f
instável, 996, 997f
intra-articular, 996, 997f
princípios do tratamento da, 994
proximal do quinto, 998
tratamento, 996-998, 996f, 997f
Metronidazol, 424t
Miniplacas, na redução, 134
MIOD. *Ver* Membrana interóssea distal (MIOD)
Mobilização precoce, 443, 443f
nos pacientes com fratura do acetábulo, 769-770
nos pacientes com fraturas articulares, 98
nos pacientes com fraturas diafisárias, 87
Moldagem das placas, 202, 202f
de compressão bloqueada, 153
de compressão dinâmica de baixo contato, 153, 153f

de reconstrução, 192
ductilidade e, 28
estabilidade absoluta e, 198
fixação e, 109
manuseio de partes moles e, 152
na osteossíntese com placa minimamente invasiva, 155, 160, 162, 166, 167f
tubulares, 191, 191f
Momento da cirurgia, 78-79, 79t
considerações sobre partes moles, 140-141, 141f
na fratura articular, 100
na fratura da escápula, 566
na fratura da tíbia
diáfise, 901
proximal, 881
na fratura de clavícula, 576
na fratura diafisária, 89, 89f
na fratura do acetábulo, 100, 751
na fratura do anel pélvico, 732
na fratura do antebraço, 641, 661
na fratura do fêmur
diáfise, 793
distal, 818, 818f
proximal, 776
na fratura do maléolo, 946, 946f
na fratura do pilão, 918, 919f
na fratura do rádio, 678
na fratura do úmero
diáfise, 610
proximal, 593
na fratura exposta, 79t, 339, 339t
na fratura por fragilidade, 467
na lesão da articulação tarsometatarsal, 993
na luxação de joelho, 870
na reconstrução de partes moles, 366
Montagem da armação, na fixação externa, 263-265, 263f-265f
Morfina, 441, 441t, 462
Morfologia, na classificação de fraturas, 42-45, 42t,-45t
Movimento passivo contínuo (MPC), na fratura articular, 98
Moxifloxacino, 542
MPC. *Ver* Movimento passivo contínuo (MPC)
MRSA. *Ver S. aureus* resistente à meticilina (MRSA)
Müller, Maurice E., 4, 5f

# N

Não união
aloenxertos na, 522-523
anti-inflamatórios não esteroides e, 77, 518
apresentação clínica, 513-514
articular, 524-525
atrófica
definição, 513
manejo, 519-521

biológica
definição, 513
manejo, 519, 521f
classificação, 514, 514f
defeitos na, 526
definições na, 513
diabetes e, 518, 518f
diafisária, 525-526, 526f
diagnóstico, 513-514
dispositivo de tensão articulado na, 523, 523f
doença renal e, 76
encavilhamento intramedular na, 524, 524f
enxertos ósseos na, 519, 521f, 522
estabilização na, 523-524, 523f, 524f
etiologia, 515-517, 515t, 516f
fatores biológicos na, 515-517, 515t
fatores do paciente na, 518, 518f
fatores mecânicos na, 515, 515t, 516f
fixação externa e, 524
hipertrófica
definição, 513
fixação externa e, 22
nas fraturas expostas, 373f
infectada desvitalizada, 557-558
infectada hipertrófica, 557, 557f
lesões abertas de partes moles e, 58
mecânica
definição, 513
manejo, 519, 519f, 520f
metafisária, 525
na fratura da diáfise da tíbia, 910
na fratura do antebraço, 671
na fratura do fêmur
diáfise, 813
distal, 834
na fratura do úmero, 605
na fratura exposta, 348, 349
na osteoporose, 526
neuropatia e, 518, 518f
tratamento, 518-521, 519f-522f
tratamento cirúrgico, 521-523, 522f
tratamentos adjuvantes na, 523
uso de placas em ponte e, 516f
uso de placas na, 523, 523f
vascularização e, 517, 517f
Naproxeno, 440t
Navicular, fratura do
anatomia, 983-984, 983f
de avulsão cortical, 984, 984f
padrões de fatura, 984-987, 984f-987f
parafusos de tração na, 986, 986f
tratamento, 984-987, 984f-987f
tuberosidade, 986, 986f
uso de bandas de tensão na, 987f
uso de enxertos na, 987
Necrose avascular
na fratura do acetábulo, 770
na fratura do fêmur, 404f, 408, 411, 774, 780, 786
na fratura do tálus, 980
na fratura do úmero, 604, 605

na fratura por fragilidade, 476f
na não união, 517f
Necrose, na consolidação óssea, 13
Nervo axilar, 150
Nervo radial
  na anatomia da diáfise umeral, 608, 608f
  na fratura de Holstein-Lewis, 609
Nervo supraclavicular, na fratura da clavícula, 574, 574f
Nervo ulnar, na fratura distal do úmero, 627
Neuropatia periférica, fratura do maléolo e, 956
Neutrófilos polimorfonucleares (PMNs), 52, 313
NISSSA. *Ver* Escala de lesão do nervo, isquemia, lesão de partes moles, lesão esquelética, choque e idade do paciente (NISSSA)

# O

Óculos com proteção de chumbo, 486
Ocupação do paciente, tomada de decisão e, 77
Olécrano, fratura do. *Ver também* Antebraço, fratura do
  cuidados pós-operatórios, 438t
  encavilhamento intramedular na, 648
  fios de banda de tensão na, 645-648, 647f
  fios de Kirschner na, 645-648, 646f
  redução da, 645-648, 646f, 647f
  uso de placas na, 647-648, 647f
  vias de acesso cirúrgicas, 643
Ombro flutuante, 570
OMI. *Ver* Osteossíntese minimamente invasiva (OMI)
OPMI. *Ver* Osteossíntese com placa minimamente invasiva (OPMI)
Osso, características e consolidação, 10
Osso cortical
  consolidação, vs. osso esponjoso, 14
  osteoporose no, 455, 455f
Osso esponjoso
  biomecânica da fratura no, 23
  consolidação, vs. osso cortical, 14
  osteoporose no, 455, 456f
Osso metacarpal, anatomia, 699
Osteoartrite pós-traumática
  na fratura articular, 95, 95f
  na fratura da patela, 864
  na fratura do calcâneo, 972
  na fratura do pilão, 930
  na fratura do tálus, 980
Osteogênese de distração, fixação externa na, 266
Osteomielite. *Ver também* Infecção
  aguda, 532, 532f
  classificação, 548
  com artrite séptica concomitante, 532-533, 532f
  cortical, 547, 547f
  crônica, 533
  dano às partes moles e, 533
  difusa, 532f
  fatores de risco para, 533-534, 533f, 534f
  fixação externa e, 533f, 534, 544
  localizada, 532f
  medular, 532f
  negligenciada, 533
  recorrência da, 560, 560f
  superficial, 532f
  técnicas de fixação e, 533-534, 533f, 534f
  uso de hastes intramedulares e, 534, 535f, 538, 538f, 539f-540f, 543
  uso de placas e, 534, 534f
Osteoporose
  comorbidades com, 457-458
  definição, 451
  epidemiologia, 451-454, 454f
  fixação da fratura articular na, 98
  fixação e, 456
  fratura comum na, 451
  fratura do acetábulo na, 769
  fratura do maléolo na, 956, 957
  fratura do pilão na, 928
  fratura do úmero na, 623
  fraturas múltiplas na, 451, 452f-453f
  medicação, 466
  medição da, 456
  não união na, 526
  no osso cortical, 455, 455f
  no osso esponjoso, 455
  parafusos de cabeça bloqueada na, 284, 284f
  parafusos na, 273f, 274f, 276f
  placas de compressão bloqueada na, 272, 272t, 273f-276f, 288t, 289, 290f
  quedas e, 456
Osteossíntese. *Ver também* Osteossíntese minimamente invasiva (OMI)
  história da, 149
  propriedades de superfície e, 30
  rigidez e, 27
Osteossíntese com placa minimamente invasiva (OPMI). *Ver também* Osteossíntese minimamente invasiva (OMI)
  cerclagem na, 152
  cuidados pós-operatórios, 154
  em segmentos ósseos específicos, 154-170, 155f-169f
  estabilidade absoluta na, 153
  estabilidade na, 149, 153
  estabilidade relativa na, 153
  exames de imagem, 154
  implantes na, 153
  indicações, 150
  manuseio das partes moles na, 152
  na clavícula, 155, 155f, 579, 579f
  na diáfise da tíbia, 166, 166f-167f
  na diáfise do fêmur, 151, 162, 162f, 794, 794f
  na diáfise do úmero, 151, 158-160, 158f, 159f, 615-617, 616f, 617f
  na porção distal da diáfise da tíbia, 151
  na porção distal da tíbia, 168-170, 168f-169f
  na porção distal do fêmur, 162-164, 163f, 822, 822f
  na porção proximal da tíbia, 164, 165f
  na porção proximal do fêmur, 160, 160f-161f
  na porção proximal do úmero, 150, 156, 156f-157f, 602
  no maléolo medial, 151
  placa-lâmina angulada na, 206f, 207f
  placas de compressão bloqueada na, 153, 272t, 278, 279f, 294, 294f, 302f
  placas de compressão dinâmica de baixo contato na, 153, 153f
  planejamento pré-operatório, 150-154, 151f-153f
  plano alternativo na, 154
  redução na, 151-152, 151f, 152f
  uso de placa em ponte na, 249f
  zonas de perigo na, 150-151
Osteossíntese minimamente invasiva (OMI)
  colapso cutâneo com, 170
  complicações, 170
  conjunto de passador de fio, 131f
  consideração das partes moles na, 141
  consolidação retardada na, 170
  consolidação viciosa na, 170
  definição, 149
  educação na, 171
  estabilidade na, 149
  falha do implante na, 170, 171f
  infecção profunda na, 170
  não união na, 170
  pinça de redução colinear na, 123t
  remoção do implante na, 171
Osteostomia em chevron, na fratura distal do úmero, 629, 629f
Osteotomia
  biomecânica dos parafusos na, 176, 177f
  diafisária, 499
  do olécrano, 293f, 625, 626, 627f, 628-629
  em plano único, na consolidação viciosa, 499, 500f
  fixação externa na, 265
  fluxo sanguíneo e, 11
  intra-articular, na consolidação viciosa, 494, 494f
  metafisária, 499
  na consolidação viciosa, 493, 493f, 497f
  na consolidação viciosa da clavícula, 501
  na consolidação viciosa da tíbia, 506-510, 508f, 509f
  na consolidação viciosa diafisária, 496, 496f
  na consolidação viciosa do antebraço, 504, 504f
  na consolidação viciosa do fêmur, 504-506, 506f, 507f

na consolidação viciosa do tornozelo, 510, 511f
na consolidação viciosa do úmero, 501-504, 501f-503f
na consolidação viciosa metafisária, 495, 495f
na osteossíntese com placa minimamente invasiva, 154
no planejamento pré-operatório, 111, 111f
osteogênese de distração e, 266
para discrepância de comprimento, 493, 493f
parafusos de tração na, 21f
transporte ósseo e, 266
uso de hastes intramedulares, na consolidação viciosa, 499
uso de placas, na consolidação viciosa, 498, 498f
Osteotomia corretiva, fixação externa na, 265
Osteotomia do olécrano, 293f, 625, 626, 627f, 628-629
Oxicodona, 441, 441t

# P

Padrões moleculares associados ao dano (DAMPs), 313
Padrões moleculares associados ao patógeno (PAMPs), 313
Paracetamol, 437, 440t, 462
Parafusos. *Ver também* Fixação; Placas
   afrouxamento dos, 182, 182f
   automacheantes, 178, 178f, 283f
   autoperfurantes, 178, 179f, 283f
   biomecânica dos, 175-176, 175f-177f
   bloqueados
      hastes intramedulares e, 17, 217, 237-238, 237f
      mecanismo, 179t
   calor gerado por, 175
   características do desenho dos, 173, 174f
   chaves de fenda com limitação de torque e, 181
   com placa, mecanismo dos, 179t
   compressão aplicada pelos, 176, 177f, 181, 181f, 182, 182f
   convencionais, 173
   de ancoragem
      mecanismo, 179t
      na fratura da tíbia, 415f, 416f
   de cabeça bloqueada (LHS)
      acessório de limitação de torque com, 282
      bicorticais, 284, 284f
      características, 280, 280f, 281f
      como parafusos de posição, 282, 282t
      como parafusos de redução, 282t
      como parafusos de tração, 282t
      estabilidade com, 173
      funções, 282, 282t, 283f
      mecanismo, 175f, 179t
      monocorticais, 286, 287f
      na fratura da tíbia, 283f
      na fratura do úmero, 286f, 625
      na fratura periprotética, 846
      na fratura por fragilidade, 473
      na história das placas bloqueadas, 269f, 270
      na osteoporose, 284, 284f
      na osteossíntese com placa minimamente invasiva, 167f
      nas placas de compressão bloqueada, 193f, 195
      número de, 286
      princípios da aplicação, 280-286, 280f, 281f, 282t, 283f-287f
      rosca nos, 177
      subcorticais, 285, 285f
      tipos de, 282, 282t, 283f
   de osso esponjoso, rosca nos, 177
   de posição
      mecanismo, 179t
      na redução, 102
      parafusos de cabeça bloqueada como, 282, 282t
   de puxa-empurra, mecanismo dos, 179t
   de redução
      mecanismo, 179t
      na osteossíntese com placa minimamente invasiva, 159f, 162f, 165f, 167f
      parafusos de cabeça bloqueada como, 282t
   de Schanz
      na fixação externa, 255, 260, 260f, 264, 264f
      na fratura do fêmur, 795, 795f, 803f
      na redução, 228, 228f, 245f
      na redução modular, 264, 264f
   de tração
      aplicações clínicas, 183-184, 183f, 184f
      biomecânica dos, 20-21, 21f
      compressão com, 20, 20f
      estabilidade absoluta e, 20-21, 21f, 173, 198-199, 198f, 199f
      mecanismo, 179t
      na compressão interfragmentar, 179-180, 180f, 181f
      na fratura da mão, 704
      na fratura da patela, 861f
      na fratura da tíbia pediátrica, 415f, 416f
      na fratura diafisária, 90, 91f
      na fratura do anel pélvico, 737f
      na fratura do colo do fêmur, 806, 806f
      na fratura do fêmur, 7f
      na fratura do maléolo, 950f
      na fratura do navicular, 986, 986f
      na fratura do tálus, 977, 977f
      na fratura do úmero, 600, 600f
      na região epifisária, 184, 184f
      na região metafisária, 184, 184f
      nas placas de suporte, 203, 203f
      parafuso completamente rosqueado como, 179-180, 180f
      parafusos de cabeça bloqueada como, 282t
      parafusos parcialmente rosqueados como, 180, 181f
      posicionamento dos, 183, 183f
      um vs. dois, 177f
   denominação dos, 173, 174f
   dinâmicos do quadril (DHS)
      desenho dos, 196f
      na fratura proximal do fêmur, 778, 778f
      na osteossíntese minimamente invasiva, 160
   embutidor com, 176, 176f
   força axial produzida pelos, 175, 175f
   força tangencial com, 174f, 175
   função, 179, 179t
   inserção dos, 182-183, 182f, 183f
   modos de falha, 183
   na fratura da diáfise da tíbia, 908
   na fratura do maléolo, 179t
   na fratura do pilão, 927, 927f
   na fratura do tálus, 965, 968f
   na lesão da articulação tarsometatarsal, 994, 995f
   nas placas de compressão bloqueada, 192, 193f
   nas placas de compressão dinâmica de baixo contato, 187-188, 187f
   necrose térmica com, 175
   no osso osteoporótico, 273f, 274f, 276f
   *Poller*
      mecanismo, 179t
      na fratura metafisária, 230, 230f
      na redução com hastes intramedulares, 229-230, 230f
   poliaxiais, nas placas de compressão bloqueada, 194, 194f
   pontas dos, 177-179, 178f, 179f
   pré-tensão e, 173
   roscas dos, 177
   torque com, 175-176
   unicorticais, na redução, 134
Parafusos de titânio, 21
Paralisia do nervo fibular, 869
Paralisia do nervo interósseo anterior, 670
Paralisia do nervo interósseo posterior, 670
Paralisia do nervo supraescapular, 570
Partes moles
   fixação externa e perda de, 254
   incisão e, 142, 142f
   momento da cirurgia e, 140-141, 141f
   na cirurgia de fratura por fragilidade, 467, 467f, 468f
   na osteossíntese com placa minimamente invasiva, 152
   na pelve, 718
   placas em ponte e, 248-250, 249f
   via de acesso cirúrgica e, 139, 139f
Partes moles, anatomia das, 137-139, 138f
Partes moles, fatores relacionados na tomada de decisão, 78

Partes moles, suprimento sanguíneo para, 137-139, 138f
Patela alta, 854, 864, 854f
Patela baixa, 864
Patela bipartida, 854-855
Patela, fratura da
　anatomia, 854-855, 854f
　articular completa, 855f
　articular parcial, 855f
　artrite pós-traumática na, 864
　avaliação, 853-854, 854f
　avulsão, 856f
　características especiais da, 853
　cicatrização da ferida na, 863
　classificação, 855, 855f, 856f
　complicações, 863-864
　conceito de banda de tensão na, 210-211, 211f, 213, 213f, 214f, 215
　configuração da sala de cirurgia na, 857, 857f
　cuidados pós-operatórios, 439t, 862
　desafios, 862
　desfechos, 864
　diagnóstico, 853
　em cunha, 856f
　epidemiologia, 853
　exame físico, 853
　exames de imagem, 854
　extra-articular, 855f
　fechamento da ferida na, 862
　fixação na, 858-860, 859f-861f
　fraturas em desenluvamento, 862
　história da, 853
　história do caso na, 853
　indicações cirúrgicas para, 855
　infecção na, 557f, 863
　lateral, 856f
　medial, 856f
　multifragmentada, 856f, 860, 860f
　patela alta na, 864
　patela baixa na, 864
　patela bipartida vs., 854-855
　patelectomia na, 862
　patelectomia parcial na, 862, 863f
　perda da redução na, 863
　perda de movimento na, 863
　planejamento pré-operatório, 857, 857f
　prognóstico, 864
　redução da, 858, 863
　seleção de implantes na, 857
　simples, 856f
　vias de acesso cirúrgicas, 858, 858f
Patelectomia, 862, 863f
Pauwels, Frederic, 209
PC-Fix, 5, 270
Pé mutilado, 998, 999f
PEEK. *Ver* Poli-éter-éter-cetona (PEEK)
PEKK. *Ver* Poli-éter-cetona-cetona (PEKK)
Pele, avaliação na lesão de partes moles, 53-54
Pele, suprimento sanguíneo para a, 137-138, 138f

Pelve
　estrutura osteoligamentar na, 718, 719f
　estruturas neurovasculares na, 718
　partes moles na, 718
Pelve, fratura da. *Ver também* Acetábulo, fratura do; Anel pélvico, fratura do
　controle da hemorragia na, 324
　liberar a pelve, 723
　profilaxia do tromboembolismo na, 433-434, 433t
　sangramento intra-abdominal e, 723
Perda de partes moles. *Ver também* Lesão de partes moles
　aspectos organizacionais do cuidado inicial na, 364
　avaliação da fratura na, 360
　avaliação das partes moles na, 358-360, 359f, 360t
　avaliação do paciente na, 358, 358f
　avaliação dos defeitos na, 358-360, 358f, 359f, 360t
　cirurgião de trauma na, 364
　cirurgião ortopédico na, 364
　cirurgião plástico, 365
　coloração acizentada na, 359
　coloração azulada na, 359
　desafio da, 357
　enchimento capilar na, 359, 359f
　estadiamento dos procedimentos na, 366
　manejo inicial na, 364
　na extremidade inferior, 363
　no membro superior, 362, 362f, 363f
　perfusão cutânea na, 359, 359t
　pulso na, 360
　reconstrução na, 366-376, 367f, 369f, 371t, 373f-375f
　salvação do membro vs. amputação precoce na, 361-364, 361f-363f
　tomada de decisão interdisciplinar na, 364-366, 365f
　viabilidade muscular na, 359
Perfurantes musculares verdadeiros, 137
Perkins, George, 4
Pérolas de antibióticos, técnicas com
　na fratura exposta, 338-339, 347
　na infecção crônica, 556
　no fechamento, 146, 147f
Perren, Stephen, 5
"Personalidade" da lesão, 73, 73f, 76-78
PHILOS, 196f
　na fratura do úmero, 157f, 158f, 307f, 476f, 602, 611
　parafuso de cabeça bloqueada na, 473
Pilão, fratura do
　anatomia na, 914, 915f-917f
　angiossomas na, 914, 916f
　artrite pós-traumática na, 930
　avaliação, 914
　características especiais da, 913
　classificação, 918
　cominução articular na, 914
　cominução central na, 914
　cominução lateral na, 914

　cominução medial na, 914
　complicações, 928-930
　configuração da sala de cirurgia na, 921, 921f
　cuidados pós-operatórios, 928
　desafios com, 928, 929f
　desfechos, 930
　diagnóstico, 914
　epidemiologia, 913
　exame físico, 914
　exames de imagem, 914
　exposta, 922, 922f
　fixação da, 925-928, 926f, 927f
　fragmento anterolateral na, 914, 915f, 924, 924f
　fragmento maleolar medial na, 914, 915f
　fragmento posterolateral na, 914, 915f, 924
　fragmentos na, 914, 915f
　fratura do maléolo vs., 943
　história da, 913
　história do caso na, 914
　indicações cirúrgicas na, 918
　momento da cirurgia na, 918
　na osteoporose, 928
　parafusos na, 927, 927f
　placa de compressão bloqueada na, 926f
　placa de suporte na, 927, 927f
　placa em ponte na, 923
　planejamento pré-operatório, 918-921, 919f, 920f, 923
　posição do pé e, 913, 913f
　prognóstico, 930
　redução aberta e fixação externa na, 918
　redução da, 925, 925f
　seleção do implante na, 919, 919f, 920f
　terapia da ferida por pressão negativa, 922, 922f
　uso de placas na, 920f, 923, 927, 927f
　via de acesso anterior na, 924
　via de acesso fibular na, 923
　via de acesso posterolateral na, 923, 923f, 925
　vias de acesso cirúrgicas, 922-924, 923f, 924f
Pinça
　considerações sobre as partes moles, 142
　de Farabeuf, 123t, 127, 127f
　de Jungbluth, 123t, 127, 127f
　de Matta, 123t, 126
　de redução
　　colinear, 123t, 126, 126f, 151f
　　com pontas, 122t, 124, 124f
　　denteada, 122t, 125, 125f
　　pélvica, 123t, 126, 126f, 127, 127f
　de redução colinear, 123t, 126, 126f, 151f
　de Verbrugge, 122t, 125, 125f
　de Weber, 122t, 124, 124f
　para segurar osso, 122t, 125, 125f
Pinça de redução pélvica angulada, 123t, 126

Pinça de redução pélvica com ponta esférica, 126, 126f
Piperacilina, 424t, 427t
Piritamida, 462
Placas. *Ver também* Fixação; Implantes; Osteossíntese com placa minimamente invasiva (OPMI); Parafusos; *placas específicas*
   anatomicamente moldadas, na redução, 134, 134f
   biomecânica das, 21-22, 22f, 186t
   compressão com pré-tensionamento, 201, 201f
   desenhos das, 185-197, 186f-194f, 186t, 196f, 197f
   em ponte, 204-205, 205f
   especiais, 195, 196f, 197f
   estabilidade absoluta das, 21-22, 22f, 198-202, 198f-202f
   evolução das, 270f
   funções das, 186t, 202
   interface placa-osso, 269, 269f
   lâmina angulada, redução com, 132f, 133, 206, 206f
   moldagem das, 202, 202f
      de compressão bloqueada, 153
      de compressão dinâmica de baixo contato, 179t
      de reconstrução, 192
      ductilidade e, 28
      estabilidade absoluta e, 198
      fixação e, 109
      manuseio de partes moles e, 152
      na osteossíntese com placa minimamente invasiva, 155f, 160, 162, 165f, 166
      tubulares, 191, 191f
   na fratura da clavícula, 576-577, 576f, 578, 578f, 580-583, 580f-583f
   na fratura da diáfise da tíbia, 904-905, 905f, 906-907, 907f, 908
   na fratura da diáfise do fêmur, 792, 793-794, 794f, 800-801, 800f, 801f, 809, 809f
   na fratura da escápula, 570, 571f
   na fratura da mão, 704
   na fratura diafisária, 90, 91f
   na fratura do calcâneo, 970f
   na fratura do cuboide, 989f
   na fratura do olécrano, 647-648, 647f
   na fratura do pilão, 920f
   na fratura do rádio, 648-650, 648f, 649f, 679-684, 680f-683f, 684-686, 687f
   na fratura do tálus, 977
   na fratura exposta, 342, 342f
   na fratura pediátrica, 392
   na fratura por fragilidade, 471, 472f
   na infecção crônica, 559-560
   na não união, 523, 523f
   nas falanges, 701t, 702f
   no metacarpo do polegar, 701t, 702f
   no tratamento da infecção crônica, 553
   nos metacarpais, 701t
   osteomielite e, 534, 534f
   porose transitória com, 11
   redução sobre, 132-134, 132f-134f
   suprimento sanguíneo e, 11
Placa antideslizante, 203, 203f. *Ver também* Placa de suporte
   parafusos de tração na, 203, 203f
   placa tubular como, 191, 191f
   redução com, 133, 133f
Placa com banda de tensão
   critérios para, 203
   funções, 204
   na consolidação viciosa, 498f
   na fratura do olécrano, 645-648, 647f
   na fratura navicular, 987f
   no fêmur, 212f, 498f
Placa de compressão bloqueada (LCP)
   aplicação híbrida da, 287, 294f, 295f
   biomecânica da, 17, 21-22, 192-194, 193f, 194f, 288-289, 288t
   características da, 287
   como uma placa em ponte, 247, 247f, 301, 302f-304f
   comprimento da, 297-300, 298f-301f
   de ângulo variável, 271, 271f, 846
   desenho da, 192-194, 193f, 194f
   do olécrano, 196f
   em ossos moles, 277, 277f
   em ossos pequenos, 277, 277f
   estabilidade absoluta com, 289-294, 290f-294f, 305
   estabilidade relativa da, 17, 294-305, 295f-307f
   evolução da, 5
   híbrida, 287, 294f, 295f
   história da, 270, 270f, 271
   indicações para, 272-279, 272t, 273f-279f
   metafisária, 196f
   modos de falha da, 305
   moldagem da, 153
   na cirurgia de revisão, 277
   na consolidação viciosa, 498
   na fratura articular, 291, 291f-293f, 305
   na fratura da clavícula, 576
   na fratura da tíbia, 196f, 292f, 295f, 296f, 303f, 304f, 306f, 908
   na fratura diafisária, 90
   na fratura do antebraço, 289
   na fratura do fêmur, 196f, 829-830, 829f
   na fratura do fêmur pediátrica, 404, 405f-406f
   na fratura do pilão, 926f
   na fratura do rádio, 197f
   na fratura do úmero, 196f, 197f, 291f, 293f,302f, 307f, 601, 602f, 610, 625, 633-634, 633f
   na fratura metafisária, 272t, 288t, 289, 290f
   na fratura multifragmentada, 288t
   na fratura periarticular, 278, 278f, 291, 291f-293f
   na fratura periprotética, 272t, 277, 277f, 846, 847f
   na osteoporose, 272, 272t, 273f-276f, 288t, 289, 290f
   na osteossíntese com placa minimamente invasiva, 153, 272t, 278, 279f, 294, 294f, 302f
   na clavícula, 155
   no estoque ósseo pobre, 272-277, 272t, 273f-277f
   no uso de placas em ponte, 247, 247f
   orifícios combinados na, 192, 193f
   parafusos na, 192, 193f
   parafusos poliaxiais na, 194, 194f
   planejamento pré-operatório com, 195
   suprimento sanguíneo e, 11, 11f
   suscetibilidade a infecções com, 31
   técnica de aplicação, 194-195
Placa de compressão dinâmica (DCP). *Ver também* Placa de compressão dinâmica de baixo contato (LC-DCP)
   como placa em ponte, 245
   na fratura da diáfise do úmero, 610
   na fratura do anel pélvico, 735f
   suprimento sanguíneo e, 11, 11f, 185
Placa de compressão dinâmica de baixo contato (LC-DCP). *Ver também* Placa de compressão dinâmica (DCP)
   como placa de suporte, 189, 189f
   compressão com, 202
   desenho da, 186-188, 186f-189f
   dispositivo de tensão articulado com, 188
   funções, 186
   guias de perfuração na, 189, 189f
   moldagem da, 153, 153f
   na fratura do anel pélvico, 735f, 740
   na fratura do antebraço, 187
   na fratura do úmero, 610f, 625
   na osteossíntese com placa minimamente invasiva, 153, 153f
   orifícios do parafuso na, 187-188, 187f
   pegada da, 186
   suprimento sanguíneo e, 11, 11f, 185
   tamanhos da, 187
   técnica de aplicação, 188-190, 189f, 190f
Placa de proteção
   definição, 21
   estabilidade absoluta e, 198-199, 198f, 199f
   na osteossíntese minimamente invasiva, 149
   na redução, 90
Placa de reconstrução
   desenho da, 192, 192f
   na osteossíntese com placa minimamente invasiva, 155
Placa de redução, 165f, 206, 206f, 207f
Placa de suporte, 203, 203f. *Ver também* Placa antideslizante
   biomecânica da, 21
   na fratura de fêmur, 829-830, 829f
   na fratura do maléolo, 951, 952f
   na fratura do pilão, 927, 927f
   parafusos de tração na, 203, 203f
   placa de compressão dinâmica de baixo contato como, 189, 189f

placa tubular como, 191, 191*f*
redução com, 133, 133*f*
Placa em ponte, 204-205, 205*f*
   biológica, 241
   biomecânica da, 17, 21, 204-205, 205*f*
   calo e, 242, 242*f*, 243*f*
   considerações sobre implantes, 245-247, 245*f*-247*f*
   considerações sobre partes moles, 248-250, 249*f*
   da fratura subtrocantérica, 6*f*
   estabilidade e, 241
   estabilidade relativa da, 17
   na fratura da tíbia, 85*f*, 248, 249*f*, 251*f*
   na fratura de clavícula, 578
   na fratura diafisária, 241, 242, 242*f*
   na fratura do pilão, 923
   na fratura do rádio, 694, 694*f*
   na fratura metafisária, 244
   na fratura multifragmentada, 241, 241*f*, 242, 242*f*, 243*f*
   na fratura simples, 242, 242*f*
   na fratura subtrocantérica, 6*f*
   na osteossíntese com placa minimamente invasiva, 249*f*
   placa de compressão bloqueada, 247, 247*f*, 301, 302*f*-304*f*
   placa de compressão dinâmica como, 245
   redução indireta com, 244-245, 244*f*
   técnica de Masquelet e, 250
   teoria do *strain* de Perren e, 242, 242*f*
Placa palmar, na fratura do rádio, 679-684, 680*f*-683*f*
Placa tubular
   como placa de suporte, 191, 191*f*
   desenho da, 190-192, 190*f*, 191*f*
   empilhada, 191
   na osteossíntese com placa minimamente invasiva, 164, 165*f*
Placa-lâmina condilar, redução com, 132*f*, 133, 206, 206*f*
Placas biológicas. *Ver* Placa em ponte
Planejamento pré-operatório
   avaliação no, 106
   com hastes intramedulares, 223-224, 244*f*
   com placas de compressão bloqueada, 195
   consumação do, 111, 111*f*
   equipamentos no, 109, 109*f*
   exames de imagem no, 106, 107
   fechamento no, 109
   fixação no, 108*f*, 109
   inadequado, problemas com, 105
   materiais para, 107
   método para, 106-111, 107*f*-111*f*
   na consolidação viciosa, 497, 497*f*
   na fratura articular, 100-101
   na fratura da clavícula, 576-577, 576*f*, 577*f*
   na fratura da escápula, 566
   na fratura da mão, 701-702, 701*f*, 701*t*, 702*f*

   na fratura da patela, 857, 857*f*
   na fratura da tíbia
      diáfise, 901-902, 902*f*
      proximal, 881-882, 882*f*
   na fratura diafisária, 90
   na fratura do acetábulo, 751-752, 752*f*
   na fratura do antebraço, 641-643, 642*f*, 643*f*, 661-662, 661*f*, 662*f*
   na fratura do calcâneo, 965
   na fratura do fêmur
      diáfise, 793-795, 794*f*, 796*f*
      distal, 818-820, 818*f*-820*f*
      proximal, 776-780, 777*f*-780*f*
   na fratura do maléolo, 946-947, 946*f*, 947*f*
   na fratura do pilão, 918-921, 919*f*, 920*f*, 923
   na fratura do rádio, 678, 678*f*
   na fratura do tálus, 975-976
   na fratura do úmero
      diáfise, 610-612, 610*f*-612*f*
      distal, 625-626, 625*f*, 626*f*
      proximal, 593, 593*f*
   na fratura periprotética, 844-845, 844*f*, 845*f*, 848
   na lesão da articulação tarsometatarsal, 993
   na luxação do joelho, 870-871
   na osteossíntese com placa minimamente invasiva, 150-154, 151*f*-153*f*
   razões para, 105
   reconstrução no, 107-108, 107*f*, 108*f*
   redução no, 109
   regime pós-operatório, 109
   tática cirúrgica no, 109-110, 109*f*, 110*f*, 112*f*
   tomada de decisão na, 108-109
PMMA. *Ver* Polimetilmetacrilato (PMMA), pérolas de, impregnadas com aminoglicosídeos
PMN. *Ver* Neutrófilos polimorfonucleares (PMNs)
Poli-éter-cetona-cetona (PEKK), 34
Poli-éter-éter-cetona (PEEK), 34
Polifarmácia, 461
Polimetilmetacrilato (PMMA), pérolas de, impregnadas com aminoglicosídeos
   na fratura exposta, 338-339, 347
   no fechamento, 146, 147*f*
Politraumatismo
   avaliação primária no, 74
   avaliação secundária no, 74
   cirurgia como um "segundo impacto" no, 220, 314-315, 314*f*, 315*t*
   cirurgia de controle de danos no, 75, 75*f*
   coagulopatia no, 314-315, 314*f*, 318*t*
   controle de danos ortopédicos no, 220, 311-312, 317-319, 318*t*, 319*t*
   cuidado apropriado precoce no, 76, 312, -312
   cuidado total precoce no, 75-76, 211, 220, 311-312, 319, 319*t*
   cuidados definitivos no, 75-76, 75*f*
   definição, 311

   fisiopatologia no, 312-315, 314*f*, 315*t*
   fixação externa no, 253
   fratura da diáfise femoral no, 220-221
   fresagem e, 219
   hastes intramedulares no, 220-221
   hipotermia no, 74
   importância da fratura no, 311-312
   lesão cerebral traumática, 324
   lesão torácica no, 324-325, 325*f*
   lesões isoladas no, 76
   momento da cirurgia no, 79*t*
   na lesão por explosão, 325-326, 327*f*
   nos pacientes pediátricos, 382
   padrões de lesão específicos no, 320-326, 320*f*-323*f*, 325*f*, 327*f*
   profilaxia do tromboembolismo no, 433
   reações ao, 313
   reações sistêmicas ao, 313
   reanimação no, 74, 315-316
   síndrome da resposta inflamatória sistêmica no, 312, 313
   sistema cardiovascular no, 312, 382
   tomada de decisão no, 74-76, 74*f*, 75*f*
   "tríade letal" no, 314, 314*f*
Pós-operatório, cuidados e manejo
   atividade no, 444, 444*f*
   avaliação radiográfica no, 444, 447-448
   carga no, 444, 444*f*
   comunicação no, 444
   curativos no, 442
   elevação do membro lesado no, 438*t*-439*t*, 442-443, 443*f*
   manejo da dor no, 437-442, 437*f*, 440*t*, 441*t*
   mobilização precoce no, 443, 443*f*
   monitoração no, 447-448
   na fase pós-operatória imediata, 437-444, 437*f*, 438*t*-439*t*, 440*t*, 441*t*, 443*f*, 444*f*
   na fixação externa, 266-267
   na fratura articular, 102
   na fratura da clavícula, 584
   na fratura da escápula, 570
   na fratura da mão, 714, 714*f*
   na fratura da patela, 439*t*, 862
   na fratura da tíbia, 439*t*, 894, 909
   na fratura diafisária, 91
   na fratura do acetábulo, 769-770
   na fratura do anel pélvico, 743
   na fratura do antebraço
      diáfise, 670
      proximal, 655
   na fratura do calcâneo, 439*t*, 972
   na fratura do fêmur, 438*t*, 439*t*
      distal, 834
      proximal, 786
   na fratura do maléolo, 439*t*, 956-957
   na fratura do olécrano, 438*t*
   na fratura do pilão, 928
   na fratura do rádio, 438*t*
   na fratura do tálus, 979
   na fratura do úmero, 438*t*, 604, 604*t*, 620, 634-635

na lesão da articulação tarsometatarsal, 994
na luxação do joelho, 873, 873f
na osteossíntese com placa minimamente invasiva, 154
na reconstrução de partes moles, 376
no cuidado clínico fora do hospital, 445
no planejamento pré-operatório, 109
nos pacientes com fratura por fragilidade, 463-466
remoção do implante na, 448
remoção precoce do implante no, 448
segunda fase do, 445-448, 445f, 446f
síndrome da dor regional complexa, 445- 447, 446f
suporte do membro lesionado no, 438t-439t, 442-443, 443f
terceira fase do, 448
Pregabalina, 440
Preservação meniscal na luxação do joelho, 871, 871f
Pressão tecidual, medida da, 56-57
Pré-tensão compressiva, 20, 20f
Pré-tensão, parafusos e, 173
Problemas cardiorrespiratórios
fratura por fragilidade e, 457-458
tomada de decisão e, 76
Profilaxia com antibióticos
administração local de, 426
Clostridium difficile e, 425, 427t
diretrizes, 426, 427t
duração, 424, 424t
e descolonização de portadores nasais de S. aureus, 425
espectro de cobertura, 424
fármacos na, 422-423
glicopeptídeos na, 424
indicações, 421
momento da, 423
na fratura exposta, 424, 427t
na fratura fechada, 424
resistência a antibióticos e, 425
tópicos controversos, 424-426
Profilaxia do tromboembolismo
dispositivos de compressão sequencial na, 432
filtro de veia cava inferior, 432
justificativas para, 431
mecânica, 432
métodos de, 432
na fratura do quadril, 433, 433t
na fratura isolada da extremidade inferior, 433t, 434
nas fraturas do acetábulo e da pelve, 433-434, 433t
nas lesões vertebrais, 433, 433t
no politraumatismo, 433
nos pacientes com fratura por fragilidade, 464-465
química, 432
Propriedades de superfície, 30-31, 30f, 32f
Propriedades de torção, 29
Proteína C, deficiência de, 431t
Proteína C ativada, resistência à, 431t

Proteína morfogenética óssea-2
efeitos adversos, 35
recombinante, 35
Proteína S, deficiência de, 431t
Proteínas morfogenéticas ósseas (BMPs), na consolidação de fraturas, 13
Prótese articular, fratura por fragilidade e, 475
Prótese. Ver Fratura periprotética
Protetores de tireoide, 486, 486f
Protetores do quadril, 466
Protrombina, mutação, 431t
Pseudoartrose, 513, 514f, 520f, 521. Ver também Não união
Punho. Ver Antebraço, fratura do; Rádio, fratura do

## Q

Quadril, fratura do. Ver também Acetábulo, fratura do; Fêmur, fratura do; Pelve, fratura da; Anel pélvico, fratura do
epidemiologia, 451-454, 454f
periprotética, 837-838, 838t
profilaxia do tromboembolismo na, 433, 433t
Qualidade óssea. Ver também Osteoporose
definição, 454
placas de compressão bloqueadas e, 272-277, 272t, 273f-277f
Quedas, fraturas por fragilidade e, 456, 465
Quinolonas, 532, 542

## R

Radiação, riscos da exposição à, 481-482, 482t
Radiação, segurança na, 484f, 485-488, 486f-488f
Rádio, fratura do. Ver também Antebraço, fratura do
abordagem de Thompson na, 666, 666f
colo, 650
consolidação viciosa, 504, 504f
cuidados pós-operatórios, 438t
distal
anatomia, 676, 677f
avaliação, 673-676, 674f-676f
biomecânica na, 676
características especiais da, 673
classificação de Fernandez da, 677, 677t
classificação na, 677, 677f, 677t
complexa, 692, 692f-693f
complicações na, 694, 695f
configuração da sala de cirurgia na, 678, 678f, 679f
consolidação viciosa na, 694
desafios, 692-694, 692f-693f
desfechos, 695
diagnóstico, 673-676, 674f-676f
epidemiologia, 673
exame físico, 673

exames de imagem na, 673-676, 674f-676f
fixação externa na, 686-690, 687f-691f
fixação na, 682-684, 683f, 686, 687f
história do caso na, 673
indicações cirúrgicas na, 678
lesões associadas na, 676, 676f
lesões do complexo da fibrocartilagem triangular na, 676, 676f
momento da cirurgia na, 678
planejamento pré-operatório, 678, 678f
prognóstico, 695
radiografias na, 673
redução da, 681-682, 681f, 682f, 686, 687f
ruptura do tendão na, 694
seleção de implantes na, 678
síndrome da dor regional complexa na, 694
síndrome do túnel do carpo na, 694
tenossinovite na, 694
tomografia computadorizada na, 674-676, 675f, 676f
uso de placas em ponte na, 694, 694f
uso de placas na
dorsal, 684-686, 687f
em ponte, 694, 694f
palmar, 679-684, 680f-683f
epidemiologia, na osteoporose, 454
luxação do cotovelo na, 653, 653f
multifragmentada, 650
pediátrica, 399-400, 400f, 402, 402f, 403f
redução da, 667, 667f
uso de placas na, 648-650, 648f, 649f
via de acesso posterolateral na, 666, 666f
vias de acesso cirúrgicas na, 643-644, 643f, 644f, 664, 664f, 665f, 666, 666f
Rádio, proximal, anatomia, 638
Radiografias. Ver também Exames de imagem
na fratura articular, 98, 99f
na fratura da clavícula, 574, 574f
na fratura diafisária, 84-86
na fratura do rádio, 673
no diagnóstico de infecção, 536
no planejamento pré-operatório, 106, 107, 112
Radiossensibilidade, 482, 482t
RAFI. Ver Redução aberta e fixação interna (RAFI)
Raios X. Ver Radiografias
Ramo ascendente lateral da artéria circunflexa umeral anterior, 591f
Reabilitação. Ver também Pós-operatório, cuidados e manejo
fratura por fragilidade e, 465
na fratura do acetábulo, 769-770
na fratura periprotética, 848, 850f

Reações alérgicas
  a antibióticos, 422, 423, 424, 427t
  a materiais do implante, 32, 448
Reconstrução de partes moles
  aspectos funcionais na, 367
  cirurgia secundária na, 376
  conceito de "escada de reconstrução" na, 367-368, 367f
  cuidados pós-operatórios, 376
  debridamento na, 366
  enxertos cutâneos na, 368-370, 369f
  estadiamento do tratamento na, 366
  fixação e, 366
  momento da, 366
  na fratura exposta, 348, 348f
  no planejamento pré-operatório, 107-108, 107f, 108f
  plano alternativo na, 367
  princípio de substituição pelo mesmo, 367
  princípio do "banco de tecido" na, 367
  princípios de, 366-367
  retalhos na, 370-376, 371t, 373f-375f, 377f
  tipos de, 368-376, 369f, 371t, 373f-375f
Reconstrução, no planejamento pré-operatório, 107-108, 107f, 108f. *Ver também* Reconstrução de partes moles
Redes de trauma regional (RTR), 312
Redução
  auxílio, 228-231, 228f-231f
  avaliação da, 135, 135t
  classificação de fraturas e, 46
  com afastador de Hohmann, 128-129, 128f, 129f
  com afastador ósseo, 125, 125f
  com hastes intramedulares, 228-237, 228f-236f
  com pinça de Farabeuf, 127, 127f
  com pinça de Jungbluth, 127, 127f
  com pinça de redução colinear, 126, 126f
  com pinça de redução pélvica, 126, 126f
  com pinça de Weber, 124, 124f
  com pinça para segurar osso, 125, 125f
  com placa antideslizante, 133, 133f
  com placa de suporte, 133, 133f
  com placa em ponte, 244-245, 244f
  com placa-lâmina angular, 132f, 133, 206, 206f
  consolidação e, 119
  definição, 118
  desvio e, 117, 117f
  direta, 120, 120t
  dispositivo de tensão articulado na, 132f
  distrator na, 229, 229f
  esfera com ponta na, 129
  estabilização e, 15, 119
  fios de cerclagem na, 130, 131f, 153
  fixação externa na, 121, 254
  gancho ósseo na, 129
  hastes intramedulares na, 132
  impactor ósseo na, 129
  implantes na, 132-134, 132f, 133f, 134f, 153
  incisão e, 143-144, 143f, 144f
  indireta, 120, 120t, 244-245, 244f, 254, 598, 599f, 846
  instrumentos para, 121-131, 122t, 123t, 124f-131f
  miniplacas na, 134
  modular, na fixação externa, 264-265, 264f, 265f
  na consolidação viciosa, 498-499, 498f, 500f
  na fratura articular, 101, 101f
    imperfeita, 95f
    momento da cirurgia e, 100
    objetivo, 119
    técnicas, 101-102, 101f
  na fratura da clavícula, 578
  na fratura da escápula, 568-570, 569f
  na fratura da mão, 703
  na fratura da patela, 858, 863
  na fratura da tíbia
    com encavilhamento intramedular, 228
    diáfise, 905-907, 906f-908f
    pediátrica, 417
    proximal, 885-887, 885f, 886f
  na fratura da ulna, 667, 667f
  na fratura de Monteggia, 401, 401f
  na fratura diafisária, 83f, 85f, 88f, 120
    momento da cirurgia e, 89
    técnicas, 90-91
  na fratura do acetábulo, 761-767, 763f-767f
  na fratura do antebraço
    diáfise, 667, 667f
    pediátrica, 402, 402f
    proximal, 645-650, 646f-659f
  na fratura do calcâneo, 968, 968f
  na fratura do fêmur
    cabeça do fêmur, 785, 785f
    com encavilhamento intramedular, 228
    diáfise, 802-805, 802f-804f
    distal, 826-832, 826f-833f
    intertrocantérica, 784, 784f
    proximal, 782, 782f
  na fratura do maléolo, 102, 949-956, 950f, 952f-955f
  na fratura do olécrano, 645-648, 646f, 647f
  na fratura do pilão, 925, 925f
  na fratura do rádio
    diáfise, 667, 667f
    distal, 681-682, 681f, 682f, 686, 687f
    pediátrica, 400, 400f
  na fratura do úmero
    diáfise, 619
    distal, 631-632, 631f, 632f
    proximal, 597-604, 597f-602f
  na fratura periprotética, 846, 848, 849f
  na fratura supracondilar em pacientes pediátricos, 396, 396f
  na imobilização externa, 16
  na osteossíntese com placa minimamente invasiva, 151-152, 151f, 152f
  na tração, 16f
  no planejamento pré-operatório, 109
  objetivo da, 119, 119f
  parafusos de Schanz na, 228, 228f, 245f
  parafusos unicorticais na, 134
  placas anatomicamente moldadas na, 134, 134f
  placas de proteção na, 90
  placas na, 132-134, 132f-134f
  suprimento sanguíneo e, 24
  técnicas, 119-134, 120t, 121f, 122t, 123t, 124f-134f
  tipoia com campo, 228
  tração na, 120-121, 121f
Redução aberta e fixação interna (RAFI)
  cuidados pós-operatórios e, 438t
  momento da, 140
  na fratura condilar, 398
  na fratura da escápula, 569, 570
  na fratura da mão, 704, 706, 708
  na fratura da patela, 213f
  na fratura da tíbia, 168f
    proximal, 882
  na fratura de anel pélvico, 734, 734f
  na fratura de Galeazzi, 659
  na fratura do acetábulo, 763-767, 763f-767f
  na fratura do antebraço, 635
  na fratura do pilão, 918
  na fratura do rádio, 696
  na fratura do úmero, 103f, 594, 615f, 633f, 635
  na fratura femoral, 160
  nas fraturas diafisárias, 89
  nas fraturas expostas, 342, 342f, 343f, 345f
  nas fraturas intra-articulares, 100
  nas fraturas periprotéticas, 844-844f
  no politraumatismo, 322f, 323f, 327f
Redução com coxim, 228
Redução com *joystick*, 130, 130f, 597-598, 598f
Redução de Kapandji, 130
Regeneração óssea, 34-35
Reinhold, Paul, 270
Remodelação
  haversiana, 11
  interna, 11
  na consolidação de fraturas, 13, 14f
  necrose e, 11
Resistência à corrosão, 29-30, 29f
Resistência à vancomicina, 423, 424
Resistência aos antibióticos, 423, 425
Resistência, dos materiais, 28, 28t
Ressecção da cabeça radial, 650
Ressonância magnética (RM)
  compatibilidade, materiais de implante e, 33
  na fratura periprotética, 840
  na fratura proximal da tíbia, 878
  no diagnóstico de infecção, 536

Ressuscitação
  no politraumatismo, 74, 315-316
  suprimento sanguíneo e, 10, 315-316
Retalhos
  a distância, 376, 377f
  classificação dos, 370, 371t
  definição, 372
  do bíceps femoral, 375f
  do músculo gastrocnêmio lateral, 375f
  do músculo gastrocnêmio medial, 375f
  do músculo glúteo máximo, 375f
  do músculo grácil, 374f
  do músculo reto do abdome, 374f
  do músculo sóleo, 375f
  do músculo vasto lateral, 374f
  fasciocutâneo da virilha, 374f
  fasciocutâneo interno, 375f
  fasciocutâneo lateral distal da coxa, 374f
  fasciocutâneo medial distal da coxa, 374f
  fasciocutâneo medial do pé, 375f
  fasciocutâneo radial do antebraço, 377f
  fasciocutâneo safeno, 374f
  fasciocutâneo sural, 375f
  gastrocnêmio lateral, 375f
  locais, 372, 373f
  microvascular, 376, 377f
  musculocutâneo do tensor da fáscia lata, 374f
  na reconstrução de partes moles, 370-376, 371t, 373f-375f
  osteosseptocutâneo da fíbula, 374f
  padrão axial, 372
  pediculado, 372, 373f, 374f
  regionais, 372, 374f
  supramaleolar fasciocutâneo lateral, 374f
Revestimento com hidroxiapatita (HA), 33
Revestimentos, em implantes, 33
RIA. *Ver* Fresagem, irrigação e aspiração (RIA), sistema de
Rifampicina, 532, 541-542
Rigidez
  dos materiais, 27-28
  na fixação externa, 255, 255f
Riscos da exposição à radiação, 481-482, 482t
RM. *Ver* Ressonância magnética (RM)
RTR. *Ver* Redes de trauma regional (RTR)
Ruptura da sínfise púbica, na fratura do anel pélvico, 734-736, 734f, 735f
Ruptura do tendão patelar, 862
Ruptura sacroilíaca, 737-740, 738f-741f

## S

*S. aureus* resistente à meticilina (MRSA), 423, 424, 425
Sacro, fratura do, 741f, 742, 742f
Salvação do membro, amputação vs., 326, 361-364, 361f-363f
Sarcopenia, 458
Saúde mental, tomada de decisão e, 77
Schneider, Robert, 4

SDRC. *Ver* Síndrome da dor regional complexa (SDRC)
Segmento maleolar, proximal, classificação de fraturas, 43, 43t
"Segundo impacto", 220, 314-315, 314f, 315t
Segurança com o uso de radiação, 484f, 485-488, 486f-488f
Sequestro, 532, 548, 549f, 550f, 560
Sherman, William O'Neill, 3
Sinal da páprica, 551, 551f
Sinal de Destot, 717
Síndrome compartimental
  diagnóstico, 56-57
  efeitos da, 56
  fasciotomia na, 57, 57f
  fechamento e, 144
  fisiopatologia, 55
  manifestação clínica, 55-56, 56f
  medida da pressão do tecido na, 56-57
  na fratura da diáfise da tíbia, 899
  na fratura diafisária, 84
  na fratura do antebraço, 670
  na fratura do úmero, 623
  na lesão de partes moles, 55-57, 55f-57f
  tratamento, 57, 57f
Síndrome da dor regional complexa (SDRC), 10, 445-447, 446f, 670, 694
Síndrome da resposta anti-inflamatória compensatória (SRAC), 312, 313
Síndrome da resposta inflamatória sistêmica (SIRS), 312, 313
Síndrome do homem vermelho, 423
Síndrome do túnel do carpo, 694
Síndrome pós-trombótica (SPT), 429-430
Sínfise púbica, 719f
Sinostose radioulnar pós-traumática, 670-671
SIRS. *Ver* Síndrome da resposta inflamatória sistêmica (SIRS)
Sistema bloqueado estável angular (ASLS), 218
Sistema de Classificação Unificado, 841-843, 841t, 842f-844f
Sistema de codificação, 40f
Sistema de estabilização menos invasivo (LISS)
  desenvolvimento do, 270
  na fratura da tíbia, 249f
  na fratura distal do fêmur, 829-830, 829f
  na osteossíntese com placa minimamente invasiva, 163f, 249f
  parafusos no, 175f
  placa de compressão bloqueada vs., 192
  uso de placas em ponte e, 249f
Sistema de fixação externa monolateral, 261, 261f
Sistema de tubo e haste, na fixação externa, 260, 260f
Sistema vascular fasciocutâneo, 137
Sistema vascular musculocutâneo, 137
SPT. *Ver* Síndrome pós-trombótica
SRAC. *Ver* Síndrome da resposta anti-inflamatória compensatória (SRAC)

Stoppa, via de acesso. *Ver* Via de acesso de Stoppa modificada
*Strain*, teoria de Perren, 18, 242, 242f
Substituição da cabeça radial, 650
Suprimento sanguíneo
  comorbidades e, 10
  e mecanismo da lesão, 10
  e sequelas traumáticas, 11
  e tratamento inicial do paciente, 10
  estabilidade absoluta e, 23-24, 24f
  fratura e, 10-12, 11f, 12f
  fresagem e, 12, 218
  implante e, 11
  incisão e, 142
  na diáfise do fêmur, 790-791, 790f
  na fratura articular, 96
  na fratura exposta, 337-338, 338f
  na lesão de partes moles, 54, 357f
  no politraumatismo, 74, 315-316
  no traumatismo pélvico, 718, 723, 725, 730-731, 730f
  para a pele, 137-138, 138f
  para as partes moles, 137-139, 138f
  placa de compressão dinâmica de baixo contato e, 11, 11f, 185
  placa de compressão dinâmica e, 11, 185
  proximal do úmero, 591, 591f
  recuperação do, 23-24, 24f
  ressuscitação e, 10, 315-316
  via de acesso cirúrgica e, 11
Sutura de Allgöwer-Donati, 145, 145f, 146f
Sutura de tração, na fratura do úmero, 597, 597f

## T

"Tala do aleijado", 694, 695f
Tálus, fratura do
  anatomia, 974
  artrite na, 980
  avaliação, 974
  classificação da, 974, 975t
  classificação de Hawkins da, 975t
  complicações, 979-980
  configuração da sala de cirurgia na, 966f, 976
  consolidação viciosa na, 980
  cuidados pós-operatórios, 979
  desfechos, 980
  diagnóstico, 974
  exposta, 978f
  indicações cirúrgicas na, 975
  necrose avascular na, 980
  no politraumatismo, 323f
  parafusos de tração na, 977, 977f
  parafusos na, 979
  planejamento pré-operatório, 975-976
  prognóstico, 980
  uso de placas na, 977
  via de acesso anterolateral na, 976, 976f
  via de acesso anteromedial na, 976, 976f
  vias de acesso cirúrgicas, 976, 976f
Tazobactam, 424t, 427t

TC. *Ver* Tomografia computadorizada
Tecido necrótico, suprimento sanguíneo e, 11
Técnica de Ilizarov, 555, 555*f*
Técnica de Masquelet, 250, 348, 553-554, 554*f*, 928, 929*f*
Técnica de redução modular, na fixação externa, 264-265, 264*f*, 265*f*
Teicoplanina, 423, 424, 424*t*, 427*t*
Tendão subescapular, 590, 591*f*
Teoria do *strain* de Perren, 18, 242, 242*f*
Tepic, Slobodan, 5
Terapia por pressão negativa (TPN), 347, 347*f*, 541, 556, 922, 922*f*
TEV. *Ver* Tromboembolismo venoso (TEV)
Tíbia, fratura da. *Ver também* Pilão, fratura do
  articular, 94*f*
  consolidação viciosa na, 494*f*, 495*f*, 506-510, 508*f*, 509*f*
  cuidados pós-operatórios, 439*t*
  diáfise
    anatomia, 900, 900*f*
    avaliação, 899-900
    características especiais da, 899
    classificação, 900, 901*f*
    complicações na, 910
    configuração da sala de cirurgia na, 902, 902*f*
    cuidados pós-operatórios, 439*t*, 909
    desafios na, 909
    desfecho, 910
    diagnóstico, 899-900
    encavilhamento intramedular na, 902-904, 903*f*, 904*f*, 905-906, 906*f*, 907-909
    epidemiologia, 899
    exame físico, 899
    exame neurovascular na, 899
    exames de imagem, 900
    fixação da, 907-909
    fixação externa na, 905, 905*f*, 909
    história da, 899
    história do caso na, 899
    indicações cirúrgicas na, 900-901
    infecção na, 910
    mau alinhamento aceitável na, 381*t*
    momento da cirurgia na, 901
    não união na, 910
    osteossíntese com placa minimamente invasiva, 151, 166, 166*f*-167*f*
    parafusos na, 908
    placa de compressão bloqueada na, 908
    planejamento pré-operatório na, 901-902, 902*f*
    prognóstico, 910
    redução da, 905-907, 906*f*-908*f*
    seleção de implantes na, 901
    síndrome compartimental na, 899
    tratamento não cirúrgico, 901
    uso de placas na, 904-905, 905*f*, 906-907, 907*f*, 908
  vias de acesso cirúrgicas na, 902-905, 903*f*-905*f*
  distal (*Ver também* Pilão, fratura do)
    história da, 913
    osteossíntese com placa minimamente invasiva na, 168-170, 168*f*-169*f*
    encavilhamento intramedular na, 221, 222, 227, 227*f*, 343*t*
    exame físico, 877-878, 877*f*
    fixação externa da, 256, 258*f*, 345*f*
    história do caso na, 877-878, 877*f*
    momento da cirurgia na, 140
    multifragmentada, 85*f*
    parafusos bloqueados na, 283*f*
    pediátrica, 381*t*, 415-419, 415*f*, 416*f*, 418*f*, 419*f*
    placas de compressão bloqueada na, 196*f*, 292*f*, 295*f*, 296*f*, 303*f*, 304*f*, 306*f*
  proximal
    anatomia, 878-880, 879*f*-881*f*
    articular completa, 893, 893*f*, 894*f*
    articular parcial, 890-893, 890*f*-892*f*
    avaliação, 877-878, 877*f*-879*f*
    classificação, 880, 881*f*
    com depressão articular, 893
    complicações, 896
    configuração da sala de cirurgia na, 882, 882*f*
    cuidados pós-operatórios, 439*t*, 894
    da coluna lateral, 890-891, 890*f*, 891*f*
    da coluna medial, 891
    da coluna posterior, 891-892, 892*f*
    desafios com, 893, 895*f*
    desfecho, 896
    diagnóstico, 877-878, 877*f*-879*f*
    do planalto tibial ipsilateral, 893
    encavilhamento intramedular na, 889-890, 889*f*
    exames de imagem, 878, 878*f*
    extra-articular, 887-890, 887*f*-889*f*
    fixação na, 887-893, 887*f*-894*f*
    indicações cirúrgicas na, 881
    ligamento cruzado anterior na, 880, 880*f*
    momento da cirurgia na, 881
    osteossíntese com placa minimamente invasiva na, 164, 165*f*
    planejamento pré-operatório na, 881-882, 882*f*
    prognóstico, 896
    redução da, 885-887, 885*f*, 886*f*
    seleção de implantes na, 882
    via de acesso anterolateral na, 882, 883*f*
    via de acesso em formato de L invertido, 885, 885*f*
    via de acesso posterolateral na, 883, 884*f*
    via de acesso posteromedial na, 883, 884*f*
    vias de acesso cirúrgicas na, 882-885, 883*f*-885*f*
  redução da, com encavilhamento intramedular, 228
  redução da, pediátrica, 417
  segmento maleolar, 43, 43*t*
  uso de placa em ponte na, 85*f*, 248, 249*f*, 251*f*
Tipoia com campo, 228
Titânio
  como material, 27
  ductilidade do, 28
  erosão do, 30
  formação de cápsula fibrosa com, 31, 32*f*
  propriedades de superfície do, 30-31
  reações alérgicas e, 32
  resistência, 28*t*
  resistência à corrosão, 29*f*
Titânio, ligas de, 27
  erosão das, 30
  propriedades de superfície das, 30-31
  propriedades de torção das, 29
  reações alérgicas e, 32
Tomada de decisão
  ambiente de cuidados de saúde e, 80
  comunicação e, 80
  condições neurológicas e, 77
  diabetes e, 76
  doença arterial periférica e, 76
  doença articular e, 77
  doença hepática e, 77
  doença maligna e, 77
  doença renal e, 76-77
  doença venosa e, 76
  estado de saúde e, 76-77
  fatores relacionados à fratura, 78
  fatores sociais e, 77-78
  interdisciplinar, 364-366, 365*f*
  medicamentos e, 77
  na consolidação viciosa, 497, 497*f*
  na fratura do acetábulo, 750-751
  na fratura do anel pélvico, 721-725, 722*f*, 725*f*-729*f*, 731-732, 731*t*
  na fratura periprotética, 844, 848
  na perda de partes moles, 364-366, 365*f*
  no planejamento pré-operatório, 108-109
  no politraumatismo, 74-76, 74*f*, 75*f*
  obesidade e, 77
  ocupação do paciente e, 77
  partes moles e, 78
  "personalidade" da lesão e, 73, 73*f*, 76-78
  problemas cardiorrespiratórios e, 76
  saúde mental e, 77
  sobre o momento da cirurgia, 78-79, 79*t*
Tomografia computadorizada (TC). *Ver também* Exames de imagem
  na fratura articular, 98, 99*f*
  na fratura de clavícula, 574
  na fratura do acetábulo, 750, 750*f*
  na fratura do anel pélvico, 723
  na fratura do calcâneo, 963, 963*f*
  na fratura do maléolo, 935, 935*f*
  na fratura do pilão, 914
  na fratura do rádio, 674-676, 675*f*, 676*f*
  na fratura do úmero, 590, 590*f*
  na fratura periprotética, 840, 840*f*

na fratura proximal da tíbia, 878
no diagnóstico de infecção, 536, 549, 550f
no planejamento pré-operatório, 106
Tomografia por emissão de pósitrons (PET), no diagnóstico de infecção, 536, 549, 550f
Tórax flácido, 325
Tornozelo. *Ver* Maléolo, fratura do
Toxicidade, resistência à corrosão e, 29-30, 29f
Tração
  como tratamento não cirúrgico de fratura, 15, 16f
  na fratura articular, 101, 120-121, 121f
  na fratura diafisária, 87
  na redução, 120-121, 121f
  redução na, 16f
Transmissão de carga, na fratura diafisária, 91
Transporte ósseo, fixação externa no, 266
Tratamento não cirúrgico da fratura, 15-16, 15f, 16f
  na fratura articular, 100
  na fratura da tíbia, 901
  na fratura diafisária, 87-89, 88f
  na fratura do cuboide, 988
  na fratura periprotética, 845
Trauma craniencefálico, 324
Traumatismo. *Ver* Fratura; Politraumatismo; Partes moles
"Tríade letal", 314, 314f
Triângulo de Volkmann. 938. 940f, 951
Tromboembolismo venoso (TEV), 429-431, 431t. *Ver também* Profilaxia do tromboembolismo
Trombose venosa profunda (TVP), 429-430, 770. *Ver também* Profilaxia do tromboembolismo

# U

Ulna, fratura da. *Ver também* Antebraço, fratura do
  diáfise, 658, 659, 659f
  distal, 695-696, 696f
  pediátrica, 401, 402, 402f
  redução da, 667, 667f
  tratamento não cirúrgico, 641
  vias de acesso cirúrgicas, 663, 663f
Ulna, proximal, anatomia da, 639
Ultrassonografia, no diagnóstico de infecção, 536
Úmero, fratura do
  consolidação viciosa na, 501-504, 501f-503f, 605
  cuidados pós-operatórios, 438t
  diáfise
    abordagem anterior extensível à, 608f
    anatomia, 607-608, 608f
    avaliação, 607
    cirurgia, 612-620, 613f-619f
    classificação, 609, 609f
    complicações, 620
    configuração da sala de cirurgia na, 611-612, 611f, 612f
    cuidados pós-operatórios, 620
    desfechos, 620-621
    diagnóstico, 607
    encavilhamento intramedular na, 609, 617-618, 617f, 618f, 619
    epidemiologia, 607
    exames de imagem, 607
    fixação externa na, 619, 619f
    imobilização na, 609, 609f
    indicações cirúrgicas para, 609, 609f
    mau alinhamento aceitável na, 381t
    momento da cirurgia, 610
    osteossíntese com placa minimamente invasiva na, 151, 158-160, 158f, 159f, 615-617, 616f, 617f
    PHILOS na, 611
    placa de compressão bloqueada na, 610
    placa de compressão dinâmica de baixo contato na, 610f
    placa de compressão dinâmica na, 610
    planejamento pré-operatório na, 610-612, 610f-612f
    prognóstico, 620-621
    redução da, 619
    seleção do implante na, 610-611, 610f
    via de acesso anterior, 611, 611f, 612-615, 613f
    via de acesso cirúrgica, 608f, 612-618, 613f 618f
    via de acesso medial, 617
    via de acesso posterior, 612, 612f, 614f, 615, 615f
  distal
    abordagem de Bryan-Morrey, 630, 630f
    anatomia, 624, 624f
    articular, 628-629
    avaliação, 623
    cirurgia, 626-634, 626f-634f
    classificação, 624, 624f
    complicações, 635
    configuração da sala de cirurgia na, 626, 626f
    cuidados pós-operatórios na, 634-635
    desafios, 634
    desfechos, 635
    diagnóstico, 623
    epidemiologia, 623
    exame físico, 623
    exames de imagem, 623
    fixação na, 632-634, 633f, 634f
    história do caso na, 623
    indicações cirúrgicas para, 624
    na osteoporose, 623
    nervo ulnar na, 627
    osteotomia de chevron na, 629, 629f
    placa de compressão bloqueada na, 196f, 197f, 291f, 293f, 625, 633-634, 633f
    placa de compressão dinâmica de baixo contato, 625
    planejamento pré-operatório, 625-626, 625f, 626f
    prognóstico, 635
    redução da, 631-632, 631f, 632f
    seleção de implantes na, 625
    síndrome compartimental na, 623
    vias de acesso cirúrgicas, 626-630, 626f-630f
  epidemiologia, na osteoporose, 454
  fixação externa da, 259f
  hastes intramedulares na, 222
  momento da cirurgia, 140
  na osteoporose, 469f, 470f, 476f, 477f
  pediátrica, 381t, 394-398, 395f-398f
  PHILOS na, 157f, 158f, 307f, 476f, 602, 611
  placa de compressão bloqueada na, 307f
  proximal
    anatomia, 590-591, 591f
    avaliação, 587-590, 588f-590f
    características especiais da, 587
    classificação da, 43, 43t, 592, 592f
    classificação de Neer da, 592
    classificação LEGO da, 592
    complicações, 604-605
    configuração da sala de cirurgia na, 593, 593f
    consolidação viciosa na, 605
    cuidados pós-operatórios, 604, 604t
    desafios, 603
    desfechos, 605
    diagnóstico, 587-590, 588f-590f
    encavilhamento intramedular na, 601, 601f, 603
    epidemiologia, 587
    exame físico, 587
    exames de imagem na, 588-590, 588f-590f
    fixação da, 597-604, 597f-602f
    história do caso na, 587
    indicações cirúrgicas para, 592
    mau alinhamento aceitável na, 381t
    momento da cirurgia na, 593
    não união na, 605
    necrose avascular na, 605
    osteossíntese com placa minimamente invasiva na, 150, 156, 156f-157f, 602
    parafusos bloqueados na, 286f
    parafusos de tração na, 600, 600f
    penetração do parafuso na, 604
    placa de compressão bloqueada na, 302f, 601, 602f
    planejamento pré-operatório, 593, 593f
    prognóstico, 605
    redução com *joystick* na, 597-598, 598f
    redução da, 597-604, 597f-602f
    redução indireta da, 598, 599f
    seleção de implantes na, 593
    suprimento sanguíneo na, 591, 591f

suturas de tração na, 597, 597f
via de acesso cirúrgica, 594-596, 595f, 596f
via de acesso deltopeitoral, 594, 595f
via de acesso transdeltoide, 596, 596f
Urist, Marshall, 13

# V

VA. *Ver* Ângulo variável (VA), placa de compressão bloqueada
Validade de conteúdo, na classificação de fraturas, 48
Vancomicina, 424
Varfarina, 432, 463
Variância ulnar, 674, 674f
Vasos cutâneos, 137-138
Vasos perfurantes, 137
Via de acesso cirúrgica
  com hastes intramedulares, 225, 225f
  considerações sobre partes moles e, 139, 139f
  na fratura da articulação metacarpofalângica do polegar, 706, 707f
  na fratura da clavícula, 577f, 578
  na fratura da escápula, 567-568, 568f
  na fratura da falange, 709-710, 709f-713f, 712
  na fratura da patela, 858, 858f
  na fratura da tíbia
    diáfise, 902-905, 903f-905f
    distal, *ver* em Pilão
    proximal, 882-885, 883f-885f
  na fratura do acetábulo, 753-761, 754f, 756f-760f, 762f
  na fratura do antebraço, 643-645, 643f-645f, 662-666, 663f-666f
  na fratura do coronoide, 644-645, 644f, 645f
  na fratura do fêmur
    cabeça do fêmur, 785
    diáfise, 797-801, 798f-801f
    distal, 821-825, 821f-825f
    proximal, 780, 781f
  na fratura do maléolo, 948-949, 948f, 949f
  na fratura do metacarpo, 708, 708f
  na fratura do olécrano, 643
  na fratura do pilão, 922-924, 923f, 924f
  na fratura do rádio, 643-644, 643f, 644f, 645f 664, 664f, 665f, 666, 666f
  na fratura do tálus, 976, 976f
  na fratura do úmero
    diáfise, 608f, 612-618, 613f-618f
    distal, 626-630, 626f-630f
    proximal, 594-596, 595f, 596f
Via de acesso de Kocher-Langenbeck, 752, 752f, 753-755
Via de acesso deltopeitoral
  na fratura da escápula, 567
  na fratura proximal do úmero, 594, 595f
Via de acesso de Stoppa modificada, 758-759, 758f-759f
Via de acesso iliofemoral estendida, 761, 762f
Via de acesso ilioinguinal, 752, 752f, 755, 756f-757f
Via de acesso intrapélvica anterior, 758-759, 758f-759f
Via de acesso medial subvasto, 824, 824f
Via de acesso parapatelar, 823, 823f
Via de acesso superior, na fratura da escápula, 567
Via de acesso transdeltoide, na fratura proximal do úmero, 596, 596f
Viabilidade muscular, 359
Vias de acesso posteriores, na fratura da escápula, 567, 568f
Vitamina D, 465-466
Vitamina K, antagonistas, 432, 463

# W

Willenegger, Hans, 4, 4f

# Z

Zona de lesão, 51, 75, 75f, 78, 96, 140, 263, 264, 332, 341, 339, 349
Zonas seguras, na fixação externa, 256, 257f-259f